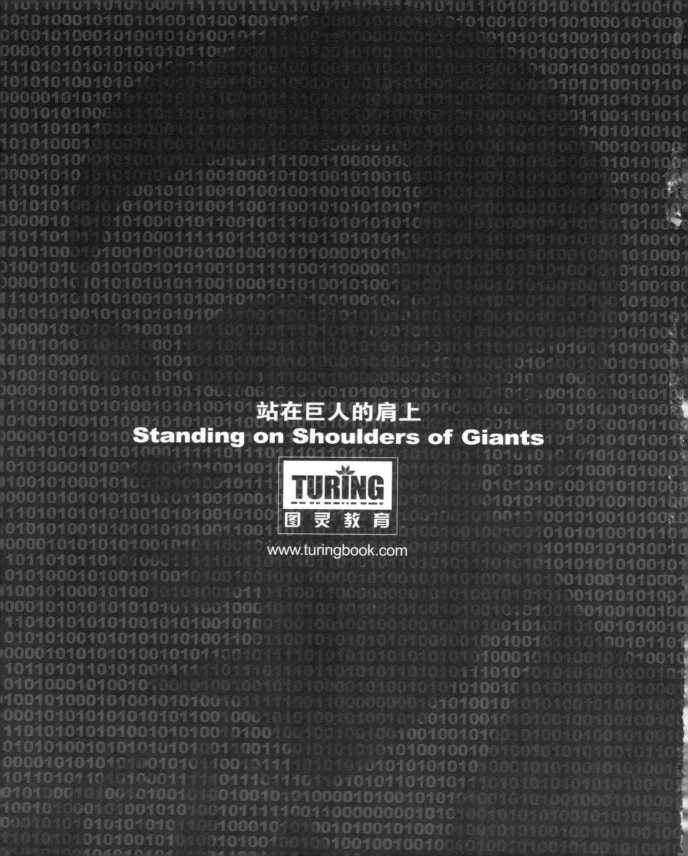

站在巨人的肩上
Standing on Shoulders of Giants

TURING
图灵教育

www.turingbook.com

图灵程序设计丛书

C++ Primer 中文版

（第 4 版）

Stanley B. Lippman
Josée Lajoie   著
Barbara E. Moo

李师贤　蒋爱军
梅晓勇　林　瑛　译

人民邮电出版社
POSTS & TELECOM PRESS

图书在版编目（CIP）数据

C++ Primer 中文版：第 4 版 /（美）李普曼，（美）拉茹瓦，（美）穆著；李师贤等译. —北京：人民邮电出版社，2006.3
（图灵程序设计丛书）
ISBN 7−115−14554−7

Ⅰ．C... Ⅱ．①李...②拉...③穆...④李... Ⅲ．C 语言－程序设计 Ⅳ．TP312

中国版本图书馆 CIP 数据核字（2006）第 014313 号

内 容 提 要

　　本书是久负盛名的 C++经典教程，完美结合了 C++大师 Stanley B. Lippman 丰富的实践经验和 C++标准委员会原负责人 Josée Lajoie 对 C++标准的深入理解，已经帮助全球无数程序员学会了 C++。本版对前一版进行了彻底的修订，内容经过了重新组织，更加入了 C++先驱 Barbara E. Moo 在 C++教学方面的真知灼见，既显著改善了可读性，又充分体现了 C++语言的最新进展和当前的业界最佳实践。书中不但新增大量教学辅助内容，用于强调重要的知识点，提醒常见的错误，推荐优秀的编程实践，给出使用提示，还包含大量来自实战的示例和习题。

　　对 C++基本概念和技术全面而且权威的阐述，对现代 C++编程风格的强调，使本书成为 C++初学者的最佳指南；对于中高级程序员，本书也是不可或缺的参考书。

图灵程序设计丛书

C++ Primer 中文版（第 4 版）

　◆　著　　　　Stanley B. Lippman　Josée Lajoie　Barbara E. Moo
　　　译　　　　李师贤　蒋爱军　梅晓勇　林　瑛
　　　责任编辑　杨海玲

　◆　人民邮电出版社出版发行　　北京市崇文区夕照寺街 14 号
　　　邮编　100061　　电子函件　315@ptpress.com.cn
　　　网址　http://www.ptpress.com.cn
　　　北京顺义振华印刷厂印刷
　　　新华书店总店北京发行所经销

　◆　开本：800×1000　1/16
　　　印张：47.75
　　　字数：1 149 千字　　　　　　2006 年 3 月第 1 版
　　　印数：19 001 – 23 000 册　　2007 年 3 月北京第 5 次印刷

　　　　　著作权合同登记号　图字：01-2005-3578 号
　　　　　　　ISBN 7-115-14554-7/TP · 5273

定价：99.00 元
读者服务热线：(010)88593802　印装质量热线：(010)67129223

版权声明

译 者 序

作为目前业界广泛使用的编程语言，C++可谓包罗万象、博大精深。20 年来，讲述 C++的图书早已经汗牛充栋、层出不穷，但其中业界公认的完整涵盖 C++标准的权威著作只有两部，曾经有评论将之喻为"倚天屠龙"。其中一部当然是 C++之父 Bjarne Stroustrup 所著的《C++程序设计语言》，内容精辟深刻，但是要求较高，只适合有一定经验的程序员提升功力之用。而另一部就是本书，自 1989 年初版以来，历经多次修订，始终保持了内容全面准确、循序渐进、明快易读的特色，早已奠定了无可替代的经典地位。原版到第 3 版就累积销售了 45 万册以上，第 3 版的中文版引入国内时，也产生了极大影响，甚至曾经出现过洛阳纸贵的局面。

本书的成功当然离不开强大的作者阵容。本书第一作者 Stanley Lippman 早在 C++还处于萌芽时期就是 Stroustrup 所在的 C++编译器项目团队的成员，目前又在微软领导 Visual C++和 CLI 的开发，对 C++可以说是了如指掌，实践经验极为丰富，加之多年来著书撰文不辍，在开发社区深孚众望，已成为公认的大师级人物。第二作者 Josée Lajoie 从第 3 版开始加入，她曾经在 IBM 从事 C++编译器开发，并担任过 ISO C++标准委员会核心语言工作组主席多年，她的加盟，充分保证了本书与 C++标准的兼容。

应该说，在很大程度上本书的第 3 版已臻完美。但是拿到第 4 版样书之后，我们发现新版完全不是对前版的简单扩充，不仅在布局结构上进行了彻底更新和重新规划，对具体文字和实例也进行了大幅改动，两个版本甚至很难找到相同的段落。在并无新版本的 C++标准定案发布的情况下，作者撰写新版而且做出这么大修订的原因何在？而新版又有何重要改进呢？

众所周知，C++从 C 语言继承而来的历史包袱，C++对多种编程风格的支持，以及各种误解和不良习惯，都大大增加了 C++教学和使用的复杂性，而传统教材和教学方法的各种弊端更加剧了这一情况，使 C++成为不少人望而生畏的难学难用的"专家语言"。

阅读本书后，我们不得不承认，几位大师级作者们很好地回应了上述挑战。这里我们应该特别提到本书新版增加的第三作者 Barbara Moo。她作为项目经理，曾经领导了包括 Stroustrup 和 Lippman 在内的贝尔实验室 C++编译器团队。她在斯坦福大学教授 C++课程的丰富经验和教学改革成果，对本书新版产生了重大影响。

相比之下，本书第 4 版主要有如下特点：

- 反映了现代理念。新版紧扣 C++语言当前的应用趋势——更加关注程序员的开发效率而不是系统的运行效率，摒弃了传统的阐述方式，不再注重低层编程技术，而是从一开始就强调标准库的使用，让人耳目一新。

- 突出了实践性。新版在继承了本书原有特色——全面、详细、准确地介绍 C++知识点的基础上，特别注重介绍那些实际开发中通用的、行之有效的编程技术。在特定场合，C++提供的丰富"武器库"中应该选择哪些设施，应该注意哪些问题，业界已经总结了哪些优秀的编程实践和易犯的错误等，而这些正是目前其他 C++图书所缺乏的。

- 增加了教学环节，改善了可读性。新版版式设计非常适合阅读，而且每一章都精心组织了重要术语、小结、大量示例和习题，文中另有丰富的额外提示和交叉引用，便于读者查找复习，消化核心概念，巩固所学知识。

我们在翻译过程中深深感到，本书新版在经典前版的基础上又有了质的飞跃，体现了世界C++教学方面的最新进展和最高水平。我们衷心希望本书中文版的出版，能够推动国内 C++ 教学和使用的发展。

参加本书翻译工作的有李师贤、蒋爱军、梅晓勇、林瑛，全书由李师贤审校。参与部分校对或录入工作的还有古思山、黎永基、陈晓君、刘海伟等，在此对他们的工作表示衷心的感谢！

感谢人民邮电出版社图灵公司的编辑们，他们为保证本书的质量做了大量的工作。

由于书中概念和术语数目繁多，且有许多概念和术语目前尚无公认的中文译法，加之译者水平所限，译文中不当之处，恳请读者批评指正。

前　言

本书全面介绍了 C++语言。作为一本入门书（Primer），它以教程的形式对 C++语言进行清晰的讲解，并辅以丰富的示例和各种学习辅助手段。与大多数入门教程不同，本书对 C++语言本身进行了详尽的描述，并特别着重介绍了目前通行的、行之有效的程序设计技巧。

无数程序员曾使用本书的前几个版本学习 C++，在此期间 C++也逐渐发展成熟。这些年来，C++语言的发展方向以及 C++程序员的关注点，已经从以往注重运行时的效率，转到千方百计地提高程序员的编程效率上。随着标准库的广泛可用，我们现在能够比以往任何时候更高效地学习和使用 C++。本书这一版本充分体现了这一点。

第 4 版的改动

为了体现现代 C++编程风格，我们重新组织并重写了本书。书中不再强调低层编程技术，而把中心转向标准库的使用。书中很早就开始介绍标准库，示例也已经重新改写，充分利用了标准库设施。我们也对语言主题叙述的先后次序进行了重新编排，使讲解更加流畅。

除重新组织内容外，为了便于读者理解，我们还增加了几个新的环节。每一章都新增了"小结"和"术语"，概括本章要点。读者可以利用这些部分进行自我检查；如果发现还有不理解的概念，可以重新学习该章中的相关部分。

书中还加入了下述几种学习辅助手段：

- 重要术语用**黑体**表示，我们认为读者已经熟悉的重要术语则用楷体表示。这些术语都会出现在章后的"术语"部分。
- 书中用特殊版式突出标注的文字，是为了向读者提醒语言的重要特征，警示常见的错误，标明良好的编程实践，列出通用的使用技巧。希望这些标注可以帮助读者更快地消化重要概念，避免犯常见错误。
- 为了更易于理解各种特征或概念间的关系，书中大量使用了前后交叉引用。
- 对于某些重要概念和 C++新手最头疼的问题，我们进行了额外的讨论和解释。这部分也以特殊版式标出。
- 学习任何程序设计语言都需要编写程序。因此，本书提供了大量的示例。所有示例的源代码可从下列网址获得：

  http://www.awprofessional.com/cpp_primer

万变不离其宗，本书保持了前几版的特色，仍然是一部全面介绍 C++的教程。我们的目标是提供一本清晰、全面、准确的指南性读物。我们通过讲解一系列示例来教授 C++语言，示例除了解释语言特征外，还展示了如何善用这门语言。虽然读者不需要事先学过 C 语言（C++最初的基础)的知识,但我们假定读者已经掌握了一种现代结构化语言。

本书结构

本书介绍了 C++国际标准,既涵盖语言的特征,又讲述了也是标准组成部分的丰富标准库。C++的强大很大程度上来自它支持抽象程序设计。要学会用 C++高效地编程,只是掌握句法和语义是远远不够的。我们的重点在于,教会读者怎样利用 C++的特性,快速地写出安全的而且性能可与 C 语言低层程序相媲美的程序。

C++是一种大型的编程语言,这可能会吓倒一些新手。现代 C++可以看成由以下三部分组成:

* 低级语言,多半继承自 C。
* 更高级的语言特征,用户可以借此定义自己的数据类型,组织大规模的程序和系统。
* 标准库,使用上述高级特征提供一整套有用的数据结构和算法。

多数 C++教材按照下面的顺序展开:先讲低级细节,再介绍更高级的语言特征;在讲完整个语言后才开始解释标准库。结果往往使读者纠缠于低级的程序设计问题和复杂类型定义的编写等细节,而不能真正领会抽象编程的强大,更不用说学到足够的知识去创建自己的抽象了。

本版中我们独辟蹊径。一开始就讲述语言的基础知识和标准库,这样读者就可以写出比较大的有实际意义的程序来。透彻阐释了使用标准库(并且用标准库编写了各种抽象程序)的基础知识之后,我们才进入下一步,学习用 C++的其他高级特征来编写自己的抽象。

第一和第二部分讨论语言的基础知识和标准库设施。其重点在于学会如何编写 C++程序,如何使用标准库提供的抽象设施。大部分 C++程序员需要了解本书这两部分的内容。

除了讲解基础知识以外,这两部分还有另外一个重要的意图。标准库设施本身是用 C++编写的抽象数据类型,定义标准库所使用的是任何 C++程序员都能使用的构造类的语言特征。我们教授 C++的经验说明,一开始就使用设计良好的抽象类型,读者会更容易理解如何建立自己的类型。

第三到第五部分着重讨论如何编写自己的类型。第三部分介绍 C++的核心,即对类的支持。类机制提供了编写自定义抽象的基础。类也是第四部分中讨论的面向对象编程和泛型编程的基础。全书正文的最后是第五部分,这一部分讨论了一些高级特征,它们在构建大型复杂系统时最为常用。

致谢

与前几版一样,我们要感谢 Bjarne Stroustrup,他不知疲倦地从事着 C++方面的工作,他与我们的深厚友情由来已久。我们还要感谢 Alex Stepanov,正是他最初凭借敏锐的洞察力创造了容器和算法的概念,这些概念最终形成了标准库的核心。此外,我们要感谢 C++标准委员会的所有成员,他们多年来为 C++澄清概念、细化标准和改进功能付出了艰苦的努力。

我们要衷心地感谢本书的审稿人,他们审阅了我们的多份书稿,帮助我们对本书进行了无数大大小小的修改。他们是 Paul Abrahams、Michael Ball、Mary Dageforde、Paul DuBois、Matt Greenwood、Matthew P. Johnson、Andrew Koenig、Nevin Liber、Bill Locke、Robert Murray、Phil

Romanik、Justin Shaw、Victor Shtern、Clovis Tondo、Daveed Vandevoorde 和 Steve Vinoski。

　　书中所有示例都已通过 GNU 和微软编译器的编译。感谢他们的开发者和所有开发其他 C++ 编译器的人，是他们使 C++变成现实。

　　最后，感谢 Addison-Wesley 的工作人员，他们引领了这一版的整个出版过程：Debbie Lafferty——我们最初的编辑，是他提出出版本书的新版，他从本书最初版本起就一直致力于本书；Peter Gordon——我们的新编辑，他坚持更新和精简本书内容，极大地改进了这一版本；Kim Boedigheimer——他保证了我们所有人能按进度工作；还有 Tyrrell Albaugh、Jim Markham、Elizabeth Ryan 和 John Fuller，他们和我们一起经历了整个设计和制作过程。

目　录

第 1 章

快 速 入 门

本章介绍 C++的大部分基本要素：内置类型、库类型、类类型、变量、表达式、语句和函数。在这一过程中还会简要说明如何编译和运行程序。

读者读完本章内容并做完练习，就应该可以编写、编译和执行简单的程序。后面的章节会进一步阐明本章所介绍的主题。

要学会一门新的程序设计语言,必须实际动手编写程序。在这一章,我们将编写程序解决一个简单的数据处理问题:某书店以文件形式保存其每一笔交易。每一笔交易记录某本书的销售情况,含有 ISBN(国际标准书号,世界上每种图书的唯一标识符)、销售册数和销售单价。每一笔交易形如:

```
0-201-70353-X 4 24.99
```

第一个元素是 ISBN,第二个元素是销售的册数,最后是销售单价。店主定期地查看这个文件,统计每本书的销售册数、总销售收入以及平均售价。我们要编写程序来进行这些计算。

在编写这个程序之前,必须知道 C++的一些基本特征。至少我们要知道怎么样去编写、编译和执行简单的程序。这个程序要做什么呢? 虽然还没有设计出解决方案,但是我们知道程序必须:

- 定义变量。
- 实现输入和输出。
- 定义数据结构来保存要处理的数据。
- 测试是否两条记录具有相同的 ISBN。
- 编写循环,处理交易文件中的每一条记录。

我们将首先考察 C++的这些部分,然后编写书店问题的解决方案。

1.1 编写简单的 C++程序

每个 C++程序都包含一个或多个函数,而且必须有一个命名为 **main**。函数由执行函数功能的语句序列组成。操作系统通过调用 main 函数来执行程序,main 函数则执行组成自己的语句并返回一个值给操作系统。

下面是一个简单的 main 函数,它不执行任何功能,只是返回一个值:

```
int main()
{
    return 0;
}
```

操作系统通过 main 函数返回的值来确定程序是否成功执行完毕。返回 0 值表明程序成功执行完毕。

main 函数在很多方面都比较特别,其中最重要的是每个 C++程序必须含有 main 函数,且 main 函数是(唯一)被操作系统显式调用的函数。

定义 main 函数和定义其他函数一样。定义函数必须指定 4 个元素:返回类型、函数名、圆括号内的形参表(可能为空)和函数体。main 函数的形参个数是有限的。本例中定义的 main 函数形参表为空。7.2.6 节将介绍 main 函数中可以定义的其他形参。

main 函数的返回值必须是 int 型,该类型表示整数。int 类型是**内置类型**,即该类型是由 C++语言定义的。

函数体是函数定义的最后部分,是以**花括号**开始并以花括号结束的语句块:

```
{
    return 0;
}
```

例中唯一的语句就是 return，该语句终止函数。

> 注意 return 语句后面的分号。在 C++ 中多数语句以分号作为结束标记。分号很容易被忽略，而漏写分号将会导致莫名其妙的编译错误信息。

当 return 带上一个值（如 0）时，这个值就是函数的返回值。返回值类型必须和函数的返回类型相同，或者可以转换成函数的返回类型。对于 main 函数，返回类型必须是 int 型，0 是 int 型的。

在大多数系统中，main 函数的返回值是一个状态指示器。返回值 0 往往表示 main 函数成功执行完毕。任何其他非零的返回值都有操作系统定义的含义。通常非零返回值表明有错误出现。每一种操作系统都有自己的方式告诉用户 main 函数返回什么内容。

编译与执行程序

程序编写完后需要进行编译。如何进行编译，与具体操作系统和编译器有关。你需要查看有关参考手册或者询问有经验的同事，以了解所用的编译器的工作细节。

许多基于 PC 的编译器都在集成开发环境（IDE）中运行，IDE 将编译器与相关的构建和分析工具绑定在一起。这些环境在开发复杂程序时非常有用，但掌握起来需要花费一点时间。通常这些环境包含点击式界面，程序员在此界面下可以编写程序，并使用各种菜单来编译与执行程序。本书不介绍怎样使用这些环境。

大多数编译器，包括那些来自 IDE 的，都提供了命令行界面。除非你已经很熟悉你的 IDE，否则从使用简单的命令行界面开始可能更容易些。这样可以避免在学习语言之前得先去学习 IDE。

3

调用 GNU 或微软编译器

调用 C++ 编译器的命令因编译器和操作系统的不同而不同，常用的编译器是 GNU 编译器和微软 Visual Studio 编译器。调用 GNU 编译器的默认命令是 g++：

```
$ g++ prog1.cc -o prog1
```

这里的 $ 是系统提示符。这个命令产生一个名为 prog1 或 prog1.exe 的可执行文件。在 UNIX 系统下，可执行文件没有后缀；而在 Windows 下，后缀是 .exe。-o prog1 是编译器参数以及用来存放可执行文件的文件名。如果省略 -o prog1，那么编译器在 UNIX 系统下产生名为 a.out 而在 Windows 下产生名为 a.exe 的可执行文件。

微软编译器采用命令 cl 来调用：

```
C:\directory> cl -GX prog1.cpp
```

这里的 C:\directory> 是系统提示符，directory 是当前目录名。cl 是调用编译器的命令，-GX 是一个选项，该选项在使用命令行界面编译程序时是必需的。微软编译器自动产生与源文件同名的可执行文件，这个可执行文件具有 .exe 后缀且与源文件同名。本例中，可执行文件命名为 prog1.exe。

更多的信息请参考你的编译器用户指南。

1. 程序源文件命名规范

不管我们使用命令行界面还是 IDE，大多数编译器希望待编译的程序保存在文件中。程序文件称作**源文件**。大多数系统中，源文件的名字由文件名（如 prog1）和文件后缀两部分组成。依据惯例，文件后缀表明该文件是程序。文件后缀通常也表明程序是用什么语言编写的，以及选择哪一种编译器运行。我们用来编译本书实例的系统将带有后缀 .cc 的文件视为 C++ 程序，因此我们将该程序保存为：

```
prog1.cc
```

C++ 程序文件的后缀与所运行的具体编译器有关。其他的形式还包括：

```
prog1.cxx
prog1.cpp
prog1.cp
prog1.C
```

4

2. 从命令行运行编译器

如果使用命令行界面，一般在控制台窗口（例如 UNIX 的 shell 窗口或 Windows 的命令提示窗口）编译程序。假设 main 程序在名为 prog1.cc 的文件中，可以使用如下命令来编译：

```
$ CC prog1.cc
```

这里 CC 是编译器命令名，$ 表示系统提示符。编译器输出一个可执行文件，我们可以按名调用这个可执行文件。在我们的系统中，编译器产生一个名为 a.exe 的可执行文件。UNIX 编译器则会将可执行文件放到一个名为 a.out 的文件中。要运行可执行文件，可在命令行提示符处给出该文件名：

```
$ a .exe
```

执行编译过的程序。在 UNIX 系统中，即使在当前目录，有时还必须指定文件所在的目录。这种情况下，键入：

```
$ ./a.out
```

"."后面的斜杠表明文件处于当前目录下。

访问 main 函数的返回值的方式和系统有关。不论 UNIX 还是 Windows 系统，执行程序后，必须发出一个适当的 echo 命令。UNIX 系统中，通过键入如下命令获取状态：

```
$ echo $?
```

要在 Windows 系统下查看状态，键入

```
C:\directory> echo %ERRORLEVEL%
```

习题

习题 1.1　查看所用的编译器文档，了解它所用的文件命名规范。编译并运行本节的 main 程序。

习题 1.2　修改程序使其返回 -1。返回值 -1 通常作为程序运行失败的指示器。然而，系统不同，如何（甚至是否）报告 main 函数运行失败也不同。重新编译并再次运行程序，看看你的系统如何处理 main 函数的运行失败指示器。

1.2 初窥输入/输出

C++并没有直接定义进行输入或输出（IO）的任何语句，这种功能是由标准库提供的。IO 库提供了大量的设施。然而，对许多应用，包括本书的例子而言，编程者只需要了解一些基本概念和操作。

本书的大多数例子都使用了处理格式化输入和输出的 **iostream** 库。iostream 库的基础是两种命名为 **istream** 和 **ostream** 的类型，分别表示输入流和输出流。流是指要从某种 IO 设备上读入或写出的字符序列。术语"流"试图说明字符是随着时间顺序生成或消耗的。

1.2.1 标准输入与输出对象

标准库定义了 4 个 IO 对象。处理输入时使用命名为 **cin**（读作 see-in）的 istream 类型对象。这个对象也称为标准输入。处理输出时使用命名为 **cout**（读作 see-out）的 ostream 类型对象，这个对象也称为**标准输出**。标准库还定义了另外两个 ostream 对象，分别命名为 **cerr** 和 **clog**（分别读作"see-err"和"see-log"）。cerr 对象又叫作**标准错误**，通常用来输出警告和错误信息给程序的使用者。而 clog 对象用于产生程序执行的一般信息。

一般情况下，系统将这些对象与执行程序的窗口联系起来。这样，当我们从 cin 读入时，数据从执行程序的窗口读入，当写到 cout、cerr 或 clog 时，输出写至同一窗口。运行程序时，大部分操作系统都提供了重定向输入或输出流的方法。利用重定向可以将这些流与所选择的文件联系起来。

1.2.2 一个使用 IO 库的程序

到目前为止，我们已经明白如何编译与执行简单的程序，虽然那个程序什么也不做。在开篇的书店问题中，有一些记录含有相同的 ISBN，需要将这些记录进行汇总，也就是说需要弄清楚如何累加已售出书籍的数量。

为了弄清楚如何解决这个问题，我们先来看应如何把两数相加。我们可以使用 IO 库来扩充 main 程序，要求用户给出两个数，然后输出它们的和：

```cpp
#include <iostream>
int main()
{
    std::cout << "Enter two numbers:" << std::endl;
    int v1, v2;
    std::cin >> v1 >> v2;
    std::cout << "The sum of " << v1 << " and " << v2
              << " is " << v1 + v2 << std::endl;
    return 0;
}
```

程序首先在用户屏幕上显示提示语：

Enter two numbers:

然后程序等待用户输入。如果用户输入

　3　7

跟着一个换行符，则程序产生下面的输出：

　The sum of 3 and 7 is 10

程序的第一行是一个**预处理指示**：

```
#include <iostream>
```

告诉编译器要使用 iostream 库。尖括号里的名字是一个**头文件**。程序使用库工具时必须包含相关的头文件。#include 指示必须单独写成一行——头文件名和#include 必须在同一行。通常，#include 指示应出现在任何函数的外部。而且习惯上，程序的所有#include 指示都在文件开头部分出现。

1. 写入到流

main 函数体中第一条语句执行了一个**表达式**。C++中，一个表达式由一个或几个操作数和通常是一个操作符组成。该语句的表达式使用**输出操作符**（<<操作符），在标准输出上输出提示语：

```
std::cout << "Enter two numbers:" << std::endl;
```

这个语句用了两次输出操作符。每个输出操作符实例都接受两个操作数：左操作数必须是 ostream 对象；右操作数是要输出的值。操作符将其右操作数写到作为其左操作数的 ostream 对象。

C++中，每个表达式都会产生一个结果，通常是将操作符作用到其操作数所产生的值。当操作符是输出操作符时，结果是左操作数的值。也就是说，输出操作返回的值是输出流本身。

既然输出操作符返回的是其左操作数，那么我们就可以将输出请求链接在一起。输出提示语的那条语句等价于

```
(std::cout << "Enter two numbers:") << std::endl;
```

因为（std::cout << "Enter two numbers:"）返回其左操作数 std::cout，这条语句等价于

```
std::cout << "Enter two numbers:";
std::cout << std::endl;
```

endl 是一个特殊值，称为**操纵符**（manipulator），将它写入输出流时，具有输出换行的效果，并刷新与设备相关联的缓冲区（buffer）。通过刷新缓冲区，用户可立即看到写入到流中的输出。

 　程序员经常在调试过程中插入输出语句，这些语句都应该刷新输出流。忘记刷新输出流可能会造成输出停留在缓冲区中，如果程序崩溃，将会导致对程序崩溃位置的错误推断。

2. 使用标准库中的名字

细心的读者会注意到这个程序中使用的是 std::cout 和 std::endl，而不是 cout 和 endl。前缀 std:: 表明 cout 和 endl 是定义在**命名空间**（namespace）**std** 中的。使用命名空间，程序员可以避免由于无意中使用了与库中所定义名字相同的名字而引致冲突。因为标准库定义的名字

是定义在命名空间中，所以我们可以按自己的意图使用相同的名字。

标准库使用命名空间的副作用是，当我们使用标准库中的名字时，必须显式地表达出使用的是命名空间 std 下的名字。std::cout 的写法使用了**作用域操作符**（scope operator，::操作符），表示使用的是定义在命名空间 std 中的 cout。我们将在 3.1 节学习到程序中经常使用的避免这种冗长句法的方法。

3. 读入流

在输出提示语后，将读入用户输入的数据。先定义两个名为 v1 和 v2 的变量（variable）来保存输入：

```
int v1, v2;
```

将这些变量定义为 int 类型，int 类型是一种代表整数值的内置类型。这些变量未初始化（uninitialized），表示没有赋给它们初始值。这些变量在首次使用时会读入一个值，因此可以没有初始值。

下一条语句读取输入：

```
std::cin >> v1 >> v2;
```

输入操作符（>>操作符）行为与输出操作符相似。它接受一个 istream 对象作为其左操作数，接受一个对象作为其右操作数，它从 istream 操作数读取数据并保存到右操作数中。像输出操作符一样，输入操作符返回其左操作数作为结果。由于输入操作符返回其左操作数，我们可以将输入请求序列合并成单个语句。换句话说，这个输入操作等价于：

```
std::cin >> v1;
std::cin >> v2;
```

输入操作的效果是从标准输入读取两个值，将第一个存放在 v1 中，第二个存放在 v2 中。

4. 完成程序

剩下的就是要输出结果：

```
std::cout << "The sum of " << v1 << " and " << v2
          << " is " << v1 + v2 << std::endl;
```

这条语句虽然比输出提示语的语句长，但概念上没什么区别。它将每个操作数输出到标准输出。有趣的是操作数并不都是同一类型的值，有些操作数是**字符串字面值**。例如

```
"The sum of "
```

其他是各种 int 值，如 v1、v2 以及对算术表达式 v1 + v2 求值的结果。iostream 库定义了接受全部内置类型的输入输出操作符版本。

　　在写 C++程序时，大部分出现空格符的地方可用换行符代替。这条规则的一个例外是字符串字面值中的空格符不能用换行符代替。另一个例外是空格符不允许出现在预处理指示中。

关键概念：已初始化变量和未初始化变量

在 C++中，初始化是一个非常重要的概念，对它的讨论将贯穿本书始终。

已初始化变量是指变量在定义时就给定一个值。未初始化变量则未给定初始值：

```
int val1 = 0;           // initialized
int val2;               // uninitialized
```

给变量一个初始值几乎总是正确的，但不要求必须这样做。当我们确定变量在第一次使用时会赋一个新值，那就不需要创建初始值。例如，在本节开始我们的第一个有意义的程序中，定义了未初始化变量，并立即读取值给它们。

定义变量时，应该给变量赋初始值，除非确定将变量用于其他意图之前会覆盖这个初值。如果不能保证读取变量之前重置变量，就应该初始化变量。

`9`

习题

习题 1.3　编一个程序，在标准输出上打印"Hello, World"。

习题 1.4　我们的程序利用内置的加法操作符"+"来产生两个数的和。编写程序，使用乘法操作符"*"产生两个数的积。

习题 1.5　我们的程序使用了一条较长的输出语句。重写程序，使用单独的语句打印每一个操作数。

习题 1.6　解释下面的程序段：

```
std::cout << "The sum of " << v1;
          << " and " << v2;
          << " is " << v1 + v2
          << std::endl;
```

这段代码合法吗？如果合法，为什么？如果不合法，又为什么？

1.3　关于注释

在程序变得更复杂之前，我们应该明白 C++如何处理注释（comment）。注释可以帮助其他人阅读程序，通常用于概括算法、确认变量的用途或者阐明难以理解的代码段。注释并不会增加可执行程序的大小，编译器会忽略所有注释。

 本书中，注释排成斜体以区别于一般程序文本。实际程序中，注释文本是否区别于程序代码文本取决于编程环境是否完善。

C++中有单行注释和成对注释两种类型的注释。单行注释以双斜线（//）开头，行中处于双斜线右边的内容是注释，被编译器忽略。

另一种定界符，注释对（/**/），是从 C 语言继承过来的。这种注释以"/*"开头，以"*/"结尾。编译器把落入注释对"/**/"之间的内容作为注释：

```
#include <iostream>
/* Simple main function: Read two numbers and write their sum */
```

```cpp
int main()
{
    // prompt user to enter two numbers
    std::cout << "Enter two numbers:" << std::endl;
    int v1, v2;                 // uninitialized
    std::cin >> v1 >> v2; // read input
    return 0;
}
```

10

任何允许有制表符、空格或换行符的地方都允许放注释对。注释对可跨越程序的多行，但不是一定要如此。当注释跨越多行时，最好能直观地指明每一行都是注释。我们的风格是在注释的每一行以星号开始，指明整个范围是多行注释的一部分。

程序通常混用两种注释形式。注释对一般用于多行解释，而双斜线注释则常用于半行或单行的标记。

太多的注释混入程序代码可能会使代码难以理解，通常最好是将一个注释块放在所解释代码的上方。

代码改变时，注释应与代码保持一致。程序员即使知道系统其他形式的文档已经过期，还是会信任注释，认为它会是正确的。错误的注释比没有注释更糟，因为它会误导后来者。

注释对不可嵌套

注释总是以/*开始并以*/结束。这意味着，一个注释对不能出现在另一个注释对中。由注释对嵌套导致的编译器错误信息容易使人迷惑。例如，在你的系统上编译下面的程序：

```cpp
#include <iostream>
/*
 * comment pairs /* */ cannot nest.
 * "cannot nest" is considered source code,
 * as is the rest of the program
 */
int main()
{
    return 0;
}
```

当注释掉程序的一大部分时，似乎最简单的办法就是在要临时忽略的区域前后放一个注释对。问题是如果那段代码已经有了注释对，那么新插入的注释对将提前终止。临时忽略一段代码更好的方法，是用编辑器在要忽略的每一行代码前面插入单行注释。这样，你就无需担心要注释的代码是否已包含注释对。

习题

习题 1.7　编译有不正确嵌套注释的程序。

习题 1.8　指出下列输出语句哪些（如果有）是合法的。

```cpp
std::cout << "/*";
std::cout << "*/";
std::cout << /* "*/" */;
```

预测结果，然后编译包含上述三条语句的程序，检查你的答案。纠正所遇到的错误。

1.4 控制结构

语句总是顺序执行的：函数的第一条语句首先执行，接着是第二条，依次类推。当然，少数
程序——包括我们将要编写的解决书店问题的程序——可以仅用顺序执行语句编写。事实上，程
序设计语言提供了多种控制结构支持更为复杂的执行路径。本节将简要地介绍 C++提供的控制结
构，第 6 章再详细介绍各种语句。

1.4.1 while 语句

while 语句提供了迭代执行功能。可以用 while 语句编写一个如下所示的从 1 到 10（包括
10）的求和程序：

```cpp
#include <iostream>
int main()
{
    int sum = 0, val = 1;
    // keep executing the while until val is greater than 10
    while (val <= 10) {
        sum += val;     // assigns sum + val to sum
        ++val;          // add 1 to val
    }
    std::cout << "Sum of 1 to 10 inclusive is "
              << sum << std::endl;
    return 0;
}
```

编译并执行后，将输出：

Sum of 1 to 10 inclusive is 55

与前面一样，程序首先包含 iostream 头文件并定义 main 函数。在 main 函数中定义两个
int 型变量：sum 保存总和，val 表示从 1 到 10 之间的每一个值。我们给 sum 赋初值 0，而 val
则从 1 开始。

重要的部分是 while 语句。while 结构有这样的形式：

while (*condition*) *while_body_statement*;

while通过测试*condition*（条件）和执行相关的*while_body_statement*来重复执行，直到*condition*
为假。

条件是一个可求值的表达式，所以可以测试其结果。如果结果值非零，那么条件为真；如果
值为零，则条件为假。

如果 *condition* 为真（表达式求值不为零），则执行 *while_body_statement*。执行完后，再次测
试 *condition*。如果 *condition* 仍为真，则再次执行 *while_ body_statement*。while 语句一直交替测
试 *condition* 和执行 *while_ body_statement*，直到 *condition* 为假为止。

在这个程序中，while 语句是

```cpp
// keep executing the while until val is greater than 10
while (val <= 10) {
```

```
    sum += val;    // assigns sum + val to sum
    ++val;         // add 1 to val
}
```

while 语句的条件用了**小于或等于操作符**（<=操作符），将 val 的当前值和 10 比较，只要 val 小于或等于 10，就执行 while 循环体。这种情况下，while 循环体是一个包含两个语句的**块**：

```
{
    sum += val;    // assigns sum + val to sum
    ++val;         // add 1 to val
}
```

块是被花括号括起来的语句序列。C++中，块可用于任何可以用一条语句的地方。块中第一条语句使用了**复合赋值操作符**（+=操作符），这个操作符把它的右操作数加至左操作数，这等效于编写含一个加法和一个**赋值**的语句：

```
sum = sum + val; // assign sum + val to sum
```

因此第一条语句是把 val 的值加到 sum 的当前值，并把结果存入 sum。

第二条语句

```
++val;          // add 1 to val
```

使用了**前自增操作符**（++操作符），自增操作符就是在它的操作数上加 1，++val 和 val=val + 1 是一样的。

执行 while 的循环体后，再次执行 while 的条件。如果 val 的值（自增后）仍小于或等于 10，那么再次执行 while 的循环体。循环继续，测试条件并执行循环体，直到 val 的值不再小于或等于 10 为止。

一旦 val 的值大于 10，程序就跳出 while 循环并执行 while 后面的语句，此例中该语句打印输出，其后的 return 语句结束 main 程序。

13

关键概念：C++程序的缩排和格式

C++程序的格式非常自由，花括号、缩排、注释和换行的位置通常对程序的语义没有影响。例如，表示 main 函数体开始的花括号可以放在与 main 同一行，也可以像我们那样，放在下一行的开始，或放在你喜欢的任何地方。唯一的要求是，它是编译器所看到在 main 的参数列表的右括号之后的第一个非空白、非注释字符。

虽然说我们可以很自由地编排程序的格式，但如果编排不当，会影响程序的可读性。例如，我们可以将 main 写成单独的一长行。这样的定义尽管合法，但很难阅读。

关于什么是 C 或 C++程序的正确格式存在无休止的争论，我们相信没有唯一正确的风格，但一致性是有价值的。我们倾向于把确定函数边界的花括号自成一行，且缩进复合的输入或输出表达式从而使操作符排列整齐，正如 1.2.2 节的 main 函数中的输出语句那样。随着程序的复杂化，其他缩排规范也会变得清晰。

可能存在其他格式化程序的方式，记住这一点很重要。在选择格式化风格时，要考虑提高程序的可读性，使其更易于理解。一旦选择了某种风格，就要始终如一地使用。

1.4.2 `for` 语句

在 while 循环中,我们使用变量 val 来控制循环执行次数。每次执行 while 语句,都要测试 val 的值,然后在循环体中增加 val 的值。

由于需要频频使用像 val 这样的变量控制循环,因而 C++语言定义了第二种控制结构,称为 **for** 语句,简化管理循环变量的代码。使用 for 循环重新编写求 1 到 10 的和的程序,如下:

```cpp
#include <iostream>
int main()
{
    int sum = 0;
    // sum values from 1 up to 10 inclusive
    for (int val = 1; val <= 10; ++val)
        sum += val; // equivalent to sum = sum + val

    std::cout << "Sum of 1 to 10 inclusive is "
              << sum << std::endl;
    return 0;
}
```

在 for 循环之前,我们定义 sum 并赋 0 值。用于迭代的变量 val 被定义为 for 语句自身的一部分。for 语句

```cpp
for (int val = 1; val <= 10; ++val)
    sum += val;     // equivalent to sum = sum + val
```

包含 for 语句头和 for 语句体两部分。for 语句头控制 for 语句体的执行次数。for 语句头由三部分组成:一个初始化语句,一个条件,一个表达式。在这个例子中,初始化语句

```cpp
int val = 1;
```

定义一个名为 val 的 int 对象并给定初始值 1。初始化语句仅在进入 for 语句时执行一次。条件

```cpp
val <= 10
```

将 val 的当前值和 10 比较,每次经过循环都要测试。只要 val 小于或等于 10,就执行 for 语句体。仅当 for 语句体执行后才执行表达式。在这个 for 循环中,表达式使用前自增操作符,val 的值加 1,执行完表达式后,for 语句重新测试条件,如果 val 的新值仍小于或等于 10,则执行 for 语句体,val 再次自增,继续执行直到条件不成立。

在这个循环中,for 语句体执行求和

```cpp
sum += val;     // equivalent to sum = sum + val
```

for 语句体使用复合赋值操作符,把 val 的当前值加到 sum,并将结果保存到 sum 中。

扼要重述一下,for 循环总的执行流程为:

(1) 创建 val 并初始化为 1。

(2) 测试 val 是否小于或等于 10。

(3) 如果 val 小于或等于 10,则执行 for 循环体,把 val 加到 sum 中。如果 val 大于 10,就退出循环,接着执行 for 语句体后的第一条语句。

(4) val 递增。

(5) 重复第 2 步的测试，只要条件为真，就继续执行其余步骤。

退出 for 循环后，变量 val 不再可访问，循环终止后使用 val 是不可能的。然而，不是所有的编译器都有这一要求。

在标准化之前的 C++ 中，定义在 for 语句头的名字在 for 循环外是可访问的。语言定义中的这一改变，可能会使习惯于使用老式编译器的人，在使用遵循标准的新编译器时感到惊讶。

15

再谈编译

编译器的部分工作是寻找程序代码中的错误。编译器不能查出程序的意义是否正确，但它可以查出程序形式上的错误。下面是编译器能查出的最普遍的一些错误。

(1) 语法错误。程序员犯了 C++ 语言中的语法错误。下面代码段说明常见的语法错误；每个注释描述下一行的错误。

```cpp
                    // error: missing ')' in parameter list for main
int main ( {
                    // error: used colon, not a semicolon after endl
    std::cout << "Read each file." << std::endl:
                    // error: missing quotes around string literal
    std::cout << Update master. << std::endl;
                    // ok: no errors on this line
    std::cout << "Write new master." <<std::endl;
                    // error: missing ';' on return statement
    return 0
}
```

(2) 类型错误。C++ 中每个数据项都有其相关联的类型。例如，值 10 是一个整数。用双引号标注起来的单词 "hello" 是字符串字面值。类型错误的一个实例是传递了字符串字面值给应该得到整型参数的函数。

(3) 声明错误。C++ 程序中使用的每个名字必须在使用之前声明。没有声明名字通常会导致错误信息。最常见的两种声明错误，是从标准库中访问名字时忘记使用 "std::"，以及由于疏忽而拼错标识符名：

```cpp
#include <iostream>
int main()
{
    int v1, v2;
    std::cin >> v >> v2;   // error: uses "v" not "v1"
    // cout not defined, should be  std::cout
    cout << v1 + v2 << std::endl;
    return 0;
}
```

错误信息包含行号和编译器对我们所犯错误的简要描述。按错误报告的顺序改正错误是个好习惯，通常一个错误可能会产生一连串的影响，并导致编译器报告比实际多得多的错误。最好在每次修改后或最多改正了一些显而易见的错误后，就重新编译代码。这个循环就是众所周知的编辑-编译-调试。

16

习题

习题 1.9 下列循环做什么？sum 的最终值是多少？

```
int sum = 0;
for (int i = -100; i <= 100; ++i)
    sum += i;
```

习题 1.10 用 for 循环编程，求从 50 到 100 的所有自然数的和。然后用 while 循环重写该程序。

习题 1.11 用 while 循环编程，输出 10 到 0 递减的自然数。然后用 for 循环重写该程序。

习题 1.12 对比前面两个习题中所写的循环。两种形式各有何优缺点？

习题 1.13 编译器不同，理解其诊断内容的难易程度也不同。编写一些程序，包含本节"再谈编译"部分讨论的那些常见错误。研究编译器产生的信息，这样你在编译更复杂的程序遇到这些信息时就不会陌生。

1.4.3 `if` 语句

求 1 到 10 之间数的和，其逻辑延伸是求用户提供的两个数之间的数的和。可以直接在 for 循环中使用这两个数，使用第一个输入值作为下界而第二个输入值作为上界。然而，如果用户首先给定的数较大，这种策略将会失败：程序会立即退出 for 循环。因此，我们应该调整范围以便较大的数作上界而较小的数作下界。这样做，我们需要一种方式来判定哪个数更大一些。

像大多数语言一样，C++提供支持条件执行的 **if** 语句。使用 if 语句来编写修订的求和程序如下：

```
#include <iostream>
int main()
{
    std::cout << "Enter two numbers:" << std::endl;
    int v1, v2;
    std::cin >> v1 >> v2;  // read input
    // use smaller number as lower bound for summation
    // and larger number as upper bound
    int lower, upper;
    if (v1 <= v2) {
        lower = v1;
        upper = v2;
    } else {
        lower = v2;
        upper = v1;
    }
    int sum = 0;
    // sum values from lower up to and including upper
    for (int val = lower; val <= upper; ++val)
        sum += val; // sum = sum + val

    std::cout << "Sum of " << lower
              << " to " << upper
              << " inclusive is "
              << sum << std::endl;
    return 0;
}
```

如果我们编译并执行这个程序给定输入数为 7 和 3，程序的输出结果将为：

Sum of 3 to 7 inclusive is 25

这个程序中大部分代码我们在之前的举例中已经熟知了。程序首先向用户输出提示并定义 4 个 int 变量，然后从标准输入读入值到 v1 和 v2 中。仅有 if 条件语句是新增加的代码：

```
// use smaller number as lower bound for summation
// and larger number as upper bound
int lower, upper;
if (v1 <= v2) {
    lower = v1;
    upper = v2;
} else {
    lower = v2;
    upper = v1;
}
```

这段代码的效果是恰当地设置 upper 和 lower。if 的条件测试 v1 是否小于或等于 v2。如果是，则执行条件后面紧接着的语句块。这个语句块包含两条语句，每条语句都完成一次赋值，第一条语句将 v1 赋值给 lower，而第二条语句将 v2 赋值给 upper。

如果这个条件为假（也就是说，如果 v1 大于 v2）那么执行 else 后面的语句。这个语句同样是一个由两个赋值语句组成的块，把 v2 赋值给 lower 而把 v1 赋值给 upper。

习题

习题 1.14 如果输入值相等，本节展示的程序将产生什么问题？

习题 1.15 用两个相等的值作为输入编译并运行本节中的程序。将实际输出与你在上一习题中所做的预测相比较，解释实际结果和你预计的结果间的不相符之处。

习题 1.16 编写程序，输出用户输入的两个数中的较大者。

习题 1.17 编写程序，要求用户输入一组数。输出信息说明其中有多少个负数。

1.4.4 读入未知数目的输入

对 1.4.1 节的求和程序稍作改变，还可以允许用户指定一组数求和。这种情况下，我们不知道要对多少个数求和，而是要一直读数直到程序输入结束。输入结束时，程序将总和写到标准输出：

```
#include <iostream>
int main()
{
    int sum = 0, value;
    // read till end-of-file, calculating a running total of all values read
    while (std::cin >> value)
        sum += value;  // equivalent to sum = sum + value
    std::cout << "Sum is: " << sum << std::endl;
    return 0;
}
```

如果我们给出本程序的输入：

3 4 5 6

那么输出是：

sum is: 18

与平常一样，程序首先包含必要的头文件。main 中第一行定义了两个 int 变量，命名为 sum 和 value。在 while 条件中，用 value 保存读入的每一个数：

```
while (std::cin >> value)
```

这里所产生的是，为判断条件，先执行输入操作

```
std::cin >> value
```

它具有从标准输入读取下一个数并且将读入的值保存在 value 中的效果。输入操作符（1.2.2 节）返回其左操作数。while 条件测试输入操作符的返回结果，意味着测试 std::cin。

当我们使用 istream 对象作为条件，结果是测试流的状态。如果流是有效的（也就是说，如果读入下一个输入是可能的）那么测试成功。遇到文件结束符（end-of-file）或遇到无效输入时，如读取了一个不是整数的值，则 istream 对象是无效的。处于无效状态的 istream 对象将导致条件失败。

在遇到文件结束符（或一些其他输入错误）之前，测试会成功并且执行 while 循环体。循环体是一条使用复合赋值操作符的语句，这个操作符将它的右操作数加到左操作数上。

从键盘输入文件结束符

操作系统使用不同的值作为文件结束符。Windows 系统下我们通过键入 control-z——同时键入 "ctrl" 键和 "z" 键，来输入文件结束符。Unix 系统中，包括 Mac OS-X 机器，通常用 control-d。

一旦测试失败，while 终止并退出循环体，执行 while 之后的语句。该语句在输出 sum 后输出 endl，endl 输出换行并刷新与 cout 相关联的缓冲区。最后，执行 return，通常返回零表示程序成功运行完毕。

习题

习题 1.18 编写程序，提示用户输入两个数并将这两个数范围内的每个数写到标准输出。

习题 1.19 如果上题给定数 1000 和 2000，程序将产生什么结果？修改程序，使每一行输出不超过 10 个数。

习题 1.20 编写程序，求用户指定范围内的数的和，省略设置上界和下界的 if 测试。假定输入数是 7 和 3，按照这个顺序，预测程序运行结果。然后按照给定的数是 7 和 3 运行程序，看结果是否与你预测的相符。如果不相符，反复研究关于 for 和 while 循环的讨论直到弄清楚其中的原因。

1.5　类的简介

解决书店问题之前，还需要弄明白如何编写数据结构来表示交易数据。C++中我们通过定义类来定义自己的数据结构。类机制是 C++中最重要的特征之一。事实上，C++设计的主要焦点就是使所定义的**类类型**（class type）的行为可以像内置类型一样自然。我们前面已看到的像 istream 和 ostream 这样的库类型，都是定义为类的，也就是说，它们严格说来不是语言的一部分。

完全理解类机制需要掌握很多内容。所幸我们可以使用他人写的类而无需掌握如何定义自己的类。在这一节，我们将描述一个用于解决书店问题的简单类。当我们学习了更多关于类型、表达式、语句和函数的知识（所有这些在类定义中都将用到）后，将会在后面的章节实现这个类。 20

使用类时我们需要回答三个问题：

(1) 类的名字是什么？

(2) 它在哪里定义？

(3) 它支持什么操作？

对于书店问题，我们假定类命名为 Sales_item 且类定义在命名为 Sales_item.h 的头文件中。

1.5.1　**Sales_item** 类

Sales_item 类的目的是存储 ISBN 并保存该书的销售册数、销售收入和平均售价。我们不关心如何存储或计算这些数据。使用类时我们不需要知道这个类是怎样实现的，相反，我们需要知道的是该类提供什么操作。

正如我们所看到的，使用像 IO 一样的库工具，必须包含相关的头文件。类似地，对于自定义的类，必须使得编译器可以访问和类相关的定义。这几乎可以采用同样的方式。一般来说，我们将类定义放入一个文件中，要使用该类的任何程序都必须包含这个文件。

依据惯例，类类型存储在一个文件中，其文件名如同程序的源文件名一样，由文件名和文件后缀两部分组成。通常文件名和定义在头文件中的类名是一样的。通常后缀是.h，但也有一些程序员用.H、.hpp 或.hxx。编译器通常并不挑剔头文件名，但 IDE 有时会。假设我们的类定义在名为 Sale_item.h 的文件中。

1. **Sales_item** 对象上的操作

每个类定义一种类型，类型名与类名相同。因此，我们的 Sales_item 类定义了一种命名为 Sales_item 的类型。像使用内置类型一样，可以定义类类型的变量。当写下

```
Sales_item item;
```

就表示 item 是类型 Sales_item 的一个对象。通常将"类型 Sales_item 的一个对象"简称为"一个 Sales_item 对象"，或者更简单地简称为"一个 Sales_item"。

除了可以定义 Sales_item 类型的变量，我们还可以执行 Sales_item 对象的以下操作：

- 使用加法操作符，+，将两个 Sales_item 相加。
- 使用输入操作符，>>，来读取一个 Sales_item 对象。 21
- 使用输出操作符，<<，来输出一个 Sales_item 对象。

- 使用赋值操作符，=，将一个 Sales_item 对象赋值给另一个 Sales_item 对象。
- 调用 same_isbn 函数确定两个 Sales_item 是否指同一本书。

2. 读入和写出 Sales_item 对象

知道了类提供的操作，就可以编写一些简单的程序使用这个类。例如，下面的程序从标准输入读取数据，使用该数据建立一个 Sales_item 对象，并将该 Sales_item 对象写到标准输出：

```cpp
#include <iostream>
#include "Sales_item.h"
int main()
{
    Sales_item book;
    // read ISBN, number of copies sold, and sales price
    std::cin >> book;
    // write ISBN, number of copies sold, total revenue, and average price
    std::cout << book << std::endl;
    return 0;
}
```

如果输入到程序的是

    0-201-70353-X 4 24.99

则输出将是

    0-201-70353-X 4 99.96 24.99

输入表明销售了 4 本书，每本价格是 24.99 美元。输出表明卖出书的总数是 4 本，总收入是 99.96 美元，每本书的平均价格是 24.99 美元。

这个程序以两个#include 指示开始，其中之一使用了一种新格式。iostream 头文件由标准库定义，而 Sales_item 头文件则不是。Sales_item 是一种自定义类型。当使用自定义头文件时，我们采用双引号（" "）把头文件名括起来。

> 标准库的头文件用尖括号< >括起来，非标准库的头文件用双引号" "括起来。

在 main 函数中，首先定义一个对象，命名为 book，用它保存从标准输入读取的数据。下一条语句读入数据到此对象，第三条语句将它打印到标准输出，像平常一样紧接着打印 endl 来刷新缓冲区。

₂₂

关键概念：类定义行为

在编写使用 Sales_item 的程序时，重要的是记住类 Sales_item 的创建者定义该类对象可以执行的所有操作。也就是说，Sales_item 数据结构的创建者定义创建 Sales_item 对象时会发生什么，以及加操作符或输入输出操作符应用到 Sales_item 对象时又会发生什么，等等。

通常，只有由类定义的操作可被用于该类类型的对象。此时，我们知道的可以在 Sales_item 对象上执行的操作只是前面列出的那些。

我们将在 7.7.3 节和 14.2 节看到如何定义这些操作。

3. 将 **Sales_item** 对象相加

更有趣的例子是将两个 Sales_item 对象相加:

```
#include <iostream>
#include "Sales_item.h"
int main()
{
    Sales_item item1, item2;
    std::cin >> item1 >> item2;    // read a pair of transactions
    std::cout << item1 + item2 << std::endl; // print their sum
    return 0;
}
```

如果我们给这个程序下面的输入:

```
0-201-78345-X 3 20.00
0-201-78345-X 2 25.00
```

则输出为

```
0-201-78345-x 5 110 22
```

程序首先包含两个头文件 Sales_item 和 iostream。接下来定义两个 Sales_item 对象来存放要求和的两笔交易。输出表达式做加法运算并输出结果。从前面列出的操作,可以得知将两个 Sales_item 相加将创建一个新对象,新对象的 ISBN 是其操作数的 ISBN,销售的数量和收入反映其操作数中相应值的和。我们也知道相加的项必须具有同样的 ISBN。

值得注意的是这个程序是如何类似于 1.2.2 节中的程序:读入两个输入并输出它们的和。令人感兴趣的是,本例并不是读入两个整数并输出两个整数的和,而是读入两个 Sales_item 对象并输出两个 Sales_item 对象的和。此外,"和"的意义也不同。在整数的实例中我们产生的是传统求和——两个数值相加后的结果。在 Sales_item 对象的实例上我们使用了在概念上有新意义的求和——两个 Sales_item 对象的成分相加后的结果。

23

习题

习题 1.21   本书配套网站(http://www.awprofessional.com/cpp_primer)的第 1 章的代码目录下有 Sales_item.h 源文件。复制该文件到你的工作目录。编写程序,循环遍历一组书的销售交易,读入每笔交易并将交易写至标准输出。

习题 1.22   编写程序,读入两个具有相同 ISBN 的 Sales_item 对象并产生它们的和。

习题 1.23   编写程序,读入几个具有相同 ISBN 的交易,输出所有读入交易的和。

1.5.2   初窥成员函数

不幸的是,将 Sales_item 相加的程序有一个问题。如果输入指向了两个不同的 ISBN 将发生什么?将两个不同 ISBN 的数据相加没有意义。为解决这个问题,首先检查 Sales_item 操作数是否都具有相同的 ISBN。

```
#include <iostream>
```

```
#include "Sales_item.h"
int main()
{
    Sales_item item1, item2;
    std::cin >> item1 >> item2;
    // first check that item1 and item2 represent the same book
    if (item1.same_isbn(item2)) {
        std::cout << item1 + item2 << std::endl;
        return 0;    // indicate success
    } else {
        std::cerr << "Data must refer to same ISBN"
                  << std::endl;
        return -1;   // indicate failure
    }
}
```

这个程序和前一个程序不同之处在于 if 测试语句以及与它相关联的 else 分支。在解释 if 语句的条件之前，我们明白程序的行为取决于 if 语句中的条件。如果测试成功，那么产生与前一程序相同的输出，并返回 0 表示程序成功运行完毕。如果测试失败，执行 else 后面的语句块，输出信息并返回错误提示。

什么是成员函数

上述 if 语句的条件

```
// first check that item1 and item2 represent the same book
if (item1.same_isbn(item2)) {
```

调用命名为 item1 的 Sales_item 对象的**成员函数**（member function）。成员函数是由类定义的函数，有时称为类**方法**（method）。

成员函数只定义一次，但被视为每个对象的成员。我们将这些操作称为成员函数，是因为它们（通常）在特定对象上操作。在这个意义上，它们是对象的成员，即使同一类型的所有对象共享同一个定义也是如此。

当调用成员函数时，（通常）指定函数要操作的对象。语法是使用**点操作符**（.）：

```
item1.same_isbn
```

意思是"命名为 item1 的对象的 same_isbn 成员"。点操作符通过它的左操作数取得右操作数。点操作符仅应用于类类型的对象：左操作数必须是类类型的对象，右操作数必须指定该类型的成员。

    与大多数其他操作符不同，点操作符（"."）的右操作数不是对象或值，而是成员的名字。

通常使用成员函数作为点操作符的右操作数来调用成员函数。执行成员函数和执行其他函数相似：要调用函数，可将**调用操作符**（()）放在函数名之后。调用操作符是一对圆括号，括住传递给函数的实参列表（可能为空）。

same_isbn 函数接受单个参数，且该参数是另一个 Sales_item 对象。函数调用

```
item1.same_isbn(item2)
```

将 item2 作为参数传递给名为 same_isbn 的函数,该函数是名为 item1 的对象的成员。它将比较参数 item2 的 ISBN 与函数 same_isbn 要操作的对象 item1 的 ISBN。效果是测试两个对象是否具有相同的 ISBN。

如果对象具有相同的 ISBN,执行 if 后面的语句,输出两个 Sales_item 对象的和;否则,如果对象具有不同的 ISBN,则执行 else 分支的语句块。该块输出适当的错误信息并退出程序,返回-1。回想 main 函数的返回值被视为状态指示器;本例中,返回一个非零值表示程序未能产生期望的结果。

习题

习题 1.24 编写程序,读入几笔不同的交易。对于每笔新读入的交易,要确定它的 ISBN 是否和以前的交易的 ISBN 一样,并且记下每一个 ISBN 的交易的总数。通过给定多笔不同的交易来测试程序。这些交易必须代表多个不同的 ISBN,但是每个 ISBN 的记录应分在同一组。

1.6 C++程序

现在我们已经做好准备,可以着手解决最初的书店问题了:我们需要读入销售交易文件,并产生报告显示每本书的总销售收入、平均销售价格和销售册数。

假定给定 ISBN 的所有交易出现在一起。程序将把每个 ISBN 的数据组合至命名为 total 的 Sales_item 对象中。从标准输入中读取的每一笔交易将被存储到命名为 trans 的第二个 Sales_item 对象中。每读取一笔新的交易,就将它与 total 中的 Sales_item 对象相比较,如果对象含有相同的 ISBN,就更新 total;否则就输出 total 的值,并使用刚读入的交易重置 total。

```cpp
#include <iostream>
#include "Sales_item.h"
int main()
{
    // declare variables to hold running sum and data for the next record
    Sales_item total, trans;
    // is there data to process?
    if (std::cin >> total) {
        // if so, read the transaction records
        while (std::cin >> trans)
            if  (total.same_isbn(trans))
                // match: update the running total
                total = total + trans;
            else {
                // no match: print & assign to total
                std::cout << total << std::endl;
                total = trans;
            }
        // remember to print last record
        std::cout << total << std::endl;
    } else {
        // no input!, warn the user
```

```
            std::cout << "No data?!" << std::endl;
            return -1;    // indicate failure
        }
        return 0;
    }
```

这个程序是到目前我们见到的程序中最为复杂的一个，但它仅使用了我们已遇到过的工具。和平常一样，我们从包含所使用的头文件开始：标准库中的 iostream 和自定义的头文件 Sales_item.h。

在 main 中我们定义了所需要的对象 total 用来计算给定的 ISBN 的交易的总数，trans 用来存储读取的交易。我们首先将交易读入 total 并测试是否读取成功；如果读取失败，表示没有记录，程序进入最外层的 else 分支，输出信息警告用户没有输入。

假如我们成功读取了一个记录，则执行 if 分支里的代码。首先执行 while 语句，循环遍历剩余的所有记录。就像 1.4.3 节的程序一样，while 循环的条件从标准输入中读取值并测试实际读取的是否是合法数据。本例中，我们将一个 Sales_item 对象读至 trans。只要读取成功，就执行 while 循环体。

while 循环体只是一条 if 语句。我们测试 ISBN 是否相等。如果相等，我们将这两个对象相加并将结果存储到 total 中。否则，我们就输出存储在 total 中的值，并将 trans 赋值给 total 来重置 total。执行完 if 语句之后，将返回到 while 语句中的条件，读入下一个交易，直到执行完所有记录。

一旦 while 完成，我们仍须写出与最后一个 ISBN 相关联的数据。当 while 语句结束时，total 包含文件中最后一条 ISBN 数据，但是我们没有机会输出这条数据。我们在结束最外层 if 语句的语句块的最后一条语句中进行输出。

习题

习题 1.25 使用源自本书配套网站的 Sales_item.h 头文件，编译并执行本节给出的书店程序。

习题 1.26 在书店程序中，我们使用了加法操作符而不是复合赋值操作符将 trans 加到 total 中，为什么我们不使用复合赋值操作符？

小结

本章介绍了足够多的 C++知识，让读者能够编译和执行简单 C++程序。我们看到了如何定义 main 函数，这是任何 C++程序首先执行的函数。我们也看到了如何定义变量，如何进行输入和输出，以及如何编写 if、for 和 while 语句。本章最后介绍 C++最基本的工具：类。在这一章中，我们看到了如何创建和使用给定类的对象。后面的章节中将介绍如何自定义类。

术语

argument（实参） 传递给被调用函数的值。   **block（块）** 花括号括起来的语句序列。

buffer（**缓冲区**）　一段用来存放数据的存储区域。IO 设备常存储输入（或输出）到缓冲区，并独立于程序动作对缓冲区进行读写。输出缓冲区通常必须显式刷新以强制输出缓冲区内容。默认情况下，读 cin 会刷新 cout；当程序正常结束时，cout 也被刷新。

built-in type（**内置类型**）　C++语言本身定义的类型，如 int。

cerr　绑定到标准错误的 ostream 对象，这通常是与标准输出相同的流。默认情况下，输出 cerr 不缓冲，通常用于不是程序正常逻辑部分的错误信息或其他输出。

cin　用于从标准输入中读入的istream对象。

class（**类**）　用于自定义数据结构的 C++机制。类是 C++中最基本的特征。标准库类型，如 istream 和 ostream，都是类。

class type（**类类型**）　由类所定义的类型，类型名就是类名。

clog　绑定到标准错误的 ostream 对象。默认情况下，写到 clog 时是带缓冲的。通常用于将程序执行信息写入到日志文件中。

comment（**注释**）　编译器会忽略的程序文本。C++有单行注释和成对注释两种类型的注释。单行注释以//开头，从//到行的结尾是一条注释。成对注释以/*开始包括到下一个*/为止的所有文本。

condition（**条件**）　求值为真或假的表达式。值为 0 的算术表达式是假，其他所有非 0 值都是真。

cout　用于写入到标准输出的 ostream 对象，一般情况下用于程序的输出。

curly brace（**花括号**）　花括号对语句块定界。左花括号"{"开始一个块，右花括号"}"结束块。

data structure（**数据结构**）　数据及数据上操作的逻辑组合。

edit-compile-debug（**编辑-编译-调试**）　使得程序正确执行的过程。

end-of-file（**文件结束符**）文件中与特定系统有关的标记，表示这个文件中不再有其他输入。

expression（**表达式**）　最小的计算单元。表达式包含一个或多个操作数并经常含有一个操作符。表达式被求值并产生一个结果。例如，假定 i 和 j 都为 int 型，则 i + j 是一个算术加法表达式并求这两个 int 值的和。表达式将在第 5 章详细介绍。

for statement（**for 语句**）　提供迭代执行的控制语句，通常用于步进遍历数据结构或对一个计算重复固定次数。

function（**函数**）　有名字的计算单元。

function body（**函数体**）　定义函数所执行的动作的语句块。

function name（**函数名**）　函数的名字标识，函数通过函数名调用。

header（**头文件**）　使得类或其他名字的定义在多个程序中可用的一种机制。程序中通过#include 指示包含头文件。

if statement（**if语句**）　根据指定条件的值执行的语句。如果条件为真，则执行if语句体；否则控制流执行else后面的语句，如果没有else将执行if后面的语句。

iostream（**输入输出流**）　提供面向流的输入和输出的标准库类型。

istream（**输入流**）　提供面向流的输入的标准库类型。

library type（**标准库类型**）　标准库所定义的

类型，如 istream。

main function（**主函数**） 执行 C++程序时，操作系统调用的函数。每一个程序有且仅有一个主函数 main。

manipulator（**操纵符**） 在读或写时"操纵"流本身的对象，如 std::endl。A.3.1 节详细讲述操纵符。

member function（**成员函数**） 类定义的操作。成员函数通常在特定的对象上进行操作。

method（**方法**） 成员函数的同义词。

namespace（**命名空间**） 将库所定义的名字放至单独一个地方的机制。命名空间有助于避免无意的命名冲突。C++标准库所定义的名字在命名空间 std 中。

ostream（**输出流**） 提供面向流的输出的库类型。

parameter list（**形参表**） 函数定义的组成部分。指明可以用什么参数来调用函数，可能为空。

preprocessor directive（**预处理指示**） C++预处理器的指示。#include 是一个预处理器指示。预处理器指示必须出现在单独的行中。2.9.2 节将对预处理器作详细的介绍。

return type（**返回类型**） 函数返回值的类型。

source file（**源文件**） 用来描述包含在 C++程序中的文件的术语。

standard error（**标准错误**） 用于错误报告的输出流。通常，在视窗操作系统中，将标准输出和标准错误绑定到程序的执行窗口。

standard input（**标准输入**） 和程序执行窗口相关联的输入流，通常这种关联由操作系统设定。

standard library（**标准库**） 每个 C++编译器

必须支持的类型和函数的集合。标准库提供了强大的功能，包括支持 IO 的类型。C++程序员谈到的"标准库"，是指整个标准库，当提到某个标准库类型时也指标准库中某个特定的部分。例如，程序员提到的"iostream 库"，专指标准库中由 iostream 类定义的那部分。

standard output（**标准输出**） 和程序执行窗口相关联的输出流，通常这种关联由操作系统设定。

statement（**语句**） C++程序中最小的独立单元，类似于自然语言中的句子。C++中的语句一般以分号结束。

std 标准库命名空间的名字，std::cout 表明正在使用定义在 std 命名空间中的名字cout。

string literal（**字符串字面值**） 以双引号括起来的字符序列。

uninitialized variable（**未初始化变量**） 没有指定初始值的变量。类类型没有未初始化变量。没有指定初始值的类类型变量由类定义初始化。在使用变量值之前必须给未初始化的变量赋值。*未初始化变量是造成 bug 的主要原因之一。*

variable（**变量**） 有名字的对象。

while statement（**while 语句**） 一种迭代控制语句，只要指定的条件为真就执行 while 循环体。while 循环体执行 0 次还是多次，依赖于条件的真值。

()operator[**()操作符**] 调用操作符。跟在函数名后且成对出现的圆括号。该操作符导致函数被调用，给函数的实参可在括号里传递。

++ operator（**++操作符**） 自增操作符。将操作数加 1，++i 等价于 i=i+1。

+= operator（**+=操作符**） 复合赋值操作符，

将右操作数和左操作数相加，并将结果存储到左操作数中；a+=b 等价于 a=a+b。

.operator（.操作符）　点操作符。接受两个操作数：左操作数是一个对象，而右边是该对象的一个成员的名字。这个操作符从指定对象中取得成员。

:: operator（::操作符）　作用域操作符。在第 2 章中，我们将看到更多关于作用域的介绍。在其他的使用过程中，::操作符用于在命名空间中访问名字。例如，std::cout 表示使用命名空间 std 中的名字 cout。

= operator（=操作符）　表示把右操作数的值赋给左操作数表示的对象。

<< operator（<<操作符）　输出操作符。把右操作数写到左操作数指定的输出流：cout<<"hi"把 hi 写入到标准输出流。输出操作可以链接在一起使用：cout << "hi" << "bye" 输出 hibye。

>> operator（>>操作符）　输入操作符。从左操作数指定的输入流读入数据到右操作数：cin >> i 把标准输入流中的下一个值读入到 i 中。输入操作能够链接在一起使用：cin >> i >> j 先读入 i 然后再读入 j。

== operator（==操作符）　等于操作符，测试左右两边的操作数是否相等。

!= operator（!=操作符）　不等于操作符。测试左右两边的操作数是否不等。

<= operator（<=操作符）　小于或等于操作符。测试左操作数是否小于或等于右操作数。

< operator（<操作符）　小于操作符。测试左操作数是否小于右操作数。

>= operator（>=操作符）　大于或等于操作符。测试左操作数是否大于或等于右操作数。

> operator（>操作符）　大于操作符。测试左操作数是否大于右操作数。

28
~
30

第一部分

Part *1*

基 本 语 言

目录

　　各种程序设计语言都具有许多独具特色的特征，这些特征决定了用每种语言适合开发哪些类型的应用程序。程序设计语言也有一些共同的特征。基本上所有的语言都要提供下列特征：

- 内置数据类型，如整型、字符型等。
- 表达式和语句：表达式和语句用于操纵上述类型的值。
- 变量：程序员可以使用变量对所用的对象命名。
- 控制结构：如 if 或 while，程序员可以使用控制结构有条件地执行或重复执行一组动作。
- 函数：程序员可以使用函数把行为抽象成可调用的计算单元。

大多数现代程序设计语言都采用两种方式扩充上述基本特征集：允许程序员通过自

定义数据类型扩展该语言；提供一组库例程，这些例程定义了一些并非内置在语言中的实用函数和数据类型。

和大多数程序设计语言一样，C++中对象的类型决定了该对象可以执行的操作。语句正确与否取决于该语句中对象的类型。一些程序设计语言，特别是 Smalltalk 和 Python，在运行时才检查语句中对象的类型。相反，C++是静态类型（statically typed）语言，在编译时执行类型检查。结果是程序中使用某个名字之前，必须先告知编译器该名字的类型。

C++提供了一组内置数据类型、操纵这些类型的操作符和一组少量的程序流控制语句。这些元素形成了一个"词汇表"，使用这个词汇表可以而且已经编写出许多大型、复杂的实际系统。从这个基本层面来看，C++是一门简单的语言。C++的表达能力是通过支持一些允许程序员定义新数据结构的机制来提升的。

可能 C++中最重要的特征是类（class），程序员可以使用类自定义数据类型。C++中这些类型有时也称为"类类型（class type）"，以区别于语言的内置类型。有一些语言允许程序员定义的数据类型只能指定组成该类型的数据。包括 C++在内的其他语言允许程序员定义的类型不仅有数据还包括操作。C++主要设计目标之一就是允许程序员自定义类型，而且这些类型和内置类型一样易于使用。C++标准库利用这些特征，实现了一个具有丰富类类型和相关函数的标准库。

掌握 C++的第一步是学习语言的基本知识和标准库，这正是第一部分介绍的内容。第 2 章介绍了内置数据类型，并简单探讨了自定义新类型的机制。第 3 章引入了两种最基本的标准库类型：string 和 vector。第 4 章介绍了数组，数组是一种低级的数据结构，内置于 C++和许多其他语言。数组类似于 vector 对象，但较难使用。第 5 章到第 7 章介绍了表达式、语句和函数。第 8 章是第一部分的最后一章，介绍了 IO 标准库中最重要的设施。

第 **2** 章

变量和基本类型

类型是所有程序的基础。类型告诉我们数据代表什么意思以及可以对数据执行哪些操作。

C++语言定义了几种基本类型：字符型、整型、浮点型等。C++还提供了可用于自定义数据类型的机制，标准库正是利用这些机制定义了许多更复杂的类型，比如可变长字符串 string、vector 等。此外，我们还能修改已有的类型以形成复合类型。本章介绍内置类型，并开始介绍 C++如何支持更复杂的类型。

类型确定了数据和操作在程序中的意义。我们在第 1 章已经看到，如下的语句

```
i = i + j;
```

有不同的含义，具体含义取决于 i 和 j 的类型。如果 i 和 j 都是整型，则这条语句表示一般的算术 "+" 运算；如果 i 和 j 都是 Sales_item 对象，则这条语句是将这两个对象的组成成分分别加起来。

C++中对类型的支持是非常广泛的：语言本身定义了一组基本类型和修改已有类型的方法，还提供了一组特征用于自定义类型。本章通过介绍内置类型和如何关联类型与对象来探讨 C++中的类型。本章还将介绍更改类型和建立自定义类型的方法。

2.1 基本内置类型

C++定义了一组表示整数、浮点数、单个字符和布尔值的**算术类型**（arithmetic type），另外还定义了一种称为 **void** 的特殊类型。void 类型没有对应的值，仅用在有限的一些情况下，通常用作无返回值函数的返回类型。

算术类型的存储空间依机器而定。这里的存储空间是指用来表示该类型的二进制位（bit）数。C++标准规定了每个算术类型的最小存储空间，但它并不阻止编译器使用更大的存储空间。事实上，对于 int 类型，几乎所有的编译器使用的存储空间都比所要求的大。表 2-1 列出了内置算术类型及其对应的最小存储空间。

 因为位数的不同，这些类型所能表示的最大（最小）值也因机器的不同而有所不同。

表 2-1   C++：算术类型

类　　型	含　　义	最小存储空间
bool	布尔型	—
char	字符型	8 位
wchar_t	宽字符型	16 位
short	短整型	16 位
int	整型	16 位
long	长整型	32 位
float	单精度浮点型	6 位有效数字
double	双精度浮点型	10 位有效数字
long double	扩展精度浮点型	10 位有效数字

2.1.1 整型

表示整数、字符和布尔值的算术类型合称为**整型**（integral type）。

字符类型有两种：char 和 wchar_t。char 类型保证了有足够的空间，能够存储机器基本字符集中任何字符相应的数值，因此，char 类型通常是单个机器字节（byte）。wchar_t 类型用于扩展字符集，比如汉字和日语，这些字符集中的一些字符不能用单个 char 表示。

内置类型的机器级表示

C++的内置类型与其在计算机的存储器中的表示方式紧密相关。计算机以位序列存储数据，每一位存储 0 或 1。一段内存可能存储着

000110110111000101100100000111011…

在位这一级上，存储器是没有结构和意义的。

让存储具有结构的最基本方法是用块（chunk）处理存储。大部分计算机都使用特定位数的块来处理存储，块的位数一般是 2 的幂，因为这样可以一次处理 8、16 或 32 位。64 和 128 位的块如今也变得更为普遍。虽然确切的大小因机器不同而不同，但是通常将 8 位的块作为一个字节，32 位或 4 个字节作为一个"字（word）"。

大多数计算机将存储器中的每一个字节和一个称为地址的数关联起来。对于一个 8 位字节和 32 位字的机器，我们可以将存储器的字表示如下：

736424	0	0	0	1	1	0	1	1
736425	0	1	1	1	0	0	0	1
736426	0	1	1	0	0	1	0	0
736427	0	0	1	1	1	0	1	1

在这个图中，左边是字节的地址，地址后面为字节的 8 位。

可以用地址表示从该地址开始的任何几个不同大小的位集合。可以说地址为 736424 的字，也可以说地址为 736426 的字节。例如，可以说地址为 736425 的字节和地址为 736427 的字节不相等。

要让地址为 736425 的字节具有意义，必须要知道存储在该地址的值的类型。一旦知道了该地址的值的类型，就知道了表示该类型的值需要多少位和如何解释这些位。

如果知道地址为 736425 的字节的类型是 8 位无符号整数，那么就可以知道该字节表示整数 112。另外，如果这个字节是 ISO-Latin-1 字符集中的一个字符，那它就表示小写字母 q。虽然两种情况的位相同，但归属于不同类型，解释也就不同。

short、int 和 long 类型都表示整型值，存储空间的大小不同。一般，short 类型为半个机器字（word）长，int 类型为一个机器字长，而 long 类型为一个或两个机器字长（在 32 位机器中 int 类型和 long 类型通常字长是相同的）。

bool 类型表示真值 true 和 false。可以将算术类型的任何值赋给 bool 对象。0 值算术类型代表 false，任何非 0 的值都代表 true。

1. 带符号和无符号类型

除 bool 类型外，整型可以是**带符号的**（signed）也可以是**无符号的**（unsigned）。顾名思义，带符号类型可以表示正数也可以表示负数（包括 0），而无符号型只能表示大于或等于 0 的数。

整型 int、short 和 long 都默认为带符号型。要获得无符号型则必须指定该类型为 unsigned，比如 unsigned long。unsigned int 类型可以简写为 unsigned，也就是说，unsigned 后不加其他类型说明符意味着是 unsigned int。

34
~
35

和其他整型不同，char 有三种不同的类型：普通 char、unsigned char 和 signed char。虽然 char 有三种不同的类型，但只有两种表示方式。可以使用 unsigned char 或 signed char 表示 char 类型。使用哪种 char 表示方式由编译器而定。

2. 整型值的表示

无符号型中，所有的位都表示数值。如果在某种机器中，定义一种类型使用 8 位表示，那么这种类型的 unsigned 型可以取值 0 到 255。

C++标准并未定义 signed 类型如何用位来表示，而是由每个编译器自由决定如何表示 signed 类型。这些表示方式会影响 signed 类型的取值范围。8 位 signed 类型的取值肯定至少是从–127 到 127，但也有许多实现允许取值从–128 到 127。

表示 signed 整型类型最常见的策略是用其中一个位作为符号位。符号位为 1，值就为负数；符号位为 0，值就为 0 或正数。一个使用一位符号位的表示方式的 8 位 signed 整型取值是从–128 到 127。

3. 整型的赋值

对象的类型决定对象的取值。这会引起一个疑问：当我们试着把一个超出其取值范围的值赋给一个指定类型的对象时，结果会怎样呢？答案取决于这种类型是 signed 还是 unsigned 的。

对于 unsigned 类型来说，编译器必须调整越界值使其满足要求。编译器会将该值对 unsigned 类型的可能取值数目求模，然后取所得值。比如 8 位的 unsigned char，其取值范围从 0 到 255（包括 255）。如果赋给超出这个范围的值，那么编译器将会取该值对 256 求模后的值。例如，如果试图将 336 存储到 8 位的 unsigned char 中，则实际赋值为 80，因为 80 是 336 对 256 求模后的值。

对于 unsigned 类型来说，负数总是超出其取值范围。unsigned 类型的对象可能永远不会保存负数。有些语言中将负数赋给 unsigned 类型是非法的，但在 C++中这是合法的。

> C++中，把负值赋给 unsigned 对象是完全合法的，其结果是该负数对该类型的取值个数求模后的值。所以，如果把–1 赋给 8 位的 unsigned char，那么结果是 255，因为 255 是–1 对 256 求模后的值。

当将超过取值范围的值赋给 signed 类型时，由编译器决定实际赋的值。在实际操作中，很多的编译器处理 signed 类型的方式和 unsigned 类型类似。也就是说，赋值时是取该值对该类型取值数目求模后的值。然而我们不能保证编译器都会这样处理 signed 类型。

2.1.2 浮点型

类型 float、double 和 long double 分别表示单精度浮点数、双精度浮点数和扩展精度浮点数。一般 float 类型用一个字（32 位）来表示，double 类型用两个字（64 位）来表示，long double 类型用三个或四个字（96 或 128 位）来表示。类型的取值范围决定了浮点数所含的有效数字位数。

> 对于实际的程序来说，float 类型精度通常是不够的——float 型只能保证 6 位有效数字，而 double 型至少可以保证 10 位有效数字，能满足大多数计算的需要。

建议：使用内置算术类型

C++中整型数有点令人迷惑不解。就像 C 语言一样，C++被设计成允许程序在必要时直接处理硬件，因此整型被定义成满足各种各样硬件的特性。大多数程序员可以（应该）通过限制实际使用的类型来忽略这些复杂性。

实际上，许多人用整型进行计数。例如：程序经常计算像 vector 或数组这种数据结构的元素个数。在第 3 章和第 4 章中，我们将看到标准库定义了一组类型用于统计对象的大小。因此，当计数这些元素时使用标准库定义的类型总是正确的。其他情况下，使用 unsigned 类型比较明智，可以避免值越界导致结果为负数的可能性。

当执行整型算术运算时，很少使用 short 类型。大多数程序中，使用 short 类型可能会隐含赋值越界的错误。这个错误会产生什么后果将取决于所使用的机器。比较典型的情况是值"截断（wrap around）"以至于因越界而变成很大的负数。同样的道理，虽然 char 类型是整型，但是 char 类型通常用来存储字符而不用于计算。事实上，在某些实现中 char 类型被当作 signed 类型，在另外一些实现中则被当作 unsigned 类型，因此把 char 类型作为计算类型使用时容易出问题。

在大多数机器上，使用 int 类型进行整型计算不易出错。就技术上而言，int 类型用 16 位表示——这对大多数应用来说太小了。实际应用中，大多数通用机器都是使用和 long 类型一样长的 32 位来表示 int 类型。整型运算时，用 32 位表示 int 类型和 64 位表示 long 类型的机器会出现应该选择 int 类型还是 long 类型的难题。在这些机器上，用 long 类型进行计算所付出的运行时代价远远高于用 int 类型进行同样计算的代价，所以选择类型前要先了解程序的细节并且比较 long 类型与 int 类型的实际运行时性能代价。

决定使用哪种浮点型就容易多了：使用 double 类型基本上不会有错。在 float 类型中隐式的精度损失是不能忽视的，而双精度计算的代价相对于单精度可以忽略。事实上，有些机器上，double 类型比 float 类型的计算要快得多。long double 类型提供的精度通常没有必要，而且还需要承担额外的运行代价。

习题

习题 2.1 int、long 和 short 类型之间有什么差别？

习题 2.2 unsigned 和 signed 类型有什么差别？

习题 2.3 如果在某机器上 short 类型占 16 位，那么可以赋给 short 类型的最大数是什么？unsigned short 类型的最大数又是什么？

习题 2.4 当给 16 位的 unsigned short 对象赋值 100000 时，赋的值是什么？

习题 2.5 float 类型和 double 类型有什么差别？

习题 2.6 要计算抵押贷款的偿还金额，利率、本金和付款额应分别选用哪种类型？解释你选择的理由。

2.2 字面值常量

像 42 这样的值，在程序中被当作**字面值常量**（literal constant）。称之为字面值是因为只能用它的值称呼它，称之为常量是因为它的值不能修改。每个字面值都有相应的类型，例如：0 是 int 型，3.14159 是 double 型。只有内置类型存在字面值，没有类类型的字面值。因此，也没有任何标准库类型的字面值。

1. 整型字面值规则

定义字面值整数常量可以使用以下三种进制中的任一种：十进制、八进制和十六进制。当然这些进制不会改变其二进制位的表示形式。例如，我们能将值 20 定义成下列三种形式中的任意一种：

```
20        // decimal
024       // octal
0x14      // hexadecimal
```

以 0（零）开头的字面值整数常量表示八进制，以 0x 或 0X 开头的表示十六进制。

字面值整数常量的类型默认为 int 或 long 类型。其精度类型决定于字面值——其值适合 int 就是 int 类型，比 int 大的值就是 long 类型。通过增加后缀，能够强制将字面值整数常量转换为 long、unsigned 或 unsigned long 类型。通过在数值后面加 L 或者 l（字母"l"大写或小写）指定常量为 long 类型。

> 定义长整型时，应该使用大写字母 L。小写字母 l 很容易和数值 1 混淆。

类似地，可通过在数值后面加 U 或 u 定义 unsigned 类型。同时加 L 和 U 就能够得到 unsigned long 类型的字面值常量。但其后缀不能有空格：

```
128u     /* unsigned */      1024UL    /* unsigned long   */
1L       /* long     */      8Lu       /* unsigned long   */
```

没有 short 类型的字面值常量。

2. 浮点字面值规则

通常可以用十进制或者科学计数法来表示浮点字面值常量。使用科学计数法时，指数用 E 或者 e 表示。默认的浮点字面值常量为 double 类型。在数值的后面加上 F 或 f 表示单精度。同样加上 L 或者 l 表示扩展精度（再次提醒，不提倡使用小写字母 l）。下面每一组字面值表示相同的值：

```
3.14159F        .001f          12.345L        0.
3.14159E0f      1E-3F          1.2345E1L      0e0
```

3. 布尔字面值和字符字面值

单词 true 和 false 是布尔型的字面值：

```
bool test = false;
```

可打印的字符型字面值通常用一对单引号来定义：

```
'a'        '2'        ','        ' '  // blank
```

这些字面值都是 char 类型的。在字符字面值前加 L 就能够得到 wchar_t 类型的宽字符字面值。如：

```
L'a'
```

4. 非打印字符的转义序列

有些字符是**不可打印的**。不可打印字符实际上是不可显示的字符，比如退格或者控制符。还有一些在语言中有特殊意义的字符，例如单引号、双引号和反斜线符号。不可打印字符和特殊字符都用**转义字符**书写。转义字符都以反斜线符号开始，C++语言中定义了如下转义字符：

换行符	\n	水平制表符	\t
纵向制表符	\v	退格符	\b
回车符	\r	进纸符	\f
报警（响铃）符	\a	反斜线	\\
疑问号	\?	单引号	\'
双引号	\"		

我们可以将任何字符表示为以下形式的通用转义字符：

```
\ooo
```

这里 ooo 表示三个八进制数字，这三个数字表示字符的数字值。下面的例子是用 ASCII 码字符集表示字面值常量：

```
\7   (响铃符)      \12   (换行符)      \40(空格符)
\0   (空字符)      \062  ('2')        \115('M')
```

字符'\0'通常表示"空字符（null character）"，我们将会看到它有着非常特殊的意义。

同样也可以用十六进制转义字符来定义字符：

```
\xddd
```

它由一个反斜线符、一个 x 和一个或者多个十六进制数字组成。

5. 字符串字面值

之前见过的所有字面值都有基本内置类型。还有一种字面值（字符串字面值）更加复杂。字符串字面值是一串常量字符，这种类型将在 4.3 节详细说明。

字符串字面值常量用双引号括起来的零个或者多个字符表示。不可打印字符表示成相应的转义字符。

40

```
"Hello World!"                // simple string literal
""                            // empty string literal
"\nCC\toptions\tfile.[cC]\n"  // string literal using newlines and tabs
```

为了兼容 C 语言，C++中所有的字符串字面值都由编译器自动在末尾添加一个空字符。字符字面值

```
'A'      // single quote: character literal
```

表示单个字符 A，然而

```
"A"      // double quote: character string literal
```

表示包含字母 A 和空字符两个字符的字符串。

正如存在宽字符字面值，如

```
L'a'
```

也存在宽字符串字面值，一样在前面加"L"，如

```
L"a wide string literal"
```

宽字符串字面值是一串常量宽字符，同样以一个宽空字符结束。

6. 字符串字面值的连接

两个相邻的仅由空格、制表符或换行符分开的字符串字面值（或宽字符串字面值），可连接成一个新字符串字面值。这使得多行书写长字符串字面值变得简单：

```
// concatenated long string literal
std::cout << "a multi-line "
            "string literal "
            "using concatenation"
         << std::endl;
```

执行这条语句将会输出：

```
a multi-line string literal using concatenation
```

如果连接字符串字面值和宽字符串字面值，将会出现什么结果呢？例如：

```
// Concatenating plain and wide character strings is undefined
std::cout << "multi-line " L"literal " << std::endl;
```

其结果是**未定义的**（undefined），也就是说，连接不同类型的行为标准没有定义。这个程序可能会执行，也可能会崩溃或者产生没有用的值，而且在不同的编译器下程序的动作可能不同。

7. 多行字面值

处理长字符串有一个更基本的（但不常使用）方法，这个方法依赖于很少使用的程序格式化特性：在一行的末尾加一反斜线符号可将此行和下一行当作同一行处理。

正如 1.4.1 节提到的，C++的格式非常自由。特别是有一些地方不能插入空格，其中之一是在单词中间。特别是不能在单词中间断开一行。但可以通过使用反斜线符号巧妙实现：

```
// ok: A \ before a newline ignores the line break
std::cou\
t << "Hi" << st\
d::endl;
```

等价于

```
std::cout << "Hi" << std::endl;
```

可以使用这个特性来编写长字符串字面值：

```
// multiline string literal
std::cout << "a multi-line \
```

```
string literal \
using a backslash"
                << std::endl;
    return 0;
}
```

注意反斜线符号必须是该行的尾字符——不允许其后面有注释或空格。同样，后继行行首的任何空格和制表符都是字符串字面值的一部分。正因如此，长字符串字面值的后继行才不会有正常的缩进。

建议：不要依赖未定义行为

　　使用了未定义行为的程序都是错误的，即使程序能够运行，也只是巧合。未定义行为源于编译器不能检测到的程序错误或太麻烦以至无法检测的错误。

　　不幸的是，含有未定义行为的程序在有些环境或编译器中可以正确执行，但并不能保证同一程序在不同编译器中甚至在当前编译器的后继版本中会继续正确运行，也不能保证程序在一组输入上可以正确运行且在另一组输入上也能够正确运行。

　　程序不应该依赖未定义行为。

　　同样地，通常程序不应该依赖机器相关的行为，比如假定 int 的位数是个固定且已知的值。我们称这样的程序是不可移植的（nonportable）。当程序移植到另一台机器上时，要寻找并更改任何依赖机器相关操作的代码。在本来可以运行的程序中寻找这类问题是一项非常不愉快的任务。

42

习题

习题 2.7　解释下列字面值常量的不同之处。

 (a) 'a',L'a',"a",L"a"
 (b) 10,10u,10L,10uL,012,0xC
 (c) 3.14,3.14f,3.14L

习题 2.8　确定下列字面值常量的类型：

 (a) -10 (b) -10u (c) -10. (d) -10e-2

习题 2.9　下列哪些（如果有）是非法的？

 (a) "Who goes with F\145rgus?\012"
 (b) 3.14e1L (c) "two" L"some"
 (d) 1024f (e) 3.14UL
 (f) "multiple line
   comment"

习题 2.10　使用转义字符编写一段程序，输出 2M，然后换行。修改程序，输出 2，跟着一个制表符，然后是 M，最后是换行符。

2.3 变量

如果要计算 2 的 10 次方，我们首先想到的可能是：

```cpp
#include <iostream>
int main()
{
    // a first, not very good, solution
    std::cout << "2 raised to the power of 10: ";
    std::cout << 2*2*2*2*2*2*2*2*2*2;
    std::cout << std::endl;
    return 0;
}
```

这个程序确实解决了问题，尽管我们可能要一而再、再而三地检查确保恰好有 10 个字面值常量 2 相乘。这个程序产生正确的答案 1024。

接下来要计算 2 的 17 次方，然后是 23 次方。而每次都要改变程序是很麻烦的事。更糟的是，这样做还容易引起错误。修改后的程序常常会产生多乘或少乘 2 的结果。

替代这种蛮力型计算的方法包括两部分内容：

(1) 使用已命名对象执行运算并输出每次计算。

(2) 使用控制流结构，当某个条件为真时重复执行一系列程序语句。

以下是计算 2 的 10 次方的替代方法：

```cpp
#include <iostream>
int main()
{
    // local objects of type int
    int value = 2;
    int pow = 10;
    int result = 1;
    // repeat calculation of result until cnt is equal to pow
    for (int cnt = 0; cnt != pow; ++cnt)
        result *= value;    // result = result * value;
    std::cout << value
              << " raised to the power of "
              << pow << ": \t"
              << result << std::endl;
    return 0;
}
```

value、pow、result 和 cnt 都是变量，可以对数值进行存储、修改和查询。for 循环使得计算过程重复执行 pow 次。

习题

习题 2.11　编写程序，要求用户输入两个数——底数（base）和指数（exponent），输出底数的指数次方的结果。

C++是一门静态类型语言，在编译时会作类型检查。

在大多数语言中，对象的类型限制了对象可以执行的操作。如果某种类型不支持某种操作，那么这种类型的对象也就不能执行该操作。

在 C++中，操作是否合法是在编译时检查的。当编写表达式时，编译器检查表达式中的对象是否按该对象的类型定义的使用方式使用。如果不是的话，那么编译器会提示错误，而不产生可执行文件。

随着程序和使用的类型变得越来越复杂，我们将看到静态类型检查能帮助我们更早地发现错误。静态类型检查使得编译器必须能识别程序中的每个实体的类型。因此，程序中使用变量前必须先定义变量的类型。

44

2.3.1　什么是变量

变量提供了程序可以操作的有名字的存储区。C++中的每一个变量都有特定的类型，该类型决定了变量的内存大小和布局、能够存储于该内存中的值的取值范围以及可应用在该变量上的操作集。C++程序员常常把变量称为"变量"或"对象（object）"。

左值和右值

我们在第 5 章再详细探讨表达式，现在先介绍 C++的两种表达式：

(1) **左值**（lvalue，发音为 ell-value）：左值可以出现在赋值语句的左边或右边。

(2) **右值**（rvalue，发音为 are-value）：右值只能出现在赋值的右边，不能出现在赋值语句的左边。

变量是左值，因此可以出现在赋值语句的左边。数字字面值是右值，因此不能被赋值。给定以下变量：

```
int units_sold = 0;
double sales_price = 0, total_revenue = 0;
```

下列两条语句都会产生编译错误：

```
// error: arithmetic expression is not an lvalue
units_sold * sales_price = total_revenue;
// error: literal constant is not an lvalue
0 = 1;
```

有些操作符，比如赋值，要求其中的一个操作数必须是左值。结果，可以使用左值的上下文比右值更广。左值出现的上下文决定了左值是如何使用的。例如，表达式

```
units_sold = units_sold + 1;
```

中，units_sold变量被用作两种不同操作符的操作数。+操作符仅关心其操作数的值。变量的值是当前存储在和该变量相关联的内存中的值。加法操作符的作用是取得变量的值并加 1。

变量 units_sold 也被用作=操作符的左操作数。=操作符读取右操作数并写到左操作数。在这个表达式中，加法运算的结果被保存到与 units_sold 相关联的存储单元中，而 units_sold

45　之前的值则被覆盖。

　　　　在本书中，我们将看到在许多情形中左值或右值的使用影响程序的操作和/或性能——特别是在向函数传递值或从函数中返回值的时候。

习题

习题 2.12　区分左值和右值，并举例说明。

习题 2.13　举出一个需要左值的例子。

术语：什么是对象？

　　　　C++程序员经常随意地使用术语对象。一般而言，对象就是内存中具有类型的区域。说得更具体一些，计算左值表达式就会产生对象。

　　　　严格地说，有些人只把术语对象用于描述变量或类类型的值。有些人还区别有名字的对象和没名字的对象，当谈到有名字的对象时一般指变量。还有一些人区分对象和值，用术语对象描述可被程序改变的数据，用术语值描述只读数据。

　　　　在本书中，我们遵循更为通用的用法，即对象是内存中具有类型的区域。我们可以自由地使用对象描述程序中可操作的大部分数据，而不管这些数据是内置类型还是类类型，是有名字的还是没名字的，是可读的还是可写的。

2.3.2　变量名

　　变量名，即变量的**标识符**（identifier），可以由字母、数字和下划线组成。变量名必须以字母或下划线开头，并且区分大小写字母：C++中的标识符都是大小写敏感的。下面定义了 4 个不同的标识符：

```
// declares four different int variables
int somename, someName, SomeName, SOMENAME;
```

　　　　语言本身并没有限制变量名的长度，但考虑到将会阅读和/或修改我们的代码的其他人，变量名不应太长。

例如：

```
gosh_this_is_an_impossibly_long_name_to_type
```

就是一个糟糕的标识符。

1. C++关键字

　　C++保留了一组词用作该语言的关键字。关键字不能用作程序的标识符。表 2-2 列出了 C++所有的关键字。

表 2-2 C++关键字				
asm	do	if	return	try
auto	double	inline	short	typedef
bool	dynamic_cast	int	signed	typeid
break	else	long	sizeof	typename
case	enum	mutable	static	union
catch	explicit	namespace	static_cast	unsigned
char	export	new	struct	using
class	extern	operator	switch	virtual
const	false	private	template	void
const_cast	float	protected	this	volatile
continue	for	public	throw	wchar_t
default	friend	register	true	while
delete	goto	reinterpret_cast		

C++还保留了一些词用作各种操作符的替代名。这些替代名用于支持某些不支持标准 C++操 [46]
作符号集的字符集。它们也不能用作标识符。表 2-3 列出了这些替代名。

表 2-3 C++操作符替代名					
and	bitand	compl	not_eq	or_eq	xor_eq
and_eq	bitor	not	or	xor	

除了关键字，C++标准还保留了一组标识符用于标准库。标识符不能包含两个连续的下划线，也不能以下划线开头后面紧跟一个大写字母。有些标识符（在函数外定义的标识符）不能以下划线开头。

2. 变量命名习惯

变量命名有许多被普遍接受的习惯，遵循这些习惯可以提高程序的可读性。

- 变量名一般用小写字母。例如，通常会写成 index，而不写成 Index 或 INDEX。
- 标识符应使用能帮助记忆的名字，也就是说，能够提示其在程序中的用法的名字，如 on_loan 或 salary。
- 包含多个词的标识符书写为在每个词之间添加一个下划线，或者每个内嵌的词的第一个 字母都大写。例如通常会写成 student_loan 或 studentLoan，而不写成 studentloan。 [47]

 命名习惯最重要的是保持一致。

习题

习题 2.14 下面哪些（如果有）名字是非法的？更正每个非法的标识符名字。

    (a) int double = 3.14159;   (b) char _;
    (c) bool catch-22;   (d) char 1_or_2 ='1';
    (e) float Float = 3.14f;

2.3.3 定义对象

下列语句定义了 5 个变量：

```
int units_sold;
double sales_price, avg_price;
std::string title;
Sales_item curr_book;
```

每个定义都是以**类型说明符**（type specifier）开始，后面紧跟着以逗号分开的含有一个或多个说明符的列表。分号结束定义。类型说明符指定与对象相关联的类型：int、double、std::string 和 Sales_item 都是类型名。其中 int 和 double 是内置类型，std::string 是标准库定义的类型，Sales_item 是我们在 1.5 节使用的类型，将会在后面章节定义。类型决定了分配给变量的存储空间的大小和可以在其上执行的操作。

多个变量可以定义在同一条语句中：

```
double salary, wage;      // defines two variables of type double
int month,
    day, year;            // defines three variables of type int
std::string address;      // defines one variable of type std::string
```

1. 初始化

变量定义指定了变量的类型和标识符，也可以为对象提供初始值。定义时指定了初始值的对象被称为是**已初始化的**（initialized）。C++支持两种初始化变量的形式：**复制初始化**（copy-initialization）和**直接初始化**（direct-initialization）。复制初始化语法用等号（=），直接初始化则是把初始化式放在括号中：

```
int ival(1024);     // direct-initialization
int ival = 1024;    // copy-initialization
```

48

这两种情形中，ival 都被初始化为 1024。

　　虽然在本书到目前为止还没有清楚说明，但是在 C++中理解"初始化不是赋值"是必要的。初始化指创建变量并给它赋初始值，而赋值则是擦除对象的当前值并用新值代替。

　　使用=来初始化变量使得许多 C++编程新手感到迷惑，他们很容易把初始化当成是赋值的一种形式。但是在 C++中初始化和赋值是两种不同的操作。这个概念特别容易误导人，因为在许多其他的语言中这两者的差别不过是枝节问题因而可以被忽略。即使在 C++中也只有在编写非常复杂的类时才会凸显这两者之间的区别。无论如何，这是一个关键的概念，也是我们将会在整本书中反复强调的概念。

　　当初始化类类型对象时，复制初始化和直接初始化之间的差别是很微妙的。我们在第 13 章再详细解释它们之间的差别。现在我们只需知道，直接初始化语法更灵活且效率更高。

2. 使用多个初始化式

初始化内置类型的对象只有一种方法：提供一个值，并且把这个值复制到新定义的对象中。对内置类型来说，复制初始化和直接初始化几乎没有差别。

对类类型的对象来说，有些初始化仅能用直接初始化完成。要想理解其中缘由，需要初步了解类是如何控制初始化的。

每个类都可能会定义一个或几个特殊的成员函数（1.5.2 节）来告诉我们如何初始化类类型的变量。定义如何进行初始化的成员函数称为**构造函数**（constructor）。和其他函数一样，构造函数能接受多个参数。一个类可以定义几个构造函数，每个构造函数必须接受不同数目或者不同类型的参数。

我们以 string 类为例（string 类将在第 3 章详细讨论）。string 类型在标准库中定义，用于存储不同长度的字符串。使用 string 时必须包含 string 头文件。和 IO 类型一样，string 定义在 std 命名空间中。

string 类定义了几个构造函数，使得我们可以用不同的方式初始化 string 对象。其中一种初始化 string 对象的方式是作为字符串字面值的副本：

```
#include <string>
// alternative ways to initialize string from a character string literal
std::string titleA = "C++ Primer, 4th Ed.";
std::string titleB("C++ Primer, 4th Ed.");
```

49

本例中，两种初始化方式都可以使用。两种定义都创建了一个 string 对象，其初始值都是指定的字符串字面值的副本。

也可以通过一个计数器和一个字符初始化 string 对象。这样创建的对象包含重复多次的指定字符，重复次数由计数器指定：

```
std::string all_nines(10, '9');   // all_nines= "9999999999"
```

本例中，初始化 all_nines 的唯一方法是直接初始化。有多个初始化式时不能使用复制初始化。

3. 初始化多个变量

当一个定义中定义了两个以上变量的时候，每个变量都可能有自己的初始化式。 对象的名字立即变成可见，所以可以用同一个定义中前面已定义变量的值初始化后面的变量。已初始化变量和未初始化变量可以在同一个定义中定义。两种形式的初始化文法可以相互混合。

```
#include <string>
// ok: salary defined and initialized before it is used to initialize wage
double salary = 9999.99,
       wage(salary + 0.01);
// ok: mix of initialized and uninitialized
int interval,
    month = 8, day = 7, year = 1955;
// ok: both forms of initialization syntax used
std::string title("C++ Primer, 4th Ed."),
            publisher = "A-W";
```

对象可以用任意复杂的表达式（包括函数的返回值）来初始化：

```
double price = 109.99, discount = 0.16;
```

```
double sale_price = apply_discount(price, discount);
```

本例中，函数 apply_discount 接受两个 double 类型的值并返回一个 double 类型的值。将变量 price 和 discount 传递给函数，并且用它的返回值来初始化 sale_price。

习题

习题 2.15   下面两个定义是否不同？有何不同？

```
int  month = 9, day = 7;
int  month =09, day = 07;
```

如果上述定义有错的话，那么应该怎样改正呢？

习题 2.16   假设 calc 是一个返回 double 对象的函数。下面哪些是非法定义？改正所有的非法定义。

```
(a)  int car = 1024, auto = 2048;
(b)  int ival = ival;
(c)  std::cin >> int input_value;
(d)  double salary = wage = 9999.99;
(e)  double calc = calc();
```

2.3.4   变量初始化规则

当定义没有初始化式的变量时，系统有时候会帮我们初始化变量。这时，系统提供什么样的值取决于变量的类型，也取决于变量定义的位置。

1. 内置类型变量的初始化

内置类型变量是否自动初始化取决于变量定义的位置。在函数体外定义的变量都初始化成 0，在函数体里定义的内置类型变量不进行自动初始化。除了用作赋值操作符的左操作数，未初始化变量用作任何其他用途都是没有定义的。未初始化变量引起的错误难以发现。正如我们在 2.2 节劝告的，永远不要依赖未定义行为。

> **警告：未初始化的变量引起运行问题**
>
> 　　使用未初始化的变量是常见的程序错误，通常也是难以发现的错误。虽然许多编译器都至少会提醒不要使用未初始化变量，但是编译器并未被要求去检测未初始化变量的使用。而且，没有一个编译器能检测出所有未初始化变量的使用。
>
> 　　有时我们很幸运，使用未初始化的变量导致程序在运行时突然崩溃。一旦跟踪到程序崩溃的位置，就可以轻易地发现没有正确地初始化变量。
>
> 　　但有时，程序运行完毕却产生错误的结果。更糟糕的是，程序运行在一部机器上时能产生正确的结果，但在另外一部机器上却不能得到正确的结果。添加代码到程序的一些不相关的位置，会导致我们认为是正确的程序产生错误的结果。
>
> 　　问题出在未初始化的变量事实上都有一个值。编译器把该变量放到内存中的某个位置，而把这个位置的无论哪种位模式都当成是变量初始的状态。当被解释成整型值时，任何位模式都是合法的值——虽然这个值不可能是程序员想要的。因为这个值合法，所以使用它也不可能会导致程序崩溃。可能的结果是导致程序错误执行和/或错误计算。

最佳实践　　建议每个内置类型的对象都要初始化。虽然这样做并不总是必需的，但是会更加容易和安全，除非你确定忽略初始化式不会带来风险。

51

2. 类类型变量的初始化

每个类都定义了该类型的对象可以怎样初始化。类通过定义一个或多个构造函数来控制类对象的初始化（2.3.3 节）。例如：我们知道 string 类至少提供了两个构造函数，其中一个允许我们通过字符串字面值初始化 string 对象，另外一个允许我们通过字符和计数器初始化 string 对象。

如果定义某个类的变量时没有提供初始化式，这个类也可以定义初始化时的操作。它是通过定义一个特殊的构造函数即**默认构造函数**（default constructor）来实现的。这个构造函数之所以被称作默认构造函数，是因为它是"默认"运行的。如果没有提供初始化式，那么就会使用默认构造函数。不管变量在哪里定义，默认构造函数都会被使用。

大多数类都提供了默认构造函数。如果类具有默认构造函数，那么就可以在定义该类的变量时不用显式地初始化变量。例如，string 类定义了默认构造函数来初始化 string 变量为空字符串，即没有字符的字符串：

```
std::string empty;  // empty is the empty string; empty = ""
```

有些类类型没有默认构造函数。对于这些类型来说，每个定义都必须提供显式的初始化式。没有初始值是根本不可能定义这种类型的变量的。

习题

习题 2.17　下列变量的初始值（如果有）是什么？

```
std::string global_str;
int global_int;
int main()
{
    int local_int;
    std::string local_str;
    // ...
    return 0;
}
```

2.3.5　声明和定义

正如将在 2.9 节所看到的那样，C++程序通常由许多文件组成。为了让多个文件访问相同的变量，C++区分了声明和定义。

变量的**定义**（definition）用于为变量分配存储空间，还可以为变量指定初始值。在一个程序中，变量有且仅有一个定义。

声明（declaration）用于向程序表明变量的类型和名字。定义也是声明：当定义变量时我们声明了它的类型和名字。可以通过使用 extern 关键字声明变量名而不定义它。不定义变量的声

52

明包括对象名、对象类型和对象类型前的关键字 extern：

```
extern int i;      // declares but does not define i
int i;             // declares and defines  i
```

extern 声明不是定义，也不分配存储空间。事实上，它只是说明变量定义在程序的其他地方。程序中变量可以声明多次，但只能定义一次。

只有当声明也是定义时，声明才可以有初始化式，因为只有定义才分配存储空间。初始化式必须要有存储空间来进行初始化。如果声明有初始化式，那么它可被当作是定义，即使声明标记为 extern：

```
extern double pi = 3.1416;  // definition
```

虽然使用了 extern，但是这条语句还是定义了 pi，分配并初始化了存储空间。只有当 extern 声明位于函数外部时，才可以含有初始化式。

因为已初始化的 extern 声明被当作是定义，所以该变量任何随后的定义都是错误的：

```
extern double pi = 3.1416;  // definition
double pi;                  // error: redefinition of pi
```

同样，随后的含有初始化式的 extern 声明也是错误的：

```
extern double pi = 3.1416;  // definition
extern double pi;           // ok: declaration not definition
extern double pi = 3.1416;  // error: redefinition of pi
```

声明和定义之间的区别可能看起来微不足道，但事实上却是举足轻重的。

在 C++语言中，变量必须且仅能定义一次，而且在使用变量之前必须定义或声明变量。

任何在多个文件中使用的变量都需要有与定义分离的声明。在这种情况下，一个文件含有变量的定义，使用该变量的其他文件则包含该变量的声明（而不是定义）。

习题

习题 2.18　解释下列例子中 name 的意义：

```
extern std::string name;
std::string name("exercise 3.5a");
extern std::string name("exercise 3.5a");
```

2.3.6　名字的作用域

C++程序中，每个名字都与唯一的实体（比如变量、函数和类型等）相关联。尽管有这样的要求，还是可以在程序中多次使用同一个名字，只要它用在不同的上下文中，且通过这些上下文可以区分该名字的不同意义。用来区分名字的不同意义的上下文称为**作用域**（scope）。作用域是程序的一段区域。一个名称可以和不同作用域中的不同实体相关联。

C++语言中，大多数作用域是用花括号来界定的。一般来说，名字从其声明点开始直到其声明所在的作用域结束处都是可见的。例如，思考 1.4.2 节中的程序：

```cpp
#include <iostream>
int main()
{
    int sum = 0;
    // sum values from 1 up to 10 inclusive
    for (int val = 1; val <= 10; ++val)
        sum += val;   // equivalent to sum = sum + val

    std::cout << "Sum of 1 to 10 inclusive is "
              << sum << std::endl;
    return 0;
}
```

这个程序定义了三个名字，使用了两个标准库的名字。程序定义了一个名为 main 的函数，以及两个名为 sum 和 val 的变量。名字 main 定义在所有花括号之外，在整个程序都可见。定义在所有函数外部的名字具有**全局作用域**（global scope），可以在程序中的任何地方访问。名字 sum 定义在 main 函数的作用域中，在整个 main 函数中都可以访问，但在 main 函数外则不能。变量 sum 有局部作用域（local scope）。名字 val 更有意思，它定义在 for 语句的作用域中，只能在 for 语句中使用，而不能用在 main 函数的其他地方。它具有**语句作用域**（statement scope）。

C++中作用域可嵌套

定义在全局作用域中的名字可以在局部作用域中使用，定义在全局作用域中的名字和定义在函数的局部作用域中的名字可以在语句作用域中使用，等等。名字还可以在内部作用域中重新定义。理解和名字相关联的实体需要明白定义名字的作用域：

```cpp
#include <iostream>
#include <string>
/*  Program for illustration purposes only:
 *  It is bad style for a function to use a global variable and then
 *  define a local variable with the same name
 */
std::string s1 = "hello";  // s1 has global scope
int main()
{
    std::string s2 = "world"; // s2 has local scope
    // uses global s1; prints "hello world"
    std::cout << s1 << " " << s2 << std::endl;
    int s1 = 42;  // s1 is local and hides global s1
    // uses local s1; prints "42 world"
    std::cout << s1 << " " << s2 << std::endl;
    return 0;
}
```

54

这个程序中定义了三个变量：string 类型的全局变量 s1、string 类型的局部变量 s2 和 int 类型的局部变量 s1。局部变量 s1 的定义屏蔽（hide）了全局变量 s1。

变量从声明开始才可见，因此执行第一次输出时局部变量 s1 不可见，输出表达式中的 s1 是全局变量 s1，输出"hello world"。第二条输出语句跟在 s1 的局部定义后，现在局部变量

s1 在作用域中。第二条输出语句使用的是局部变量 s1 而不是全局变量 s1，输出"42 world"。

> 像上面这样的程序很可能让人大惑不解。在函数内定义一个与函数可能会用到的全局变量同名的局部变量总是不好的。局部变量最好使用不同的名字。

第 7 章将详细讨论局部作用域和全局作用域，第 6 章将讨论语句作用域。C++还有另外两种不同级别的作用域：**类作用域**（class scope，第 12 章将介绍）和**命名空间作用域**（namespace scope，17.2 节将介绍）。

2.3.7 在变量使用处定义变量

一般来说，变量的定义或声明可以放在程序中能摆放语句的任何位置。变量在使用前必须先声明或定义。

> 通常把一个对象定义在它首次使用的地方是一个很好的办法。

在对象第一次被使用的地方定义对象可以提高程序的可读性。读者不需要返回到代码段的开始位置去寻找某一特殊变量的定义，而且，在此处定义变量，更容易给它赋以有意义的初始值。

放置声明的一个约束是，变量只在从其定义处开始到该声明所在的作用域的结束处才可以访问。必须在使用该变量的最外层作用域里面或之前定义变量。

| 55 |

习题

习题 2.19 下列程序中 j 的值是多少？
```
int i = 42;
int main()
{
    int i = 100;
    int j = i;
    // ...
}
```

习题 2.20 下列程序段将会输出什么？
```
int i = 100, sum = 0;
for (int i = 0; i != 10; ++i)
    sum += i;
std::cout << i << " " << sum << std::endl;
```

习题 2.21 下列程序合法吗？
```
int sum = 0;
for (int i = 0; i != 10; ++i)
    sum += i;
std::cout << "Sum from 0 to " << i
         << " is " << sum << std::endl;
```

2.4 **const** 限定符

下列 for 循环语句有两个问题，两个都和使用 512 作为循环上界有关。

```
for (int index = 0; index != 512; ++index) {
    // ...
}
```

第一个问题是程序的可读性。比较 index 与 512 有什么意思呢？循环在做什么呢？也就是说 512 作用何在？〔本例中，512 被称为**魔数**（magic number），它的意义在上下文中没有体现出来。好像这个数是魔术般地从空中出现的。〕

第二个问题是程序的可维护性。假设这个程序非常庞大，512 出现了 100 次。进一步假设在这 100 次中，有 80 次是表示某一特殊缓冲区的大小，剩余 20 次用于其他目的。现在我们需要把缓冲区的大小增大到 1024。要实现这一改变，必须检查每个 512 出现的位置。我们必须确定（在每种情况下都准确地确定）哪些 512 表示缓冲区大小，而哪些不是。改错一个都会使程序崩溃，又得回过头来重新检查。

解决这两个问题的方法是使用一个初始化为 512 的对象：

```
int bufSize = 512;    // input buffer size
for (int index = 0; index != bufSize; ++index) {
    // ...
}
```

通过使用好记的名字如 bufSize，增强了程序的可读性。现在是对对象 bufSize 测试而不是对字面值常量 512 测试：

```
index != bufSize
```

现在如果想要改变缓冲区大小，就不再需要查找和改正 80 次出现的地方。而只有初始化 bufSize 那行需要修改。这种方法不但明显减少了工作量，而且还大大减少了出错的可能性。

1. 定义 **const** 对象

定义一个变量代表某一常数的方法仍然有一个严重的问题。即 bufSize 是可以被修改的。bufSize 可能被有意或无意地修改。const 限定符提供了一个解决办法，它把一个对象转换成一个常量。

```
const int bufSize = 512;    // input buffer size
```

定义 bufSize 为常量并初始化为 512。变量 bufSize 仍然是一个左值（2.3.1 节），但是现在这个左值是不可修改的。任何修改 bufSize 的尝试都会导致编译错误：

```
bufSize = 0; // error: attempt to write to const object
```

因为常量在定义后就不能被修改，所以定义时必须初始化。

```
const std::string hi = "hello!"; // ok: initialized
const int i, j = 0; // error: i is uninitialized const
```

56

2. const 对象默认为文件的局部变量

在全局作用域（2.3.6 节）里定义非 const 变量时，它在整个程序中都可以访问。我们可以把一个非 const 变量定义在一个文件中，假设已经做了合适的声明，就可在另外的文件中使用这个变量：

```
// file_1.cc
int counter;  // definition
// file_2.cc
extern int counter; // uses counter from file_1
++counter;            // increments counter defined in file_1
```

与其他变量不同，除非特别说明，在全局作用域声明的 const 变量是定义该对象的文件的局部变量。此变量只存在于那个文件中，不能被其他文件访问。

通过指定 const 变量为 extern，就可以在整个程序中访问 const 对象：

```
// file_1.cc
// defines and initializes a const that is accessible to other files
extern const int bufSize = fcn();
// file_2.cc
extern const int bufSize; // uses bufSize from file_1
// uses bufSize defined in file_1
for (int index = 0; index != bufSize; ++index)
    // ...
```

本程序中，file_1.cc 通过函数 fcn() 的返回值来定义和初始化 bufSize。而 bufSize 定义为 extern，也就意味着 bufSize 可以在其他的文件中使用。file_2.cc 中 bufSize 的声明同样是 extern；这种情况下，extern 标志着 bufSize 是一个声明，所以没有初始化式。

> 非 const 变量默认为 extern。要使 const 变量能够在其他的文件中访问，必须显式地指定它为 extern。

我们将会在 2.9.1 节看到为何 const 对象局部于文件创建。

习题

习题 2.22　下列程序段虽然合法，但是风格很糟糕。有什么问题呢？怎样改善？

```
for (int i = 0; i < 100; ++i)
    // process i
```

习题 2.23　下列哪些语句合法？对于那些不合法的，请解释为什么不合法。

```
(a) const int buf;
(b) int cnt = 0;
    const int sz = cnt;
(c) cnt++; sz++;
```

2.5　引用

引用（reference）就是对象的另一个名字。在实际程序中，引用主要用作函数的形式参数。

我们将在 7.2.2 节再详细介绍引用参数。在这一节，我们用独立的对象来介绍并举例说明引用的用法。

引用是一种**复合类型**（compound type），通过在变量名前添加"&"符号来定义。复合类型是指用其他类型定义的类型。在引用的情况下，每一种引用类型都"关联到"某一其他类型。不能定义引用类型的引用，但可以定义任何其他类型的引用。

引用必须用与该引用同类型的对象初始化：

```
int ival = 1024;
int &refVal = ival;  // ok: refVal refers to ival
int &refVal2;        // error: a reference must be initialized
int &refVal3 = 10;   // error: initializer must be an object
```

1. 引用是别名

因为引用只是它绑定的对象的另一名字，作用在引用上的所有操作事实上都是作用在该引用绑定的对象上：

```
refVal += 2;
```

将 refVal 指向的对象 ival 加 2。类似地，

```
int ii = refVal;
```

把和 ival 相关联的值赋给 ii。

> 当引用初始化后，只要该引用存在，它就保持绑定到初始化时指向的对象。不可能将引用绑定到另一个对象。

要理解的重要概念是引用只是对象的另一名字。事实上，我们可以通过 ival 的原名访问 ival，也可以通过它的别名 refVal 访问。赋值只是另外一种操作，因此我们编写

```
refVal = 5;
```

的效果是把 ival 的值修改为 5。这一规则的结果是必须在定义引用时进行初始化。初始化是指明引用指向哪个对象的唯一方法。

2. 定义多个引用

可以在一个类型定义行中定义多个引用。必须在每个引用标识符前添加"&"符号：

```
int i = 1024, i2 = 2048;
int &r = i, r2 = i2;        // r is a reference, r2 is an int
int i3 = 1024, &ri = i3;    // defines one object, and one reference
int &r3 = i3, &r4 = i2;     // defines two references
```

3. `const` 引用

const 引用是指向 const 对象的引用：

```
const int ival = 1024;
const int &refVal = ival;   // ok: both reference and object are const
int &ref2 = ival;           // error: nonconst reference to a const object
```

可以读取但不能修改 refVal，因此，任何对 refVal 的赋值都是不合法的。这个限制有其意义：不能直接对 ival 赋值，因此不能通过使用 refVal 来修改 ival。

同理，用 ival 初始化 ref2 也是不合法的：ref2 是普通的非 **const** 引用（nonconst reference），

因此可以用来修改 ref2 指向的对象的值。通过 ref2 对 ival 赋值会导致修改 const 对象的值。为阻止这样的修改，需要规定将普通的引用绑定到 const 对象是不合法的。

术语：const 引用是指向 const 的引用

C++程序员常常随意地使用术语 const 引用。严格来说，"const 引用"的意思是"指向 const 对象的引用"。类似地，程序员使用术语"非 const 引用"表示指向非 const 类型的引用。这种用法非常普遍，我们在本书中也遵循这种用法。

const 引用可以初始化为不同类型的对象或者初始化为右值（2.3.1 节），如字面值常量：

```
int i = 42;
//  legal for const references only
const int &r = 42;
const int &r2 = r + i;
```

同样的初始化对于非 const 引用却是不合法的，而且会导致编译时错误。其原因非常微妙，值得解释一下。

观察将引用绑定到不同的类型时所发生的事情，最容易理解上述行为。假如我们编写

```
double dval = 3.14;
const int &ri = dval;
```

编译器会把这些代码转换成如以下形式的编码：

```
int temp = dval;        //  create temporary int from the double
const int &ri = temp;   //  bind ri to that temporary
```

如果 ri 不是 const，那么可以给 ri 赋一新值。这样做不会修改 dval，而是修改了 temp。期望对 ri 的赋值会修改 dval 的程序员会发现 dval 并没有被修改。仅允许 const 引用绑定到需要临时使用的值完全避免了这个问题，因为 const 引用是只读的。

> 非 const 引用只能绑定到与该引用同类型的对象。
> const 引用则可以绑定到不同但相关的类型的对象或绑定到右值。

习题

习题 2.24   下列哪些定义是非法的？为什么？如何改正？

    (a) int ival = 1.01;   (b) int &rval1 = 1.01;

    (c) int &rval2 = ival;   (d) const int &rval3 = 1;

习题 2.25   在上题给出的定义下，下列哪些赋值是非法的？如果赋值合法，解释赋值的作用。

    (a) rval2 = 3.14159;   (b) rval2 = rval3;

    (c) ival = rval3;   (d) rval3 = ival;

习题 2.26   (a)中的定义和(b)中的赋值存在哪些不同？哪些是非法的？

    (a) int ival = 0;   (b) ival = ri;

        const int &ri = 0;   ri = ival;

习题 2.27   下列代码输出什么？

```
int i, &ri = i;
i = 5; ri =10;
std::cout << i << " " << ri << std::endl;
```

2.6　**typedef** 名字

typedef 可以用来定义类型的同义词：

```
typedef double wages;        // wages is a synonym for double
typedef int exam_score;      // exam_score is a synonym for int
typedef wages salary;        // indirect synonym for double
```

typedef 名字可以用作类型说明符：

```
wages hourly, weekly;        // double hourly, weekly;
exam_score test_result;      // int test_result;
```

typedef 定义以关键字 typedef 开始，后面是数据类型和标识符。标识符或类型名并没有引入新的类型，而只是现有数据类型的同义词。typedef 名字可出现在程序中类型名可出现的任何位置。

typedef 通常被用于以下三种目的：

- 为了隐藏特定类型的实现，强调使用类型的目的。
- 简化复杂的类型定义，使其更易理解。
- 允许一种类型用于多个目的，同时使得每次使用该类型的目的明确。

61

2.7　枚举

我们经常需要为某些属性定义一组可选择的值。例如，文件打开的状态可能会有三种：输入、输出和追加。记录这些状态值的一种方法是使每种状态都与一个唯一的常数值相关联。我们可能会这样编写代码：

```
const int input = 0;
const int output = 1;
const int append = 2;
```

虽然这种方法也能奏效，但是它有个明显的缺点：没有指出这些值是相关联的。**枚举**（enumeration）提供了一种替代的方法，不但定义了整数常量集，而且还把它们聚集成组。

1. 定义和初始化枚举

枚举的定义包括关键字 enum，其后是一个可选的枚举类型名，和一个用花括号括起来、用逗号分开的**枚举成员**（enumerator）列表。

```
// input is 0, output is 1, and append is 2
enum open_modes {input, output, append};
```

默认地，第一个枚举成员赋值为 0，后面的每个枚举成员赋的值比前面的大 1。

2. 枚举成员是常量

可以为一个或多个枚举成员提供初始值，用来初始化枚举成员的值必须是一个**常量表达式**（constant expression）。常量表达式是编译器在编译时就能够计算出结果的整型表达式。整型字面值常量是常量表达式，正如一个通过常量表达式自我初始化的 const 对象（2.4 节）也是常量表达式一样。

例如，可以定义下列枚举类型：

```
// shape is 1, sphere is 2, cylinder is 3, polygon is 4
enum Forms {shape = 1, sphere, cylinder, polygon};
```

在枚举类型 Forms 中，显式将 shape 赋值为 1。其他枚举成员隐式初始化：sphere 初始化为 2，cylinder 初始化为 3，polygon 初始化为 4。

枚举成员值可以是不唯一的。

```
// point2d is 2,point2w is 3,point3d is 3,point3w is 4
enum Points { point2d = 2, point2w,
              point3d = 3, point3w };
```

本例中，枚举成员 point2d 显式初始化为 2。下一个枚举成员 point2w 默认初始化，即它的值比前一枚举成员的值大 1，因此 point2w 初始化为 3。枚举成员 point3d 显式初始化为 3。一样，point3w 默认初始化，结果为 4。

不能改变枚举成员的值。枚举成员本身就是一个常量表达式，所以也可用于需要常量表达式的任何地方。

3. 每个 enum 都定义一种唯一的类型

每个 enum 都定义了一种新的类型。和其他类型一样，可以定义和初始化 Points 类型的对象，也可以以不同的方式使用这些对象。枚举类型的对象的初始化或赋值，只能通过其枚举成员或同一枚举类型的其他对象来进行：

```
Points pt3d = point3d;   // ok: point3d is a Points enumerator
Points pt2w = 3;         // error: pt2w initialized with int
pt2w = polygon;          // error: polygon is not a Points enumerator
pt2w = pt3d;             // ok: both are objects of Points enum type
```

注意把 3 赋给 Points 对象是非法的，即使 3 与一个 Points 枚举成员相关联。

2.8　类类型

C++中，通过定义**类**（class）来自定义数据类型。类定义了该类型的对象包含的数据和该类型的对象可以执行的操作。标准库类型 string、istream 和 ostream 都定义成类。

C++对类的支持非常丰富——事实上，定义类是如此重要，我们把第三到第五部分全部用来描述 C++对类及类操作的支持。

在第 1 章中，我们使用 Sales_item 类型来解决书店问题。使用 Sales_item 类型的对象来记录对应于特定 ISBN 的销售数据。在这节中，我们先了解如何定义简单的类，如 Sales_item 类。

1. 从操作开始设计类

每个类都定义了一个**接口**（interface）和一个**实现**（implementation）。接口由使用该类的代码需要执行的操作组成。实现一般包括该类所需要的数据。实现还包括定义该类需要的但又不供一般性使用的函数。

定义类时，通常先定义该类的接口，即该类所提供的操作。通过这些操作，可以决定该类完成其功能所需要的数据，以及是否需要定义一些函数来支持该类的实现。

我们将要定义的类型所支持的操作，就是我们在第 1 章中所用到的操作。这些操作如下（参见 1.5.1 节）：

- 加法操作符，将两个 Sales_item 相加。
- 输入和输出操作符，读和写 Sales_item 对象。
- 赋值操作符，把 Sales_item 对象赋给另一个 Sales_item 对象。
- same_isbn 函数，检测两个对象是否指同一本书。

在学完怎样定义函数和操作符后，我们将会在第 7 章和第 14 章看到该怎样来定义这些操作。虽然现在不能实现这些函数，但通过思考这些操作必须要实现的功能，我们可以看出该类需要什么样的数据。Sales_item 类必须

(1) 记录特定书的销售册数。

(2) 记录该书的总销售收入。

(3) 计算该书的平均售价。

查看以上所列出的任务，可以知道需要一个 unsigned 类型的对象来记录书的销售册数，一个 double 类型的对象来记录总销售收入，然后可以用总收入除以销售册数计算出平均售价。因为我们还想知道是在记录哪本书，所以还需要定义一个 string 类型的对象来记录书的 ISBN。

2. 定义 Sales_item 类

很明显，我们需要能够定义一种包含这三个数据元素和在第 1 章所用到的操作的数据类型。在 C++语言中，定义这种数据类型的方法就是定义类：

```cpp
class Sales_item {
public:
    // operations on Sales_item objects will go here
private:
    std::string isbn;
    unsigned units_sold;
    double revenue;
};
```

类定义以关键字 class 开始，其后是该类的名字标识符。类体位于花括号里面。花括号后面必须要跟一个分号。

编程新手经常会忘记类定义后面的分号，这是个很普遍的错误！

类体可以为空。类体定义了组成该类型的数据和操作。这些操作和数据是类的一部分，也称为类的**成员**（member）。操作称为成员函数（1.5.2 节），而数据则称为**数据成员**（data member）。

类也可以包含 0 个到多个 private 或 public **访问标号**（access label）。访问标号控制类的成员在类外部是否可访问。使用该类的代码可能只能访问 public 成员。

定义了类，也就定义了一种新的类型。类名就是该类型的名字。通过命名 Sales_item 类，表示 Sales_item 是一种新的类型，而且程序也可以定义该类型的变量。

每一个类都定义了它自己的作用域（2.3.6 节）。也就是说，数据和操作的名字在类的内部必须唯一，但可以重用定义在类外的名字。

3. 类的数据成员

定义类的数据成员和定义普通变量有些相似。我们同样是指定一种类型并给该成员一个名字：

```
std::string isbn;
unsigned units_sold;
double revenue;
```

这个类含有三个数据成员：一个名为 isbn 的 string 类型成员，一个名为 units_sold 的 unsigned 类型成员，一个名为 revenue 的 double 类型成员。类的数据成员定义了该类类型对象的内容。当定义 Sales_item 类型的对象时，这些对象将包含一个 string 型变量，一个 unsigned 型变量和一个 double 型变量。

定义变量和定义数据成员存在非常重要的区别：一般不能把类成员的初始化作为其定义的一部分。当定义数据成员时，只能指定该数据成员的名字和类型。类不是在类定义里定义数据成员时初始化数据成员，而是通过称为构造函数（2.3.3 节）的特殊成员函数控制初始化。我们将在 7.7.3 节定义 Sales_item 的构造函数。

4. 访问标号

访问标号负责控制使用该类的代码是否可以使用给定的成员。类的成员函数可以使用类的任何成员，而不管其访问级别。访问标号 public、private 可以多次出现在类定义中。给定的访问标号应用到下一个访问标号出现时为止。

类中 public 部分定义的成员在程序的任何部分都可以访问。一般把操作放在 public 部分，这样程序的任何代码都可以执行这些操作。

不是类的组成部分的代码不能访问 **private** 成员。通过设定 Sales_item 的数据成员为 private，可以保证对 Sales_item 对象进行操作的代码不能直接操纵其数据成员。就像我们在第 1 章编写的程序那样，程序不能访问类中的 private 成员。Sales_item 类型的对象可以执行那些操作，但是不能直接修改这些数据。

5. 使用 **struct** 关键字

C++支持另一个关键字 struct，它也可以定义类类型。struct 关键字是从 C 语言中继承过来的。

如果使用 class 关键字来定义类，那么定义在第一个访问标号前的任何成员都隐式指定为 private；如果使用 struct 关键字，那么这些成员都是 public。使用 class 还是 struct 关键字来定义类，仅仅影响默认的初始访问级别。

可以等效地定义 Sales_item 类为：

```
struct Sales_item {
    // no need for public label, members are public by default
```

```
        // operations on Sales_item objects
private:
        std::string isbn;
        unsigned units_sold;
        double revenue;
};
```

本例的类定义和前面的类定义只有两个区别：这里使用了关键字 struct，并且没有在花括号后使用关键字 public。struct 的成员都是 public，除非有其他特殊的声明，所以就没有必要添加 public 标号。

> 用 class 和 struct 关键字定义类的唯一差别在于默认访问级别：默认情况下，struct 的成员为 public，而 class 的成员为 private。

习题

习题 2.28   编译以下程序，确定你的编译器是否会警告遗漏了类定义后面的分号。

```
class Foo {
        // empty
} // Note: no semicolon
int main()
{
        return 0;
}
```

如果编译器的诊断结果难以理解，记住这些信息以备后用。

习题 2.29   区分类中的 public 部分和 private 部分。

习题 2.30   定义表示下列类型的类的数据成员：

(a) 电话号码   (b) 地址

(c) 员工或公司   (d) 某大学的学生

66

2.9   编写自己的头文件

我们已经从 1.5 节了解到，一般类定义都会放入**头文件**（header file）。在本节中我们将看到怎样为 Sales_item 类定义头文件。

事实上，C++程序使用头文件包含的不仅仅是类定义。回想一下，名字在使用前必须先声明或定义。到目前为止，我们编写的程序是把代码放到一个文件里来处理这个要求。只要每个实体位于使用它的代码之前，这个策略就有效。但是，很少有程序简单到可以放置在一个文件中。由多个文件组成的程序需要一种方法连接名字的使用和声明，在 C++中这是通过头文件实现的。

为了允许把程序分成独立的逻辑块，C++支持所谓的**分别编译**（separate compilation）。这样程序可以由多个文件组成。为了支持分别编译，我们把 Sales_item 的定义放在一个头文件里面。我们后面在 7.7 节中定义的 Sales_item 成员函数将放在单独的源文件中。像 main 这样使用 Sales_item 对象的函数放在其他的源文件中，任何使用 Sales_item 的源文件都必须包含 Sales_item.h 头文件。

2.9.1　设计自己的头文件

头文件为相关声明提供了一个集中存放的位置。头文件一般包含类的定义、extern 变量的声明和函数的声明。函数的声明将在 7.4 节介绍。使用或定义这些实体的文件要包含适当的头文件。

头文件的正确使用能够带来两个好处：保证所有文件使用给定实体的同一声明；当声明需要修改时，只有头文件需要更新。

设计头文件还需要注意以下几点：头文件中所做的声明在逻辑上应该是适于放在一起的。编译头文件需要一定的时间。如果头文件太大，程序员可能不愿意承受包含该头文件所带来的编译时代价。

 　　为了减少处理头文件的编译时间，有些 C++的实现支持预编译头文件。欲进一步了解详细情况，请参考你的 C++实现的手册。

编译和链接多个源文件

要产生可执行文件，我们不但要告诉编译器到哪里去查找 **main** 函数，而且还要告诉编译器到哪里去查找 Sales_item 类所定义的成员函数的定义。假设我们有两个文件：main.cc 含有 main 函数的定义，Sales_item.cc 含有 Sales_item 的成员函数。我们可以按以下方式编译这两个文件：

```
$ CC -c main.cc Sales_item.cc # by default generates a.exe
                              # some compilers generate a.out

# puts the executable in main.exe
$ CC -c main.cc Sales_item.cc -o main
```

其中$是我们的系统提示符，#开始命令行注释。现在我们可以运行可执行文件，它将运行我们的 main 程序。

如果我们只是修改了一个.cc 源文件，较有效的方法是只重新编译修改过的文件。大多数编译器都提供了分别编译每一个文件的方法。通常这个过程产生.o 文件，.o 扩展名暗示该文件含有目标代码。

编译器允许我们把目标文件链接在一起以形成可执行文件。我们所使用的系统可以通过命令名 CC 调用编译。因此可以按以下方式编译程序：

```
$ CC -c main.cc            # generates main.o
$ CC -c Sales_item.cc      # generates Sales_item.o
$ CC main.o Sales_item.o   # by default generates a.exe;
                           # some compilers generate a.out

# puts the executable in main.exe
$ CC main.o Sales_item.o -o main
```

你需要检查所用编译器的用户手册，了解如何编译和执行由多个源文件组成的程序。

　　许多编译器提供了增强其错误检测能力的选项。查看所用编译器的用户指南，了解有哪些额外的检测方法。

1. 头文件用于声明而不是用于定义

当设计头文件时，记住定义和声明的区别是很重要的。定义只可以出现一次，而声明则可以出现多次（2.3.5 节）。下列语句是一些定义，所以不应该放在头文件里：

```
extern int ival = 10;    // initializer, so it's a definition
double fica_rate;        // no extern, so it's a definition
```

虽然 ival 声明为 extern，但是它有初始化式，代表这条语句是一个定义。类似地，fica_rate 的声明虽然没有初始化式，但也是一个定义，因为没有关键字 extern。同一个程序中有两个以上文件含有上述任一个定义都会导致多重定义链接错误。

　　因为头文件包含在多个源文件中，所以不应该含有变量或函数的定义。

对于头文件不应该含有定义这一规则，有三个例外。头文件可以定义类、值在编译时就已知道的 const 对象和 inline 函数（7.6 节介绍 inline 函数）。这些实体可在多个源文件中定义，只要每个源文件中的定义是相同的。

在头文件中定义这些实体，是因为编译器需要它们的定义（不只是声明）来产生代码。例如：为了产生能定义或使用类的对象的代码，编译器需要知道组成该类型的数据成员。同样还需要知道能够在这些对象上执行的操作。类定义提供所需要的信息。在头文件中定义 const 对象则需要更多的解释。

2. 一些 const 对象定义在头文件中

回想一下，const 变量（2.4 节）默认时是定义该变量的文件的局部变量。正如我们现在所看到的，这样设置默认情况的原因在于允许 const 变量定义在头文件中。

在 C++ 中，有些地方需要放置常量表达式（2.7 节）。例如，枚举成员的初始化式必须是常量表达式。在以后的章节中将会看到其他需要常量表达式的例子。

一般来说，常量表达式是编译器在编译时就能够计算出结果的表达式。当 const 整型变量通过常量表达式自我初始化时，这个 const 整型变量就可能是常量表达式。而 const 变量要成为常量表达式，初始化式必须为编译器可见。为了能够让多个文件使用相同的常量值，const 变量和它的初始化式必须是每个文件都可见的。而要使初始化式可见，一般都把这样的 const 变量定义在头文件中。那样的话，无论该 const 变量何时使用，编译器都能够看见其初始化式。

但是，C++ 中的任何变量都只能定义一次（2.3.5 节）。定义会分配存储空间，而所有对该变量的使用都关联到同一存储空间。因为 const 对象默认为定义它的文件的局部变量，所以把它们的定义放在头文件中是合法的。

这种行为有一个很重要的含义：当我们在头文件中定义了 const 变量后，每个包含该头文件的源文件都有了自己的 const 变量，其名称和值都一样。

当该 const 变量是用常量表达式初始化时，可以保证所有的变量都有相同的值。但是在实践中，大部分的编译器在编译时都会用相应的常量表达式来替换对这些 const 变量的使用。所以，在实践中不会有任何存储空间用于存储用常量表达式初始化的 const 变量。

　　如果 const 变量不是用常量表达式初始化,那么它就不应该在头文件中定义。相反,和其他的变量一样,该 const 变量应该在一个源文件中定义并初始化。应在头文件中为它添加 extern 声明,以使其能被多个文件共享。

习题

习题 2.31　判别下列语句哪些是声明,哪些是定义,请解释原因。

```
(a) extern int ix = 1024 ;
(b) int iy ;
(c) extern int iz ;
(d) extern const int &ri ;
```

习题 2.32　下列声明和定义哪些应该放在头文件中?哪些应该放在源文件中?请解释原因。

```
(a) int var ;
(b) const double pi = 3.1416;
(c) extern int total = 255 ;
(d) const double sq2 = squt (2.0) ;
```

习题 2.33　确定你的编译器提供了哪些提高警告级别的选项。使用这些选项重新编译以前选择的程序,查看是否会报告新的问题。

2.9.2　预处理器的简单介绍

　　既然已经知道了什么应该放在头文件中,那么我们下一个问题就是真正地编写头文件。我们知道要使用头文件,必须在源文件中#include 该头文件。为了编写头文件,我们需要进一步理解#include 指示是怎样工作的。#include 设施是 C++预处理器(preprocessor)的一部分。预处理器处理程序的源代码,在编译器之前运行。C++继承了 C 的非常精细的预处理器。现在的C++程序以高度受限的方式使用预处理器。

　　#include 指示只接受一个参数:头文件名。预处理器用指定的头文件的内容替代每个#include。我们自己的头文件存储在文件中。系统的头文件可能用特定于编译器的更高效的格式保存。无论头文件以何种格式保存,一般都含有支持分别编译所需的类定义及变量和函数的声明。

1. 头文件经常需要其他头文件

　　头文件经常#include 其他头文件。头文件定义的实体经常使用其他头文件的设施。例如,定义 Sales_item 类的头文件必须包含 string 库。Sales_item 类含有一个 string 类型的数据成员,因此必须可以访问 string 头文件。

　　包含其他头文件是如此司空见惯,甚至一个头文件被多次包含进同一源文件也不稀奇。例如,使用 Sales_item 头文件的程序也可能使用 string 库。该程序不会(也不应该)知道 Sales_item 头文件使用了 string 库。在这种情况下,string 头文件被包含了两次:一次是通过程序本身直接包含,另一次是通过包含 Sales_item 头文件而间接包含。

　　因此,设计头文件时,应使其可以多次包含在同一源文件中,这一点很重要。我们必须保证多次包含同一头文件不会引起该头文件定义的类和对象被多次定义。使得头文件安全的通用做法,是使用预处理器定义**头文件保护符**(header guard)。头文件保护符用于避免在已经见到头文件的情况下重新处理该头文件的内容。

2. 避免多重包含

在编写头文件之前，我们需要引入一些额外的预处理器设施。预处理器允许我们自定义变量。

> 预处理器变量[1]的名字在程序中必须是唯一的。任何与预处理器变量相匹配的名字的使用都关联到该预处理器变量。

为了避免名字冲突，预处理器变量经常用全大写字母表示。

预处理器变量有两种状态：已定义或未定义。定义预处理器变量和检测其状态所用的预处理器指示不同。#define 指示接受一个名字并定义该名字为预处理器变量。#ifndef 指示检测指定的预处理器变量是否未定义。如果预处理器变量未定义，那么跟在其后的所有指示都被处理，直到出现#endif。

可以使用这些设施来预防多次包含同一头文件：

```
#ifndef SALESITEM_H
#define SALESITEM_H
// Definition of Sales_item class and related functions goes here
#endif
```

条件指示

```
#ifndef SALESITEM_H
```

测试 SALESITEM_H 预处理器变量是否未定义。如果 SALESITEM_H 未定义，那么#ifndef 测试成功，跟在#ifndef 后面的所有行都被执行，直到发现#endif。相反，如果 SALESITEM_H 已定义，那么#ifndef 指示测试为假，该指示和#endif 指示间的代码都被忽略。

为了保证头文件在给定的源文件中只处理过一次，我们首先检测#ifndef。第一次处理头文件时，测试会成功，因为 SALESITEM_H 还未定义。下一条语句定义了 SALESITEM_H。那样的话，如果我们编译的文件恰好又一次包含了该头文件。#ifndef 指示会发现 SALESITEM_H 已经定义，并且忽略该头文件的剩余部分。

> 头文件应该含有保护符，即使这些头文件不会被其他头文件包含。编写头文件保护符并不困难，而且如果头文件被包含多次，它可以避免难以理解的编译错误。

当没有两个头文件定义和使用同名的预处理器变量时，这个策略相当有效。我们可以用定义在头文件里的实体（如类）来命名预处理器变量来避免预处理器变量重名的问题。一个程序只能含有一个名为 Sales_item 的类。通过使用类名来组成头文件和预处理器变量的名字，可以使得很可能只有一个文件将会使用该预处理器变量。

3. 使用自定义的头文件

#include 指示接受以下两种形式：

```
#include <standard_header>
#include "my_file.h"
```

---

1. 此处的预处理器变量在许多图书和文献中称为预处理器常量。——译者注

　　如果头文件名括在尖括号（< >）里，那么认为该头文件是标准头文件。编译器将会在预定义的位置集查找该头文件，这些预定义的位置可以通过设置查找路径环境变量或者通过命令行选项来修改。使用的查找方法因编译器的不同而差别迥异。建议你咨询同事或者查阅编译器用户指南来获得更多的信息。如果头文件名括在一对引号里，那么认为它是非系统头文件，非系统头文件的查找通常开始于源文件所在的路径。

小结

　　类型是 C++程序设计的基础。

　　每种类型都定义了其存储空间要求和可以在该类型的所有对象上执行的操作。C++提供了一组基本内置类型，如 int、char 等。这些类型与它们在机器硬件上的表示方式紧密相关。

　　类型可以为 const 或非 const；const 对象必须要初始化，且其值不能被修改。另外，我们还可以定义复合类型，如引用。引用为对象提供了另一个名字。复合类型是用其他类型定义的类型。

　　C++语言支持通过定义类来自定义类型。标准库使用类设施来提供一组高级的抽象概念，如 IO 和 string 类型。

　　C++是一种静态类型语言：变量和函数在使用前必须先声明。变量可以声明多次但是只能定义一次。定义变量时就进行初始化几乎总是个好主意。

术语

access label（访问标号） 类的成员可以定义为 private，这能够防止使用该类型的代码访问该成员。成员还可以定义为 public，这将使该整个程序中都可访问成员。

address（地址） 一个数字，通过该数字可在存储器上找到一个字节。

arithmetic type（算术类型） 表示数值即整数和浮点数的类型。浮点型值有三种类型：long double、double 和 float，分别表示扩展精度值、双精度值和单精度值。一般总是使用 double 型。特别地，float 只能保证六位有效数字，这对于大多数的计算来说都不够。整型包括 bool、char、wchar_t、short、int 和 long。整型可以是带符号或无符号的。一般在算术计算中总是避免使用 short 和 char。unsigned 可用于计数。bool 类型只有 true 和 false 两个值。wchar_t 类型用于扩展字符集的字符；char 类型用于适合 8 个位的字符，比如 Latin-1 或者 ASCII。

array（数组） 存储一组可通过下标访问的未命名对象的数据结构。本章介绍了存储字符串字面值的字符数组。第 4 章将会更加详细地介绍数组。

byte（字节） 最小的可寻址存储单元。大多数的机器上一个字节有 8 个位（bit）。

class（类） C++中定义数据类型的机制。类可以用 class 或 struct 关键字定义。类可以有数据和函数成员。成员可以是 public 或

private。一般来说，定义该类型的操作的函数成员设为 public；用于实现该类的数据成员和函数设为 private。默认情况下，用 class 关键字定义的类其成员为 private，而用 struct 关键字定义的类其成员为 public。

class member（类成员） 类的一部分，可以是数据或操作。

compound type（复合类型） 用其他类型定义的类型，如引用。第 4 章将介绍另外两种复合类型：指针和数组。

const reference（const 引用） 可以绑定到 const 对象、非 const 对象或右值的引用。const 引用不能改变与其相关联的对象。

constant expression（常量表达式） 值可以在编译时计算出来的整型表达式。

constructor（构造函数） 用来初始化新建对象的特殊成员函数。构造函数的任务是保证对象的数据成员拥有可靠且合理的初始值。

copy-initialization（复制初始化） 一种初始化形式，用 "=" 表明变量应初始化为初始化式的副本。

data member（数据成员） 组成对象的数据元素。数据成员一般应设为私有的。

declaration（声明） 表明在程序中其他地方定义的变量、函数或类型的存在性。有些声明也是定义。只有定义才为变量分配存储空间。可以通过在类型前添加关键字 extern 来声明变量。名字直到定义或声明后才能使用。

default constructor（默认构造函数） 在没有为类类型对象的初始化式提供显式值时所使用的构造函数。例如，string 类的默认构造函数将新建的 string 对象初始化为空 string，而其他构造函数都是在创建 string 对象时用指定的字符去初始化 string 对象。

definition（定义） 为指定类型的变量分配存储空间，也可能可选地初始化该变量。名字直到定义或声明后才能使用。

direct-initialization（直接初始化） 一种初始化形式，将逗号分隔的初始化式列表放在圆括号内。

enumeration（枚举） 将一些命名整型常量聚成组的一种类型。

enumerator（枚举成员） 枚举类型的有名字的成员。每个枚举成员都初始化为整型值且值为 const。枚举成员可用在需要整型常量表达式的地方，比如数组定义的维度。

escape sequence（转义字符） 一种表示字符的可选机制。通常用于表示不可打印字符如换行符或制表符。转义字符是反斜线后面跟着一个字符、一个 3 位八进制数或一个十六进制的数。C++ 语言定义的转义字符列在 2.2 节。转义字符还可用作字符字面值（括在单引号里）或用作字符串字面值的一部分（括在双引号里）。

global scope（全局作用域） 位于任何其他作用域外的作用域。

header（头文件） 使得类的定义和其他声明在多个源文件中可见的一种机制。用户定义的头文件以文件方式保存。系统头文件可能以文件方式保存，也可能以系统特有的其他格式保存。

header guard（头文件保护符） 为防止头文件被同一源文件多次包含而定义的预处理器变量。

identifier（标识符） 名字。每个标识符都是字母、数字和下划线的非空序列，且序列不能以数字开头。标识符是大小写敏感的：大写字母和小写字母含义不同。标识符不能使用 C++ 中的关键字，不能包含相邻的下划线，也不能以下划线后跟一个大写字母开始。

implementation（实现） 定义数据和操作的类成员（通常为 private），这些数据和操作并非为使用该类型的代码所用。例如，`istream` 和 `ostream` 类管理的 IO 缓冲区是它们的实现的一部分，但并不允许这些类的使用者直接访问。

initialized（已初始化的） 含有初始值的变量。当定义变量时，可指定初始值。变量通常要初始化。

integral type（整型） 见 arithmetic type。

interface（接口） 由某种类型支持的操作。设计良好的类分离了接口和实现，在类的 `public` 部分定义接口，`private` 部分定义实现。数据成员一般是实现的一部分。当函数成员是期望该类型的使用者使用的操作时，函数成员就是接口的一部分（因此为 `public`）；当函数成员执行类所需要的、非一般性使用的操作时，函数成员就是实现的一部分。

link（链接） 一个编译步骤，此时多个目标文件放置在一起以形成可执行程序。链接步骤解决了文件间的依赖，如将一个文件中的函数调用链接到另一个文件中的函数定义。

literal constant（字面值常量） 诸如数、字符或字符串的值，该值不能修改。字面值字符用单引号括住，而字面值字符串则用双引号括住。

local scope（局部作用域） 用于描述函数作用域和函数内嵌套的作用域的术语。

lvalue（左值） 可以出现在赋值操作左边的值。非 const 左值可以读也可以写。

magic number（魔数） 程序中意义重要但又不明显的字面值数字。它的出现好像变魔术一般。

nonconst reference（非 const 引用） 只能绑定到与该引用同类型的非 const 左值的引用。非 const 引用可以修改与其相关联的对象的值。

nonprintable character（非打印字符） 不可见字符。如控制符、回退删除符、换行符等。

object（对象） 具有类型的一段内存区域。变量就是一个有名字的对象。

preprocessor（预处理器） 预处理器是作为 C++ 程序编译的一部分运行的程序。预处理器继承于 C 语言，C++ 的特征大量减少了它的使用，但仍保存了一个很重要的用法：#include 设施，用来把头文件并入程序。

private member（私有成员） 使用该类的代码不可访问的成员。

public member（公用成员） 可被程序的任何部分使用的类成员。

reference（引用） 对象的别名。定义如下：

```
type &id = object ;
```

定义 *id* 为 *object* 的另一名字。任何对 *id* 的操作都会转变为对 *object* 的操作。

run time（运行时） 指程序正执行的那段时间。

rvalue（右值） 可用于赋值操作的右边但不能用于左边的值。右值只能读而不能写。

scope（作用域） 程序的一部分，在其中名字有意义。C++ 含有下列几种作用域：

全局——名字定义在任何其他作用域外。

类——名字由类定义。

命名空间——名字在命名空间中定义。

局部——名字在函数内定义。

块——名字定义在语句块中，也就是说，定义在一对花括号里。

语句——名字在语句（如 if、while 和 for 语句）的条件内定义。

作用域可嵌套。例如，在全局作用域中声明的名字在函数作用域和语句作用域中都可以访问。

separate compilation（分别编译） 将程序分成多个分离的源文件进行编译。

signed（带符号型） 保存负数、正数或零的整型。

statically typed（静态类型的） 描述进行编译时类型检查的语言（如 C++）的术语。C++在编译时验证表达式使用的类型可以执行该表达式需要的操作。

struct 用来定义类的关键字。除非有特殊的声明，默认情况下struct的成员都为公用的。

type-checking（类型检查） 编译器验证给定类型的对象的使用方式是否与该类型的定义一致，描述这一过程的术语。

type specifier（类型说明符） 定义或声明中命名其后变量的类型的部分。

typedef 为某种类型引入同义词。格式：

```
typedef  type synonym ;
```

定义 *synonym* 为名为 *type* 的类型的另一名字。

undefined behavior（未定义行为） 语言没有规定其意义的用法。编译器可以自由地做它想做的事。有意或无意地依赖未定义行为将产生大量难以跟踪的运行时错误和可移值性问题。

uninitialized（未初始化的） 没有指定初始值的变量。未初始化变量不是 0 也不是"空"，相反，它会保存碰巧遗留在分配给它的内存里的任何位。未初始化变量会产生很多错误。

unsigned（无符号型） 保存大于等于零的值的整型。

variable initialization（变量初始化） 描述当没有给出显式初始化式时初始化变量或数组元素的规则的术语。对类类型来说，通过运行类的默认构造函数来初始化对象。如果没有默认构造函数，那么将会出现编译时错误：必须要给对象指定显式的初始化式。对于内置类型来说，初始化取决于作用域。定义在全局作用域的对象初始化为 0，而定义在局部作用域的对象则未初始化，拥有未定义值。

void type（空类型） 用于特殊目的的没有操作也没有值的类型。不可能定义一个 void 类型的变量。最经常用作不返回结果的函数的返回类型。

word（字） 机器上的自然的整型计算单元。通常一个字足以容纳一个地址。一般在 32 位的机器上，机器字长为 4 个字节。

73
∼
76

第 **3** 章

标准库类型

除第 2 章介绍的基本数据类型外，C++还定义了一个内容丰富的抽象数据类型标准库。其中最重要的标准库类型是 string 和 vector，它们分别定义了大小可变的字符串和集合。string 和 vector 往往将迭代器用作配套类型（companion type），用于访问 string 中的字符，或者 vector 中的元素。这些标准库类型是语言组成部分中更基本的那些数据类型（如数组和指针）的抽象。

另一种标准库类型 bitset，提供了一种抽象方法来操作位的集合。与整型值上的内置位操作符相比，bitset 类类型提供了一种更方便的处理位的方式。

本章将介绍标准库中的 vector、string 和 bitset 类型。第 4 章将讨论数组和指针，第 5 章将讲述内置位操作符。

第 2 章所涉及的类型都是低级数据类型：这些类型表示数值或字符的抽象，并根据其具体机器表示来定义。

除了这些在语言中定义的类型外，C++标准库还定义了许多更高级的**抽象数据类型**（abstract data type）。之所以说这些标准库类型是更高级的，是因为其中反映了更复杂的概念；之所以说它们是抽象的，是因为我们在使用时不需要关心它们是如何表示的，只需知道这些抽象数据类型支持哪些操作就可以了。

两种最重要的标准库类型是string和vector。string类型支持长度可变的字符串，vector可用于保存一组指定类型的对象。说它们重要，是因为它们在C++定义的基本类型基础上作了一些改进。第4章还将学习类似于标准库中string和vector类型的语言级构造，但标准库的string和vector类型可能更灵活，且不易出错。

另一种标准库类型提供了更方便和合理有效的语言级的抽象设施，它就是 bitset 类。通过这个类可以把某个值当作位的集合来处理。与 5.3 节介绍的位操作符相比，bitset 类提供操作位更直接的方法。

在继续探究标准库类型之前，我们先看一种机制，这种机制能够简化对标准库中所定义名字的访问。

3.1　命名空间的 using 声明

在本章之前看到的程序，都是通过直接说明名字来自 std 命名空间，来引用标准库中的名字。例如，需要从标准输入读取数据时，就用 std::cin。这些名字都用了：：操作符，该操作符是作用域操作符（1.2.2 节）。它的含义是右操作数的名字可以在左操作数的作用域中找到。因此，std::cin 的意思是说所需名字 cin 是在命名空间 std 中定义的。显然，通过这种符号引用标准库名字的方式是非常麻烦的。

幸运的是，C++提供了更简洁的方式来使用命名空间成员。本节将介绍一种最安全的机制：**using 声明**。关于其他简化使用命名空间中名字的方法将在 17.2 节中介绍。

使用 using 声明可以在不需要加前缀 namespace_name:: 的情况下访问命名空间中的名字。using 声明的形式如下：

```
using namespace::name;
```

一旦使用了 using 声明，我们就可以直接引用**名字**，而不需要再引用该名字的命名空间：

```
#include <string>
#include <iostream>
// using declarations states our intent to use these names from the namespace std
using std::cin;
using std::string;
int main()
{
    string s;        // ok: string is now a synonym for std::string
    cin >> s;        // ok: cin is now a synonym for std::cin
    cout << s;       // error: no using declaration; we must use full name
    std::cout << s;  // ok: explicitly use cout from namepsace std
}
```

没有 using 声明，而直接使用命名空间中名字的未限定版本是错误的，尽管有些编译器也许无法检测出这种错误。

1. 每个名字都需要一个 using 声明

一个 using 声明一次只能作用于一个命名空间成员。using 声明可用来明确指定在程序中用到的命名空间中的名字，如果希望使用 std（或其他的命名空间）中的几个名字，则必须为要用到的每个名字都提供一个 using 声明。例如，利用 using 声明可以这样重新编写 1.2.2 节中的加法程序：

```
#include <iostream>
// using declarations for names from the standard library
using std::cin;
using std::cout;
using std::endl;
int main()
{
    cout << "Enter two numbers:" << endl;
    int v1, v2;
    cin >> v1 >> v2;
    cout << "The sum of " << v1
         << " and " << v2
         << " is " << v1 + v2 << endl;
    return 0;
}
```

对 cin, cout 和 endl 进行 using 声明，就意味着以后可以省去前缀 std::，直接使用命名空间中的名字，这样代码可以更易读。

从这里开始，假定本书所有例子中所用到的标准库中的名字都已提供了 using 声明。这样，无论是在文档还是在代码实例中引用 cin，我们都不再写为前缀形式 std::cin。为了使代码实例简短，我们还省略了编译时所必需的 using 声明。同样的，程序实例也会省略必需的#include指示。本书附录 A 中的表 A-1 列出了本书中用到的标准库名字的库名和相应的头文件。

　　在编译我们提供的实例程序前，读者一定要注意在程序中添加适当的#include 和using 声明。

79

2. 使用标准库类型的类定义

有一种情况下，必须总是使用完全限定的标准库名字：在头文件中。理由是头文件的内容会被预处理器复制到程序中。用#include 包含文件时，相当于头文件中的文本将成为我们编写的文件的一部分。如果在头文件中放置 using 声明，就相当于在包含该头文件的每个程序中都放置了同一 using 声明，不论该程序是否需要 using 声明。

　　通常，头文件中应该只定义确实必要的东西。请养成这个好习惯。

习题

习题 3.1 用适当的 using 声明，而不用 std::前缀，访问标准库中名字的方法，重新编写 2.3 节的
程序，计算一给定数的给定次幂的结果。

3.2 标准库 string 类型

string 类型支持长度可变的字符串，C++标准库将负责管理与存储字符相关的内存，以及
提供各种有用的操作。标准库 string 类型的目的就是满足对字符串的一般应用。

与其他的标准库类型一样，用户程序要使用 string 类型对象，必须包含相关头文件。如果
提供了合适的 using 声明，那么编写出来的程序将会变得简短些：

```
#include <string>
using std::string;
```

3.2.1 string 对象的定义和初始化

string 标准库支持几个构造函数（2.2.3 节）。构造函数是一个特殊成员函数，定义如何初
始化该类型的对象。表 3-1 列出了几个 string 类型常用的构造函数。当没有明确指定对象初始
化式时，系统将使用默认构造函数（2.3.4 节）。

表 3-1　几种初始化 String 对象的方式	
string s1;	默认构造函数，s1 为空串
string s2(s1);	将 s2 初始化为 s1 的一个副本
string s3("value");	将 s3 初始化为一个字符串字面值副本
string s4(n, 'c');	将 s4 初始化为字符'c'的 n 个副本

警告：标准库 string 类型和字符串字面值

因为历史原因以及为了与 C 语言兼容，字符串字面值与标准库 string 类型不是同一种类
型。这一点很容易引起混乱，编程时一定要注意区分字符串字面值和 string 数据类型的使用，
这很重要。

习题

习题 3.2 什么是默认构造函数？

习题 3.3 列举出三种初始化 string 对象的方法。

习题 3.4 s 和 s2 的值分别是什么？

```
string s;
int main() {
    string s2;
}
```

3.2.2　**String** 对象的读写

我们已在第 1 章学习了用 iostream 标准库来读写内置类型的值，如 int，double 等。同样地，也可以用 iostream 和 string 标准库，使用标准输入输出操作符来读写 string 对象：

```
// Note: #include and using declarations must be added to compile this code
int main()
{
    string s;              // empty string
    cin >> s;              // read whitespace-separated string into s
    cout << s << endl;     // write s to the output
    return 0;
}
```

以上程序首先定义命名为 s 的 string，第二行代码：

```
cin >> s;          // read whitespace-separated string into s
```

从标准输入读取 string，并将读入的串存储在 s 中。string 类型的输入操作符：

- 读取并忽略开头所有的空白字符（如空格，换行符，制表符）。
- 读取字符直至再次遇到空白字符，读取终止。

因此，如果输入到程序的是 "　　Hello World!　　"（注意到开头和结尾的空格），则屏幕上将输出 "Hello"，而不含任何空格。

输入和输出操作的行为与内置类型操作符基本类似。尤其是，这些操作符返回左操作数作为运算结果。因此，我们可以把多个读操作或多个写操作放在一起：

```
string s1, s2;
cin >> s1 >> s2;  // read first input into s1, second into s2
cout << s1 << s2 << endl; // write both strings
```

如果给定和上一个程序同样的输入，则输出的结果将是：

HelloWorld!

　　对于上例，编译时必须加上#include 来标示 iostream 和 string 标准库，以及给出用到的所有标准库中的名字（如 string,cin,cout,endl）的 using 声明。
　　从本例开始的程序均假设程序中所有必须的#include 和 using 声明已给出。

1. 读入未知数目的 **string** 对象

和内置类型的输入操作符一样，string 的输入操作符也会返回所读的数据流。因此，可以把输入操作作为判断条件，这与我们在 1.4.4 节读取整型数据的程序做法是一样的。下面的程序将从标准输入读取一组 string 对象，然后在标准输出上逐行输出：

```
int main()
{
    string word;
    // read until end-of-file, writing each word to a new line
    while (cin >> word)
        cout << word << endl;
    return 0;
}
```

上例中，用输入操作符来读取 string 对象。该操作符返回所读的 istream 对象，并在读取结束后，作为 while 的判断条件。如果输入流是有效的，即还未到达文件尾且未遇到无效输入，则执行 while 循环体，并将读取到的字符串输出到标准输出。如果到达了文件尾，则跳出 while 循环。

2. 用 **getline** 读取整行文本

另外还有一个有用的 string IO 操作：**getline**。这个函数接受两个参数：一个输入流对象和一个 string 对象。getline 函数从输入流的下一行读取，并保存读取的内容到 string 中，但不包括换行符。和输入操作符不一样的是，getline 并不忽略行开头的换行符。只要 getline 遇到换行符，即便它是输入的第一个字符，getline 也将停止读入并返回。如果第一个字符就是换行符，则 string 参数将被置为空 string。

getline 函数将 istream 参数作为返回值，和输入操作符一样也把它用作判断条件。例如，重写前面那段程序，把每行输出一个单词改为每次输出一行文本：

```
int main()
{
    string line;
    //  read line at time until end-of-file
    while (getline(cin, line))
        cout << line << endl;
    return 0;
}
```

由于 line 不含换行符，若要逐行输出需要自行添加。照常，我们用 endl 来输出一个换行符并刷新输出缓冲区。

> 由于 getline 函数返回时丢弃换行符，换行符将不会存储在 string 对象中。

习题

习题 3.5 编写程序实现从标准输入每次读入一行文本。然后改写程序，每次读入一个单词。

习题 3.6 解释 string 类型的输入操作符和 getline 函数分别如何处理空白字符。

3.2.3 **string** 对象的操作

表 3-2 列出了常用的 string 操作。

表 3-2 **string** 操作	
s.empty()	如果 s 为空串，则返回 true,否则返回 false
s.size()	返回 s 中字符的个数
s[n]	返回 s 中位置为 n 的字符，位置从 0 开始计数
s1 + s2	把 s1 和 s2 连接成一个新字符串，返回新生成的字符串
s1 = s2	把 s1 内容替换为 s2 的副本
v1 == v2	比较 v1 与 v2 的内容，相等则返回 true,否则返回 false
!=, <, <=, > 和 >=	保持这些操作符惯有的含义

1. string 的 size 和 empty 操作

string 对象的长度指的是 string 对象中字符的个数，可以通过 size 操作获取：

```
int main()
{
    string st("The expense of spirit\n");
    cout << "The size of " << st << "is " << st.size()
        << " characters, including the newline" << endl;
    return 0;
}
```

编译并运行这个程序，得到的结果为：

The size of The expense of spirit
is 22 characters, including the newline

了解 string 对象是否为空是有用的。一种方法是将 size 与 0 进行比较：

```
if (st.size() == 0)
        // ok: empty
```

本例中，程序员并不需要知道 string 对象中有多少个字符，只想知道 size 是否为 0。用 string 的成员函数 empty() 可以更直接地回答这个问题：

```
if (st.empty())
        // ok: empty
```

empty() 成员函数将返回 bool 值（2.1 节），如果 string 对象为空则返回 true，否则返回 false。

2. string::size_type 类型

从逻辑上来讲，size() 成员函数似乎应该返回整型数值，或如 2.2 节 "建议" 中所述的无符号整数。但事实上，size 操作返回的是 string::size_type 类型的值。我们需要对这种类型做一些解释。

string 类类型和许多其他库类型都定义了一些配套类型（companion type）。通过这些配套类型，库类型的使用就能与机器无关（machine-independent）。size_type 就是这些配套类型中的一种。它定义为与 unsigned 型（unsigned int 或 unsigned long）具有相同的含义，而且可以保证足够大能够存储任意 string 对象的长度。为了使用由 string 类型定义的 size_type 类型，程序员必须加上作用域操作符来说明所使用的 size_type 类型是由 string 类定义的。

> **最佳实践** 任何存储 string 的 size 操作结果的变量必须为 string::size_type 类型。特别重要的是，不要把 size 的返回值赋给一个 int 变量。

虽然我们不知道 string::size_type 的确切类型，但可以知道它是 unsigned 型（2.1.1 节）。对于任意一种给定的数据类型，它的 unsigned 型所能表示的最大正数值比对应的 signed 型要大一倍。这个事实表明 size_type 存储的 string 长度是 int 所能存储的两倍。

使用 int 变量的另一个问题是，有些机器上 int 变量的表示范围太小，甚至无法存储实际并不长的 string 对象。如在有 16 位 int 型的机器上，int 类型变量最大只能表示 32767 个字符的 string 对象。而能容纳一个文件内容的 string 对象轻易就会超过这个数字。因此，为了避免溢出，保存一个 string 对象 size 的最安全的方法就是使用标准库类型 string::size_type。

3. string 关系操作符

string 类定义了几种关系操作符用来比较两个 string 值的大小。这些操作符实际上是比较每个 string 对象的字符。

 　　string 对象比较操作是区分大小写的，即同一个字符的大小写形式被认为是两个不同的字符。在多数计算机上，大写的字母位于小写字母之前：任何一个大写字母都小于任意的小写字母。

==操作符比较两个 string 对象，如果它们相等，则返回 true。两个 string 对象相等是指它们的长度相同，且含有相同的字符。标准库还定义了!=操作符来测试两个 string 对象是否不等。

关系操作符<, <=, >, >=分别用于测试一个 string 对象是否小于、小于或等于、大于、大于或等于另一个 string 对象：

```
string big = "big", small = "small";
string s1 = big;      // s1 is a copy of big
if (big == small)     // false
    // ...
if (big <= s1)        // true, they're equal, so big is less than or equal to s1
    // ...
```

关系操作符比较两个 string 对象时采用了和（大小写敏感的）字典排序相同的策略：

- 如果两个 string 对象长度不同，且短的 string 对象与长的 string 对象的前面部分相匹配，则短的 string 对象小于长的 string 对象。
- 如果两个 string 对象的字符不同，则比较第一个不匹配的字符。

举例来说，给定 string 对象：

```
string substr = "Hello";
string phrase = "Hello World";
string slang  = "Hiya";
```

则 substr 小于 phrase，而 slang 则大于 substr 或 phrase。

4. string 对象的赋值

总体上说，标准库类型尽量设计得和基本数据类型一样方便易用。因此，大多数库类型支持赋值操作。对 string 对象来说，可以把一个 string 对象赋值给另一个 string 对象：

```
// st1 is an empty string, st2 is a copy of the literal
string st1, st2 = "The expense of spirit";
st1 = st2; // replace st1 by a copy of st2
```

赋值操作后，st1 就包含了 st2 串所有字符的一个副本。

大多数 string 库类型的赋值等操作的实现都会遇到一些效率上的问题，但值得注意的是，从概念上讲，赋值操作确实需要做一些工作。它必须先把 st1 占用的相关内存释放掉，然后再分配给 st1 足够存放 st2 副本的内存空间，最后把 st2 中的所有字符复制到新分配的内存空间。

5. 两个 **string** 对象相加

string 对象的加法被定义为连接（concatenation）。也就是说，两个（或多个）string 对象可以通过使用加操作符+或者复合赋值操作符+=（1.4.1 节）连接起来。给定两个 string 对象：

```
string s1("hello, ");
string s2("world\n");
```

下面把两个 string 对象连接起来产生第三个 string 对象：

```
string s3 = s1 + s2;      // s3 is hello, world\n
```

如果要把 s2 直接追加到 s1 的末尾，可以使用+=操作符：

```
s1 += s2;        // equivalent to s1 = s1 + s2
```

6. 和字符串字面值的连接

上面的字符串对象 s1 和 s2 直接包含了标点符号。也可以通过将 string 对象和字符串字面值混合连接得到同样的结果：

```
string s1("hello");
string s2("world");
string s3 = s1 + ", " + s2 + "\n";
```

当进行 string 对象和字符串字面值混合连接操作时，+操作符的左右操作数必须至少有一个是 string 类型的：

```
string s1 = "hello";    // no punctuation
string s2 = "world";
string s3 = s1 + ", ";               // ok: adding a string and a literal
string s4 = "hello" + ", ";          // error: no string operand
string s5 = s1 + ", " + "world";     // ok: each + has string operand
string s6 = "hello" + ", " + s2;     // error: can't add string literals
```

S3 和 s4 的初始化只用了一个单独的操作。在这些例子中，很容易判断 s3 的初始化是合法的：把一个 string 对象和一个字符串字面值连接起来。而 s4 的初始化试图将两个字符串字面值相加，因此是非法的。

s5 的初始化方法显得有点不可思议，但这种用法和标准输入输出的串联效果是一样的（1.2 节）。本例中，string 标准库定义加操作返回一个 string 对象。这样，在对 s5 进行初始化时，子表达式 s1 + ", "将返回一个新 string 对象，后者再和字面值"world\n"连接。整个初始化过程可以改写为：

```
string tmp = s1 + ", ";    // ok: + has a string operand
s5 = tmp + "world";        // ok: + has a string operand
```

而 s6 的初始化是非法的。依次来看每个子表达式，则第一个子表达式试图把两个字符串字面值连接起来。这是不允许的，因此这个语句是错误的。

7. 从 **string** 对象获取字符

string 类型通过下标操作符（[ ]）来访问 string 对象中的单个字符。下标操作符需要取一个 size_type 类型的值，来标明要访问字符的位置。这个下标中的值通常被称为"下标"或"索引（index）"。

string 对象的下标从 0 开始。如果 s 是一个 string 对象且 s 不空，则 s[0] 就是字符串的第一个字符，s[1] 就表示第二个字符（如果有的话），而 s[s.size()-1] 则表示 s 的最后一个字符。

　　引用下标时如果超出下标作用范围就会引起溢出错误。

　　可用下标操作符分别取出 string 对象的每个字符，分行输出：

```
string str("some string");
for (string::size_type ix = 0; ix != str.size(); ++ix)
    cout << str[ix] << endl;
```

87 每次通过循环，就从 str 对象中读取下一个字符，输出该字符并换行。

8. 下标操作可用作左值

　　前面说过，变量是左值（2.3.1 节），且赋值操作的左操作数必须是左值。和变量一样，string 对象的下标操作返回值也是左值。因此，下标操作可以放于赋值操作符的左边或右边。通过下面循环把 str 对象的每一个字符置为 '*'：

```
for (string::size_type ix = 0; ix != str.size(); ++ix)
    str[ix] = '*';
```

9. 计算下标值

　　任何可产生整型值的表达式都可用作下标操作符的索引。例如，假设 someval 和 someotherval 是两个整型对象，可以这样写：

```
str[someotherval * someval] = someval;
```

　　虽然任何整型数值都可作为索引，但索引的实际数据类型却是 unsigned 类型 string::size_type。

　　前面讲过，应该用 string::size_type 类型的变量接受 size 函数的返回值。在定义用作索引的变量时，出于同样的道理，string 对象的索引变量最好也用 string::size_type 类型。

　　在使用下标索引 string 对象时，必须保证索引值"在上下界范围内"。"在上下界范围内"就是指索引值是一个赋值为 size_type 类型的值，其取值范围在 0 到 string 对象长度减 1 之间。使用 string::size_type 类型或其他 unsigned 类型作为索引，就可以保证索引值不小于 0。只要索引值是 unsigned 类型，就只需要检测它是否小于 string 对象的长度。

　　标准库不要求检查索引值，所用索引的下标越界是没有定义的，这样往往会导致严重的运行时错误。

3.2.4　**string** 对象中字符的处理

　　我们经常要对 string 对象中的单个字符进行处理，例如，通常需要知道某个特殊字符是否为空白字符、字母或数字。表 3-3 列出了各种字符操作函数，适用于 string 对象的字符（或其他任何 char 值）。这些函数都在 **cctype 头文件**中定义。

表 3-3　**cctype** 定义的函数	
isalnum(c)	如果 c 是字母或数字，则为 true。
isalpha(c)	如果 c 是字母，则为 true。
iscntrl(c)	如果 c 是控制字符，则为 true。
isdigit(c)	如果 c 是数字，则为 true。
isgraph(c)	如果 c 不是空格，但可打印，则为 true。
islower(c)	如果 c 是小写字母，则为 true。
isprint(c)	如果 c 是可打印的字符，则为 true。
ispunct(c)	如果 c 是标点符号，则为 true。
isspace(c)	如果 c 是空白字符，则为 true。
isupper(c)	如果 c 是大写字母，则为 true。
isxdigit(c)	如果 c 是十六进制数，则为 true。
tolower(c)	如果 c 是大写字母，则返回其小写字母形式，否则直接返回 c。
toupper(c)	如果 c 是小写字母，则返回其大写字母形式，否则直接返回 c。

表 3-3 中的大部分函数是测试一个给定的字符是否符合条件，并返回一个 int 值作为真值。如果测试失败，则该函数返回 0，否则返回一个（无意义的）非 0 值，表示被测字符符合条件。

表中的这些函数，可打印的字符是指那些可以显式表示的字符。空白字符则是空格、制表符、垂直制表符、回车符、换行符和进纸符中的任意一种；标点符号则是除了数字、字母或（可打印的）空白字符（如空格）以外的其他可打印字符。

这里给出一个例子，运用这些函数输出一给定 string 对象中标点符号的个数：

```
string s("Hello World!!!");
string::size_type punct_cnt = 0;
// count number of punctuation characters in s
for (string::size_type index = 0; index != s.size(); ++index)
    if (ispunct(s[index]))
        ++punct_cnt;
cout << punct_cnt
    << " punctuation characters in " << s << endl;
```

这个程序的输出结果是：

3 punctuation characters in Hello World!!!

和返回真值的函数不同的是，tolower 和 toupper 函数返回的是字符，返回实参字符本身或返回该字符相应的大小写字符。我们可以用 tolower 函数把 string 对象 s 中的字母改为小写字母，程序如下：

```
// convert s to lowercase
for (string::size_type index = 0; index != s.size(); ++index)
    s[index] = tolower(s[index]);
cout << s << endl;
```

得到的结果为：

hello world!!!

建议：采用 C 标准库头文件的 C++版本

C++标准库除了定义了一些特定于 C++的设施外，还包括 C 标准库。C++中的头文件 cctype 其实就是利用了 C 标准库函数，这些库函数就定义在 C 标准库的 ctype.h 头文件中。

C 标准库头文件命名形式为 *name*.h，而 C++版本则命名为 *cname*，少了后缀.h 而在头文件名前加了 c。c 表示这个头文件源自 C 标准库。因此，cctype 与 ctype.h 文件的内容是一样的，只是采用了更适合 C++程序的形式。特别地，*cname* 头文件中定义的名字都定义在命名空间 std 内，而.h 版本中的名字却不是这样。

通常，C++程序中应采用 *cname* 这种头文件的版本，而不采用 *name*.h 版本，这样，标准库中的名字在命名空间 std 中保持一致。使用.h 版本会给程序员带来负担，因为他们必须记得哪些标准库名字是从 C 继承来的，而哪些是 C++所特有的。

习题

习题 3.7 编一个程序读入两个 string 对象，测试它们是否相等。若不相等，则指出两个中哪个较大。接着，改写程序测试它们的长度是否相等，若不相等指出哪个较长。

习题 3.8 编一个程序，从标准输入读取多个 string 对象，把它们连接起来存放到一个更大的 string 对象中。并输出连接后的 string 对象。接着，改写程序，将连接后相邻 string 对象以空格隔开。

习题 3.9 下列程序实现什么功能？实现合法吗？如果不合法，说明理由。

```
string s;
cout << s[0] << endl;
```

习题 3.10 编一个程序，从 string 对象中去掉标点符号。要求输入到程序的字符串必须含有标点符号，输出结果则是去掉标点符号后的 string 对象。

3.3 标准库 **vector** 类型

vector 是同一种类型的对象的集合，每个对象都有一个对应的整数索引值。和 string 对象一样，标准库将负责管理与存储元素相关的内存。我们把 vector 称为**容器**，是因为它可以包含其他对象。一个容器中的所有对象都必须是同一种类型的。我们将在第 9 章更详细地介绍容器。

使用 vector 之前，必须包含相应的头文件。本书给出的例子，都是假设已作了相应的 using 声明：

```
#include <vector>
using std::vector;
```

vector 是一个**类模板**（class template）。使用模板可以编写一个类定义或函数定义，而用于多个不同的数据类型。因此，我们可以定义保存 string 对象的 vector，或保存 int 值的 vector，又或是保存自定义的类类型对象（如 Sales_item 对象）的 vector。将在第 16 章介绍如何定义程序员自己的类模板。幸运的是，使用类模板时只需要简单了解类模板是如何定义的就可以了。

声明从类模板产生的某种类型的对象，需要提供附加信息，信息的种类取决于模板。以 vector 为例，必须说明 vector 保存何种对象的类型，通过将类型放在类模板名称后面的尖括号中来指定类型：

```
vector<int> ivec;              // ivec holds objects of type int
vector<Sales_item> Sales_vec;  // holds Sales_items
```

和其他变量定义一样，定义 vector 对象要指定类型和一个变量的列表。上面的第一个定义，类型是 vector<int>，该类型即是含有若干 int 类型对象的 vector，变量名为 ivec。第二个定义的变量名是 Sales_vec，它所保存的元素是 Sales_item 类型的对象。

 vector 不是一种数据类型，而只是一个类模板，可用来定义任意多种数据类型。vector 类型的每一种都指定了其保存元素的类型。因此，vector<int>和 vector<string>都是数据类型。

3.3.1　vector 对象的定义和初始化

vector 类定义了好几种构造函数（2.3.3 节），用来定义和初始化 vector 对象。表 3-4 列出了这些构造函数。

表 3-4　几种初始化 vector 对象的方式	
vector<T> v1;	vector 保存类型为 T 的对象。默认构造函数 v1 为空。
vector<T> v2(v1);	v2 是 v1 的一个副本。
vector<T> v3(n, i);	v3 包含 n 个值为 i 的元素。
vector<T> v4(n);	v4 含有值初始化的元素的 n 个副本。

1. 创建确定个数的元素

若要创建非空的 vector 对象，必须给出初始化元素的值。当把一个 vector 对象复制到另一个 vector 对象时，新复制的 vector 中每一个元素都初始化为原 vector 中相应元素的副本。但这两个 vector 对象必须保存同一种元素类型：

```
vector<int> ivec1;              // ivec1 holds objects of type int
vector<int> ivec2(ivec1);       // ok: copy elements of ivec1 into ivec2
vector<string> svec(ivec1);     // error: svec holds strings, not ints
```

可以用元素个数和元素值对 vector 对象进行初始化。构造函数用元素个数来决定 vector 对象保存元素的个数，元素值指定每个元素的初始值：

```
vector<int> ivec4(10, -1);      // 10 elements, each initialized to -1
vector<string> svec(10, "hi!"); // 10 strings, each initialized to "hi!"
```

关键概念：vector 对象动态增长

vector 对象（以及其他标准库容器对象）的重要属性就在于可以在运行时高效地添加元素。因为 vector 增长的效率高，在元素值已知的情况下，最好是动态地添加元素。

91

正如第 4 章将介绍的，这种增长方式不同于 C 语言中的内置数据类型，也不同于大多数其他编程语言的数据类型。具体而言，如果读者习惯了 C 或 Java 的风格，由于 vector 元素连续存储，可能希望最好是预先分配合适的空间。但事实上，为了达到连续性，C++的做法恰好相反，具体原因将在第 9 章探讨。

虽然可以对给定元素个数的 vector 对象预先分配内存，但更有效的方法是先初始化一个空 vector 对象，然后再动态地增加元素（我们随后将学习如何进行这样的操作）。

2. 值初始化

如果没有指定元素的初始化式，那么标准库将自行提供一个元素初始值进行**值初始化**（value initializationd）。这个由库生成的初始值将用来初始化容器中的每个元素，具体值为何，取决于存储在 vector 中元素的数据类型。

如果 vector 保存内置类型（如 int 类型）的元素，那么标准库将用 0 值创建元素初始化式[1]：

```
vector<int> fvec(10); // 10 elements, each initialized to 0
```

如果 vector 保存的是含有构造函数的类类型（如 string）的元素，标准库将用该类型的默认构造函数创建元素初始化式：

```
vector<string> svec(10); // 10 elements, each an empty string
```

第 12 章将介绍一些有自定义构造函数但没有默认构造函数的类，在初始化这种类型的 vector 对象时，程序员就不能仅提供元素个数，还需要提供元素初始值。

还有第三种可能性：元素类型可能是没有定义任何构造函数的类类型。这种情况下，标准库仍产生一个带初始值的对象，这个对象的每个成员进行了值初始化。

习题

习题 3.11   下面哪些 vector 定义不正确？

```
(a) vector< vector<int> > ivec;
(b) vector<string> svec = ivec ;
(c) vector<string> svec(10,"null");
```

习题 3.12   下列每个 vector 对象中元素个数是多少？各元素的值是什么？

```
(a) vector<int> ivec1;
(b) vector<int> ivec2(10);
(c) vector<int> ivec3(10,42);
(d) vector<string> svec1;
(e) vector<string> svec2(10);
(f) vector<string> svec3(10,"hello");
```

---

1. 此代码行中的 vector<int>原书误为 vector<string>。——译者注

3.3.2 **vector** 对象的操作

vector 标准库提供了许多类似于 string 对象的操作，表 3-5 列出了几种最重要的 vector 操作。

表 3-5　vector 操作

v.empty()	如果 v 为空，则返回 true，否则返回 false。
v.size()	返回 v 中元素的个数。
v.push_back(t)	在 v 的末尾增加一个值为 t 的元素。
v[n]	返回 v 中位置为 n 的元素。
v1 = v2	把 v1 的元素替换为 v2 中元素的副本。
v1 == v2	如果 v1 与 v2 相等，则返回 true。
!=, <, <=, >, >=	保持这些操作符惯有的含义。

1. **vector** 对象的 **size**

empty 和 size 操作类似于 string 类型的相关操作（3.2.3 节）。成员函数 size 返回相应 vector 类定义的 size_type 的值。

 使用 size_type 类型时，必须指出该类型是在哪里定义的。vector 类型总是包括 vector 的元素类型：

```
vector<int>::size_type    // ok
vector::size_type         // error
```

93

2. 向 **vector** 添加元素

push_back() 操作接受一个元素值，并将它作为一个新的元素添加到 vector 对象的后面，也就是"插入（push）"到 vector 对象的"后面（back）"：

```
// read words from the standard input and store them as elements in a vector
string word;
vector<string> text;              // empty vector
while (cin >> word) {
    text.push_back(word);         // append word to text
}
```

该循环从标准输入读取一系列 string 对象，逐一追加到 vector 对象的后面。首先定义一个空的 vector 对象 text。每循环一次就添加一个新元素到 vector 对象，并将从输入读取的 word 值赋予该元素。当循环结束时，text 就包含了所有读入的元素。

3. **vector** 的下标操作

vector 中的对象是没有命名的，可以按 vector 中对象的位置来访问它们。通常使用下标操作符来获取元素。vector 的下标操作类似于 string 类型的下标操作（3.2.3 节）。

vector 的下标操作符接受一个值，并返回 vector 中该对应位置的元素。vector 元素的位置从 0 开始。下例使用 for 循环把 vector 中的每个元素值都重置为 0：

```
// reset the elements in the vector to zero
for (vector<int>::size_type ix = 0; ix != ivec.size(); ++ix)
```

```
ivec[ix] = 0;
```

和 string 类型的下标操作符一样，vector 下标操作的结果为左值，因此可以像循环体中所做的那样实现写入。另外，和 string 对象的下标操作类似，这里用 size_type 类型作为 vector 下标的类型。

> 在上例中，即使 ivec 为空，for 循环也会正确执行。ivec 为空则调用 size 返回 0，并且 for 中的测试比较 ix 和 0。第一次循环时，由于 ix 本身就是 0，则条件测试失败，for 循环体一次也不执行。

关键概念：安全的泛型编程

习惯于 C 或 Java 编程的 C++程序员可能会觉得难以理解，for 循环的判断条件用!=而不是用<来测试 vector 下标值是否越界。C 程序员难以理解的还有，上例中没有在 for 循环之前就调用 size 成员函数并保存其返回的值，而是在 for 语句头中调用 size 成员函数。

C++程序员习惯于优先选用!=而不是<来编写循环判断条件。在上例中，选用或不用某种操作符并没有特别的取舍理由。学习完本书第二部分的泛型编程后，你将会明白这种习惯的合理性。

调用 size 成员函数而不保存它返回的值，在这个例子中同样不是必需的，但这反映了一种良好的编程习惯。在 C++中，有些数据结构（如 vector）可以动态增长。上例中循环仅需要读取元素，而不需要增加新的元素。但是，循环可以容易地增加新元素，如果确实增加了新元素的话，那么测试已保存的 size 值作为循环的结束条件就会有问题，因为没有将新加入的元素计算在内。所以我们倾向于在每次循环中测试 size 的当前值，而不是在进入循环前，存储 size 值的副本。

我们将在第 7 章学习到，C++中有些函数可以声明为内联（inline）函数。编译器遇到内联函数时就会直接扩展相应代码，而不是进行实际的函数调用。像 size 这样的小库函数几乎都定义为内联函数，所以每次循环过程中调用它的运行时代价是比较小的。

4. 下标操作不添加元素

初学 C++的程序员可能会认为 vector 的下标操作可以添加元素，其实不然：

```
vector<int> ivec;    // empty vector
for (vector<int>::size_type ix = 0; ix != 10; ++ix)
    ivec[ix] = ix;   // disaster: ivec has no elements
```

上述程序试图在 ivec 中插入 10 个新元素，元素值依次为 0 到 9 的整数。但是，这里 ivec 是空的 vector 对象，而且下标只能用于获取已存在的元素。

这个循环的正确写法应该是：

```
for (vector<int>::size_type ix = 0; ix != 10; ++ix)
    ivec.push_back(ix);  // ok: adds new element with value ix
```

必须是已存在的元素才能用下标操作符进行索引。通过下标操作进行赋值时，不会添加任何元素。

警告：仅能对确知已存在的元素进行下标操作

对于下标操作符（[]操作符）的使用有一点非常重要，就是仅能提取确实已存在的元素，例如：

```
vector<int> ivec;          // empty vector
cout << ivec[0];           // Error: ivec has no elements!

vector<int> ivec2(10);     // vector with 10 elements
cout << ivec[10];          // Error: ivec has elements 0...9
```

试图获取不存在的元素必然产生运行时错误。和大多数同类错误一样，不能确保执行过程可以捕捉到这类错误，运行程序的结果是不确定的。由于取不存在的元素的结果标准没有定义，因而不同的编译器实现会导致不同的结果，但程序运行时几乎肯定会以某种有趣的方式失败。

本警告适用于任何使用下标操作的时候，如 string 类型的下标操作，以及将要简要介绍的内置数组的下标操作。

不幸的是，试图对不存在的元素进行下标操作是程序设计过程中经常会犯的严重错误。所谓的"缓冲区溢出"错误就是对不存在的元素进行下标操作的结果。这样的缺陷往往导致 PC 机和其他应用中最常见的安全问题。

习题

习题 3.13 读一组整数到 vector 对象，计算并输出每对相邻元素的和。如果读入元素个数为奇数，则提示用户最后一个元素没有求和，并输出其值。然后修改程序：头尾元素两两配对（第一个和最后一个，第二个和倒数第二个，以此类推），计算每对元素的和，并输出。

习题 3.14 读入一段文本到 vector 对象，每个单词存储为 vector 中的一个元素。把 vector 对象中每个单词转化为大写字母。输出 vector 对象中转化后的元素，每八个单词为一行输出。

习题 3.15 下面程序合法吗？如果不合法，如何更正？

```
vector<int> ivec;
ivec[0] = 42;
```

习题 3.16 列出三种定义 vector 对象的方法，给定 10 个元素，每个元素值为 42。指出是否还有更好的实现方法，并说明为什么。

3.4 迭代器简介

除了使用下标来访问 vector 对象的元素外，标准库还提供了另一种访问元素的方法：使用迭代器（iterator）。迭代器是一种检查容器内元素并遍历元素的数据类型。

95
~
96

标准库为每一种标准容器（包括 vector）定义了一种迭代器类型。迭代器类型提供了比下标操作更通用化的方法：所有的标准库容器都定义了相应的迭代器类型，而只有少数的容器支持下标操作。因为迭代器对所有的容器都适用，现代 C++程序更倾向于使用迭代器而不是下标操作访问容器元素，即使对支持下标操作的 vector 类型也是这样。

第 11 章将详细讨论迭代器的工作原理，但使用迭代器并不需要完全了解它复杂的实现细节。

1. 容器的 iterator 类型   和指针类似

每种容器类型都定义了自己的迭代器类型，如 vector：

```
vector<int>::iterator iter;
```

这条语句定义了一个名为 iter 的变量,它的数据类型是由 vector<int>定义的 iterator 类型。每个标准库容器类型都定义了一个名为 iterator 的成员，这里的 iterator 与迭代器实际类型的含义相同。

术语：迭代器和迭代器类型

程序员首次遇到有关迭代器的术语时可能会困惑不解，原因之一是由于同一个术语 *iterator* 往往表示两个不同的事物。一般意义上指的是迭代器的概念；而具体而言时指的则是由容器定义的具体的 iterator 类型，如 vector<int>。

重点要理解的是，有许多用作迭代器的类型，这些类型在概念上是相关的。若一种类型支持一组确定的操作（这些操作可用来遍历容器内的元素，并访问这些元素的值），我们就称这种类型为迭代器。

各容器类都定义了自己的 iterator 类型，用于访问容器内的元素。换句话说，每个容器都定义了一个名为 iterator 的类型，而这种类型支持（概念上的）迭代器的各种操作。

---

2. begin 和 end 操作

每种容器都定义了一对命名为 begin 和 end 的函数，用于返回迭代器。如果容器中有元素的话，由 begin 返回的迭代器指向第一个元素：

```
vector<int>::iterator iter = ivec.begin();
```

上述语句把 iter 初始化为由名为 begin 的 vector 操作返回的值。假设 vector 不空，初始化后，iter 即指该元素为 ivec[0]。

由 end 操作返回的迭代器指向 vector 的“末端元素的下一个”。通常称为**超出末端迭代器**(off-the-end iterator)，表明它指向了一个不存在的元素。如果 vector 为空，begin 返回的迭代器与 end 返回的迭代器相同。

97

由 end 操作返回的迭代器并不指向 vector 中任何实际的元素，相反，它只是起一个哨兵（sentinel）的作用，表示我们已处理完 vector 中所有元素。

3. vector 迭代器的自增和解引用运算

迭代器类型定义了一些操作来获取迭代器所指向的元素，并允许程序员将迭代器从一个元素移动到另一个元素。

迭代器类型可使用**解引用操作符**（*操作符）来访问迭代器所指向的元素：

```
*iter = 0;
```

解引用操作符返回迭代器当前所指向的元素。假设 iter 指向 vector 对象 ivec 的第一个元素，那么*iter 和 ivec[0]就是指向同一个元素。上面这个语句的效果就是把这个元素的值赋为 0。

迭代器使用自增操作符（1.4.1 节）向前移动迭代器指向容器中下一个元素。从逻辑上说，迭代器的自增操作和 int 型对象的自增操作类似。对 int 对象来说，操作结果就是把 int 型值"加 1"，而对迭代器对象则是把容器中的迭代器"向前移动一个位置"。因此，如果 iter 指向第一个元素，则++iter 指向第二个元素。

　　由于 end 操作返回的迭代器不指向任何元素，因此不能对它进行解引用或自增操作。

4. 迭代器的其他操作

另一对可执行于迭代器的操作就是比较：用==或!=操作符来比较两个迭代器，如果两个迭代器对象指向同一个元素，则它们相等，否则就不相等。

5. 迭代器应用的程序示例

假设已声明了一个 vector<int>型的 ivec 变量，要把它所有元素值重置为 0，可以用下标操作来完成：

```
// reset all the elements in ivec to 0
for (vector<int>::size_type ix = 0; ix != ivec.size(); ++ix)
        ivec[ix] = 0;
```

上述程序用 for 循环遍历 ivec 的元素，for 循环定义了一个索引 ix，每循环迭代一次 ix 就自增 1。for 循环体将 ivec 的每个元素赋值为 0。

更典型的做法是用迭代器来编写循环：

```
// equivalent loop using iterators to reset all the elements in ivec to 0
for (vector<int>::iterator iter = ivec.begin();
                        iter != ivec.end(); ++iter)
    *iter = 0;  // set element to which iter refers to 0
```

for 循环首先定义了 iter，并将它初始化为指向 ivec 的第一个元素。for 循环的条件测试 iter 是否与 end 操作返回的迭代器不等。每次迭代 iter 都自增 1，这个 for 循环的效果是从 ivec 第一个元素开始，顺序处理 vector 中的每一元素。最后，iter 将指向 ivec 中的最后一个元素，处理完最后一个元素后，iter 再增加 1，就会与 end 操作的返回值相等，在这种情况下，循环终止。

for 循环体内的语句用解引用操作符来访问当前元素的值。和下标操作符一样，解引用操作符的返回值是一个左值，因此可以对它进行赋值来改变它的值。上述循环的效果就是把 ivec 中所有元素都赋值为 0。

98

通过上述对代码的详细分析，可以看出这段程序与用下标操作符的版本达到相同的操作效果：从 vector 的第一个元素开始，把 vector 中每个元素都置为 0。

> 本节给出的例子程序和 3.3.2 节 vector 的下标操作的程序一样，如果 vector 为空，程序是安全的。如果 ivec 为空，则 begin 返回的迭代器不指向任何元素——由于没有元素，所以它不能指向任何元素。在这种情况下，从 begin 操作返回的迭代器与从 end 操作返回的迭代器的值相同，因此 for 语句中的测试条件立即失败。

6. const_iterator

前面的程序用 vector::iterator 改变 vector 中的元素值。每种容器类型还定义了一种名为 const_iterator 的类型，该类型只能用于读取容器内元素，但不能改变其值。

当我们对普通 iterator 类型解引用时，得到对某个元素的非 const 引用（2.5 节）。而如果我们对 const_iterator 类型解引用时，则可以得到一个指向 const 对象的引用（2.4 节），如同任何常量一样，该对象不能进行重写。

例如，如果 text 是 vector<string> 类型，程序员想要遍历它，输出每个元素，可以这样编写程序：

```
// use const_iterator because we won't change the elements
for (vector<string>::const_iterator iter = text.begin();
                          iter != text.end(); ++iter)
    cout << *iter << endl; // print each element in text
```

除了是从迭代器读取元素值而不是对它进行赋值之外，这个循环与前一个相似。由于这里只需要借助迭代器进行读，不需要写，这里把 iter 定义为 const_iterator 类型。当对 const_iterator 类型解引用时，返回的是一个 const 值。不允许用 const_iterator 进行赋值：

```
for (vector<string>::const_iterator iter = text.begin();
                          iter != text.end(); ++ iter)
    *iter = " ";      // error: *iter is const
```

使用 const_iterator 类型时，我们可以得到一个迭代器，它自身的值可以改变，但不能用来改变其所指向的元素的值。可以对迭代器进行自增以及使用解引用操作符来读取值，但不能对该元素值赋值。

不要把 const_iterator 对象与 const 的 iterator 对象混淆起来。声明一个 const 迭代器时，必须初始化迭代器。一旦被初始化后，就不能改变它的值：

```
vector<int> nums(10);      // nums is nonconst
const vector<int>::iterator cit = nums.begin();
*cit = 1;                  // ok: cit can change its underlying element
++cit;                     // error: can't change the value of cit
```

const_iterator 对象可以用于 const vector 或非 const vector，因为不能改写元素值。const 迭代器这种类型几乎没什么用处：一旦它被初始化后，只能用它来改写其指向的元素，但不能使它指向任何其他元素：

```
const vector<int> nines(10, 9);  // cannot change elements in nines
// error: cit2 could change the element it refers to and nines is const
```

```
const vector<int>::iterator cit2 = nines.begin();
// ok: it can't change an element value, so it can be used with a const vector<int>
vector<int>::const_iterator it = nines.begin();
*it = 10; // error: *it is const
++it;     // ok: it isn't const so we can change its value
```

```
// an iterator that cannot write elements
vector<int>::const_iterator       只读 不写
// an iterator whose value cannot change
const vector<int>::iterator       不能 动
```

习题

习题 3.17　重做 3.3.2 节的习题，用迭代器而不是下标操作来访问 vector 中的元素。

习题 3.18　编写程序来创建有 10 个元素的 vector 对象。用迭代器把每个元素值改为当前值的 2 倍。

习题 3.19　验证习题 3.18 的程序，输出 vector 的所有元素。

习题 3.20　解释一下在上几个习题的程序实现中你用了哪种迭代器，并说明原因。

习题 3.21　何时使用 const 迭代器的？又在何时使用 const_iterator？解释两者的区别。

迭代器的算术操作

　　除了一次移动迭代器的一个元素的增量操作符外，vector 迭代器（其他标准库容器迭代器很少）也支持其他的算术操作。这些操作称为**迭代器算术操作**（iterator arithmetic），包括：

100

- `iter + n`
  `iter - n`
  可以对迭代器对象加上或减去一个整型值。这样做将产生一个新的迭代器，其位置在 iter 所指元素之前（加）或之后（减）n 个元素的位置。加或减之后的结果必须指向 iter 所指 vector 中的某个元素，或者是 vector 末端的后一个元素。加上或减去的值的类型应该是 vector 的 size_type 或 difference_type 类型（参考下面的解释）。

- `iter1 - iter2`
  该表达式用来计算两个迭代器对象的距离，该距离是名为 **difference_type** 的 signed 类型的值，这里的 difference_type 类型类似于 size_type 类型，也是由 vector 定义的。difference_type 是 signed 类型，因为减法运算可能产生负数的结果。该类型可以保证足够大以存储任何两个迭代器对象间的距离。iter1 与 iter2 两者必须都指向同一 vector 中的元素，或者指向 vector 末端之后的下一个元素。

　　可以用迭代器算术操作来移动迭代器直接指向某个元素，例如，下面语句直接定位于 vector 的中间元素：

```
vector<int>::iterator mid = vi.begin() + vi.size()/2;
```

上述代码用来初始化 mid，使其指向 vi 中最靠近正中间的元素。这种直接计算迭代器的方法，与用迭代器逐个元素自增操作到达中间元素的方法是等价的，但前者的效率要高得多。

✓ 任何改变 vector 长度的操作都会使已存在的迭代器失效。例如，在调用 push_back 之后，就不能再信赖指向 vector 的迭代器的值了。

习题

习题 3.22   如果采用下面的方法来计算 mid 会产生什么结果？

```
vector<int>::iterator mid = (vi.begin() + vi.end())/2;
```

3.5 标准库 bitset 类型

有些程序要处理二进制位的有序集，每个位可能包含 0（关）值或 1（开）值。位是用来保存一组项或条件的 yes/no 信息（有时也称标志）的简洁方法。标准库提供的 **bitset** 类简化了位集的处理。要使用 bitset 类就必须包含相关的头文件。在本书提供的例子中，假设都已使用 std::bitset 的 using 声明：

```
#include <bitset>
using std::bitset;
```

101

3.5.1 bitset 对象的定义和初始化

表 3-6 列出了 bitset 的构造函数。类似于 vector，bitset 类是一种类模板；而与 vector 不一样的是 bitset 类型对象的区别仅在其长度而不在其类型。在定义 bitset 时，要明确 bitset 含有多少位，须在尖括号内给出它的长度值：

```
bitset<32> bitvec; // 32 bits, all zero
```

给出的长度值必须是常量表达式（2.7 节）。正如这里给出的，长度值必须定义为整型字面值常量或是已用常量值初始化的整型的 const 对象。

这条语句把 bitvec 定义为含有 32 个位的 bitset 对象。和 vector 的元素一样，bitset 中的位是没有命名的，程序员只能按位置来访问它们。位集合的位置编号从 0 开始，因此，bitvec 的位序是从 0 到 31。以 0 位开始的位串是低阶位（low-order bit），以 31 位结束的位串是高阶位（high-order bit）。

表 3-6 初始化 bitset 对象的方法	
bitset<n> b;	b 有 n 位，每位都为 0
bitset<n> b(u);	b 是 unsigned long 型 u 的一个副本
bitset<n> b(s);	b 是 string 对象 s 中含有的位串的副本
bitset<n> b(s, pos, n);	b 是 s 中从位置 pos 开始的 n 个位的副本

1. 用 unsigned 值初始化 bitset 对象

当用 unsigned long 值作为 bitset 对象的初始值时，该值将转化为二进制的位模式。而 bitset 对象中的位集作为这种位模式的副本。如果 bitset 类型长度大于 unsigned long 值的二进制位数，则其余的高阶位将置为 0；如果 bitset 类型长度小于 unsigned long 值的二进制位数，则只使用 unsigned 值中的低阶位，超过 bitset 类型长度的高阶位将被丢弃。

在 32 位 unsigned long 的机器上，十六进制值 0xffff 表示为二进制位就是十六个 1 和十六个 0（每个 0xf 可表示为 1111）。可以用 0xffff 初始化 bitset 对象：

```
// bitvec1 is smaller than the initializer
bitset<16> bitvec1(0xffff);          // bits 0 ... 15 are set to 1
// bitvec2 same size as initializer
bitset<32> bitvec2(0xffff);          // bits 0 ... 15 are set to 1; 16 ... 31 are 0
// on a 32-bit machine, bits 0 to 31 initialized from 0xffff
bitset<128> bitvec3(0xffff);         // bits 32 through 127 initialized to zero
```

上面的三个例子中，0 到 15 位都置为 1。由于 bitvec1 位数少于 unsigned long 的位数，因此 bitvec1 的初始值的高阶位被丢弃。bitvec2 和 unsigned long 长度相同，因此所有位正好放置了初始值。bitvec3 长度大于 32，31 位以上的高阶位就被置为 0。

102

2. 用 string 对象初始化 bitset 对象

当用 string 对象初始化 bitset 对象时，string 对象直接表示为位模式。从 string 对象读入位集的顺序是从右向左：

```
string strval("1100");
bitset<32> bitvec4(strval);
```

bitvec4 的位模式中第 2 和 3 的位置为 1，其余位置都为 0。如果 string 对象的字符个数小于 bitset 类型的长度，则高阶位将置为 0。

> string 对象和 bitset 对象之间是反向转化的：string 对象的最右边字符（即下标最大的那个字符）用来初始化 bitset 对象的低阶位（即下标为 0 的位）。当用 string 对象初始化 bitset 对象时，记住这一差别很重要。

不一定要把整个 string 对象都作为 bitset 对象的初始值。相反，可以只用某个子串作为初始值：

```
string str("1111111100000011001101");
bitset<32> bitvec5(str, 5, 4); // 4 bits starting at str[5], 1100
bitset<32> bitvec6(str, str.size() - 4);     // use last 4 characters
```

这里用 str 中从 str[5] 开始包含四个字符的子串来初始化 bitvec5。照常，初始化 bitset 对象时总是从子串最右边结尾字符开始的，bitvec5 的从 3 到 0 的二进制位置为 1100，其他二进制位都置为 0。如果省略第三个参数则意味着取从开始位置一直到 string 末尾的所有字符。本例中，取出 str 末尾的四位来对 bitvec6 的低四位进行初始化。bitvec6 其余的位初始化为 0。这些初始化过程的图示如下：

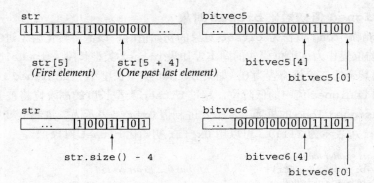

103

3.5.2 **bitset** 对象上的操作

多种 bitset 操作（表 3-7）用来测试或设置 bitset 对象中的单个或多个二进制位。

表 3-7 **bitset** 操作	
b.any()	b 中是否存在置为 1 的二进制位？
b.none()	b 中不存在置为 1 的二进制位吗？
b.count()	b 中置为 1 的二进制位的个数
b.size()	b 中二进制位的个数
b[pos]	访问 b 中在 pos 处的二进制位
b.test(pos)	b 中在 pos 处的二进制位是否为 1？
b.set()	把 b 中所有二进制位都置为 1
b.set(pos)	把 b 中在 pos 处的二进制位置为 1
b.reset()	把 b 中所有二进制位都置为 0
b.reset(pos)	把 b 中在 pos 处的二进制位置为 0
b.flip()	把 b 中所有二进制位逐位取反
b.flip(pos)	把 b 中在 pos 处的二进制位取反
b.to_ulong()	用 b 中同样的二进制位返回一个 unsigned long 值
os << b	把 b 中的位集输出到 os 流

1. 测试整个 **bitset** 对象

如果 bitset 对象中有一个或几个二进制位置为 1，则 any 操作返回 true，也就是说，其返回值等于 1；相反，如果 bitset 对象中的二进制位全为 0，则 none 操作返回 true。

```cpp
bitset<32> bitvec; // 32 bits, all zero
bool is_set = bitvec.any();         // false, all bits are zero
bool is_not_set = bitvec.none();    // true, all bits are zero
```

如果需要知道置为 1 的二进制位的个数，可以使用 count 操作，该操作返回置为 1 的二进制位的个数：

```cpp
size_t bits_set = bitvec.count(); // returns number of bits that are on
```

count 操作的返回类型是标准库中命名为 **size_t** 的类型。size_t 类型定义在 cstddef 头文件中，该文件是 C 标准库的头文件 stddef.h 的 C++版本。它是一个与机器相关的 *unsigned* 类型，其大小足以保证存储内存中对象的大小。

与 vector 和 string 中的 size 操作一样，bitset 的 size 操作返回 bitset 对象中二进制位的个数，返回值的类型是 size_t:

```
size_t sz = bitvec.size(); // returns 32
```

104

2. 访问 bitset 对象中的位

可以用下标操作符来读或写某个索引位置的二进制位，同样地，也可以用下标操作符测试给定二进制位的值或设置某个二进制位的值：

```
// assign 1 to even numbered bits
for (int index = 0; index != 32; index += 2)
        bitvec[index] = 1;
```

上面的循环把 bitvec 中的偶数下标的位都置为 1。

除了用下标操作符，还可以用 set、test 和 reset 操作来测试或设置给定二进制位的值：

```
// equivalent loop using set operation
for (int index = 0; index != 32; index += 2)
        bitvec.set(index);
```

为了测试某个二进制位是否为 1，可以用 test 操作或者测试下标操作符的返回值：

```
if (bitvec.test(i))
    // bitvec[i] is on
// equivalent test using subscript
if (bitvec[i])
    // bitvec[i] is on
```

如果下标操作符测试的二进制位为 1，则返回的测试值的结果为 true，否则返回 false。

3. 对整个 bitset 对象进行设置

set 和 reset 操作分别用来对整个 bitset 对象的所有二进制位全置 1 和全置 0:

```
bitvec.reset();     // set all the bits to 0.
bitvec.set();       // set all the bits to 1
```

flip 操作可以对 bitset 对象的所有位或个别位取反：

```
bitvec.flip(0);     // reverses value of first bit
bitvec[0].flip();   // also reverses the first bit
bitvec.flip();      // reverses value of all bits
```

4. 获取 bitset 对象的值

to_ulong 操作返回一个 unsigned long 值，该值与 bitset 对象的位模式存储值相同。仅当 bitset 类型的长度小于或等于 unsigned long 的长度时，才可以使用 to_ulong 操作：

```
unsigned long ulong = bitvec3.to_ulong();
cout << "ulong = " << ulong << endl;
```

to_ulong 操作主要用于把 bitset 对象转到 C 风格或标准 C++之前风格的程序上。如果 bitset 对象包含的二进制位数超过 unsigned long 的长度，将会产生运行时异常。本书将在 6.13 节介绍异常（exception），并在 17.1 节中详细地讨论它。

105

5. 输出二进制位

可以用输出操作符输出 bitset 对象中的位模式：

```
bitset<32> bitvec2(0xffff);  // bits 0 ... 15 are set to 1; 16 ... 31 are 0
cout << "bitvec2: " << bitvec2 << endl;
```

输出结果为：

bitvec2: 00000000000000001111111111111111

6. 使用位操作符

bitset 类也支持内置的位操作符。C++定义的这些操作符都只适用于整型操作数，它们所提供的操作类似于本节所介绍的 bitset 操作。5.3 节将介绍这些操作符。

习题

习题 3.23   解释下面每个 bitset 对象包含的位模式：

```
(a) bitset<64> bitvec(32);
(b) bitset<32> bv(1010101);
(c) string bstr; cin >> bstr; bitset<8> bv(bstr);
```

习题 3.24   考虑这样的序列 1, 2, 3, 5, 8, 13, 21，并初始化一个将该序列数字所对应的位置置为 1 的 bitset<32>对象。然后换个方法，给定一个空的 bitset 对象，编写一小段程序把相应的数位设置为 1。

小结

C++标准库定义了几种更高级的抽象数据类型，包括 string 和 vector 类型。string 类型提供了变长的字符串，而 vector 类型则可用于管理同一类型的对象集合。

迭代器实现了对存储于容器中对象的间接访问。迭代器可以用于访问和遍历 string 类型和 vector 类型的元素。

下一章将介绍 C++的内置数据类型：数组和指针。这两种类型提供了类似于 vector 和 string 标准库类型的低级抽象类型。总的来说，相对于 C++内置数据类型的数组和指针而言，程序员应优先使用标准库类类型。

术语

abstract data type（抽象数据类型）   隐藏其实现的数据类型。使用抽象数据类型时，只需要了解该类型所支持的操作。

bitset   一种标准库类型，用于保存位集，并提供对各个位的测试和置位操作。

cctype header（cctype 头文件）   从 C 标准库继承而来的头文件，包含一组测试字符值的例程。8.3.4 节的表 3-3 列出了常用的例程。

class template（类模板）   一个可创建许多潜在类类型的蓝图。使用类模板时，必须给出实际的类型和值。例如，vector 类型是保存给定类型对象的模板。创建一个 vector 对象时，必须指出这个 vector 对象所保存的元素的类型。vector<int>保存 int 的对象，而 vector<string>则保存 string 对象，以此类推。

container（容器） 一种类型，其对象保存一组给定类型的对象的集合。

difference_type 一种由 vector 类型定义的 signed 整型，用于存储任意两个迭代器间的距离。

empty 由 string 类型和 vector 类型定义的成员函数。empty 返回布尔值，用于检测 string 是否有字符或 vector 是否有元素。如果 string 或 vector 的 size 为 0，则返回 true，否则返回 false。

getline string 头文件中定义的函数，该函数接受一个 istream 对象和一个 string 对象，读取输入流直到下一个换行符，存储读入的输入流到 string 对象中，并返回 istream 对象。换行符被读入并丢弃。

high-order（高阶） bitset 对象中索引值最大的位。

index（索引） 下标操作符所使用的值，用于表示从 string 对象或 vector 对象中获取的元素。也称"下标"。

iterator（迭代器） 用于对容器类型的元素进行检查和遍历的数据类型。

iterator arithmetic（迭代器的算术操作） 应用于一些（并非全部）迭代器类型的算术操作。迭代器对象可以加上或减去一个整型数值，结果迭代器指向处于原迭代器之前或之后若干个元素的位置。两个迭代器对象可以相减，得到的结果是它们之间的距离。迭代器算术操作只适用于指向同一容器中的元素或指向容器

末端的下一元素迭代器。

low-order（低阶） bitset 对象中索引值最小的位。

off-the-end iterator（超出末端的迭代器） 由 end 操作返回的迭代器，是一种指向容器末端之后的不存在元素的迭代器。

push_back 由 vector 类型定义的成员函数，用于把元素追加到 vector 对象的尾部。

sentinel（哨兵） 一种程序设计技术，使用一个值来控制处理过程。在本章中使用由 end 操作返回的迭代器作为保护符，当处理完 vector 对象中的所有元素后，用它来停止处理 vector 中的元素。

size 由库类型 string、vector 和 bitset 定义的函数，分别用于返回此三个类型的字符个数、元素个素、二进制位的个数。string 和 vector 类的 size 成员函数返回 size_type 类型的值（例如，string 对象的 size 操作返回 string::size_type 类型值）。bitset 对象的 size 操作返回 size_t 类型值。

size_t 在 cstddef 头文件中定义的机器相关的无符号整型，该类型足以保存最大数组的长度。

size_type 由 string 类类型和 vector 类类型定义的类型，用以保存任意 string 对象或 vecotr 对象的长度。标准库类型将 size_type 定义为 unsigned 类型。

using declaration（using 声明） 使命名空间的名字可以直接引用。比如：

using namespace::name;

可以直接访问 name 而无须前缀 namespace::。

value initialization（值初始化） 当给定容器的长度，但没有显式提供元素的初始式时，

对容器元素进行的初始化。元素被初始化为一个编译器产生的值的副本。如果容器保存内置类型变量，则元素的初始值将置为 0。如果容器用于保存类对象，则元素的初始值由类的默认构造函数产生。只有类提供了默认构造函数时，类类型的容器元素才能进行值初始化。

++ operator（++操作符） 迭代器类型定义的自增操作符，通过"加 1"移动迭代器指向下一个元素。

:: operator（::操作符） 作用域操作符。::操作符在其左操作数的作用域内找到其右操作数的名字。用于访问某个命名空间中的名字，如 std::cout，表明名字 cout 来自命名空间 std。同样地，可用来从某个类取名字，如 string::size_type，表明 size_type 是由 string 类定义的。

[] operator（[]操作符） 由 string，vector 和 bitset 类型定义的重载操作符。它接受两个操作数：左操作数是对象名字，右操作数是一个索引。该操作符用于取出位置与索引相符

107
~
108

的元素，索引计数从 0 开始，即第一个元素的索引为 0，最后一个元素的索引为 obj.size() -1。下标操作返回左值，因此可将下标操作作为赋值操作的左操作数。对下标操作的结果赋值是赋一个新值到相应的元素。

* operator（*操作符） 迭代器类型定义了解引用操作符来返回迭代器所指向的对象。解引用返回左值，因此可将解引用操作符用作赋值操作的左操作数。对解引用操作的结果赋值是赋一个新值到相应的元素。

<< operator（<<操作符） 标准库类型 string 和 bitset 定义了输出操作符。string 类型的输出操作符将输出 string 对象中的字符。bitset 类型的输出操作符则输出 bitset 对象的位模式。

>> operator（>>操作符） 标准库类型 string 和 bitset 定义了输入操作符。string 类型的输入操作符读入以空白字符为分隔符的字符串，并把读入的内容存储在右操作数（string 对象）中。bitset 类型的输入操作符则读入一个位序列到其 bitset 操作数中。

第 **4** 章

数组和指针

    C++语言提供了两种类似于 vector 和迭代器类型的低级复合类型——数组和指针。与 vector 类型相似，数组也可以保存某种类型的一组对象；而它们的区别在于，数组的长度是固定的。数组一经创建，就不允许添加新的元素。指针则可以像迭代器一样用于遍历和检查数组中的元素。

    现代 C++程序应尽量使用 vector 和迭代器类型，而避免使用低级的数组和指针。设计良好的程序只有在强调速度时才在类实现的内部使用数组和指针。

109

数组是 C++语言中类似于标准库 vector 类型的内置数据结构。与 vector 类似，数组也是一种存储单一数据类型对象的容器，其中每个对象都没有单独的名字，而是通过它在数组中的位置对它进行访问。

与 vector 类型相比，数组的显著缺陷在于：数组的长度是固定的，而且程序员无法知道一个给定数组的长度。数组没有获取其容量大小的 size 操作，也不提供 push_back 操作在其中自动添加元素。如果需要更改数组的长度，程序员只能创建一个更大的新数组，然后把原数组的所有元素复制到新数组空间中去。

与使用标准 vector 类型的程序相比，依赖于内置数组的程序更容易出错而且难于调试。

在出现标准库之前，C++程序大量使用数组保存一组对象。而现代的 C++程序则更多地使用 vector 来取代数组，数组被严格限制于程序内部使用，只有当性能测试表明使用 vector 无法达到必要的速度要求时，才使用数组。然而，在将来一段时间之内，原来依赖于数组的程序仍大量存在，因此，C++程序员还是必须掌握数组的使用方法。

4.1 数组

数组是由类型名、标识符和维数组成的复合数据类型（2.5 节），类型名规定了存放在数组中的元素的类型，而维数则指定数组中包含的元素个数。

数组定义中的类型名可以是内置数据类型或类类型，除引用之外，数组元素的类型还可以是任意的复合类型。没有所有元素都是引用的数组。

4.1.1 数组的定义和初始化

数组的维数必须用值大于等于 1 的常量表达式定义（2.7 节）。此常量表达式只能包含整型字面值常量、枚举常量（2.7 节）或者用常量表达式初始化的整型 const 对象。非 const 变量以及要到运行阶段才知道其值的 const 变量都不能用于定义数组的维数。

数组的维数必须在一对方括号 [ ] 内指定：

```
// both buf_size and max_files are const
const unsigned buf_size = 512, max_files = 20;
int staff_size = 27;                // nonconst
const unsigned sz = get_size();     // const value not known until run time
char input_buffer[buf_size];        // ok: const variable
string fileTable[max_files + 1];    // ok: constant expression
double salaries[staff_size];        // error: non const variable
int test_scores[get_size()];        // error: non const expression
int vals[sz];                       // error: size not known until run time
```

虽然 staff_size 是用字面值常量进行初始化，但 staff_size 本身是一个非 const 对象，只有在运行时才能获得它的值，因此，使用该变量来定义数组维数是非法的。而对于 sz，尽管它是一个 const 对象，但它的值要到运行时调用 get_size 函数后才知道，因此，它也不能用于定义数组维数。另一方面，由于 max_files 是 const 变量，因此表达式

```
max_files+1
```

是常量表达式，编译时即可计算出该表达式的值为 21。

1. 显式初始化数组元素

在定义数组时，可为其元素提供一组用逗号分隔的初值，这些初值用花括号{}括起来，称为初始化列表：

```
const unsigned array_size = 3;
int ia[array_size] = {0, 1, 2};
```

如果没有显式提供元素初值，则数组元素会像普通变量一样初始化（2.3.4 节）：

- 在函数体外定义的内置数组，其元素均初始化为 0；
- 在函数体内定义的内置数组，其元素无初始化；
- 不管数组在哪里定义，如果其元素为类类型，则自动调用该类的默认构造函数进行初始化；如果该类没有默认构造函数，则必须为该数组的元素提供显式初始化。

　　　除非显式地提供元素初值，否则内置类型的局部数组的元素没有初始化。此时，除了给元素赋值外，其他使用这些元素的操作没有定义。

显式初始化的数组不需要指定数组的维数值，编译器会根据列出的元素个数来确定数组的长度：

```
int ia[] = {0, 1, 2}; // an array of dimension 3
```

如果指定了数组维数，那么初始化列表提供的元素个数不能超过维数值。如果维数大于列出的元素初值个数，则只初始化前面的数组元素；剩下的其他元素，若是内置类型则初始化为 0，若是类类型则调用该类的默认构造函数进行初始化：

111

```
const unsigned array_size = 5;
// Equivalent to ia = {0, 1, 2, 0, 0}
// ia[3] and ia[4] default initialized to 0
int ia[array_size] = {0, 1, 2};
// Equivalent to str_arr = {"hi", "bye", "", "", ""}
// str_arr[2] through str_arr[4] default initialized to the empty string
string str_arr[array_size] = {"hi", "bye"};
```

2. 特殊的字符数组

字符数组既可以用一组由花括号括起来、逗号隔开的字符字面值进行初始化，也可以用一个字符串字面值进行初始化。然而，要注意这两种初始化形式并不完全相同，字符串字面值（2.2节）包含一个额外的空字符（null）用于结束字符串。当使用字符串字面值来初始化创建的新数组时，将在新数组中加入空字符：

```
char ca1[] = {'C', '+', '+'};          // no null
char ca2[] = {'C', '+', '+', '\0'};     // explicit null
char ca3[] = "C++";      // null terminator added automatically
```

ca1 的维数是 3，而 ca2 和 ca3 的维数则是 4。使用一组字符字面值初始化字符数组时，一定要

记得添加结束字符串的空字符。例如，下面的初始化将导致编译时的错误：

```
const char ca3[6] = "Daniel" ;// error: Daniel is 7 elements
```

上述字符串字面值包含了 6 个显式字符，存放该字符串的数组则必须有 7 个元素——6 个用于存储字符字面值，而 1 个用于存放空字符 null。

3. 不允许数组直接复制和赋值

与 vector 不同，一个数组不能用另外一个数组初始化，也不能将一个数组赋值给另一个数组，这些操作都是非法的：

```
int ia[] = {0, 1, 2}; // ok: array of ints
int ia2[](ia);        // error: cannot initialize one array with another
int main()
{
    const unsigned array_size = 3;
    int ia3[array_size];   // ok: but elements are uninitialized!

    ia3 = ia;              // error: cannot assign one array to another
    return 0;
}
```

[112]

一些编译器允许将数组赋值作为编译器**扩展**。但是如果希望编写的程序能在不同的编译器上运行，则应该避免使用像数组赋值这类依赖于编译器的非标准功能。

习题

习题 4.1　假设 get_size 是一个没有参数并返回 int 值的函数，下列哪些定义是非法的？为什么？

```
unsigned buf_size = 1024;

(a)  int ia[buf_size];
(b)  int ia[get_size()];
(c)  int ia[4*7-14];
(d)  char st[11] = "fundamental" ;
```

习题 4.2　下列数组的值是什么？

```
string sa[10];
int ia[10];
int main(){
    string  sa2[10];
    int     ia2[10];
}
```

习题 4.3　下列哪些定义是错误的？

```
(a)  int ia[7] = {0, 1, 1, 2, 3, 5, 8};
(b)  vector<int> ivec = {0, 1, 1, 2, 3, 5, 8};
(c)  int ia2[] = ia1;
(d)  int ia3[] = ivec ;
```

习题 4.4　如何初始化数组的一部分或全部元素？

习题 4.5　列出使用数组而不是 vector 的缺点。

警告：数组的长度是固定的

与 vector 类型不同，数组不提供 push_back 或者其他的操作在数组中添加新元素，数组一经定义，就不允许再添加新元素。

如果必须在数组中添加新元素，程序员就必须自己管理内存：要求系统重新分配一个新的内存空间用于存放更大的数组，然后把原数组的所有元素复制到新分配的内存空间中。我们将会在 4.3.1 节学习如何去实现。

4.1.2　数组操作

与 vector 元素一样，数组元素可用下标操作符（3.3.2 节）来访问，数组元素也是从 0 开始计数。对于一个包含 10 个元素的数组，正确的下标值是从 0 到 9，而不是从 1 到 10。

在用下标访问元素时，vector 使用 vector::size_type 作为下标的类型，而数组下标的正确类型则是 size_t（3.5.2 节）。

⟦113⟧

在下面的例子中，for 循环遍历数组的 10 个元素，并以其下标值作为各个元素的初始值：

```
int main()
{
    const size_t array_size = 10;
    int ia[array_size]; // 10 ints, elements are uninitialized

    // loop through array, assigning value of its index to each element
    for (size_t ix = 0; ix != array_size; ++ix)
        ia[ix] = ix;
    return 0;
}
```

使用类似的循环，可以实现把一个数组复制给另一个数组：

```
int main()
{
    const size_t array_size = 7;
    int ia1[] = { 0, 1, 2, 3, 4, 5, 6 };
    int ia2[array_size]; // local array, elements uninitialized

    // copy elements from ia1 into ia2
    for (size_t ix = 0; ix != array_size; ++ix)
        ia2[ix] = ia1[ix];
    return 0;
}
```

检查数组下标值

正如 string 和 vector 类型，程序员在使用数组时，也必须保证其下标值在正确范围之内，即数组在该下标位置应对应一个元素。

除了程序员自己注意细节，并彻底测试自己的程序之外，没有别的办法可防止数组越界。通过编译并执行的程序仍然存在致命的错误，这并不是不可能的。

导致安全问题的最常见原因是所谓"缓冲区溢出（buffer overflow）"错误。当我们在编程时没有检查下标，并且引用了越出数组或其他类似数据结构边界的元素时，就会导致这类错误。

习题

习题 4.6 下面的程序段企图将下标值赋给数组的每个元素，其中在下标操作上有一些错误，请指出这些错误。

```
const size_t array_size = 10 ;
int ia[array_size];

for (size_t ix = 1; ix <= array_size; ++ix)
        ia[ix] = ix ;
```

习题 4.7 编写必要的代码将一个数组赋给另一个数组，然后把这段代码改用 vector 实现。考虑如何将一个 vector 赋给另一个 vector。

习题 4.8 编写程序判断两个数组是否相等，然后编写一段类似的程序比较两个 vector。

习题 4.9 编写程序定义一个有 10 个 int 型元素的数组，并以其在数组中的位置作为各元素的初值。

4.2 指针的引入

vector 的遍历可使用下标或迭代器实现，同理，也可用下标或指针（pointer）来遍历数组。指针是指向某种类型对象的复合数据类型，是用于数组的迭代器：指向数组中的一个元素。在指向数组元素的指针上使用解引用操作符 *（dereference operator）和自增操作符++（increment operator），与在迭代器上的用法类似。对指针进行解引用操作，可获得该指针所指对象的值。而当指针做自增操作时，则移动指针使其指向数组中的下一个元素。在使用指针编写程序之前，我们需进一步了解一下指针。

4.2.1 什么是指针

对初学者来说，指针通常比较难理解。而由指针错误引起的调试问题连富有经验的程序员都感到头疼。然而，指针是大多数 C 程序的重要部分，而且在许多 C++程序中仍然受到重用。

指针的概念很简单：指针用于指向对象。与迭代器一样，指针提供对其所指对象的间接访问，只是指针结构更通用一些。与迭代器不同的是，指针用于指向单个对象，而迭代器只能用于访问容器内的元素。

具体来说，指针保存的是另一个对象的地址：

```
string s("hello world");
string *sp = &s;  // sp holds the address of s
```

第二条语句定义了一个指向 string 类型的指针 sp，并初始化 sp 使其指向 string 类型的对象 s。*sp 中的*操作符表明 sp 是一个指针变量，&s 中的&符号是**取地址**（address-of）操作符，当此操作符用于一个对象上时，返回的是该对象的存储地址。取地址操作符只能用于左值（2.3.1 节），因为只有当变量用作左值时，才能取其地址。同样地，由于用于 vector 类型、string 类型或内置数组的下标操作和解引用操作生成左值，因此可对这两种操作的结果做取地址操作，这样即可获取某一特定对象的存储地址。

115

> **建议：尽量避免使用指针和数组**
>
> 　　指针和数组容易产生不可预料的错误。其中一部分是概念上的问题：指针用于低级操作，容易产生与繁琐细节相关的（bookkeeping）错误。其他错误则源于使用指针的语法规则，特别是声明指针的语法。
>
> 　　许多有用的程序都可不使用数组或指针实现，现代 C++ 程序采用 vector 类型和迭代器取代一般的数组、采用 string 类型取代 C 风格字符串。

4.2.2 指针的定义和初始化

每个指针都有一个与之关联的数据类型，该数据类型决定了指针所指向的对象的类型。例如，一个 int 型指针只能指向 int 型对象。

1. 指针变量的定义

C++ 语言使用 * 符号把一个标识符声明为指针：

```
vector<int>    *pvec;      // pvec can point to a vector<int>
int            *ip1, *ip2; // ip1 and ip2 can point to an int
string         *pstring;   // pstring can point to a string
double         *dp;        // dp can point to a double
```

 　　理解指针声明语句时，请从右向左阅读。

从右向左阅读 pstring 变量的定义，可以看到

```
string  *pstring;
```

语句把 pstring 定义为一个指向 string 类型对象的指针变量。类似地，语句

```
int  *ip1, *ip2; // ip1 and ip2 can point to an int
```

把 ip1 和 ip2 都定义为指向 int 型对象的指针。

在声明语句中，符号 * 可用在指定类型的对象列表的任何位置：

```
double  dp, *dp2;  // dp2 is a ponter, dp is an object: both type double
```

该语句定义了一个 double 类型的 dp 对象以及一个指向 double 类型对象的指针 dp2。

2. 另一种声明指针的风格

在定义指针变量时，可用空格将符号 * 与其后的标识符分隔开来。下面的写法是合法的：

```
string* ps; // legal but can be misleading
```

也就是说，该语句把 ps 定义为一个指向 string 类型对象的指针。

这种指针声明风格容易引起这样的误解：把 string* 理解为一种数据类型，认为在同一声明

[116] 语句中定义的其他变量也是指向 string 类型对象的指针。然而，语句

```
string* ps1, ps2; // ps1 is a pointer to string,ps2 is a string
```

实际上只把 ps1 定义为指针，而 ps2 并非指针，只是一个普通的 string 对象而已。如果需要在一个声明语句中定义两个指针，必须在每个变量标识符前再加符号*声明：

```
string* ps1, *ps2;// both ps1 and ps2 are pointers to string
```

3. 连续声明多个指针易导致混淆

连续声明同一类型的多个指针有两种通用的声明风格。其中一种风格是一个声明语句只声明一个变量，此时，符号*紧挨着类型名放置，强调这个声明语句定义的是一个指针：

```
string* ps1;
string* ps2;
```

另一种风格则允许在一条声明语句中声明多个指针，声明时把符号*靠近标识符放置。这种风格强调对象是一个指针：

```
string *ps1, *ps2;
```

关于指针的声明，不能说哪种声明风格是唯一正确的方式，重要的是选择一种风格并持续使用。

在本书中，我们将采用第二种声明风格：将符号*紧贴着指针变量名放置。

4. 指针可能的取值

一个有效的指针必然是以下三种状态之一：保存一个特定对象的地址；指向某个对象后面的另一对象；或者是 0 值。若指针保存 0 值，表明它不指向任何对象。未初始化的指针是无效的，直到给该指针赋值后，才可使用它。下列定义和赋值都是合法的：

```
int ival = 1024;
int *pi = 0;        // pi initialized to address no object
int *pi2 = & ival;  // pi2 initialized to address of ival
int *pi3;           // ok, but dangerous, pi3 is uninitialized
pi = pi2;           // pi and pi2 address the same object, e.g. ival
pi2 = 0;            // pi2 now addresses no object
```

5. 避免使用未初始化的指针

很多运行时错误都源于使用了未初始化的指针。

就像使用其他没有初始化的变量一样,使用未初始化的指针时的行为 C++标准中并没有定义
[117] 使用未初始化的指针，它几乎总会导致运行时崩溃。然而，导致崩溃的这一原因很难发现。

对大多数的编译器来说，如果使用未初始化的指针，会将指针中存放的不确定值视为地址，然后操纵该内存地址中存放的位内容。使用未初始化的指针相当于操纵这个不确定地址中存储的基础数据。因此，在对未初始化的指针进行解引用时，通常会导致程序崩溃。

C++语言无法检测指针是否未被初始化，也无法区分有效地址和由指针分配到的存储空间中

存放的二进制位形成的地址。建议程序员在使用之前初始化所有的变量，尤其是指针。

　　　　如果可能的话，除非所指向的对象已经存在，否则不要先定义指针，这样可避免定义一个未初始化的指针。
　　　　如果必须分开定义指针和其所指向的对象，则将指针初始化为 0。因为编译器可检测出 0 值的指针，程序可判断该指针并未指向一个对象。

6. 指针初始化和赋值操作的约束

对指针进行初始化或赋值只能使用以下四种类型的值：

(1) 0 值常量表达式（2.7 节），例如，在编译时可获得 0 值的整型 const 对象或字面值常量 0。

(2) 类型匹配的对象的地址。

(3) 另一对象之后的下一地址。

(4) 同类型的另一个有效指针。

把 int 型变量赋给指针是非法的，尽管此 int 型变量的值可能为 0。但允许把数值 0 或在编译时可获得 0 值的 const 量赋给指针：

```
int ival;
int zero = 0;
const int c_ival = 0;
int *pi = ival;    // error: pi initialized from int value of ival
pi = zero;         // error: pi assigned int value of zero
pi = c_ival;       // ok: c_ival is a const with compile-time value of 0
pi = 0;            // ok: directly initialize to literal constant 0
```

除了使用数值 0 或在编译时值为 0 的 const 量外，还可以使用 C++语言从 C 语言中继承下来的预处理器变量 NULL（2.9.2 节），该变量在 cstdlib 头文件中定义，其值为 0。如果在代码中使用了这个预处理器变量，则编译时会自动被数值 0 替换。因此，把指针初始化为 NULL 等效于初始化为 0 值：

```
// cstdlib #defines NULL to 0
int *pi = NULL; // ok: equivalent to int *pi = 0;
```

正如其他的预处理器变量一样（2.9.2 节），不可以使用 NULL 这个标识符给自定义的变量命名。

　　　　预处理器变量不是在 std 命名空间中定义的，因此其名字应为 NULL，而非 std::NULL。

　　除了将在 4.2.5 节和 15.3 节介绍的两种例外情况之外，指针只能初始化或赋值为同类型的变量地址或另一指针：

```
double dval;
double *pd = &dval;   // ok: initializer is address of a double
double *pd2 = pd;     // ok: initializer is a pointer to double
int *pi = pd;         // error: types of pi and pd differ
pi = &dval;           // error: attempt to assign address of a double to int *
```

由于指针的类型用于确定指针所指对象的类型，因此初始化或赋值时必须保证类型匹配。指针用于间接访问对象，并基于指针的类型提供可执行的操作，例如，int 型指针只能把其指向的对象当作 int 型数据来处理，如果该指针确实指向了其他类型（如 double 类型）的对象，则在指针上执行的任何操作都有可能出错。

7. void*指针

C++提供了一种特殊的指针类型 void*，它可以保存任何类型对象的地址：

```
double obj = 3.14;
double *pd = &obj;
// ok: void* can hold the address value of any data pointer type
void *pv = &obj;        // obj can be an object of any type
pv = pd;                // pd can be a pointer to any type
```

void*表明该指针与一地址值相关，但不清楚存储在此地址上的对象的类型。

void*指针只支持几种有限的操作：与另一个指针进行比较；向函数传递 void*指针或从函数返回 void*指针；给另一个 void*指针赋值。不允许使用 void*指针操纵它所指向的对象。我们将在 5.12.4 节讨论如何重新获取存储在 void*指针中的地址。

习题

习题 4.10   下面提供了两种指针声明的形式，解释宁愿使用第一种形式的原因：

```
int *ip; // good practice
int* ip; // legal but misleading
```

习题 4.11   解释下列声明语句，并指出哪些是非法的，为什么？

```
(a) int* ip;
(b) string s, *sp = 0;
(c) int i; double* dp = &i;
(d) int* ip, ip2;
(e) const int i = 0, *p = i;
(f) string *p = NULL;
```

习题 4.12   已知一指针 p，你可以确定该指针是否指向一个有效的对象吗？如果可以，如何确定？如果不可以，请说明原因。

习题 4.13   下列代码中，为什么第一个指针的初始化是合法的，而第二个则不合法？

```
int i = 42;
void *p = &i;
long *lp = &i;
```

4.2.3 指针操作

指针提供间接操纵其所指对象的功能。与对迭代器进行解引用操作（3.4 节）一样，对指针进行解引用可访问它所指的对象，*操作符（解引用操作符）将获取指针所指的对象：

```
string s("hello world");
string *sp = &s;   // sp holds the address of s
cout <<*sp;        // prints hello world
```

对 sp 进行解引用将获得 s 的值，然后用输出操作符输出该值，于是最后一条语句输出了 s 的内容 hello world。

1. 生成左值的解引用操作

解引用操作符返回指定对象的左值，利用这个功能可修改指针所指对象的值：

```
*sp = "goodbye"; // contents of s now changed
```

因为 sp 指向 s，所以给*sp 赋值也就修改了 s 的值。

也可以修改指针 sp 本身的值，使 sp 指向另外一个新对象：

```
string s2 = "some value";
sp = &s2;  // sp now points to s2
```

给指针直接赋值即可修改指针的值——不需要对指针进行解引用。

120

关键概念：给指针赋值或通过指针进行赋值

对于初学指针者，给指针赋值和通过指针进行赋值这两种操作的差别确实让人费解。谨记区分的重要方法是：如果对左操作数进行解引用，则修改的是指针所指对象的值；如果没有使用解引用操作，则修改的是指针本身的值。如图所示，帮助理解下列例子：

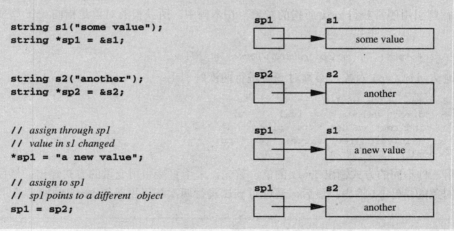

---

2. 指针和引用的比较

虽然使用引用（reference）和指针都可间接访问另一个值，但它们之间有两个重要区别。第一个区别在于引用总是指向某个对象：定义引用时没有初始化是错误的。第二个重要区别则是赋值行为的差异：给引用赋值修改的是该引用所关联的对象的值，而并不是使引用与另一个对象关联。引用一经初始化，就始终指向同一个特定对象（这就是为什么引用必须在定义时初始化的原因）。

考虑以下两个程序段。第一个程序段将一个指针赋给另一指针：

```
int ival = 1024, ival2 = 2048;
int *pi = &ival, *pi2 = &ival2;
pi = pi2;    // pi now points to ival2
```

赋值结束后，pi 所指向的 ival 对象值保持不变，赋值操作修改了 pi 指针的值，使其指向另一个不同的对象。现在考虑另一段相似的程序，使用两个引用赋值：

```
int &ri = ival, &ri2 = ival2;
ri = ri2;    // assigns ival2 to ival
```

这个赋值操作修改了 ri 引用的值 ival 对象，而并非引用本身。赋值后，这两个引用还是分别指向原来关联的对象，此时这两个对象的值相等。

3. 指向指针的指针

指针本身也是可用指针指向的内存对象。指针占用内存空间存放其值，因此指针的存储地址可存放在指针中。下面程序段：

```
int ival = 1024;
int *pi = &ival;    // pi points to an int
int **ppi = &pi;    // ppi points to a pointer to int
```

定义了指向指针的指针。C++使用**操作符指派一个指针指向另一指针。这些对象可表示为：

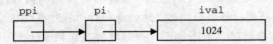

对 ppi 进行解引用照常获得 ppi 所指的对象，在本例中，所获得的对象是指向 int 型变量的指针 pi：

```
int *pi2 = *ppi;    // ppi points to a pointer
```

为了真正地访问到 ival 对象，必须对 ppi 进行两次解引用：

```
cout << "The value of ival\n"
    << "direct value: " << ival << "\n"
    << "indirect value: " << *pi << "\n"
    << "doubly indirect value: " << **ppi
    << endl;
```

这段程序用三种不同的方式输出 ival 的值。首先，采用直接引用变量的方式输出；然后使用指向 int 型对象的指针 pi 输出；最后，通过对 ppi 进行两次解引用获得 ival 的特定值。

习题

习题 4.14 编写代码修改指针的值；然后再编写代码修改指针所指对象的值。

习题 4.15 解释指针和引用的主要区别。

习题 4.16 下列程序段实现什么功能？

```
int i = 42, j = 1024;
int *p1 = &i, *p2 = &j;
*p2 = *p1 * * p2;
*p1 *= *p1;
```

4.2.4 使用指针访问数组元素

C++语言中，指针和数组密切相关。特别是在表达式中使用数组名时，该名字会自动转换为指向数组第一个元素的指针：

```
int ia[] = {0, 2, 4, 6, 8};
int *ip = ia;    // ip points to ia[0]
```

如果希望使指针指向数组中的另一个元素，则可使用下标操作符给某个元素定位，然后用取地址操作符&获取该元素的存储地址：

```
ip = &ia[4];     // ip points to last element in ia
```

1. 指针的算术操作

与其使用下标操作，倒不如通过**指针的算术操作**（pointer arithmetic）来获取指定内容的存储地址。指针的算术操作和迭代器的算术操作（3.4.1 节）以相同的方式实现（也具有相同的约束）。使用指针的算术操作在指向数组某个元素的指针上加上（或减去）一个整型数值，就可以计算出指向数组另一元素的指针值：

```
ip = ia;            // ok: ip points to  ia[0]
int *ip2 = ip + 4;  // ok: ip2 points to ia[4], the last element in ia
```

在指针 ip 上加 4 得到一个新的指针，指向数组中 ip 当前指向的元素后的第 4 个元素。

通常，在指针上加上（或减去）一个整型数值 n 等效于获得一个新指针，该新指针指向指针原来指向的元素之后（或之前）的第 n 个元素。

　　指针的算术操作只有在原指针和计算出来的新指针都指向同一个数组的元素，或指向该数组存储空间的下一单元时才是合法的。如果指针指向一对象，我们还可以在指针上加 1 从而获取指向相邻的下一个对象的指针。

假设数组 ia 只有 4 个元素，则在 ia 上加 10 是错误的：

```
// error: ia has only 4 elements,  ia + 10 is an invalid address
int *ip3 = ia + 10;
```

只要两个指针指向同一数组或有一个指向该数组末端的下一单元，C++还支持对这两个指针做减法操作：

```
ptrdiff_t   n = ip2 - ip;// ok: distance between the pointers
```

结果是 4，这两个指针所指向的元素间隔为 4 个对象。两个指针减法操作的结果是**标准库类型**（library type）**ptrdiff_t** 的数据。与 size_t 类型一样，ptrdiff_t 也是一种与机器相关的类型，在 cstddef 头文件中定义。size_t 是 unsigned 类型，而 ptrdiff_t 则是 signed 整型。

这两种类型的差别体现了它们各自的用途：size_t 类型用于指明数组长度，它必须是一个正数；ptrdiff_t 类型则应保证足以存放同一数组中两个指针之间的差距，它有可能是负数。例如，ip 减去 ip2，结果为-4。

允许在指针上加减 0，使指针保持不变。更有趣的是，如果一指针具有 0 值（空指针），则在该指针上加 0 仍然是合法的，结果得到另一个值为 0 的指针。也可以对两个空指针做减法操作，得到的结果仍是 0。

2. 解引用和指针算术操作之间的相互作用

在指针上加一个整型数值，其结果仍然是指针。允许在这个结果上直接进行解引用操作，而不必先把它赋给一个新指针：

```
int last = *(ia + 4);  // ok: initializes last to 8, the value of ia[4]
```

这个表达式计算出 ia 所指向元素后面的第 4 个元素的地址，然后对该地址进行解引用操作，等价于 ia[4]。

> 加法操作两边用圆括号括起来是必要的。如果写为：
>
> ```
> last = *ia + 4;// ok: last = 4, equivalent to ia[0]+4
> ```
> 意味着对 ia 进行解引用，获得 ia 所指元素的值 ia[0]，然后加 4。

由于加法操作和解引用操作的**优先级**（precedence）不同，上述表达式中的圆括号是必要的。我们将在 5.10.1 节讨论操作符的优先级。简单地说，优先级决定了有多个操作符的表达式如何对操作数分组。解引用操作符的优先级比加法操作符高。

与低优先级的操作符相比，优先级高的操作符的操作数先被组合起来操作。如果没有圆括号，解引用操作符的操作数是 ia，该表达式先对 ia 解引用，获得 ia 数组中的第一个元素，并将该值与 4 相加。

如果表达式加上圆括号，则不管一般的优先级规则，将(ia + 4)作为单个操作数，这是 ia 所指向的元素后面第 4 个元素的地址，然后对这个新地址进行解引用。

3. 下标和指针

我们已经看到，在表达式中使用数组名时，实际上使用的是指向数组第一个元素的指针。这种用法涉及很多方面，当它们出现时我们会逐一指出来。

其中一个重要的应用是使用下标访问数组时，实际上是使用下标访问指针：

```
int ia[] = {0,2,4,6,8};
int i = ia[0]; // ia points to the first element in ia
```

ia[0]是一个使用数组名的表达式。在使用下标访问数组时，实际上是对指向数组元素的指针做下标操作。只要指针指向数组元素，就可以对它进行下标操作：

```
int *p = &ia[2];        // ok: p points to the element indexed by 2
int j = p[1];           // ok: p[1] equivalent to *(p + 1),
                        //     p[1] is the same element as ia[3]
int k = p[-2];          // ok: p[-2] is the same element as ia[0]
```

4. 计算数组的超出末端指针

vector 类型提供的 end 操作将返回指向超出 vector 末端位置的一个迭代器。这个迭代器常用作哨兵，来控制处理 vector 中元素的循环。类似地，可以计算数组的超出末端指针的值：

```
const size_t arr_size = 5;
int arr[arr_size] = {1,2,3,4,5};
int *p = arr;           // ok: p points to arr[0]
int *p2 = p + arr_size; // ok: p2 points one past the end of arr
                        //     use caution -- do not dereference!
```

本例中，p 指向数组 arr 的第一个元素，在指针 p 上加数组长度即可计算出数组 arr 的超出末端指针。p 加 5 即得 p 所指向的元素后面的第五个 int 元素的地址——换句话说，p+5 指向数组的超出末端的位置。

注解 C++允许计算数组或对象的超出末端的地址，但不允许对此地址进行解引用操作。而计算数组超出末端位置之后或数组首地址之前的地址都是不合法的。

计算并存储在 p2 中的地址，与在 vector 上做 end 操作所返回的迭代器具有相同的功能。由 end 返回的迭代器标志了该 vector 对象的"超出末端位置"，不能进行解引用运算，但是可将它与别的迭代器比较，从而判断是否已经处理完 vector 中所有的元素。同理，p2 也只能用来与其他指针比较，或者用做指针算术操作表达式的操作数。对 p2 进行解引用将得到无效值。对大多数的编译器来说，会把对 p2 进行解引用的结果（恰好存储在 arr 数组的最后一个元素后面的内存中的二进制位）视为一个 int 型数据。

5. 输出数组元素

用指针编写以下程序：

```
const size_t arr_sz = 5;
int int_arr[arr_sz] = { 0, 1, 2, 3, 4 };
// pbegin points to first element, pend points just after the last
for (int *pbegin = int_arr, *pend = int_arr + arr_sz;
          pbegin != pend; ++pbegin)
    cout << *pbegin << ' '; // print the current element
```

这段程序使用了一个我们以前没有用过的 for 循环性质：<u>只要定义的多个变量具有相同的类型，就可以在 for 循环的初始化语句（init-statemnet，1.4.2 节）中同时定义它们</u>。本例在初始化语句中定义了两个 int 型指针 pbegin 和 pend。

C++允许使用指针遍历数组。和其他内置类型一样，数组也没有成员函数。因此，数组不提供 begin 和 end 操作，程序员只能自己给指针定位，使之分别标志数组的起始位置和超出末端位置。可在初始化中实现这两个指针的定位：初始化指针 pbegin 指向 int_arr 数组的第一个元素，而指针 pend 则指向该数组的超出末端的位置：

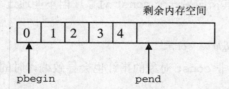

剩余内存空间

指针 pend 是标志 for 循环结束的哨兵。for 循环的每次迭代都会使 pbegin 递增 1 以指向数组的下一个元素。第一次执行 for 循环时，pbegin 指向数组中的第一个元素；第二次循环，指向第二个元素；这样依次类推。当处理完数组的最后一个元素后，pbegin 再加 1 则与 pend 值相等，表示整个数组已遍历完毕。

6. 指针是数组的迭代器

聪明的读者可能已经注意到这段程序与 3.4 节的一段程序非常相像，该程序使用下面的循环遍历并输出一个 string 类型的 vector 的内容：

```
// equivalent loop using iterators to reset all the elements in ivec to 0
for (vector<int>::iterator iter = ivec.begin();
                    iter != ivec.end(); ++iter)
```

125

```
        *iter = 0; // set element to which iter refers to 0
```

这段程序使用迭代器的方式就像上个程序使用指针实现输出数组内容一样。指针和迭代器的这个相似之处并不是巧合。实际上，内置数组类型具有标准库容器的许多性质，与数组联合使用的指针本身就是迭代器。在第二部分中，我们还会详细介绍容器和迭代器类型。

习题

习题 4.17 已知 p1 和 p2 指向同一个数组中的元素，下面语句实现什么功能？

```
        p1 += p2 - p1;
```

当 p1 和 p2 具有什么值时这个语句是非法的？

习题 4.18 编写程序，使用指针把一个 int 型数组的所有元素设置为 0。

4.2.5 指针和 const 限定符

2.4 节介绍了指针和 const 限定符之间的两种交互类型：指向 const 对象的指针和 const 指针。我们在本节中详细讨论这两类指针。

1. 指向 const 对象的指针

到目前为止，我们使用指针来修改其所指对象的值。但是如果指针指向 const 对象，则不允许用指针来改变其所指的 const 值。为了保证这个特性，C++语言强制要求指向 const 对象的指针也必须具有 const 特性：

```
        const double *cptr ; // cptr may point to a double that is const
```

这里的 cptr 是一个指向 double 类型 const 对象的指针，const 限定了 cptr 指针所指向的对象类型，而并非 cptr 本身。也就是说，cptr 本身并不是 const。在定义时不需要对它进行初始化，如果需要的话，允许给 cptr 重新赋值，使其指向另一个 const 对象。但不能通过 cptr 修改其所指对象的值：

```
        *cptr = 42 ;            // error: *cptr might be const
```

把一个 const 对象的地址赋给一个普通的、非 const 对象的指针也会导致编译时的错误：

```
        const double pi = 3.14;
        double *ptr = &pi;         // error: ptr is a plain pointer
        const double *cptr = &pi; // ok: cptr is a pointer to const
```

不能使用 void*指针（4.2.2 节）保存 const 对象的地址，而必须使用 **const void*** 类型的指针保存 const 对象的地址：

```
        const int universe = 42;
        const void *cpv = &universe;  // ok: cpv is const
        void *pv = &universe;         // error: universe is const
```

允许把非 const 对象的地址赋给指向 const 对象的指针，例如：

```
        double dval = 3.14;    // dval is a double; its value can be changed
        cptr = &dval;          // ok: but can't change dval through cptr
```

尽管 dval 不是 const 对象，但任何企图通过指针 cptr 修改其值的行为都会导致编译时的错误。cptr 一经定义，就不允许修改其所指对象的值。如果该指针恰好指向非 const 对象时，同样必须遵循这个规则。

 　　不能使用指向 const 对象的指针修改基础对象，然而如果该指针指向的是一个非 const 对象，可用其他方法修改其所指的对象。

事实是，可以修改 const 指针所指向的值，这一点常常容易引起误会。考虑：

```
dval = 3.14159;           // dval is not const
*cptr = 3.14159;          // error: cptr is a pointer to const
double *ptr = &dval;      // ok: ptr points at non-const double
*ptr = 2.72;              // ok: ptr is plain pointer
cout << *cptr;            // ok: prints 2.72
```

 不是不能通过 cptr 修改，可以其它途径改

在此例题中，指向 const 的指针 cptr 实际上指向了一个非 const 对象。尽管它所指的对象并非 const，但仍不能使用 cptr 修改该对象的值。本质上来说，由于没有方法分辨 cptr 所指的对象是否为 const，系统会把它所指的所有对象都视为 const。

如果指向 const 的指针所指的对象并非 const，则可直接给该对象赋值或间接地利用普通的非 const 指针修改其值：毕竟这个值不是 const。重要的是要记住：不能保证指向 const 的指针所指对象的值一定不可修改。

　　如果把指向 const 的指针理解为"自以为指向 const 的指针"，这可能会对理解有所帮助。

在实际的程序中，指向 const 的指针常用作函数的形参。将形参定义为指向 const 的指针，以此确保传递给函数的实际对象在函数中不因为形参而被修改。

2. const 指针

除指向 const 对象的指针外，C++语言还提供了 const 指针——本身的值不能修改：

```
int errNumb = 0;
int *const curErr = &errNumb; //curErr is a constant pointer
```

我们可以从右向左把上述定义语句读作"curErr 是指向 int 型对象的 const 指针"。与其他 const 量一样，const 指针的值不能修改，这就意味着不能使 curErr 指向其他对象。任何企图给 const 指针赋值的行为（即使给 curErr 赋回同样的值）都会导致编译时的错误：

```
curErr = curErr;      // error: curErr is const
```

与任何 const 量一样，const 指针也必须在定义时初始化。

指针本身是 const 的事实并没有说明是否能使用该指针修改它所指向对象的值。指针所指对象的值能否修改完全取决于该对象的类型。例如，curErr 指向一个普通的非常量 int 型对象 errNumb，则可使用 curErr 修改该对象的值：

```
if (*curErr) {
    errorHandler();
    *curErr = 0; // ok: reset value of the object to which curErr is bound
}
```

3. 指向 const 对象的 const 指针

还可以如下定义指向 const 对象的 const 指针：

```
const double pi = 3.14159;
// pi_ptr is const and points to a const object
const double *const pi_ptr = &pi;
```

本例中，既不能修改 pi_ptr 所指向对象的值，也不允许修改该指针的指向（即 pi_ptr 中存放的地址值）。可从右向左阅读上述声明语句："pi_ptr 首先是一个 const 指针，指向 double 类型的 const 对象"。

4. 指针和 typedef

在 typedef（2.6 节）中使用指针往往会带来意外的结果。下面是一个几乎所有人刚开始时都会答错的问题。假设给出以下语句：

```
typedef string *pstring;
const pstring cstr;
```

请问 cstr 变量是什么类型？简单的回答是 const pstring 类型的指针。进一步问：const pstring 指针所表示的真实类型是什么？很多人都认为真正的类型是：

```
const string *cstr; // wrong interpretation of const pstring cstr
```

也就是说，const pstring 是一种指针，指向 string 类型的 const 对象，但这是错误的。

错误的原因在于将 typedef 当做文本扩展了。声明 const pstring 时，const 修饰的是 pstring 的类型，这是一个指针。因此，该声明语句应该是把 cstr 定义为指向 string 类型对象的 const 指针，这个定义等价于：

```
// cstr is a const pointer to string
string *const cstr; // equivalent to const pstring cstr
```

129

建议：理解复杂的 const 类型的声明

　　阅读 const 声明语句产生的部分问题，源于 const 限定符既可以放在类型前也可以放在类型后：

```
string const s1;   // s1 and s2 have same type,
const string s2;   // they're both strings that are const
```

用 typedef 写 const 类型定义时，const 限定符加在类型名前面容易引起对所定义的真正类型的误解：

```
string s;
typedef string *pstring;
const pstring cstr1 = &s; // written this way the type is obscured
pstring const cstr2 = &s; // all three decreations are the same type
string *const cstr3 = &s; // they're all const pointers to string
```

　　把 const 放在类型 pstring 之后，然后从右向左阅读该声明语句就会非常清楚地知道 cstr2 是 const pstring 类型，即指向 string 对象的 const 指针。

　　不幸的是，大多数人在阅读 C++程序时都习惯看到 const 放在类型前面。于是为了遵照惯例，只好建议编程时把 const 放在类型前面。但是，把声明语句重写为置 const 于类型之后更便于理解。

习题

习题 4.19 解释下列 5 个定义的含义，指出其中哪些定义是非法的：

```
(a) int i;
(b) const int ic;
(c) const int *pic;
(d) int *const cpi;
(e) const int *const cpic;
```

习题 4.20 下列哪些初始化是合法的？为什么？

```
(a) int i = -1;
(b) const int ic = i ;
(c) const int *pic = &ic;
(d) int *const cpi = &ic;
(e) const int *const cpic = &ic ;
```

习题 4.21 根据上述定义，下列哪些赋值运算是合法的？为什么？

```
(a) i = ic;          (d) pic = cpic;
(b) pic = &ic;       (e) cpic = &ic;
(c) cpi = pic;       (f) ic = *cpic;
```

4.3 C 风格字符串

> 尽管 C++支持 C 风格字符串，但不应该在 C++程序中使用这个类型。C 风格字符串常常带来许多错误，是导致大量安全问题的根源。

在 2.2 节中我们第一次使用了字符串字面值，并了解字符串字面值的类型是字符常量的数组，现在可以更明确地认识到：字符串字面值的类型就是 const char 类型的数组。C++从 C 语言继承下来的一种通用结构是 **C 风格字符串**（C-style character string），而字符串字面值就是该类型的实例。实际上，C 风格字符串既不能确切地归结为 C 语言的类型，也不能归结为 C++语言的类型，而是以空字符 null 结束的字符数组：

```
char ca1[] = {'C', '+', '+'};          // no null, not C-style string
char ca2[] = {'C', '+', '+', '\0'};    // explicit null
char ca3[] = "C++";          // null terminator added automatically
const char *cp = "C++"; // null terminator added automatically
char *cp1 = ca1;     // points to first element of a array, but not C-style string
char *cp2 = ca2;     // points to first element of a null-terminated char array
```

ca1 和 cp1 都不是 C 风格字符串：ca1 是一个不带结束符 null 的字符数组，而指针 cp1 指向 ca1，因此，它指向的并不是以 null 结束的数组。其他的声明则都是 C 风格字符串，数组的名字即是指向该数组第一个元素的指针。于是，ca2 和 ca3 分别是指向各自数组第一个元素的指针。

1. C 风格字符串的使用

C++语言通过(const) char*类型的指针来操纵 C 风格字符串。一般来说，我们使用指针的算术操作来遍历 C 风格字符串，每次对指针进行测试并递增 1，直到到达结束符 null 为止：

```
const char *cp = "some value";
while (*cp) {
    // do something to *cp
    ++cp;
}
```

while 语句的循环条件是对 const char*类型的指针 cp 进行解引用，并判断 cp 当前指向的字符是 true 值还是 false 值。真值表明这是除 null 外的任意字符，则继续循环直到 cp 指向结束字符数组的 null 时，循环结束。while 循环体做完必要的处理后，cp 加 1，向下移动指针指向数组中的下一个字符。

如果 cp 所指向的字符数组没有 null 结束符，则此循环将会失败。这时，循环会从 cp 指向的位置开始读数，直到遇到内存中某处 null 结束符为止。

2. C 风格字符串的标准库函数

表 4-1 列出了 C 语言标准库提供的一系列处理 C 风格字符串的库函数。要使用这些标准库函数，必须包含相应的 C 头文件：

```
#include <cstring>
```

cstring 是 string.h 头文件的 C++版本，而 string.h 则是 C 语言提供的标准库。

这些标准库函数不会检查其字符串参数。

传递给这些标准库函数例程的指针必须具有非零值，并且指向以 null 结束的字符数组中的第一个元素。其中一些标准库函数会修改传递给它的字符串，这些函数将假定它们所修改的字符串具有足够大的空间接收本函数新生成的字符，程序员必须确保目标字符串必须足够大。

表 4-1 操纵 C 风格字符串的标准库函数	
strlen(s)	返回 s 的长度，不包括字符串结束符 null
strcmp(s1, s2)	比较两个字符串 s1 和 s2 是否相同。若 s1 与 s2 相等，返回 0；若 s1 大于 s2，返回正数；若 s1 小于 s2，则返回负数
strcat(s1, s2)	将字符串 s2 连接到 s1 后，并返回 s1
strcpy(s1, s2)	将 s2 复制给 s1，并返回 s1
strncat(s1, s2, n)	将 s2 的前 n 个字符连接到 s1 后面，并返回 s1
strncpy(s1, s2, n)	将 s2 的前 n 个字符复制给 s1，并返回 s1

C++语言提供普通的关系操作符实现标准库类型 string 的对象的比较。这些操作符也可用于比较指向 C 风格字符串的指针，但效果却很不相同：实际上，此时比较的是指针上存放的地址值，而并非它们所指向的字符串：

```
if (cp1 < cp2) // compares addresses, not the values pointed to
```

如果 cp1 和 cp2 指向同一数组中的元素（或该数组的溢出位置），上述表达式等效于比较在 cp1
和 cp2 中存放的地址；如果这两个指针指向不同的数组，则该表达式实现的比较没有定义。

字符串的比较和比较结果的解释都须使用标准库函数 strcmp 进行：

```
const char *cp1 = "A string example";
const char *cp2 = "A different string";
int i = strcmp(cp1, cp2);      // i is positive
i = strcmp(cp2, cp1);          // i is negative
i = strcmp(cp1, cp1);          // i is zero
```

标准库函数 strcmp 有 3 种可能的返回值：若两个字符串相等，则返回 0 值；若第一个字符串大
于第二个字符串，则返回正数，否则返回负数。

3. 永远不要忘记字符串结束符 null

在使用处理 C 风格字符串的标准库函数时，牢记字符串必须以结束符 null 结束：

```
char ca[] = {'C', '+', '+'};   // not null-terminated
cout << strlen(ca) << endl;    // disaster: ca isn't null-terminated
```

在这个例题中，ca 是一个没有 null 结束符的字符数组，则计算的结果不可预料。标准库函数
strlen 总是假定其参数字符串以 null 字符结束，当调用该标准库函数时，系统将会从实参 ca
指向的内存空间开始一直搜索结束符，直到恰好遇到 null 为止。strlen 返回这一段内存空间中
总共有多少个字符，无论如何这个数值不可能是正确的。

4. 调用者必须确保目标字符串具有足够的大小

传递给标准库函数 strcat 和 strcpy 的第一个实参数组必须具有足够大的空间存放新生成
的字符串。以下代码虽然演示了一种通常的用法，但是却有潜在的严重错误：

```
// Dangerous: What happens if we miscalculate the size of largeStr?
char largeStr[16 + 18 + 2];          // will hold cp1 a space and cp2
strcpy(largeStr, cp1);               // copies cp1 into largeStr
strcat(largeStr, " ");               // adds a space at end of largeStr
strcat(largeStr, cp2);               // concatenates cp2 to largeStr
// prints A string example A different string
cout << largeStr << endl;
```

问题在于我们经常会算错 largeStr 需要的大小。同样地，如果 cp1 或 cp2 所指向的字符串大小
发生了变化，largeStr 所需要的大小则会计算错误。不幸的是，类似于上述代码的程序应用非
常广泛，这类程序往往容易出错，并导致严重的安全漏洞。

5. 使用 **strn** 函数处理 C 风格字符串

如果必须使用 C 风格字符串，则使用标准库函数 strncat 和 strncpy 比 strcat 和 strcpy
函数更安全：

```
char largeStr[16 + 18 + 2]; // to hold cp1 a space and cp2
strncpy(largeStr, cp1, 17); // size to copy includes the null
strncat(largeStr, " ", 2);  // pedantic, but a good habit
strncat(largeStr, cp2, 19); // adds at most 18 characters, plus a null
```

使用标准库函数 strncat 和 strncpy 的诀窍在于可以适当地控制复制字符的个数。特别是在复
制和串连字符串时，一定要时刻记住算上结束符 null。在定义字符串时要切记预留存放 null 字符

的空间，因为每次调用标准库函数后都必须以此结束字符串 largeStr。让我们详细分析一下这些标准库函数的调用：

- 调用 strncpy 时，要求复制 17 个字符：字符串 cp1 中所有字符，加上结束符 null。留下存储结束符 null 的空间是必要的，这样 largeStr 才可以正确地结束。调用 strncpy 后，字符串 largeStr 的长度 strlen 值是 16。记住：标准库函数 strlen 用于计算 C 风格字符串中的字符个数，不包括 null 结束符。
- 调用 strncat 时，要求复制 2 个字符：一个空格和结束该字符串字面值的 null。调用结束后，字符串 largeStr 的长度是 17，原来用于结束 largeStr 的 null 被新添加的空格覆盖了，然后在空格后面写入新的结束符 null。
- 第二次调用 strncat 串接 cp2 时，要求复制 cp2 中所有字符，包括字符串结束符 null。调用结束后，字符串 largeStr 的长度是 35：cp1 的 16 个字符和 cp2 的 18 个字符，再加上分隔这两个字符串的一个空格。

整个过程中，存储 largeStr 的数组大小始终保持为 36（包括结束符）。

只要可以正确计算出 size 实参的值，使用 strn 版本要比没有 size 参数的简化版本更安全。但是，如果要向目标数组复制或串接比其 size 更多的字符，数组溢出的现象仍然会发生。如果要复制或串接的字符串比实际要复制或串接的 size 大，我们会不经意地把新生成的字符串截短了。截短字符串比数组溢出要安全，但这仍是错误的。

6. 尽可能使用标准库类型 string

如果使用 C++标准库类型 string，则不存在上述问题：

```
string largeStr = cp1;    // initialize largeStr as a copy of cp1
largeStr += " ";          // add space at end of largeStr
largeStr += cp2;          // concatenate cp2 onto end of largeStr
```

此时，标准库负责处理所有的内存管理问题，我们不必再担心每一次修改字符串时涉及到的大小问题。

对大部分的应用而言，使用标准库类型 string，除了增强安全性外，效率也提高了，因此应该尽量避免使用 C 风格字符串。

习题

习题 4.22   解释下列两个 while 循环的差别：

```
const char *cp = "hello";
int cnt;
while (cp) {      ++cnt; ++cp; }
while (*cp) {     ++cnt; ++cp; }
```

习题 4.23   下列程序实现什么功能？

```
const char ca[] = {'h', 'e', 'l', 'l', 'o'};
const char *cp = ca ;
while (*cp) {
    cout << *cp << endl;
```

```
        ++cp;
    }
```

习题 4.24　解释 strcpy 和 strncpy 的差别在哪里，各自的优缺点是什么？

习题 4.25　编写程序比较两个 string 类型的字符串，然后编写另一个程序比较两个 C 风格字符串的值。

习题 4.26　编写程序从标准输入设备读入一个 string 类型的字符串。考虑如何编程实现从标准输入设备读入一个 C 风格字符串。

4.3.1　创建动态数组

　　数组类型的变量有三个重要的限制：数组长度固定不变，在编译时必须知道其长度，数组只在定义它的块语句内存在。实际的程序往往不能忍受这样的限制——它们需要在运行时**动态地分配数组**。虽然数组长度是固定的，但动态分配的数组不必在编译时知道其长度，可以（通常也是）在运行时才确定数组长度。与数组变量不同，动态分配的数组将一直存在，直到程序显式释放它为止。

　　每一个程序在执行时都占用一块可用的内存空间，用于存放动态分配的对象，此内存空间称为程序的**自由存储区**（free store）或**堆**（heap）。C 语言程序使用一对标准库函数 malloc 和 free 在自由存储区中分配存储空间，而 C++语言则使用 **new** 和 **delete** 表达式实现相同的功能。

　　1. 动态数组的定义

　　数组变量通过指定类型、数组名和维数来定义。而动态分配数组时，只需指定类型和数组长度，不必为数组对象命名，new 表达式返回指向新分配数组的第一个元素的指针：

```
    int *pia = new int[10]; // array of 10 uninitialized ints
```

此 new 表达式分配了一个含有 10 个 int 型元素的数组，并返回指向该数组第一个元素的指针，此返回值初始化了指针 pia。

　　new 表达式需要指定指针类型以及在方括号中给出的数组维数，该维数可以是任意的复杂表达式。创建数组后，new 将返回指向数组第一个元素的指针。在自由存储区中创建的数组对象是没有名字的，程序员只能通过其地址间接地访问堆中的对象。

　　2. 初始化动态分配的数组

　　动态分配数组时，如果数组元素具有类类型，将使用该类的默认构造函数（2.3.4 节）实现初始化；如果数组元素是内置类型，则无初始化：

```
    string *psa = new string[10];    // array of 10 empty strings
    int *pia = new int[10];          // array of 10 uninitialized ints
```

这两个 new 表达式都分配了含有 10 个对象的数组。其中第一个数组是 string 类型，分配了保存对象的内存空间后，将调用 string 类型的默认构造函数依次初始化数组中的每个元素。第二个数组则具有内置类型的元素，分配了存储 10 个 int 对象的内存空间，但这些元素没有初始化。

　　也可使用跟在数组长度后面的一对空圆括号，对数组元素做值初始化（3.3.1 节）：

```
    int *pia2 = new int[10]();       // array of 10 uninitialized ints
```

圆括号要求编译器对数组做值初始化，在本例中即把数组元素都设置为 0。

 　　对于动态分配的数组，其元素只能初始化为元素类型的默认值，而不能像数组变量一样，用初始化列表为数组元素提供各不相同的初值。

3. const 对象的动态数组

如果我们在自由存储区中创建的数组存储了内置类型的 const 对象，则必须为这个数组提供初始化：因为数组元素都是 const 对象，无法赋值。实现这个要求的唯一方法是对数组做值初始化：

```
// error: uninitialized const array
const int *pci_bad = new const int[100];
// ok: value-initialized const array
const int *pci_ok = new const int[100]();
```

C++允许定义类类型的 const 数组，但该类类型必须提供默认构造函数：

```
// ok: array of 100 empty strings
const string *pcs = new const string[100];
```

在这里，将使用 string 类的默认构造函数初始化数组元素。

当然，已创建的常量元素不允许修改——因此这样的数组实际上用处不大。

4. 允许动态分配空数组

之所以要动态分配数组，往往是由于编译时并不知道数组的长度。我们可以编写如下代码

```
size_t n = get_size(); // get_size returns number of elements needed
int* p = new int[n];
for (int* q = p; q != p + n; ++q)
    /* process the array */ ;
```

计算数组长度，然后创建和处理该数组。

有趣的是，如果 get_size 返回 0 则会怎么样？答案是：代码仍然正确执行。C++虽然不允许定义长度为 0 的数组变量，但明确指出，调用 new 动态创建长度为 0 的数组是合法的：

```
char arr[0];               // error: cannot define zero-length array
char *cp = new char[0]; // ok: but cp can't be dereferenced
```

用 new 动态创建长度为 0 的数组时，new 返回有效的非零指针。该指针与 new 返回的其他指针不同，不能进行解引用操作，因为它毕竟没有指向任何元素。而允许的操作包括：比较运算，因此该指针能在循环中使用；在该指针上加（减）0；或者减去本身，得 0 值。

在上述例题中，如果 get_size 返回 0，则仍然可以成功调用 new，但是 p 并没有指向任何对象，数组是空的。因为 n 为 0，所以 for 循环实际比较的是 p 和 q，而 q 是用 p 初始化的，两者具有相等的值，因此 for 循环条件不成立，循环体一次都没有执行。

5. 动态空间的释放

动态分配的内存最后必须进行释放，否则，内存最终将会逐渐耗尽。如果不再需要使用动态创建的数组，程序员必须显式地将其占用的存储空间返还给程序的自由存储区。C++语言为指针提供 delete [] 表达式释放指针所指向的数组空间：

```
delete [] pia;
```

该语句回收了 pia 所指向的数组，把相应的内存返还给自由存储区。在关键字 delete 和指针之间的空方括号对是必不可少的：它告诉编译器该指针指向的是自由存储区中的数组，而并非单个对象。

 如果遗漏了空方括号对，这是一个编译器无法发现的错误，将导致程序在运行时出错。

理论上，回收数组时缺少空方括号对，至少会导致运行时少释放了内存空间，从而产生内存泄漏（memory leak）。对于某些系统和/或元素类型，有可能会带来更严重的运行时错误。因此，在释放动态数组时千万别忘了方括号对。

C 风格字符串与 C++ 的标准库类型 **string** 的比较

以下两段程序反映了使用 C 风格字符串与 C++ 的标准库类型 string 的不同之处。使用 string 类型的版本更短、更容易理解，而且出错的可能性更小[1]：

```
// C-style character string implementation
const char *pc = "a very long literal string";
const size_t len = strlen(pc);          // space to allocate
// performance test on string allocation and copy
for (size_t ix = 0; ix != 1000000; ++ix) {
    char *pc2 = new char[len + 1];       // allocate the space
    strcpy(pc2, pc);                     // do the copy
    if (strcmp(pc2, pc))                 // use the new string
        ;   // do nothing
    delete [] pc2;                       // free the memory
}

// string implementation
string str("a very long literal string");
// performance test on string allocation and copy
for (int ix = 0; ix != 1000000; ++ix) {
    string str2 = str; // do the copy, automatically allocated
    if (str != str2)                 // use the new string
        ;   // do nothing
}                                    // str2 is automatically freed
```

这些程序将在 4.3.1 节的习题中做进一步探讨。

6. 动态数组的使用

通常是因为在编译时无法知道数组的维数，所以才需要动态创建该数组。例如，在程序执行过程中，常常使用 char*指针指向多个 C 风格字符串，于是必须根据每个字符串的长度实时地动态分配存储空间。采用这种技术要比建立固定大小的数组安全。如果程序员能够准确计算出运行时需要的数组长度，就不必再担心因数组变量具有固定的长度而造成的溢出问题。

假设有以下 C 风格字符串：

---

1. 此代码段的第 3 行的 strlen(pc)原书误为 strlen(pc+1)。——译者注

```
const char *noerr = "success";
// ...
const char *err189 = "Error: a function declaration must "
                     "specify a function return type!";
```

我们想在运行时把这两个字符串中的一个复制给新的字符数组，于是可以用以下程序在运行时计算维数：

```
const char *errorTxt;
if (errorFound)
    errorTxt = err189;
else
    errorTxt = noerr;
// remember the 1 for the terminating null
int dimension = strlen(errorTxt) + 1;
char *errMsg = new char[dimension];
// copy the text for the error into errMsg
strncpy (errMsg, errorTxt, dimension);
```

别忘记标准库函数 strlen 返回的是字符串的长度，并不包括字符串结束符，在获得的字符串长度上必须加 1 以便在动态分配时预留结束符的存储空间。

习题

习题 4.27　假设有下面的 new 表达式，请问如何释放 pa？

```
int *pa = new int[10];
```

习题 4.28　编写程序由从标准输入设备读入的元素数据建立一个 int 型 vector 对象，然后动态创建一个与该 vector 对象大小一致的数组，把 vector 对象的所有元素复制给新数组。

习题 4.29　对本小节第 5 条框中的两段程序：

(a) 解释这两段程序实现什么功能？

(b) 平均来说，使用 string 类型的程序执行速度要比用 C 风格字符串的快很多，在我们用了五年的 PC 机上其平均执行速度分别是：

```
user       0.47    # string class
user       2.55    # C-style character string
```

你预计的也一样吗？请说明原因。

习题 4.30　编写程序连接两个 C 风格字符串字面值，把结果存储在一个 C 风格字符串中。然后再编写程序连接两个 string 类型字符串，这两个 string 类型字符串与前面的 C 风格字符串字面值具有相同的内容。

4.3.2　新旧代码的兼容

许多 C++ 程序在有标准类之前就已经存在了，因此既没有使用标准库类型 string 也没有使用 vector。而且，许多 C++ 程序为了兼容现存的 C 程序，也不能使用 C++ 标准库。因此，现代的 C++ 程序经常必须兼容使用数组和/或 C 风格字符串的代码，标准库提供了使兼容界面更容易管理的手段。

1. 混合使用标准库类 **string** 和 C 风格字符串

正如 3.2.1 节中显示的，可用字符串字面值初始化 string 类对象：

```
string st3("Hello World");  // st3 holds Hello World
```

通常，由于 C 风格字符串与字符串字面值具有相同的数据类型，而且都是以空字符 null 结束，因此可以把 C 风格字符串用在任何可以使用字符串字面值的地方：

- 可以使用 C 风格字符串对 string 对象进行初始化或赋值。
- string 类型的加法操作需要两个操作数，可以使用 C 风格字符串作为其中的一个操作数，也允许将 C 风格字符串用作复合赋值操作的右操作数。

反之则不成立：在要求 C 风格字符串的地方不可直接使用标准库 string 类型对象。例如，无法使用 string 对象初始化字符指针：

```
char *str = st2;  // compile-time type error
```

但是，string 类提供了一个名为 c_str 的成员函数，以实现我们的要求：

```
char *str = st2.c_str();  // almost ok, but not quite
```

c_str 函数返回 C 风格字符串，其字面意思是："返回 C 风格字符串的表示方法"，即返回指向字符数组首地址的指针，该数组存放了与 string 对象相同的内容，并且以结束符 null 结束。

因为 c_str 返回的指针指向 const char 类型的数组，所以上述初始化失败，这样做是为了避免修改该数组。正确的初始化应为：

```
const char *str = st2.c_str();  // ok
```

> c_str 返回的数组并不保证一定是有效的，接下来对 st2 的操作有可能会改变 st2 的值，使刚才返回的数组失效。如果程序需要持续访问该数据，则应该复制 c_str 函数返回的数组。

2. 使用数组初始化 **vector** 对象

4.1.1 节提到不能用一个数组直接初始化另一数组，程序员只能创建新数组，然后显式地把源数组的元素逐个复制给新数组。这反映 C++允许使用数组初始化 vector 对象，尽管这种初始化形式起初看起来有点陌生。使用数组初始化 vector 对象，必须指出用于初始化式的第一个元素以及数组最后一个元素的下一位置的地址：

140

```
const size_t arr_size = 6;
int int_arr[arr_size] = {0, 1, 2, 3, 4, 5};
// ivec has 6 elements: each a copy of the corresponding element in int_arr
vector<int> ivec(int_arr, int_arr + arr_size);
```

传递给 ivec 的两个指针标出了 vector 初值的范围。第二个指针指向被复制的最后一个元素之后的地址空间。被标出的元素范围可以是数组的子集：

```
// copies 3 elements: int_arr[1], int_arr[2], int_arr[3]
vector<int> ivec(int_arr + 1, int_arr + 4);
```

这个初始化创建了含有三个元素的 ivec，三个元素的值分别是 int_arr[1]到 int_arr[3]的副本。

习题

习题 4.31 编写程序从标准输入设备读入字符串，并把该串存放在字符数组中。描述你的程序如何处理可变长的输入。提供比你分配的数组长度长的字符串数据测试你的程序。

习题 4.32 编写程序用 int 型数组初始化 vector 对象。

习题 4.33 编写程序把 int 型 vector 复制给 int 型数组。

习题 4.34 编写程序读入一组 string 类型的数据，并将它们存储在 vector 中。接着，把该 vector 对象复制给一个字符指针数组。为 vector 中的每个元素创建一个新的字符数组，并把该 vector 元素的数据复制到相应的字符数组中，最后把指向该数组的指针插入字符指针数组。

习题 4.35 输出习题 4.34 中建立的 vector 对象和数组的内容。输出数组后，记得释放字符数组。

4.4 多维数组

严格地说，C++中没有多维数组，通常所指的多维数组其实就是数组的数组：

```
// array of size 3, each element is an array of ints of size 4
int ia[3][4];
```

在使用多维数组时，记住这一点有利于理解其应用。

如果数组的元素又是数组，则称为二维数组，其每一维对应一个下标：

141

```
ia[2][3]  // fetches last element from the array in the last row
```

第一维通常称为行（row），第二维则称为列（column）。C++中并未限制可用的下标个数，也就是说，我们可以定义元素是数组（其元素又是数组，如此类推）的数组。

1. 多维数组的初始化

和处理一维数组一样，程序员可以使用由花括号括起来的初始化式列表来初始化多维数组的元素。对于多维数组的每一行，可以再用花括号指定其元素的初始化式：

```
int ia[3][4] = {        /* 3 elements, each element is an array of size 4 */
    {0, 1, 2, 3},       /* initializers for row indexed by 0 */
    {4, 5, 6, 7},       /* initializers for row indexed by 1 */
    {8, 9, 10, 11}      /* initializers for row indexed by 2 */
};
```

其中用来标志每一行的内嵌的花括号是可选的。下面的初始化尽管有点不清楚，但与前面的声明完全等价：

```
// equivalent initialization without the optional nested braces for each row
int ia[3][4] = {0,1,2,3,4,5,6,7,8,9,10,11};
```

与一维数组一样，有些元素将不使用初始化列表提供的初始化式进行初始化。下面的声明只初始化了每行的第一个元素：

```
// explicitly initialize only element 0 in each row
int ia[3][4] = {{ 0 } , { 4 } , { 8 } };
```

其余元素根据其元素类型用 4.1.1 节描述的规则初始化。

如果省略内嵌的花括号，结果会完全不同：

```
// explicitly initialize row 0
int ia[3][4] = {0, 3, 6, 9};
```

该声明初始化了第一行的元素，其余元素都被初始化为 0。

2. 多维数组的下标引用

为了对多维数组进行索引，每一维都需要一个下标。例如，下面的嵌套 for 循环初始化了一个二维数组：

```
const size_t rowSize = 3;
const size_t colSize = 4;
int ia [rowSize][colSize];    // 12 uninitialized elements
// for each row
for (size_t i = 0; i != rowSize; ++i)
    // for each column within the row
    for (size_t j = 0; j != colSize; ++j)
        // initialize to its positional index
        ia[i][j] = i * colSize + j;
```

142

当需要访问数组中的特定元素时，必须提供其行下标和列下标。行下标指出需要哪个内部数组，列下标则选取该内部数组的指定元素。了解多维数组下标引用策略有助于正确计算其下标值，以及理解多维数组如何初始化。

如果表达式只提供了一个下标，则结果获取的元素是该行下标索引的内层数组。如 ia[2] 将获得 ia 数组的最后一行，即这一行的内层数组本身，而并非该数组中的任何元素。

指针和多维数组

与普通数组一样，使用多维数组名时，实际上将其自动转换为指向该数组第一个元素的指针。

定义指向多维数组的指针时，千万别忘了该指针所指向的多维数组其实是数组的数组。

因为多维数组其实就是数组的数组，所以由多维数组转换而成的指针类型应是指向第一个内层数组的指针。尽管这个概念非常明了，但声明这种指针的语法还是不容易理解：

```
int ia[3][4];          // array of size 3, each element is an array of ints of size 4
int (*ip)[4] = ia;     // ip points to an array of 4 ints
ip = &ia[2];           // ia[2] is an array of 4 ints
```

定义指向数组的指针与如何定义数组本身类似：首先声明元素类型，后接（数组）变量名字和维数。窍门在于（数组）变量的名字其实是指针，因此需在标识符前加上 *。如果从内向外阅读 ip 的声明，则可理解为：*ip 是 int[4]类型——即 ip 是一个指向含有 4 个元素的数组的指针。

在下面的声明中，圆括号是必不可少的：

```
int *ip[4];        // array of pointers to int
int (*ip)[4];      // pointer to an array of 4 ints
```

用 **typedef** 简化指向多维数组的指针

typedef 类型定义（2.6 节）可使指向多维数组元素的指针更容易读、写和理解。以下程序用 typedef 为 ia 的元素类型定义新的类型名：

```
typedef int int_array[4];
int_array *ip = ia;
```

可使用 typedef 类型输出 ia 的元素：

```
for (int_array *p = ia; p != ia + 3; ++p)
    for (int *q = *p; q != *p + 4; ++q)
        cout << *q << endl;
```

[143]

外层的 for 循环首先初始化 p 指向 ia 的第一个内部数组，然后一直循环到 ia 的三行数据都处理完为止。++p 使 p 加 1，等效于移动指针使其指向 ia 的下一行（例如：下一个元素）。

内层的 for 循环实际上处理的是存储在内部数组中的 int 型元素值。首先让 q 指向 p 所指向的数组的第一个元素。对 p 进行解引用获得一个有 4 个 int 型元素的数组，通常，使用这个数组时，系统会自动将它转换为指向该数组第一个元素的指针。在本例中，第一个元素是 int 型数据，q 指向这个整数。系统执行内层的 for 循环直到处理完当前 p 指向的内部数组中所有的元素为止。当 q 指针刚达到该内部数组的超出末端位置时，再次对 p 进行解引用以获得指向下一个内部数组第一个元素的指针。在 p 指向的地址上加 4 使得系统可循环处理每一个内部数组的 4 个元素。

习题

[144]   **习题 4.36**   重写程序输出 ia 数组的内容，要求在外层循环中不能使用 typedef 定义的类型。

小结

本章介绍了数组和指针。数组和指针所提供的功能类似于标准库的 vector 类与 string 类和相关的迭代器。我们可以把 vector 类型理解为更灵活、更容易管理的数组，同样，string 是 C 风格字符串的改进类型，而 C 风格字符串是以空字符结束的字符数组。

迭代器和指针都能用于间接地访问所指向的对象。vector 类型所包含的元素通过迭代器来操纵，类似地，指针则用于访问数组元素。尽管道理都很简单，但在实际应用中，指针的难用是出了名的。

　　某些低级任务必须使用指针和数组，但由于使用指针和数组容易出错而且难以调试，应尽量避免使用。一般而言，应该优先使用标准库抽象类而少用语言内置的低级数组和指针。尤其是应该使用 string 类型取代 C 风格以空字符结束的字符数组。现代 C++ 程序不应使用 C 风格字符串。

术语

C-style string（C 风格字符串）　C 程序把指向以空字符结束的字符数组的指针视为字符串。在 C++ 中，字符串字面值就是 C 风格字符串。C 标准库定义了一系列处理这种字符串的库函数，C++ 中将这些标准库函数放在 cstring 头文件中。由于 C 风格字符串本质上容易出错，C++ 程序应该优先使用 C++ 标准库类 string 而少用 C 风格字符串。网络程序中大量的安全漏洞都源于与使用 C 风格字符串和数组相关的缺陷。

compiler extension（编译器扩展）　特定编译器为语言添加的特性。依赖于编译器扩展的程序很难移植到其他的编译器。

compound type（复合类型）　使用其他类型定义的类型。数组、指针和引用都是复合类型。

const void*　可以指向任意 const 类型的指针类型，参见 void *。

delete expression（delete 表达式）　delete 表达式用于释放由 new 动态分配的内存：

```
delete [] p;
```

在此表达式中，p 必须是指向动态创建的数组中第一个元素的指针，其中方括号必不可少：它告诉编译器该指针指向数组，而非单个对象。C++ 程序使用 delete 取代 C 语言的标准库函数 free。

dimension（维数）　数组大小。

dynamically allocated（动态分配的）　在程序自由存储区中建立的对象。该对象一经创建就一直存在，直到显式释放为止。

free store（自由存储区）　程序用来存储动态创建对象的内存区域。

heap（堆）　自由存储区的同义词。

new expression（new 表达式）　用于分配动态内存的表达式。下面的语句分配了一个有 n 个元素的数组：

```
new type[n];
```

该数组存放 type 类型的元素。new 返回指向该数组第一个元素的指针。C++ 程序使用 new 取代 C 语言的标准库函数 malloc。

pointer（指针）　存放对象地址的对象。

pointer arithmetic（指针算术操作）　可用于指针的算术操作。允许在指针上做加上或减去整型值的操作，以获得当前指针之前或之后若干个元素处的地址。两个指针可做减法操作，得到它们之间的差值。只有当指针指向同一个数组或其超出末端的位置时，指针的算术操作才有意义。

precedence（优先级）　在复杂的表达式中，优先级确定了操作数分组的次序。

ptrdiff_t　在 cstddef 头文件中定义的与机器相关的有符号整型，该类型具有足够的大小存储两个指针的差值，这两个指针指向同一个可能的最大数组。

size_t　在 cstddef 头文件中定义的与机器相关的无符号整型，它具有足够的大小存储一个可能的最大数组。

* operator（*操作符）　对指针进行解引用操作获得该指针所指向的对象。解引用操作符返回左值，因此可为其结果赋值，等效于为该指针所指向的特定对象赋新值。

++ operator（++操作符）　用于指针时，自增操作符给指针"加 1"，移动指针使其指向数组的下一个元素。

〖〗operator（〖〗操作符） 下标操作符接受两个操作数：一个是指向数组元素的指针，一个是下标 n。该操作返回偏离指针当前指向 n 个位置的元素值。数组下标从 0 开始计数——数组第一个元素的下标为 0，最后一个元素的下标是数组长度减 1。下标操作返回左值，可用做赋值操作的左操作数，等效于为该下标引用的元素赋新值。

& operator（&操作符） 取地址操作符需要一个操作数，其唯一的操作数必须是左值对象，该操作返回操作数对象在内存中的存储地址。

void* 可以指向任何非 const 对象的指针类型。void*指针只提供有限的几种操作：可用作函数形参类型或返回类型，也可与其他指针做比较操作，但是不能进行解引用操作。

145
~
146

第 **5** 章

表 达 式

目录

C++提供了丰富的操作符，并定义操作数为内置类型时，这些操作符的含义。除此之外，C++还支持操作符重载，允许程序员自定义用于类类型时操作符的含义。标准库正是使用这种功能定义用于库类型的操作符。

本章重点介绍 C++语言定义的操作符，它们使用内置类型的操作数；本章还会介绍一些标准库定义的操作符。第 14 章将学习如何定义自己的重载操作符。

表达式由一个或多个**操作数**（operand）通过**操作符**（operator）组合而成。最简单的**表达式**（expression）仅包含一个字面值常量或变量。较复杂的表达式则由操作符以及一个或多个操作数构成。

每个表达式都会产生一个**结果**（result）。如果表达式中没有操作符，则其结果就是操作数本身（例如，字面值常量或变量）的值。当一个对象用在需要使用其值的地方，则计算该对象的值。例如，假设 ival 是一个 int 型对象：

```
if (ival)              // evaluate ival as a condition
    // ....
```

上述语句将 ival 作为 if 语句的条件表达式。当 ival 为非零值时，if 条件成立；否则条件不成立。

对于含有操作符的表达式，它的值通过对操作数做指定操作获得。除了特殊用法外，表达式的结果是右值（2.3.1 节），可以读取该结果值，但是不允许对它进行赋值。

    操作符的含义——该操作符执行什么操作以及操作结果的类型——取决于操作数的类型。

除非已知道操作数的类型，否则无法确定一个特定表达式的含义。下面的表达式

```
i + j
```

既可能是整数的加法操作、字符串的串接或者浮点数的加法操作，也完全可能是其他的操作。如何计算该表达式的值，完全取决于 i 和 j 的数据类型。

C++提供了**一元操作符**（unary operator）和**二元操作符**（binary operator）两种操作符。作用在一个操作数上的操作符称为一元操作符，如取地址操作符(&)和解引用操作符(*)；而二元操作符则作用于两个操作数上，如加法操作符(+)和减法操作符(–)。除此之外，C++还提供了一个使用三个操作数的三元操作符（ternary operator），我们将在 5.7 节介绍它。

有些符号（symbol）既可表示一元操作也可表示二元操作。例如，符号*既可以作为（一元）解引用操作符，也可以作为（二元）乘法操作符，这两种用法相互独立、各不相关，如果将其视为两个不同的符号可能会更容易理解些。对于这类操作符，需要根据该符号所处的上下文来确定它代表一元操作还是二元操作。

操作符对其操作数的类型有要求，如果操作符应用于内置或复合类型的操作数，则由 C++语言定义其类型要求。例如，用于内置类型对象的解引用操作符要求其操作数必须是指针类型，对任何其他内置类型或复合类型对象进行解引用将导致错误的产生。

对于操作数为内置或复合类型的二元操作符，通常要求它的两个操作数具有相同的数据类型，或者其类型可以转换为同一种数据类型。关于类型转换，我们将在 5.12 节学习。尽管规则可能比较复杂，但大部分的类型转换都可按预期的方式进行。例如，整型可转换为浮点类型，反之亦然，但不能将指针类型转换为浮点类型。

要理解由多个操作符组成的表达式，必须先理解操作符的优先级（precedence）、结合性（associativity）和操作数的求值顺序（order of evaluation）。例如，表达式

```
5 + 10 * 20/2;
```

使用了加法、乘法和除法操作。该表达式的值取决于操作数与操作符如何结合。例如，乘法操作符*的操作数可以是 10 和 20，也可以是 10 和 20/2，或者 15 和 20、15 和 20/2。结合性和优先级规则规定了操作数与操作符的结合方式。在 C++语言中，该表达式的值应是 105，10 和 20 先做乘法操作，然后其结果除以 2，再加 5 即为最后结果。

求解表达式时，仅了解操作数和操作符如何结合是不足够的，还必须清楚操作符上每一个操作数的求值顺序。每个操作符都控制了其假定的求值顺序，即，我们是否可以假定左操作数总是先于右操作数求值。大部分的操作符无法保证某种特定的求值次序，我们将于 5.10 节讨论这个问题。

5.1　算术操作符

除非特别说明，表 5-1 所示操作符可用于任意算术类型（2.1 节）或者任何可转换为算术类型的数据类型。

表 5-1 按优先级来对操作符进行分组——一元操作符优先级最高，其次是乘、除操作，接着是二元的加、减法操作。高优先级的操作符要比低优先级的结合得更紧密。这些算术操作符都是左结合，这就意味着当操作符的优先级相同时，这些操作符从左向右依次与操作数结合。

表 5-1　算术操作符

操作符	功　能	用　法
+	一元正号	+ expr
-	一元负号	- expr
*	乘法	expr * expr
/	除法	expr / expr
%	求余	expr % expr
+	加法	expr + expr
-	减法	expr - expr

注：expr 为表达式。

对于前述表达式

```
5 + 10 * 20/2 ;
```

考虑优先级与结合性，可知该表达式先做乘法（*）操作，其操作数为 10 和 20，然后以该操作的结果和 2 为操作数做除法（/）操作，其结果最后与操作数 5 做加法（+）操作。

一元负号操作符具有直观的含义，它对其操作数取负：

```
int i = 1024;
int k = -i; //  negates the value of its operand
```

一元正号操作符则返回操作数本身，对操作数不作任何修改。

警告：溢出和其他算术异常

　　某些算术表达式的求解结果未定义，其中一部分由数学特性引起，例如除零操作；其他则归咎于计算机特性，如溢出：计算出的数值超出了其类型的表示范围。

　　考虑某台机器，其 short 类型为 16 位，能表示的最大值是 32767。假设 short 类型只有 16 位，下面的复合赋值操作将会溢出：

```
// max value if shorts are 8 bits
short short_value = 32767;
short ival = 1;
// this calculation overflows
short_value += ival;
cout << "short_value: " << short_value << endl;
```

表示 32768 这个有符号数需 17 位的存储空间，但是这里仅有 16 位，于是导致溢出现象的发生，此时，许多系统都不会给出编译时或运行时的警告。对于不同的机器，上述例子的 short_value 变量真正获得的值不尽相同。在我们的系统上执行该程序后将得到：

```
short_value: -32768
```

　　其值"截断（wrapped around）"，将符号位的值由 0 设为 1，于是结果变为负数。因为算术类型具有有限的长度，因此计算后溢出的现象常常发生。遵循 2.2 节建议框中给出的建议将有助于避免此类问题。

　　二元 +、- 操作符也可用于指针值，对指针使用这些操作符的用法将在 4.2.4 节介绍。

　　算术操作符 +、-、* 和 / 具有直观的含义：加法、减法、乘法和除法。对两个整数做除法，结果仍为整数，如果它的商包含小数部分，则小数部分会被截除：

```
int ival1 = 21/6;  // integral result obtained by truncating the remainder
int ival2 = 21/7;  // no remainder, result is an integral value
```

[150]   ival1 和 ival2 均被初始化为 3。

　　操作符 % 称为"求余（remainder）"或"求模（modulus）"操作符，用于计算左操作数除以右操作数的余数。该操作符的操作数只能为整型，包括 bool、char、short、int 和 long 类型，以及对应的 unsigned 类型：

```
int ival = 42;
double dval = 3.14;
ival % 12;     // ok: returns 6
ival % dval;   // error: floating point operand
```

　　如果两个操作数为正，除法（/）和求模（%）操作的结果也是正数（或零）；如果两个操作数都是负数，除法操作的结果为正数（或零），而求模操作的结果则为负数（或零）；如果只有一个操作数为负数，这两种操作的结果取决于机器；求模结果的符号也取决于机器，而除法操作的值则是负数（或零）：

```
21 % 6;    // ok: result is 3
21 % 7;    // ok: result is 0
-21 % -8;  // ok: result is -5
```

```
21 % -5;    // machine-dependent: result is 1 or -4
21 / 6;     // ok: result is 3
21 / 7;     // ok: result is 3
-21 / -8;   // ok: result is 2
21 / -5;    // machine-dependent: result -4 or -5
```

当只有一个操作数为负数时，求模操作结果值的符号可依据分子（被除数）或分母（除数）的符号而定。如果求模的结果随分子的符号，则除出来的值向零一侧取整；如果求模与分母的符号匹配，则除出来的值向负无穷一侧取整。

习题

习题 5.1 在下列表达式中，加入适当的圆括号以标明其计算顺序。编译该表达式并输出其值，从而检查你的回答是否正确。

```
12 / 3 * 4 + 5 * 15 + 24 % 4 / 2
```

习题 5.2 计算下列表达式的值，并指出哪些结果值依赖于机器？

```
-30 * 3 + 21 / 5
-30 + 3 * 21 / 5
30 / 3 * 21 % 5
-30 / 3 * 21 % 4
```

习题 5.3 编写一个表达式判断一个 int 型数值是偶数还是奇数。

习题 5.4 定义术语"溢出"的含义，并给出导致溢出的三个表达式。

151

5.2 关系操作符和逻辑操作符

关系操作符和逻辑操作符（表 5-2）使用算术或指针类型的操作数，并返回 bool 类型的值。

表 5-2　关系操作符和逻辑操作符		
下列操作符都产生 **bool** 值		
操作符	功　能	用　法
!	逻辑非	!expr
<	小于	expr < expr
<=	小于等于	expr <= expr
>	大于	expr > expr
>=	大于等于	expr >= expr
==	相等	expr == expr
!=	不等	expr != expr
&&	逻辑与	expr && expr
||	逻辑或	expr || expr

1. 逻辑与、逻辑或操作符

逻辑操作符将其操作数视为条件表达式（1.4.1 节）：首先对操作数求值；若结果为 0，则条件为假（false），否则为真（true）。仅当逻辑与（&&）操作符的两个操作数都为 true，其结果才得 true。对于逻辑或（||）操作符，只要两个操作数之一为 true，它的值就为 true。给

定以下形式：

```
expr1 && expr2 // logical AND
expr1 || expr2 // logical OR
```

仅当由 *expr1* 不能确定表达式的值时，才会求解 *expr2*。也就是说，当且仅当下列情况出现时，必须确保 *expr2* 是可以计算的：

- 在逻辑与表达式中，*expr1* 的计算结果为 true。如果 *expr1* 的值为 false，则无论 *expr2* 的值是什么，逻辑与表达式的值都为 false。当 *expr1* 的值为 true 时，只有 *expr2* 的值也是 true，逻辑与表达式的值才为 true。
- 在逻辑或表达式中，*expr1* 的计算结果为 false。如果 *expr1* 的值为 false，则逻辑或表达式的值取决于 *expr2* 的值是否为 true。

　　　逻辑与和逻辑或操作符总是先计算其左操作数，然后再计算其右操作数。只有在仅靠左操作数的值无法确定该逻辑表达式的结果时，才会求解其右操作数。我们常常称这种求值策略为"短路求值（short-circuit evaluation）"。

152

对于逻辑与操作符，一个很有价值的用法是：如果某边界条件使 *expr2* 的计算变得危险，则应在该条件出现之前，先让 *expr1* 的计算结果为 false[1]。例如，编写程序使用一个 string 类型的对象存储一个句子，然后将该句子的第一个单词的各字符全部变成大写，可如下实现：

```
string s("Expressions in C++ are composed...");
string::iterator it = s.begin();
// convert first word in s to uppercase
while (it != s.end() && !isspace(*it)) {
    *it = toupper(*it); // toupper covered in section 3.2.4
    ++it;
}
```

在这个例子中，while 循环判断了两个条件。首先检查 it 是否已经到达 string 类型对象的结尾，如果不是，则 it 指向 s 中的一个字符。只有当该检验条件成立时，系统才会计算逻辑与操作符的右操作数，即在保证 it 确实指向一个真正的字符之后，才检查该字符是否为空格。如果遇到空格，或者 s 中没有空格而已经到达 s 的结尾时，循环结束。

2. 逻辑非操作符

逻辑非操作符（!）将其操作数视为条件表达式，产生与其操作数值相反的条件值。如果其操作数为非零值，则做 ! 操作后的结果为 false。例如，可如下在 vector 类型对象的 empty 成员函数上使用逻辑非操作符，根据函数返回值判断该对象是否为空：

```
// assign value of first element in vec to x if there is one
int x = 0;
if (!vec.empty())
    x = *vec.begin();
```

如果调用 empty 函数返回 false，则子表达式

```
!vec.empty()
```

---

1. 因为当 *expr1* 为 false 时，不再求解 *expr2*。——译者注

的值为 true。

3. 不应该串接使用关系操作符

关系操作符（<、<=、>、>=）具有左结合特性。事实上，由于关系操作符返回 bool 类型的结果，因此很少使用其左结合特性。如果把多个关系操作符串接起来使用，结果往往出乎预料：

```
// oops! this condition does not determine if the 3 values are unequal
if (i < j < k) { /* ... */ }
```

这种写法只要 k 大于 1，上述表达式的值就为 true。这是因为第二个小于操作符的左操作数是第一个小于操作符的结果：true 或 false。也就是，该条件将 k 与整数 0 或 1 做比较。为了实现我们想要的条件检验，应重写上述表达式如下：

```
if (i < j && j < k) { /* ... */ } .
```

4. 相等测试与 bool 字面值

正如 5.12.2 节将介绍的，bool 类型可转换为任何算术类型——bool 值 false 用 0 表示，而 true 则为 1。

> 由于 true 转换为 1，因此要检测某值是否与 bool 字面值 true 相等，其等效判断条件通常很难正确编写：
>
> ```
> if (val==true) { /* ... */ }
> ```

val 本身是 bool 类型，或者 val 具有可转换为 bool 类型的数据类型。如果 val 是 bool 类型，则该判断条件等效于：

```
if (val) { /* ... */ }
```

这样的代码更短而且更直接（尽管对初学者来说，这样的缩写可能会令人费解）。

更重要的是，如果 val 不是 bool 值，val 和 true 的比较等效于：

```
if (val == 1) { /* ... */ }
```

这与下面的条件判断完全不同：

```
// condition succeeds if val is any nonzero value
if (val) { /* ... */ }
```

此时，只要 val 为任意非零值，条件判断都得 true。如果显式地书写条件比较，则只有当 val 等于指定的 1 值时，条件才成立。

习题

习题 5.5 解释逻辑与操作符、逻辑或操作符以及相等操作符的操作数在什么时候计算。

习题 5.6 解释下列 while 循环条件的行为：

```
char *cp = "Hello World" ;
while ( cp && *cp )
```

习题 5.7 编写 while 循环条件从标准输入设备读入整型(int)数据，当读入值为 42 时循环结束。

习题 5.8 编写表达式判断四个值 a、b、c 和 d 是否满足 a 大于 b、b 大于 c 而且 c 大于 d 的条件。

5.3 位操作符

位操作符（表 5-3）使用整型的操作数。位操作符将其整型操作数视为二进制位的集合，为每一位提供检验和设置的功能。另外，这类操作符还可用于 bitset 类型（3.5 节）的操作数，该类型具有这里所描述的整型操作数的行为。

表 5-3 位操作符		
操作符	功 能	用 法
~	位求反	~expr
<<	左移	expr1 << expr2
>>	右移	expr1 >> expr2
&	位与	expr1 & expr2
^	位异或	expr1 ^ expr2
|	位或	expr1 | expr2

位操作符操纵的整数的类型可以是有符号的也可以是无符号的。如果操作数为负数，则位操作符如何处理其操作数的符号位依赖于机器。于是它们的应用可能不同：在一个应用环境中实现的程序可能无法用于另一应用环境。

> 最佳实践　　对于位操作符，由于系统不能确保如何处理其操作数的符号位，所以强烈建议使用 unsigned 整型操作数。

在下面的例子中，假设 unsigned char 类型有 8 位。

位求反操作符（~）的功能类似于 bitset 的 flip 操作（3.5.2 节）：将操作数的每一个二进制位取反：将 1 设置为 0、0 设置为 1，生成一个新值：

```
unsigned char bits = 0227;    1 0 0 1 0 1 1 1

bits = ~bits;                 0 1 1 0 1 0 0 0
```

>> 和 << 操作符提供移位操作，其右操作数标志要移动的位数。这两种操作符将其左操作数的各个位向左（<<）或向右（>>）移动若干个位（移动的位数由其右操作数指定），从而产生新的值，并丢弃移出去的位。

```
unsigned char bits = 1;       1 0 0 1 1 0 1 1

bits << 1; // left shift       0 0 1 1 0 1 1 0

bits << 2; // left shift       0 1 1 0 1 1 0 0

bits >> 3; // right shift       0 0 0 1 0 0 1 1
```

左移操作符（<<）在右边插入 0 以补充空位。对于右移操作符（>>），如果其操作数是无符号数，则从左边开始插入 0；如果操作数是有符号数，则插入符号位的副本或者 0 值，如何选择需依据具体的实现而定。移位操作的右操作数不可以是负数，而且必须是严格小于左操作数位数的值。否则，操作的效果未定义。

位与操作（&）需要两个整型操作数，在每个位的位置，如果两个操作数对应的位都为 1，则操作结果中该位为 1，否则为 0。

> 常犯的错误是把位与操作（&）和逻辑与操作（&&）（5.2 节）混淆了。同样地，位或操作（|）和逻辑或操作（||）也很容易搞混。

下面我们用图解的方法说明两个 unsigned char 类型值的位与操作，这两个操作数均用八进制字面常量初始化：

```
unsigned char b1 = 0145;                0 1 1 0 0 1 0 1

unsigned char b2 = 0257;                1 0 1 0 1 1 1 1

unsigned char result = b1 & b2;         0 0 1 0 0 1 0 1
```

位异或（互斥或，exclusive or）操作符（^）也需要两个整型操作数。在每个位的位置，如果两个操作数对应的位只有一个（不是两个）为 1，则操作结果中该位为 1，否则为 0。

```
result = b1 ^ b2;                       1 1 0 0 1 0 1 0
```

位或（包含或，inclusive or）操作符（|）需要两个整型操作数。在每个位的位置，如果两个操作数对应的位有一个或者两个都为 1，则操作结果中该位为 1，否则为 0。

```
result = b1 | b2;                       1 1 1 0 1 1 1 1
```

5.3.1 **bitset** 对象或整型值的使用

bitset 类比整型值上的低级位操作更容易使用。观察下面简单的例子，了解如何使用 bitset 类型或者位操作来解决问题。假设某老师带了一个班，班中有 30 个学生，每个星期在班上做一次测验，只有及格和不及格两种测验成绩，对每个学生用一个二进制位来记录一次测试及格或不及格，以方便我们跟踪每次测验的结果，这样就可以用一个 bitset 对象或整数值来代表一次测验：

```
bitset<30> bitset_quiz1;        // bitset solution
unsigned long int_quiz1 = 0;    // simulated collection of bits
```

使用 bitset 类型时，可根据所需要的大小明确地定义 bitset_quiz1，它的每一个位都默认设置为 0 值。如果使用内置类型来存放测验成绩，则应将变量 int_quiz1 定义为 unsigned long 类型，这种数据类型在所有机器上都至少拥有 32 位的长度。最后，显式地初始化 int_quiz1 以保证该变量在使用前具有明确定义的值。

老师可以设置和检查每个位。例如，假设第 27 位所表示的学生及格了，则可以使用下面的语句适当地设置对应的位：

```
bitset_quiz1.set(27);   // indicate student number 27 passed
int_quiz1 |= 1UL<<27;   // indicate student number 27 passed
```

如果使用 bitset 实现，可直接传递要置位的位给 set 函数。而用 unsigned long 实现时，实

156

现的方法则比较复杂。设置指定位的方法是：将测验数据与一个整数做位或操作，该整数只有一个指定的位为 1。也就是说，我们需要一个只有第 27 位为 1 其他位都为 0 的无符号长整数（unsigned long），这样的整数可用左移操作符和整型常量 1 生成：

```
1UL << 27;  //  generate a value with only bit number 27 set
```

然后让这个整数与 int_quiz1 做位或操作，操作后，除了第 27 位外其他所有位的值都保持不变，而第 27 位则被设置为 1。这里，使用复合赋值操作（1.4.1 节）将位或操作的结果赋给 int_quiz1，该操作符|= 操作的方法与 += 相同。于是，上述功能等效于下面更详细的形式：

```
//  following assignment is equivalent to int_quiz1 |= 1UL << 27;
int_quiz1 = int_quiz1 | 1UL << 27;
```

　　如果老师重新复核测验成绩，发现第 27 个学生实际上在该次测验中不及格，这时老师应把第 27 位设置为 0：

```
bitset_quiz1.reset(27);    //  student number 27 failed
int_quiz1 &= ~(1UL<<27);   //  student number 27 failed
```

使用 bitset 的版本可直接实现该功能，只要复位（reset）指定的位即可。而对于另一种情况，则需通过反转左移操作后的结果来实现设置：此时，我们需要一个只有第 27 位为 0 而其他位都为 1 的整数。然后将这个整数与测验数据做位与操作，把指定的位设置为 0。位求反操作使得除了第 27 位外其他位都设置为 1，然后此值和 int_quiz1 做位与操作，保证了除第 27 位外所有的位都保持不变。

　　最后，可通过以下代码获知第 27 个学生是否及格：

```
bool status;
status = bitset_quiz1[27];        //  how did student number 27 do?
status = int_quiz1 & (1UL<<27);   //  how did student number 27 do?
```

使用 bitset 的版本中，可直接读取其值判断他是否及格。使用 unsigned long 时，首先要把一个整数的第 27 位设置为 1，然后用该整数和 int_quiz1 做位与操作，如果 int_quiz1 的第 27 位为 1，则结果为非零值，否则，结果为零。

　　　一般而言，标准库提供的 bitset 操作更直接、更容易阅读和书写、正确使用的可能性更高。而且，bitset 对象的大小不受 unsigned 数的位数限制。通常来说，bitset 优于整型数据的低级直接位操作。

习题

习题 5.9　假设有下面两个定义

```
unsigned long ul1 =3, ul2 = 7;
```

下列表达式的结果是什么？

　　(a) ul1 & ul2　　　　　　(c)　ul1 | ul2
　　(b) ul1 && ul2　　　　　 (d)　ul1 || ul2

习题 5.10　重写 bitset 表达式：使用下标操作符对测验结果进行置位（置 1）和复位（置 0）。

5.3.2 将移位操作符用于 IO

输入输出标准库（IO library）分别重载了位操作符>>和<<用于输入和输出。即使很多程序员从未直接使用过位操作符，但是相当多的程序都大量用到这些操作符在 IO 标准库中的重载版本。重载的操作符与该操作符的内置类型版本有相同的优先级和结合性。因此，即使程序员从不使用这些操作符的内置含义来实现移位操作，但是还是应该先了解这些操作符的优先级和结合性。

IO 操作符为左结合

像其他二元操作符一样，移位操作符也是左结合的。这类操作符从左向右地结合，正好说明了程序员为什么可以把多个输入或输出操作连接为单个语句：

```
cout << "hi" << " there" << endl;
```

执行为：

```
( (cout << "hi") << " there" ) << endl;
```

在这个语句中，操作数"hi"与第一个<<符号结合，其计算结果与第二个<<符号结合，第二个<<符号操作后，其结果再与第三个<<符号结合。

移位操作符具有中等优先级：其优先级比算术操作符低，但比关系操作符、赋值操作符和条件操作符优先级高。若 IO 表达式的操作数包含了比 IO 操作符优先级低的操作符，相关的优先级别将影响书写该表达式的方式。通常需使用圆括号强制先实现右结合： | 158 |

```
cout << 42 + 10;        // ok, + has higher precedence, so the sum is printed
cout << (10 < 42);      // ok: parentheses force intended grouping; prints 1
cout << 10 < 42;        // error: attempt to compare cout to 42!
```

第二个 cout 语句解释为：

```
(cout << 10) < 42;
```

该表达式说"将 10 写到 cout，然后用此操作（也就是 cout）的结果与 42 做比较"。

5.4 赋值操作符

赋值操作符的左操作数必须是非 const 的左值。下面的赋值语句是不合法的：

```
int i, j, ival;
const int ci = i;      // ok: initialization not assignment
1024 = ival;           // error: literals are rvalues
i + j = ival;          // error: arithmetic expressions are rvalues
ci = ival;             // error: can't write to ci
```

数组名是不可修改的左值：因此数组不可用作赋值操作的目标。而下标和解引用操作符都返回左值，因此当将这两种操作用于非 const 数组时，其结果可作为赋值操作的左操作数：

```
int ia[10];
ia[0] = 0;     // ok: subscript is an lvalue
*ia = 0;       // ok: dereference also is an lvalue
```

赋值表达式的值是其左操作数的值，其结果的类型为左操作数的类型。

通常，赋值操作将其右操作数的值赋给左操作数。然而，当左、右操作数的类型不同时，该操作实现的类型转换可能会修改被赋的值。此时，存放在左、右操作数里的值并不相同：

```
ival = 0;          // result: type int value 0
ival = 3.14159;  // result: type int value 3
```

上述两个赋值语句都产生 int 类型的值，第一个语句中 ival 的值与右操作数的值相同；但是在第二个语句中，ival 的值则与右操作数的值不相同。

5.4.1　赋值操作的右结合性

与下标和解引用操作符一样，赋值操作也返回左值。同理，只要被赋值的每个操作数都具有相同的通用类型，C++语言允许将这多个赋值操作写在一个表达式中：

```
int ival, jval;
ival = jval = 0; // ok: each assigned 0
```

与其他二元操作符不同，赋值操作具有右结合特性。当表达式含有多个赋值操作符时，从右向左结合。上述表达式，将右边赋值操作的结果（也就是 jval）赋给 ival。多个赋值操作中，各对象必须具有相同的数据类型，或者具有可转换（5.12 节）为同一类型的数据类型：

```
int ival; int *pval;
ival = pval = 0; // error: cannot assign the value of a pointer to an int
string s1, s2;
s1 = s2 = "OK";  // ok: "OK" converted to string
```

第一个赋值语句是不合法的，因为 ival 和 pval 是不同类型的对象。虽然 0 值恰好都可以赋给这两个对象，但该语句仍然错误。因为问题在于给 pval 赋值的结果是一个 int*类型的值，不能将此值赋给 int 类型的对象。另一方面，第二个赋值语句则是正确的。字符串字面值可以转换为 string 类型，string 类型的值可赋给 s2 变量。右边赋值操作的结果为 s2，再将此结果值赋给 s1。

5.4.2　赋值操作具有低优先级

另一种通常的用法，是将赋值操作写在条件表达式中，把赋值操作用作长表达式的一部分。这种做法可缩短程序代码并阐明程序员的意图。例如，下面的循环调用函数 get_value，假设该函数返回 int 数值，通过循环检查这些返回值，直到获得需要的值为止——这里是 42：

```
int i = get_value();  // get_value returns an int
while (i != 42) {
    // do something ...
    i = get_value();
}
```

首先，程序将所获得的第一个值存储在 i 中，然后建立循环检查 i 的值是否为 42，如果不是，则做某些处理。循环中的最后一条语句调用 get_value()返回一个值，然后继续循环。该循环可更简洁地写为：

```
int i;
while ((i = get_value()) != 42) {
    // do something ...
}
```

現在，循環條件更清晰地表達了程序員的意圖：持續循環直到 get_value 返回 42 為止。在循環條件中，將 get_value 返回的值賦給 i，然後判斷賦值的結果是否為 42。

 在賦值操作上加圓括號是必需的，因為賦值操作符的優先級低於不等操作符。

如果沒有圓括號，操作符 != 的操作數則是調用 get_value 返回的值和 42，然後將該操作的結果 true 或 false 賦給 i —— 顯然這並不是我們想要的。

謹防混淆相等操作符和賦值操作符

可在條件表達式中使用賦值操作，這個事實往往會帶來意外的效果：

```
if (i = 42)
```

此代碼是合法的：將 42 賦給 i，然後檢驗賦值的結果。此時，42 為非零值，因此解釋為 true。其實，程序員的目的顯然是想判斷 i 的值是否為 42：

```
if (i == 42)
```

這種類型的程序錯誤很難發現。有些（並非全部）編譯器會為類似於上述例子的代碼提出警告。

習題

習題 5.11 請問每次賦值操作完成後，i 和 d 的值分別是多少？

```
int i;  double d;
d = i = 3.5 ;
i = d = 3.5 ;
```

習題 5.12 解釋每個 if 條件判斷產生什麼結果？

```
if ( 42 = i ) // ...
if ( i = 42 ) // ...
```

5.4.3 複合賦值操作符

我們常常在對某個對象做某種操作後，再將操作結果重新賦給該對象。例如，考慮 1.4.2 節的求和程序：

```
int sum = 0;
// sum values from 1 up to 10 inclusive
for (int val = 1; val <= 10; ++val)
    sum += val; // equivalent to sum = sum + val
```

C++語言不僅對加法，而且還對其他算術操作符和位操作符提供了這種用法，稱為複合賦值操作。複合賦值操作符的一般語法格式為：

```
a op= b;
```

其中，op= 可以是下列十個操作符之一：

```
+=   -=   *=   /=   %=      // arithmetic operators
<<=  >>=  &=   ^=   |=      // bitwise operators
```

每个复合赋值操作符本质上等价于：

```
a = a op b;
```

这两种语法形式存在一个显著的差别：使用复合赋值操作时，左操作数只计算了一次；而使用相似的长表达式时，该操作数则计算了两次，第一次作为右操作数，而第二次则用做左操作数。除非考虑可能的性能价值，在很多（可能是大部分的）上下文环境里这个差别不是本质性的。

习题

习题 5.13 下列赋值操作是不合法的，为什么？怎样改正？
```
double dval;    int ival; int *pi;
dval = ival = pi = 0;
```

习题 5.14 虽然下列表达式都是合法的，但并不是程序员期望的操作，为什么？怎样修改这些表达式以使其能反映程序员的意图？
```
(a) if ( ptr = retrieve_pointer() != 0 )
(b) if ( ival = 1024 )
(c) ival += ival + 1;
```

5.5   自增和自减操作符

自增（++）和自减（--）操作符为对象加 1 或减 1 操作提供了方便简短的实现方式。它们有前置和后置两种使用形式。到目前为止，我们已经使用过前自增操作，该操作使其操作数加 1，操作结果是修改后（changed）的值。同理，前自减操作使其操作数减 1。这两种操作符的后置形式同样对其操作数加 1（或减 1），但操作后产生操作数原来的、未修改的值作为表达式的结果：

```
int i = 0, j;
j = ++i; // j = 1, i = 1: prefix yields incremented value
j = i++; // j = 1, i = 2: postfix yields unincremented value
```

162 因为前置操作返回加 1 后的值，所以返回对象本身，这是左值。而后置操作返回的则是右值。

建议：只有在必要时才使用后置操作符

有使用 C 语言背景的读者可能会觉得奇怪，为什么要在程序中使用前自增操作。道理很简单：因为前置操作需要做的工作更少，只需加 1 后返回加 1 后的结果即可。而后置操作符则必须先保存操作数原来的值，以便返回未加 1 之前的值作为操作的结果。对于 int 型对象和指针，编译器可优化掉这项额外工作。但是对于更多的复杂迭代器类型，这种额外工作可能会花费更大的代价。因此，养成使用前置操作这个好习惯，就不必操心性能差异的问题。

1. 后置操作符返回未加 1 的值
当我们希望在单个复合表达式中使用变量的当前值，然后再加 1 时，通常会使用后置的++

和--操作：

```
vector<int> ivec;              // empty vector
int cnt = 10;
// add elements 10...1 to ivec
while (cnt > 0)
    ivec.push_back(cnt--);    // int postfix decrement
```

这段程序使用了后置的--操作实现 cnt 减 1。我们希望把 cnt 的值赋给 vector 对象的下一个元素，然后在下次迭代前 cnt 的值减 1。如果在循环中使用前置操作，则是用 cnt 减 1 后的值创建 ivec 的新元素，结果是将 9 至 0 十个元素依次添加到 ivec 中。

2. 在单个表达式中组合使用解引用和自增操作

下面的程序使用了一种非常通用的 C++编程模式输出 ivec 的内容：

```
vector<int>::iterator iter = ivec.begin();
// prints 10 9 8 ... 1
while (iter != ivec.end())
    cout << *iter++ << endl; // iterator postfix increment
```

　　　　如果程序员对 C++和 C 语言都不太熟悉，则常常会弄不清楚表达式*iter++的含义。

由于后自增操作的优先级高于解引用操作，因此*iter++等效于*(iter++)。子表达式 iter++使 iter 加 1，然后返回 iter 原值的副本作为该表达式的结果。因此，解引用操作*的操作数是 iter 未加 1 前的副本。

这种用法的根据在于后自增操作返回其操作数原值（没有加 1）的副本。如果返回的是加 1 后的值，则解引用该值将导致错误的结果：ivec 的第一个元素没有输出，并企图对一个多余的元素进行解引用。

163

建议：简洁即是美

　　没有 C 语言基础的 C++新手，时常会因精简的表达式而苦恼，特别是像*iter++这类令人困惑的表达式。有经验的 C++程序员非常重视简练，他们更喜欢这么写：

```
cout << *iter++ << endl;
```

而不采用下面这种冗长的等效代码：

```
cout << *iter << endl;
++iter;
```

对于初学 C++的程序员来说，第二种形式更清晰，因为给迭代器加 1 和获取输出值这两个操作是分开来实现的。但是更多的 C++程序员更习惯使用第一种形式。

　　要不断地研究类似的代码，最后达到一目了然的地步。大部分的 C++程序员更喜欢使用简洁的表达式而非冗长的等效表达式。因此，C++程序员必须熟悉这种用法。而且，一旦熟悉了这类表达式，我们会发现使用起来更不容易出错。

习题 5.15　解释前自增操作和后自增操作的差别。

习题 5.16　你认为为什么 C++不叫做++C？

习题 5.17　如果输出 vector 内容的 while 循环使用前自增操作符，那会怎么样？

5.6　箭头操作符

　　C++语言为包含点操作符和解引用操作符的表达式提供了一个同义词：箭头操作符（->）。点操作符（1.5.2 节）用于获取类类型对象的成员：

```
item1.same_isbn(item2); // run the same_isbn member of item1
```

如果有一个指向 Sales_item 对象的指针（或迭代器），则在使用点操作符前，需对该指针（或迭代器）进行解引用：

```
Sales_item *sp = &item1;
(*sp).same_isbn(item2); // run same_isbn on object to which sp points
```

这里，对 sp 进行解引用以获得指定的 Sales_item 对象。然后使用点操作符调用指定对象的 same_isbn 成员函数。在上述用法中，注意必须用圆括号把解引用括起来，因为解引用的优先级低于点操作符。如果漏掉圆括号，则这段代码的含义就完全不同了：

```
// run the same_isbn member of sp then dereference the result!
*sp.same_isbn(item2); // error: sp has no member named same_isbn
```

164

这个表达式企图获得 sp 对象的 same_isbn 成员。等价于：

```
*(sp.same_isbn(item2)); // equivalent to *sp.same_isbn(item2);
```

然而，sp 是一个没有成员的指针；这段代码无法通过编译。

　　因为编程时很容易忘记圆括号，而且这类代码又经常使用，所以 C++为在点操作符后使用的解引用操作定义了一个同义词：箭头操作符（->）。假设有一个指向类类型对象的指针（或迭代器），下面的表达式相互等价：

```
(*p).foo; // dereference p to get an object and fetch its member named foo
p->foo;   // equivalent way to fetch the foo from the object to which p points
```

具体地，可将 same_isbn 的调用重写为：

```
sp->same_isbn(item2);    // equivalent to (*sp).same_isbn(item2)
```

习题 5.18　编写程序定义一个 vector 对象，其每个元素都是指向 string 类型的指针，读取该 vector 对象，输出每个 string 的内容及其相应的长度。

习题 5.19　假设 iter 为 vector<string>::iterator 类型的变量，指出下面哪些表达式是合法的，并解释这些合法表达式的行为。

```
(a) *iter++;            (b) (*iter)++;
(c) *iter.empty();      (d) iter->empty();
(e) ++*iter;            (f) iter++->empty();
```

5.7 条件操作符

条件操作符（conditional operator）是 C++中唯一的三元操作符，它允许将简单的 if-else 判断语句嵌入表达式中。条件操作符的语法格式为：

cond ? expr1 : expr2;

其中，*cond* 是一个条件判断表达式（1.4.1 节）。条件操作符首先计算 *cond* 的值，如果 *cond* 的值为 0，则条件为 false；如果 *cond* 非 0，则条件为 true。无论如何，*cond* 总是要被计算的。然后，条件为 true 时计算 *expr1*，否则计算 *expr2*。和逻辑与、逻辑或（&&和||）操作符一样，条件操作符保证了上述操作数的求解次序。*expr1* 和 *expr2* 中只有一个表达式被计算。下面的程序说明了条件操作符的用法：

```
int i = 10, j = 20, k = 30;
// if i > j then maxVal = i else maxVal = j
int maxVal = i > j ? i : j;
```

165

1. 避免条件操作符的深度嵌套
可以使用一组嵌套的条件操作符求出三个变量的最大值，并将最大值赋给 max：

```
int max = i > j
              ? i > k ? i : k
              : j > k ? j : k;
```

我们也可以用下面更长却更简单的比较语句实现相同的功能：

```
int max = i;
if (j > max)
    max = j;
if (k > max)
    max = k;
```

2. 在输出表达式中使用条件操作符
条件操作符的优先级相当低。当我们要在一个更大的表达式中嵌入条件表达式时，通常必须用圆括号把条件表达式括起来。例如，经常使用条件操作符根据一定的条件输出一个或另一个值，在输出表达式中，如果不严格使用圆括号将条件操作符括起来，将会得到意外的结果：

```
cout << (i < j ? i : j);    // ok: prints larger of i and j
cout << (i < j) ? i : j;    // prints 1 or 0!
cout << i < j ? i : j;      // error: compares cout to int
```

第二个表达式比较有趣：它将 i 和 j 的比较结果视为<<操作符的操作数，输出 1 或 0。<<操作符返回 cout 值，然后将返回结果作为条件操作符的判断条件。也就是，第二个表达式等效于：

```
cout << (i < j);   // prints 1 or 0
cout ? i : j;      // test cout and then evaluate i or j
```

// depending on whether cout *evaluates to true or false*

习题

习题 5.20 编写程序提示用户输入两个数，然后报告哪个数比较小。

习题 5.21 编写程序处理 vector<int> 对象的元素：将每个奇数值元素用该值的两倍替换。

5.8 `sizeof` 操作符

sizeof 操作符的作用是返回一个对象或类型名的长度，返回值的类型为 size_t (3.5.2 节)，长度的单位是字节 (2.1 节)。sizeof 表达式的结果是编译时常量，该操作符有以下三种语法形式：

```
sizeof (type name);
sizeof (expr);
sizeof expr;
```

将 sizeof 应用在表达式 *expr* 上，将获得该表达式的结果的类型长度：

```
Sales_item item, *p;
// three ways to obtain size required to hold an object of type Sales_item
sizeof(Sales_item); // size required to hold an object of type Sales_item
sizeof item; // size of item's type, e.g., sizeof(Sales_item)
sizeof *p;   // size of type to which p points, e.g., sizeof(Sales_item)
```

将 sizeof 用于 *expr* 时，并没有计算表达式 *expr* 的值。特别是在 sizeof *p 中，指针 p 可以持有一个无效地址，因为不需要对 p 做解引用操作。

使用 sizeof 的结果部分地依赖所涉及的类型：

- 对 char 类型或值为 char 类型的表达式做 sizeof 操作保证得 1。
- 对引用类型做 sizeof 操作将返回存放此引用类型对象所需的内存空间大小。
- 对指针做 sizeof 操作将返回存放指针所需的内存大小；注意，如果要获取该指针所指向对象的大小，则必须对该指针进行解引用。
- 对数组做sizeof操作等效于将对其元素类型做sizeof操作的结果乘上数组元素的个数。

因为 sizeof 返回整个数组在内存中的存储长度，所以用 sizeof 数组的结果除以 sizeof 其元素类型的结果，即可求出数组元素的个数：

```
// sizeof(ia)/sizeof(*ia) returns the number of elements in ia
int sz = sizeof(ia)/sizeof(*ia);
```

习题

习题 5.22 编写程序输出每种内置类型的长度。

习题 5.23 预测下列程序的输出，并解释你的理由。然后运行该程序，输出的结果和你预测的一样吗？如果不一样，为什么？

```
int x[10];   int *p = x;
cout << sizeof(x)/sizeof(*x) << endl;
cout << sizeof(p)/sizeof(*p) << endl;
```

5.9　逗号操作符

逗号表达式是一组由逗号分隔的表达式，这些表达式从左向右计算。逗号表达式的结果是其最右边表达式的值。如果最右边的操作数是左值，则逗号表达式的值也是左值。此类表达式通常用于 for 循环：

```
int cnt = ivec.size();
// add elements from size... 1 to ivec
for(vector<int>::size_type ix = 0;
                ix != ivec.size(); ++ix, --cnt)
    ivec[ix] = cnt;
```

上述的 for 语句在循环表达式中使 ix 自增 1 而 cnt 自减 1。每次循环均要修改 ix 和 cnt 的值。当检验 ix 的条件判断成立时，程序将下一个元素重新设置为 cnt 的当前值。

习题

习题 5.24　本节的程序与 5.5 节在 vector 对象中添加元素的程序类似。两段程序都使用递减的计数器生成元素的值。本程序中，我们使用了前自减操作，而 5.5 节的程序则使用了后自减操作。解释为什么一段程序中使用前自减操作而在另一段程序中使用后自减操作。

5.10　复合表达式的求值

含有两个或更多操作符的表达式称为**复合表达式**（compound expression）。在复合表达式中，操作数和操作符的结合方式决定了整个表达式的值。表达式的结果会因为操作符和操作数的分组结合方式的不同而不同。

操作数的分组结合方式取决于操作符的优先级和结合性。也就是说，优先级和结合性决定了表达式的哪个部分用作哪个操作符的操作数。如果程序员不想考虑这些规则，可以在复合表达式中使用圆括号强制实现某个特殊的分组。

　　　优先级规定的是操作数的结合方式，但并没有说明操作数的计算顺序。在大多数情况下，操作数一般以最方便的次序求解。

5.10.1　优先级

表达式的值取决于其子表达式如何分组。例如，下面的表达式，如果纯粹从左向右计算，结果为 20：

```
6 + 3 * 4 / 2 + 2;
```

想像中其他可能的结果包括 9、14 和 36。在 C++ 中，该表达式的值应为 14。

乘法和除法的优先级高于加法操作，于是它们的操作数先于加法操作的操作数计算。但乘法和除法的优先级相同。当操作符的优先级相同时，由其结合性决定求解次序。算术操作具有左结合性，这意味着它们从左向右结合。因此上面表达式等效于：

```
int temp = 3 * 4;          // 12
int temp2 = temp / 2;      // 6
int temp3 = temp2 + 6;     // 12
int result = temp3 + 2;    // 14
```

圆括号凌驾于优先级之上

我们可使用圆括号推翻优先级的限制。使用圆括号的表达式将用圆括号括起来的子表达式视为独立单元先计算，其他部分则以普通的优先级规则处理。例如，下面的程序在前述表达式上添加圆括号，强行更改其操作次序，可能得到四种结果：

```
// parentheses on this expression match default precedence/associativity
cout << ((6 + ((3 * 4) / 2)) + 2) << endl; // prints 14
// parentheses result in alternative groupings
cout << (6 + 3) * (4 / 2 + 2) << endl;     // prints 36
cout << ((6 + 3) * 4) / 2 + 2 << endl;     // prints 20
cout << 6 + 3 * 4 / (2 + 2) << endl;       // prints 9
```

我们已经通过前面的例子了解了优先级规则如何影响程序的正确性。例如，考虑 5.5 节第二个建议框中描述的表达式：

```
*iter++;
```

其中，++的优先级高于*操作符，这就意味着 iter++先结合。而操作符*的操作数是 iter 做了自增操作后的结果。如果我们希望对 iter 所指向的值做自增操作，则必须使用圆括号强制实现我们的目的：

```
(*iter)++; // increment value to which iter refers and yield unincremented value
```

圆括号指明操作符*的操作数是 iter，然后表达式以*iter 作为++操作符的操作数。

另一个例子，回顾一下 5.4.2 节中的 while 循环条件：

```
while ((i = get_value()) != 42) {
```

赋值操作上的圆括号是必需的，这样才能实现预期的操作：将 get_value 的返回值赋给 i，然后检查刚才赋值的结果是否为 42。如果赋值操作上没有加圆括号，结果将是先判断 get_value 的返回值是否为 42，然后将判断结果 true 或 false 值赋给 i，这意味着 i 的值只能是 1 或 0。

5.10.2 结合性

结合性规定了具有相同优先级的操作符如何分组。我们已经遇到过涉及结合性的例子。其中之一使用了赋值操作的右结合性，这个特性允许将多个赋值操作串接起来：

```
ival = jval = kval = lval         // right associative
(ival = (jval = (kval = lval)))   // equivalent, parenthesized version
```

该表达式首先将 lval 赋给 kval，然后将 kval 的值赋给 jval，最后将 jval 的值再赋给 ival。

另一方面，算术操作符为左结合。表达式

```
ival * jval / kval * lval        // left associative
(((ival * jval) / kval) * lval)  // equivalent, parenthesized version
```

先对 ival 和 jval 做乘法操作，然后乘积除以 kval，最后再将其商与 lval 相乘。

　　表 5-4 按照优先级顺序列出了 C++的全部操作符。该表以双横线分割成不同的段，每段内各个操作符的优先级相同，且都高于后面各段中的操作符。例如，前自增操作符和解引用操作符的优先级相同，它们的优先级都比算术操作符或关系操作符高。此表中大部分操作符已经介绍过，而少数未介绍的操作符将在后续章节中学习。

表 5-4	操作符的优先级			
操作符及其结合性		功　　能	用　　法	参见页面
L	::	全局作用域	::name	p.389
L	::	类作用域	class::name	p.73
L	::	名字空间作用域	namespace::name	p.68
L	.	成员选择	object.member	p.20
L	->	成员选择	pointer->member	p.142
L	[]	下标	variable[expr]	p.99
L	()	函数调用	name(expr_list)	p.20
L	()	类型构造	type(expr_list)	p.393
R	++	后自增操作	lvalue++	p.140
R	--	后自减操作	lvalue--	p.140
R	typeid	类型 ID	typeid(type)	p.649
R	typeid	运行时类型 ID	typeid(expr)	p.649
R	显式强制类型转换	类型转换	*cast_name*<type>(expr)	p.158
R	sizeof	对象的大小	sizeof expr	p.144
R	sizeof	类型的大小	sizeof(type)	p.144
R	++	前自增操作	++lvalue	p.140
R	--	前自减操作	--lvalue	p.140
R	~	位求反	~expr	p.134
R	!	逻辑非	!expr	p.131
R	-	一元负号	-expr	p.129
R	+	一元正号	+expr	p.129
R	*	解引用	*expr	p.104
R	&	取地址	&expr	p.100
R	()	类型转换	(type)expr	p.160
R	new	创建对象	new type	p.150
R	delete	释放对象	delete expr	p.152
R	delete[]	释放数组	delete []expr	p.119
L	->*	指向成员操作的指针	ptr->*ptr_to_member	p.655
L	.*	指向成员操作的指针	obj.*ptr_to_member	p.655
L	*	乘法	expr * expr	p.129
L	/	除法	expr / expr	p.129
L	%	求模（求余）	expr % expr	p.129
L	+	加法	expr + expr	p.129
L	-	减法	expr - expr	p.129

（续）

操作符及其结合性		功　能	用　法	参见页面
L	<<	位左移	expr << expr	p.134
L	>>	位右移	expr >> expr	p.134
L	<	小于	expr < expr	p.131
L	<=	小于或等于	expr <= expr	p.131
L	>	大于	expr > expr	p.131
L	>=	大于或等于	expr >= expr	p.131
L	==	相等	expr == expr	p.131
L	!=	不等	expr != expr	p.131
L	&	位与	expr & expr	p.134
L	^	位异或	expr ^ expr	p.134
L	|	位或	expr | expr	p.134
L	&&	逻辑与	expr && expr	p.131
L	||	逻辑或	expr || expr	p.131
R	?:	条件操作	expr ? expr : expr	p.143
R	=	赋值操作	lvalue = expr	p.137
R	*=, /=, %=,	复合赋值操作	lvalue += expr　等等	p.137
R	+=, -=,			p.137
R	<<=, >>=,			p.137
R	&=, |=, ^=			p.137
R	throw	抛出异常	throw expr	p.186
L	,	逗号	expr, expr	p.145

[171]

习题

习题 5.25　根据表 5-4 的内容，在下列表达式中添加圆括号说明其操作数分组的顺序（即计算顺序）：

```
(a)   ! ptr == ptr->next
(b)   ch = buf[ bp++ ] != '\n'
```

习题 5.26　习题 5.25 中的表达式的计算次序与你的意图不同，给它们加上圆括号使其以你所希望的操作次序求解。

习题 5.27　由于操作符优先级的问题，下列表达式编译失败。请参照表 5-4 解释原因，应该如何改正？

```
string s = "word";
// add an 's' to the end, if the word doesn't already end in 's'
string pl = s + s[s.size() - 1] == 's' ? "" : "s" ;
```

5.10.3　求值顺序

在 5.2 节中，我们讨论了&&和||操作符计算其操作数的次序：当且仅当其右操作数确实影响了整个表达式的值时，才计算这两个操作符的右操作数。根据这个原则，可编写如下代码：

```
// iter only dereferenced if it isn't at end
while (iter != vec.end() && *iter != some_val)
```

　　C++中，规定了操作数计算顺序的操作符还有条件（?:）和逗号操作符。除此之外，其他操作符并未指定其操作数的求值顺序。

　　例如，表达式

```
f1() * f2();
```

在做乘法操作之前，必须调用 f1 函数和 f2 函数，毕竟其调用结果要相乘。然而，我们却无法知道到底是先调用 f1 还是先调用 f2。

　　　　其实，以什么次序求解操作数通常没有多大关系。只有当操作符的两个操作数涉及到同一个对象，并改变其值时，操作数的计算次序才会影响结果。

　　如果一个子表达式修改了另一个子表达式的操作数，则操作数的求解次序就变得相当重要：

```
// oops! language does not define order of evaluation
if (ia[index++] < ia[index])
```

172

此表达式的行为没有明确定义。问题在于：<操作符的左右操作数都使用了 index 变量，但是，左操作数更改了该变量的值。假设 index 初值为 0，编译器可以用下面两种方式之一求该表达式的值：

```
if (ia[0] < ia[0])    // execution if rhs is evaluated first
if (ia[0] < ia[1])    // execution if lhs is evaluated first
```

可以假设程序员希望先求左操作数的值，因此 index 的值加 1。如果是这样的话，比较 ia[0] 和 ia[1] 的值。然而，C++语言不能确保从左到右的计算次序。事实上，这类表达式的行为没有明确定义。一种实现可能是先计算右操作数，于是 ia[0] 与自己做比较，要不然就是做完全不同的操作。

建议：复合表达式的处理

　　初学 C 和 C++的程序员一般很难理解求值顺序、优先级和结合性规则。误解表达式和操作数如何求解将导致大量的程序错误。此外，除非程序员已经完全理解了相关规则，否则这类错误很难发现，因为仅靠阅读程序是无法排除这些错误的。

　　下面两个指导原则有助于处理复合表达式：

　　(1) 如果有怀疑，则在表达式上按程序逻辑要求使用圆括号强制操作数的组合。

　　(2) 如果要修改操作数的值，则不要在同一个语句的其他地方使用该操作数。如果必须使用改变的值，则把该表达式分割成两个独立语句：在一个语句中改变该操作数的值，再在下一个语句使用它。

　　第二个规则有一个重要的例外：如果一个子表达式修改操作数的值，然后将该子表达式的结果用于另一个子表达式，这样则是安全的。例如，*++iter 表达式的自增操作修改了 iter 的值，然后将 iter（修改后）的值用作*操作符的操作数。对于这个表达式或其他类似的表达式，其操作数的计算次序无关紧要。而为了计算更复杂的表达式，改变操作数值的子表达式必须首先计算。这种方法很常用，不会产生什么问题。

一个表达式里，不要在两个或更多的子表达式中对同一对象做自增或自减操作。

以一种安全而且独立于机器的方式重写上述比较两个数组元素的程序：

```
if (ia[index] < ia[index + 1]) {
    // do whatever
}
++index;
```

173   现在，两个操作数的值不会相互影响。

习题

习题 5.28 除了逻辑与和逻辑或外，C++没有明确定义二元操作符的求解次序，编译器可自由地提供最佳的实现方式。只能在"实现效率"和程序语言使用中"潜在的缺陷"之间寻求平衡。你认为这可以接受吗？说出你的理由。

习题 5.29 假设 ptr 指向类类型对象，该类拥有一个名为 ival 的 int 型数据成员，vec 是保存 int 型元素的 vector 对象，而 ival、jval 和 kval 都是 int 型变量。请解释下列表达式的行为，并指出哪些（如果有的话）可能是不正确的，为什么？如何改正？

```
(a) ptr->ival != 0          (b) ival != jval < kval
(c) ptr != 0 && *ptr++      (d) ival++ && ival
(e) vec[ival++] <= vec[ival]
```

5.11 **new** 和 **delete** 表达式

4.3.1 节介绍了如何使用 new 和 delete 表达式动态创建和释放数组，这两种表达式也可用于动态创建和释放单个对象。

定义变量时，必须指定其数据类型和名字。而动态创建对象时，只需指定其数据类型，而不必为该对象命名。取而代之的是，new 表达式返回指向新创建对象的指针，我们通过该指针来访问此对象：

```
int i;              // named, uninitialized int variable
int *pi = new int;  // pi points to dynamically allocated,
                    // unnamed, uninitialized int
```

这个 new 表达式在自由存储区中分配创建了一个整型对象，并返回此对象的地址，并用该地址初始化指针 pi。

1. 动态创建对象的初始化

动态创建的对象可用初始化变量的方式实现初始化：

```
int i(1024);                    // value of i is 1024
int *pi = new int(1024);        // object to which pi points is 1024
string s(10, '9');              // value of s is "9999999999"
string *ps = new string(10, '9'); // *ps is "9999999999"
```

C++使用直接初始化（direct-initialization）语法规则（2.3.3 节）初始化动态创建的对象。如果提供了初值，new 表达式分配到所需要的内存后，用给定的初值初始化该内存空间。在本例中，pi 所指向的新创建对象将被初始化为 1024，而 ps 所指向的对象则初始化为十个 9 的字符串。

174

2. 动态创建对象的默认初始化

如果不提供显式初始化，动态创建的对象与在函数内定义的变量初始化方式相同（2.3.4 节）。对于类类型的对象，用该类的默认构造函数初始化；而内置类型的对象则无初始化。

```
string *ps = new string;   // initialized to empty string
int *pi = new int;         // pi points to an uninitialized int
```

通常，除了对其赋值之外，对未初始化的对象所关联的值的任何使用都是没有定义的。

> **最佳实践**　正如我们（几乎）总是要初始化定义为变量的对象一样，在动态创建对象时，（几乎）总是对它做初始化也是一个好办法。

同样也可对动态创建的对象做值初始化（value-initialize）（3.3.1 节）：

```
string *ps = new string();  // initialized to empty string
int *pi = new int();    // pi points to an int value-initialized to 0
cls *pc = new cls();    // pc points to a value-initialized object of type cls
```

以上表明程序员想通过在类型名后面使用一对内容为空的圆括号对动态创建的对象做值初始化。内容为空的圆括号表示虽然要做初始化，但实际上并未提供特定的初值。对于提供了默认构造函数的类类型（例如 string），没有必要对其对象进行值初始化：无论程序是明确地不初始化还是要求进行值初始化，都会自动调用其默认构造函数初始化该对象。而对于内置类型或没有定义默认构造函数的类型，采用不同初始化方式则有显著的差别：

```
int *pi = new int;          // pi points to an uninitialized int
int *pi = new int();        // pi points to an int value-initialized to 0
```

第一个语句的 int 型变量没有初始化，而第二个语句的 int 型变量则被初始化为 0。

>
> 值初始化的()语法必须置于类型名后面，而不是变量后。正如我们将要学习的 7.4 节的例子：
> ```
> int x(); // does not value initialize x
> ```
> 这个语句声明了一个名为 x、没有参数而且返回 int 值的函数。

3. 耗尽内存

尽管现代机器的内存容量越来越大，但是自由存储区总有可能被耗尽。如果程序用完了所有可用的内存，new 表达式就有可能失败。如果 new 表达式无法获取需要的内存空间，系统将抛出名为 bad_alloc 的异常。我们将在 6.13 节介绍如何抛出异常。

175

4. 撤销动态创建的对象

动态创建的对象用完后，程序员必须显式地将该对象占用的内存返回给自由存储区。C++提供了 delete 表达式释放指针所指向的地址空间。

```
delete pi;
```

该命令释放 pi 指向的 int 型对象所占用的内存空间。

 　　如果指针指向不是用 new 分配的内存地址,则在该指针上使用 delete 是不合法的。

C++没有明确定义如何释放指向不是用 new 分配的内存地址的指针。下面提供了一些安全的和不安全的 delete 表达式。

```
int i;
int *pi = &i;
string str = "dwarves";
double *pd = new double(33);
delete str; // error: str is not a dynamic object
delete pi;  // error: pi refers to a local
delete pd;  // ok
```

值得注意的是：编译器可能会拒绝编译 str 的 delete 语句。编译器知道 str 并不是一个指针，因此会在编译时就能检查出这个错误。第二个错误则比较隐蔽：通常来说，编译器不能断定一个指针指向什么类型的对象，因此尽管这个语句是错误的，但在大部分编译器上仍能通过。

5. 零值指针的删除

如果指针的值为 0，则在其上做 delete 操作是合法的，但这样做没有任何意义：

```
int *ip = 0;
delete ip; // ok: always ok to delete a pointer that is equal to 0
```

C++保证：删除 0 值的指针是安全的。

6. 在 delete 之后，重设指针的值

执行语句

```
delete p;
```

后，p 变成没有定义。在很多机器上，尽管 p 没有定义，但仍然存放了它之前所指向对象的地址，然而 p 所指向的内存已经被释放，因此 p 不再有效。

删除指针后，该指针变成**悬垂指针**（dangling pointer）。悬垂指针指向曾经存放对象的内存，但该对象已经不再存在了。悬垂指针往往导致程序错误，而且很难检测出来。

176

　　一旦删除了指针所指向的对象，立即将指针置为 0，这样就非常清楚地表明指针不再指向任何对象。

7. const 对象的动态分配和回收

C++允许动态创建 const 对象：

```
// allocate and initialize a const object
const int *pci = new const int(1024);
```

与其他常量一样，动态创建的 const 对象必须在创建时初始化，并且一经初始化，其值就不能再修改。上述 new 表达式返回指向 int 型 const 对象的指针。与其他 const 对象的地址一样，由于 new 返回的地址上存放的是 const 对象，因此该地址只能赋给指向 const 的指针。

对于类类型的 const 动态对象，如果该类提供了默认的构造函数，则此对象可隐式初始化：

```
// allocate default initialized const empty string
const string *pcs = new const string;
```

new 表达式没有显式初始化 pcs 所指向的对象，而是隐式地将 pcs 所指向的对象初始化为空的 string 对象。内置类型对象或未提供默认构造函数的类类型对象必须显式初始化。

警告：动态内存的管理容易出错

下面三种常见的程序错误都与动态内存分配相关：

(1) 删除（delete）指向动态分配内存的指针失败，因而无法将该块内存返还给自由存储区。删除动态分配内存失败称为"内存泄漏（memory leak）"。内存泄漏很难发现，一般需等应用程序运行了一段时间后，耗尽了所有内存空间时，内存泄漏才会显露出来。

(2) 读写已删除的对象。如果删除指针所指向的对象之后，将指针置为 0 值，则比较容易检测出这类错误。

(3) 对同一个内存空间使用两次 delete 表达式。当两个指针指向同一个动态创建的对象，删除时就会发生错误。如果在其中一个指针上做 delete 运算，将该对象的内存空间返还给自由存储区，然后接着 delete 第二个指针，此时则自由存储区可能会被破坏。

操纵动态分配的内存时，很容易发生上述错误，但这些错误却难以跟踪和修正。

177

8. 删除 const 对象

尽管程序员不能改变 const 对象的值，但可撤销对象本身。如同其他动态对象一样，const 动态对象也是使用删除指针来释放的：

```
delete pci; // ok: deletes a const object
```

即使 delete 表达式的操作数是指向 int 型 const 对象的指针，该语句同样有效地回收 pci 所指向的内容。

习题

习题 5.30 下列语句哪些（如果有的话）是非法的或错误的？

```
(a) vector<string> svec(10);
(b) vector<string> *pvec1 = new vector<string>(10);
(c) vector<string> **pvec2 = new vector<string>[10];
(d) vector<string> *pv1 = &svec;
(e) vector<string> *pv2 = pvec1;

(f) delete svec;
(g) delete pvec1;
(h) delete [] pvec2;
(i) delete pv1;
(j) delete pv2;
```

5.12 类型转换

表达式是否合法取决于操作数的类型，而且合法的表达式其含义也由其操作数类型决定。但是，在 C++ 中，某些类型之间存在相关的依赖关系。若两种类型相关，则可在需要某种类型的操作数位置上，使用该类型的相关类型对象或值。如果两个类型之间可以**相互转换**（conversion），则称这两个类型相关。

考虑下列例子：

```
int ival = 0;
ival = 3.541 + 3;  // typically compiles with a warning
```

ival 的值为 6。

首先做加法操作，其操作数是两个不同类型的值：3.541 是 double 型的字面值常量，而 3 则是 int 型的字面值常量。C++ 并不是把两个不同类型的值直接加在一起，而是提供了一组转换规则，以便在执行算术操作之前，将两个操作数转换为同一种数据类型。这些转换规则由编译器自动执行，无需程序员介入——有时甚至不需要程序员了解。因此，它们也被称为**隐式类型转换**（implicit type conversion）。

C++ 定义了算术类型之间的内置转换以尽可能防止精度损失。通常，如果表达式的操作数分别为整型和浮点型，则整型的操作数被转换为浮点型。本例中，整数 3 被转换为 double 类型，然后执行浮点类型的加法操作，得 double 类型的结果 6.541。

下一步是将 double 类型的值赋给 int 型变量 ival。在赋值操作中，因为不可能更改左操作数对象的类型，因此左操作数的类型占主导地位。如果赋值操作的左右操作数类型不相同，则右操作数会被转换为左边的类型。本例中，double 型的加法结果转换为 int 型。double 向 int 的转换自动按截尾形式进行，小数部分被舍弃。于是 6.541 变成 6，然后赋给 ival。因为从 double 到 int 的转换会导致精度损失，因此大多数编译器会给出警告。例如，本书所用的测试例程的编译器给出如下警告：

```
warning: assignment to 'int' from 'double'
```

为了理解隐式类型转换，我们需要知道它们在什么时候发生，以及可能出现什么类型的转换。

5.12.1 何时发生隐式类型转换

编译器在必要时将类型转换规则应用到内置类型和类类型的对象上。在下列情况下，将发生隐式类型转换：

- 在混合类型的表达式中，其操作数被转换为相同的类型：

  ```
  int ival;
  double dval;
  ival >= dval  // ival converted to double
  ```

- 用作条件的表达式被转换为 bool 类型：

  ```
  int ival;
  if (ival)      // ival converted to bool
  while (cin)    // cin converted to bool
  ```

条件操作符（?:）中的第一个操作数以及逻辑非（!）、逻辑与（&&）和逻辑或（||）的操作数都是条件表达式。出现在 if、while、for 和 do while 语句中的同样也是条件表达式（其中 do while 将在第 6 章中学习）。

- 用一表达式初始化某个变量，或将一表达式赋值给某个变量，则该表达式被转换为该变量的类型：

```
int ival = 3.14; // 3.14 converted to int
int *ip;
ip = 0; // the int 0 converted to a null pointer of type int *
```

另外，在函数调用中也可能发生隐式类型转换，我们将在第 7 章学习这方面的内容。

179

5.12.2 算术转换

C++语言为内置类型提供了一组转换规则，其中最常用的是**算术转换**（arithmetic conversion）。算术转换保证在执行操作之前，将二元操作符（如算术或逻辑操作符）的两个操作数转换为同一类型，并使表达式的值也具有相同的类型。

算术转换规则定义了一个类型转换层次，该层次规定了操作数应按什么次序转换为表达式中最宽的类型。在包含多种类型的表达式中，转换规则要确保计算值的精度。例如，如果一个操作数的类型是 long double，则无论另一个操作数是什么类型，都将被转换为 long double。

最简单的转换为**整型提升**（integral promotion）：对于所有比 int 小的整型，包括 char、signed char、unsigned char、short 和 unsigned short，如果该类型的所有可能的值都能包容在 int 内，它们就会被提升为 int 型，否则，它们将被提升为 unsigned int。如果将 bool 值提升为 int，则 false 转换为 0，而 true 则转换为 1。

1. 有符号与无符号类型之间的转换

若表达式中使用了无符号（unsigned）数值，所定义的转换规则需保护操作数的精度。unsigned 操作数的转换依赖于机器中整型的相对大小，因此，这类转换本质上依赖于机器。

包含 short 和 int 类型的表达式，short 类型的值转换为 int。如果 int 型足够表示所有 unsigned short 型的值，则将 unsigned short 转换为 int，否则，将两个操作数均转换为 unsigned int。例如，如果 short 用半字表示而 int 用一个字表示，则所有 unsigned 值都能包容在 int 内，在这种机器上，unsigned short 转换为 int。

long 和 unsigned int 的转换也是一样的。只要机器上的 long 型足够表示 unsigned int 型的所有值，就将 unsigned int 转换为 long 型，否则，将两个操作数均转换为 unsigned long。

在 32 位的机器上，long 和 int 型通常用一个字长表示，因此当表达式包含 unsigned int 和 long 两种类型，其操作数都应转换为 unsigned long 型。

对于包含 signed 和 unsigned int 型的表达式，其转换可能出乎我们的意料。表达式中的 signed 型数值会被转换为 unsigned 型。例如，比较 int 型和 unsigned int 型的简单变量，系统首先将 int 型数值转换为 unsigned int 型，如果 int 型的值恰好为负数，其结果将以 2.1.1 节介绍的方法转换，并带来该节描述的所有副作用。

2. 理解算术转换

180

研究大量例题是帮助理解算术转换的最好方法。下面大部分例题中，要么是将操作数转换为表达式中的最大类型，要么是在赋值表达式中将右操作数转换为左操作数的类型。

```
bool     flag;        char         cval;
short    sval;        unsigned short usval;
int      ival;        unsigned int  uival;
long     lval;        unsigned long ulval;
float    fval;        double       dval;
3.14159L + 'a';  // promote 'a' to int, then convert to long double
dval + ival;     // ival converted to double
dval + fval;     // fval converted to double
ival = dval;     // dval converted (by truncation) to int
flag = dval;     // if dval is 0, then flag is false, otherwise true
cval + fval;     // cval promoted to int, that int converted to float
sval + cval;     // sval and cval promoted to int
cval + lval;     // cval converted to long
ival + ulval;    // ival converted to unsigned long
usval + ival;    // promotion depends on size of unsigned short and int
uival + lval;    // conversion depends on size of unsigned int and long
```

第一个加法操作的小写字母 'a' 是一个 char 类型的字符常量，正如我们在 2.1.1 节介绍的，它是一个数值。字母 'a' 表示的数值取决于机器字符集。在 ASCII 机器中，字母 'a' 的值为 97。将 'a' 与 long double 型数据相加时，char 型的值被提升为 int 型，然后将 int 型转换为 long double 型，转换后的值再与 long double 型字面值相加。另一个有趣的现象是最后两个表达式都包含 unsigned 数值。

5.12.3　其他隐式转换

1. 指针转换

在使用数组时，大多数情况下数组都会自动转换为指向第一个元素的指针：

```
int ia[10];      // array of 10 ints
int* ip = ia;    // convert ia to pointer to first element
```

不将数组转换为指针的例外情况有：数组用作取地址（&）操作符的操作数或 sizeof 操作符的操作数时，或用数组对数组的引用进行初始化时，不会将数组转换为指针。我们将在 7.2.4 节学习如何定义指向数组的引用（或指针）。

C++还提供了另外两种指针转换：指向任意数据类型的指针都可转换为 void*类型；整型数值常量 0 可转换为任意指针类型。

181

2. 转换为 bool 类型

算术值和指针值都可以转换为 bool 类型。如果指针或算术值为 0，则其 bool 值为 false，而其他值则为 true：

```
if (cp) /* ... */      // true if cp is not zero
while (*cp) /* ... */  // dereference cp and convert resulting char to bool
```

这里，if 语句将 cp 的非零值转换为 true。while 语句则对 cp 进行解引用，操作结果产生一个

char 型的值。空字符（null）具有 0 值，被转换为 false，而其他字符值则转换为 true。

3. 算术类型与 **bool** 类型的转换

可将算术对象转换为 bool 类型，bool 对象也可转换为 int 型。将算术类型转换为 bool 型时，零转换为 false，而其他值则转换为 true。将 bool 对象转换为算术类型时，true 变成 1，而 false 则为 0：

```
bool b = true;
int ival = b;    // ival == 1
double pi = 3.14;
bool b2 = pi;    // b2 is true
pi = false;      // pi == 0
```

4. 转换与枚举类型

C++自动将枚举类型（2.7 节）的对象或枚举成员（enumerator）转换为整型，其转换结果可用于任何要求使用整数值的地方。例如，用于算术表达式：

```
// point2d is 2, point2w is 3, point3d is 3, point3w is 4
enum Points { point2d = 2, point2w,
              point3d = 3, point3w };
const size_t array_size = 1024;
// ok: pt2w promoted to int
int chunk_size = array_size * pt2w;
int array_3d = array_size * point3d;
```

将 enum 对象或枚举成员提升为什么类型由机器定义，并且依赖于枚举成员的最大值。无论其最大值是什么，enum 对象或枚举成员至少提升为 int 型。如果 int 型无法表示枚举成员的最大值，则提升到能表示所有枚举成员值的、大于 int 型的最小类型（unsigned int、long 或 unsigned long）。

5. 转换为 **const** 对象

当使用非 const 对象初始化 const 对象的引用时，系统将非 const 对象转换为 const 对象。此外，还可以将非 const 对象的地址（或非 const 指针）转换为指向相关 const 类型的指针：

```
int i;
const int ci = 0;
const int &j = i;    // ok: convert non-const to reference to const int
const int *p = &ci;  // ok: convert address of non-const to address of a const
```

182

6. 由标准库类型定义的转换

类类型可以定义由编译器自动执行的类型转换。迄今为止，我们使用过的标准库类型中，有一个重要的类型转换。从 istream 中读取数据，并将此表达式作为 while 循环条件：

```
string s;
while (cin >> s)
```

这里隐式使用了 **IO** 标准库定义的类型转换。在与此类似的条件中，求解表达式 cin >> s，即读 cin。无论读入是否成功，该表达式的结果都是 cin。

while 循环条件应为 bool 类型的值，但此时给出的却是 istream 类类型的值，于是 istream 类型的值应转换为 bool 类型。将 istream 类型转换为 bool 类型意味着要检验流的状态。如果最后一次读 cin 的尝试是成功的，则流的状态将导致上述类型转换为 bool 类型后获得 true 值——while 循环条件成立。如果最后一次尝试失败，比如说已经读到文件尾了，此时将 istream 类型转换为 bool 类型后得 false，while 循环条件不成立。

习题

习题 5.31　根据 5.12.2 节的变量定义，解释在计算下列表达式的过程中发生了什么类型转换？

```
(a) if (fval)
(b) dval = fval + ival;
(c) dval + ival + cval;
```

记住，你可能需要考虑操作符的结合性，以便在表达式含有多个操作符的情况下确定答案。

5.12.4　显式转换

显式转换也称为强制类型转换（cast），包括以下列名字命名的强制类型转换操作符：**static_cast**、**dynamic_cast**、**const_cast** 和 **reinterpret_cast**。

183

　　　　虽然有时候确实需要强制类型转换，但是它们本质上是非常危险的。

5.12.5　何时需要强制类型转换

因为要覆盖通常的标准转换，所以需显式使用强制类型转换。下面的复合赋值：

```
double dval;
int ival;
ival *= dval; // ival = ival * dval
```

为了与 dval 做乘法操作，需将 ival 转换为 double 型，然后将乘法操作的 double 型结果截尾为 int 型，再赋值给 ival。为了去掉将 ival 转换为 double 型这个不必要的转换，可通过如下强制将 dval 转换为 int 型：

```
ival *= static_cast<int>(dval); // converts dval to int
```

显式使用强制类型转换的另一个原因是：可能存在多种转换时，需要选择一种特定的类型转换。我们将在第 14 章中详细讨论这种情况。

5.12.6　命名的强制类型转换

命名的强制类型转换符号的一般形式如下：

```
cast-name<type>(expression);
```

其中 *cast-name* 为 static_cast、dynamic_cast、const_cast 和 reinterpret_cast 之一，*type* 为转换的目标类型，而 *expression* 则是被强制转换的值。强制转换的类型指定了在 *expression* 上执行某种特定类型的转换。

1. dynamic_cast

dynamic_cast 支持运行时识别指针或引用所指向的对象。对 dynamic_cast 的讨论将在 18.2 节中进行。

2. const_cast

const_cast，顾名思义，将转换掉表达式的const性质。例如，假设有函数string_copy，我们对其唯一的char*类型的参数只读不写。在访问该函数时，最好的选择是修改它让它接受 const char*类型的参数。如果不行，可通过const_cast用一个const值调用string_copy函数：

```
const char *pc_str;
char *pc = string_copy(const_cast<char*>(pc_str));
```

只有使用 const_cast 才能将 const 性质转换掉。在这种情况下，试图使用其他三种形式的强制转换都会导致编译时的错误。类似地，除了添加或删除 const 特性，用 const_cast 符来执行其他任何类型转换，都会引起编译错误。

184

3. static_cast

编译器隐式执行的任何类型转换都可以由 static_cast 显式完成：

```
double d = 97.0;
// cast specified to indicate that the conversion is intentional
char ch = static_cast<char>(d);
```

当需要将一个较大的算术类型赋值给较小的类型时，使用强制转换非常有用。此时，强制类型转换告诉程序的读者和编译器：我们知道并且不关心潜在的精度损失。对于从一个较大的算术类型到一个较小类型的赋值，编译器通常会产生警告。当我们显式地提供强制类型转换时，警告信息就会被关闭。

如果编译器不提供自动转换，使用 static_cast 来执行类型转换也是很有用的。例如，下面的程序使用 static_cast 找回存放在 void*指针中的值（4.2.2 节）：

```
void* p = &d;  // ok: address of any data object can be stored in a void*
// ok: converts void* back to the original pointer type
double *dp = static_cast<double*>(p);
```

可通过 static_cast 将存放在 void*中的指针值强制转换为原来的指针类型，此时我们应确保保持指针值。也就是说，强制转换的结果应与原来的地址值相等。

4. reinterpret_cast

reinterpret_cast 通常为操作数的位模式提供较低层次的重新解释。

　　reinterpret_cast 本质上依赖于机器。为了安全地使用 reinterpret_cast，要求程序员完全理解所涉及的数据类型，以及编译器实现强制类型转换的细节。

例如，对于下面的强制转换：

```
int *ip;
char *pc = reinterpret_cast<char*>(ip);
```

程序员必须永远记得 pc 所指向的真实对象其实是 int 型，而并非字符数组。任何假设 pc 是普通字符指针的应用，都有可能带来有趣的运行时错误。例如，下面语句用 pc 来初始化一个 string 对象：

```
string str(pc);
```

它可能会引起运行时的怪异行为。

　　用 pc 初始化 str 这个例子很好地说明了显式强制转换是多么的危险。问题源于类型已经改变时编译器没有提供任何警告或错误提示。当我们用 int 型地址初始化 pc 时，由于显式地声明了这样的转换是正确的，因此编译器不提供任何错误或警告信息。后面对 pc 的使用都假设它存放的是 char*型对象的地址，编译器确实无法知道 pc 实际上是指向 int 型对象的指针。因此用 pc 初始化 str 是完全正确的——虽然实际上是无意义的或是错误的。查找这类问题的原因相当困难，特别是如果 ip 到 pc 的强制转换和使用 pc 初始化 string 对象这两个应用发生在不同文件中的时候。

> **建议：避免使用强制类型转换**
>
> 　　强制类型转换关闭或挂起了正常的类型检查（2.3 节）。强烈建议程序员避免使用强制类型转换，不依赖强制类型转换也能写出很好的 C++程序。
>
> 　　这个建议在如何看待 reinterpret_cast 的使用时非常重要。此类强制转换总是非常危险的。相似地，使用 const_cast 也总是预示着设计缺陷。设计合理的系统应不需要使用强制转换抛弃 const 特性。其他的强制转换，如 static_cast 和 dynamic_cast，各有各的用途，但都不应频繁使用。每次使用强制转换前，程序员应该仔细考虑是否还有其他不同的方法可以达到同一目的。如果非强制转换不可，则应限制强制转换值的作用域，并且记录所有假定涉及的类型，这样能减少错误发生的机会。

5.12.7　旧式强制类型转换

　　在引入命名的强制类型转换操作符之前，显式强制转换用圆括号将类型括起来实现：

```
char *pc = (char*) ip;
```

效果与使用 reinterpret_cast 符号相同，但这种强制转换的可视性比较差，难以跟踪错误的转换。

　　标准 C++为了加强类型转换的可视性，引入命名的强制转换操作符，为程序员在必须使用强制转换时提供了更好的工具。例如，非指针的 static_cast 和 const_cast 要比 reinterpret_cast 更安全。结果使程序员（以及读者和操纵程序的工具）可清楚地辨别代码中每个显式的强制转换潜在的风险级别。

> 　　虽然标准 C++仍然支持旧式强制转换符号，但是我们建议，只有在 C 语言或标准 C++之前的编译器上编写代码时，才使用这种语法。
>
> 最佳实践

旧式强制转换符号有下列两种形式:

```
type (expr); // Function-style cast notation

(type) expr; // C-language-style cast notation
```

旧式强制转换依赖于所涉及的数据类型,具有与 const_cast、static_cast 和 reinterpret_cast 一样的行为。在合法使用 static_cast 或 const_cast 的地方,旧式强制转换提供了与各自对应的命名强制转换一样的功能。如果这两种强制转换均不合法,则旧式强制转换执行 reinterpret_cast 功能。例如,我们可用旧式符号重写上一节的强制转换:

```
int ival; double dval;
ival += int (dval); // static_cast: converts double to int
const char* pc_str;
string_copy((char*)pc_str); // const_cast: casts away const
int *ip;
char *pc = (char*)ip; // reinterpret_cast: treats int* as char*
```

支持旧式强制转换符号是为了对"在标准 C++ 之前编写的程序"保持向后兼容性,并保持与 C 语言的兼容性。

习题

习题 5.32 给定下列定义:

```
char cval; int ival;     unsigned int ui;
float fval;              double dval;
```
指出可能发生的(如果有的话)隐式类型转换:
```
(a) cval = 'a' + 3;      (b) fval = ui - ival * 1.0;
(c) dval = ui * fval;    (d) cval = ival + fval + dval;
```

习题 5.33 给定下列定义:

```
int ival;                          double dval;
const string *ps;      char *pc;       void *pv;
```
用命名的强制类型转换符号重写下列语句:
```
(a) pv = (void*)ps;      (b) ival = int(*pc);
(c) pv = &dval;          (d) pc = (char*) pv;
```

小结

C++ 提供了丰富的操作符,并定义了用于内置类型值时操作符的含义。除此之外,C++ 还支持操作符重载,允许由程序员自己来定义用于类类型时操作符的含义。我们将在第 14 章中学习如何重载自定义的操作符。

要理解复合表达式(即含有多个操作符的表达式)就必须先了解优先级、结合性以及操作数的求值次序。每一个操作符都有自己的优先级别和结合性。优先级规定复合表达式中操作符结合的方式,而结合性则决定同一个优先级的操作符如何结合。

大多数操作符没有规定其操作数的求值顺序:由编译器自由选择先计算左操作数还是右操作

数。通常，操作数的求值顺序不会影响表达式的结果。但是，如果操作符的两个操作数都与同一个对象相关，而且其中一个操作数改变了该对象的值，则程序将会因此而产生严重的错误——而且这类错误很难发现。

最后，可以使用某种类型编写表达式，而实际需要的是另一类型的值。此时，编译器自动实现类型转换（既可以是内置类型也可以是为类类型而定义的），将特定类型转换为所需的类型。C++还提供了强制类型转换显式地将数值转换为所需的数据类型。

术语

arithmetic conversion（算术转换） 算术类型之间的转换。在使用二元算术操作符的地方，算术转换通常将较小的类型转换为较大的类型，以确保精度（例如，将小的整型 char 型和 short 型转换为 int 型）。

associativity（结合性） 决定同一优先级的操作符如何结合。C++的操作符要么是左结合（操作符从左向右结合）要么是右结合（操作符从右向左结合）。

binary operator（二元操作符） 有两个操作数的操作符。

cast（强制类型转换） 显式的类型转换。

compound expression（复合表达式） 含有多个操作符的表达式。

const_cast 将 const 对象转换为相应的非 const 类型的强制转换。

conversion（类型转换） 将某种类型的值转换为另一种类型值的处理方式。C++语言定义了内置类型之间的类型转换，也允许将某种类型转换为类类型或将类类型转换为某种类型。

dangling pointer（悬垂指针） 指向曾经存在的对象的指针，但该对象已经不再存在了。悬垂指针容易导致程序错误，而且这种错误很难检测出来。

delete expression（delete 表达式） delete 表达式用于释放由 new 动态分配的内存。delete 有两种语法形式：

```
delete p;       // delete object
delete [] p;    // delete array
```

第一种形式的 p 必须是指向动态创建对象的指针；第二种形式的 p 则应指向动态创建数组的第一个元素。C++程序使用 delete 取代 C 语言的标准库函数 free。

dynamic_cast 用于结合继承和运行时类型识别。参见 18.2 节。

expression（表达式） C++程序中的最低级的计算。表达式通常将一个操作符用于一个或多个操作数。每个表达式产生一个结果。表达式也可用作操作数，因此可用多个操作符编写复合表达式。

implicit conversion（隐式类型转换） 编译器自动实现的类型转换。假设表达式需要某种特定类型的数值，但其操作数却是其他不同的类型，此时如果系统定义了适当的类型转换，编译器会自动根据转换规则将该操作数转换为需要的类型。

integral promotion（整型提升） 整型提升是标准类型转换规则的子集，它将较小的整型转换为最接近的较大数据类型。整型（如 short、char 等）被提升为 int 型或 unsigned int 型。

new expression（new 表达式） **new** 表达式用于运行时从自由存储区中分配内存空间。本章使用 new 创建单个对象，其语法形式为：

```
new type;
new type(inits);
```

new 表达式创建指定 *type* 类型的对象，并且可选择在创建时使用 *inits* 初值初始化该对象，然后返回指向该对象的指针。C++程序使用 new 取代 C 语言的标准库函数 malloc。

operand（操作数）　表达式操纵的值。

operator（操作符）　决定表达式执行什么功能的符号。C++语言定义了一组操作符以及将它们用于内置类型时的含义，还定义了每个操作符的优先级和结合性以及它们所需要的操作数个数。C++语言允许重载操作符，以使它们能用于类类型的对象。

operator overloading（操作符重载）　对操作符的功能重定义以用于类类型。我们将在第14章中学习如何重载不同的操作符版本。

order of evaluation（求值顺序）　操作符的操作数计算顺序（如果有的话）。大多数情况下，C++编译器可自由选择操作数求解的次序。

precedence（优先级）　定义了复合表达式中不同操作符的结合方式。高优先级的操作符要比低优先级操作符结合得更紧密。

reinterpret_cast　将操作数内容解释为另一种不同的类型。这类强制转换本质上依赖于机器，而且是非常危险的。

result（结果）　计算表达式所获得的值或对象。

static_cast　编译器隐式执行的任何类型转换都可以由 static_cast 显式完成。我们常常使用 static_cast 取代由编译器实现的隐式转换。

unary operator（一元操作符）　只有一个操作数的操作符。

~ operator（~操作符）　逐位求反操作符，将其操作数的每个位都取反。

, operator（,操作符）　逗号操作符。用逗号隔开的表达式从左向右计算，整个逗号表达式的结果为其最右边的表达式的值。

?: operator（?:操作符）　条件操作符。if-then-else 表达式的形式为：

```
cond ? expr1 : expr2;
```

如果条件 *cond* 为 true，则计算 *expr1*，否则计算 *expr2*。

& operator（&操作符）　位与操作符。在做位与操作时，如果两个操作数对应位置上的位都为 1，则操作结果中该位为 1，否则为 0，最后位与操作产生一个新的整数值。

^ operator（^操作符）　位异或操作符。在做位异或操作时，如果两个操作数对应位置上的位只有一个（注意不是两个）为 1，则操作结果中该位为 1，否则为 0，位异或操作产生一个新的整数值。

| operator（| 操作符）　位或操作符。在做位或操作时，如果两个操作数对应位置上的位至少有一个为 1，则操作结果中该位为 1，否则为 0，位或操作产生一个新的整数值。

++ operator（++操作符）　自增操作符。自增操作符有两种形式：前置操作和后置操作。前自增操作生成左值，在给操作数加 1 后返回改变后的操作数值。后自增操作生成右值，给操作数加 1 但返回未改变的操作数原值。

-- operator（--操作符）　自减操作符。自减操作符也有两种形式：前置操作和后置操作。前自减操作生成左值，在给操作数减 1 后返回改变后的操作数值。后自减操作生成右值，给操作数减 1 但返回未改变的操作数原值。

<< operator（<<操作符）　左移操作符。左移

操作符将其左操作数的各个位向左移动若干个位，移动的位数由其右操作数指定。左移操作符的右操作数必须是 0 值或正整数，而且它的值必须严格小于左操作数的位数。

>> operator（**>>操作符**） 右移操作符。与左移操作符类似，右移操作符将其左操作数的各个位向右移动，其右操作数必须是 0 值或正整数，而且它的值必须严格小于左操作数的位数。

188
≀
190

第 6 章

语　句

语句类似于自然语言中的句子。C++语言既有只完成单一任务的简单语句，也有作为一个单元执行的由一组语句组成的复合语句。和大多数语言一样，C++也提供了实现条件分支结构的语句以及重复地执行同一段代码的循环结构。本章将详细讨论 C++所支持的语句。

191

通常情况下，语句是顺序执行的。但是，除了最简单的程序外，只有顺序执行往往并不足够。为此，C++定义了一组控制流（flow-of-control）语句，允许有条件地执行或者重复地执行某部分功能。if 和 switch 语句提供了条件分支结构，而 for、while 和 do while 语句则支持重复执行的功能。后几种语句常称为循环或者迭代语句。

6.1　简单语句

C++中，大多数语句以分号结束。例如，像 ival+5 这样的表达式，在后面加上分号，就是一条**表达式语句**（expression statement）。表达式语句用于计算表达式。但执行下面的语句

```
ival + 5;    // expression statement
```

却没有任何意义：因为计算出来的结果没有用于赋值或其他用途。通常，表达式语句所包含的表达式在计算时会影响程序的状态，使用赋值、自增、输入或输出操作符的表达式就是很好的例子。

空语句

程序语句最简单的形式是**空语句**（null statement），它使用以下的形式（只有一个单独的分号）：

```
;    // null statement
```

如果在程序的某个地方，语法上需要一个语句，但逻辑上并不需要，此时应该使用空语句。这种用法常见于在循环条件判断部分就能完成全部循环工作的情况。例如，下面程序从输入流中读取数据，在获得某个特殊值前无需作任何操作：

```
// read until we hit end-of-file or find an input equal to  sought
while (cin >> s && s != sought)
    ;  // null statement
```

循环条件从标准输入中读入一个值并检验 cin 的读入是否成功。如果成功读取数据，循环条件紧接着检查该值是否等于 sought。如果找到了需要的值，则退出 while 循环；否则，循环条件再次从 cin 里读入另一个值继续检验。

> 使用空语句时应该加上注释，以便任何读这段代码的人都知道该语句是有意省略的。

由于空语句也是一个语句，因此可用在任何允许使用语句的地方。由于这个原因，那些看似非法的分号往往只不过是一个空语句而已：

```
// ok: second semicolon is superfluous null statement
ival = v1 + v2;;
```

192

这个程序段由两条语句组成：一条表达式语句和一条空语句。

> 无关的空语句并非总是无害的。

在 while 或 if 条件后面额外添加分号，往往会彻底改变程序员的意图：

```
    // disaster: extra semicolon: loop body is this null statement
while (iter != svec.end()) ; // null statement--while body is empty!
    ++iter;          // increment is not part of the loop
```

这个程序将会无限次循环。与缩进的意义相反，此自增语句并不是循环的一部分。由于循环条件后面多了一个分号，因此循环体为空语句。

6.2　声明语句

在 C++中，对象或类的定义或声明也是语句。尽管定义语句这种说法也许更准确些，但定义语句经常被称为**声明语句**（declaration statement）。2.3 节介绍了变量的定义和声明。2.8 节介绍了类的定义，相关内容将在第 12 章进一步探讨。

6.3　复合语句（块）

复合语句（compound statement），通常被称为**块**（block），是用一对花括号括起来的语句序列（也可能是空的）。块标识了一个作用域，在块中引入的名字只能在该块内部或嵌套在块中的子块里访问。通常，一个名字只从其定义处到该块的结尾这段范围内可见。

复合语句用在语法规则要求使用单个语句但程序逻辑却需要不止一个语句的地方。例如，while 或 for 语句的循环体必须是单个语句。然而，大多数情况都需要在循环体里执行多个语句。因而可使用一对花括号将语句序列括起来，使其成为块语句。

回顾一下 1.6 节处理书店问题的程序，以其中用到的 while 循环为例：

```
// if so, read the transaction records
while (std::cin >> trans)
    if (total.same_isbn(trans))
        // match: update the running total
        total = total + trans;
else {
    // no match: print & assign to total
    std::cout << total << std::endl;
    total = trans;
}
```

193

在 else 分支中，程序逻辑需要输出 total 的值，然后用 trans 重置 total。但是，else 分支只能后接单个语句。于是，用一对花括号将上述两条语句括起来，使其在语法上成为单个语句（复合语句）。这个语句既符合语法规则又满足程序的需要。

 与其他大多数语句不同，块并不是以分号结束的。

像空语句一样，程序员也可以定义空块，用一对内部没有语句的花括号实现：

```
while (cin >> s && s != sought)
    { } // empty block
```

习题

习题 6.1   什么是空语句？请给出一个使用空语句的例子。

习题 6.2   什么是块语句？请给出一个使用块的例子。

习题 6.3   使用逗号操作符（5.9 节）重写书店问题中 while 循环里的 else 分支，使它不再需要用块实现。解释一下重写后是提高还是降低了该段代码的可读性。

习题 6.4   在解决书店问题的 while 循环中，如果删去 while 后面的左花括号及相应的右花括号，将会给程序带来什么影响？

6.4　语句作用域

有些语句允许在它们的控制结构中定义变量：

```
while (int i = get_num())
    cout << i << endl;
i = 0; // error: i is not accessible outside the loop
```

194

 　　在条件表达式中定义的变量必须初始化，该条件检验的就是初始化对象的值。

在语句的控制结构中定义的变量，仅在定义它们的块语句结束前有效。这种变量的作用域限制在语句体内。通常，语句体本身就是一个块语句，其中也可能包含了其他的块。一个在控制结构里引入的名字是该语句的局部变量，其作用域局限在语句内部。

```
// index is visible only within the  for statement
for (vector<int>::size_type index = 0;
                index != vec.size(); ++index)
{ // new scope, nested within the scope of this for statement
    int square = 0;
    if (index % 2)                     // ok: index is in scope
        square = index * index;
    vec[index] = square;
}
if (index != vec.size()) // error: index is not visible here
```

如果程序需要访问某个控制结构中的变量，那么这个变量必须在控制语句外部定义。

```
vector<int>::size_type index = 0;
for ( /* empty */ ; index != vec.size(); ++index)
    // as before
if  (index != vec.size()) // ok: now index is in scope
    // as before
```

 　　早期的 C++ 版本以不同的方式处理 for 语句中定义的变量的作用域：将 for 语句头定义的变量视为在 for 语句之前定义。有些更旧式的 C++ 程序代码允许在 for 语句作用域外访问控制变量。

对于在控制语句中定义的变量，限制其作用域的一个好处是，这些变量名可以重复使用而不必担心它们的当前值在每一次使用时是否正确。对于作用域外的变量，是不可能用到其在作用域内的残留值的。

6.5 `if` 语句

`if` 语句根据特定表达式是否为真来有条件地执行另一个语句。if 语句有两种形式：其中一种带 else 分支而另一种则没有。根据语法结构，最简单的 if 语句是这样的：

```
if (condition)
    statement
```

其中的 *condition* 部分必须用圆括号括起来。它可以是一个表达式，例如：

```
if (a + b > c) {/* ... */}
```

或者一个初始化声明，例如：

```
// ival only accessible within the if statement
if (int ival = compute_value()) {/* ... */}
```

通常，*statement* 部分可以是复合语句，即用花括号括起来的块语句。

如果在条件表达式中定义了变量，那么变量必须初始化。将已初始化的变量值转换为 bool 值（5.12.3 节）后，该 bool 值决定条件是否成立。变量类型可以是任何可转换为 bool 型的类型，这意味着它可以是算术类型或指针类型。正如第 14 章要提及的，一个类类型能否用在条件表达式中取决于类本身。迄今为止，在所有用过的类类型中，IO 类型可以用作条件，但 vector 类型和 string 类型一般不可用作条件。

为了说明 if 语句的用法，下面程序用于寻找 vector<int>对象中的最小值，并且记录这个最小值出现的次数。为了解决这个问题，需要两个 if 语句：一个判断是否得到一个新的最小值，而另一个则用来增加当前最小值的数目。

```
if (minVal > ivec[i]) { /* process new minVal */ }
if (minVal == ivec[i]) { /* increment occurrence count */ }
```

语句块用作 `if` 语句的对象

现在单独考虑上述例子中的每个 if 语句。其中一个 if 语句将要决定是否出现了一个新的最小值，如果是的话，则要重置计数器并更新最小值：

```
if (minVal > ivec[i]) { // execute both statements if condition is true
    minVal = ivec[i];
    occurs = 1;
}
```

另一个 if 语句则有条件地更新计数器，它只需要一个语句，因此不必用花括号括起来：

```
if (minVal == ivec[i])
    ++occurs;
```

当多个语句必须作为单个语句执行时，比较常见的错误是漏掉了花括号。

195

在下面的程序中，与程序员缩进目的相反，对 occurs 的赋值并不是 if 语句的一部分：

```
// error: missing curly brackets to make a block!
if (minVal > ivec[i])
    minVal = ivec[i];
    occurs = 1; // executed unconditionally: not part of the if
```

这样写的话，对 occurs 的赋值将会无条件地执行。这种错误很难发现，因为程序代码看起来是正确的。

> ✏️ **最佳实践**　很多编辑器和开发环境都提供工具自动根据语句结构缩排源代码。有效地利用这些工具将是一种很好的编程方法。

if 语句的 else 分支

紧接着，我们要考虑如何将那些 if 语句放在一起形成一个执行语句序列。这些 if 语句的排列顺序非常重要。如果采用下面的顺序：

```
if (minVal > ivec[i]) {
    minVal = ivec[i];
    occurs = 1;
}
// potential error if minVal has just been set to  ivec[i]
if (minVal == ivec[i])
    ++occurs;
```

那么计数器将永远得不到 1。这段代码只是对第一次出现的最小值重复计数。

这样两个 if 语句不但在值相同时执行起来有潜在的危险，而且还是没必要的。同一个元素不可能既小于 minVal 又等于它。如果其中一个条件是真的，那么另一个条件就可以安全地忽略掉。if 语句为这种只能二选一的（either-or）条件提供了 else 子句。

if else 语句的语法形式为：

```
if (condition)
    statement1
else
    statement2
```

如果 *condition* 为真，则执行 *statement1*；否则，执行 *statement2*：

```
if (minVal == ivec[i])
    ++occurs;
else if (minVal > ivec[i]) {
    minVal = ivec[i];
    occurs = 1;
}
```

值得注意的是，*statement2* 既可以是任意语句，也可以是用花括号括起来的块语句。在这个例子里，*statement2* 本身是一个 if 语句。

悬垂 else

对于 if 语句的使用，还有一个重要的复杂问题没有考虑。上述例子中，注意到没有一个 if 分支能直接处理元素值大于 minVal 的情况。从逻辑上来说，可以忽略这些元素——如果该元素比当前已找到的最小值大，那就应该没什么要做的。然而，通常需要使用 if 语句为三种不同情况提供执行的内容，即如果一个值大于、小于或等于其他值时，可能都需要执行特定的步骤。为此重写循环部分，显式地处理这三种情况：

```
// note: indented to make clear how the else branches align with the corresponding if
if (minVal < ivec[i])
    { }                              // empty block
else if (minVal == ivec[i])
        ++occurs;
else {                               // minVal > ivec[i]
    minVal = ivec[i];
    occurs = 1;
}
```

上述的三路测试精确地控制了所有的情况。然而，简单地把前两个情况用一个嵌套 if 语句实现将会产生问题：

```
// oops: incorrect rewrite: This code won't work!
if (minVal <= ivec[i])
    if (minVal == ivec[i])
            ++occurs;
  else {          // this else goes with the inner if, not the outer one!
        minVal = ivec[i];
        occurs = 1;
  }
```

这个版本表明了所有语言的 if 语句都普遍存在着潜在的二义性。这种情况往往称为**悬垂 else**（dangling-else）问题，产生于一个语句包含的 if 子句多于 else 子句时：对于每一个 else，究竟它们归属哪个 if 语句？

在上述的代码中，缩进的用法表明 else 应该与外层的 if 子句匹配。然而，C++中悬垂 else问题带来的二义性，通过将 else 匹配给最后出现的尚未匹配的 if 子句来解决。在这个情况下，这个 if else 语句实际上等价于下面的程序：

```
// oops: still wrong, but now the indentation matches execution path
if (minVal <= ivec[i])
    // indented to match handling of dangling-else
    if (minVal == ivec[i])
            ++occurs;
    else {
        minVal = ivec[i];
        occurs = 1;
    }
```

可以通过用花括号将内层的 if 语句括起来成为复合语句，从而迫使这个 else 子句与外层的 if 匹配。

198

```
if (minVal <= ivec[i]) {
    if (minVal == ivec[i])
            ++occurs;
} else {
    minVal = ivec[i];
```

```
        occurs = 1;
    }
```

 提示   有些编程风格建议总是在 if 后面使用花括号。这样做可以避免日后修改代码时产生混乱和错误。至少，无论 if（或者 while）后面是简单语句，例如赋值和输出语句，还是其他任意语句，使用花括号都是一个比较好的做法。

习题

习题 6.5 改正下列代码：

```
(a) if (ival1 != ival2)
        ival1 = ival2
    else ival1 = ival2 = 0;

(b) if (ival < minval)
        minval = ival;   // remember new minimum
        occurs = 1;      // reset occurrence counter

(c) if (int ival = get_value())
        cout << "ival = " << ival << endl;
    if (!ival)
        cout << "ival = 0\n";

(d) if (ival = 0)
        ival = get_value();
```

习题 6.6 什么是"悬垂 else"？C++ 是如何匹配 else 子句的？

6.6 **switch** 语句

深层嵌套的 if-else 语句往往在语法上是正确的，但逻辑上却没有正确地反映程序员的意图。例如，错误的 else-if 匹配很容易被忽略。添加新的条件和逻辑关系，或者对语句做其他修改，都很难保证正确。**switch** 语句提供了一种更方便的方法来实现深层嵌套的 if/else 逻辑。

假设要统计五个元音在文本里分别出现的次数，程序逻辑结构如下：

- 按顺序读入每个字符直到读入完成为止。
- 把每个字符与元音字符集做比较。
- 如果该字符与某个元音匹配，则该元音的计数器加 1。
- 显示结果。

使用此程序分析本章的英文版，得到以下输出结果：

```
Number of vowel a: 3499
Number of vowel e: 7132
Number of vowel i: 3577
Number of vowel o: 3530
Number of vowel u: 1185
```

6.6.1　使用 **switch**

直接使用 switch 语句解决上述问题：

```
char ch;
// initialize counters for each vowel
int aCnt = 0, eCnt = 0, iCnt = 0,
    oCnt = 0, uCnt = 0;
while (cin >> ch) {
    // if ch is a vowel, increment the appropriate counter
    switch (ch) {
        case 'a':
            ++aCnt;
            break;
        case 'e':
            ++eCnt;
            break;
        case 'i':
            ++iCnt;
            break;
        case 'o':
            ++oCnt;
            break;
        case 'u':
            ++uCnt;
            break;
    }
}
// print results
cout << "Number of vowel a: \t" << aCnt << '\n'
     << "Number of vowel e: \t" << eCnt << '\n'
     << "Number of vowel i: \t" << iCnt << '\n'
     << "Number of vowel o: \t" << oCnt << '\n'
     << "Number of vowel u: \t" << uCnt << endl;
```

通过对圆括号内表达式的值与其后列出的关键字做比较，实现 switch 语句的功能。表达式必须产生一个整数结果，其值与每个 case 的值比较。关键字 case 和它所关联的值称为 **case 标号**（case label）。每个 case 标号的值都必须是一个常量表达式（2.7 节）。除此之外，还有一个特殊的 case 标号——default 标号，我们将在 6.6.3 节介绍它。 ┃200┃

　　如果表达式与其中一个 case 标号的值匹配，则程序将从该标号后面的第一个语句开始依次执行各个语句，直到 switch 结束或遇到 break 语句为止。如果没有发现匹配的 case 标号（并且也没有 default 标号），则程序从 switch 语句后面的第一条语句继续执行。在这个程序中，switch 语句是 while 循环体中唯一的语句，于是，switch 语句匹配失败后，将控制流返回给 while 循环条件。

　　6.10 节将讨论 break 语句。简单地说，break 语句中断当前的控制流。对于 switch 的应用，break 语句将控制跳出 switch，继续执行 switch 语句后面的第一个语句。在这个例子中，正如大家所知道的，将会把控制转移到 switch 后面的下一语句，即交回给 while。

6.6.2　**switch** 中的控制流

　　了解 case 标号的执行流是必要的。

存在一个普遍的误解：以为程序只会执行匹配的 case 标号相关联的语句。实际上，程序从该点开始执行，并跨越 case 边界继续执行其他语句，直到 switch 结束或遇到 break 语句为止。

有时候，这种行为的确是正确的。程序员也许希望执行完某个特定标号的代码后，接着执行后续标号关联的语句。但更常见的是，我们只需要执行某个特定标号对应的代码。为了避免继续执行其后续 case 标号的内容，程序员必须利用 break 语句清楚地告诉编译器停止执行 switch 中的语句。大多数情况下，在下一个 case 标号之前的最后一条语句是 break。例如，下面统计元音出现次数的 switch 语句是不正确的：

```
// warning: deliberately incorrect!
switch (ch) {
    case 'a':
        ++aCnt;    // oops: should have a break statement
    case 'e':
        ++eCnt;    // oops: should have a break statement
    case 'i':
        ++iCnt;    // oops: should have a break statement
    case 'o':
        ++oCnt;    // oops: should have a break statement
    case 'u':
        ++uCnt;    // oops: should have a break statement
}
```

201

为了搞清楚该程序导致了什么结果，假设 ch 的值是 'i' 来跟踪这个版本的代码。程序从 case 'i' 后面的语句开始执行，iCnt 的值加 1。但是，程序的执行并没有在这里停止，而是越过 case 标号继续执行，同时将 oCnt 和 uCnt 的值都加了 1。如果 ch 是 'e' 的话，那么 eCnt、iCnt、oCnt 以及 uCnt 的值都会加 1。

　　　对于 switch 结构，漏写 break 语句是常见的程序错误。

　　　尽管没有严格要求在 switch 结构的最后一个标号之后指定 break 语句，但是，为了安全起见，最好在每个标号后面提供一个 break 语句，即使是最后一个标号也一样。如果以后在 switch 结构的末尾又需要添加一个新的 case 标号，则不用再在前面加 break 语句了。

慎用 **break** 语句，它并不总是恰当的

有这么一种常见的情况，程序员希望在 case 标号后省略 break 语句，允许程序向下执行多个 case 标号。这时，两个或多个 case 值由相同的动作序列来处理。由于系统限定一个 case 标号只能与一个值相关联，于是为了指定一个范围，典型的做法是，把 case 标号依次排列。例如，如果只希望计算文本中元音的总数，而不是每一个元音的个数，则可以这样写：

```
int vowelCnt = 0;
// ...
switch (ch)
{
```

```
// any occurrence of a,e,i,o,u increments vowelCnt
case 'a':
case 'e':
case 'i':
case 'o':
case 'u':
    ++vowelCnt;
    break;
}
```

每个 case 标号不一定要另起一行。为了强调这些 case 标号表示的是一个要匹配的范围，可以将它们全部在一行中列出：

```
switch (ch)
{
    // alternative legal syntax
    case 'a': case 'e': case 'i': case 'o': case 'u':
        ++vowelCnt;
        break;
}
```

比较少见的用法是，为了执行某个 case 的代码后继续执行下一个 case 的代码，故意省略 break 语句。

202

 故意省略 case 后面的 break 语句是很罕见的，因此应该提供一些注释说明其逻辑。

6.6.3 default 标号

default 标号（default label）提供了相当于 else 子句的功能。如果所有的 case 标号与 switch 表达式的值都不匹配，并且 default 标号存在，则执行 default 标号后面的语句。例如，在上述例子中添加一个计数器 otherCnt 统计读入多少个辅音字母，为 switch 结构增加 default 标号，其标志的分支实现 otherCnt 的自增：

```
// if ch is a vowel, increment the appropriate counter
switch (ch) {
    case 'a':
        ++aCnt;
        break;
    // remaining vowel cases as before
    default:
        ++otherCnt;
        break;
}
}
```

在这个版本的代码中，如果 ch 不是元音，程序流程将执行 default 标号的相关语句，使 otherCnt 的值加 1。

 哪怕没有语句要在 default 标号下执行，定义 default 标号仍然是有用的。定义 default 标号是为了告诉它的读者，表明这种情况已经考虑到了，只是没什么要执行的。

一个标号不能独立存在，它必须位于语句之前。如果 switch 结构以 default 标号结束，而且 default 分支不需要完成任何任务，那么该标号后面必须有一个空语句。

6.6.4　**switch** 表达式与 **case** 标号

switch 求解的表达式可以非常复杂。特别是，该表达式也可以定义和初始化一个变量：

```
switch(int ival = get_response())
```

在这个例子中，ival 被初始化为 get_response 函数的调用结果，其值将要与每个 case 标号作比较。变量 ival 始终存在于整个 switch 语句中，在 switch 结构外面该变量就不再有效了。

case 标号必须是整型常量表达式（2.7 节）。例如，下面的标号将导致编译时的错误：

```
// illegal case label values
case 3.14:  // noninteger
case ival:  // nonconstant
```

如果两个 case 标号具有相同的值，同样也会导致编译时的错误。

6.6.5　**switch** 内部的变量定义

对于 switch 结构，只能在它的最后一个 case 标号或 default 标号后面定义变量：

```
case true:
        // error: declaration precedes a case label
        string file_name = get_file_name();
        break;
    case false:
        // ...
```

制定这个规则是为了避免出现代码跳过变量的定义和初始化的情况。

回顾变量的作用域，变量从它的定义点开始有效，直到它所在块结束为止。现在考虑如果在两个 case 标号之间定义变量会出现什么情况。该变量会在块结束之前一直存在。对于定义该变量的标号后面的其他 case 标号，它们所关联的代码都可以使用这个变量。如果 switch 从那些后续 case 标号开始执行，那么这个变量可能还未定义就要使用了。

在这种情况下，如果需要为某个特殊的 case 定义变量，则可以引入块语句，在该块语句中定义变量，从而保证这个变量在使用前被定义和初始化。

```
case true:
    {
        // ok: declaration statement within a statement block
        string file_name = get_file_name();
        // ...
    }
    break;
    case false:
        // ...
```

习题

习题 6.7　前面已实现的统计元音的程序存在一个问题：不能统计大写的元音字母。编写程序统计大小写的元音，也就是说，你的程序计算出来的 aCnt，既包括'a'也包括'A'出现的次数，其他四个元音也一样。

习题 6.8 修改元音统计程序使其可统计出读入的空格、制表符和换行符的个数。

习题 6.9 修改元音统计程序使其可统计以下双字符序列出现的次数：`ff`、`fl` 以及 `fi`。

习题 6.10 下面每段代码都暴露了一个常见编程错误。请指出并修改之。

```
(a) switch (ival) {
        case 'a': aCnt++;
        case 'e': eCnt++;
        default: iouCnt++;
    }

(b) switch (ival) {
        case 1:
            int ix = get_value();
            ivec[ ix ] = ival;
            break;
        default:
            ix = ivec.size()-1;
            ivec[ ix ] = ival;
    }

(c) switch (ival) {
        case 1, 3, 5, 7, 9:
            oddcnt++;
            break;
        case 2, 4, 6, 8, 10:
            evencnt++;
            break;
    }

(d) int ival=512 jval=1024, kval=4096;
    int bufsize;
    // ...
    switch(swt) {
        case ival:
            bufsize = ival * sizeof(int);
            break;
        case jval:
            bufsize = jval * sizeof(int);
            break;
        case kval:
            bufsize = kval * sizeof(int);
            break;
    }
```

6.7 **while** 语句

当条件为真（true）时，**while** 语句反复执行目标语句。它的语法形式如下：

```
while (condition)
    statement
```

只要条件 *condition* 的值为 true，执行语句 *statement*（通常是一个块语句）。*condition* 不能为空。如果第一次求解 *condition* 就产生 false 值，则不执行 *statement*。

循环条件 *condition* 可以是一个表达式，或者是提供初始化的变量定义。

```
bool quit = false;
while (!quit) {                    // expression as condition
    quit = do_something();
}
while (int loc = search(name)) { // initialized variable as condition
            // do something
    }
```

在循环条件中定义的任意变量都只在与 while 关联的块语句中可见。每一次循环都将该变量的初值转换为 bool 类型（5.12.3 节）。如果求得的值为 true，则执行 while 的循环体。通常，循环条件自身或者在循环体内必须做一些相关操作来改变循环条件表达式的值。否则，循环可能永远不会结束。

在循环条件中定义的变量在每次循环里都要经历创建和撤销的过程。

while 循环的使用

前面的章节已经用过很多 while 循环，但为了更完整地了解该结构，考虑下面将一个数组的内容复制到另一个数组的例子：

```
// arr1 is an array of ints
int *source = arr1;
size_t sz = sizeof(arr1)/sizeof(*arr1); // number of elements
int *dest = new int[sz];                // uninitialized elements
while (source != arr1 + sz)
    *dest++ = *source++; //  copy element and increment pointers
```

204
~
206

首先初始化 source 和 dest，并使它们各自指向所关联的数组的第一个元素。while 循环条件判断是否已经到达要复制的数组的末尾。如果没有，继续执行循环。循环体只有单个语句，实现元素的复制，并对两个指针做自增操作，使它们指向对应数组的下一个元素。

正如 5.5 节提出的关于"简洁即是美"的建议，C++程序员应尝试编写简洁的表达式。while 循环体中的语句：

```
*dest++ = *source++;
```

是一个经典的例子。这个表达式等价于：

```
{
    *dest = *source; // copy element
    ++dest;  // increment the pointers
    ++source;
}
```

while 循环内的赋值操作是一种常见的用法。因为这类代码广为流传，所以学习这种表达式非常重要，要一眼就能看出其含义来。

习题

习题 6.11 解释下面的循环，更正你发现的问题。

```
(a) string bufString, word;
    while (cin >> bufString >> word) { /* ... */ }

(b) while (vector<int>::iterator iter != ivec.end())
    {/*... */ }

(c) while (ptr = 0)
        ptr = find_a_value();

(d) while (bool status = find(word))
    { word = get_next_word(); }
    if (!status)
        cout << "Did not find any words\n";
```

习题 6.12 编写一个小程序，从标准输入读入一系列 string 对象，寻找连续重复出现的单词。程序应该找出满足以下条件的单词的输入位置：该单词的后面紧跟着再次出现自己本身。跟踪重复次数最多的单词及其重复次数。输出重复次数的最大值，若没有单词重复则输出说明信息。例如，如果输入是：

```
how, now now now brown cow cow
```

则输出应表明"now"这个单词出现了三次。

习题 6.13 详细解释下面 while 循环中的语句是如何执行的：

```
*dest++ = *source++;
```

6.8 `for` 循环语句

for 语句的语法形式是：

```
for (init-statement condition; expression)
    statement
```

init-statement（初始化语句）必须是声明语句、表达式语句或空语句。这些语句都以分号结束，因此其语法形式也可以看成：

```
for (initializer; condition; expression)
    statement
```

当然，从技术上说，在 *initializer* 后面的分号是 for 语句头的一部分。

一般来说，*init-statement* 用于对每次循环过程中都要修改的变量进行初始化，或者赋给一个起始值。而 *condition*（循环条件）则是用来控制循环的。当 *condition* 为 true 时，循环执行 *statement*（循环体语句）。如果第一次求解 *condition* 就得 false 值，则不执行 *statement*。*expression* 通常用于修改在 *init-statement* 中初始化并在 *condition* 中检查的变量。它在每次循环迭代后都要求解。如果第一次求解 *condition* 就得 false 值，则始终不执行 *expression*。通常，*statement* 既可以是单个语句也可以是复合语句。

for 循环的使用

假设有下面的 for 循环，用于输出一个 vector 对象的内容：

```
for (vector<string>::size_type ind = 0;
            ind != svec.size(); ++ind) {
    cout << svec[ind]; // print current element
    // if not the last element, print a space to separate from the next one
    if (ind + 1 != svec.size())
        cout << " ";
}
```

它的计算顺序如下：

(1) 循环开始时，执行一次 *init-statement*（初始化语句）。在这个例子中，定义了 ind，并将它初始化为 0。

(2) 接着，求解 *condition*（循环条件）。如果 ind 不等于 svec.size()，则执行 for 循环体。否则，循环结束。如果在第一次循环时，条件就为 false，则不执行 for 循环体。

(3) 如果条件为 true，则执行 for 循环体。本例中，for 循环体输出当前元素值，并检验这个元素是否是最后一个。如果不是，则输出一个空格，用于分隔当前元素和下一个元素。

(4) 最后，求解 *expression*。本例中，ind 自增 1。

这四步描述了 for 循环的第一次完整迭代。接着重复第 2 步，然后是第 3、4 步，直到 *condition* 的值为 false，即 ind 等于 svec.size() 为止。

应该谨记：在 for 语句头定义的任何对象只限制在 for 循环体里可见。因此，对本例而言，在执行完 for 语句后，ind 不再有效（即不可访问）。

6.8.1　省略 for 语句头的某些部分

for 语句头中，可以省略 *init-statement*（初始化语句）、*condition*（循环条件）或者 *expression*（表达式）中的任何一个（或全部）。

如果不需要初始化或者初始化已经在别处实现了，则可以省略 *init-statement*。例如，使用迭代器代替下标重写输出 vector 对象内容的程序，为了提高易读性，可将初始化移到循环外面：

```
vector<string>::iterator iter = svec.begin();
for( /* null */ ; iter != svec.end(); ++iter) {
    cout << *iter;     // print current element
    // if not the last element, print a space to separate from the next one
    if (iter+1 != svec.end())
        cout << " ";
}
```

注意此时必须要有一个分号表明省略了 *init-statement* —— 更准确地说，分号代表一个空的 *init-statement*。

省略 *condition*（循环条件），则等效于循环条件永远为 true：

```
for (int i = 0; /* no condition */ ; ++i)
```

相当于程序写为：

```
for (int i = 0; true ; ++i)
```

这么一来，循环体内就必须包含一个 break 或者 return 语句。否则，循环会一直执行直到耗尽系统的资源为止。同样地，如果省略 *expression*，则必须利用 break 或 return 语句跳出循环，或者在循环体内安排语句修改 *condition* 所检查的变量值。

```
for (int i = 0; i != 10; /* no expression */ ) {
    // body must change i or the loop won't terminate
}
```

如果循环体不修改 i 的值，则 i 始终为 0，循环条件永远成立。

209

6.8.2　for 语句头中的多个定义

可以在 for 语句的 *init-statement* 中定义多个对象；但是不管怎么样，该处只能出现一个语句，因此所有的对象必须具有相同的一般类型：

```
const int size = 42;
int val = 0, ia[size];
// declare 3 variables local to the for loop:
// ival is an int, pi a pointer to int, and ri a reference to int
for (int ival = 0, *pi = ia, &ri = val;
     ival != size;
     ++ival, ++pi, ++ri)
             // ...
```

习题

习题 6.14　解释下面每个循环，更正你发现的任何问题。

```
(a) for (int *ptr = &ia, ix = 0;
         ix != size && ptr != ia+size;
         ++ix, ++ptr)   { /* ... */ }
(b) for (; ;) {
         if (some_condition) return;
         // ...
    }
(c) for (int ix = 0; ix != sz; ++ix) { /* ... */ }
    if (ix != sz)
         // ...
(d) int ix;
    for (ix != sz; ++ix) { /* ... */ }
(e) for (int ix = 0; ix != sz; ++ix, ++ sz) { /* ... */ }
```

习题 6.15　while 循环特别擅长在某个条件保持为真时反复地执行；例如，当未到达文件尾时，一直读取下一个值。一般认为 for 循环是一种按步骤执行的循环：使用下标依次遍历集合中一定范围内的元素。按每种循环的习惯用法编写程序，然后再用另外一种结构重写。如果只能用一种循环来编写程序，你会选择哪种结构？为什么？

习题 6.16　给出两个 int 型的 vector 对象，编写程序判断一个对象是否是另一个对象的前缀。如果两个 vector 对象的长度不相同，假设较短的 vector 对象长度为 n，则只对这两个对象的前面 n 个元素做比较。例如，对于 (0,1,1,2) 和 (0,1,1,2,3,5,8) 这两个 vector，你的程序应该返回 true。

6.9 **do while** 语句

210
在实际应用中，可能会要求程序员编写一个交互程序，为用户实现某种计算。一个简单的例子是：程序提示用户输入两个数，然后计算两者之和。在输出和值后，程序可以让用户选择是否重复这个过程计算下一个和。

程序的实现相当简单。只需输出一个提示，接着读入两个数，然后输出读入数之和。输出结果后，询问用户是否继续。

关键在于控制结构的选择。问题是要到用户要求退出时，才中止循环的执行。尤其是，在第一次循环时就要求一次和。do while 循环正好满足这样的需要。它保证循环体至少执行一次。其语句形式如下：

```
do
            statement
while    (condition);
```

 　　　与 while 语句不同，do while 语句总是以分号结束。

在求解 *condition* 之前，先执行了 do 里面的 *statement*。*condition* 不能为空。如果 *condition* 的值为假，则循环结束，否则循环重复执行。使用 do while 循环，可以编写程序如下：

```
// repeatedly ask user for pair of numbers to sum
string rsp; // used in the condition; can't be defined inside the do
do {
    cout << "please enter two values: ";
    int val1, val2;
    cin  >> val1 >> val2;
    cout << "The sum of " << val1 << " and " << val2
         << " = " << val1 + val2 << "\n\n"
         << "More? [yes][no] ";
    cin >> rsp;
} while (!rsp.empty() && rsp[0] != 'n');
```

循环体与之前编写的其他循环语句相似，因此很容易理解。奇怪的是此代码把 rsp 定义在 do 之前而不是在循环体内部。如果把 rsp 定义在 do 内部，那么 rsp 的作用域就被限制在 while 前的右花括号之前了。任何在循环条件中引用的变量都必须在 do 语句之前就已经存在。

因为要到循环语句或者语句块执行之后，才求解循环条件，因此 do while 循环不可以采用如下方式定义变量：

```
// error: declaration statement within do condition is not supported
do {
    // ...
    mumble(foo);
} while (int foo = get_foo()); // error: declaration in do condition
```

211
如果可以在循环条件中定义变量的话，则对变量的任何使用都将发生在变量定义之前！

习题

习题 6.17 解释下列的循环。更正你发现的问题。

```
(a) do
        int v1, v2;
        cout << "Please enter two numbers to sum:";
        cin >> v1 >> v2;
        if (cin)
            cout << "Sum is: "
                    << v1 + v2 << endl;
    while (cin);

(b) do {
        // ...
    } while (int ival = get_response());

(c) do {
        int ival = get_response();
        if (ival == some_value())
            break;
    } while (ival);
     if (!ival)
         // ...
```

习题 6.18 编写一个小程序，由用户输入两个 string 对象，然后报告哪个 string 对象按字母排列次序而言比较小（也就是说，哪个的字典序靠前）。继续要求用户输入，直到用户请求退出为止。请使用 string 类型、string 类型的小于操作符以及 do while 循环实现。

6.10 break 语句

　　break 语句用于结束最近的 while、do while、for 或 switch 语句，并将程序的执行权传递给紧接在被终止语句之后的语句。例如，下面的循环在 vector 中搜索某个特殊值的第一次出现。一旦找到，则退出循环：

```
vector<int>::iterator iter = vec.begin();
while (iter != vec.end()) {
    if (value == *iter)
            break; // ok: found it!
    else
            ++iter; // not found: keep looking
}// end of while
if (iter != vec.end()) // break to here ...
     // continue processing
```

　　本例中，break 终止了 while 循环。执行权交给紧跟在 while 语句后面的 if 语句，程序继续执行。 | 212 |
　　break 只能出现在循环或 switch 结构中，或者出现在嵌套于循环或 switch 结构中的语句里。对于 if 语句，只有当它嵌套在 switch 或循环里面时，才能使用 break。break 出现在循环外或者 switch 外将会导致编译时错误。当 break 出现在嵌套的 switch 或者循环语句中时，将会终止里层的 switch 或循环语句，而外层的 switch 或者循环不受影响：

```
string inBuf;
```

```
while (cin >> inBuf && !inBuf.empty()) {
    switch(inBuf[0]) {
    case '-':
        // process up to the first blank
        for (string::size_type ix = 1;
                    ix != inBuf.size(); ++ix) {
            if (inBuf[ix] == ' ')
                break; // #1, leaves the for loop
            // ...
        }
        // remaining '-' processing: break #1 transfers control here
        break;  // #2, leaves the switch statement
    case '+':
        // ...
    } // end switch
    // end of switch: break #2 transfers control here
} // end while
```

#1 标记的 break 终止了连字符（'-'）case 标号内的 for 循环，但并没有终止外层的 switch 语句，而且事实上也并没有结束当前 case 语句的执行。接着程序继续执行 for 语句后面的第一个语句，即处理连字符 case 标号下的其他代码，或者执行结束这个 case 的 break 语句。

    #2 标记的 break 终止了处理连字符情况的 switch 语句，但没有终止 while 循环。程序接着执行 break 后面的语句，即求解 while 的循环条件，从标准输入读入下一个 string 对象。

习题

习题 6.19   本节的第一个程序可以写得更简洁。事实上，该程序的所有工作可以全部包含在 while 的循环条件中。重写这个循环，使得它的循环体为空，并找出满足条件的元素。

习题 6.20   编写程序从标准输入读入一系列 string 对象，直到同一个单词连续出现两次，或者所有的单词都已读完，才结束读取。请使用 while 循环，每次循环读入一个单词。如果连续出现相同的单词，便以 break 语句结束循环，此时，请输出这个重复出现的单词；否则输出没有任何单词连续重复出现的信息。

6.11 **continue** 语句

    continue 语句导致最近的循环语句的当次迭代提前结束。对于 while 和 do while 语句，继续求解循环条件。而对于 for 循环，程序流程接着求解 for 语句头中的 *expression* 表达式。

    例如，下面的循环每次从标准输入中读入一个单词，只有以下划线开头的单词才做处理。如果是其他的值，终止当前循环，接着读取下一个单词：

```
string inBuf;
while (cin >> inBuf && !inBuf.empty()) {
    if (inBuf[0] != '_')
        continue; // get another input
    // still here? process string ...
}
```

continue 语句只能出现在 for、while 或者 do while 循环中，包括嵌套在这些循环内部的块语句中。

习题

习题 6.21　修改 6.10 节最后一个习题的程序，使得它只寻找以大写字母开头的连续出现的单词。

6.12　`goto` 语句

`goto` 语句提供了函数内部的无条件跳转，实现从 goto 语句跳转到同一函数内某个带标号的语句。

 　　从上世纪 60 年代后期开始，不主张使用 goto 语句。goto 语句使跟踪程序控制流程变得很困难，并且使程序难以理解，也难以修改。所有使用 goto 的程序都可以改写为不用 goto 语句，因此也就没有必要使用 goto 语句了。

goto 语句的语法规则如下：

```
goto label;
```

其中 *label* 是用于标识带标号的语句的标识符。在任何语句前提供一个标识符和冒号，即得**带标号的语句**（labeled statement）：

```
end: return; // labeled statement, may be target of a goto
```

形成标号（label）的标识符只能用作 goto 的目标。因为这个原因，标号标识符可以与变量名以及程序里的其他标识符一样，不与别的标识符重名。goto 语句和获得所转移的控制权的带标号的语句必须位于同一个函数内。

goto 语句不能跨越变量的定义语句向前跳转：

```
// ...
goto end;
int ix = 10; // error: goto bypasses declaration statement
end:
// error: code here could use ix but the goto bypassed its declaration
ix = 42;
```

如果确实需要在 goto 和其跳转对应的标号之间定义变量，则定义必须放在一个块语句中：

```
// ...
goto end; // ok: jumps to a point where ix is not defined
{
int ix = 10;
// ... code using ix
}
end: // ix no longer visible here
```

向后跳过已经执行的变量定义语句则是合法的。为什么？向前跳过未执行的变量定义语句，意味着变量可能在没有定义的情况下使用。向后跳回到一个变量定义之前，则会使系统撤销这个变量，然后再重新创建它：

```
// backward jump over declaration statement ok
begin:
```

214

```
        int sz = get_size();
        if (sz <= 0) {
            goto begin;
        }
```

注意：执行 goto 语句时，首先撤销变量 sz，然后程序的控制流程跳转到带 begin:标号的语句
继续执行，再次重新创建和初始化 sz 变量。

习题

习题 6.22 对于本节的最后一个例子，跳回到 begin 标号的功能可以用循环更好地实现。请不使用
          goto 语句重写这段代码。

6.13 **try** 块和异常处理

在设计各种软件系统的过程中，处理程序中的错误和其他反常行为是最困难的部分之一。像
通信交换机和路由器这类长期运行的交互式系统必须将 90% 的程序代码用于实现错误检测和错
误处理。随着基于 Web 的应用程序在运行时不确定性的增多，越来越多的程序员更加注重错误
的处理。

异常就是运行时出现的不正常，例如运行时耗尽了内存或遇到意外的非法输入。异常存在于
程序的正常功能之外，并要求程序立即处理。

在设计良好的系统中，异常是程序错误处理的一部分。当程序代码检查到无法处理的问题时，
异常处理就特别有用。在这些情况下，检测出问题的那部分程序需要一种方法把控制权转到可以
处理这个问题的那部分程序。错误检测程序还必须指出具体出现了什么问题，并且可能需要提供
一些附加信息。

异常机制提供程序中错误检测与错误处理部分之间的通信。C++的异常处理中包括：

- **throw** 表达式（throw expression），错误检测部分使用这种表达式来说明遇到了不可处
  理的错误。可以说，throw 引发（raise）了异常条件。
- **try** 块（try block），错误处理部分使用它来处理异常。try 语句块以 try 关键字开始，
  并以一个或多个 **catch** 子句（catch clause）结束。在 try 块中执行的代码所抛出（throw）
  的异常，通常会被其中一个 catch 子句处理。由于它们"处理"异常，catch 子句也称
  为**处理代码**（handler）。
- 由标准库定义的一组**异常类**（exception class），用来在 throw 和相应的 catch 之间传递有
  关的错误信息。

在本节接下来的部分将要介绍这三种异常处理的构成。而 17.1 节将会进一步了解异常的相
关内容。

6.13.1 **throw** 表达式

系统通过 throw 表达式抛出异常。throw 表达式由关键字 throw 以及尾随的表达式组成，
通常以分号结束，这样它就成为了表达式语句。throw 表达式的类型决定了所抛出异常的类型。

回顾 1.5.2 节将两个 Sales_item 类型对象相加的程序，就是一个简单的例子。该程序检查读入的记录是否来自同一本书。如果不是，就输出一条信息然后退出程序。

```
Sales_item item1, item2;
std::cin >> item1 >> item2;
// first check that item1 and item2 represent the same book
if (item1.same_isbn(item2)) {
    std::cout << item1 + item2 << std::endl;
    return 0; // indicate success
} else {
    std::cerr << "Data must refer to same ISBN"
              << std::endl;
    return -1; // indicate failure
}
```

在使用 Sales_item 的更简单的程序中，把将对象相加的部分和负责跟用户交互的部分分开。在这个例子中，用 throw 抛出异常来改写检测代码：

```
// first check that data is for the same item
if (!item1.same_isbn(item2))
    throw runtime_error("Data must refer to same ISBN");
// ok, if we're still here the ISBNs are the same
std::cout << item1 + item2 << std::endl;
```

这段代码检查 ISBN 对象是否不相同。如果不同的话，停止程序的执行，并将控制转移给处理这种错误的处理代码。

　　throw 语句使用了一个表达式。在本例中，该表达式是 runtime_error 类型的对象。runtime_error 类型是标准库异常类中的一种，在 stdexcept 头文件中定义。在后续章节中很快就会更详细地介绍这些类型。我们通过传递 string 对象来创建 runtime_error 对象，这样就可以提供更多关于所出现问题的相关信息。

6.13.2　try 块

　　try 块的通用语法形式是：

```
try {
    program-statements
} catch (exception-specifier) {
    handler-statements
} catch (exception-specifier) {
    handler-statements
} //...
```

try 块以关键字 try 开始，后面是用花括号括起来的语句序列块。try 块后面是一个或多个 catch 子句。每个 catch 子句包括三部分：关键字 catch，圆括号内单个类型或者单个对象的声明——称为**异常说明符**（exception specifier），以及通常用花括号括起来的语句块。如果选择了一个 catch 子句来处理异常，则执行相关的块语句。一旦 catch 子句执行结束，程序流程立即继续执行紧随着最后一个 catch 子句的语句。

　　try 语句内的 *program-statement* 形成程序的正常逻辑。这里面可以包含任意 C++语句，包括变量声明。与其他块语句一样，try 块引入局部作用域，在 try 块中声明的变量，包括 catch 子句中声明的变量，不能在 try 外面引用。

1. 编写处理代码

在前面的例子中，使用了 throw 来避免将两个表示不同书的 Sales_item 对象相加。想象一下将 Sales_item 对象相加的那部分程序与负责与用户交流的那部分是分开的，则与用户交互的部分也许会包含下面用于处理所捕获异常的代码：

```
while (cin >> item1 >> item2) {
    try {
        // execute code that will add the two Sales_items
        // if the addition fails, the code throws a runtime_error exception
    } catch (runtime_error err) {
        // remind the user that ISBN must match and prompt for another pair
        cout << err.what()
            << "\nTry Again? Enter y or n" << endl;
        char c;
        cin >> c;
        if (cin && c == 'n')
            break;          // break out of the while loop
    }
}
```

关键字 try 后面是一个块语句。这个块语句调用处理 Sales_item 对象的程序部分。这部分也可能会抛出 runtime_error 类型的异常。

上述 try 块提供单个 catch 子句，用来处理 runtime_error 类型的异常。在执行 try 块代码的过程中，如果在 try 块中的代码抛出 runtime_error 类型的异常，则处理这类异常的动作在 catch 后面的块语句中定义。本例中，catch 输出信息并且询问用户是否继续进行异常处理。如果用户输入 'n'，则结束 while；否则继续循环，读入两个新的 Sales_item 对象。

通过输出 err.what() 的返回值提示用户。大家都知道 err 返回 runtime_error 类型的值，因此可以推断出 what 是 runtime_error 类的一个成员函数（1.5.2 节）。每一个标准库异常类都定义了名为 what 的成员函数。这个函数不需要参数，返回 C 风格字符串。在出现 runtime_error 的情况下，what 返回的 C 风格字符串，是用于初始化 runtime_error 的 string 对象的副本。如果在前面章节描述的代码抛出异常，那么执行这个 catch 将输出：

```
Data must refer to same ISBN
Try Again? Enter y or n
```

2. 函数在寻找处理代码的过程中退出

在复杂的系统中，程序的执行路径也许在遇到抛出异常的代码之前，就已经经过了多个 try 块。例如，一个 try 块可能调用了包含另一 try 块的函数，它的 try 块又调用了含有 try 块的另一个函数，如此类推。

寻找处理代码的过程与函数调用链刚好相反。抛出一个异常时，首先要搜索的是抛出异常的函数。如果没有找到匹配的 catch，则终止这个函数的执行，并在调用这个函数的函数中寻找相配的 catch。如果仍然没有找到相应的处理代码，该函数同样要终止，搜索调用它的函数。如此类推，继续按执行路径回退，直到找到适当类型的 catch 为止。

如果不存在处理该异常的 catch 子句，程序的运行就要跳转到名为 terminate 的标准库函数，该函数在 exception 头文件中定义。这个标准库函数的行为依赖于系统，通常情况下，它的执行将导致程序非正常退出。

在程序中出现的异常，如果没有经 try 块定义，则都以相同的方式来处理：毕竟，如果没有任何 try 块，也就没有捕获异常的处理代码（catch 子句）。此时，如果发生了异常，系统将自动调用 terminate 终止程序的执行。

习题

习题 6.23　bitset 类提供 to_ulong 操作，如果 bitset 提供的位数大于 unsigned long 的长度时，抛出一个 overflow_error 异常。编写产生这种异常的程序。

习题 6.24　修改上述的程序，使它能捕获这种异常并输出提示信息。

6.13.3　标准异常

C++标准库定义了一组类，用于报告在标准库中的函数遇到的问题。程序员可在自己编写的程序中使用这些标准异常类。标准库异常类定义在四个头文件中：

(1) exception 头文件定义了最常见的异常类，它的类名是 exception。这个类只通知异常的产生，但不会提供更多的信息。

(2) stdexcept 头文件定义了几种常见的异常类。这些类型在表 6-1 中列出。

(3) new 头文件定义了 bad_alloc 异常类型，提供因无法分配内存而由 new（5.11 节）抛出的异常。

(4) type_info 头文件定义了 bad_cast 异常类型，这种类型将在 18.2 节讨论。

表 6-1　在**\<stdexcept\>**头文件中定义的标准异常类	
exception	最常见的问题
runtime_error	运行时错误：仅在运行时才能检测到的问题
range_error	运行时错误：生成的结果超出了有意义的值域范围
overflow_error	运行时错误：计算上溢
underflow_error	运行时错误：计算下溢
logic_error	逻辑错误：可在运行前检测到的问题
domain_error	逻辑错误：参数的结果值不存在
invalid_argument	逻辑错误：不合适的参数
length_error	逻辑错误：试图生成一个超出该类型最大长度的对象
out_of_range	逻辑错误：使用一个超出有效范围的值

标准库异常类

标准库异常类只提供很少的操作，包括创建、复制异常类型对象以及异常类型对象的赋值。exception、bad_alloc 以及 bad_cast 类型只定义了默认构造函数（2.3.4 节），无法在创建这些类型的对象时为它们提供初值。其他的异常类型则只定义了一个使用 string 初始化式的构造函数。当需要定义这些异常类型的对象时，必须提供一个 string 参数。string 初始化式用于为所发生的错误提供更多的信息。

异常类型只定义了一个名为 what 的操作。这个函数不需要任何参数，并且返回 const char* 类型的值。它返回的指针指向一个 C 风格字符串（4.3 节）。使用 C 风格字符串的目的是为所抛出的异常提供更详细的文字描述。

what 函数所返回的指针指向 C 风格字符数组的内容，这个数组的内容依赖于异常对象的类型。对于接受 string 初始化式的异常类型，what 函数将返回该 string 作为 C 风格字符数组。对于其他异常类型，返回的值则根据编译器的变化而不同。

6.14　使用预处理器进行调试

2.9.2 节介绍了如何使用预处理变量来避免重复包含头文件。C++程序员有时也会使用类似的技术有条件地执行用于调试的代码。这种想法是：程序所包含的调试代码仅在开发过程中执行。当应用程序已经完成，并且准备提交时，就会将调试代码关闭。可使用 NDEBUG 预处理变量实现有条件的调试代码：

```
int main()
{
#ifndef NDEBUG
cerr << "starting main" << endl;
#endif
// ...
```

220

如果 NDEBUG 未定义，那么程序就会将信息写到 cerr 中。如果 NDEBUG 已经定义了，那么程序执行时将会跳过#ifndef 和#endif 之间的代码。

默认情况下，NDEBUG 未定义，这也就意味着必须执行#ifndef 和#endif 之间的代码。在开发程序的过程中，只要保持 NDEBUG 未定义就会执行其中的调试语句。开发完成后，要将程序交付给客户时，可通过定义 NEDBUG 预处理变量，（有效地）删除这些调试语句。大多数的编译器都提供定义 NDEBUG 的命令行选项：

```
$ CC -DNDEBUG main.C
```

这样的命令行等效于在 main.c 的开头提供 #define NDEBUG 预处理命令。

预处理器还定义了其余四种在调试时非常有用的常量：

_ _FILE_ _ 文件名

_ _LINE_ _ 当前行号

_ _TIME_ _ 文件被编译的时间

_ _DATE_ _ 文件被编译的日期

可使用这些常量在错误消息中提供更多的信息：

```
if (word.size() < threshold)
    cerr << "Error: " << __FILE__
        << " : line " << __LINE__ << endl
        << "        Compiled on " << __DATE__
        << " at " << __TIME__ << endl
        << "        Word read was " << word
        << "!  Length too short" << endl;
```

如果给这个程序提供一个比 threshold 短的 string 对象，则会产生下面的错误信息：

```
Error: wdebug.cc : line 21
       Compiled on Jan 12 2005 at 19:44:40
       Word read was "foo": Length too short
```

另一个常见的调试技术是使用 NDEBUG 预处理变量以及 assert（断言）**预处理宏**（preprocessor macro）。assert 宏是在 cassert 头文件中定义的，所有使用 assert 的文件都必须包含这个头文件。

预处理宏有点像函数调用。assert 宏需要一个表达式作为它的条件：

```
assert(expr)
```

只要 NDEBUG 未定义，assert 宏就求解条件表达式 *expr*，如果结果为 false，assert 输出信息并且终止程序的执行。如果该表达式有一个非零（例如，true）值，则 assert 不做任何操作。

与异常不同（异常用于处理程序执行时预期要发生的错误），程序员使用 assert 来测试"不可能发生"的条件。例如，对于处理输入文本的程序，可以预测全部给出的单词都比指定的阈值长。那么程序可以包含这样一个语句：

```
assert(word.size() > threshold);
```

在测试过程中，assert 等效于检验数据是否总是具有预期的大小。一旦开发和测试工作完成，程序就已经建立好，并且定义了 NDEBUG。在成品代码中，assert 语句不做任何工作，因此也没有任何运行时代价。当然，也不会引起任何运行时检查。assert 仅用于检查确实不可能的条件，这只对程序的调试有帮助，但不能用来代替运行时的逻辑检查，也不能代替对程序可能产生的错误的检测。

习题

习题 6.25　修改 6.11 节习题所编写的程序，使其可以有条件地输出运行时的信息。例如，可以输出每一个读入的单词，用来判断循环是否正确地找到第一个连续出现的以大写字母开头的单词。分别在打开和关闭调试器的情况下编译和运行这个程序。

习题 6.26　下面循环会导致什么现象的发生：

```
string s;
while (cin >> s) {
    assert(cin);
    // process s
}
```

解释这种用法是否是 assert 宏的一种恰当应用。

习题 6.27　解释下面的循环：

```
string s;
while (cin >> s && s != sought) { } // empty body
assert(cin);
// process s
```

小结

C++提供了种类相当有限的语句，其中大多数都会影响程序的控制流：

while、for 以及 do while 语句，实现反复循环；

if 和 switch，提供条件分支结构；

continue，终止当次循环；

break，退出一个循环或 switch 语句；

goto，将控制跳转到某个标号语句；

try、catch 语句，实现 try 块的定义，该块语句包含一个可能抛出异常的语句序列，catch 子句则用来处理在 try 块里抛出的异常；

throw 表达式，用于退出代码块的执行，将控制转移给相关的 catch 子句。

当然还有将在第 7 章介绍的 return 语句。

此外，C++还提供表达式语句和声明语句。表达式语句用于求解表达式。变量的声明和定义则已在第 2 章讲述过了。

术语

assert 一种预处理宏，使用单个表达式作为断言条件。如果预处理变量 NDEBUG 没有定义，则 assert 将求解它的条件表达式。若条件为 false，assert 输出信息并终止程序的执行。

block（块）包含在一对花括号里的语句序列。在语法上，块就是单语句，可出现在任何单语句可以出现的地方。

break statement（**break** 语句） 一种语句，能够终止最近的循环或者 switch 语句的执行，将控制权转交给被终止的循环或者 switch 后的第一条语句。

case label（**case** 标号） switch 语句中跟在关键字 case 后的整型常量值。在同一个 switch 结构中不能有任何两个标号拥有相同的常量值。如果 switch 条件表达式的值与其中某个标号的值相等，则控制权转移到匹配标号后面的第一条语句，从这条语句开始依次继续各个语句，直到遇到 break 或者到达

switch 结尾为止。

catch clause（**catch** 子句） 一种语句，包括关键字 catch、圆括号内的异常说明符以及一个块语句。catch 子句中的代码实现某种异常的处理，该异常由圆括号内的异常说明符定义。

compound statement（复合语句） 块的同义词。

continue statement（**continue** 语句） 一种语句，能够结束最近的循环结构的当次循环迭代，将控制流转移到 while 或 do 的循环条件表达式，或者 for 语句头中第三个表达式。

dangling else（悬垂 **else**） 一个通俗术语，指出如何处理嵌套 if 语句中 if 多于 else 时发生的二义性问题。C++中，else 总是与最近的未匹配的 if 配对。注意使用花括号能有效地隐藏内层 if，使程序员可以控制给定的 else 与哪个 if 相匹配。

declaration statement（声明语句） 定义或者声明变量的语句。声明已在第 2 章中介绍。

default label（**default** 标号） switch 语句中的一种标号，当计算 switch 条件所得的值与所有 case 标号的值都不匹配时，则执行 default 标号关联的语句。

exception classes（异常类） 标准库定义的一组描述程序错误的类。表 6-1 列出了常见的异常。

exception handler（异常处理代码） 一段代码，用于处理程序某个部分所引起的异常。是 catch 子句的同义词。

exception specifier（异常说明符） 对象或类型的声明，用于指出当前的 catch 子句能处理的异常类型。

expression statement（表达式语句） 一种语句，由后接分号的表达式构成。表达式语句用于表达式的求解。

flow of control（控制流） 程序的执行路径。

goto statement（**goto** 语句） 一种语句，能够使程序控制流程无条件跳转到指定标号语句。goto 扰乱了程序内部的控制流，应尽可能避免使用。

if else statement（**if else** 语句） 一种语句，有条件地执行 if 或 else 后的代码，如何执行取决于条件表达式的真值。

if statement（**if** 语句） 基于指定条件值的条件分支语句。如果条件为真，则执行 if 语句体；否则，控制流转到 if 后面的语句。

labeled statement（带标号的语句） 以标号开头的语句。标号是后面带一个冒号的标识符。

null statement（空语句） 空白的语句。其语法形式为单个分号。

preprocessor macro（预处理宏） 与预处理器定义的设施相似的函数。assert 是一个宏。现代 C++程序很少使用预处理宏。

raise（引发） 常用作 throw 的同义词。C++程序员所说的"抛出（throwing）"或者"引发（raising）" 异常表示一样的含义。

switch statement（**switch** 语句） 从计算关键字 switch 后面的表达式开始执行的条件分支语句。程序的控制流转跳到与表达式值匹配的 case 标号所标记的标号语句。如果没有匹配的标号，则执行 default 标号标记的分支，如果没有提供 default 分支则结束 switch 语句的执行。

terminate 异常未被捕获时调用的标准库函数。通常会终止程序的执行。

throw expression（**throw** 表达式） 中断当前执行路径的表达式。每个 throw 都会抛出一个对象，并将控制转移到最近的可处理该类型异常的 catch 子句。

try block（**try** 块） 跟在关键字 try 后面的块，以及一个或多个 catch 子句。如果 try 块中的代码产生了异常，而且该异常类型与其中某个 catch 子句匹配，则执行这个 catch 子句的语句处理这个异常。否则，异常将由外围 try 块处理，或者终止程序。

while loop（**while** 循环） 当指定条件为 true 时，执行目标代码的控制语句。根据条件的真值，目标代码可能执行零次或多次。

223
～
224

第 **7** 章

函　　数

目录

　　本章将介绍函数（function）的定义和声明。其中讨论了如何给函数传递参数以及如何从函数返回值。然后具体分析三类特殊的函数：内联（**inline**）函数、类成员函数和重载函数。最后以一个更高级的话题"函数指针"来结束全章。

225

函数可以看作程序员定义的操作。与内置操作符相同的是，每个函数都会实现一系列的计算，然后（大多数时候）生成一个计算结果。但与操作符不同的是，函数有自己的函数名，而且操作数没有数量限制。与操作符一样，函数可以重载，这意味着同样的函数名可以对应多个不同的函数。

7.1　函数的定义

函数由函数名以及一组操作数类型唯一地表示。函数的操作数，也即形参（parameter），在一对圆括号中声明，形参与形参之间以逗号分隔。函数执行的运算在一个称为函数体（function body）的块语句中定义。每一个函数都有一个相关联的返回类型（return type）。

考虑下面的例子，这个函数用来求出两个 int 型数的最大公约数：

```
// return the greatest common divisor
int gcd(int v1, int v2)
{
    while (v2) {
        int temp = v2;
        v2 = v1 % v2;
        v1 = temp;
    }
    return v1;
}
```

这里，定义了一个名为 gcd 的函数，该函数返回一个 int 型值，并带有两个 int 型形参。调用 gcd 函数时，必须提供两个 int 型值传递给函数，然后将得到一个 int 型的返回值。

1. 函数的调用

C++语言使用调用操作符（call operator）（即一对圆括号）实现函数的调用。正如其他操作符一样，调用操作符需要操作数并产生一个结果。调用操作符的操作数是函数名和一组（有可能是空的）由逗号分隔的实参（argument）。函数调用的结果类型就是函数返回值的类型，该运算的结果本身就是函数的返回值：

```
// get values from standard input
cout << "Enter two values: \n";
int i, j;
cin >> i >> j;
// call gcd on arguments i and j
// and print their greatest common divisor
cout << "gcd: " << gcd(i, j) << endl;
```

如果给定 15 和 123 作为程序的输入，程序将输出 3。

函数调用做了两件事情：用对应的实参初始化函数的形参，并将控制权转移给被调用函数。主调函数（calling function）的执行被挂起，被调函数（called function）开始执行。函数的运行以形参的（隐式）定义和初始化开始。也就是说，当我们调用 gcd 时，第一件事就是创建名为 v1 和 v2 的 int 型变量，并将这两个变量初始化为调用 gcd 时传递的实参值。在上例中，v1 的初值为 i，而 v2 则初始化为 j 的值。

2. 函数体是一个作用域

函数体是一个语句块，定义了函数的具体操作。通常，这个块语句包含在一对花括号中，形成了一个新的作用域。和其他的块语句一样，在函数体中可以定义变量。在函数体内定义的变量只在该函数中才可以访问。这种变量称为局部变量（local variable），它们相对于定义它们的函数而言是"局部"的，其名字只能在该函数的作用域中可见。这种变量只在函数运行时存在。7.5节将详细讨论局部变量。

当执行到 return 语句时，函数调用结束。被调用的函数完成时，将产生一个在 return 语句中指定的结果值。执行 return 语句后，被挂起的主调函数在调用处恢复执行，并将函数的返回值用作求解调用操作符的结果，继续处理在执行调用的语句中所剩余的工作。

3. 形参和实参

类似于局部变量，函数的形参为函数提供了已命名的局部存储空间。它们之间的差别在于形参是在函数的形参表中定义的，并由调用函数时传递给函数的实参初始化。

实参则是一个表达式。它可以是变量或字面值常量，甚至是包含一个或几个操作符的表达式。在调用函数时，所传递的实参个数必须与函数的形参个数完全相同。与初始化式的类型必须与被初始化对象的类型匹配一样，实参的类型也必须与其对应形参的类型完全匹配：实参必须具有与形参类型相同、或者能隐式转换（5.12 节）为形参类型的数据类型。本章 7.8.2 节将详细讨论实参与形参的匹配。

7.1.1 函数返回类型

函数的返回类型可以是内置类型（如 int 或者 double）、类类型或复合类型（如 int&或 string*），还可以是 void 类型，表示该函数不返回任何值。下面的例子列出了一些可能的函数返回类型：

```
bool is_present(int *, int);      // returns bool
int count(const string &, char);  // returns int
Date &calendar(const char*);      // returns reference to Date
void process();                   // process does not return a value
```

函数不能返回另一个函数或者内置数组类型，但可以返回指向函数的指针，或指向数组元素的指针的指针：

```
// ok: pointer to first element of the array
int *foo_bar() { /* ... */ }
```

这个函数返回一个 int 型指针，该指针可以指向数组中的一个元素。

7.9 节将介绍有关函数指针的内容。

函数必须指定返回类型

在定义或声明函数时，没有显式指定返回类型是不合法的：

```
// error: missing return type
test(double v1, double v2) { /* ... */ }
```

早期的 C++版本可以接受这样的程序，将 test 函数的返回类型隐式地定义为 int 型。但在标准 C++中，上述程序则是错误的。

　　在 C++标准化之前，如果缺少显式返回类型，函数的返回值将被假定为 int 型。早期未标准化的 C++编译器所编译的程序可能依然含有隐式返回 int 型的函数。

7.1.2　函数形参表

　　函数形参表可以为空，但不能省略。没有任何形参的函数可以用空形参表或含有单个关键字 void 的形参表来表示。例如，下面关于 process 的声明是等价的：

```
void process() { /* ... */ }        // implicit void parameter list

void process(void){ /* ... */ }     // equivalent declaration
```

　　形参表由一系列用逗号分隔的参数类型和（可选的）参数名组成。如果两个参数具有相同的类型，则其类型必须重复声明：

```
int manip(int v1, v2) { /* ... */ }        // error
int manip(int v1, int v2) { /* ... */ }    // ok
```

参数表中不能出现同名的参数。类似地，局部于函数的变量也不能使用与函数的任意参数相同的名字。

228　　参数名是可选的，但在函数定义中，通常所有参数都要命名。参数必须在命名后才能使用。

参数类型检查

　　　　C++是一种静态强类型语言（2.3 节），对于每一次的函数调用，编译时都会检查其实参。

调用函数时，对于每一个实参，其类型都必须与对应的形参类型相同，或具有可被转换（5.12 节）为该形参类型的类型。函数的形参表为编译器提供了检查实参需要的类型信息。例如，7.1 节定义的 gcd 函数有两个 int 型的形参：

```
gcd("hello", "world");   // error: wrong argument types
gcd(24312);              // error: too few arguments
gcd(42, 10, 0);          // error: too many arguments
```

以上所有的调用都会导致编译时的错误。在第一个调用中，实参的类型都是 const char*，这种类型无法转换为 int 型，因此该调用不合法。而第二和第三个调用传递的实参数量有误。在调用该函数时必须提供两个实参，实参数太多或太少都是不合法的。

　　如果两个实参都是 double 类型，又会怎么样呢？调用是否合法？

```
gcd(3.14, 6.29);         // ok: arguments are converted to int
```

在 C++中，答案是肯定的：该调用合法！正如 5.12.1 节所示，double 型的值可以转换为 int 型的值。本例中的函数调用正涉及了这种转换——用 double 型的值来初始化 int 型对象。因此，把该调用标记为不合法未免过于严格。更确切地说，（通过截断）double 型实参被隐式地转换为 int 型。由于这样的转换可能会导致精度损失，大多数编译器都会给出警告。对于本例，该调用实际上变为：

```
gcd(3, 6);
```

返回值是 3。

　　调用函数时传递过多的实参、忽略某个实参或者传递错误类型的实参，几乎肯定会导致严重的运行时错误！对于大程序，在编译时检查出这些所谓的接口错误（interface error），将会大大地缩短"编译-调试-测试"的周期。

习题

习题 7.1 形参和实参有什么区别？

习题 7.2 下列哪些函数是错误的？为什么？请给出修改意见。

```
(a) int f() {
        string s;
        // ...
        return s;
    }
(b) f2(int i) { /* ... */ }
(c) int calc(int v1, int v1) /* ... */ }
(d) double square(double x) return x * x;
```

习题 7.3 编写一个带有两个 int 型形参的函数，产生第一个参数的第二个参数次幂的值。编写程序传递两个 int 数值调用该函数，请检验其结果。

习题 7.4 编写一个函数，返回其形参的绝对值。

7.2 参数传递

每次调用函数时，都会重新创建该函数所有的形参，此时所传递的实参将会初始化对应的形参。

 形参的初始化与变量的初始化一样：如果形参具有非引用类型，则复制实参的值，如果形参为引用类型（2.5 节），则它只是实参的别名。

229

7.2.1 非引用形参

普通的非引用类型的参数通过复制对应的实参实现初始化。当用实参副本初始化形参时，函数并没有访问调用所传递的实参本身，因此不会修改实参的值。下面再次观察 gcd 这个函数的定义：

```
// return the greatest common divisor
int gcd(int v1, int v2)
{
    while (v2) {
        int temp = v2;
        v2 = v1 % v2;
        v1 = temp;
    }
    return v1;
}
```

while 循环体虽然修改了 v1 与 v2 的值，但这些变化仅限于局部参数，而对调用 gcd 函数使用的实参没有任何影响。于是，如果有函数调用

```
gcd(i, j)
```

则 i 与 j 的值不受 gcd 内执行的赋值操作的影响。

> 非引用形参表示对应实参的局部副本。对这类形参的修改仅仅改变了局部副本的值。一旦函数执行结束，这些局部变量的值也就没有了。

1. 指针形参

函数的形参可以是指针（4.2 节），此时将复制实参指针。与其他非引用类型的形参一样，该类形参的任何改变也仅作用于局部副本。如果函数将新指针值赋给形参，主调函数使用的实参指针的值没有改变。

回顾 4.2.3 节的讨论，事实上被复制的指针只影响对指针的赋值。如果函数形参是非 const 类型的指针，则函数可通过指针实现赋值，修改指针所指向对象的值：

```
void reset(int *ip)
{
    *ip = 0;   // changes the value of the object to which ip points
    ip = 0;    // changes only the local value of ip; the argument is unchanged
}
```

调用 reset 后，实参依然保持原来的值，但它所指向的对象的值将变为 0：

```
int i = 42;
int *p = &i;
cout << "i: " << *p << '\n';   // prints i: 42
reset(p);                      // changes *p but not p
cout << "i: " << *p << endl;   // ok: prints i: 0
```

如需保护指针指向的值，则形参需定义为指向 const 对象的指针：

```
void use_ptr(const int *p)
{
    // use_ptr may read but not write to *p
}
```

指针形参是指向 const 类型还是非 const 类型，将影响函数调用所使用的实参。我们既可以用 int* 也可以用 const int* 类型的实参调用 use_ptr 函数；但仅能将 int* 类型的实参传递给 reset 函数。这个差别来源于指针的初始化规则（4.2.5 节）。可以将指向 const 对象的指针初始化为指向非 const 对象，但不可以让指向非 const 对象的指针指向 const 对象。

2. const 形参

在调用函数时，如果该函数使用非引用的非 const 形参，则既可给该函数传递 const 实参也可传递非 const 的实参。例如，可以传递两个 int 型 const 对象调用 gcd：

```
const int i = 3, j = 6;
int k = rgcd(3, 6);   // ok: k initialized to 3
```

这种行为源于 const 对象的标准初始化规则（2.4 节）。因为初始化复制了初始化式的值，所以可用 const 对象初始化非 const 对象，反之亦然。

如果将形参定义为非引用的 const 类型：

```
void fcn(const int i) { /* fcn can read but not write to i */ }
```

则在函数中，不可以改变实参的局部副本。由于实参仍然是以副本的形式传递，因此传递给 fcn 的既可以是 const 对象也可以是非 const 对象。

令人吃惊的是，尽管函数的形参是 const，但是编译器却将 fcn 的定义视为其形参被声明为普通的 int 型：

```
void fcn(const int i) { /* fcn can read but not write to i */ }
void fcn(int i) { /* ... */ } // error: redefines fcn(int)
```

这种用法是为了支持对 C 语言的兼容，因为在 C 语言中，具有 const 形参或非 const 形参的函数并无区别。

3. 复制实参的局限性

复制实参并不是在所有的情况下都适合，不适宜复制实参的情况包括：

- 当需要在函数中修改实参的值时。
- 当需要以大型对象作为实参传递时。对实际的应用而言，复制对象所付出的时间和存储空间代价往往过大。
- 当没有办法实现对象的复制时。

对于上述几种情况，有效的解决办法是将形参定义为引用或指针类型。

习题

习题 7.5　编写一个函数，该函数具有两个形参，分别为 int 型和指向 int 型的指针，并返回这两个 int 值之中较大的数值。考虑应将其指针形参定义为什么类型？

习题 7.6　编写函数交换两个 int 型指针所指向的值，调用并检验该函数，输出交换后的值。

7.2.2　引用形参

考虑下面不适宜复制实参的例子，该函数希望交换两个实参的值：

```
// incorrect version of swap: The arguments are not changed!
void swap(int v1, int v2)
{
    int tmp = v2;
    v2 = v1;         // assigns new value to local copy of the argument
    v1 = tmp;
}                    // local objects v1 and v2 no longer exist
```

这个例子期望改变实参本身的值。但对于上述的函数定义，swap 无法影响实参本身。执行 swap 时，只交换了其实参的局部副本（local copy），而传递给 swap 的实参并没有修改：

```
int main()
{
    int i = 10;
    int j = 20;
    cout << "Before swap():\ti: "
         << i << "\tj: " << j << endl;
    swap(i, j);
    cout << "After swap():\ti: "
         << i << "\tj: " << j << endl;
    return 0;
}
```

编译并执行程序，产生如下输出结果：

```
Before swap(): i: 10 j: 20
After  swap(): i: 10 j: 20
```

为了使 swap 函数以期望的方式工作，交换实参的值，需要将形参定义为引用类型：

```
// ok: swap acts on references to its arguments
void swap(int &v1, int &v2)
{
    int tmp = v2;
    v2 = v1;
    v1 = tmp;
}
```

与所有引用一样，引用形参直接关联到其所绑定的对象，而并非这些对象的副本。定义引用时，必须用与该引用绑定的对象初始化该引用。引用形参完全以相同的方式工作。每次调用函数，引用形参被创建并与相应实参关联。此时，当调用 swap

```
swap(i, j);
```

形参 v1 只是对象 i 的另一个名字，而 v2 则是对象 j 的另一个名字。对 v1 的任何修改实际上也是对 i 的修改。同样地，v2 上的任何修改实际上也是对 j 的修改。重新编译使用 swap 的这个修订版本的 main 函数后，可以看到输出结果是正确的：

```
Before swap(): i: 10 j: 20
After  swap(): i: 20 j: 10
```

 从 C 语言背景转到 C++的程序员习惯通过传递指针来实现对实参的访问。在 C++ 中，使用引用形参则更安全和更自然。

233

1. 使用引用形参返回额外的信息

通过对 swap 这个例子的讨论，了解了如何利用引用形参让函数修改实参的值。引用形参的另一种用法是向主调函数返回额外的结果。

函数只能返回单个值，但有些时候，函数有不止一个的内容需要返回。例如，定义一个 find_val 函数，在一个整型 vector 对象的元素中搜索某个特定值。如果找到满足要求的元素，则返回指向该元素的迭代器；否则返回一个迭代器，指向该 vector 对象的 end 操作返回的元素。此外，如果该值出现了不止一次，我们还希望函数可以返回其出现的次数。在这种情况下，返回的迭代器应该指向具有要寻找的值的第一个元素。

如何定义既返回一个迭代器又返回出现次数的函数？我们可以定义一种包含一个迭代器和一个计数器的新类型。而更简便的解决方案是给 find_val 传递一个额外的引用实参，用于返回出现次数的统计结果：

```
// returns an iterator that refers to the first occurrence of value
// the reference parameter  occurs  contains a second return value
vector<int>::const_iterator find_val(
    vector<int>::const_iterator beg,      // first element
    vector<int>::const_iterator end,      // one past last element
    int value,                            // the value we want
```

```
        vector<int>::size_type &occurs)        // number of times it occurs
    {
        // res_iter will hold first occurrence, if any
        vector<int>::const_iterator res_iter = end;
        occurs = 0; // set occurrence count parameter
        for ( ; beg != end; ++beg)
            if (*beg == value) {
                // remember first occurrence of value
                if (res_iter == end)
                    res_iter = beg;
                ++occurs; // increment occurrence count
            }
        return res_iter;   // count returned implicitly in occurs
    }
```

调用 find_val 时，需传递四个实参：一对标志 vector 对象中要搜索的元素范围（9.2.1 节）的迭代器，所查找的值，以及用于存储出现次数的 size_type 类型（3.2.3 节）对象。假设 ivec 是 vector<int>类型的对象，it 是一个适当类型的迭代器，而 ctr 则是 size_type 类型的变量，则可如此调用该函数：

```
    it = find_val(ivec.begin(), ivec.end(), 42, ctr);
```

调用后，ctr 的值将是 42 出现的次数，如果 42 在 ivec 中出现了，则 it 将指向其第一次出现的位置；否则，it 的值为 ivec.end()，而 ctr 则为 0。

234

2. 利用 const 引用避免复制

在向函数传递大型对象时，需要使用引用形参，这是引用形参适用的另一种情况。虽然复制实参对于内置数据类型的对象或者规模较小的类类型对象来说没有什么问题，但是对于大部分的类类型或者大型数组，它的效率（通常）太低了；此外，我们将在第 13 章学习到，某些类类型是无法复制的。使用引用形参，函数可以直接访问实参对象，而无须复制它。

编写一个比较两个 string 对象长度的函数作为例子。这个函数需要访问每个 string 对象的 size，但不必修改这些对象。由于 string 对象可能相当长，所以我们希望避免复制操作。使用 const 引用就可避免复制：

```
    // compare the length of two strings
    bool isShorter(const string &s1, const string &s2)
    {
        return s1.size() < s2.size();
    }
```

其每一个形参都是 const string 类型的引用。因为形参是引用，所以不复制实参。又因为形参是 const 引用，所以 isShorter 函数不能使用该引用来修改实参。

 如果使用引用形参的唯一目的是避免复制实参，则应将形参定义为 const 引用。

3. 更灵活的指向 const 的引用

如果函数具有普通的非 const 引用形参，则显然不能通过 const 对象进行调用。毕竟，此时函数可以修改传递进来的对象，这样就违背了实参的 const 特性。

但比较容易忽略的是，调用这样的函数时，传递一个右值（2.3.1 节）或具有需要转换的类型的对象同样是不允许的：

```
// function takes a non-const reference parameter
int incr(int &val)
{
    return ++val;
}
int main()
{
    short v1 = 0;
    const int v2 = 42;
    int v3 = incr(v1);    // error: v1 is not an int
    v3 = incr(v2);        // error: v2 is const
    v3 = incr(0);         // error: literals are not lvalues
    v3 = incr(v1 + v2);   // error: addition doesn't yield an lvalue
    int v4 = incr(v3);    // ok: v3 is a non const object type int
}
```

問題的关键是非 const 引用形参（2.5 节）只能与完全同类型的非 const 对象关联。

应该将不修改相应实参的形参定义为 const 引用。如果将这样的形参定义为非 const 引用，则毫无必要地限制了该函数的使用。例如，可编写下面的程序在一个 string 对象中查找一个指定的字符：

```
// returns index of first occurrence of c in s or s.size() if c isn't in s
// Note: s doesn't change, so it should be a reference to const
string::size_type find_char(string &s, char c)
{
    string::size_type i = 0;
    while (i != s.size() && s[i] != c)
        ++i;                        // not found, look at next character
    return i;
}
```

这个函数将其 string 类型的实参当作普通（非 const）的引用，尽管函数并没有修改这个形参的值。这样的定义带来的问题是不能通过字符串字面值来调用这个函数：

```
if (find_char("Hello World", 'o')) // ...
```

虽然字符串字面值可以转换为 string 对象，但上述调用仍然会导致编译失败。

继续将这个问题延伸下去会发现，即使程序本身没有 const 对象，而且只使用 string 对象（而并非字符串字面值或产生 string 对象的表达式）调用 find_char 函数，编译阶段的问题依然会出现。例如，可能有另一个函数 is_sentence 调用 find_char 来判断一个 string 对象是否是句子：

```
bool is_sentence (const string &s)
{
    // if there's a period and it's the last character in s
    // then s is a sentence
    return (find_char(s, '.') == s.size() - 1);
}
```

如上代码，函数 is_sentence 中 find_char 的调用是一个编译错误。传递进 is_sentence 的形参是指向 const string 对象的引用，不能将这种类型的参数传递给 find_char，因为后者期待得到一个指向非 const string 对象的引用。

 应该将不需要修改的引用形参定义为 const 引用。普通的非 const 引用形参在使用时不太灵活。这样的形参既不能用 const 对象初始化，也不能用字面值或产生右值的表达式实参初始化。

4. 传递指向指针的引用

假设我们想编写一个与前面交换两个整数的 swap 类似的函数，实现两个指针的交换。已知需用*定义指针，用&定义引用。现在，问题在于如何将这两个操作符结合起来以获得指向指针的引用。这里给出一个例子：

```
// swap values of two pointers to int
void ptrswap(int *&v1, int *&v2)
{
    int *tmp = v2;
    v2 = v1;
    v1 = tmp;
}
```

形参

```
int *&v1
```

的定义应从右至左理解：v1 是一个引用，与指向 int 型对象的指针相关联。也就是说，v1 只是传递进 ptrswap 函数的任意指针的别名。

重写 7.2.2 节的 main 函数，调用 ptrswap 交换分别指向值 10 和 20 的指针：

```
int main()
{
    int i = 10;
    int j = 20;
    int *pi = &i;    // pi points to i
    int *pj = &j;    // pj points to j
    cout << "Before ptrswap():\t*pi: "
        << *pi << "\t*pj: " << *pj << endl;
    ptrswap(pi, pj); // now pi points to j; pj points to i
    cout << "After ptrswap():\t*pi: "
        << *pi << "\t*pj: " << *pj << endl;
    return 0;
}
```

编译并执行后，该程序产生如下结果：

```
Before ptrswap(): *pi: 10 *pj: 20
After ptrswap():  *pi: 20 *pj: 10
```

即指针的值被交换了。在调用 ptrswap 时，pi 指向 i，而 pj 则指向 j。在 ptrswap 函数中，指针被交换，使得调用 ptrswap 结束后，pi 指向了原来 pj 所指向的对象。换句话说，现在 pi 指向 j，而 pj 则指向了 i。

习题

习题 7.7   解释下面两个形参声明的不同之处:

```
void f(T);
void f(T&);
```

习题 7.8   举一个例子说明什么时候应该将形参定义为引用类型。再举一个例子说明什么时候不应该将形参定义为引用。

习题 7.9   将 (7.2.2 节定义的) find_val 函数的形参表中 occurs 的声明修改为非引用参数类型,并重新执行这个程序,该函数的行为发生了什么改变?

习题 7.10   下面的程序虽然是合法的,但可用性还不够好,指出并改正该程序的局限:

```
bool test(string& s) { return s.empty(); }
```

习题 7.11   何时应将引用形参定义为 const 对象? 如果在需要 const 引用时,将形参定义为普通引用,则会出现什么问题?

7.2.3   vector 和其他容器类型的形参

最佳实践　　　通常,函数不应该有 vector 或其他标准库容器类型的形参。调用含有普通的非引用 vector 形参的函数将会复制 vector 的每一个元素。

237   从避免复制 vector 的角度出发,应考虑将形参声明为引用类型。然而,看过第 11 章后我们会知道,事实上,C++程序员倾向于通过传递指向容器中需要处理的元素的迭代器来传递容器:

```
// pass iterators to the first and one past the last element to print
void print(vector<int>::const_iterator beg,
           vector<int>::const_iterator end)
{
    while (beg != end) {
        cout << *beg++;
        if (beg != end) cout << " "; // no space after last element
    }
    cout << endl;
}
```

这个函数将输出从 beg 指向的元素开始到 end 指向的元素(不含)为止的范围内所有的元素。除了最后一个元素外,每个元素后面都输出一个空格。

7.2.4   数组形参

数组有两个特殊的性质,影响我们定义和使用作用在数组上的函数:一是不能复制数组(4.1.1 节);二是使用数组名字时,数组名会自动转化为指向其第一个元素的指针(4.2.4 节)。因为数组不能复制,所以无法编写使用数组类型形参的函数。因为数组会被自动转化为指针,所以处理

238   数组的函数通常通过操纵指向数组中的元素的指针来处理数组。

1. 数组形参的定义

如果要编写一个函数,输出 int 型数组的内容,可用下面三种方式指定数组形参:

```
// three equivalent definitions of printValues
void printValues(int*) { /* ... */ }
void printValues(int[]) { /* ... */ }
void printValues(int[10]) { /* ... */ }
```

虽然不能直接传递数组，但是函数的形参可以写成数组的形式。虽然形参表示方式不同，但可将使用数组语法定义的形参看作指向数组元素类型的指针。上面的三种定义是等价的，形参类型都是 int*。

通常，将数组形参直接定义为指针要比使用数组语法定义更好。这样就明确地表示，函数操纵的是指向数组元素的指针，而不是数组本身。由于忽略了数组长度，形参定义中如果包含了数组长度则特别容易引起误解。

2. 形参的长度会引起误解

编译器忽略为任何数组形参指定的长度。根据数组的长度（权且这样说），可将函数 printValues 编写为：

```
// parameter treated as const int*, size of array is ignored
void printValues(const int ia[10])
{
    // this code assumes array has 10 elements;
    // disaster if argument has fewer than 10 elements!
    for (size_t i = 0; i != 10; ++i)
    {
        cout << ia[i] << endl;
    }
}
```

尽管上述代码假定所传递的数组至少含有 10 个元素，但 C++语言没有任何机制强制实现这个假设。下面的调用都是合法的：

```
int main()
{
    int i = 0, j[2] = {0, 1};
    printValues(&i);    // ok: &i is int*; probable run-time error
    printValues(j);     // ok: j is converted to pointer to 0th
                        // element; argument has type int*;
                        // probable run-time error
    return 0;
}
```

虽然编译没有问题，但是这两个调用都是错误的，可能导致运行失败。在这两个调用中，由于函数 printValues 假设传递进来的数组至少含有 10 个元素，因此造成数组内存的越界访问。程序的执行可能产生错误的输出，也可能崩溃，这取决于越界访问的内存中恰好存储的数值是什么。

239

当编译器检查数组形参关联的实参时，它只会检查实参是不是指针、指针的类型和数组元素的类型是否匹配，而不会检查数组的长度。

3. 数组实参

和其他类型一样，数组形参可定义为引用或非引用类型。大部分情况下，数组以普通的非引用类型传递，此时数组会悄悄地转换为指针。一般来说，非引用类型的形参会初始化为其相应实参的副本。而在传递数组时，实参是指向数组第一个元素的指针，形参复制的是这个指针的值，而不是数组元素本身。函数操纵的是指针的副本，因此不会修改实参指针的值。然而，函数可通过该指针改变它所指向的数组元素的值。通过指针形参做的任何改变都在修改数组元素本身。

> 不需要修改数组形参的元素时，函数应该将形参定义为指向 const 对象的指针：
>
> ```
> // f won't change the elements in the array
> void f(const int*) { /* ... */ }
> ```

4. 通过引用传递数组

和其他类型一样，数组形参可声明为数组的引用。如果形参是数组的引用，编译器不会将数组实参转化为指针，而是传递数组的引用本身。在这种情况下，数组大小成为形参和实参类型的一部分。编译器检查数组实参的大小与形参的大小是否匹配：

```
// ok: parameter is a reference to an array; size of array is fixed
void printValues(int (&arr)[10]) { /* ... */ }
int main()
{
    int i = 0, j[2] = {0, 1};
    int k[10] = {0,1,2,3,4,5,6,7,8,9};
    printValues(&i);    // error: argument is not an array of 10 ints
    printValues(j);     // error: argument is not an array of 10 ints
    printValues(k);     // ok: argument is an array of 10 ints
    return 0;
}
```

240 这个版本的 printValues 函数只严格地接受含有 10 个 int 型数值的数组，这限制了哪些数组可以传递。然而，由于形参是引用，在函数体中依赖数组的大小是安全的：

```
// ok: parameter is a reference to an array; size of array is fixed
void printValues(int (&arr)[10])
{
    for (size_t i = 0; i != 10; ++i) {
        cout << arr[i] << endl;
    }
}
```

> 注解　&arr 两边的圆括号是必需的，因为下标操作符具有更高的优先级：
>
> ```
> f(int &arr[10])    // error: arr is an array of references
> f(int (&arr)[10])  // ok: arr is a reference to an array of 10 ints
> ```

在 16.1.5 节将会介绍如何重新编写此函数，允许传递指向任意大小的数组的引用形参。

5. 多维数组的传递

回顾前面我们说过在 C++ 中没有多维数组（4.4 节）。所谓多维数组实际是指数组的数组。

和其他数组一样，多维数组以指向 0 号元素的指针方式传递。多维数组的元素本身就是数组。除了第一维以外的所有维的长度都是元素类型的一部分，必须明确指定：

```
// first parameter is an array whose elements are arrays of 10 ints
void printValues(int (matrix*)[10], int rowSize);
```

上面的语句将 matrix 声明为指向含有 10 个 int 型元素的数组的指针。

 再次强调，*matrix 两边的圆括号是必需的：

```
int *matrix[10];        // array of 10 pointers
int (*matrix)[10];  // pointer to an array of 10 ints
```

我们也可以用数组语法定义多维数组。与一维数组一样，编译器忽略第一维的长度，所以最好不要把它包括在形参表内：

```
// first parameter is an array whose elements are arrays of 10 ints
void printValues(int matrix[][10], int rowSize);
```

这条语句把 matrix 声明为二维数组的形式。实际上，形参是一个指针，指向数组的数组中的元素。数组中的每个元素本身就是含有 10 个 int 型对象的数组。

7.2.5　传递给函数的数组的处理

就如刚才所见的，非引用数组形参的类型检查只是确保实参是和数组元素具有同样类型的指针，而不会检查实参实际上是否指向指定大小的数组。

 任何处理数组的程序都要确保程序停留在数组的边界内。

有三种常见的编程技巧确保函数的操作不超出数组实参的边界。第一种方法是在数组本身放置一个标记来检测数组的结束。C 风格字符串就是采用这种方法的一个例子，它是一种字符数组，并且以空字符 null 作为结束的标记。处理 C 风格字符串的程序就是使用这个标记停止数组元素的处理。

1. 使用标准库规范

第二种方法是传递指向数组第一个和最后一个元素的下一个位置的指针。这种编程风格由标准库所使用的技术启发而得，在第二部分将会进一步介绍这种编程风格。

使用这种方法重写函数 printValues 并调用该函数，如下所示：

```
void printValues(const int *beg, const int *end)
{
    while (beg != end) {
        cout << *beg++ << endl;
    }
}
int main()
{
    int j[2] = {0, 1};
    // ok: j is converted to pointer to 0th element in j
    //     j + 2 refers one past the end of j
    printValues(j, j + 2);
    return 0;
}
```

printValues 中的循环很像用 vector 迭代器编写的程序。每次循环都使 beg 指针指向下一个元

241

素，从而实现数组的遍历。当 beg 指针等于结束标记时，循环结束。结束标记就是传递给函数的第二个形参。

调用这个版本的函数需要传递两个指针：一个指向要输出的第一个元素，另一个则指向最后一个元素的下一个位置。只要正确计算指针，使它们标记一段有效的元素范围，程序就会安全。

2. 显式传递表示数组大小的形参

第三种方法是将第二个形参定义为表示数组的大小，这种用法在 C 程序和标准化之前的 C++程序中十分普遍。

用这种方法再次重写函数 printValues，新版本及其调用如下所示：

```
// const int ia[] is equivalent to const int* ia
// size is passed explicitly and used to control access to elements of ia
void printValues(const int ia[], size_t size)
{
    for (size_t i = 0; i != size; ++i) {
        cout << ia[i] << endl;
    }
}
int main()
{
    int j[] = { 0, 1 }; // int array of size 2
    printValues(j, sizeof(j)/sizeof(*j));
    return 0;
}
```

这个版本使用了形参 size 来确定要输出的元素的个数。调用 printValues 时，要额外传递一个形参。只要传递给函数的 size 值不超过数组的实际大小，程序就能安全运行。

习题

习题 7.12　什么时候应使用指针形参？什么时候应使用引用形参？解释两者的优点和缺点。

习题 7.13　编写程序计算数组元素之和。要求编写函数三次，每次以不同的方法处理数组边界。

习题 7.14　编写程序求 vector<double>对象中所有元素之和。

7.2.6　main：处理命令行选项

主函数 main 是演示 C 程序如何将数组传递给函数的好例子。直到现在，我们所定义的主函数都只有空的形参表：

```
int main() { ... }
```

但是，我们通常需要给 main 传递实参。传统上，主函数的实参是可选的，用来确定程序要执行的操作。比如，假设我们的主函数 main 位于名为 prog 的可执行文件中，可如下将实参选项传递给程序：

```
prog -d -o ofile data0
```

这种用法的处理方法实际上是在主函数 main 中定义了两个形参：

```
int main(int argc, char *argv[]) { ... }
```

第二个形参 argv 是一个 C 风格字符串数组。第一个形参 argc 则用于传递该数组中字符串的个数。由于第二个参数是一个数组，主函数 main 也可以这样定义：

```
int main(int argc, char **argv) { ... }
```

表示 argv 是指向 char* 的指针。

当将实参传递给主函数 main 时，argv 中的第一个字符串（如果有的话）通常是程序的名字。接下来的元素将额外的可选字符串传递给主函数 main。以前面的命令行为例，argc 应设为 5，argv 会保存下面几个 C 风格字符串：

```
argv[0] = "prog";
argv[1] = "-d";
argv[2] = "-o";
argv[3] = "ofile";
argv[4] = "data0";
```

习题

习题 7.15　编写一个主函数 main，使用两个值作为实参，并输出它们的和。

习题 7.16　编写程序使之可以接受本节介绍的命令行选项，并输出传递给 main 的实参的值。

7.2.7　含有可变形参的函数

　　C++ 中的省略符形参是为了编译使用了 varargs 的 C 语言程序。关于如何使用 varargs，请查阅所用 C 语言编译器的文档。对于 C++ 程序，只能将简单数据类型传递给含有省略符形参的函数。实际上，当需要传递给省略符形参时，大多数类类型对象都不能正确地复制。

在无法列举出传递给函数的所有实参的类型和数目时，可以使用省略符形参。省略符暂停了类型检查机制。它们的出现告知编译器，当调用函数时，可以有 0 或多个实参，而实参的类型未知。省略符形参有下列两种形式：

```
void foo(parm_list, ...);
void foo(...);
```

第一种形式为特定数目的形参提供了声明。在这种情况下，当函数被调用时，对于与显示声明的形参相对应的实参进行类型检查，而对于与省略符对应的实参则暂停类型检查。在第一种形式中，形参声明后面的逗号是可选的。

大部分带有省略符形参的函数都利用显式声明的参数中的一些信息，来获取函数调用中提供的其他可选实参的类型和数目。因此带有省略符的第一种形式的函数声明是最常用的。

7.3　**return** 语句

return 语句用于结束当前正在执行的函数，并将控制权返回给调用此函数的函数。return 语句有两种形式：

244

```
return;
return expression;
```

7.3.1 没有返回值的函数

不带返回值的return语句只能用于返回类型为void的函数。在返回类型为void的函数中，return返回语句不是必需的，隐式的return发生在函数的最后一个语句完成时。

一般情况下，返回类型是void的函数使用return语句是为了引起函数的强制结束，这种return的用法类似于循环结构中的break语句（6.10节）的作用。例如，可如下重写swap程序，使之在输入的两个数值相同时不执行任何工作：

```
// ok: swap acts on references to its arguments
void swap(int &v1, int &v2)
{
    // if values already the same, no need to swap, just return
    if (v1 == v2)
        return;
    // ok, have work to do
    int tmp = v2;
    v2 = v1;
    v1 = tmp;
    // no explicit return necessary
}
```

这个函数首先检查两个值是否相等，如果相等则退出函数；如果不相等，则交换这两个值，隐式的return发生在最后一个赋值语句后。

返回类型为void的函数通常不能使用第二种形式的return语句，但是，它可以返回另一个返回类型同样是void的函数的调用结果：

```
void do_swap(int &v1, int &v2)
{
    int tmp = v2;
    v2 = v1;
    v1 = tmp;
    // ok: void function doesn't need an explicit return
}
void swap(int &v1, int &v2)
{
    if (v1 == v2)
        return false; // error: void function cannot return a value
    return do_swap(v1, v2); // ok: returns call to a void function
}
```

返回任何其他表达式的尝试都会导致编译时的错误。

7.3.2 具有返回值的函数

return语句的第二种形式提供了函数的结果。任何返回类型不是void的函数都必须返回一个值，而且这个返回值的类型必须和函数的返回类型相同，或者能隐式转化为函数的返回类型。

尽管C++不能确保结果的正确性，但能保证函数每一次return都返回适当类型的结果。例如，下面的程序就不能通过编译：

```
// Determine whether two strings are equal.
// If they differ in size, determine whether the smaller
// one holds the same characters as the larger one
bool str_subrange(const string &str1, const string &str2)
{
    // same sizes: return normal equality test
    if (str1.size() == str2.size())
        return str1 == str2;      // ok, == returns bool
    // find size of smaller string
    string::size_type size = (str1.size() < str2.size())
                             ? str1.size() : str2.size();
    string::size_type i = 0;
    // look at each element up to size of smaller string
    while (i != size) {
        if (str1[i] != str2[i])
            return;    // error: no return value
    }
    // error: control might flow off the end of the function without a return
    // the compiler is unlikely to detect this error
}
```

246

while 循环中的 return 语句是错误的，因为它没有返回任何值，编译器将检查出这个错误。

第二个错误源于函数没有在 while 循环后提供 return 语句。调用这个函数时，如果一个 string 是另一个 string 的子集，执行会退出 while 循环。这里应该有一个 return 语句来处理这种情况。编译器有可能检查出也有可能检查不出这种错误。执行程序时，不确定在运行阶段会出现什么问题。

> 在含有 return 语句的循环后没有提供 return 语句是很危险的，因为大部分的编译器不能检测出这个漏洞，运行时会出现什么问题是不确定的。

1. 主函数 main 的返回值

返回类型不是 void 的函数必须返回一个值，但此规则有一个例外情况：允许主函数 main 没有返回值就可结束。如果程序控制执行到主函数 main 的最后一个语句都还没有返回，那么编译器会隐式地插入返回 0 的语句。

关于主函数 main 返回的另一个特别之处在于如何处理它的返回值。在 1.1 节已知，可将主函数 main 返回的值视为状态指示器。返回 0 表示程序运行成功，其他大部分返回值则表示失败。非 0 返回值的意义因机器不同而不同，为了使返回值独立于机器，cstdlib 头文件定义了两个预处理变量（2.9.2 节），分别用于表示程序运行成功和失败：

```
#include <cstdlib>
int main()
{
    if (some_failure)
        return EXIT_FAILURE;
    else
        return EXIT_SUCCESS;
}
```

我们的代码不再需要使用那些依赖于机器的精确返回值。相应地，这些值都在 cstdlib 库中定义，我们的代码不需要做任何修改。

2. 返回非引用类型

函数的返回值用于初始化在调用函数处创建的**临时对象**（temporary object）。在求解表达式时，如果需要一个地方储存其运算结果，编译器会创建一个没有命名的对象，这就是临时对象。在英语中，C++程序员通常用 temporary 这个术语来代替 temporary object。

用函数返回值初始化临时对象与用实参初始化形参的方法是一样的。如果返回类型不是引用，在调用函数的地方会将函数返回值复制给临时对象。当函数返回非引用类型时，其返回值既可以是局部对象，也可以是求解表达式的结果。

例如，下面的程序提供了一个计数器、一个单词 word 和单词结束字符串 ending，当计数器的值大于 1 时，返回该单词的复数版本：

```
// return plural version of word if ctr isn't 1
string make_plural(size_t ctr, const string &word,
                                const string &ending)
{
    return (ctr == 1) ? word : word + ending;
}
```

我们可以使用这样的函数来输出单词的单数或复数形式。

这个函数要么返回其形参 word 的副本，要么返回一个未命名的临时 string 对象，这个临时对象是由字符串 word 和 ending 的相加而产生的。这两种情况下，return 都在调用该函数的地方复制了返回的 string 对象。

3. 返回引用

当函数返回引用类型时，没有复制返回值。相反，返回的是对象本身。例如，考虑下面的函数，此函数返回两个 string 类型形参中较短的那个字符串的引用：

```
// find longer of two strings
const string &shorterString(const string &s1, const string &s2)
{
    return s1.size() < s2.size() ? s1 : s2;
}
```

形参和返回类型都是指向 const string 对象的引用，调用函数和返回结果时，都没有复制这些 string 对象。

4. 千万不要返回局部对象的引用

　　　　　理解返回引用至关重要的是：千万不能返回局部变量的引用。

当函数执行完毕时，将释放分配给局部对象的存储空间。此时，对局部对象的引用就会指向不确定的内存。考虑下面的程序：

```
// Disaster: Function returns a reference to a local object
const string &manip(const string& s)
{
    string ret = s;
    // transform ret in some way
    return ret; // Wrong: Returning reference to a local object!
}
```

这个函数会在运行时出错，因为它返回了局部对象的引用。当函数执行完毕，字符串 ret 占用的储存空间被释放，函数返回值指向了对于这个程序来说不再有效的内存空间。

 确保返回引用安全的一个好方法是：请自问，这个引用指向哪个在此之前存在的对象？

5. 引用返回左值

返回引用的函数返回一个左值。因此，这样的函数可用于任何要求使用左值的地方：

```cpp
char &get_val(string &str, string::size_type ix)
{
    return str[ix];
}
int main()
{
    string s("a value");
    cout << s << endl;     // prints a value
    get_val(s, 0) = 'A';   // changes s[0] to A

    cout << s << endl;     // prints A value
    return 0;
}
```

给函数返回值赋值可能让人惊讶，由于函数返回的是一个引用，因此这是正确的，该引用是被返回元素的同义词。

如果不希望引用返回值被修改，返回值应该声明为 const：

```cpp
const char &get_val(...
```

6. 千万不要返回指向局部对象的指针

函数的返回类型可以是大多数类型。特别地，函数也可以返回指针类型。和返回局部对象的引用一样，返回指向局部对象的指针也是错误的。一旦函数结束，局部对象被释放，返回的指针就变成了指向不再存在的对象的悬垂指针（5.11 节）。

习题

习题 7.17 什么时候返回引用是正确的？而什么时候返回 const 引用是正确的？

习题 7.18 下面函数存在什么潜在的运行时问题？

```cpp
string &processText() {
    string text;
    while (cin >> text) { /* ... */ }
    // ....
    return text;
}
```

习题 7.19 判断下面程序是否合法；如果合法，解释其功能；如果不合法，更正它并解释原因。

```cpp
int &get(int *arry, int index) { return arry[index]; }
int main() {
    int ia[10];
    for (int i = 0; i != 10; ++i)
        get(ia, i) = 0;
}
```

7.3.3　递归

直接或间接调用自己的函数称为*递归函数*（recursion function）。一个简单的递归函数例子是阶乘的计算。数 n 的阶乘是从 1 到 n 的乘积。例如，5 的阶乘就是 120。

249

```
1 * 2 * 3 * 4 * 5 = 120
```

解决这个问题的自然方法就是递归：

```
// calculate val!, which is 1*2 *3 ... * val
int factorial(int val)
{
    if (val > 1)
        return factorial(val-1) * val;
    return 1;
}
```

递归函数必须定义一个终止条件；否则，函数就会"永远"递归下去，这意味着函数会一直调用自身直到程序栈耗尽。有时候，这种现象称为"无限递归错误"（infinite recursion error）。对于函数 facorial，val 为 1 是终止条件。

另一个例子是求最大公约数的递归函数：

```
// recursive version greatest common divisor program
int rgcd(int v1, int v2)
{
    if (v2 != 0)                     // we're done once v2 gets to zero
        return rgcd(v2, v1%v2);  // recurse, reducing v2 on each call
    return v1;
}
```

250

这个例子中，终止条件是余数为 0。如果用实参（15，123）来调用 rgcd 函数，结果为 3。表 7-1 跟踪了它的执行过程。

表 7-1　`rgcd(15,123)`的跟踪过程

v1	v2	**Return**
15	123	rgcd(123,15)
123	15	rgcd(15,3)
15	3	rgcd(3,0)
3	0	3

最后一次调用：

```
rgcd(3,0)
```

满足了终止条件，它返回最大公约数 3。该值依次成为前面每个调用的返回值。这个过程称为此值向上回渗（percolate），直到执行返回到第一次调用 rgcd 的函数。

 主函数 main 不能调用自身。

习题 7.20 将函数 factorial 重写为迭代函数（即非递归函数）。

习题 7.21 如果函数 factorial 的终止条件为：

```
if (val != 0)
```

会出现什么问题？

7.4 函数声明

正如变量必须先声明后使用一样，函数也必须在被调用之前先声明。与变量的定义（2.3.5 节）类似，函数的声明也可以和函数的定义分离；一个函数只能定义一次，但是可声明多次。

函数声明由函数返回类型、函数名和形参列表组成。形参列表必须包括形参类型，但是不必对形参命名。这三个元素被称为**函数原型**（function prototype），函数原型描述了函数的接口。

 函数原型为定义函数的程序员和使用函数的程序员之间提供了接口。在使用函数时，程序员只对函数原型编程即可。

251

函数声明中的形参名会被忽略，如果在声明中给出了形参的名字，它应该用作辅助文档：

```
void print(int *array, int size);
```

在头文件中提供函数声明

回顾前面章节，变量可在头文件中声明（2.9 节），而在源文件中定义。同理，函数也应当在头文件中声明，并在源文件中定义。

把函数声明直接放到每个使用该函数的源文件中，这可能是大家希望的方式，而且也是合法的。但问题在于这种用法比较呆板而且容易出错。解决的方法是把函数声明放在头文件中，这样可以确保对于指定函数其所有声明保持一致。如果函数接口发生变化，则只要修改其唯一的声明即可。

 定义函数的源文件应包含声明该函数的头文件。

将提供函数声明的头文件包含在定义该函数的源文件中，可使编译器能检查该函数的定义和声明是否一致。特别地，如果函数定义和函数声明的形参列表一致，但返回类型不一致，编译器会发出警告或出错信息来指出这种差异。

习题 7.22 编写下面函数的原型：

(a) 函数名为 compare，有两个形参，都是名为 matrix 的类的引用，返回 bool 类型的值。

(b) 函数名为 change_val，返回 vector<int> 类型的迭代器，有两个形参：一个是 int 型形参，另一个是 vector<int> 类型的迭代器。

提示：写函数原型时，函数名应当暗示函数的功能。考虑这个提示会如何影响你用的类型？

习题 7.23 给出下面函数声明，判断哪些调用是合法的，哪些是不合法的。对于那些不合法的调用，解释原因。

```
double calc(double);
int count(const string &, char);
int sum(vector<int>::iterator, vector<int>::iterator, int);
vector<int> vec(10);

(a) calc(23.4, 55.1);
(b) count("abcda", 'a');
(c) calc(66);
(d) sum(vec.begin(), vec.end(), 3.8);
```

252

默认实参

默认实参是一种虽然并不普遍、但在多数情况下仍然适用的实参值。调用函数时，可以省略有默认值的实参。编译器会为我们省略的实参提供默认值。

默认实参是通过给形参表中的形参提供明确的初始值来指定的。程序员可为一个或多个形参定义默认值。但是，如果有一个形参具有默认实参，那么，它后面所有的形参都必须有默认实参。

例如，下面的函数创建并初始化了一个 string 对象，用于模拟窗口屏幕。此函数为窗口屏幕的高、宽和背景字符提供了默认实参：

```
string screenInit(string::size_type height = 24,
                  string::size_type width = 80,
                  char background = ' ');
```

调用包含默认实参的函数时，可以为该形参提供实参，也可以不提供。如果提供了实参，则它将覆盖默认的实参值；否则，函数将使用默认实参值。下面的函数 screenInit 的调用都是正确的：

```
string screen;
screen = screenInit();          // equivalent to screenInit (24,80,' ')
screen = screenInit(66);        // equivalent to screenInit (66,80,' ')
screen = screenInit(66, 256);        // screenInit(66,256,' ')
screen = screenInit(66, 256, '#');
```

函数调用的实参按位置解析，默认实参只能用来替换函数调用缺少的尾部实参。例如，如果要给 background 提供实参，那么也必须给 height 和 width 提供实参：

```
screen = screenInit(, , '?'); // error, can omit only trailing arguments
screen = screenInit( '?');    // calls screenInit('?',80,' ')
```

注意第二个调用，只传递了一个字符值，虽然这是合法的，但是却并不是程序员的原意。因为 '?'是一个 char，char 可提升为最左边形参的类型，所以这个调用是合法的。最左边的形参具有 string::size_type 类型，这是 unsigned 整型。在这个调用中，char 实参隐式地提升为 string::size_type 类型，并作为实参传递给形参 height。

因为 char 是整型（2.1.1 节），因此把一个 char 值传递给 int 型形参是合法的，反之亦然。这个事实会导致很多误解。例如，如果函数同时含有 char 型和 int 型形参，则调用者很容易以错误的顺序传递实参。如果使用默认实参，则这个问题会变得更加复杂。

设计带有默认实参的函数，其中部分工作就是排列形参，使最少使用默认实参的形参排在最前，最可能使用默认实参的形参排在最后。

1. 默认实参的初始化式

默认实参可以是任何适当类型的表达式：

```
string::size_type screenHeight();
string::size_type screenWidth(string::size_type);
char screenDefault(char = ' ');
string screenInit(
    string::size_type height = screenHeight(),
    string::size_type width = screenWidth(screenHeight()),
    char background = screenDefault());
```

如果默认实参是一个表达式，而且默认值用作实参，则在调用函数时求解该表达式。例如，每次不带第三个实参调用函数 screenInit 时，编译器都会调用函数 screenDefault 为 background 获得一个值。

2. 指定默认实参的约束

既可以在函数声明也可以在函数定义中指定默认实参。但是，在一个文件中，只能为一个形参指定默认实参一次。下面的例子是错误的：

```
// ff.h
int ff(int = 0);

// ff.cc
#include "ff.h"
int ff(int i = 0) { /* ... */ } // error
```

通常，应在函数声明中指定默认实参，并将该声明放在合适的头文件中。

如果在函数定义的形参表中提供默认实参，那么只有在包含该函数定义的源文件中调用该函数时，默认实参才是有效的。

习题

习题 7.24 如果有的话，指出下面哪些函数声明是错误的？为什么？

```
(a) int ff(int a, int b = 0, int c = 0);
(b) char *init(int ht = 24, int wd, char bckgrnd);
```

习题 7.25 假设有如下函数声明和调用，指出哪些调用是不合法的？为什么？哪些是合法的但可能不符合程序员的原意？为什么？

```
// declarations
char *init(int ht, int wd = 80, char bckgrnd = ' ');

(a) init();
(b) init(24,10);
(c) init(14, '*');
```

习题 7.26 用字符 's' 作为默认实参重写函数 make_plural。利用这个版本的函数输出单词 "success" 和 "failure" 的单数和复数形式。

7.5　局部对象

　　在 C++语言中，每个名字都有作用域，而每个对象都有**生命期**（lifetime）。要弄清楚函数是怎么运行的，理解这两个概念十分重要。名字的作用域指的是知道该名字的程序文本区。对象的生命期则是在程序执行过程中对象存在的时间。

　　在函数中定义的形参和变量的名字只位于函数的作用域中：这些名字只在函数体中可见。通常，变量名从声明或定义的地方开始到包围它的作用域结束处都是可用的。

7.5.1　自动对象

　　默认情况下，局部变量的生命期局限于所在函数的每次执行期间。只有当定义它的函数被调用时才存在的对象称为**自动对象**（automatic object）。自动对象在每次调用函数时创建和撤销。

　　局部变量所对应的自动对象在函数控制经过变量定义语句时创建。如果在定义时提供了初始化式，那么每次创建对象时，对象都会被赋予指定的初值。对于未初始化的内置类型局部变量，其初值不确定。当函数调用结束时，自动对象就会被撤销。

　　形参也是自动对象。形参所占用的存储空间在调用函数时创建，而在函数结束时撤销。

　　自动对象，包括形参，都在定义它们的块语句结束时撤销。形参在函数块中定义，因此当函数执行结束时撤销。当函数结束时，会释放它的局部存储空间。在函数结束后，自动对象和形参的值都不能再访问了。

7.5.2　静态局部对象

　　一个变量如果位于函数的作用域内，但生命期却跨越了这个函数的多次调用，这种变量往往很有用。则应该将这样的对象定义为 static（静态的）。

　　static 局部对象（static local object）确保不迟于在程序执行流程第一次经过该对象的定义语句时进行初始化。这种对象一旦被创建，在程序结束前都不会被撤销。当定义静态局部对象的函数结束时，静态局部对象不会撤销。在该函数被多次调用的过程中，静态局部对象会持续存在并保持它的值。考虑下面的小例子，这个函数计算了自己被调用的次数：

```
size_t count_calls()
{
    static size_t ctr = 0;  // value will persist across calls
    return ++ctr;
}
int main()
{
    for (size_t i = 0; i != 10; ++i)
        cout << count_calls() << endl;
    return 0;
}
```

这个程序会依次输出 1 到 10（包含 10）的整数。

　　在第一次调用函数 count_calls 之前，ctr 就已创建并赋予初值 0。每次函数调用都使 ctr 加 1，并且返回其当前值。在执行函数 count_calls 时，变量 ctr 就已经存在并且保留上次调用该函数时的值。因此，第二次调用时，ctr 的值为 1，第三次为 2，依此类推。

习题

习题 7.27　解释形参、局部变量和静态局部变量的差别。并给出一个有效使用了这三种变量的程序例子。

习题 7.28　编写函数，使其在第一次调用时返回 0，然后再次调用时按顺序产生正整数（即返回其当前的调用次数）。

7.6　内联函数

回顾在 7.3.2 节编写的那个返回两个 string 形参中较短的字符串的函数：

```
// find longer of two strings
const string &shorterString(const string &s1, const string &s2)
{
    return s1.size() < s2.size() ? s1 : s2;
}
```

为这样的小操作定义一个函数的好处是：

- 阅读和理解函数 shorterString 的调用，要比读一条用等价的条件表达式取代函数调用表达式并解释它的含义要容易得多。
- 如果需要做任何修改，修改函数要比找出并修改每一处等价表达式容易得多。
- 使用函数可以确保统一的行为，每个测试都保证以相同的方式实现。
- 函数可以重用，不必为其他应用重写代码。

但是，将 shorterString 写成函数有一个潜在的缺点：调用函数比求解等价表达式要慢得多。在大多数的机器上，调用函数都要做很多工作：调用前要先保存寄存器，并在返回时恢复；复制实参；程序还必须转向一个新位置执行。

1.　内联函数避免函数调用的开销

将函数指定为内联函数，（通常）就是将它在程序中每个调用点上"内联地"展开。假设我们将 shorterString 定义为内联函数，则调用：

```
cout << shorterString(s1, s2) << endl;
```

在编译时将展开为：

```
cout << (s1.size() < s2.size() ? s1 : s2)
     << endl;
```

从而消除了把 shorterString 写成函数的额外执行开销。

在函数返回类型前加上关键字 inline 就可以将 shorterString 函数指定为内联函数：

```
// inline version: find longer of two strings
inline const string &
shorterString(const string &s1, const string &s2)
{
```

256

```
        return s1.size() < s2.size() ? s1 : s2;
    }
```

　　　　内联说明（inline specification）对于编译器来说只是一个建议，编译器可以选择忽略这个建议。

　　一般来说，内联机制适用于优化小的、只有几行的而且经常被调用的函数。大多数的编译器都不支持递归函数的内联。一个 1200 行的函数也不太可能在调用点内联展开。

2. 把内联函数放入头文件

　　　　内联函数应该在头文件中定义，这一点不同于其他函数。

　　内联函数的定义对编译器而言必须是可见的，以便编译器能够在调用点内联展开该函数的代码。此时，仅有函数原型是不够的。

257

　　内联函数可能要在程序中定义不止一次，只要内联函数的定义在某个源文件中只出现一次，而且在所有源文件中，其定义必须是完全相同的。把内联函数的定义放在头文件中，可以确保在调用函数时所使用的定义是相同的，并且保证在调用点该函数的定义对编译器可见。

　　　　在头文件中加入或修改内联函数时，使用了该头文件的所有源文件都必须重新编译。

习题

习题 7.29　对于下面的声明和定义，你会将哪个放在头文件，哪个放在程序文本文件呢？为什么？

```
(a) inline bool eq(const BigInt&, const BigInt&) {...}
(b) void putValues(int *arr, int size);
```

习题 7.30　把 7.2.2 节的函数 isShorter 改写为内联函数。

7.7　类的成员函数

　　2.8 节开始定义类 Sales_item，用于解决第 1 章的书店问题。至此，我们已经了解了如何定义普通函数，现在来定义类的成员函数，以继续完善这个类。

　　成员函数的定义与普通函数的定义类似。和任何函数一样，成员函数也包含下面四个部分：

- 函数返回类型。
- 函数名。
- 用逗号隔开的形参表（也可能是空的）。
- 包含在一对花括号里面的函数体。

　　正如我们知道的，前面三部分组成函数原型。函数原型定义了所有和函数相关的类型信息：函数返回类型是什么、函数的名字、应该给这个函数传递什么类型的实参。函数原型必须在类中定义。但是，函数体则既可以在类中也可以在类外定义。

知道这些后,观察下面扩展的类定义,我们为这个类增加了两个新成员:成员函数 avg_price 和 same_isbn。其中 avg_price 函数的形参表是空的,返回 double 类型的值。而 same_isbn 函数则返回 bool 对象,有一个 const Sales_item 类型的引用形参。

258

```
class Sales_item {
public:
    // operations on Sales_item objects
    double avg_price() const;
    bool same_isbn(const Sales_item &rhs) const
        { return isbn == rhs.isbn; }
// private members as before
private:
    std::string isbn;
    unsigned units_sold;
    double revenue;
};
```

在解释跟在形参表后面的 const 之前,必须先说明成员函数是如何定义的。

7.7.1 定义成员函数的函数体

类的所有成员都必须在类定义的花括号里面声明,此后,就不能再为类增加任何成员。类的成员函数必须如声明的一般定义。类的成员函数既可以在类的定义内也可以在类的定义外定义。在类 Sales_item 中,这两种情况各有一例说明:函数 same_isbn 在类内定义,而函数 avg_price 则在类内声明,在类外定义。

编译器隐式地将在类内定义的成员函数当作内联函数(7.6 节)。

再详细观察函数 same_isbn 的定义:

```
bool same_isbn(const Sales_item &rhs) const
    { return isbn == rhs.isbn; }
```

与任何函数一样,该函数的函数体也是一个块。在这个函数中,块中只有一个语句,比较两个 Sales_item 对象的数据成员 isbn 的值,并返回比较结果。

首先要注意的是:成员 isbn 是 private 的。尽管如此,上述语句却没有任何错误。

 　　　　类的成员函数可以访问该类的 private 成员。

更有意思的是,函数从哪个 Sales_item 类对象得到这个用于比较的值? 函数涉及到 isbn 和 rhs.isbn。很明显,rhs.isbn 使用的是传递给此函数的实参的 isbn 成员。没有前缀的 isbn 的用法更加有意思。正如我们所看见的,这个没有前缀的 isbn 指的是用于调用函数的对象的 isbn 成员。

259

1. 成员函数含有额外的、隐含的形参

调用成员函数时,实际上是使用对象来调用的。例如,调用 1.6 节书店程序中的函数 same_isbn,是通过名为 total 的对象来执行 same_isbn 函数的:

```
if (total.same_isbn(trans))
```

在这个调用中,传递了对象 trans。作为执行调用的一部分,使用对象 trans 初始化形参 rhs。

于是，rhs.isbn 是 trans.isbn 的引用。

而没有前缀的 isbn 使用了相同的实参绑定过程，使之与名为 total 的对象绑定起来。每个成员函数都有一个额外的、隐含的形参将该成员函数与调用该函数的类对象捆绑在一起。当调用名为 total 的对象的 same_isbn 时，这个对象也传递给了函数。而 same_isbn 函数使用 isbn 时，就隐式地使用了调用该函数的对象的 isbn 成员。这个函数调用的效果是比较 total.isbn 和 trans.isbn 两个值。

2. this 指针的引入

每个成员函数（除了在 12.6 节介绍的 static 成员函数外）都有一个额外的、隐含的形参 **this**。在调用成员函数时，形参 this 初始化为调用函数的对象的地址。为了理解成员函数的调用，可考虑下面的语句：

```
total.same_isbn(trans);
```

就如编译器这样重写这个函数调用：

```
// pseudo-code illustration of how a call to a member function is translated
Sales_item::same_isbn(&total, trans);
```

在这个调用中，函数 same_isbn 中的数据成员 isbn 属于对象 total。

3. const 成员函数的引入

现在，可以理解跟在 Sales_item 成员函数声明的形参表后面的 const 所起的作用了：const 改变了隐含的 this 形参的类型。在调用 total.same_isbn(trans) 时，隐含的 this 形参将是一个指向 total 对象的 const Sales_Item*类型的指针。就像如下编写 same_isbn 的函数体一样：

```
// pseudo-code illustration of how the implicit this pointer is used
// This code is illegal: We may not explicitly define the this pointer ourselves
// Note that this is a pointer to const because same_isbn is a const member
bool Sales_item::same_isbn(const Sales_item *const this,
                           const Sales_item &rhs) const
{ return (this->isbn == rhs.isbn); }
```

用这种方式使用 const 的函数称为**常量成员函数**（const member function）。由于 this 是指向 const 对象的指针，const 成员函数不能修改调用该函数的对象。因此，函数 avg_price 和函数 same_isbn 只能读取而不能修改调用它们的对象的数据成员。

const 对象、指向 const 对象的指针或引用只能用于调用其 const 成员函数，如果尝试用它们来调用非 const 成员函数，则是错误的。

4. this 指针的使用

在成员函数中，不必显式地使用 this 指针来访问被调用函数所属对象的成员。对这个类的成员的任何没有前缀的引用，都被假定为通过指针 this 实现的引用：

```
bool same_isbn(const Sales_item &rhs) const
    { return isbn == rhs.isbn; }
```

在这个函数中 isbn 的用法与 this->units_sold 或 this->revenue 的用法一样。

由于 this 指针是隐式定义的，因此不需要在函数的形参表中包含 this 指针，实际上，这样做也是非法的。但是，在函数体中可以显式地使用 this 指针。如下定义函数 same_isbn 尽管没有必要，但是却是合法的：

```
bool same_isbn(const Sales_item &rhs) const
    { return this->isbn == rhs.isbn; }
```

7.7.2 在类外定义成员函数

在类的定义外面定义成员函数必须指明它们是类的成员：

```
double Sales_item::avg_price() const
{
    if (units_sold)
        return revenue/units_sold;
    else
        return 0;
}
```

上述定义和其他函数一样：该函数返回类型为 double，在函数名后面的圆括号括起了一个空的形参表。新的内容则包括跟在形参表后面的 const 和函数名的形式。函数名：

```
Sales_item::avg_price
```

使用作用域操作符（1.2.2 节）指明函数 avg_price 是在类 Sales_item 的作用域范围内定义的。

形参表后面的 const 则反映了在类 Sales_item 中声明成员函数的形式。在任何函数定义中，返回类型和形参表必须和函数声明（如果有的话）一致。对于成员函数，函数声明必须与其定义一致。如果函数被声明为 const 成员函数，那么函数定义时形参表后面也必须有 const。

现在可以完全理解第一行代码了：这行代码说明现在正在定义类 Sales_item 的函数 avg_price，而且这是一个 const 成员函数，这个函数没有（显式的）形参，返回 double 类型的值。

函数体更加容易理解：检查 units_sold 是否为 0，如果不为 0，返回 revenue 除以 units_sold 的结果；如果 units_sold 是 0，不能安全地进行除法运算——除以 0 是未定义的行为。此时程序返回 0，表示没有任何销售时平均售价为 0。根据异常错误处理策略，也可以抛出异常来代替刚才的处理（6.13 节）。

7.7.3 编写 Sales_item 类的构造函数

还必须编写一个成员，那就是构造函数。正如在 2.8 节所学习的，在定义类时没有初始化它的数据成员，而是通过构造函数来初始化其数据成员。

1. 构造函数是特殊的成员函数

构造函数（constructor）是特殊的成员函数，与其他成员函数不同，构造函数和类同名，而且没有返回类型。而与其他成员函数相同的是，构造函数也有形参表（可能为空）和函数体。一个类可以有多个构造函数，每个构造函数必须有与其他构造函数不同数目或类型的形参。

构造函数的形参指定了创建类类型对象时使用的初始化式。通常，这些初始化式会用于初始化新创建对象的数据成员。构造函数通常应确保其每个数据成员都完成了初始化。

Sales_item 类只需要显式定义一个构造函数：没有形参的**默认构造函数**（default constructor）。默认构造函数说明当定义对象却没有为它提供（显式的）初始化式时应该怎么办：

```
vector<int> vi;         // default constructor: empty vector
string s;               // default constructor: empty string
Sales_item item;        // default constructor: ???
```

262 我们知道 string 和 vector 类默认构造函数的行为：这些构造函数会将对象初始化为合理的默认状态。string 的默认构造函数会产生空字符串，相当于 " "。vector 的默认构造函数则生成一个没有元素的 vector 向量对象。

同样地，我们希望类 Sales_item 的默认构造函数为它生成一个空的 Sales_item 对象。这里的"空"意味着对象中的 isbn 是空字符串，units_sold 和 revenue 则初始化为 0。

2. 构造函数的定义

和其他成员函数一样，构造函数也必须在类中声明，但是可以在类中或类外定义。由于我们的构造函数很简单，因此在类中定义它：

```
class Sales_item {
public:
    // operations on Sales_item objects
    double avg_price() const;
    bool same_isbn(const Sales_item &rhs) const
        { return isbn == rhs.isbn; }
    // default constructor needed to initialize members of built-in type
    Sales_item(): units_sold(0), revenue(0.0) { }
// private members as before
private:
    std::string isbn;
    unsigned units_sold;
    double revenue;
};
```

在解释任何构造函数的定义之前，注意到构造函数是放在类的 public 部分的。通常构造函数会作为类的接口的一部分，这个例子也是这样。毕竟，我们希望使用类 Sales_item 的代码可以定义和初始化类 Sales_item 的对象。如果将构造函数定义为 private 的，则不能定义类 Sales_item 的对象，这样的话，这个类就没有什么用了。

对于定义本身：

```
// default constructor needed to initialize members of built-in type
Sales_item(): units_sold(0), revenue(0.0) { }
```

上述语句说明现在正在定义类 Sales_item 的构造函数，这个构造函数的形参表和函数体都为空。令人感兴趣的是冒号和在冒号与定义（空）函数体的花括号之间的代码。

3. 构造函数的初始化列表

在冒号和花括号之间的代码称为**构造函数的初始化列表**（constructor initializer list）。构造函数的初始化列表为类的一个或多个数据成员指定初值。它跟在构造函数的形参表之后，以冒号开头。构造函数的初始化式是一系列成员名，每个成员后面是括在圆括号中的初始值。多个成员的
263 初始化用逗号分隔。

上述例题的初始化列表表明 units_sold 和 revenue 成员都应初始化为 0。每当创建 Sales_item 对象时，它的这两个成员都以初值 0 出现。而 isbn 成员可以不必准确指明其初值。除非在初始化列表中有其他表述，否则具有类类型的成员皆被其默认构造函数自动初始化。于是，

isbn 由 string 类的默认构造函数初始化为空串。当然，如果有必要的话，也可以在初始化列表中指明 isbn 的默认初值。

解释了初始化列表后，就可以深入地了解这个构造函数了：它的形参表和函数体都为空。形参表为空是因为正在定义的构造函数是默认调用的，无需提供任何初值。函数体为空是因为除了初始化 units_sold 和 revenue 成员外没有其他工作可做了。初始化列表显式地将 units_sold 和 revenue 初始化为 0，并隐式地将 isbn 初始化为空串。当创建新的 Sales_item 对象时，数据成员将以这些值出现。

4. 合成的默认构造函数

如果没有为一个类显式定义任何构造函数，编译器将自动为这个类生成默认构造函数。

由编译器创建的默认构造函数通常称为**合成的默认构造函数**（synthesized default constructor），它将依据如同变量初始化（2.3.4 节）的规则初始化类中所有成员。对于具有类类型的成员，如 isbn，则会调用该成员所属类自身的默认构造函数实现初始化。内置类型成员的初值依赖于对象如何定义。如果对象在全局作用域中定义（即不在任何函数中）或定义为静态局部对象，则这些成员将被初始化为 0。如果对象在局部作用域中定义，则这些成员没有初始化。除了给它们赋值之外，出于其他任何目的对未初始化成员的使用都没有定义。

合成的默认构造函数一般适用于仅包含类类型成员的类。而对于含有内置类型或复合类型成员的类，则通常应该定义他们自己的默认构造函数初始化这些成员。

由于合成的默认构造函数不会自动初始化内置类型的成员，所以必须明确定义 Sales_item 类的默认构造函数。

7.7.4 类代码文件的组织

正如在 2.9 节提及的，通常将类的声明放置在头文件中。大多数情况下，在类外定义的成员函数则置于源文件中。C++程序员习惯使用一些简单的规则给头文件及其关联的类定义代码命名。类定义应置于名为 *type*.h 或 *type*.H 的文件中，*type* 指在该文件中定义的类的名字。成员函数的定义则一般存储在与类同名的源文件中。依照这些规则，我们将类 Sales_item 放在名为 Sales_item.h 的文件中定义。任何需使用这个类的程序，都必须包含这个头文件。而 Sales_item 的成员函数的定义则应该放在名为 Sales_item.cc 的文件中。这个文件同样也必须包含 Sales_item.h 头文件。

264

习题

习题 7.31 编写你自己的 Sales_item 类，添加两个公用（public）成员用于读和写 Sales_item 对象。这两个成员函数的功能应类似于第 1 章介绍的输入输出操作符。交易也应类似于那一章所定义的。利用这个类读入并输出一组交易。

习题 7.32 编写一个头文件，包含你自己的 Sales_item 类。使用通用的 C++规则给这个头文件以及任何相关的文件命名，这些文件用于存储在类外定义的非内联函数。

习题 7.33 在 Sales_item 类中加入一个成员，用于将两个 Sales_item 对象相加。使用修改后的类重新解决第 1 章给出的平均价格问题。

7.8 重载函数

出现在相同作用域中的两个函数，如果具有相同的名字而形参表不同，则称为**重载函数**（overloaded function）。

使用某种程序设计语言编写过算术表达式的程序员都肯定使用过重载函数。表达式

```
1 + 3
```

调用了针对整型操作数的加法操作符，而表达式

```
1.0 + 3.0
```

调用了另外一个专门处理浮点操作数的不同的加法操作。根据操作数的类型来区分不同的操作，并应用适当的操作，是编译器的责任，而不是程序员的事情。

类似地，程序员可以定义一组函数，它们执行同样的一般性动作，但是应用在不同的形参类型上。调用这些函数时，无需担心调用的是哪个函数，就像我们不必操心执行的是整数算术操作还是浮点数算术操作就可以实现 int 型加法或 double 型加法一样。

通过省去为函数起名并记住函数名字的麻烦，函数重载（function overloading）简化了程序的实现，使程序更容易理解。函数名只是为了帮助编译器判断调用的是哪个函数而已。例如，一个数据库应用可能需要提供多个 lookup 函数，分别实现基于姓名、电话号码或账号之类的查询功能。函数重载使我们可以定义一系列的函数，它们的名字都是 lookup，不同之处在于用于查询的值不相同。如此可传递几种类型中的任一种值调用 lookup 函数：

```
Record lookup(const Account&);    // find by Account
Record lookup(const Phone&);      // find by Phone
Record lookup(const Name&);       // find by Name
Record r1, r2;
r1 = lookup(acct);      // call version that takes an Account
r2 = lookup(phone);     // call version that takes a Phone
```

这里的三个函数共享同一个函数名，但却是三个不同的函数。编译器将根据所传递的实参类型来判断调用的是哪个函数。

要理解函数重载，必须理解如何定义一组重载函数和编译器如何决定对某一调用使用哪个函数。本节的其余部分将会回顾这些主题。

 任何程序都仅有一个 main 函数的实例。main 函数不能重载。

函数重载和重复声明的区别

如果两个函数声明的返回类型和形参表完全匹配，则将第二个函数声明视为第一个的重复声明。如果两个函数的形参表完全相同，但返回类型不同，则第二个声明是错误的：

```
Record lookup(const Account&);
```

```
bool lookup(const Account&); // error: only return type is different
```

函数不能仅仅基于不同的返回类型而实现重载。

有些看起来不相同的形参表本质上是相同的：

```
// each pair declares the same function
Record lookup(const Account &acct);
Record lookup(const Account&); // parameter names are ignored
typedef Phone Telno;
Record lookup(const Phone&);
Record lookup(const Telno&); // Telno and Phone are the same type
Record lookup(const Phone&, const Name&);
// default argument doesn't change the number of parameters
Record lookup(const Phone&, const Name& = "");
// const is irrelevent for nonreference parameters
Record lookup(Phone);
Record lookup(const Phone); // redeclaration
```

在第一对函数声明中，第一个声明给它的形参命了名。形参名只是帮助文档，并没有修改形参表。

在第二对函数声明中，看似形参类型不同，但注意到 Telno 其实并不是新类型，只是 Phone 类型的同义词。typedef 给已存在的数据类型提供别名，但并没有创建新的数据类型。所以，如果两个形参的差别只是一个使用 typedef 定义的类型名，而另一个使用 typedef 对应的原类型名，则这两个形参并无不同。

在第三对中，形参列表只有默认实参不同。默认实参并没有改变形参的个数。无论实参是由用户还是由编译器提供的，这个函数都带有两个实参。

最后一对的区别仅在于是否将形参定义为 const。这种差异并不影响传递至函数的对象；第二个函数声明被视为第一个的重复声明。其原因在于实参传递的方式。复制形参时并不考虑形参是否为 const——函数操纵的只是副本。函数无法修改实参。结果，既可将 const 对象传递给 const 形参，也可传递给非 const 形参，这两种形参并无本质区别。

值得注意的是，形参与 const 形参的等价性仅适用于非引用形参。有 const 引用形参的函数与有非 const 引用形参的函数是不同的。类似地，如果函数带有指向 const 类型的指针形参，则与带有指向相同类型的非 const 对象的指针形参的函数不相同。

> **建议：何时不重载函数名**
>
> 　　虽然，对于通常的操作，重载函数能避免不必要的函数命名（和名字记忆），但很容易就会过分使用重载。在一些情况下，使用不同的函数名能提供较多的信息，使程序易于理解。考虑下面 Screen 类的一组用于移动屏幕光标的成员函数：
> ```
> Screen& moveHome();
> Screen& moveAbs(int, int);
> Screen& moveRel(int, int, char *direction);
> ```
> 乍看上去，似乎把这组函数重载为名为 move 的函数更好一些：
> ```
> Screen& move();
> Screen& move(int, int);
> Screen& move(int, int, *direction);
> ```

266

其实不然，重载过后的函数失去了原来函数名所包含的信息，如此一来，程序变得晦涩难懂了。

虽则这几个函数共享的一般性动作都是光标移动，但特殊的移动性质却互不相同。例如，moveHome 表示的是光标移动的一个特殊实例。对于程序的读者，下面两种调用中，哪种更易于理解？而对于使用 Screen 类的程序员，哪一个调用又更容易记忆呢？

```
// which is easier to understand?
myScreen.home(); // we think this one!
myScreen.move();
```

267

7.8.1 重载与作用域

2.3.6 节的程序演示了 C++作用域的嵌套。在函数中局部声明的名字将屏蔽在全局作用域（2.3.6 节）内声明的同名名字。这个关于变量名字的性质对于函数名同样成立：

```
/*  Program for illustration purposes only:
*  It is bad style for a function to define a local variable
*  with the same name as a global name it wants to use
*/
string init(); // the name  init  has global scope
void fcn()
{
    int init = 0;          // init is local and hides global  init
    string s = init();    // error: global  init  is hidden
}
```

一般的作用域规则同样适用于重载函数名。如果局部地声明一个函数，则该函数将屏蔽而不是重载在外层作用域中声明的同名函数。由此推论，每一个版本的重载函数都应在同一个作用域中声明。

一般来说，局部地声明函数是一种不明智的选择。函数的声明应放在头文件中。但为了解释作用域与重载的相互作用，我们将违反上述规则而使用局部函数声明。

作为例子，考虑下面的程序：

```
void print(const string &);
void print(double);    // overloads the  print  function
void fooBar(int ival)
{
    void print(int);   // new scope: hides previous instances of print
    print("Value: "); // error: print(const string &) is hidden
    print(ival);      // ok: print(int) is visible
    print(3.14);      // ok: calls print(int); print(double) is hidden
}
```

函数 fooBar 中的 print(int) 声明将屏蔽 print 的其他声明，就像只有一个有效的 print 函数一样：该函数仅带有一个 int 型形参。在这个作用域或嵌套在这个作用域里的其他作用域中，名字 print 的任何使用都将解释为这个 print 函数实例。

调用 print 时，编译器首先检索这个名字的声明，找到只有一个 int 型形参的 print 函数的局部声明。一旦找到这个名字，编译器将不再继续检查这个名字是否在外层作用域中存在，即编译器将认同找到的这个声明即是程序需要调用的函数，余下的工作只是检查该名字的使用是否有效。

　　第一个函数调用传递了一个字符串字面值，但是函数的形参却是 int 型的。字符串字面值无法隐式地转换为 int 型，因而该调用是错误的。print(const string&) 函数与这个函数调用匹配，但已被屏蔽，因此不在解释该调用时考虑。

　　当传递一个 double 数据调用 print 函数时，编译器重复了同样的匹配过程：首先检索到 print(int) 的局部声明，然后将 double 型的实参隐式转换为 int 型。因此，该调用合法。

268

> 注解　在 C++中，名字查找发生在类型检查之前。

　　另一种情况是，在与其他 print 函数相同的作用域中声明 print(int)，这样，它就成为 print 函数的另一个重载版本。此时，所有的调用将以不同的方式解释：

```cpp
void print(const string &);
void print(double); // overloads print function
void print(int);    // another overloaded instance
void fooBar2(int ival)
{
    print("Value: "); // ok: calls print(const string &)
    print(ival);      // ok: print(int)
    print(3.14);      // ok: calls print (double)
}
```

现在，编译器在检索名字 print 时，将找到这个名字的三个函数。每一个调用都将选择与其传递的实参相匹配的 print 版本。

习题

习题 7.34　定义一组名为 error 的重载函数，使之与下面的调用匹配：
```cpp
int index, upperBound;
char selectVal;
// ...
error("Subscript out of bounds: ", index, upperBound);
error("Division by zero");
error("Invalid selection", selectVal);
```

习题 7.35　下面提供了三组函数声明，解释每组中第二个声明的效果，并指出哪些（如果有的话）是不合法的。

```cpp
(a) int calc(int, int);
    int calc(const int, const int);

(b) int get();
    double get();

(c) int *reset(int *);
    double *reset(double *);
```

7.8.2　函数匹配与实参转换

　　函数重载确定（overload resolution，即函数匹配 function matching）是将函数调用与重载函数集合中的一个函数相关联的过程。通过自动提取函数调用中实际使用的实参与重载集合中各个函数提供的形参做比较，编译器实现该调用与函数的匹配。匹配结果有三种可能：

(1) 编译器找到与实参**最佳匹配**（best match）的函数，并生成调用该函数的代码。

(2) 找不到形参与函数调用的实参匹配的函数，在这种情况下，编译器将给出编译错误信息。

(3) 存在多个与实参匹配的函数，但没有一个是明显的最佳选择。这种情况也是错误的，该调用具有**二义性**（ambiguous）。

大多数情况下，编译器都可以直接明确地判断一个实际的调用是否合法，如果合法，则应该调用哪一个函数。重载集合中的函数通常有不同个数的参数或无关联的参数类型。当多个函数的形参具有可通过隐式转换（5.12 节）关联起来的类型，则函数匹配将相当灵活。在这种情况下，需要程序员充分地掌握函数匹配的过程。

7.8.3　重载确定的三个步骤

考虑下面的这组函数和函数调用：

```
void f();
void f(int);
void f(int, int);
void f(double, double = 3.14);
f(5.6);  // calls void f(double, double)
```

1. 候选函数

函数重载确定的第一步是确定该调用所考虑的重载函数集合，该集合中的函数称为**候选函数**（candidate function）。候选函数是与被调函数同名的函数，并且在调用点上，它的声明可见。在这个例子中，有四个名为 f 的候选函数。

2. 选择可行函数

第二步是从候选函数中选择一个或多个函数，它们能够用该调用中指定的实参来调用。因此，选出来的函数称为**可行函数**（viable function）。可行函数必须满足两个条件：第一，函数的形参个数与该调用的实参个数相同；第二，每一个实参的类型必须与对应形参的类型匹配，或者可被隐式转换为对应的形参类型。

如果函数具有默认实参（7.4.1 节），则调用该函数时，所用的实参可能比实际需要的少。默认实参也是实参，在函数匹配过程中，它的处理方式与其他实参一样。

对于函数调用 f(5.6)，可首先排除两个实参个数不匹配的候选函数。没有形参的 f 函数和有两个 int 型形参的 f 函数对于这个函数调用来说都不可行。例中的调用只有一个实参，而这些函数分别带有零个和两个形参。

另一方面，有两个 double 型参数的 f 函数可能是可行的。调用带有默认实参（7.4.1 节）的函数时可忽略这个实参。编译器自动将默认实参的值提供给被忽略的实参。因此，某个调用拥有的实参可能比显式给出的多。

根据实参个数选出潜在的可行函数后，必须检查实参的类型是否与对应的形参类型匹配。与任意函数调用一样，实参必须与它的形参匹配，它们的类型要么精确匹配，要么实参类型能够转换为形参类型。在这个例子中，余下的两个函数都是可行的。

- f(int)是一个可行函数，因为通过隐式转换可将函数调用中的 double 型实参转换为该函数唯一的 int 型形参。
- f(double, double)也是一个可行函数，因为该函数为其第二个形参提供了默认实参，而且第一个形参是 double 类型，与实参类型精确匹配。

> 如果没有找到可行函数，则该调用错误。

3. 寻找最佳匹配（如果有的话）

函数重载确定的第三步是确定与函数调用中使用的实际参数匹配最佳的可行函数。这个过程考虑函数调用中的每一个实参，选择对应形参与之最匹配的一个或多个可行函数。这里所谓"最佳"的细节将在下一节中解释，其原则是实参类型与形参类型越接近则匹配越佳。因此，实参类型与形参类型之间的精确类型匹配比需要转换的匹配好。

在上述例子中，只需考虑一个 double 类型的显式实参。如果调用 f(int)，实参需从 double 型转换为 int 型。而另一个可行函数 f(double, double)则与该实参精确匹配。由于精确匹配优于需要类型转换的匹配，因此编译器将会把函数调用 f(5.6)解释为对带有两个 double 形参的 f 函数的调用。

4. 含有多个形参的重载确定

如果函数调用使用了两个或两个以上的显式实参，则函数匹配会更加复杂。假设有同样的名为 f 的函数，分析下面的函数调用：

```
f(42, 2.56);
```

可行函数集合将以同样的方式选出。编译器将选出形参个数和类型都与实参匹配的函数。在本例中，可行函数是 f(int, int)和 f(double, double)。接下来，编译器通过依次检查每一个实参来决定哪个或哪些函数匹配最佳。如果有且仅有一个函数满足下列条件，则匹配成功：

(1) 其每个实参的匹配都不劣于其他可行函数需要的匹配。

(2) 至少有一个实参的匹配优于其他可行函数提供的匹配。

如果在检查了所有实参后，仍找不到唯一最佳匹配函数，则该调用错误。编译器将提示该调用具有二义性。

在本例子的调用中，首先分析第一个实参，发现函数 f(int, int)匹配精确。如果使之与第二个函数匹配，就必须将 int 型实参 42 转换为 double 型的值。通过内置转换的匹配"劣于"精确匹配。所以，如果只考虑这个形参，带有两个 int 型形参的函数比带有两个 double 型形参的函数匹配更佳。

但是，当分析第二个实参时，有两个 double 型形参的函数为实参 2.56 提供了精确匹配。而调用两个 int 型形参的 f 函数版本则需要把 2.56 从 double 型转换为 int 型。所以只考虑第二个形参的话，函数 f(double,double)匹配更佳。

因此，这个调用有二义性：每个可行函数都对函数调用的一个实参实现更好的匹配。编译器将产生错误。解决这样的二义性，可通过显式的强制类型转换强制函数匹配：

```
f(static_cast<double>(42), 2.56);    // calls f(double, double)
f(42, static_cast<int>(2.56));       // calls f(int, int)
```

271

>
> **最佳实践** 在实际应用中，调用重载函数时应尽量避免对实参做强制类型转换；需要使用强制类型转换意味着所设计的形参集合不合理。

习题

习题 7.36 什么是候选函数？什么是可行函数？

习题 7.37 已知本节所列出的 f 函数的声明，判断下面哪些函数调用是合法的。如果有的话，列出每个函数调用的可行函数。如果调用非法，指出是没有函数匹配还是该调用存在二义性。如果调用合法，指出哪个函数是最佳匹配。

```
(a) f(2.56, 42);
(b) f(42);
(c) f(42, 0);
(d) f(2.56, 3.14);
```

7.8.4 实参类型转换

为了确定最佳匹配，编译器将实参类型到相应形参类型的转换划分等级。转换等级以降序排列如下：

272

(1) 精确匹配（exact match）。实参与形参类型相同。

(2) 通过类型提升（promotion）实现的匹配（5.12.2 节）。

(3) 通过标准转换（standard conversion）实现的匹配（5.12.3 节）。

(4) 通过类类型转换（class-type conversion）实现的匹配（14.9 节将介绍这类转换）。

> **注解** 内置类型的提升和转换可能会使函数匹配产生意想不到的结果。但幸运的是，设计良好的系统很少会包含与下面例子类似的形参类型如此接近的函数。

通过这些例子，学习并加深了解特殊的函数匹配和内置类型之间的一般关系。

1. 需要类型提升或转换的匹配

类型提升或转换适用于实参类型可通过某种标准转换提升或转换为适当的形参类型的情况。

必须注意的一个重点是较小的整型提升为 int 型。假设有两个函数，一个的形参为 int 型，另一个的形参则是 short 型。对于任意整型的实参值，int 型版本都是优于 short 型版本的较佳匹配，即使从形式上看 short 型版本的匹配较佳：

```
void ff(int);
void ff(short);
ff('a');    // char promotes to int, so matches f(int)
```

字符字面值是 char 类型，char 类型可提升为 int 型。提升后的类型与函数 ff(int) 的形参类型匹配。char 类型同样也可转换为 short 型，但需要类型转换的匹配"劣于"需要类型提升的匹

273 配。结果应将该调用解释为对 ff(int) 的调用。

通过类型提升实现的转换优于其他标准转换。例如，对于 char 型实参来说，有 int 型形参的函数是优于有 double 型形参的函数的较佳匹配。其他的标准转换也以相同的规则处理。例如，从 char 型到 unsigned char 型的转换的优先级不比从 char 型到 double 型的转换高。再举一

个具体的例子，考虑：

```
extern void manip(long);
extern void manip(float);
manip(3.14);   // error: ambiguous call
```

字面值常量 3.14 的类型为 double。这种类型既可转为 long 型也可转为 float 型。由于两者都是可行的标准转换，因此该调用具有二义性。没有哪个标准转换比其他标准转换具有更高的优先级。

2. 参数匹配和枚举类型

回顾枚举类型 enum，我们知道这种类型的对象只能用同一枚举类型的另一个对象或一个枚举成员（enumerator）进行初始化（2.7 节）。整数对象即使具有与枚举元素相同的值也不能用于调用期望获得枚举类型实参的函数。

```
enum Tokens {INLINE = 128, VIRTUAL = 129};
void ff(Tokens);
void ff(int);
int main() {
    Tokens curTok = INLINE;
    ff(128);     // exactly matches ff(int)
    ff(INLINE);  // exactly matches ff(Tokens)
    ff(curTok);  // exactly matches ff(Tokens)
    return 0;
}
```

传递字面值常量 128 的函数调用与有一个 int 型参数的 ff 版本匹配。

虽然无法将整型值传递给枚举类型的形参，但可以将枚举值传递给整型形参。此时，枚举值被提升为 int 型或更大的整型。具体的提升类型取决于枚举成员的值。如果是重载函数，枚举值提升后的类型将决定调用哪个函数：

```
void newf(unsigned char);
void newf(int);
unsigned char uc = 129;
newf(VIRTUAL);   // calls newf (int)
newf(uc);        // calls newf (unsigned char)
```

枚举类型 Tokens 只有两个枚举成员，最大的值为 129。这个值可以用 unsigned char 类型表示，很多编译器会将这个枚举类型存储为 unsigned char 类型。然而，枚举成员 VIRTUAL 却并不是 unsigned char 类型。就算枚举成员的值能存储在 unsigned char 类型中，枚举成员和枚举类型的值也不会提升为 unsigned char 类型。

在使用有枚举类型形参的重载函数时，请记住：由于不同枚举类型的枚举常量值不相同，在函数重载确定过程中，不同的枚举类型会具有完全不同的行为。其枚举成员决定了它们提升的类型，而所提升的类型依赖于机器。

3. 重载和 const 形参

仅当形参是引用或指针时，形参是否为 const 才有影响。

可基于函数的引用形参是指向 const 对象还是指向非 const 对象，实现函数重载。将引用形参

274

定义为 const 来重载函数是合法的，因为编译器可以根据实参是否为 const 确定调用哪一个函数：

```
Record lookup(Account&);
Record lookup(const Account&); // new function
const Account a(0);
Account b;
lookup(a);   // calls lookup(const Account&)
lookup(b);   // calls lookup(Account&)
```

如果形参是普通的引用，则不能将 const 对象传递给这个形参。如果传递了 const 对象，则只有带 const 引用形参的版本才是该调用的可行函数。

如果传递的是非 const 对象，则上述任意一种函数皆可行。非 const 对象既可用于初始化 const 引用，也可用于初始化非 const 引用。但是，将 const 引用初始化为非 const 对象，需通过转换来实现，而非 const 形参的初始化则是精确匹配。

对指针形参的相关处理如出一辙。可将 const 对象的地址值只传递给带有指向 const 对象的指针形参的函数。也可将指向非 const 对象的指针传递给函数的 const 或非 const 类型的指针形参。如果两个函数仅在指针形参是否指向 const 对象上不同，则指向非 const 对象的指针形参对于指向非 const 对象的指针（实参）来说是更佳的匹配。重复强调，编译器可以判断：如果实参是 const 对象，则调用带有 const*类型形参的函数；否则，如果实参不是 const 对象，将调用带有普通指针形参的函数。

注意不能基于指针本身是否为 const 来实现函数的重载：

```
f(int *);
f(int *const); // redeclaration
```

此时，const 用于修饰指针本身，而不是修饰指针所指向的类型。在上述两种情况中，都复制了指针，指针本身是否为 const 并没有带来区别。正如前面 7.8 节所提到的，当形参以副本传递时，不能基于形参是否为 const 来实现重载。

习题

习题 7.38 给出如下声明：

```
void manip(int, int);
double dobj;
```

对于下面两组函数调用，请指出实参上每个转换的优先级等级（7.8.4 节）？

    (a) manip('a', 'z');   (b) manip(55.4, dobj);

习题 7.39 解释以下每组声明中的第二个函数声明所造成的影响，并指出哪些不合法（如果有的话）。

```
(a) int calc(int, int);
    int calc(const int&, const int&);

(b) int calc(char*, char*);
    int calc(const char*, const char*);

(c) int calc(char*, char*);
    int calc(char* const, char* const);
```

习题 7.40 下面的函数调用是否合法？如果不合法，请解释原因。

```
enum Stat { Fail, Pass };
void test(Stat);
test(0);
```

7.9　指向函数的指针

　　函数指针是指指向函数而非指向对象的指针。像其他指针一样，函数指针也指向某个特定的类型。函数类型由其返回类型以及形参表确定，而与函数名无关：

```
// pf points to function returning bool that takes two const string references
bool (*pf)(const string &, const string &);
```

这个语句将 pf 声明为指向函数的指针，它所指向的函数带有两个 const string&类型的形参和 bool 类型的返回值。

> *pf 两侧的圆括号是必需的：
>
> ```
> // declares a function named pf that returns a bool*
> bool *pf(const string &, const string &);
> ```

1.　用 typedef 简化函数指针的定义

　　函数指针类型相当地冗长。使用 typedef 为指针类型定义同义词，可将函数指针的使用大大简化（2.6 节）：

```
typedef bool (*cmpFcn)(const string &, const string &);
```

该定义表示 cmpFcn 是一种指向函数的指针类型的名字。该指针类型为"指向返回 bool 类型并带有两个 const string 引用形参的函数的指针"。在要使用这种函数指针类型时，只需直接使用 cmpFcn 即可，不必每次都把整个类型声明全部写出来。

276

2.　指向函数的指针的初始化和赋值

　　在引用函数名但又没有调用该函数时，函数名将被自动解释为指向函数的指针。假设有函数：

```
// compares lengths of two strings
bool lengthCompare(const string &, const string &);
```

除了用作函数调用的左操作数以外，对 lengthCompare 的任何使用都被解释为如下类型的指针：

```
bool (*)(const string &, const string &);
```

可使用函数名对函数指针做初始化或赋值：

```
cmpFcn pf1 = 0;              // ok: unbound pointer to function
cmpFcn pf2 = lengthCompare; // ok: pointer type matches function's type
pf1 = lengthCompare;        // ok: pointer type matches function's type
pf2 = pf1;                  // ok: pointer types match
```

此时，直接引用函数名等效于在函数名上应用取地址操作符：

```
cmpFcn pf1 = lengthCompare;
cmpFcn pf2 = &lengthCompare;
```

函数指针只能通过同类型的函数或函数指针或0值常量表达式进行初始化或赋值。

将函数指针初始化为 0，表示该指针不指向任何函数。

指向不同函数类型的指针之间不存在转换：

```
string::size_type sumLength(const string&, const string&);
bool cstringCompare(char*, char*);
// pointer to function returning bool taking two const string&
cmpFcn pf;
pf = sumLength;        // error: return type differs
pf = cstringCompare;   // error: parameter types differ
pf = lengthCompare;    // ok: function and pointer types match exactly
```

3. 通过指针调用函数

指向函数的指针可用于调用它所指向的函数。可以不需要使用解引用操作符，直接通过指针调用函数：

```
cmpFcn pf = lengthCompare;
lengthCompare("hi", "bye"); // direct call
pf("hi", "bye");            // equivalent call: pf1 implicitly dereferenced
 (*pf)("hi", "bye");        // equivalent call: pf1 explicitly dereferenced
```

如果指向函数的指针没有初始化，或者具有 0 值，则该指针不能在函数调用中使用。只有当指针已经初始化，或被赋值为指向某个函数，方能安全地用来调用函数。

4. 函数指针形参

函数的形参可以是指向函数的指针。这种形参可以用以下两种形式编写：

```
/* useBigger function's third parameter is a pointer to function
 * that function returns a bool and takes two const string references
 * two ways to specify that parameter:
 */
// third parameter is a function type and is automatically treated as a pointer to function
void useBigger(const string &, const string &,
               bool(const string &, const string &));
// equivalent declaration: explicitly define the parameter as a pointer to function
void useBigger(const string &, const string &,
               bool (*)(const string &, const string &));
```

5. 返回指向函数的指针

函数可以返回指向函数的指针，但是，正确写出这种返回类型相当不容易：

```
// ff is a function taking an int and returning a function pointer
// the function pointed to returns an int and takes an int* and an int
int (*ff(int))(int*, int);
```

阅读函数指针声明的最佳方法是从声明的名字开始由里而外理解。

要理解该声明的含义，首先观察：

```
ff(int)
```

将 ff 声明为一个函数，它带有一个 int 型的形参。该函数返回

278

```
int (*)(int*, int);
```

它是一个指向函数的指针,所指向的函数返回 int 型并带有两个分别是 int*型和 int 型的形参。

使用 typedef 可使该定义更简明易懂:

```
// PF is a pointer to a function returning an int, taking an int* and an int
typedef int (*PF)(int*, int);
PF ff(int);   // ff returns a pointer to function
```

 允许将形参定义为函数类型,但函数的返回类型则必须是指向函数的指针,而不能是函数。

具有函数类型的形参所对应的实参将被自动转换为指向相应函数类型的指针。但是,当返回的是函数时,同样的转换操作则无法实现:

```
// func  is a function type, not a pointer to function!
typedef int func(int*, int);
void f1(func);   // ok: f1 has a parameter of function type
func f2(int);    // error: f2 has a return type of function type
func *f3(int);   // ok: f3 returns a pointer to function type
```

6. 指向重载函数的指针:

C++语言允许使用函数指针指向重载的函数:

```
extern void ff(vector<double>);
extern void ff(unsigned int);

// which function does pf1 refer to?
void (*pf1)(unsigned int) = &ff; // ff(unsigned)
```

指针的类型必须与重载函数的一个版本精确匹配。如果没有精确匹配的函数,则对该指针的初始化或赋值都将导致编译错误:

```
// error: no match: invalid parameter list
void (*pf2)(int) = &ff;

// error: no match: invalid return type
double (*pf3)(vector<double>);
pf3 = &ff;
```

279

小结

函数是有名字的计算单元,对程序(就算是小程序)的结构化至关重要。函数的定义由返回类型、函数名、形参表(可能为空)以及函数体组成。函数体是调用函数时执行的语句块。在调用函数时,传递给函数的实参必须与相应的形参类型兼容。

给函数传递实参遵循变量初始化的规则。非引用类型的形参以相应实参的副本初始化。对(非引用)形参的任何修改仅作用于局部副本,并不影响实参本身。

复制庞大而复杂的值有昂贵的开销。为了避免传递副本的开销,可将形参指定为引用类型。对引用形参的任何修改会直接影响实参本身。应将不需要修改相应实参的引用形参定义为 const

引用。

在 C++ 中，函数可以重载。只要函数中形参的个数或类型不同，则同一个函数名可用于定义不同的函数。编译器将根据函数调用时的实参确定调用哪一个函数。在重载函数集合中选择适合的函数的过程称为函数匹配。

C++ 提供了两种特殊的函数：内联函数和成员函数。将函数指定为内联是建议编译器在调用点直接把函数代码展开。内联函数避免了调用函数的代价。成员函数则是身为类成员的函数。本章介绍了简单的成员函数，在第 12 章将会更详细地介绍成员函数。

术语

ambiguous call（有二义性的调用） 一种编译错误，当调用重载函数，找不到唯一的最佳匹配时产生。

argument（实参） 调用函数时提供的值。这些值用于初始化相应的形参，其方式类似于初始化同类型变量的方法。

automatic object（自动对象） 局部于函数的对象。自动对象会在每一次函数调用时重新创建和初始化，并在定义它的函数块结束时撤销。一旦函数执行完毕，这些对象就不再存在了。

best match（最佳匹配） 在重载函数集合里找到的与给定调用的实参达到最佳匹配的唯一函数。

call operator（调用操作符） 使函数执行的操作符。该操作符是一对圆括号，并且有两个操作数：被调用函数的名字，以及由逗号分隔的（也可能为空）形参表。

candidate function（候选函数） 在解析函数调用时考虑的函数集合。候选函数包括了所有在该调用发生的作用域中声明的、具有该调用所使用的名字的函数。

const member function（常量成员函数） 类的成员的函数，并可以由该类类型的常量对象调用。常量成员函数不能修改所操纵的对象的数据成员。

constructor（构造函数） 与所属类同名的类成员函数。构造函数说明如何初始化本类的对象。构造函数没有返回类型，而且可以重载。

constructor initializer list（构造函数初始化列表） 在构造函数中用于为数据成员指定初值的表。初始化列表出现在构造函数的定义中，位于构造函数体与形参表之间。该表由冒号和冒号后面的一组用逗号分隔的成员名组成，每一个成员名后面跟着用圆括号括起来的该成员的初值。

default constructor（默认构造函数） 在没有显式提供初始化式时调用的构造函数。如果类中没有定义任何构造函数，编译器会自动为这个类合成默认构造函数。

function（函数） 可调用的计算单元。

function body（函数体） 定义函数动作的语句块。

function matching（函数匹配） 确定重载函数调用的编译器过程。调用时使用的实参将与每个重载函数的形参表作比较。

function prototype（函数原型） 函数声明的同义词。包括了函数的名字、返回类型和形参类型。调用函数时，必须在调用点之前声明函数原型。

inline function（内联函数） 如果可能的话，将在调用点展开的函数。内联函数直接以函数代码替代了函数调用语句，从而避免了一般函数调用的开销。

local static object（局部静态对象） 在函数第一次调用前就已经创建和初始化的局部对象，其值在函数的调用之间保持有效。

local variable（局部变量） 在函数内定义的变量，仅能在函数体内访问。

object lifetime（对象生命期） 每个对象皆有与之关联的生命期。在块中定义的对象从定义时开始存在，直到它的定义所在的语句块结束为止。静态局部对象和在函数外定义的全局变量则在程序开始执行时创建，当 main 函数结束时撤销。动态创建的对象由 new 表达式创建，从此开始存在，直到由相应的 delete 表达式释放所占据的内存空间为止。

overload resolution（重载确定） 函数匹配的同义词。

overloaded function（重载函数） 和至少一个其他函数同名的函数。重载函数必须在形参个数或类型上有所不同。

parameter（形参） 函数的局部变量，其初值由函数调用提供。

recursive function（递归函数） 直接或间接调用自己的函数。

return type（返回类型） 函数返回值的类型。

synthesized default constructor（合成默认构造函数） 如果类没有定义任何构造函数，则编译器会为这个类创建（合成）一个默认构造函数。该函数以默认的方式初始化类中的所有数据成员。

temporary object（临时对象） 在求解表达式的过程中由编译器自动创建的没有名字的对象。"临时对象"这个术语通常简称为"临时"。临时对象一直存在直到最大表达式结束为止，最大表达式指的是包含创建该临时对象的表达式的最大范围内的表达式。

this pointer（**this** 指针） 成员函数的隐式形参。this 指针指向调用该函数的对象，是指向类类型的指针。在 const 成员函数中，该指针也指向 const 对象。

viable function（可行函数） 重载函数中可与指定的函数调用匹配的子集。可行函数的形参个数必须与该函数调用的实参个数相同，而且每个实参类型都可潜在地转换为相应形参的类型。

280
∼
282

第8章

标准 IO 库

C++的输入/输出（input/output）由标准库提供。标准库定义了一族类型，支持对文件和控制窗口等设备的读写（IO）。还定义了其他一些类型，使 string 对象能够像文件一样操作，从而使我们无须 IO 就能实现数据与字符之间的转换。这些 IO 类型都定义了如何读写内置数据类型的值。此外，一般来说，类的设计者还可以很方便地使用 IO 标准库设施读写自定义类的对象。类类型通常使用 IO 标准库为内置类型定义的操作符和规则来进行读写。

本章将介绍 IO 标准库的基础知识，而更多的内容会在后续章节中介绍：第 14 章考虑如何编写自己的输入输出操作符；附录 A 则介绍格式控制以及文件的随机访问。

前面的程序已经使用了多种 IO 标准库提供的工具:

- istream(输入流)类型,提供输入操作。
- ostream(输出流)类型,提供输出操作。
- cin(发音为 see-in):读入标准输入的 istream 对象。
- cout(发音为 see-out):写到标准输出的 ostream 对象。
- cerr(发音为 see-err):输出标准错误的 ostream 对象。cerr 常用于程序错误信息。
- >>操作符,用于从 istream 对象中读入输入。
- <<操作符,用于把输出写到 ostream 对象中。
- getline 函数,需要分别取 istream 类型和 string 类型的两个引用形参,其功能是从 istream 对象读取一个单词,然后写入 string 对象中。

本章简要地介绍一些附加的 IO 操作,并讨论文件对象和 string 对象的读写。附录 A 会介绍如何控制 IO 操作的格式、文件的随机访问以及无格式的 IO。本书是初级读本,因此不会详细讨论完整的 iostream 标准库——特别是,我们不但没有涉及系统特定的实现细则,也不讨论标准库管理输入输出缓冲区的机制,以及如何编写自定义的缓冲区类。这些话题已超出了本书的范围。相对而言,本书把重点放在 IO 标准库对普通程序最有用的部分。

8.1　面向对象的标准库

迄今为止,我们已经使用 IO 类型和对象读写数据流,它们常用于与用户控制窗口的交互。当然,实际的程序不能仅限于对控制窗口的 IO,通常还需要读或写已命名的文件。此外,程序还应该能方便地使用 IO 操作格式化内存中的数据,从而避免读写磁盘或其他设备的复杂性和运行代价。应用程序还需要支持宽字符(wide-character)语言的读写。

从概念上看,无论是设备的类型还是字符的大小,都不影响需要执行的 IO 操作。例如,不管我们是从控制窗口、磁盘文件或内存中的字符串读入数据,都可使用>>操作符。相似地,无论我们读的是 char 类型的字符还是 wchar_t 类型(2.1.1 节)的字符,也都可以使用该操作符。

乍看起来,要同时支持或使用不同类型的设备以及不同大小的字符流,其复杂程度似乎相当可怕。为了管理这样的复杂性,标准库使用了**继承**(inheritance)来定义一组**面向对象**(object-oriented)类。在本书的第 IV 部分将会更详细地讨论继承和面向对象程序设计,不过,一般而言,通过继承关联起来的类型都共享共同的接口。当一个类继承另一个类时,这两个类通常可以使用相同的操作。更确切地说,如果两种类型存在继承关系,则可以说一个类"继承"了其父类的行为——接口。C++中所提及的父类称为**基类**(base class),而继承而来的类则称为**派生类**(derived class)。

IO 类型在三个独立的头文件中定义:iostream 定义读写控制窗口的类型,fstream 定义读写已命名文件的类型,而 sstream 所定义的类型则用于读写存储在内存中的 string 对象。在 fstream 和 sstream 里定义的每种类型都是从 iostream 头文件中定义的相关类型派生而来。表 8-1 列出了 C++的 IO 类,而图 8-1 则阐明这些类型之间的继承关系。继承关系通常可以用类似于家族树的图解说明。最顶端的圆圈代表基类(或称"父类"),基类和派生类(或称"子类")之间用线段连接。因此，如图 8-1 所示，istream 是 ifstream 和 istringstream 的基类，同时也是 iostream 的基类，而 iostream 则是 stringstream 和 fstream 的基类。

表 8-1 IO 标准库类型和头文件	
头文件	类 型
iostream	istream 从流中读取 ostream 写到流中去 iostream 对流进行读写；从 istream 和 ostream 派生而来
fstream	ifstream 从文件中读取；由 istream 派生而来 ofstream 写到文件中去；由 ostream 派生而来 fstream 读写文件；由 iostream 派生而来
sstream	istringstream 从 string 对象中读取；由 istream 派生而来 ostringstream 写到 string 对象中去；由 ostream 派生而来 stringstream 对 string 对象进行读写；由 iostream 派生而来

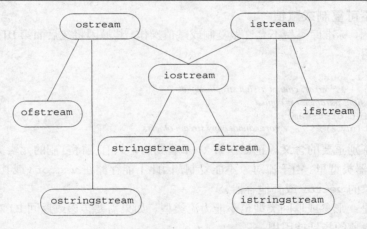

图 8-1　简单的 iostream 继承层次

由于 ifstream 和 istringstream 类型继承了 istream 类，因此已知这两种类型的大量用法。我们曾经编写过的读 istream 对象的程序也可用于读文件（使用 ifstream 类型）或者 string 对象（使用 istringstream 类型）。类似地，提供输出功能的程序同样可用 ofstream 或 ostringstream 取代 ostream 类型实现。除了 istream 和 ostream 类型之外，iostream 头文件还定义了 iostream 类型。尽管我们的程序还没用过这种类型，但事实上可以多了解一些关于 iostream 的用法。iostream 类型由 istream 和 ostream 两者派生而来。这意味着 iostream 对象共享了它的两个父类的接口。也就是说，可使用 iostream 类型在同一个流上实现输入和输出操作。标准库还定义了另外两个继承 iostream 的类型。这些类型可用于读写文件或 string 对象。

对 IO 类型使用继承还有另外一个重要的含义：正如在第 15 章可以看到的，如果函数有基类类型的引用形参时，可以给函数传递其派生类型的对象。这就意味着：对 istream& 进行操作的函数，也可使用 ifstream 或者 istringstream 对象来调用。类似地，形参为 ostream& 类型的函数也可用 ofstream 或者 ostringstream 对象调用。因为 IO 类型通过继承关联，所以可以只编写一个函数，而将它应用到三种类型的流上：控制台、磁盘文件或者字符串流。

1. 国际字符的支持

迄今为止，所描述的流类（stream class）读写的是由 char 类型组成的流。此外，标准库还定义了一组相关的类型，支持 wchar_t 类型。每个类都加上 "w" 前缀，以此与 char 类型的版本区分开来。于是，wostream、wistream 和 wiostream 类型从控制窗口读写 wchar_t 数据。相应的文件输入输出类是 wifstream、wofstream 和 wfstream。而 wchar_t 版本的 string 输入/输出流则是 wistringstream、wostringstream 和 wstringstream。标准库还定义了从标准输入输出读写宽字符的对象。这些对象加上 "w" 前缀，以此与 char 类型版本区分：wchar_t 类型的标准输入对象是 wcin；标准输出是 wcout；而标准错误则是 wcerr。

每一个 IO 头文件都定义了 char 和 wchar_t 类型的类和标准输入/输出对象。基于流的 wchar_t 类型的类和对象在 iostream 中定义，宽字符文件流类型在 fstream 中定义，而宽字符 stringstream 则在 sstream 头文件中定义。

2. IO 对象不可复制或赋值

出于某些原因，标准库类型不允许做复制或赋值操作。其原因将在后面第 III 和第 IV 部分学习类和继承时阐明。

```
ofstream out1, out2;
out1 = out2;    // error: cannot assign stream objects
// print function: parameter is copied
ofstream print(ofstream);
out2 = print(out2);  // error: cannot copy stream objects
```

这个要求有两层特别重要的含义。正如在第 9 章看到的，只有支持复制的元素类型可以存储在 vector 或其他容器类型里。由于流对象不能复制，因此不能存储在 vector（或其他）容器中（即不存在存储流对象的 vector 或其他容器）。

第二个含义是：形参或返回类型也不能为流类型。如果需要传递或返回 IO 对象，则必须传递或返回指向该对象的指针或引用：

```
ofstream &print(ofstream&);          // ok: takes a reference, no copy
while (print(out2)) { /* ... */ } // ok: pass reference to out2
```

一般情况下，如果要传递 IO 对象以便对它进行读写，可用非 const 引用的方式传递这个流对象。对 IO 对象的读写会改变它的状态，因此引用必须是非 const 的。

习题

习题 8.1　假设 os 是一个 ofstream 对象，下面程序做了什么？

```
os << "Goodbye!" << endl;
```

如果 os 是 ostringstream 对象呢？或者，os 是 ifstream 对象呢？

习题 8.2　下面的声明是错误的，指出其错误并改正之：

```
ostream print(ostream os);
```

8.2　条件状态

在展开讨论 fstream 和 sstream 头文件中定义的类型之前,需要了解更多 IO 标准库如何管理其缓冲区及其流状态的相关内容。谨记本节和下一节所介绍的内容同样适用于普通流、文件流以及 string 流。

实现 IO 的继承正是错误发生的根源。一些错误是可恢复的;一些错误则发生在系统底层,位于程序可修正的范围之外。IO 标准库管理一系列**条件状态**(condition state)成员,用来标记给定的 IO 对象是否处于可用状态,或者碰到了哪种特定的错误。表 8-2 列出了标准库定义的一组函数和标记,提供访问和操纵流状态的手段。

287

表 8-2　IO 标准库的条件状态	
strm::iostate	机器相关的整型名, 由各个 iostream 类定义, 用于定义条件状态
strm::badbit	*strm*::iostate 类型的值, 用于指出被破坏的流
strm::failbit	*strm*::iostate 类型的值, 用于指出失败的 IO 操作
strm::eofbit	*strm*::iostate 类型的值, 用于指出流已经到达文件结束符
s.eof()	如果设置了流 s 的 eofbit 值, 则该函数返回 true
s.fail()	如果设置了流 s 的 failbit 值, 则该函数返回 true
s.bad()	如果设置了流 s 的 badbit 值, 则该函数返回 true
s.good()	如果流 s 处于有效状态, 则该函数返回 true
s.clear()	将流 s 中的所有状态值都重设为有效状态
s.clear(flag)	将流 s 中的某个指定条件状态设置为有效。flag 的类型是 *strm*::iostate
s.setstate(flag)	给流 s 添加指定条件。flag 的类型是 *strm*::iostate
s.rdstate()	返回流 s 的当前条件, 返回值类型为 *strm*::iostate

考虑下面 IO 错误的例子:

```
int ival;
cin >> ival;
```

如果在标准输入设备输入 Borges,则 cin 在尝试将输入的字符串读为 int 型数据失败后,会生成一个错误状态。类似地,如果输入文件结束符(end-of-file),cin 也会进入错误状态。而如果输入 1024,则成功读取,cin 将处于正确的无错误状态。

流必须处于无错误状态,才能用于输入或输出。检测流是否可用的最简单的方法是检查其真值:

```
if (cin)
        // ok to use cin, it is in a valid state

while (cin >> word)
        // ok: read operation successful ...
```

if 语句直接检查流的状态,而 while 语句则检测条件表达式返回的流,从而间接地检查了流的状态。如果成功输入,则条件检测为 true。

1. 条件状态

许多程序只需知道流是否有效。而某些程序则需要更详细地访问或控制流的状态,此时,除

288

了知道流处于错误状态外，还必须了解它遇到了哪种类型的错误。例如，程序员也许希望弄清是到达了文件的结尾，还是遇到了 IO 设备上的错误。

　　所有流对象都包含一个条件状态成员，该成员由 setstate 和 clear 操作管理。这个状态成员为 iostate 类型，这是由各个 iostream 类分别定义的机器相关的整型。该状态成员以二进制位（bit）的形式使用，类似于 5.3.1 节的例子中用于记录测验成绩的 int_quiz1 变量。

　　每个 IO 类还定义了三个 iostate 类型的常量值，分别表示特定的位模式。这些常量值用于指出特定类型的 IO 条件，可与位操作符（5.3 节）一起使用，以便在一次操作中检查或设置多个标志。

　　badbit 标志着系统级的故障，如无法恢复的读写错误。如果出现了这类错误，则该流通常就不能再继续使用了。如果出现的是可恢复的错误，如在希望获得数值型数据时输入了字符，此时则设置 failbit 标志，这种导致设置 failbit 的问题通常是可以修正的。eofbit 是在遇到文件结束符时设置的，此时同时还设置了 failbit。

　　流的状态由 bad、fail、eof 和 good 操作揭示。如果 bad、fail 或者 eof 中的任意一个为 true，则检查流本身将显示该流处于错误状态。类似地，如果这三个条件没有一个为 true，则 good 操作将返回 true。

　　clear 和 setstate 操作用于改变条件成员的状态。clear 操作将条件重设为有效状态。在流的使用出现了问题并做出补救后，如果我们希望把流重设为有效状态，则可以调用 clear 操作。使用 setstate 操作可打开某个指定的条件，用于表示某个问题的发生。除了添加的标记状态，setstate 将保留其他已存在的状态变量不变。

2. 流状态的查询和控制

可以如下管理输入操作：

```
int ival;
// read cin and test only for EOF; loop is executed even if there are other IO failures
while (cin >> ival, !cin.eof()) {
    if (cin.bad())                      // input stream is corrupted; bail out
        throw runtime_error("IO stream corrupted");
    if (cin.fail()) {                   // bad input
        cerr<< "bad data, try again";   // warn the user
        cin.clear(istream::failbit);    // reset the stream
        continue;                       // get next input
    }
    // ok to process ival
}
```

这个循环不断读入 cin，直到到达文件结束符或者发生不可恢复的读取错误为止。循环条件使用了逗号操作符（5.9 节）。回顾逗号操作符的求解过程：首先计算它的每一个操作数，然后返回最右边操作数作为整个操作的结果。因此，循环条件只读入 cin 而忽略了其结果。该条件的结果是!cin.eof()的值。如果 cin 到达文件结束符，条件则为假，退出循环。如果 cin 没有到达文件结束符，则不管在读取时是否发生了其他可能遇到的错误，都进入循环。

　　在循环中，首先检查流是否已破坏。如果是的话，抛出异常（6.13 节）并退出循环。如果输入无效，则输出警告并清除 failbit 状态。在本例中，执行 continue 语句（6.11 节）回到 while

的开头，读入另一个值给 ival。如果没有出现任何错误，那么循环体中余下的部分则可以很安全地使用 ival。

3. 条件状态的访问

rdstate 成员函数返回一个 iostate 类型的值，该值对应于流当前的整个条件状态：

```
// remember current state of cin
istream::iostate old_state = cin.rdstate();
cin.clear();
process_input();  // use cin
cin.clear(old_state); // now reset cin to old state
```

4. 多种状态的处理

常常会出现需要设置或清除多个状态二进制位的情况。此时，可以通过多次调用 setstate 或者 clear 函数实现。另外一种方法则是使用按位或（OR）操作符（5.3 节）在一次调用中生成"传递两个或更多状态位"的值。按位或操作使用其操作数的二进制位模式产生一个整型数值。对于结果中的每一个二进制位，如果其值为 1，则该操作的两个操作数中至少有一个的对应二进制位是 1。例如：

```
// sets both the badbit and the failbit
is.setstate(ifstream::badbit | ifstream::failbit);
```

将对象 is 的 failbit 和 badbit 位同时打开。实参：

```
is.badbit | is.failbit
```

生成了一个值，其对应于 badbit 和 failbit 的位都打开了，也就是将这两个位都设置为 1，该值的其他位则都为 0。在调用 setstate 时，使用这个值来开启流条件状态成员中对应的 badbit 和 failbit 位。

习题

习题 8.3　编写一个函数，其唯一的形参和返回值都是 istream&类型。该函数应一直读取流直到到达文件结束符为止，还应将读到的内容输出到标准输出中。最后，重设流使其有效，并返回该流。

习题 8.4　通过以 cin 为实参实现调用来测试上题编写的函数。

习题 8.5　导致下面的 while 终止的原因是什么？

```
while (cin >> i) /* . . . */
```

8.3　输出缓冲区的管理

每个 IO 对象管理一个缓冲区，用于存储程序读写的数据。如有下面语句：

```
os << "please enter a value: ";
```

系统将字符串字面值存储在与流 os 关联的缓冲区中。下面几种情况将导致缓冲区的内容被刷新，即写入到真实的输出设备或者文件：

(1) 程序正常结束。作为 main 返回工作的一部分，将清空所有输出缓冲区。

(2) 在一些不确定的时候，缓冲区可能已经满了，在这种情况下，缓冲区将会在写下一个值之前刷新。

(3) 用操纵符（manipulator，1.2.2 节）显式地刷新缓冲区，例如行结束符 endl。

(4) 在每次输出操作执行完后，用 unitbuf 操纵符设置流的内部状态，从而清空缓冲区。

(5) 可将输出流与输入流关联（tie）起来。在这种情况下，在读输入流时将刷新其关联的输出缓冲区。

1. 输出缓冲区的刷新

我们的程序已经使用过 endl 操纵符，用于输出一个换行符并刷新缓冲区。除此之外，C++语言还提供了另外两个类似的操纵符。第一个是经常使用的 flush，用于刷新流，但不在输出中添加任何字符。第二个则是比较少用的 ends，这个操纵符在缓冲区中插入空字符 null，然后刷新它：

```
cout << "hi!" << flush;     // flushes the buffer; adds no data
cout << "hi!" << ends;      // inserts a null, then flushes the buffer
cout << "hi!" << endl;      // inserts a newline, then flushes the buffer
```

2. unitbuf 操纵符

如果需要刷新所有输出，最好使用 unitbuf 操纵符。这个操纵符在每次执行完写操作后都刷新流：

```
cout << unitbuf << "first" << " second" << nounitbuf;
```

等价于：

```
cout << "first" << flush << " second" << flush;
```

nounitbuf 操纵符将流恢复为使用正常的、由系统管理的缓冲区刷新方式。

警告：如果程序崩溃了，则不会刷新缓冲区

如果程序不正常结束，输出缓冲区将不会刷新。在尝试调试已崩溃的程序时，通常会根据最后的输出找出程序发生错误的区域。如果崩溃出现在某个特定的输出语句后面，则可知是在程序的这个位置之后出错。

调试程序时，必须保证期待写入的每个输出都确实被刷新了。因为系统不会在程序崩溃时自动刷新缓冲区，这就可能出现这样的情况：程序做了写输出的工作，但写的内容并没有显示在标准输出上，仍然存储在输出缓冲区中等待输出。

如果需要使用最后的输出给程序错误定位，则必须确定所有要输出的都已经输出。为了确保用户看到程序实际上处理的所有输出，最好的方法是保证所有的输出操作都显式地调用了 flush 或 endl。

如果仅因为缓冲区没有刷新，程序员将浪费大量的时间跟踪调试并没有执行的代码。基于这个原因，输出时应多使用 endl 而非 '\n'。使用 endl 则不必担心程序崩溃时输出是否悬而未决（即还留在缓冲区，未输出到设备中）。

---

3. 将输入和输出绑在一起

当输入流与输出流绑在一起时，任何读输入流的尝试都将首先刷新其输出流关联的缓冲区。标准库将 cout 与 cin 绑在一起，因此语句：

```
cin >> ival;
```

导致 cout 关联的缓冲区被刷新。

> 　　交互式系统通常应确保它们的输入和输出流是绑在一起的。这样做意味着可以保证任何输出，包括给用户的提示，都在试图读之前输出。

tie 函数可用 istream 或 ostream 对象调用，使用一个指向 ostream 对象的指针形参。调用 tie 函数时，将实参流绑在调用该函数的对象上。如果一个流调用 tie 函数将其本身绑在传递给 tie 的 ostream 实参对象上，则该流上的任何 IO 操作都会刷新实参所关联的缓冲区。

```
cin.tie(&cout);      // illustration only: the library ties cin and cout for us
ostream *old_tie = cin.tie();
cin.tie(0); // break tie to cout, cout no longer flushed when cin is read
cin.tie(&cerr);      // ties cin and cerr, not necessarily a good idea!
// ...
cin.tie(0);          // break tie between cin and cerr
cin.tie(old_tie); // restablish normal tie between cin and cout
```

一个 ostream 对象每次只能与一个 istream 对象绑在一起。如果在调用 tie 函数时传递实参 0，则打破该流上已存在的捆绑。

292

8.4　文件的输入和输出

fstream 头文件定义了三种支持文件 IO 的类型：

(1) ifstream，由 istream 派生而来，提供读文件的功能。

(2) ofstream，由 ostream 派生而来，提供写文件的功能。

(3) fstream，由 iostream 派生而来，提供读写同一个文件的功能。

这些类型都由相应的 iostream 类型派生而来，这个事实意味着我们已经知道使用 fstream 类型需要了解的大部分内容了。特别是，可使用 IO 操作符（<<和>>）在文件上实现格式化的 IO，而且在前面章节介绍的条件状态也同样适用于 fstream 对象。

fstream 类型除了继承下来的行为外，还定义了两个自己的新操作——open 和 close，以及形参为要打开的文件名的构造函数。fstream、ifstream 或 ofstream 对象可调用这些操作，而其他的 IO 类型则不能调用。

8.4.1　文件流对象的使用

迄今为止，我们的程序已经使用过标准库定义的对象：cin、cout 和 cerr。需要读写文件时，则必须定义自己的对象，并将它们绑定在需要的文件上。假设 ifile 和 ofile 是存储希望读写的文件名的 string 对象，可如下编写代码：

```
// construct an ifstream and bind it to the file named ifile
ifstream infile(ifile.c_str());
// ofstream output file object to write file named ofile
ofstream outfile(ofile.c_str());
```

上述代码定义并打开了一对 fstream 对象。infile 是读的流，而 outfile 则是写的流。为 ifstream 或者 ofstream 对象提供文件名作为初始化式，就相当于打开了特定的文件。

```
ifstream infile;      // unbound input file stream
ofstream outfile;     // unbound output file stream
```

上述语句将 infile 定义为读文件的流对象，将 outfile 定义为写文件的对象。这两个对象都没有捆绑具体的文件。在使用 fstream 对象之前，还必须使这些对象捆绑要读写的文件：

```
infile.open("in");        // open file named "in" in the current directory
outfile.open("out");      // open file named "out" in the current directory
```

调用 open 成员函数将已存在的 fstream 对象与特定文件绑定。为了实现读写，需要将指定的文件打开并定位，open 函数完成系统指定的所有需要的操作。

293

> **警告：C++中的文件名**
>
> 　　由于历史原因，IO 标准库使用 C 风格字符串（4.3 节）而不是 C++ string 类型的字符串作为文件名。在创建 fstream 对象时，如果调用 open 或使用文件名作初始化式，需要传递的实参应为 C 风格字符串，而不是标准库 string 对象。程序常常从标准输入获得文件名。通常，比较好的方法是将文件名读入 string 对象，而不是 C 风格字符数组。假设要使用的文件名保存在 string 对象中，则可调用 c_str 成员（4.3.2 节）获取 C 风格字符串。

1. 检查文件打开是否成功

打开文件后，通常要检验打开是否成功，这是一个好习惯：

```
// check that the open succeeded
if (!infile) {
    cerr << "error: unable to open input file: "
         << ifile << endl;
    return -1;
}
```

这个条件与之前测试 cin 是否到达文件尾或遇到某些其他错误的条件类似。检查流等效于检查对象是否"适合"输入或输出。如果打开（open）失败，则说明 fstream 对象还没有为 IO 做好准备。当测试对象

```
if (outfile) // ok to use outfile?
```

返回 true 意味着文件已经可以使用。由于希望知道文件是否未准备好，则对返回值取反来检查流：

```
if (!outfile) // not ok to use outfile?
```

2. 将文件流与新文件重新捆绑

fstream 对象一旦打开，就保持与指定的文件相关联。如果要把 fstream 对象与另一个不同的文件关联，则必须先关闭（close）现在的文件，然后打开（open）另一个文件：

```
ifstream infile("in");      // opens file named "in" for reading
infile.close();             // closes "in"
infile.open("next");        // opens file named "next" for reading
```

要点是在尝试打开新文件之前，必须先关闭当前的文件流。open 函数会检查流是否已经打开。如果已经打开，则设置内部状态，以指出发生了错误。接下来使用文件流的任何尝试都会失败。

3. 清除文件流的状态

考虑这样的程序，它有一个 vector 对象，包含一些要打开并读取的文件名，程序要对每个文件中存储的单词做一些处理。假设该 vector 对象命名为 files，程序也许会有如下循环：

294

```cpp
// for each file in the vector
while (it != files.end()) {
    ifstream input(it->c_str());    // open the file;
    // if the file is ok, read and "process" the input
    if (!input)
        break;                       // error: bail out!
    while(input >> s)                // do the work on this file
        process(s);
    ++it;                            // increment iterator to get next file
}
```

每一次循环都构造了名为 input 的 ifstream 对象，打开并读取指定的文件。构造函数的初始化式使用了箭头操作符（5.6 节）对 it 进行解引用，从而获取 it 当前表示的 string 对象的 c_str 成员。文件由构造函数打开，并假设打开成功，读取文件直到到达文件结束符或者出现其他的错误条件为止。在这个点上，input 处于错误状态。任何读 input 的尝试都会失败。因为 input 是 while 循环的局部变量，在每次迭代中创建。这就意味着它在每次循环中都以干净的状态即 input.good() 为 true，开始使用。

如果希望避免在每次 while 循环过程中创建新的流对象，可将 input 的定义移到 while 之前。这点小小的改动意味着必须更仔细地管理流的状态。如果遇到文件结束符或其他错误，将设置流的内部状态，以便之后不允许再对该流做读写操作。关闭流并不能改变流对象的内部状态。如果最后的读写操作失败了，对象的状态将保持为错误模式，直到执行 clear 操作重新恢复流的状态为止。调用 clear 后，就像重新创建了该对象一样。

如果打算重用已存在的流对象，那么 while 循环必须在每次循环时记得关闭（close）和清空（clear）文件流：

```cpp
ifstream input;
vector<string>::const_iterator it = files.begin();
//    for each file in the  vector
while (it != files.end()) {
    input.open(it->c_str());   // open the file
    // if the file is ok, read and "process" the input
    if (!input)
        break;                      // error: bail out!
    while(input >> s)  // do the work on this file
            process(s);
    input.close();           // close file when we're done with it
    input.clear();           // reset state to ok
    ++it;                    // increment iterator to get next file
}
```

如果忽略 clear 的调用，则循环只能读入第一个文件。要了解其原因，就需要考虑在循环中发生了什么：首先打开指定的文件。假设打开成功，则读取文件直到文件结束或者出现其他错误条件

295　　为止。在这个点上，input 处于错误状态。如果在关闭（close）该流前没有调用 clear 清除流的状态，接着在 input 上做的任何输入运算都会失败。一旦关闭该文件，再打开下一个文件时，在内层 while 循环上读 input 仍然会失败——毕竟最后一次对流的读操作到达了文件结束符，事实上该文件结束符对应的是另一个与本文件无关的其他文件。

　　　　如果程序员需要重用文件流读写多个文件，必须在读另一个文件之前调用 clear 清除该流的状态。

习题

习题 8.6　由于 ifstream 继承了 istream，因此可将 ifstream 对象传递给形参为 istream 引用的函数。使用 8.2 节第一个习题编写的函数读取已命名的文件。

习题 8.7　本节编写的两个程序，在打开 vector 容器中存放的任何文件失败时，使用 break 跳出 while 循环。重写这两个循环，如果文件无法打开，则输出警告信息，然后从 vector 中获取下一个文件名继续处理。

习题 8.8　上一个习题的程序可以不用 continue 语句实现。分别使用或不使用 continue 语句编写该程序。

习题 8.9　编写函数打开文件用于输入，将文件内容读入 string 类型的 vector 容器，每一行存储为该容器对象的一个元素。

习题 8.10　重写上面的程序，把文件中的每个单词存储为容器的一个元素。

8.4.2　文件模式

　　在打开文件时，无论是调用 open 还是以文件名作为流初始化的一部分，都需指定**文件模式**（file mode）。每个 fstream 类都定义了一组表示不同模式的值，用于指定流打开的不同模式。与条件状态标志一样，文件模式也是整型常量，在打开指定文件时，可用位操作符（5.3 节）设置一个或多个模式。文件流构造函数和 open 函数都提供了默认实参（7.4.1 节）设置文件模式。默认值因流类型的不同而不同。此外，还可以显式地以模式打开文件。表 8-3 列出了文件模式及其含义。

表 8-3　文件模式	
in	打开文件做读操作
out	打开文件做写操作
app	在每次写之前找到文件尾
ate	打开文件后立即将文件定位在文件尾
trunc	打开文件时清空已存在的文件流
binary	以二进制模式进行 IO 操作

　　out、trunc 和 app 模式只能用于指定与 ofstream 或 fstream 对象关联的文件；in 模式只能用于指定与 ifstream 或 fstream 对象关联的文件。所有的文件都可以用 ate 或 binary 模式

打开。ate 模式只在打开时有效：文件打开后将定位在文件尾。以 binary 模式打开的流则将文件以字节序列的形式处理，而不解释流中的字符。

默认时，与 ifstream 流对象关联的文件将以 in 模式打开，该模式允许文件做读的操作；与 ofstream 关联的文件则以 out 模式打开，使文件可写。以 out 模式打开的文件会被清空：丢弃该文件存储的所有数据。

从效果来看，为 ofstream 对象指定 out 模式等效于同时指定了 out 和 trunc 模式。

对于用 ofstream 打开的文件，要保存文件中已存在的数据，唯一方法是显式地指定 app 模式打开：

```
//   output mode by default; truncates file named "file1"
ofstream outfile("file1");
//  equivalent effect: "file1" is explicitly truncated
ofstream outfile2("file1", ofstream::out | ofstream::trunc);
//   append  mode; adds new data at end of existing file named "file2"
ofstream appfile("file2", ofstream::app);
```

outfile2 的定义使用了按位或操作符（5.3 节）将相应的文件同时以 out 和 trunc 模式打开。

1. 对同一个文件作输入和输出运算

fstream 对象既可以读也可以写它所关联的文件。fstream 如何使用它的文件取决于打开文件时指定的模式。

默认情况下，fstream 对象以 in 和 out 模式同时打开。当文件同时以 in 和 out 打开时不清空。如果打开 fstream 所关联的文件时，只使用 out 模式，而不指定 in 模式，则文件会清空已存在的数据。如果打开文件时指定了 trunc 模式，则无论是否同时指定了 in 模式，文件同样会被清空。下面的定义将 copyOut 文件同时以输入和输出的模式打开：

```
//  open for input and output
fstream inOut("copyOut", fstream::in | fstream::out);
```

对于同时以输入和输出的模式打开的文件，附录 A.3.8 将讨论其使用方法。

2. 模式是文件的属性而不是流的属性

每次打开文件时都会设置模式：

```
ofstream outfile;
//  output mode set to out, "scratchpad" truncated
outfile.open("scratchpad", ofstream::out);
outfile.close();       //  close  outfile so we can rebind it
//  appends to file named "precious"
outfile.open("precious", ofstream::app);
outfile.close();
//  output mode set by default, "out" truncated
outfile.open("out");
```

第一次调用 open 函数时，指定的模式是 ofstream::out。当前目录中名为"scratchpad"的文件以输出模式打开并清空。而名为"precious"的文件，则要求以添加模式打开：保存文件里的原有数据，所有的新内容在文件尾部写入。在打开"out"文件时，没有明确指明输出模式，该文件则以 out 模式打开，这意味着当前存储在"out"文件中的任何数据都将被丢弃。

 只要调用 open 函数，就要设置文件模式，其模式的设置可以是显式的也可以是隐式的。如果没有指定文件模式，将使用默认值。

3. 打开模式的有效组合

并不是所有的打开模式都可以同时指定。有些模式组合是没有意义的，例如同时以 in 和 trunc 模式打开文件，准备读取所生成的流，但却因为 trunc 操作而导致无数据可读。表 8-4 列出了有效的模式组合及其含义。

<table>
<tr><td colspan="2" align="center">表 8-4 文件模式的组合</td></tr>
<tr><td>out</td><td>打开文件做写操作，删除文件中已有的数据</td></tr>
<tr><td>out | app</td><td>打开文件做写操作，在文件尾写入</td></tr>
<tr><td>out | trunc</td><td>与 out 模式相同</td></tr>
<tr><td>in</td><td>打开文件做读操作</td></tr>
<tr><td>in | out</td><td>打开文件做读、写操作，并定位于文件开头处</td></tr>
<tr><td>in | out | trunc</td><td>打开文件做读、写操作，删除文件中已有的数据</td></tr>
</table>

上述所有的打开模式组合还可以添加 ate 模式。对这些模式添加 ate 只会改变文件打开时的初始定位，在第一次读或写之前，将文件定位于文件末尾处。

298

8.4.3 一个打开并检查输入文件的程序

本书有好几个程序都要打开给定文件用于输入。由于需要在多个程序里做这件工作，我们编写一个名为 open_file 的函数实现这个功能。这个函数有两个引用形参，分别是 ifstream 和 string 类型，其中 string 类型的引用形参存储与指定 ifstream 对象关联的文件名：

```cpp
// opens in binding it to the given file
ifstream& open_file(ifstream &in, const string &file)
{
    in.close();    // close in case it was already open
    in.clear();    // clear any existing errors
    // if the open fails, the stream will be in an invalid state
    in.open(file.c_str()); // open the file we were given
    return in; // condition state is good if open succeeded
}
```

由于不清楚流 in 的当前状态，因此首先调用 close 和 clear 将这个流设置为有效状态。然后尝试打开给定的文件。如果打开失败，流的条件状态将标志这个流是不可用的。最后返回流对象 in，此时，in 要么已经与指定文件绑定起来了，要么处于错误条件状态。

习题

习题 8.11 对于 open_file 函数，请解释为什么在调用 open 前先调用 clear 函数。如果忽略这个函数调用，会出现什么问题？如果在 open 后面调用 clear 函数，又会怎样？

习题 8.12　对于 open_file 函数，请解释如果程序执行 close 函数失败，会产生什么结果？

习题 8.13　编写类似 open_file 的程序打开文件用于输出。

习题 8.14　使用 open_file 函数以及 8.2 节第一个习题编写的程序，打开给定的文件并读取其内容。

8.5　字符串流

iostream 标准库支持内存中的输入/输出，只要将流与存储在程序内存中的 string 对象捆绑起来即可。此时，可使用 iostream 输入和输出操作符读写这个 string 对象。标准库定义了三种类型的字符串流：

- istringstream，由 istream 派生而来，提供读 string 的功能。
- ostringstream，由 ostream 派生而来，提供写 string 的功能。
- stringstream，由 iostream 派生而来，提供读写 string 的功能。

要使用上述类，必须包含 sstream 头文件。

与 fstream 类型一样，上述类型由 iostream 类型派生而来，这意味着 iostream 上所有的操作都适用于 sstream 中的类型。sstream 类型除了继承的操作外，还各自定义了一个有 string 形参的构造函数，这个构造函数将 string 类型的实参复制给 stringstream 对象。对 stringstream 的读写操作实际上读写的就是该对象中的 string 对象。这些类还定义了名为 str 的成员，用来读取或设置 stringstream 对象所操纵的 string 值。

注意到尽管 fstream 和 sstream 共享相同的基类，但它们没有其他相互关系。特别是，stringstream 对象不能使用 open 和 close 函数，而 fstream 对象则不允许使用 str。

表 8-5　**stringstream** 特定的操作	
stringstream strm;	创建自由的 stringstream 对象
stringstream strm(s);	创建存储 s 的副本的 stringstream 对象，其中 s 是 string 类型的对象
strm.str()	返回 strm 中存储的 string 类型对象
strm.str(s)	将 string 类型的 s 复制给 strm，返回 void

1. **stringstream** 对象的使用

前面已经见过以每次一个单词或每次一行的方式处理输入的程序。第一种程序用 string 输入操作符，而第二种则使用 getline 函数。然而，有些程序需要同时使用这两种方式：有些处理基于每行实现，而其他处理则要操纵每行中每个单词。可用 stringstream 对象实现：

```
string line, word;        // will hold a line and word from input, respectively
while (getline(cin, line))  {   // read a line from the input into line
    // do per-line processing
    istringstream stream(line);  // bind to stream to the line we read
    while (stream >> word){    // read a word from line
        // do per-word processing
    }
}
```

299

这里，使用 getline 函数从输入读取整行内容。然后为了获得每行中的单词，将一个 istringstream 对象与所读取的行绑定起来，这样只需使用普通的 string 输入操作符即可读出每行中的单词。

2. stringstream 提供的转换和/或格式化

stringstream 对象的一个常见用法是，需要在多种数据类型之间实现自动格式化时使用该类类型。例如，有一个数值型数据集合，要获取它们的 string 表示形式，或反之。sstream 输入和输出操作可自动地把算术类型转化为相应的 string 表示形式，反过来也可以。

```
int val1 = 512, val2 = 1024;
ostringstream format_message;
// ok: converts values to a string representation
format_message << "val1: " << val1 << "\n"
               << "val2: " << val2 << "\n";
```

这里创建了一个名为 format_message 的 ostringstream 类型空对象，并将指定的内容插入该对象。重点在于 int 型值自动转换为等价的可打印的字符串。format_message 的内容是以下字符：

val1: 512\nval2: 1024

相反，用 istringstream 读 string 对象，即可重新将数值型数据找回来。读取 istringstream 对象自动地将数值型数据的字符表示方式转换为相应的算术值。

```
// str member obtains the string associated with a stringstream
istringstream input_istring(format_message.str());
string dump; // place to dump the labels from the formatted message
// extracts the stored ascii values, converting back to arithmetic types
input_istring >> dump >> val1 >> dump >> val2;
cout << val1 << " " << val2 << endl; // prints 512 1024
```

这里使用 str 成员获取与之前创建的 ostringstream 对象关联的 string 副本。再将 input_istring 与 string 绑定起来。在读 input_istring 时，相应的值恢复为它们原来的数值型表示形式。

 为了读取 input_string，必须把该 string 对象分解为若干个部分。我们要的是数值型数据，为了得到它们，必须读取（和忽略）处于所需数据周围的标号。

因为输入操作符读取的是有类型的值，因此读入的对象类型必须和由 stringstream 读入的值的类型一致。在本例中，input_istring 分成四个部分：string 类型的值 val1，接着是 512，然后是 string 类型的值 val2，最后是 1024。一般情况下，使用输入操作符读 string 时，空白符将会忽略。于是，在读与 format_message 关联的 string 时，忽略其中的换行符。

习题

习题 8.15   使用 8.2 节第一个习题编写的函数输出 istringstream 对象的内容。

习题 8.16   编写程序将文件中的每一行存储在 vector<string> 容器对象中，然后使用 istringstream 从 vector 里以每次读一个单词的形式读取所存储的行。

小结

C++使用标准库类处理输入和输出：

- iostream 类处理面向流的输入和输出。
- fstream 类处理已命名文件的 IO。
- stringstream 类处理内存中字符串的 IO。

所有的这些类都是通过继承相互关联的。输入类继承了 istream，而输出类则继承了 ostream。因此，可在 istream 对象上执行的操作同样适用于 ifstream 或 istringstream 对象。而继承 ostream 的输出类也是类似的。

所有 IO 对象都有一组条件状态，用来指示是否可以通过该对象进行 IO 操作。如果出现了错误（例如遇到文件结束符）对象的状态将标志无法再进行输入，直到修正了错误为止。标准库提供了一组函数设置和检查这些状态。

术语

base class（基类） 是其他类的父类。基类定义了派生类所继承的接口。

condition state（条件状态） 流类用于指示给定的流是否可用的标志以及相关函数。表 8-2 列出了流的状态以及获取和设置这些状态的函数。

derived class（派生类） 与父类共享接口的类。

file mode（文件模式） 由 fstream 类定义的标志，在打开文件和控制文件如何使用时指定。表 8-3 列出了所有的文件模式。

fstream 用来读或写已命名文件的流对象。除了普通的 iostream 操作外，fstream 类还定义了 open 和 close 成员。open 成员函数有一个表示打开文件名的 C 风格字符串参数和一个可选的打开模式参数。默认时，ifstream 对象以 in 模式打开，ofstream 对象以 out 模式打开，而 fstream 对象则同时以 in 和 out 模式打开。close 成员关闭流关联的文件，必须在打开另一个文件前调用。

inheritance（继承） 有继承关系的类型共享相同的接口。派生类继承其基类的属性。第 15 章将介绍继承。

object-oriented library（面向对象标准库） 有继承关系的类的集合。一般来说，面向对象标准库的基类定义了接口，由继承这个基类的各个派生类共享。在 IO 标准库中，istream 和 ostream 类是 fstream 和 sstream 头文件中定义的类型的基类。派生类的对象可当做基类对象使用。例如，可在 ifstream 对象上使用 istream 定义的操作。

stringstream 读写字符串的流对象。除了普通的 iostream 操作外，它还定义了名为 str 的重载成员。无实参地调用 str 将返回 stringstream 所关联的 string 值。用 string 对象做实参调用它则将该 stringstream 对象与实参副本相关联。

Part 2

容器和算法

目录

C++提供了使用抽象进行高效率编程的方式。标准库就是一个很好的例子：标准库定义了许多容器类以及一系列泛型算法，使程序员可以更简洁、抽象和有效地编写程序。这样可以让标准库操心那些繁琐的细节，特别是内存管理，我们的程序只需关注要解决的实际问题就行了。

第 3 章介绍了 vector 容器类型。我们将会在第 9 章进一步深入探讨 vector 和其他顺序容器类型，而且还会学习 string 类型提供的更多操作，这些容器类型都是由标准库定义的。我们可将 string 视为仅包含字符的特殊容器，string 类型提供大量（但并不是全部）的容器操作。

标准库还定义了几种关联容器。关联容器中的元素不是顺序排列，而是按键（key）排序的。关联容器共享了许多顺序容器提供的操作，此外，还定义了自己特殊的操作。我们将在第 10 章学习相关的内容。

第 11 章介绍了泛型算法，这些算法通常作用于容器或序列中某一范围的元素。算法库提供了各种各样经典算法的有效实现，像查找、排序及其他常见的算法任务。例如，复制算法将一个序列中所有的元素复制到另一个序列中；查找算法则用于寻找一个指定元素，等等。泛型算法中，所谓"泛型（generic）"指的是两个方面：这些算法可作用于各种不同的容器类型，而这些容器又可以容纳多种不同类型的元素。

为容器类型提供通用接口是设计库的目的。如果两种容器提供相似的操作，则为它们定义的这个操作应该完全相同。例如，所有容器都有返回容器内元素个数的操作，于是所有容器都将该操作命名为 size，并将 size 返回值的类型都指定为 size_type 类型。类似地，算法具有一致的接口。例如，大部分算法都作用在由一对迭代器指定的元素范围上。

容器提供的操作和算法是一致定义的，这使得学习标准库更容易：只需理解一个操作如何工作，就能将该操作应用于其他的容器。更重要的是，接口的一致性使程序变得更灵活。通常不需要重新编写代码，就可以将一段使用某种容器类型的程序修改为使用不同容器实现。正如我们所看到的，容器提供了不同的性能折衷方案，可以改变容器类型对优化系统性能来说颇有价值。

304

第**9**章

顺序容器

目录

第 3 章介绍了最常用的顺序容器：vector 类型。本章将对第 3 章的内容进行扩充和完善，继续讨论标准库提供的顺序容器类型。顺序容器内的元素按其位置存储和访问。除顺序容器外，标准库还定义了几种关联容器，其元素按键（key）排序。我们将在下一章讨论它们。

容器类共享公共的接口，这使标准库更容易学习，只要学会其中一种类型就能运用另一种类型。每种容器类型提供一组不同的时间和功能折衷方案。通常不需要修改代码，只需改变类型声明，用一种容器类型替代另一种容器类型，就可以优化程序的性能。

容器容纳特定类型对象的集合。我们已经使用过一种容器类型：标准库 vector 类型，这是一种**顺序容器**（sequential container）。它将单一类型元素聚集起来成为容器，然后根据位置来存储和访问这些元素，这就是顺序容器。顺序容器的元素排列次序与元素值无关，而是由元素添加到容器里的次序决定。

标准库定义了三种顺序容器类型：vector、list 和 deque（是双端队列"double-ended queue"的简写，发音为"deck"）。它们的差别在于访问元素的方式，以及添加或删除元素相关操作的运行代价。标准库还提供了三种容器**适配器**（adaptor）。实际上，适配器是根据原始的容器类型所提供的操作，通过定义新的操作接口，来适应基础的容器类型。顺序容器适配器包括 stack、queue 和 priority_queue 类型，见表 9-1。

表 9-1 顺序容器类型	
顺序容器	
vector	支持快速随机访问
list	支持快速插入/删除
deque	双端队列
顺序容器适配器	
stack	后进先出（LIFO）栈
queue	先进先出（FIFO）队列
priority_queue	有优先级管理的队列

容器只定义了少量操作。大多数额外操作则由算法库提供，我们将在第 11 章学习算法库。标准库为由容器类型定义的操作强加了公共的接口。这些容器类型的差别在于它们提供哪些操作，但是如果两个容器提供了相同的操作，则它们的接口（函数名字和参数个数）应该相同。容器类型的操作集合形成了以下层次结构：

- 一些操作适用于所有容器类型。
- 另外一些操作则只适用于顺序或关联容器类型。
- 还有一些操作只适用于顺序或关联容器类型的一个子集。

在本章的后续部分，我们将详细描述顺序容器类型和它们所提供的操作。

9.1   顺序容器的定义

在 3.3 节中，我们已经了解了一些使用顺序容器类型的知识。为了定义一个容器类型的对象，必须先包含相关的头文件，即下列头文件之一：

```
#include <vector>
#include <list>
#include <deque>
```

所有的容器都是类模板（3.3 节）。要定义某种特殊的容器，必须在容器名后加一对尖括号，尖括号里面提供容器中存放的元素的类型：

```
vector<string>    svec;        // empty vector that can hold strings
```

```
list<int>        ilist;          // empty list that can hold ints
deque<Sales_item> items;         // empty deque that holds Sales_items
```

所有的容器类型都定义了默认构造函数，用于创建指定类型的空容器对象。默认构造函数不带参数。

 为了使程序更清晰、简短，容器类型最常用的构造函数是默认构造函数。在大多数的程序中，使用默认构造函数能达到最佳运行时性能，并且使容器更容易使用。

9.1.1 容器元素的初始化

除了默认构造函数，容器类型还提供其他的构造函数，使程序员可以指定元素初值，见表 9-2。

307

表 9-2 容器构造函数

`C<T> c;`	创建一个名为 c 的空容器。C 是容器类型名，如 vector，T 是元素类型，如 int 或 string。适用于所有容器
`C c(c2);`	创建容器 c2 的副本 c；c 和 c2 必须具有相同的容器类型，并存放相同类型的元素。适用于所有容器
`C c(b, e);`	创建 c，其元素是迭代器 b 和 e 标示的范围内元素的副本。适用于所有容器
`C c(n, t);`	用 n 个值为 t 的元素创建容器 c，其中值 t 必须是容器类型 C 的元素类型的值，或者是可转换为该类型的值 只适用于顺序容器
`C c(n);`	创建有 n 个值初始化（3.3.1 节）（value-initialized）元素的容器 c 只适用于顺序容器

1. 将一个容器初始化为另一个容器的副本

当不使用默认构造函数，而是用其他构造函数初始化顺序容器时，必须指出该容器有多少个元素，并提供这些元素的初值。同时指定元素个数和初值的一个方法是将新创建的容器初始化为一个同类型的已存在容器的副本：

```
vector<int> ivec;
vector<int> ivec2(ivec);        // ok: ivec is vector<int>
list<int>   ilist(ivec);        // error: ivec is not list<int>
vector<double> dvec(ivec);      // error: ivec holds int not double
```

 将一个容器复制给另一个容器时，类型必须匹配：容器类型和元素类型都必须相同。

2. 初始化为一段元素的副本

尽管不能直接将一种容器内的元素复制给另一种容器，但系统允许通过传递一对迭代器（3.4节）间接实现该功能。使用迭代器时，不要求容器类型相同。容器内的元素类型也可以不相同，只要它们相互兼容，能够将要复制的元素转换为所构建的新容器的元素类型，即可实现复制。

迭代器标记了要复制的元素范围，这些元素用于初始化新容器的元素。迭代器标记出要复制的第一个元素和最后一个元素。采用这种初始化形式可复制不能直接复制的容器。更重要的是，可以实现复制其他容器的一个子序列：

```
// initialize slist with copy of each element of svec
list<string> slist(svec.begin(), svec.end());
// find midpoint in the vector
vector<string>::iterator mid = svec.begin() + svec.size()/2;
// initialize front with first half of svec: The elements up to but not including *mid
deque<string> front(svec.begin(), mid);
// initialize back with second half of svec: The elements *mid through end of svec
deque<string> back(mid, svec.end());
```

回顾一下指针，我们知道指针就是迭代器，因此允许通过使用内置数组中的一对指针初始化容器也就不奇怪了：

```
char *words[] = {"stately", "plump", "buck", "mulligan"};
// calculate how many elements in words
size_t words_size = sizeof(words)/sizeof(char *);
// use entire array to initialize words2
list<string> words2(words, words + words_size);
```

这里，使用 sizeof（5.8 节）计算数组的长度。将数组长度加到指向第一个元素的指针上就可以得到指向超出数组末端的下一位置的指针。通过指向第一个元素的指针 words 和指向数组中最后一个元素的下一位置的指针，实现了 words2 的初始化。其中第二个指针提供停止复制的条件，其所指向的位置上存放的元素并没有复制。

3. 分配和初始化指定数目的元素

创建顺序容器时，可显式指定容器大小和一个（可选的）元素初始化式。容器大小可以是常量或非常量表达式，元素初始化式则必须是可用于初始化其元素类型的对象的值：

```
const list<int>::size_type list_size = 64;
list<string> slist(list_size, "eh?"); // 64 strings, each is eh?
```

这段代码表示 slist 含有 64 个元素，每个元素都被初始化为 "eh?" 字符串。

创建容器时，除了指定元素个数，还可选择是否提供元素初始化式。我们也可以只指定容器大小：

```
list<int> ilist(list_size); // 64 elements, each initialized to 0
// svec has as many elements as the return value from get_word_count
extern unsigned get_word_count(const string &file_name);
vector<string> svec(get_word_count("Chimera"));
```

不提供元素初始化式时，标准库将为该容器实现值初始化（3.3.1 节）。采用这种类型的初始化，元素类型必须是内置或复合类型，或者是提供了默认构造函数的类类型。如果元素类型没有默认构造函数，则必须显式指定其元素初始化式。

　　　接受容器大小做形参的构造函数只适用于顺序容器，而关联容器不支持这种初始化。

习题

习题 9.1 解释下列初始化，指出哪些是错误的，为什么？

```
int ia[7] = { 0, 1, 1, 2, 3, 5, 8 };
string sa[6] = {
    "Fort Sumter", "Manassas", "Perryville",
    "Vicksburg", "Meridian", "Chancellorsville" };
(a) vector<string> svec(sa, sa+6);
(b) list<int> ilist(ia+4, ia+6);
(c) vector<int> ivec(ia, ia+8);
(d) list<string> slist (sa+6, sa);
```

习题 9.2 创建和初始化一个 vector 对象有 4 种方式，为每种方式提供一个例子，并解释每个例子生成的 vector 对象包含什么值。

习题 9.3 解释复制容器对象的构造函数和使用两个迭代器的构造函数之间的差别。

9.1.2　容器内元素的类型约束

C++语言中，大多数类型都可用作容器的元素类型。容器元素类型必须满足以下两个约束：

- 元素类型必须支持赋值运算。
- 元素类型的对象必须可以复制。

此外，关联容器的键类型还需满足其他的约束，我们将在第 10 章介绍相关内容。

大多数类型满足上述最低限度的元素类型要求。除了引用类型外，所有内置或复合类型都可用做元素类型。引用不支持一般意义的赋值运算，因此没有元素是引用类型的容器。

除输入输出（IO）标准库类型（以及 17.19 节介绍的 auto_ptr 类型）之外，所有其他标准库类型都是有效的容器元素类型。特别地，容器本身也满足上述要求，因此，可以定义元素本身就是容器类型的容器。Sales_item 类型也满足上述要求。

IO 库类型不支持复制或赋值。因此，不能创建存放 IO 类型对象的容器。

1. 容器操作的特殊要求

支持复制和赋值功能是容器元素类型的最低要求。此外，一些容器操作对元素类型还有特殊要求。如果元素类型不支持这些特殊要求，则相关的容器操作就不能执行：我们可以定义该类型的容器，但不能使用某些特定的操作。

其中一种需外加类型要求的容器操作是指定容器大小并提供单个初始化式的构造函数。如果容器存储类类型的对象，那么只有当其元素类型提供默认构造函数时，容器才能使用这种构造函数。尽管有一些类没有提供默认构造函数，但大多数类类型都会有。例如，假设类 Foo 没有默认构造函数，但提供了需要一个 int 型形参的构造函数。现在，考虑下面的声明：

```
vector<Foo> empty;       // ok: no need for element default constructor
vector<Foo> bad(10);     // error: no default constructor for Foo
vector<Foo> ok(10, 1);   // ok: each element initialized to 1
```

我们定义了一个存放 Foo 类型对象的空容器，但是，只有在同时指定每个元素的初始化式时，才能使用给定容器大小的构造函数来创建同类型的容器对象。

在描述容器操作时，我们应该留意（如果有的话）每个操作对元素类型的约束。

2. 容器的容器

因为容器受容器元素类型的约束，所以可定义元素是容器类型的容器。例如，可以定义 vector 类型的容器 lines，其元素为 string 类型的 vector 对象：

```
// note spacing: use  ">>" not  ">>" when specifying a container element type
vector< vector<string> > lines; // vector of vectors
```

注意，在指定容器元素为容器类型时，必须如下使用空格：

```
vector< vector<string> > lines; // ok: space required between close >
vector< vector<string>> lines;  // error: >> treated as shift operator
```

> 必须用空格隔开两个相邻的 > 符号，以示这是两个分开的符号，否则，系统会认为>>是单个符号，为右移操作符，并结果导致编译时错误。

习题

习题 9.4　定义一个 list 对象来存储 deque 对象，该 deque 对象存放 int 型元素。

习题 9.5　为什么我们不可以使用容器来存储 iostream 对象？

习题 9.6　假设有一个名为 Foo 的类，这个类没有定义默认构造函数，但提供了需要一个 int 型参数的构造函数，定义一个存放 Foo 的 list 对象，该对象有 10 个元素。

9.2　迭代器和迭代器范围

在整个标准库中，经常使用形参为一对迭代器的构造函数。在深入探讨容器操作之前，先来了解一下迭代器和迭代器范围。

3.4 节首次介绍了 vector 类型的迭代器。每种容器类型都提供若干共同工作的迭代器类型。与容器类型一样，所有迭代器具有相同的接口：如果某种迭代器支持某种操作，那么支持这种操作的其他迭代器也会以相同的方式支持这种操作。例如，所有容器迭代器都支持以解引用运算从容器中读入一个元素。类似地，容器都提供自增和自减操作符来支持从一个元素到下一个元素的访问。

表 9-3 列出了迭代器为所有标准库容器类型所提供的运算。

表 9-3　常用迭代器运算	
*iter	返回迭代器 iter 所指向的元素的引用
iter->mem	对 iter 进行解引用，获取指定元素中名为 mem 的成员。等效于(*iter).mem
++iter iter++	给 iter 加 1，使其指向容器里的下一个元素
--iter iter--	给 iter 减 1，使其指向容器里的前一个元素
iter1 == iter2 iter1 != iter2	比较两个迭代器是否相等（或不等）。当两个迭代器指向同一个容器中的同一个元素，或者当它们都指向同一个容器的超出末端的下一位置时，两个迭代器相等

vector 和 deque 容器的迭代器提供额外的运算

C++定义的容器类型中，只有 vector 和 deque 容器提供下面两种重要的运算集合：迭代器算术运算（3.4.1 节），以及使用除了==和!=之外的关系操作符来比较两个迭代器（==和!=这两种关系运算适用于所有容器）。表 9-4 总结了这些相关的操作符。

表 9-4 vector 和 deque 类型迭代器支持的操作	
iter + n iter - n	在迭代器上加（减）整数值 n，将产生指向容器中前面（后面）第 n 个元素的迭代器。新计算出来的迭代器必须指向容器中的元素或超出容器末端的下一位置
iter1 += iter2 iter1 -= iter2	这是迭代器加减法的复合赋值运算：将 iter1 加上或减去 iter2 的运算结果赋给 iter1
iter1 - iter2	两个迭代器的减法，其运算结果加上右边的迭代器即得左边的迭代器。这两个迭代器必须指向同一个容器中的元素或超出容器末端的下一位置 **只适用于 vector 和 deque 容器**
>, >=, <, <=	迭代器的关系操作符。当一个迭代器指向的元素在容器中位于另一个迭代器指向的元素之前，则前一个迭代器小于后一个迭代器。关系操作符的两个迭代器必须指向同一个容器中的元素或超出容器末端的下一位置 **只适用于 vector 和 deque 容器**

关系操作符只适用于 vector 和 deque 容器，这是因为只有这两种容器为其元素提供快速、随机的访问。它们确保可根据元素位置直接有效地访问指定的容器元素。这两种容器都支持通过元素位置实现的随机访问，因此它们的迭代器可以有效地实现算术和关系运算。

例如，下面的语句用于计算 vector 对象的中点位置：

```
vector<int>::iterator iter = vec.begin() + vec.size()/2;
```

另一方面，代码：

```
// copy elements from vec into ilist
list<int> ilist(vec.begin(), vec.end());
ilist.begin() + ilist.size()/2; // error: no addition on list iterators
```

是错误的。list 容器的迭代器既不支持算术运算（加法或减法），也不支持关系运算（<=, <, >=, >），它只提供前置和后置的自增、自减运算以及相等（不等）运算。

在第 11 章中，我们将会了解到迭代器提供的运算是使用标准库算法的基础。

312

习题

习题 9.7 下面的程序错在哪里？如何改正。

```
list<int> lst1;
list<int>::iterator iter1 = lst1.begin(),
                    iter2 = lst1.end();
while (iter1 < iter2) /* . . . */
```

习题 9.8 假设 vec_iter 绑定到 vector 对象的一个元素，该 vector 对象存放 string 类型的元素，请问下面的语句实现什么功能？

```
if (vec_iter->empty()) /* . . . */
```

习题 9.9　编写一个循环将 list 容器的元素逆序输出。

习题 9.10　下列迭代器的用法哪些（如果有的话）是错误的？

```
const vector< int > ivec(10);
vector< string >    svec(10);
list< int >         ilist(10);

(a) vector<int>::iterator    it = ivec.begin();
(b) list<int>::iterator      it = ilist.begin()+2;
(c) vector<string>::iterator it = &svec[0];
(d) for (vector<string>::iterator
            it = svec.begin(); it != 0; ++it)
            // ...
```

313

9.2.1　迭代器范围

 迭代器范围这个概念是标准库的基础。

C++语言使用一对迭代器标记**迭代器范围**（iterator range），这两个迭代器分别指向同一个容器中的两个元素或超出末端的下一位置，通常将它们命名为 first 和 last，或 beg 和 end，用于标记容器中的一段元素范围。

尽管 last 和 end 这两个名字很常见，但是它们却容易引起误解。其实第二个迭代器从来都不是指向元素范围的最后一个元素，而是指向最后一个元素的下一位置。该范围内的元素包括迭代器 first 指向的元素，以及从 first 开始一直到迭代器 last 指向的位置之前的所有元素。如果两个迭代器相等，则迭代器范围为空。

此类元素范围称为**左闭合区间**（left-inclusive interval），其标准表示方式为：

```
// to be read as: includes first and each element up to but not including last
[ first, last )
```

表示范围从 first 开始，到 last 结束，但不包括 last。迭代器 last 可以等于 first，或者指向 first 标记的元素后面的某个元素，但绝对不能指向 first 标记的元素前面的元素。

对形成迭代器范围的迭代器的要求

迭代器 first 和 last 如果满足以下条件，则可形成一个迭代器范围：

- 它们指向同一个容器中的元素或超出末端的下一位置。
- 如果这两个迭代器不相等，则对 first 反复做自增运算必须能够到达 last。换句话说，在容器中，last 绝对不能位于 first 之前。

 编译器自己不能保证上述要求。编译器无法知道迭代器所关联的是哪个容器，也不知道容器内有多少个元素。若不能满足上述要求，将导致运行时未定义的行为。

使用左闭合区间的编程意义

因为左闭合区间有两个方便使用的性质，所以标准库使用此类区间。假设 first 和 last 标记了一个有效的迭代器范围，于是：

（1）当 first 与 last 相等时，迭代器范围为空；

（2）当 first 与 last 不相等时，迭代器范围内至少有一个元素，而且 first 指向该区间中的第一个元素。此外，通过若干次自增运算可以使 first 的值不断增大，直到 first==last 为止。

这两个性质意味着程序员可以安全地编写如下的循环，通过测试迭代器处理一段元素：

```
while (first != last) {
    // safe to use *first because we know there is at least one element
    ++first;
}
```

假设 first 和 last 标记了一段有效的迭代器范围，于是我们知道要么 first==last，这是退出循环的情况；要么该区间非空，first 指向其第一个元素。因为 while 循环条件处理了空区间情况，所以对此无须再特别处理。当迭代器范围非空时，循环至少执行一次。由于循环体每次循环就给 first 加 1，因此循环必定会终止。而且在循环内可确保 *first 是安全的：它必然指向 first 和 last 之间非空区间内的某个特定元素。

习题

习题 9.11   要标记出有效的迭代器范围，迭代器需满足什么约束？

习题 9.12   编写一个函数，其形参是一对迭代器和一个 int 型数值，实现在迭代器标记的范围内寻找该 int 型数值的功能，并返回一个 bool 结果，以指明是否找到指定数据。

习题 9.13   重写程序，查找元素的值，并返回指向找到的元素的迭代器。确保程序在要寻找的元素不存在时也能正确工作。

习题 9.14   使用迭代器编写程序，从标准输入设备读入若干 string 对象，并将它们存储在一个 vector 对象中，然后输出该 vector 对象中的所有元素。

习题 9.15   用 list 容器类型重写习题 9.14 得到的程序，列出改变了容器类型后要做的修改。

9.2.2   使迭代器失效的容器操作

在后面的几节里，我们将看到一些容器操作会修改容器的内在状态或移动容器内的元素。这样的操作使所有指向被移动的元素的迭代器失效，也可能同时使其他迭代器失效。使用无效迭代器是没有定义的，可能会导致与悬垂指针相同的问题。

例如，每种容器都定义了一个或多个 erase 函数。这些函数提供了删除容器元素的功能。任何指向已删除元素的迭代器都具有无效值，毕竟，该迭代器指向了容器中不再存在的元素。

　　　　使用迭代器编写程序时，必须留意哪些操作会使迭代器失效。使用无效迭代器将会导致严重的运行时错误。

无法检查迭代器是否有效，也无法通过测试来发现迭代器是否已经失效。任何无效迭代器的使用都可能导致运行时错误，但程序不一定会崩溃，否则检查这种错误也许会容易些。

 使用迭代器时，通常可以编写程序使得要求迭代器有效的代码范围相对较短。然后，在该范围内，严格检查每一条语句，判断是否有元素添加或删除，从而相应地调整迭代器的值。

9.3   顺序容器的操作

每种顺序容器都提供了一组有用的类型定义以及以下操作：
- 在容器中添加元素。
- 在容器中删除元素。
- 设置容器大小。
- （如果有的话）获取容器内的第一个和最后一个元素。

9.3.1   容器定义的类型别名

在前面的章节里，我们已经使用过三种由容器定义的类型：size_type、iterator 和 const_iterator。所有容器都提供这三种类型以及表 9-5 所列出的其他类型。

表 9-5 容器定义的类型别名	
size_type	无符号整型，足以存储此容器类型的最大可能容器长度
iterator	此容器类型的迭代器类型
const_iterator	元素的只读迭代器类型
reverse_iterator	按逆序寻址元素的迭代器
const_reverse_iterator	元素的只读（不能写）逆序迭代器
difference_type	足够存储两个迭代器差值的有符号整型，可为负数
value_type	元素类型
reference	元素的左值类型，是 value_type& 的同义词
const_reference	元素的常量左值类型，等效于 const value_type&

316

我们将在 11.3.3 节中详细介绍逆序迭代器。简单地说，逆序迭代器从后向前遍历容器，并反转了某些相关的迭代器操作：例如，在逆序迭代器上做++运算将指向容器中的前一个元素。

表 9-5 的最后三种类型使程序员无须直接知道容器元素的真正类型，就能使用它。需要使用元素类型时，只要用 value_type 即可。如果要引用该类型，则通过 reference 和 const_reference 类型实现。在程序员编写自己的泛型程序（第 16 章）时，这些元素相关类型的定义非常有用。

使用容器定义类型的表达式看上去非常复杂：

```
// iter is the iterator type defined by list<string>
```

```
list<string>::iterator iter;
// cnt is the difference_type type defined by vector<int>
vector<int>::difference_type cnt;
```

iter 的声明使用了作用域操作符，以表明此时所使用的符号::右边的类型名字是在符号::左边
指定容器的作用域内定义的。其效果是将 iter 声明为 iterator 类型，而 iterator 是存放
string 类型元素的 list 类的成员。

习题

习题 9.16　int 型的 vector 容器应该使用什么类型的索引？

习题 9.17　读取存放 string 对象的 list 容器时，应该使用什么类型？

9.3.2　**begin** 和 **end** 成员

begin 和 end 操作产生指向容器内第一个元素和最后一个元素的下一位置的迭代器，如表
9-6 所示。这两个迭代器通常用于标记包含容器中所有元素的迭代器范围。

表 9-6　容器的 **begin** 和 **end** 操作	
c.begin()	返回一个迭代器，它指向容器 c 的第一个元素
c.end()	返回一个迭代器，它指向容器 c 的最后一个元素的下一位置
c.rbegin()	返回一个逆序迭代器，它指向容器 c 的最后一个元素
c.rend()	返回一个逆序迭代器，它指向容器 c 的第一个元素前面的位置

上述每个操作都有两个不同版本：一个是 const 成员（7.7.1 节），另一个是非 const 成员。
这些操作返回什么类型取决于容器是否为 const。如果容器不是 const，则这些操作返回
iterator 或 reverse_iterator 类型。如果容器是 const，则其返回类型要加上 const_前缀，
也就是 const_iterator 和 const_reverse_iterator 类型。我们将在 11.3.3 节中详细介绍逆
序迭代器。

317

9.3.3　在顺序容器中添加元素

3.3.2 节介绍了添加元素的一种方法：push_back。所有顺序容器都支持 push_back 操作（表
9-7），提供在容器尾部插入一个元素的功能。下面的循环每次读入一个 string 类型的值，并存
放在 text_word 对象中：

```
// read from standard input putting each word onto the end of container
string text_word;
while (cin >> text_word)
    container.push_back(text_word);
```

调用 push_back 函数会在容器 container 尾部创建一个新元素，并使容器的长度加 1。新元素
的值为 text_word 对象的副本，而 container 的类型则可能是 list、vector 或 deque。

表 9-7 在顺序容器中添加元素的操作	
c.push_back(t)	在容器 c 的尾部添加值为 t 的元素。返回 void 类型
c.push_front(t)	在容器 c 的前端添加值为 t 的元素。返回 void 类型 **只适用于 list 和 deque 容器类型**
c.insert(p,t)	在迭代器 p 所指向的元素前面插入值为 t 的新元素。返回指向新添加元素的迭代器
c.insert(p,n,t)	在迭代器 p 所指向的元素前面插入 n 个值为 t 的新元素。返回 void 类型
c.insert(p,b,e)	在迭代器 p 所指向的元素前面插入由迭代器 b 和 e 标记的范围内的元素。返回 void 类型

除了 push_back 运算，list 和 deque 容器类型还提供了类似的操作：push_front。这个操作实现在容器首部插入新元素的功能。例如：

```
list<int> ilist;
// add elements at the end of ilist
for (size_t ix = 0; ix != 4; ++ix)
    ilist.push_back(ix);
```

使用 push_back 操作在容器 ilist 尾部依次添加元素 0、1、2、3。

然后，我们选择用 push_front 操作再次在 ilist 中添加元素：

```
// add elements to the start of ilist
for (size_t ix = 0; ix != 4; ++ix)
    ilist.push_front(ix);
```

此时，元素 0、1、2、3 则被依次添加在 ilist 的开始位置。由于每个元素都在 ilist 的新起点插入，因此它们在容器中以逆序排列，循环结束后，ilist 内的元素序列为：3、2、1、0、0、1、2、3。

关键概念：容器元素都是副本

在容器中添加元素时，系统是将元素值复制到容器里。类似地，使用一段元素初始化新容器时，新容器存放的是原始元素的副本。被复制的原始值与新容器中的元素各不相关，此后，容器内元素值发生变化时，被复制的原值不会受到影响，反之亦然。

318

1. 在容器中的指定位置添加元素

使用 push_back 和 push_front 操作可以非常方便地在顺序容器的尾部或首部添加单个元素。而 insert 操作则提供了一组更通用的插入方法，实现在容器的任意指定位置插入新元素。insert 操作有三个版本（表 9-7）。第一个版本需要一个迭代器和一个元素值参数，迭代器指向插入新元素的位置。下面的程序就是使用了这个版本的 insert 函数在容器首部插入新元素：

```
vector<string> svec;
list<string> slist;
string spouse("Beth");
// equivalent to calling slist.push_front (spouse);
slist.insert(slist.begin(), spouse);
// no push_front on vector but we can insert before begin()
// warning: inserting anywhere but at the end of a vector is an expensive operation
svec.insert(svec.begin(), spouse);
```

新元素是插入在迭代器指向的位置之前。迭代器可以指向容器的任意位置，包括超出末端的下一位置。由于迭代器可能指向超出容器末端的下一位置，这是一个不存在的元素，因此 insert 函数是在其指向位置之前而非其后插入元素。代码

```
slist.insert(iter, spouse); // insert spouse just before iter
```

就在 iter 指向的元素前面插入 spouse 的副本。

这个版本的 insert 函数返回指向新插入元素的迭代器。可使用该返回值在容器中的指定位置重复插入元素：

```
list<string> lst;
list<string>::iterator iter = lst.begin();
while (cin >> word)
    iter = lst.insert(iter, word); // same as calling push_front
```

319

 要彻底地理解上述循环是如何执行的，这一点非常重要——特别是要明白我们为什么说上述循环等效于调用 push_front 函数。

循环前，将 iter 初始化为 lst.begin()。此时，由于该 list 对象是空的，因此 lst.begin() 与 lst.end() 相等，于是 iter 指向该（空）容器的超出末端的下一位置。第一次调用 insert 函数时，将刚读入的元素插入到 iter 所指向位置的前面，容器 lst 得到第一个也是唯一的元素。然后 insert 函数返回指向这个新元素的迭代器，并赋给 iter，接着重复 while 循环，读入下一个单词。只要有单词要插入，每次 while 循环都将新元素插入到 iter 前面，然后重置 iter 指向新插入元素。新插入的元素总是容器中的第一个元素，因此，每次迭代都将元素插入在该 list 对象的第一个元素前面。

2. 插入一段元素

insert 函数的第二个版本提供在指定位置插入指定数量的相同元素的功能：

```
svec.insert(svec.end(), 10, "Anna");
```

上述代码在容器 svec 的尾部插入 10 个元素，每个新元素都初始化为"Anna"。

insert 函数的最后一个版本实现在容器中插入由一对迭代器标记的一段范围内的元素。例如，给出以下 string 类型的数组：

```
string sarray[4] = {"quasi", "simba", "frollo", "scar"};
```

可将该数组中所有的或其中一部分元素插入到 string 类型的 list 容器中：

```
// insert all the elements in sarray at end of slist
slist.insert(slist.end(), sarray, sarray+4);
list<string>::iterator slist_iter = slist.begin();
// insert last two elements of sarray before slist_iter
slist.insert(slist_iter, sarray+2, sarray+4);
```

3. 添加元素可能会使迭代器失效

正如我们在 9.4 节中了解的一样，在 vector 容器中添加元素可能会导致整个容器的重新加载，这样的话，该容器涉及的所有迭代器都会失效。即使需要重新加载整个容器，指向新插入元素后面的那个元素的迭代器也会失效。

任何 insert 或 push 操作都可能导致迭代器失效。当编写循环将元素插入到 vector 或 deque 容器中时，程序必须确保迭代器在每次循环后都得到更新。

4. 避免存储 end 操作返回的迭代器

在 vector 或 deque 容器中添加元素时，可能会导致某些或全部迭代器失效。假设所有迭代器失效是最安全的做法。这个建议特别适用于由 end 操作返回的迭代器。在容器的任何位置插入任何元素都会使该迭代器失效。

例如，考虑一个读取容器中每个元素的循环，对读出元素做完处理后，在原始元素后面插入一个新元素。我们希望该循环可以处理每个原始元素，然后使用 insert 函数插入新元素，并返回指向刚插入元素的迭代器。在每次插入操作完成后，给返回的迭代器自增 1，以使循环定位在下一个要处理的原始元素。如果我们尝试通过存储 end 操作返回的迭代器来 "优化" 该循环，将导致灾难性错误：

```
vector<int>::iterator first = v.begin(),
                      last = v.end(); // cache end iterator
// diaster: behavior of this loop is undefined
while (first != last) {
    // do some processing
    // insert new value and reassign first, which otherwise would be invalid
    first = v.insert(first, 42);
    ++first; // advance first just past the element we added
}
```

上述代码的行为未定义。在很多实现中，该段代码将导致死循环。问题在于这个程序将 end 操作返回的迭代器值存储在名为 last 的局部变量中。循环体中实现了元素的添加运算，添加元素会使得存储在 last 中的迭代器失效。该迭代器既没有指向容器 v 的元素，也不再指向 v 的超出末端的下一位置。

不要存储 end 操作返回的迭代器。添加或删除 deque 或 vector 容器内的元素都会导致存储的迭代器失效。

为了避免存储 end 迭代器，可以在每次做完插入运算后重新计算 end 迭代器值：

```
// safer: recalculate end on each trip whenever the loop adds/erases elements
while (first != v.end()) {
    // do some processing
    first = v.insert(first, 42); // insert new value
    ++first; // advance first just past the element we added
}
```

习题

习题 9.18　编写程序将 int 型的 list 容器的所有元素复制到两个 deque 容器中。list 容器的元素如果为偶数，则复制到一个 deque 容器中；如果为奇数，则复制到另一个 deque 容器里。

习题 9.19　假设 iv 是一个 int 型的 vector 容器，下列程序存在什么错误？如何改正之。

```
vector<int>::iterator mid = iv.begin() + iv.size()/2;
while ( vector<int>::iterator iter != mid )
    if (iter == some_val)
        iv.insert(iter, 2 * some_val);
```

9.3.4 关系操作符

所有的容器类型都支持用关系操作符（5.2 节）来实现两个容器的比较。比较的容器必须具有相同的容器类型，而且其元素类型也必须相同。例如，vector<int>容器只能与vector<int>容器比较，而不能与list<int>或vector<double>类型的容器比较。

容器的比较是基于容器内元素的比较。容器的比较使用了元素类型定义的同一个关系操作符：两个容器做 != 比较使用了其元素类型定义的 != 操作符。如果容器的元素类型不支持某种操作符，则该类容器就不能做这种比较运算。

下面的操作类似于 string 类型的关系运算（3.2.3 节）：

- 如果两个容器具有相同的长度而且所有元素都相等，那么这两个容器就相等；否则，它们就不相等。
- 如果两个容器的长度不相同，但较短的容器中所有元素都等于较长容器中对应的元素，则称较短的容器小于另一个容器。
- 如果两个容器都不是对方的初始子序列，则它们的比较结果取决于所比较的第一个不相等的元素。

理解上述操作的最简单方法是研究例程：

```
/*
        ivec1: 1 3 5 7 9 12
        ivec2: 0 2 4 6 8 10 12
        ivec3: 1 3 9
        ivec4: 1 3 5
        ivec5: 1 3 5 7 9 12
*/
// ivec1 and ivec2 differ at element[0]: ivec1 greater than ivec2
ivec1 < ivec2 // false
ivec2 < ivec1 // true
// ivec1 and ivec3 differ at element[2]: ivec1 less than ivec3
ivec1 < ivec3 // true
// all elements equal, but ivec4 has fewer elements, so ivec1 is greater than ivec4
ivec1 < ivec4 // false
ivec1 == ivec5 // true; each element equal and same number of elements
ivec1 == ivec4 // false; ivec4 has fewer elements than ivec1
ivec1 != ivec4 // true; ivec4 has fewer elements than ivec1
```

使用元素提供的关系操作符实现容器的关系运算

 C++语言只允许两个容器做其元素类型定义的关系运算。

所有容器都通过比较其元素对来实现关系运算：

321

322

```
ivec1 < ivec2
```

假设 ivec1 和 ivec2 都是 vector<int>类型的容器，则上述比较使用了内置 int 型定义的小于操作符。如果这两个 vector 容器存储的是 string 对象，则使用 string 类型的小于操作符。

如果上述 vector 容器存储 1.5 节定义的 Sales_item 类型的对象，则该比较运算不合法。因为 Sales_item 类型没有定义关系运算，所以不能比较存放 Sales_item 对象的容器：

```
vector<Sales_item> storeA;
vector<Sales_item> storeB;
if (storeA < storeB) // error: Sales_item has no less-than operator
```

习题

习题 9.20   编写程序判断一个 vector<int>容器所包含的元素是否与一个 list<int>容器的完全相同。

习题 9.21   假设 c1 和 c2 都是容器，下列用法给 c1 和 c2 的元素类型带来什么约束？

```
if (c1<c2)
```

（如果有的话）对 c1 和 c2 的约束又是什么？

9.3.5   容器大小的操作

所有容器类型都提供四种与容器大小相关的操作（表 9-8）。3.2.3 节已经使用了 size 和 empty 函数：size 操作返回容器内元素的个数；empty 操作则返回一个布尔值，当容器的大小为 0 时，返回值为 true，否则为 false。

表 9-8   顺序容器的大小操作

c.size()	返回容器 c 中的元素个数。返回类型为 c::size_type
c.max_size()	返回容器 c 可容纳的最多元素个数
	返回类型为 c::size_type
c.empty()	返回标记容器大小是否为 0 的布尔值
c.resize(n)	调整容器 c 的长度大小，使其能容纳 n 个元素
	如果 n<c.size()，则删除多出来的元素；否则，添加采用值初始化的新元素
c.resize(n,t)	调整容器 c 的大小，使其能容纳 n 个元素。所有新添加的元素值都为 t

容器类型提供 resize 操作来改变容器所包含的元素个数。如果当前的容器长度大于新的长度值，则该容器后部的元素会被删除；如果当前的容器长度小于新的长度值，则系统会在该容器后部添加新元素：

```
list<int> ilist(10, 42);    // 10 ints: each has value 42
ilist.resize(15);           // adds 5 elements of value  0 to back of ilist
ilist.resize(25, -1);       // adds 10 elements of value  –1 to back of ilist
ilist.resize(5);            // erases 20 elements from the back of ilist
```

resize 操作可带有一个可选的元素值形参。如果在调用该函数时提供了这个参数，则所有新添加的元素都初始化为这个值。如果没有这个参数，则新添加的元素采用值初始化（3.3.1 节）。

resize 操作可能会使迭代器失效。在 vector 或 deque 容器上做 resize 操作有可能会使其所有的迭代器都失效。

对于所有的容器类型，如果 resize 操作压缩了容器，则指向已删除的元素的迭代器失效。

习题

习题 9.22 已知容器 vec 存放了 25 个元素，那么 vec.resize(100) 操作实现了什么功能？若再做操作 vec.resize(10)，实现的又是什么功能？

习题 9.23 使用只带有一个长度参数的 resize 操作对元素类型有什么要求（如果有的话）？

9.3.6　访问元素

如果容器非空，那么容器类型的 front 和 back 成员（表 9-9）将返回容器内第一个或最后一个元素的引用：

```
// check that there are elements before dereferencing an iterator
// or calling front or back
if (!ilist.empty()) {
    // val and val2 refer to the same element
    list<int>::reference val = *ilist.begin();
    list<int>::reference val2 = ilist.front();

    // last and last2 refer to the same element
    list<int>::reference last = *--ilist.end();
    list<int>::reference last2 = ilist.back();
}
```

324

表 9-9　访问顺序容器内元素的操作	
c.back()	返回容器 c 的最后一个元素的引用。如果 c 为空，则该操作未定义
c.front()	返回容器 c 的第一个元素的引用。如果 c 为空，则该操作未定义
c[n]	返回下标为 n 的元素的引用 如果 n<0 或 n>=c.size()，则该操作未定义 只适用于 **vector** 和 **deque** 容器
c.at(n)	返回下标为 n 的元素的引用。如果下标越界，则该操作未定义 只适用于 **vector** 和 **deque** 容器

这段程序使用了两种不同的方法获取时 ilist 中的第一个和最后一个元素的引用。直接的方法是调用 front 或 back 函数。间接的方法是，通过对 begin 操作返回的迭代器进行解引用，或对 end 操作返回的迭代器的前一个元素位置进行解引用，来获取对同一元素的引用。在这段程序中，有两个地方值得注意：end 迭代器指向容器的超出末端的下一位置，因此必须先对其减 1 才能获取最后一个元素；另一点是，在调用 front 或 back 函数之前，或者在对 begin 或 end 返回的迭代器进行解引用运算之前，必须保证 ilist 容器非空。如果该 list 容器为空，则 if 语句内所有的操作都没有定义。

3.3.2 节介绍了下标运算，我们注意到程序员必须保证在指定下标位置上的元素确实存在。下标操作符本身不会做相关的检查。使用 front 或 back 运算时，必须注意同样的问题。如果容器为空，那么这些操作将产生未定义的结果。如果容器内只有一个元素，则 front 和 back 操作都返回对该元素的引用。

> 使用越界的下标，或调用空容器的 front 或 back 函数，都会导致程序出现严重的错误。

使用下标运算的另一个可选方案是 at 成员函数（表 9-9）。这个函数的行为和下标运算相似，但是如果给出的下标无效，at 函数将会抛出 out_of_range 异常（6.13 节）：

```
vector<string> svec;        // empty vector
cout << svec[0];            // run-time error: There are no elements in svec!
cout << svec.at(0);         // throws out_of_range exception
```

习题

习题 9.24   编写程序获取 vector 容器的第一个元素。分别使用下标操作符、front 函数以及 begin
　　　　　　函数实现该功能，并提供空的 vector 容器测试你的程序。

9.3.7　删除元素

回顾前面的章节，我们知道容器类型提供了通用的 insert 操作在容器的任何位置插入元素，并支持特定的 push_front 和 push_back 操作在容器首部或尾部插入新元素。类似地，容器类型提供了通用的 erase 操作和特定的 pop_front 和 pop_back 操作来删除容器内的元素（表 9-10）。

表 9-10 删除顺序容器内元素的操作	
c.erase(p)	删除迭代器 p 所指向的元素
	返回一个迭代器，它指向被删除元素后面的元素。如果 p 指向容器内的最后一个元素，则返回的迭代器指向容器的超出末端的下一位置。如果 p 本身就是指向超出末端的下一位置的迭代器，则该函数未定义
c.erase(b,e)	删除迭代器 b 和 e 所标记的范围内所有的元素
	返回一个迭代器，它指向被删除元素段后面的元素。如果 e 本身就是指向超出末端的下一位置的迭代器，则返回的迭代器也指向容器的超出末端的下一位置
c.clear()	删除容器 c 内的所有元素。返回 void
c.pop_back()	删除容器 c 的最后一个元素。返回 void。如果 c 为空容器，则该函数未定义
c.pop_front()	删除容器 c 的第一个元素。返回 void。如果 c 为空容器，则该函数未定义
	只适用于 list 或 deque 容器

1. 删除第一个或最后一个元素

pop_front 和 pop_back 函数用于删除容器内的第一个和最后一个元素。但 vector 容器类型不支持 pop_front 操作。这些操作删除指定的元素并返回 void。

pop_front 操作通常与 front 操作配套使用，实现以栈的方式处理容器：

```
while (!ilist.empty()) {
    process(ilist.front()); // do something with the current top of ilist
    ilist.pop_front();        // done; remove first element
}
```

这个循环非常简单：使用 front 操作获取要处理的元素，然后调用 pop_front 函数从容器 list 中删除该元素。

 　　pop_front 和 pop_back 函数的返回值并不是删除的元素值，而是 void。要获取删除的元素值，则必须在删除元素之前调用 front 或 back 函数。

2. 删除容器内的一个元素

　　删除一个或一段元素更通用的方法是 erase 操作。该操作有两个版本：删除由一个迭代器指向的单个元素，或删除由一对迭代器标记的一段元素。erase 的这两种形式都返回一个迭代器， 它指向被删除元素或元素段后面的元素。也就是说，如果元素 j 恰好紧跟在元素 i 后面，则将元素 i 从容器中删除后，删除操作返回指向 j 的迭代器。

 　　如同其他操作一样，erase 操作也不会检查它的参数。程序员必须确保用作参数的迭代器或迭代器范围是有效的。

　　通常，程序员必须在容器中找出要删除的元素后，才使用 erase 操作。寻找一个指定元素的最简单方法是使用标准库的 find 算法。我们将在 11.1 节中进一步讨论 find 算法。为了使用 find 函数或其他泛型算法，在编程时，必须将 algorithm 头文件包含进来。find 函数需要一对标记查找范围的迭代器以及一个在该范围内查找的值作参数。查找完成后，该函数返回一个迭代器，它指向具有指定值的第一个元素，或超出末端的下一位置。

```
string searchValue("Quasimodo");
list<string>::iterator iter =
    find(slist.begin(), slist.end(), searchValue);
if (iter != slist.end())
    slist.erase(iter);
```

注意，在删除元素之前，必须确保迭代器不是 end 迭代器。使用 erase 操作删除单个元素必须确保该元素确实存在——如果删除指向超出末端的下一位置的迭代器，那么 erase 操作的行为未定义。

3. 删除容器内所有元素

　　要删除容器内所有的元素，可以调用 clear 函数，或将 begin 和 end 迭代器传递给 erase 函数。

```
slist.clear(); // delete all the elements within the container
slist.erase(slist.begin(), slist.end()); // equivalent
```

erase 函数的迭代器对版本提供了删除一部分元素的功能：

```
// delete range of elements between two values
list<string>::iterator elem1, elem2;
```

```
// elem1 refers to val1
elem1 = find(slist.begin(), slist.end(), val1);
// elem2 refers to the first occurrence of val2 after val1
elem2 = find(elem1, slist.end(), val2);
// erase range from val1 up to but not including val2
slist.erase(elem1, elem2);
```

这段代码首先调用了 find 函数两次，以获得指向特定元素的两个迭代器。迭代器 elem1 指向第一个具有 val1 值的元素，如果容器 list 中不存在值为 val1 的元素，则该迭代器指向超出末端的下一位置。如果在 val1 元素后面存在值为 val2 的元素，那么迭代器 elem2 就指向这段范围内第一个具有 val2 值的元素，否则，elem2 就是一个超出末端的迭代器。最后，调用 erase 函数删除从迭代器 elem1 开始一直到 elem2 之间的所有元素，但不包括 elem2 指向的元素。

erase、pop_front 和 pop_back 函数使指向被删除元素的所有迭代器失效。对于 vector 容器，指向删除点后面的元素的迭代器通常也会失效。而对于 deque 容器，如果删除时不包含第一个元素或最后一个元素，那么该 deque 容器相关的所有迭代器都会失效。

习题

习题 9.25 需要删除一段元素时，如果 val1 与 val2 相等，那么程序会发生什么事情？如果 val1 和 val2 中的一个不存在，或两个都不存在，程序又会怎么样？

习题 9.26 假设有如下 ia 的定义，将 ia 复制到一个 vector 容器和一个 list 容器中。使用单个迭代器参数版本的 erase 函数将 list 容器中的奇数值元素删除掉，然后将 vector 容器中的偶数值元素删除掉。

```
int ia[] = { 0, 1, 1, 2, 3, 5, 8, 13, 21, 55, 89 };
```

习题 9.27 编写程序处理一个 string 类型的 list 容器。在该容器中寻找一个特殊值，如果找到，则将它删除掉。用 deque 容器重写上述程序。

9.3.8 赋值与 swap

与赋值相关的操作符都作用于整个容器。除 swap 操作外，其他操作都可以用 erase 和 insert 操作实现（表 9-11）。赋值操作符首先删除其左操作数容器中的所有元素，然后将右操作数容器的所有元素插入到左边容器中：

```
c1 = c2; // replace contents of c1 with a copy of elements in c2
// equivalent operation using erase and insert
c1.erase(c1.begin(), c1.end()); // delete all elements in c1
c1.insert(c1.begin(), c2.begin(), c2.end()); // insert c2
```

赋值后，左右两边的容器相等：尽管赋值前两个容器的长度可能不相等，但赋值后两个容器都具有右操作数的长度。

赋值和 assign 操作使左操作数容器的所有迭代器失效。swap 操作则不会使迭代器失效。完成 swap 操作后，尽管被交换的元素已经存放在另一容器中，但迭代器仍然指向相同的元素。

表 9-11　顺序容器的赋值操作

c1 = c2	删除容器 c1 的所有元素，然后将 c2 的元素复制给 c1。c1 和 c2 的类型（包括容器类型和元素类型）必须相同
c1.swap(c2)	交换内容：调用完该函数后，c1 中存放的是 c2 原来的元素，c2 中存放的则是 c1 原来的元素。c1 和 c2 的类型必须相同。该函数的执行速度通常要比将 c2 的元素复制到 c1 的操作快
c.assign(b,e)	重新设置 c 的元素：将迭代器 b 和 e 标记的范围内所有的元素复制到 c 中。b 和 e 必须不是指向 c 中元素的迭代器
c.assign(n,t)	将容器 c 重新设置为存储 n 个值为 t 的元素

1. 使用 assign

　　assign 操作首先删除容器中所有的元素，然后将其参数所指定的新元素插入到该容器中。与复制容器元素的构造函数一样，如果两个容器类型相同，其元素类型也相同，就可以使用赋值操作符（=）将一个容器赋值给另一个容器。如果在不同（或相同）类型的容器内，元素类型不相同但是相互兼容，则其赋值运算必须使用 assign 函数。例如，可通过 assign 操作实现将 vector 容器中一段 char*类型的元素赋给 string 类型的 list 容器。

　　由于 assign 操作首先删除容器中原来存储的所有元素，因此，传递给 assign 函数的迭代器不能指向调用该函数的容器内的元素。

　　assign 函数的参数决定了要插入多少个元素以及新元素的值是什么。语句

```
// equivalent to slist1 = slist2
slist1.assign(slist2.begin(), slist2.end());
```

使用了带一对迭代器参数的 assign 函数版本。在删除 slist1 的元素后，该函数将 slist2 容器内一段指定的元素复制到 slist1 中。于是，这段代码等效于将 slist2 赋给 slist1。

　　带有一对迭代器参数的 assign 操作允许我们将一个容器的元素赋给另一个不同类型的容器。

　　assign 运算的第二个版本需要一个整型数值和一个元素值做参数，它将容器重置为存储指定数量的元素，并且每个元素的值都为指定值：

```
// equivalent to: slist1.clear();
// followed by slist1.insert(slist1.begin(), 10, "Hiya!");
slist1.assign(10, "Hiya!"); // 10 elements; each one is Hiya!
```

执行了上述语句后，容器 slist1 有 10 个元素，每个元素的值都是 Hiya!。

2. 使用 **swap** 操作以节省删除元素的成本

329
swap 操作实现交换两个容器内所有元素的功能。要交换的容器的类型必须匹配：操作数必须是相同类型的容器，而且所存储的元素类型也必须相同。调用了 swap 函数后，右操作数原来存储的元素被存放在左操作数中，反之亦然。

```
vector<string> svec1(10);    // vector with 10 elements
vector<string> svec2(24);    // vector with 24 elements
svec1.swap(svec2);
```

执行 swap 后，容器 svec1 中存储 24 个 string 类型的元素，而 svec2 则存储 10 个元素。

　　关于 swap 的一个重要问题在于：该操作不会删除或插入任何元素，而且保证在常量时间内实现交换。由于容器内没有移动任何元素，因此迭代器不会失效。

没有移动元素这个事实意味着迭代器不会失效。它们指向同一元素，就像没做 swap 运算之前一样。虽然，在 swap 运算后，这些元素已经被存储在不同的容器之中了。例如，在做 swap 运算之前，有一个迭代器 iter 指向 svec1[3] 字符串；实现 swap 运算后，该迭代器则指向 svec2[3] 字符串（这是同一个字符串，只是存储在不同的容器之中而已）。

习题

习题 9.28　编写程序将一个 list 容器的所有元素赋值给一个 vector 容器，其中 list 容器中存储的是指向 C 风格字符串的 char*指针，而 vector 容器的元素则是 string 类型。

9.4　**vector** 容器的自增长

在容器对象中 insert 或压入一个元素时，该对象的大小增加 1。类似地，如果 resize 容器以扩充其容量，则必须在容器中添加额外的元素。标准库处理存储这些新元素的内存分配问题。

一般来说，我们不应该关心标准库类型是如何实现的：我们只需要关心如何使用这些标准库类型就可以了。然而，对于 vector 容器，有一些实现也与其接口相关。为了支持快速的随机访问，vector 容器的元素以连续的方式存放——每一个元素都紧挨着前一个元素存储。

已知元素是连续存储的，当我们在容器内添加一个元素时，想想会发生什么事情：如果容器中已经没有空间容纳新的元素，此时，由于元素必须连续存储以便索引访问，所以不能在内存中随便找个地方存储这个新元素。于是，vector 必须重新分配存储空间，用来存放原来的元素以及新添加的元素：存放在旧存储空间中的元素被复制到新存储空间里，接着插入新元素，最后撤销旧的存储空间。如果 vector 容器在每次添加新元素时，都要这么分配和撤销内存空间，其性能将会非常慢，简直无法接受。

对于不连续存储元素的容器，不存在这样的内存分配问题。例如，在 list 容器中添加一个元素，标准库只需创建一个新元素，然后将该新元素连接在已存在的链表中，不需要重新分配存储空间，也不必复制任何已存在的元素。

330
由此可以推论：一般而言，使用 list 容器优于 vector 容器。但是，通常出现的反而是以下情况：对于大部分应用，使用 vector 容器是最好的。原因在于，标准库的实现者使用这样的内存分配策略：以最小的代价连续存储元素。由此而带来的访问元素的便利弥补了其存储代价。

为了使 vector 容器实现快速的内存分配，其实际分配的容量要比当前所需的空间多一些。vector 容器预留了这些额外的存储区，用于存放新添加的元素。于是，不必为每个新元素重新分配容器。所分配的额外内存容量的确切数目因库的实现不同而不同。比起每添加一个新元素就必须重新分配一次容器，这个分配策略带来显著的效率。事实上，其性能非常好，因此在实际应用中，比起 list 和 deque 容器，vector 的增长效率通常会更高。

capacity 和 reserve 成员

vector 容器处理内存分配的细节是其实现的一部分。然而，该实现部分是由 vector 的接口支持的。vector 类提供了两个成员函数：capacity 和 reserve，使程序员可与 vector 容器内存分配的实现部分交互工作。capacity 操作获取在容器需要分配更多的存储空间之前能够存储的元素总数，而 reserve 操作则告诉 vector 容器应该预留多少个元素的存储空间。

 弄清楚容器的 capacity（容量）与 size（长度）的区别非常重要。size 指容器当前拥有的元素个数；而 capacity 则指容器在必须分配新存储空间之前可以存储的元素总数。

为了说明 size 和 capacity 的交互作用，考虑下面的程序：

```cpp
vector<int> ivec;
// size should be zero; capacity is implementation defined
cout << "ivec: size: " << ivec.size()
     << " capacity: " << ivec.capacity() << endl;
// give ivec 24 elements
for (vector<int>::size_type ix = 0; ix != 24; ++ix)
     ivec.push_back(ix);

// size should be 24; capacity will be >= 24 and is implementation defined
cout << "ivec: size: " << ivec.size()
     << " capacity: " << ivec.capacity() << endl;
```

在我们的系统上运行该程序时，得到以下输出结果：

```
ivec: size: 0 capacity: 0
ivec: size: 24 capacity: 32
```

由此可见，空 vector 容器的 size 是 0，而标准库显然将其 capacity 也设置为 0。当程序员在 vector 中插入元素时，容器的 size 就是所添加的元素个数，而其 capacity 则必须至少等于 size，但通常比 size 值更大。在上述程序中，一次添加一个元素，共添加了 24 个元素，结果其 capacity 为 32。ivec 容器的当前状态如下图所示：

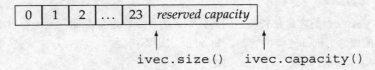

现在，可如下预留额外的存储空间：

```
ivec.reserve(50);   // sets capacity to at least 50; might be more
// size should be 24; capacity will be >= 50 and is implementation defined
cout << "ivec: size: " << ivec.size()
     << " capacity: " << ivec.capacity() << endl;
```

正如下面的输出结果所示，该操作只改变了容器的 capacity，而其 size 不变：

ivec: size: 24 capacity: 50

下面的程序将预留的容量用完：

```
// add elements to use up the excess capacity
while (ivec.size() != ivec.capacity())
    ivec.push_back(0);
// size should be 50; capacity should be unchanged
cout << "ivec: size: " << ivec.size()
     << " capacity: " << ivec.capacity() << endl;
```

由于在该程序中，只使用了预留的容量，因此 vector 不必做任何的内存分配工作。事实上，只要有剩余的容量，vector 就不必为其元素重新分配存储空间。

其输出结果表明：此时我们已经耗尽了预留的容量，该容器的 size 和 capacity 值相等：

ivec: size: 50 capacity: 50

此时，如果要添加新的元素，vector 必须为自己重新分配存储空间：

```
ivec.push_back(42); // add one more element
// size should be 51; capacity will be >= 51 and is implementation defined
cout << "ivec: size: " << ivec.size()
     << " capacity: " << ivec.capacity() << endl;
```

这段程序的输出：

ivec: size: 51 capacity: 100

332　表明：每当 vector 容器不得不分配新的存储空间时，以加倍当前容量的分配策略实现重新分配。

> vector 的每种实现都可自由地选择自己的内存分配策略。然而，它们都必须提供 reserve 和 capacity 函数，而且必须是到必要时才分配新的内存空间。分配多少内存取决于其实现方式。不同的库采用不同的策略实现。

此外，每种实现都要求遵循以下原则：确保 push_back 操作高效地在 vector 中添加元素。从技术上来说，在原来为空的 vector 容器上 n 次调用 push_back 函数，从而创建拥有 n 个元素的 vector 容器，其执行时间永远不能超过 n 的常量倍。

习题

习题 9.29　解释 vector 的容量和长度之间的区别。为什么在连续存储元素的容器中需要支持"容量"的概念？而非连续的容器，如 list，则不需要。

习题 9.30 编写程序研究标准库为 vector 对象提供的内存分配策略。

习题 9.31 容器的容量可以比其长度小吗？在初始时或插入元素后，容量是否恰好等于所需要的长度？为什么？

习题 9.32 解释下面程序实现的功能：

```
vector<string> svec;
svec.reserve(1024);
string text_word;
while (cin >> text_word)
        svec.push_back(text_word);
svec.resize(svec.size()+svec.size()/2);
```

如果该程序读入了 256 个单词,在调整大小后,该容器的容量可能是多少？如果读入 512,或 1000,或 1048 个单词呢？

9.5 容器的选用

在前面的章节中可见，分配连续存储元素的内存空间会影响内存分配策略和容器对象的开销。通过巧妙的实现技巧，标准库的实现者已经最小化了内存分配的开销。元素是否连续存储还会显著地影响：

- 在容器的中间位置添加或删除元素的代价。
- 执行容器元素的随机访问的代价。

程序使用这些操作的程度将决定应该选择哪种类型的容器。vector 和 deque 容器提供了对元素的快速随机访问，但付出的代价是，在容器的任意位置插入或删除元素，比在容器尾部插入和删除的开销更大。list 类型在任何位置都能快速插入和删除，但付出的代价是元素的随机访问开销较大。

1. 插入操作如何影响容器的选择

list 容器表示不连续的内存区域，允许向前和向后逐个遍历元素。在任何位置都可高效地 insert 或 erase 一个元素。插入或删除 list 容器中的一个元素不需要移动任何其他元素。另一方面，list 容器不支持随机访问，访问某个元素要求遍历所涉及的其他元素。

对于 vector 容器，除了容器尾部外，其他任何位置上的插入（或删除）操作都要求移动被插入（或删除）元素右边所有的元素。例如，假设有一个拥有 50 个元素的 vector 容器，我们希望删除其中的第 23 号元素，则 23 号元素后面的所有元素都必须向前移动一个位置。否则，vector 容器上将会留下一个空位（hole），而 vector 容器的元素就不再是连续存放的了。

deque 容器拥有更加复杂的数据结构。从 deque 队列的两端插入和删除元素都非常快。在容器中间插入或删除付出的代价将更高。deque 容器同时提供了 list 和 vector 的一些性质：

- 与 vector 容器一样，在 deque 容器的中间 insert 或 erase 元素效率比较低。
- 不同于 vector 容器，deque 容器提供高效地在其首部实现 insert 和 erase 的操作，就像在容器尾部的一样。
- 与 vector 容器一样而不同于 list 容器的是，deque 容器支持对所有元素的随机访问。

- 在 deque 容器首部或尾部插入元素不会使任何迭代器失效，而在首部或尾部删除元素则只会使指向被删除元素的迭代器失效。在 deque 容器的任何其他位置的插入和删除操作将使指向该容器元素的所有迭代器都失效。

2. 元素的访问如何影响容器的选择

vector 和 deque 容器都支持对其元素实现高效的随机访问。也就是说，我们可以高效地先访问 5 号元素，然后访问 15 号元素，接着访问 7 号元素，等等。由于 vector 容器的每次访问都是距离其起点的固定偏移，因此其随机访问非常有效率。在 list 容器中，上述跳跃访问会变得慢很多。在 list 容器的元素之间移动的唯一方法是顺序跟随指针。从 5 号元素移动到 15 号元素必须遍历它们之间所有的元素。

334

 通常来说，除非找到选择使用其他容器的更好理由，否则 vector 容器都是最佳选择。

3. 选择容器的提示

下面列举了一些选择容器类型的法则：

(1) 如果程序要求随机访问元素，则应使用 vector 或 deque 容器。

(2) 如果程序必须在容器的中间位置插入或删除元素，则应采用 list 容器。

(3) 如果程序不是在容器的中间位置，而是在容器首部或尾部插入或删除元素，则应采用 deque 容器。

(4) 如果只需在读取输入时在容器的中间位置插入元素，然后需要随机访问元素，则可考虑在输入时将元素读入到一个 list 容器，接着对此容器重新排序，使其适合顺序访问，然后将排序后的 list 容器复制到一个 vector 容器。

如果程序既需要随机访问又必须在容器的中间位置插入或删除元素，那应该怎么办呢？

此时，选择何种容器取决于下面两种操作付出的相对代价：随机访问 list 容器元素的代价，以及在 vector 或 deque 容器中插入/删除元素时复制元素的代价。通常来说，应用中占优势的操作（程序中更多使用的是访问操作还是插入/删除操作）将决定应该选择什么类型的容器。

决定使用哪种容器可能要求剖析各种容器类型完成应用所要求的各类操作的性能。

 如果无法确定某种应用应该采用哪种容器，则编写代码时尝试只使用 vector 和 list 容器都提供的操作：使用迭代器，而不是下标，并且避免随机访问元素。这样编写代码，在必要时，可很方便地将程序从使用 vector 容器修改为使用 list 容器。

习题

习题 9.33 对于下列程序任务，采用哪种容器（vector、deque 还是 list）实现最合适？解释选择的理由。如果无法说明采用某种容器比另一种容器更好的原因，请解释为什么无法说明？

(a) 从一个文件中读入未知数目的单词，以生成英文句子。

(b) 读入固定数目的单词，在输入时将它们按字母顺序插入到容器中。下一章将介绍更适合处理此类问题的关联容器。

(c) 读入未知数目的单词。总是在容器尾部插入新单词，从容器首部删除下一个值。

(d) 从一个文件中读入未知数目的整数。对这些整数排序，然后把它们输出到标准输出设备。

9.6　再谈 **string** 类型

3.2 节介绍了 string 类型，表 9-12 扼要重述了在该节中介绍的 string 操作。

<table>
<tr><td colspan="2" align="center">表 9-12　3.2 节介绍的 string 操作</td></tr>
<tr><td>string s;</td><td>定义一个新的空 string 对象，命名为 s</td></tr>
<tr><td>string s(cp);</td><td>定义一个新的 string 对象，用 cp 所指向的（以空字符 null 结束的）C 风格字符串初始化该对象</td></tr>
<tr><td>string s(s2);</td><td>定义一个新的 string 对象，并将它初始化为 s2 的副本</td></tr>
<tr><td>is >> s;</td><td>从输入流 is 中读取一个以空白字符分隔的字符串，写入 s</td></tr>
<tr><td>os << s;</td><td>将 s 写到输出流 os 中</td></tr>
<tr><td>getline(is, s)</td><td>从输入流 is 中读取一行字符，写入 s</td></tr>
<tr><td>s1 + s2</td><td>把 s1 和 s2 串接起来，产生一个新的 string 对象</td></tr>
<tr><td>s1 += s2</td><td>将 s2 拼接在 s1 后面</td></tr>
<tr><td>关系操作符</td><td>相等运算（==和!=）以及关系运算（<、<=、>和>=）都可用于 string 对象的比较，等效于（区分大小写的）字典次序的比较</td></tr>
</table>

除了已经使用过的操作外，string 类型还支持大多数顺序容器操作。在某些方面，可将 string 类型视为字符容器。除了一些特殊操作，string 类型提供与 vector 容器相同的操作。string 类型与 vector 容器不同的是，它不支持以栈方式操纵容器：在 string 类型中不能使用 front、back 和 pop_back 操作。

string 支持的容器操作有：

- 表 9-5 列出的 typedef，包括迭代器类型。
- 表 9-2 列出的容器构造函数，但是不包括只需一个长度参数的构造函数。
- 表 9-7 列出的 vector 容器所提供的添加元素的操作。注意：无论 vector 容器还是 string 类型都不支持 push_front 操作。
- 表 9-8 列出的长度操作。
- 表 9-9 列出的下标和 at 操作；但 string 类型不提供该表列出的 back 或 front 操作。
- 表 9-6 列出的 begin 和 end 操作。
- 表 9-10 列出的 erase 和 clear 操作；但是 string 类型不提供 pop_back 或 pop_front 操作。
- 表 9-11 列出的赋值操作。
- 与 vector 容器的元素一样，string 的字符也是连续存储的。因此，string 类型支持 9.4 节描述的 capacity 和 reserve 操作。

string 类型提供容器操作意味着可将操纵 vector 对象的程序改写为操纵 string 对象。例如，以下程序使用迭代器将一个 string 对象的字符以每次一行的方式输出到标准输出设备：

335

```
string s("Hiya!");
string::iterator iter = s.begin();
while (iter != s.end())
    cout << *iter++ << endl; // postfix increment: print old value
```

不要奇怪，这段代码看上去几乎与 5.5 节中输出 vector<int> 容器元素的程序一模一样。

除了共享容器的操作外，string 类型还支持其他本类型特有的操作。在本节剩下的篇幅中，我们将回顾这些 string 类型特有的操作，包括与其他容器相关操作的补充版本，以及全新的函数。string 类型提供的补充函数将在 9.6.2 节介绍。

string 类型为某些容器操作提供补充版本，以支持 string 特有的、不为其他容器共享的属性。例如，好几种操作允许指定指向字符数组的指针参数。无论字符串是否以空字符结束，这些操作都支持标准库 string 对象与字符数组之间的紧密交互作用。其他版本则使程序员只能使用下标而不能使用迭代器。这些版本只能通过位置操纵元素：指定起始位置，在某些情况下还需指定一个计数器，由此指定要操纵的某个元素或一段元素。

习题

习题 9.34 使用迭代器将 string 对象中的字符都改为大写字母。

习题 9.35 使用迭代器寻找和删除 string 对象中所有的大写字符。

习题 9.36 编写程序用 vector<char> 容器初始化 string 对象。

习题 9.37 假设希望一次读取一个字符并写入 string 对象，而且已知需要读入至少 100 个字符，考虑应该如何提高程序的性能？

string 库定义了大量使用重复模式的函数。由于该类型支持的函数非常多，初次阅读本节时会觉得精神疲累。

读者可跳过 9.6 节剩下的内容。一旦知道了有哪些操作可以使用，就可以在编写需要使用这种操作的程序时，才回来阅读其细节。

9.6.1   构造 **string** 对象的其他方法

string 类支持表 9-2 所列出的几乎所有构造函数，只有一个例外：string 不支持带有单个容器长度作为参数的构造函数。创建 string 对象时：不提供任何参数，则得到空的 string 对象；也可将新对象初始化为另一个 string 对象的副本；或用一对迭代器初始化；或者使用一个计数器和一个字符初始化：

```
string s1;              // s1 is the empty string
string s2(5, 'a');      // s2 == "aaaaa"
string s3(s2);          // s3 is a copy of s2
string s4(s3.begin(),
          s3.begin() + s3.size() / 2); // s4 == "aa"
```

除了上述构造函数之外，string 类型还提供了三种其他的方式创建该类对象（表 9-13）。在前面的章节中，已经使用过只有一个指针参数的构造函数，该指针指向以空字符结束的字符数组中的第一个元素。另一种构造函数需要一个指向字符数组元素的指针和一个标记要复制多少个字符的计数器作参数。由于该构造函数带有一个计数器，因此数组不必以空字符结束：

```cpp
char *cp = "Hiya";              // null-terminated array
char c_array[] = "World!!!!";   // null-terminated
char no_null[] = {'H', 'i'};    // not null-terminated
string s1(cp);              // s1 == "Hiya"
string s2(c_array, 5);      // s2 == "World"
string s3(c_array + 5, 4);  // s3 == "!!!!"
string s4(no_null);         // runtime error: no_null not null-terminated
string s5(no_null, 2);      // ok: s5 == "Hi"
```

使用只有一个指针参数的构造函数定义 s1，该指针指向以空字符结束的数组中的第一个字符。这个数组的所有字符，但不包括结束符 null，都被复制到新创建的 string 对象中。

表 9-13　构造 **string** 对象的其他方法
string s(cp, n)　　　创建一个 string 对象，它被初始化为 cp 所指向数组的前 n 个元素的副本
string s(s2, pos2)　　创建一个 string 对象，它被初始化为一个已存在的 string 对象 s2 中从下标 pos2 开始的字符的副本 　　　　如果 pos2 > s2.size()，则该操作未定义
string s(s2, pos2, len2) 　　　　创建一个 string 对象，它被初始化为 s2 中从下标 pos2 开始的 len2 个字符的副本。如果 pos2 > s2.size()，则该操作未定义 　　　　无论 len2 的值是多少，最多只能复制 s2.size() - pos2 个字符
注意：**n**、**len2** 和 **pos2** 都是 **unsigned** 值

　　而 s2 的初始化式则通过第二种构造函数实现，它的参数包括一个指针和一个计数器。在这个例子中，从参数指针指向的那个字符开始，连续复制第二个参数指定数目的字符。因此，s2 是 c_array 数组前 5 个字符的副本。记住，将数组作为参数传递时，数组将自动转换为指向其第一个元素的指针。当然，并没有限制非得传递指向数组起点的指针不可。通过给 s3 的构造函数传递指向 c_array 数组中第一个感叹号字符的指针，s3 被初始化为存储 4 个感叹号字符的 string 对象。

　　s4 和 s5 的初始化式并不是 C 风格字符串。其中，s4 的定义是错误的。调用这种形式的初始化，其参数必须是以空字符结束的数组。将不包含 null 的数组传递给此构造函数将导致编译器无法检测的严重错误（4.3 节），此类错误在运行时将会发生什么状况并未定义。

　　s5 的初始化则是正确的：初始化式包含了一个计数器，以说明要复制多少个字符用于初始化。该计数器的值必须小于数组的长度，此时，无论数组是否以空字符结束，都没什么关系。

用子串做初始化式

另一对构造函数使程序员可以在创建 string 对象时将其初始化为另一个 string 对象的子串。

```cpp
string s6(s1, 2);     // s6 == "ya"
string s7(s1, 0, 2);  // s7 == "Hi"
string s8(s1, 0, 8);  // s8 == "Hiya"
```

第一个语句的两个参数指定了要复制的 string 对象及其复制的起点。在两个参数的构造函数版本中，复制 string 对象实参中从指定位置到其末尾的所有字符，用于初始化新创建的 string 对象。还可以为此类构造函数提供第三个参数，用于指定复制字符的个数。在本例中，我们从指定位置开始复制指定数目（最多为 string 对象的长度）的字符数。例如，创建 s7 时，从 s1 中下标为 0 的位置开始复制两个字符；而创建 s8 时，只复制了 4 个字符，而并不是要求的 8 个字符。无论要求复制多少个字符，标准库最多只能复制数目与 string 对象长度相等的字符。

9.6.2　修改 **string** 对象的其他方法

string 类型支持的许多容器操作在操作时都以迭代器为基础。例如，erase 操作需要一个迭代器或一段迭代器范围作其参数，用于指定从容器中删除的元素。类似地，所有版本的 insert 函数的第一个参数都是一个指向插入位置之后的迭代器，而新插入的元素值则由其他参数指定。尽管 string 类型支持这些基于迭代器的操作，它同样也提供以下标为基础的操作。下标用于指定 erase 操作的起始元素，或在其前面 insert 适当值的元素。表 9-14 列出了 string 类型和容器类型共有的操作；而表 9-15 则列出了 string 类型特有的操作。

表 9-14　与容器共有的 **string** 操作	
s.insert(p, t)	在迭代器 p 指向的元素之前插入一个值为 t 的新元素。返回指向新插入元素的迭代器
s.insert(p, n, t)	在迭代器 p 指向的元素之前插入 n 个值为 t 的新元素。返回 void
s.insert(p, b, e)	在迭代器 p 指向的元素之前插入迭代器 b 和 e 标记范围内所有的元素。返回 void
s.assign(b, e)	用迭代器 b 和 e 标记范围内的元素替换 s。对于 string 类型，该操作返回 s；对于容器类型，则返回 void
s.assign(n, t)	用值为 t 的 n 个副本替换 s。对于 string 类型，该操作返回 s；对于容器类型，则返回 void
s.erase(p)	删除迭代器 p 指向的元素。返回一个迭代器，指向被删除元素后面的元素
s.erase(b, e)	删除迭代器 b 和 e 标记范围内所有的元素。返回一个迭代器，指向被删除元素段后面的第一个元素

表 9-15　**string** 类型特有的版本	
s.insert(pos, n, c)	在下标为 pos 的元素之前插入 n 个字符 c
s.insert(pos, s2)	在下标为 pos 的元素之前插入 string 对象 s2 的副本
s.insert(pos, s2, pos2, len)	在下标为 pos 的元素之前插入 s2 中从下标 pos2 开始的 len 个字符
s.insert(pos, cp, len)	在下标为 pos 的元素之前插入 cp 所指向数组的前 len 个字符
s.insert(pos, cp)	在下标为 pos 的元素之前插入 cp 所指向的以空字符结束的字符串副本
s.assign(s2)	用 s2 的副本替换 s
s.assign(s2, pos2, len)	用 s2 中从下标 pos2 开始的 len 个字符副本替换 s
s.assign(cp, len)	用 cp 所指向数组的前 len 个字符副本替换 s
s.assign(cp)	用 cp 所指向的以空字符结束的字符串副本替换 s
s.erase(pos, len)	删除从下标 pos 开始的 len 个字符
除非特殊声明，上述所有操作都返回 s 的引用	

1. 基于位置的实参

string 类型为这些操作提供本类型特有的版本，它们接受的实参类似于在前一节介绍的补充构造函数。程序员可通过这些操作基于位置处理 string 对象，并/或使用指向字符数组的指针而不是 string 对象作实参。

例如，所有容器都允许程序员指定一对迭代器，用于标记删除（erase）的元素范围。对于 string 类型，还允许通过为 erase 函数传递一个起点位置和删除元素的数目，来指定删除的范围。假设 s 至少有 5 个元素，下面的语句用于删除 s 的最后 5 个字符：

```
s.erase(s.size() - 5, 5); // erase last five characters from  s
```

类似地，对于容器类型，可在迭代器指向的元素之前插入（insert）指定数目的新值。而对于 string 类型，系统还允许使用下标而不是迭代器指定插入位置：

```
s.insert(s.size(), 5, '!'); // insert five exclamation points at end of s
```

2. 指定新的内容

在 string 对象中 insert 或 assign 的字符可来自于字符数组或另一个 string 对象。例如，以空字符结束的字符数组可以用作 insert 或 assign 到 string 对象的内容： 340

```
char *cp = "Stately plump Buck";
string s;
s.assign(cp, 7);               // s == "Stately"
s.insert(s.size(), cp + 7);    // s == "Stately plump Buck"
```

类似地，可如下所示将一个 string 对象的副本插入到另一个 string 对象中：

```
s = "some string";
s2 = "some other string";
// 3 equivalent ways to insert all the characters from s2 at beginning of  s
// insert iterator range before  s.begin()
s.insert(s.begin(), s2.begin(), s2.end());
// insert copy of  s2  before position 0 in  s
s.insert(0, s2);
// insert s2.size() characters from  s2  starting at  s2[0]  before s[0]
s.insert(0, s2, 0, s2.size());
```

9.6.3 只适用于 **string** 类型的操作

string 类型提供了容器类型不支持的其他几种操作，如表 9-16 所示：

* substr 函数，返回当前 string 对象的子串。
* append 和 replace 函数，用于修改 string 对象。
* 一系列 find 函数，用于查找 string 对象。

341

表 9-16　子串操作	
s.substr(pos, n)	返回一个 string 类型的字符串，它包含 s 中从下标 pos 开始的 n 个字符
s.substr(pos)	返回一个 string 类型的字符串，它包含从下标 pos 开始到 s 末尾的所有字符
s.substr()	返回 s 的副本

1. **substr** 操作

使用 substr 操作可在指定 string 对象中检索需要的子串。我们可以给 substr 函数传递查找的起点和一个计数器。该函数将生成一个新的 string 对象，包含原目标 string 对象从指定位置开始的若干个字符（字符数目由计数器决定，但最多只能到原 string 对象的最后一个字符）：

```
string s("hello world");
// return substring of 5 characters starting at position 6
string s2 = s.substr(6, 5);    // s2 = world
```

可选择另一种方法实现相同的功能：

```
// return substring from position 6 to the end of s
string s3 = s.substr(6);       // s3 = world
```

2. **append** 和 **replace** 函数

string 类型提供了 6 个 append 重载函数版本和 10 个 replace 版本（见表 9-17）。append 和 replace 函数使用了相同的参数集合实现重载。这些参数如表 9-18 所示，用于指定在 string 对象中添加的字符。对于 append 操作，字符将添加在 string 对象的末尾。而 replace 函数则将这些字符插入到指定位置，从而替换 string 对象中一段已存在的字符。

表 9-17　修改 **string** 对象的操作（*args* 在表 9-18 中定义）	
s.append(*args*)	将 *args* 串接在 s 后面。返回 s 的引用
s.replace(pos, len, *args*)	删除 s 中从下标 pos 开始的 len 个字符，用 *args* 指定的字符替换之。返回 s 的引用 **在这个版本中，*args* 不能为 b2, e2**
s.replace(b, e, *args*)	删除迭代器 b 和 e 标记的范围内所有的字符，用 *args* 替换之。返回 s 的引用 **在这个版本中，*args* 不能为 s2, pos2, len2**

表 9-18　**append** 和 **replace** 操作的参数：*args*	
s2	string 类型的字符串 s2
s2; pos2, len2	字符串 s2 中从下标 pos2 开始的 len2 个字符
cp	指针 cp 指向的以空字符结束的数组
cp, len2	cp 指向的以空字符结束的数组中前 len2 个字符
n, c	字符 c 的 n 个副本
b2, e2	迭代器 b2 和 e2 标记的范围内所有字符

append 操作提供了在字符串尾部插入的捷径：

```
string s("C++ Primer");            // initialize s to "C++ Primer"
s.append(" 3rd Ed.");              // s == "C++ Primer 3rd Ed."
// equivalent to s.append(" 3rd Ed.")
s.insert(s.size(), " 3rd Ed.");
```

replace 操作用于删除一段指定范围的字符，然后在删除位置插入一组新字符，等效于调用 erase 和 insert 函数。

string 类型为 replace 操作提供了 10 个不同版本，其差别在于以不同的方式指定要删除的字符和要插入的新字符。前两个参数应指定删除的元素范围，可用迭代器对实现，也可用一个下标和一个计数器实现。其他的参数则用于指定插入的新字符。

可将 replace 视为删除一些字符然后在同一位置插入其他内容的捷径： 342

```
// starting at position 11, erase 3 characters and then insert "4th"
s.replace(11, 3, "4th");        // s == "C++ Primer 4th Ed."
// equivalent way to replace "3rd" by "4th"
s.erase(11, 3);                 // s == "C++ Primer Ed."
s.insert(11, "4th");            // s == "C++ Primer 4th Ed."
```

 不要求删除的文本长度与插入的相同。

上述例子调用了 replace 函数，插入的文本恰好与删除的文本长度相同。我们也可以插入更长或更短的字符串：

```
s.replace(11, 3, "Fourth"); // s == "C++ Primer Fourth Ed."
```

在这个例子中，删除了 3 个字符，但在同一个位置却插入了 6 个字符。

9.6.4 string 类型的查找操作

string 类提供了 6 种查找函数（表 9-19），每种函数以不同形式的 find 命名。这些操作全都返回 string::size_type 类型的值，以下标形式标记查找匹配所发生的位置；或者返回一个名为 string::npos 的特殊值，说明查找没有匹配。string 类将 npos 定义为保证大于任何有效下标的值。 343

表 9-19　string 类型的查找操作（其参数 *args* 在表 9-20 中定义）	
s.find(*args*)	在 s 中查找 *args* 的第一次出现
s.rfind(*args*)	在 s 中查找 *args* 的最后一次出现
s.find_first_of(*args*)	在 s 中查找 *args* 的任意字符的第一次出现
s.find_last_of(*args*)	在 s 中查找 *args* 的任意字符的最后一次出现
s.find_first_not_of(*args*)	在 s 中查找第一个不属于 *args* 的字符
s.find_last_not_of(*args*)	在 s 中查找最后一个不属于 *args* 的字符

每种查找操作都有 4 个重载版本，每个版本使用不同的参数集合。表 9-20 列出了查找操作使用的不同参数形式。基本上，这些操作的不同之处在于查找的到底是单个字符、另一个 string 字符串、C 风格的以空字符结束的字符串，还是用字符数组给出的特定数目的字符集合。

表 9-20　string 类型提供的 find 操作的参数	
c, pos	在 s 中，从下标 pos 标记的位置开始，查找字符 c。pos 的默认值为 0
s2, pos	在 s 中，从下标 pos 标记的位置开始，查找 string 对象 s2。pos 的默认值为 0
cp, pos	在 s 中，从下标 pos 标记的位置开始，查找指针 cp 所指向的 C 风格的以空字符结束的字符串。pos 的默认值为 0
cp, pos, n	在 s 中，从下标 pos 标记的位置开始，查找指针 cp 所指向数组的前 n 个字符。pos 和 n 都没有默认值

344

1. 精确匹配的查找

最简单的查找操作是 find 函数，用于寻找实参指定的内容。如果找到的话，则返回第一次匹配的下标值；如果找不到，则返回 npos：

```
string name("AnnaBelle");
string::size_type pos1 = name.find("Anna"); // pos1 == 0
```

返回 0，这是子串"Anna"位于字符串"AnnaBelle"中的下标。

> 默认情况下，find 操作（以及其他处理字符的 string 操作）使用内置操作符比较 string 字符串中的字符。因此，这些操作（以及其他 string 操作）都区分字母的大小写。

以下程序寻找 string 对象中的某个值，字母的大小写影响了程序结果：

```
string lowercase("annabelle");
pos1 = lowercase.find("Anna"); // pos1 == npos
```

这段代码使 pos1 的值为 npos——字符串 Anna 与 anna 不匹配。

> find 操作的返回类型是 string::size_type，请使用该类型的对象存储 find 的返回值。

2. 查找任意字符

如果在查找字符串时希望匹配任意指定的字符，则实现起来稍微复杂一点。例如，下面的程序要在 name 中寻找并定位第一个数字：

```
string numerics("0123456789");
string name("r2d2");
string::size_type pos = name.find_first_of(numerics);
cout << "found number at index: " << pos
     << " element is " << name[pos] << endl;
```

在这个例子中，pos 的值被设置为 1（记住，string 对象的元素下标从 0 开始计数）。

3. 指定查找的起点

程序员可以给 find 操作传递一个可选的起点位置实参，用于指定开始查找的下标位置，该位置实参的默认值为 0。通常的编程模式是使用这个可选的实参循环查找 string 对象中所有的匹配。下面的程序重写了查找 "r2d2" 的程序，以便找出 name 字符串中出现的所有数字：

```
string::size_type pos = 0;
// each trip reset pos to the next instance in name
while ((pos = name.find_first_of(numerics, pos))
              != string::npos) {
    cout << "found number at index: " << pos
         << " element is " << name[pos] << endl;
    ++pos; // move to the next character
}
```

在这个例子中，首先将 pos 初始化为 0，使第一次循环从 0 号元素开始查找 name。while 的循环条件实现两个功能：从当前 pos 位置开始查找，并将找到的第一个数字出现的下标值赋给 pos。

当 find_first_of 函数返回有效的下标值时,输出此次查找的结果,并且让 pos 加 1。

如果漏掉了循环体末尾让 pos 加 1 的语句,那么循环永远都不会结束。考虑没有该操作时,会发生什么情况?第二次循环时,从 pos 标记的位置开始查找,而此时 pos 标记的就是一个数字,于是 find_first_of 函数将(不断重复地)返回同一个 pos 值。

 pos 的值必须加 1,以确保下一次循环从刚找到的数字后面开始查找下一个数字。 345

4. 寻找不匹配点

除了寻找匹配的位置外,还可以调用 find_first_not_of 函数查找第一个与实参不匹配的位置。例如,如果要在 string 对象中寻找第一个非数字字符,可以如下编写程序:

```
string numbers("0123456789");
string dept("03714p3");
// returns 5, which is the index to the character 'p'
string::size_type pos = dept.find_first_not_of(numbers);
```

5. 反向查找

迄今为止,我们使用的所有 find 操作都是从左向右查找的。除此之外,标准库还提供了一组类似的从右向左查找 string 对象的操作。rfind 成员函数用于寻找最后一个——也就是最右边的——指定子串出现的位置:

```
string river("Mississippi");
string::size_type first_pos = river.find("is"); // returns 1
string::size_type last_pos = river.rfind("is"); // returns 4
```

find 函数返回下标 1,标记 river 字符串中第一个 "is" 的出现位置;而 rfind 函数则返回下标 4,标记最后一个 "is" 的出现位置。

6. find_last 函数

find_last 函数类似对应的 find_first 函数,唯一的差别在于 find_last 函数返回最后一个匹配的位置,而并不是第一个。

● find_last_of 函数查找与目标字符串的任意字符匹配的最后一个字符。

● find_last_not_of 函数查找最后一个不能跟目标字符串的任何字符匹配的字符。

这两个操作都提供第二个参数,这个参数是可选的,用于指定在 string 对象中开始查找的位置。

习题

习题 9.38 已知有如下 string 对象:

```
"ab2c3d7R4E6"
```

编写程序寻找该字符串中所有的数字字符,然后再寻找所有的字母字符。以两种版本编写该程序:第一个版本使用 find_first_of 函数,而第二个版本则使用 find_first_not_of 函数。

习题 9.39 已知有如下 string 对象:

```
string line1 = "We were her pride of 10 she named us:";
string line2 = "Benjamin, Phoenix, the Prodigal"
string line3 = "and perspicacious pacific Suzanne";

string sentence = line1 + ' ' + line2 + ' ' + line3;
```

编写程序计算 sentence 中有多少个单词，并指出其中最长和最短的单词。如果有多个最长或最短的单词，则将它们全部输出。

9.6.5　string 对象的比较

正如在 3.2.3 节所看到的，string 类型定义了所有关系操作符，使程序员可以比较两个 string 对象是否相等（==）、不等（!=），以及实现小于或大于（<、<=、>、>=）运算。string 对象采用字典顺序比较，也就是说，string 对象的比较与大小写敏感的字典顺序比较相同：

```
string cobol_program_crash("abend");
string cplus_program_crash("abort");
```

这里的 cobol_program_crash 小于 cplus_program_crash。对于两个 string 对象，关系操作符逐个字符地进行比较，直到比较到某个位置上，两个 string 对象对应的字符不相同为止。string 对象的整个比较依赖于不相同字符之间的比较。在本例中，第一个不相等的字符是 'e' 和 'o'。由于在英文字母表中，'e' 出现得比 'o' 早（即 'e' 小于 'o'），于是 "abend" 小于 "abort"。如果要比较的两个 string 对象长度不相同，而且一个 string 对象是另一个 string 对象的子串，则较短的 string 对象小于较长的 string 对象。

compare 函数

除了关系操作符，string 类型还提供了一组 compare 操作（表 9-21），用于实现字典顺序的比较。这些操作的结果类似于 C 语言中的库函数 strcmp（4.3 节）。假设有语句：

```
s1.compare (args);
```

表 9-21　string 类型的 compare 操作

s.compare(s2)	比较 s 和 s2
s.compare(pos1, n1, s2)	让 s 中从 pos 下标位置开始的 n1 个字符与 s2 做比较
s.compare(pos1, n1, s2, pos2, n2)	让 s 中从 pos1 下标位置开始的 n1 个字符与 s2 中从 pos2 下标位置开始的 n2 个字符做比较
s.compare(cp)	比较 s 和 cp 所指向的以空字符结束的字符串
s.compare(pos1, n1, cp)	让 s 中从 pos1 下标位置开始的 n1 个字符与 cp 所指向的字符串做比较
s.compare(pos1, n1, cp, n2)	让 s 中从 pos1 下标位置开始的 n1 个字符与 cp 所指向字符串的前 n2 个字符做比较

compare 函数返回下面列出的三种可能值之一：

(1) 正数，此时 s1 大于 args 所代表的 string 对象。

(2) 负数，此时 s1 小于 args 所代表的 string 对象。

(3) 0，此时 s1 恰好等于 *args* 所代表的 string 对象。

例如：

```
// returns a negative value
cobol_program_crash.compare(cplus_program_crash);
// returns a positive value
cplus_program_crash.compare(cobol_program_crash);
```

347

compare 操作提供了 6 种重载函数版本，以方便程序员实现一个或两个 string 对象的子串的比较，以及 string 对象与字符数组或其中某一部分的比较：

```
char second_ed[] = "C++ Primer, 2nd Edition";
string third_ed("C++ Primer, 3rd Edition");
string fourth_ed("C++ Primer, 4th Edition");
// compares C++ library string to C-style string
fourth_ed.compare(second_ed);  // ok, second_ed is null-terminated
// compare substrings of fourth_ed and third_ed
fourth_ed.compare(fourth_ed.find("4th"), 3,
                  third_ed, third_ed.find("3rd"), 3);
```

我们对第二个 compare 函数的调用更感兴趣。这个调用使用了具有 5 个参数的 compare 函数版本。先调用 find 函数找到子串"4th"的起点。让从此起点开始的 3 个字符与 third_ed 的子串做比较。而 third_ed 的子串起始于 find 函数找到的"3rd"的起点，同样取其随后的 3 个字符参加比较。可见这个语句本质上比较的是"4th"和"3rd"。

习题

习题 9.40 编写程序接收下列两个 string 对象：

```
string q1("When lilacs last in the dooryard bloom'd");
string q2("The child is father of the man");
```

然后使用 assign 和 append 操作，创建 string 对象：

```
string sentence("The child is in the dooryard");
```

习题 9.41 已知有如下 string 对象：

```
string generic1("Dear Ms Daisy:");
string generic2("MrsMsMissPeople");
```

编写程序实现下面函数：

```
string greet(string form, string lastname, string title,
             string::size_type pos, int length);
```

该函数使用 replace 操作实现以下功能：对于字符串 form，将其中的 Daisy 替换为 lastname，将其中的 Ms 替换为字符串 title 中从 pos 下标开始的 length 个字符。例如，下面的语句：

```
string lastName("AnnaP");
string salute = greet(generic1, lastName, generic2, 5, 4);
```

将返回字符串：

```
Dear Miss AnnaP:
```

9.7 容器适配器

除了顺序容器，标准库还提供了三种顺序容器适配器：`queue`、`priority_queue` 和 `stack`。**适配器**（adaptor）是标准库中通用的概念，包括容器适配器、迭代器适配器和函数适配器。本质上，适配器是使一事物的行为类似于另一事物的行为的一种机制。容器适配器让一种已存在的容器类型采用另一种不同的抽象类型的工作方式实现。例如，`stack`（栈）适配器可使任何一种顺序容器以栈的方式工作。表 9-22 列出了所有容器适配器通用的操作和类型。

348

表 9-22　适配器通用的操作和类型

`size_type`	一种类型，足以存储此适配器类型最大对象的长度
`value_type`	元素类型
`container_type`	基础容器的类型，适配器在此容器类型上实现
`A a;`	创建一个新的空适配器，命名为 a
`A a(c);`	创建一个名为 a 的新适配器，初始化为容器 c 的副本
关系操作符	所有适配器都支持全部关系操作符：`==`、`!=`、`<`、`<=`、`>`、`>=`

使用适配器时，必须包含相关的头文件：

```
#include <stack>     // stack adaptor
#include <queue>     // both queue and priority_queue adaptors
```

1. 适配器的初始化

所有适配器都定义了两个构造函数：默认构造函数用于创建空对象，而带一个容器参数的构造函数将参数容器的副本作为其基础值。例如，假设 deq 是 `deque<int>` 类型的容器，则可用 deq 初始化一个新的栈，如下所示：

```
stack<int> stk(deq);     // copies elements from deq into stk
```

2. 覆盖基础容器类型

默认的 `stack` 和 `queue` 都基于 `deque` 容器实现，而 `priority_queue` 则在 `vector` 容器上实现。在创建适配器时，通过将一个顺序容器指定为适配器的第二个类型实参，可覆盖其关联的基础容器类型：

```
// empty stack implemented on top of vector
stack< string, vector<string> > str_stk;
// str_stk2 is implemented on top of vector and holds a copy of svec
stack<string, vector<string> > str_stk2(svec);
```

349

对于给定的适配器，其关联的容器必须满足一定的约束条件。`stack` 适配器所关联的基础容器可以是任意一种顺序容器类型。因此，`stack` 栈可以建立在 `vector`、`list` 或者 `deque` 容器之上。而 `queue` 适配器要求其关联的基础容器必须提供 `push_front` 运算，因此只能建立在 `list` 容器上，而不能建立在 `vector` 容器上。`priority_queue` 适配器要求提供随机访问功能，因此可建立在 `vector` 或 `deque` 容器上，但不能建立在 `list` 容器上。

3. 适配器的关系运算

两个相同类型的适配器可以做相等、不等、小于、大于、小于等于以及大于等于关系比较，只要基础元素类型支持等于和小于操作符即可。这些关系运算由元素依次比较来实现。第一对不相等的元素将决定两者之间的小于或大于关系。

9.7.1 栈适配器

表 9-23 列出了栈提供的所有操作。

表 9-23 栈容器适配器支持的操作

s.empty()	如果栈为空，则返回 true，否则返回 false
s.size()	返回栈中元素的个数
s.pop()	删除栈顶元素，但不返回其值
s.top()	返回栈顶元素的值，但不删除该元素
s.push(item)	在栈顶压入新元素

下面的程序使用了这 5 个栈操作：

```
// number of elements we'll put in our stack
const stack<int>::size_type stk_size = 10;
stack<int> intStack; // empty stack
// fill up the stack
int ix = 0;
while (intStack.size() != stk_size)
    // use postfix increment; want to push old value onto intStack
    intStack.push(ix++); // intStack holds 0...9 inclusive
int error_cnt = 0;
// look at each value and pop it off the stack
while (intStack.empty() == false) {
    int value = intStack.top();
    // read the top element of the stack
    if (value != --ix) {
        cerr << "oops! expected " << ix
            << " received " << value << endl;
        ++error_cnt;
    }
    intStack.pop(); // pop the top element, and repeat
}
cout << "Our program ran with "
    << error_cnt << " errors!" << endl;
```

350

声明语句：

```
stack<int> intStack; // empty stack
```

将 intStack 定义为一个存储整型元素的空栈。第一个 while 循环在该栈中添加了 stk_size 个元素，元素初值是从 0 开始依次递增 1 的整数。第二个 while 循环迭代遍历整个栈，检查其栈顶（top）的元素值，然后栈顶元素出栈，直到栈变空为止。

所有容器适配器都根据其基础容器类型所支持的操作来定义自己的操作。默认情况下，栈适配器建立在 deque 容器上，因此采用 deque 提供的操作来实现栈功能。例如，执行下面的语句：

```
// use postfix increment; want to push old value onto intStack
intStack.push(ix++);    // intStack holds 0...9 inclusive
```

这个操作通过调用 push_back 操作实现，而该 push_back 操作由 intStack 所基于的 deque 对象提供。尽管栈是以 deque 容器为基础实现的，但是程序员不能直接访问 deque 所提供的操作。例如，不能在栈上调用 push_back 函数，而是必须使用栈所提供的名为 push 的操作。

9.7.2　队列和优先级队列

标准库队列使用了先进先出（FIFO）的存储和检索策略。进入队列的对象被放置在尾部，下一个被取出的元素则取自队列的首部。标准库提供了两种风格的队列：FIFO 队列（FIFO queue，简称 queue），以及优先级队列（priority queue）。

priority_queue 允许用户为队列中存储的元素设置优先级。这种队列不是直接将新元素放置在队列尾部，而是放在比它优先级低的元素前面。标准库默认使用元素类型的 < 操作符来确定它们之间的优先级关系。

优先级队列的一个实例是机场行李检查队列。30 分钟后即将离港的航班的乘客通常会被移到队列前面，以便他们能在飞机起飞前完成检查过程。使用优先级队列的程序示例是操作系统的调度表，它决定在大量等待进程中下一个要执行的进程。

要使用这两种队列，必须包含 queue 头文件。表 9-24 列出了队列和优先级队列所提供的所有操作。

表 9-24　队列和优先级队列支持的操作

q.empty()	如果队列为空，则返回 true，否则返回 false
q.size()	返回队列中元素的个数
q.pop()	删除队首元素，但不返回其值
q.front()	返回队首元素的值，但不删除该元素 **该操作只适用于队列**
q.back()	返回队尾元素的值，但不删除该元素 **该操作只适用于队列**
q.top()	返回具有最高优先级的元素值，但不删除该元素 **该操作只适用于优先级队列**
q.push(item)	对于 queue，在队尾压入一个新元素 对于 priority_queue，在基于优先级的适当位置插入新元素

习题

习题 9.42　编写程序读入一系列单词，并将它们存储在 stack 对象中。

习题 9.43　使用 stack 对象处理带圆括号的表达式。遇到左圆括号时，将其标记下来。然后在遇到右圆括号时，弹出 stack 对象中这两边括号之间的相关元素（包括左圆括号）。接着在 stack 对象中压入一个值，用以表明这个用一对圆括号括起来的表达式已经被替换。

小结

C++标准库定义了一系列顺序容器类型。容器是用于存储某种给定类型对象的模板类型。在顺序容器中，所有元素根据其位置排列和访问。顺序容器共享一组通用的已标准化的接口：如果两种顺序容器都提供某一操作，那么该操作具有相同的接口和含义。所有容器都提供（有效的）动态内存管理。程序员在容器中添加元素时，不必操心元素存放在哪里。容器自己实现其存储管理。

最经常使用的容器类型是 vector，它支持对元素的快速随机访问。可高效地在 vector 容器尾部添加和删除元素，而在其他任何位置上的插入或删除运算则要付出比较昂贵的代价。deque 类与 vector 相似，但它还支持在 deque 首部的快速插入和删除运算。list 类只支持元素的顺序访问，但在 list 内部任何位置插入和删除元素都非常快速。

容器定义的操作非常少，只定义了构造函数、添加或删除元素的操作、设置容器长度的操作以及返回指向特殊元素的迭代器的操作。其他一些有用的操作，如排序、查找，则不是由容器类型定义，而是由第 11 章介绍的标准算法定义。

在容器中添加或删除元素可能会使已存在的迭代器失效。当混合使用迭代器操作和容器操作时，必须时刻留意给定的容器操作是否会使迭代器失效。许多使一个迭代器失效的操作，例如 insert 或 erase，将返回一个新的迭代器，让程序员保留容器中的一个位置。使用改变容器长度的容器操作的循环必须非常小心其迭代器的使用。

术语

adaptor（适配器） 一种标准库类型、函数或迭代器，使某种标准库类型、函数或迭代器的行为类似于另外一种标准库类型、函数或迭代器。系统提供了三种顺序容器适配器：stack（栈）、queue（队列）以及 priority_queue（优先级队列）。所有的适配器都会在其基础顺序容器上定义一个新的接口。

begin（begin 操作） 一种容器操作。如果容器中有元素，该操作返回指向容器中第一个元素的迭代器；如果容器为空，则返回超出末端迭代器。

container（容器） 一种存储给定类型对象集合的类型。所有标准库容器类型都是模板类型。定义容器时，必须指定在该容器中存储的元素是什么类型。标准库容器具有可变的长度。

deque（双端队列） 一种顺序容器。deque 中存储的元素通过其下标位置访问。该容器类型在很多方面与 vector 一样，唯一的不同是 deque 类型支持在容器首部快速地插入新元素，就像在尾部插入一样，而且无论在容器的哪一端插入或删除都不会引起元素的重新定位。

end（end 操作） 一种容器操作，返回指向容器的超出末端的下一位置的迭代器。

invalidated iterator（无效迭代器） 指向不再存在的元素的迭代器。无效迭代器的使用未定义，可能会导致严重的运行时错误。

iterator（迭代器） 一种类型，其操作支持遍历和检查容器元素的操作。所有标准库容器都定义了表 9-5 列出的 4 种迭代器，与之共同工作。标准库迭代器都支持解引用（*）操作符和箭头（->）操作符，用于检查迭代器指向的元素值。它们还支持前置和后置的自增（++）、自减操作符（--），以及相等（==）和不等（!=）操作符。

iterator range（迭代器范围） 由一对迭代器标记的一段元素范围。第一个迭代器指向序列中的第一个元素，而第二个迭代器则指向该范围中的最后一个元素的下一位置。如果这段范围为空，则这两个迭代器相等（反之亦然——如果这两个迭代器相等，则它们标记一个空范围）。如果这段范围非空，则对第一个迭代器重复做自增运算，必然能到达第二个迭代器。通过这个对迭代器进行自增的过程，即可处理该序列中所有的元素。

left-inclusive interval（左闭合区间） 一段包含第一个元素但不包含最后一个元素的范围。一般表示为[i, j]，意味着该序列从i开始（包括i）一直到j，但不包含j。

list（列表） 一种顺序容器。list 中的元素只能顺序访问——从给定元素开始，要获取另一个元素，则必须通过自增或自减迭代器的操作遍历这两个元素之间的所有元素。list 容器支持在容器的任何位置实现快速插入（或删除）运算。新元素的插入不会影响 list 中的其他元素。插入元素时，迭代器保持有效；删除元素时，只有指向该元素的迭代器失效。

priority_queue（优先级队列） 一种顺序容器适配器。在这种队列中，新元素不是在队列尾部插入，而是根据指定的优先级级别插入。默认情况下，元素的优先级由元素类型的小于操作符决定。

queue（队列） 一种顺序容器适配器。在这种队列中，保证只在队尾插入新元素，而且只在队首删除元素。

sequential container（顺序容器） 以有序集合的方式存储单一类型对象的类型。顺序容器中的元素可通过下标访问。

stack（栈） 一种顺序容器适配器，这种类型只能在一端插入和删除元素。

vector（向量） 一种顺序容器。vector 中的元素通过其位置下标访问。可通过调用 push_back 或 insert 函数在 vector 中添加元素。在 vector 中添加元素可能会导致重新为容器分配内存空间，也可能会使所有的迭代器失效。在 vector 容器中间添加（或删除）元素将使所有指向插入（或删除）点后面的元素的迭代器失效。

第 **10** 章

关 联 容 器

目录

本章将继续介绍标准库容器类型的另一项内容——关联容器。关联容器和顺序容器的本质差别在于：关联容器通过键（key）存储和读取元素，而顺序容器则通过元素在容器中的位置顺序存储和访问元素。

虽然关联容器的大部分行为与顺序容器相同，但其独特之处在于支持键的使用。本章涵盖了关联容器的相关内容，并完善和扩展了一个使用顺序容器和关联容器的例子。

355

关联容器（associative container）支持通过键来高效地查找和读取元素。两个基本的关联容器类型是 map 和 set（表 10-1）。map 的元素以键-值（key-value）对的形式组织：键用作元素在 map 中的索引，而值则表示所存储和读取的数据。set 仅包含一个键，并有效地支持关于某个键是否存在的查询。

表 10-1   关联容器类型

map	关联数组；元素通过键来存储和读取
set	大小可变的集合，支持通过键实现的快速读取
multimap	支持同一个键多次出现的 map 类型
multiset	支持同一个键多次出现的 set 类型

一般来说，如果希望有效地存储不同值的集合，那么使用 set 容器比较合适，而 map 容器则更适用于需要存储（乃至修改）每个键所关联的值的情况。在做某种文本处理时，可使用 set 保存要忽略的单词。而字典则是 map 的一种很好的应用：单词本身是键，而它的解释说明则是值。

set 和 map 类型的对象所包含的元素都具有不同的键，不允许为同一个键添加第二个元素。如果一个键必须对应多个实例，则需使用 multimap 或 multiset 类型（表 10-1），这两种类型允许多个元素拥有相同的键。

关联容器支持很多顺序容器也提供的相同操作，此外，还提供管理或使用键的特殊操作。下面的小节将详细讨论关联容器类型及其操作，最后以一个用容器实现的小型文本查询程序结束本章。

10.1   引言：**pair** 类型

在开始介绍关联容器之前，必须先了解一种与之相关的简单的标准库类型——pair 类型（表 10-2），该类型在 utility 头文件中定义。

表 10-2   **pair** 类型提供的操作

pair<T1, T2> p1;	创建一个空的 pair 对象，它的两个元素分别是 T1 和 T2 类型，采用值初始化（3.3.1 节）
pair<T1, T2> p1(v1, v2);	创建一个 pair 对象，它的两个元素分别是 T1 和 T2 类型，其中 first 成员初始化为 v1，而 second 成员初始化为 v2
make_pair(v1, v2)	以 v1 和 v2 值创建一个新的 pair 对象，其元素类型分别是 v1 和 v2 的类型
p1 < p2	两个 pair 对象之间的小于运算，其定义遵循字典次序：如果 p1.first<p2.first 或者 !(p2.first<p1.first)&&p1.second<p2.second，则返回 true
p1 == p2	如果两个 pair 对象的 first 和 second 成员依次相等，则这两个对象相等。该运算使用其元素的==操作符
p.first	返回 p 中名为 first 的（公有）数据成员
p.second	返回 p 的名为 second 的（公有）数据成员

1. **pair** 的创建和初始化

pair 包含两个数据值。与容器一样，pair 也是一种模板类型。但又与之前介绍的容器不同，在创建 pair 对象时，必须提供两个类型名：pair 对象所包含的两个数据成员各自对应的类型名字，这两个类型不必相同。

```
pair<string, string> anon;          // holds two strings
pair<string, int> word_count;       // holds a string and an int
pair<string, vector<int> > line;    // holds string and vector<int>
```

356

如果在创建 pair 对象时不提供初始化式，则调用默认构造函数对其成员采用值初始化。于是，anon 是包含两个空 string 类型成员的 pair 对象，line 则存储一个空的 string 类型对象和一个空的 vector 类型对象。word_count 中的 int 型成员获得 0 值，而 string 成员则初始化为空 string 对象。

当然，也可在定义时为每个成员提供初始化式：

```
pair<string, string> author("James","Joyce");
```

创建一个名为 author 的 pair 对象，它的两个成员都是 string 类型，分别初始化为字符串 "James" 和 "Joyce"。

pair 类型的使用相当繁琐，因此，如果需要定义多个相同的 pair 类型对象，可考虑利用 typedef 简化其声明（2.6 节）：

```
typedef pair<string, string> Author;
Author proust("Marcel", "Proust");
Author joyce("James", "Joyce");
```

2. pair 对象的操作

与其他标准库类型不同，对于 pair 类，可以直接访问其数据成员：其成员都是公有的，分别命名为 first 和 second。只需使用普通的点操作符（1.5.2 节）——成员访问标志即可访问其成员：

```
string firstBook;
// access and test the data members of the pair
if (author.first == "James" && author.second == "Joyce")
    firstBook = "Stephen Hero";
```

标准库只为 pair 类型定义了表 10-2 所列出的数量有限的操作。

357

3. 生成新的 pair 对象

除了构造函数，标准库还定义了一个 make_pair 函数，由传递给它的两个实参生成一个新的 pair 对象。可如下使用该函数来创建新的 pair 对象，并赋给已存在的 pair 对象：

```
pair<string, string> next_auth;
string first, last;
while (cin >> first >> last) {
    // generate a pair from first and last
    next_auth = make_pair(first, last);
    // process next_auth...
}
```

这个循环处理一系列的作者信息：在 while 循环条件中读入的作者名字作为实参，调用 make_pair 函数生成一个新的 pair 对象。此操作等价于下面更复杂的操作：

```
// use pair constructor to make first and last into a pair
next_auth = pair<string, string>(first, last);
```

由于 pair 的数据成员是公有的，因而可如下直接地读取输入：

```
pair<string, string> next_auth;
// read directly into the members of next_auth
while (cin >> next_auth.first >> next_auth.second) {
    // process next_auth...

}
```

习题

习题 10.1　编写程序读入一系列 string 和 int 型数据，将每一组存储在一个 pair 对象中，然后将这些 pair 对象存储在 vecotr 容器里。

习题 10.2　在前一题中，至少可使用三种方法创建 pair 对象。编写三个版本的程序，分别采用不同的方法来创建 pair 对象。你认为哪一种方法更易于编写和理解，为什么？

10.2　关联容器

关联容器共享大部分——但并非全部——的顺序容器操作。关联容器不提供 front、push_front、pop_front、back、push_back 以及 pop_back 操作。

358
顺序容器和关联容器公共的操作包括下面的几种：

- 表 9-2 描述的前三种构造函数：

```
C<T> c;            // creates an empty container
// c2 must be same type as c1
C<T> c1(c2);       // copies elements from c2 into c1
// b and e are iterators denoting a sequence
C<T> c(b, e);      // copies elements from the sequence into c
```

关联容器不能通过容器大小来定义，因为这样的话就无法知道键所对应的值是什么。

- 9.3.4 节中描述的关系运算。
- 表 9-6 列出的 begin、end、rbegin 和 rend 操作。
- 表 9-5 列出的类型别名（typedef）。注意，对于 map 容器，value_type 并非元素的类型，而是描述键及其关联值类型的 pair 类型。10.3.2 节将详细解释 map 中的类型别名。
- 表 9-11 中描述的 swap 和赋值操作。但关联容器不提供 assign 函数。
- 表 9-10 列出的 clear 和 erase 操作，但关联容器的 erase 运算返回 void 类型。
- 表 9-8 列出的关于容器大小的操作。但 resize 函数不能用于关联容器。

根据键排列元素

除了上述列出的操作之外，关联容器还提供了其他的操作。而对于顺序容器也提供的相同操作，关联容器也重新定义了这些操作的含义或返回类型，其中的差别在于关联容器中使用了键。

"容器元素根据键的次序排列"这一事实就是一个重要的结论：在迭代遍历关联容器时，我们可确保按键的顺序访问元素，而与元素在容器中的存放位置完全无关。

习题

359

习题 10.3　描述关联容器和顺序容器的差别。

习题 10.4　举例说明 list、vector、deque、map 以及 set 类型分别适用的情况。

10.3　map 类型

map 是键-值对的集合。map 类型通常可理解为**关联数组**：可使用键作为下标来获取一个值，正如内置数组类型一样。而关联的本质在于元素的值与某个特定的键相关联，而并非通过元素在数组中的位置来获取。

10.3.1　map 对象的定义

要使用 map 对象，则必须包含 map 头文件。在定义 map 对象时，必须分别指明键和值的类型（表 10-3）：

```
// count number of times each word occurs in the input
map<string, int> word_count; // empty map from string to int
```

这个语句定义了一个名为 word_count 的 map 对象，由 string 类型的键索引，关联的值则为 int 型。

表 10-3　**map** 的构造函数	
map<k, v> m;	创建一个名为 m 的空 map 对象，其键和值的类型分别为 k 和 v
map<k, v> m(m2);	创建 m2 的副本 m，m 与 m2 必须有相同的键类型和值类型
map<k, v> m(b, e);	创建 map 类型的对象 m，存储迭代器 b 和 e 标记的范围内所有元素的副本。元素的类型必须能转换为 pair<const k, v>

键类型的约束

在使用关联容器时，它的键不但有一个类型，而且还有一个相关的比较函数。默认情况下，标准库使用键类型定义的 < 操作符来实现键的比较。15.8.3 节将介绍如何重写默认的操作符，并提供自定义的操作符函数。

所用的比较函数必须在键类型上定义**严格弱排序**（strict weak ordering）。所谓的严格弱排序可理解为键类型数据上的"小于"关系，虽然实际上可以选择将比较函数设计得更复杂。但无论这样的比较函数如何定义，当用于一个键与自身的比较时，肯定会导致 false 结果。此外，在比较两个键时，不能出现相互"小于"的情况，而且，如果 k1"小于"k2，k2"小于"k3，则 k1 必然"小于"k3。对于两个键，如果它们相互之间都不存在"小于"关系，则容器将之视为相同的键。用做 map 对象的键时，可使用任意一个键值来访问相应的元素。

 在实际应用中，键类型必须定义 < 操作符，而且该操作符应能"正确地工作"，这一点很重要。

360

　　例如，在书店问题中，可增加一个名为 ISBN 的类型，封装与国际标准图书编号（ISBN）相关的规则。在我们的实现中，国际标准图书编号是 string 类型，可做比较运算以确定编号之间的大小关系。因此，ISBN 类型可以支持 < 运算。假设我们已经定义了这样的类型，则可定义一个 map 容器对象，以便高效地查找书店中存放的某本书。

```
map<ISBN, Sales_item> bookstore;
```

该语句定义了一个名为 bookstore 的 map 对象，以 ISBN 类型的对象为索引，其所有元素都存储了一个关联的 Sales_item 类类型实例。

　　　对于键类型，唯一的约束就是必须支持 < 操作符，至于是否支持其他的关系或相等运算，则不作要求。

习题

习题 10.5　定义一个 map 对象，将单词与一个 list 对象关联起来，该 list 对象存储对应的单词可能出现的行号。

习题 10.6　可否定义一个 map 对象以 vector<int>::iterator 为键关联 int 型对象？如果以 list<int>::iterator 关联 int 型对象呢？或者，以 pair<int, string> 关联 int？对于每种情况，如果不允许，请解释其原因。

10.3.2　**map** 定义的类型

　　map 对象的元素是键–值对，也即每个元素包含两个部分：键以及由键关联的值。map 的 value_type 就反映了这个事实（表 10-4）。该类型比前面介绍的容器所使用的元素类型要复杂得多：value_type 是存储元素的键以及值的 pair 类型，而且键为 const。例如，word_count 数组的 value_type 为 pair<const string, int> 类型。

表 10-4　map 类定义的类型

map<K,V>::key_type	在 map 容器中，用做索引的键的类型
map<K,V>::mapped_type	在 map 容器中，键所关联的值的类型
map<K,V>::value_type	一个 pair 类型，它的 first 元素具有 const map<K,V>::key_type 类型，而 second 元素则为 map<K,V>::mapped_type 类型

　　　在学习 map 的接口时，需谨记 value_type 是 pair 类型，它的值成员可以修改，但键成员不能修改。

1. **map** 迭代器进行解引用将产生 **pair** 类型的对象

　　对迭代器进行解引用时，将获得一个引用，指向容器中一个 value_type 类型的值。对于 map 容器，其 value_type 是 pair 类型：

```
// get an iterator to an element in word_count
map<string, int>::iterator map_it = word_count.begin();
// *map_it is a reference to a pair<const string, int> object
```

```
cout << map_it->first;              // prints the key for this element
cout << " " << map_it->second;      // prints the value of the element
map_it->first = "new key";          // error: key is const
++map_it->second;       // ok: we can change value through an iterator
```

对迭代器进行解引用将获得一个 pair 对象，它的 first 成员存放键，为 const，而 second 成员则存放值。

2. map 容器额外定义的类型别名（typedef）

map 类额外定义了两种类型：key_type 和 mapped_type，以获得键或值的类型。对于 word_count，其 key_type 是 string 类型，而 mapped_type 则是 int 型。如同顺序容器（9.3.1 节）一样，可使用作用域操作符（scope operator）来获取类型成员，如 map<string,int>::key_type。

习题

习题 10.7　对于以 int 型对象为索引关联 vector<int>型对象的 map 容器，它的 mapped_type、key_type 和 value_type 分别是什么？

习题 10.8　编写一个表达式，使用 map 的迭代器给其元素赋值。

10.3.3　给 map 添加元素

定义了 map 容器后，下一步工作就是在容器中添加键-值元素对。该项工作可使用 insert 成员实现；或者，先用下标操作符获取元素，然后给获取的元素赋值。在这两种情况下，一个给定的键只能对应于一个元素这一事实影响了这些操作的行为。

10.3.4　使用下标访问 map 对象

如下编写程序时：

```
map <string, int> word_count; // empty map
// insert default initialzed element with key Anna; then assign 1 to its value
word_count["Anna"] = 1;
```

将发生以下事情：

(1) 在 word_count 中查找键为 Anna 的元素，没有找到。

(2) 将一个新的键-值对插入到 word_count 中。它的键是 const string 类型的对象，保存 Anna。而它的值则采用值初始化，这就意味着在本例中值为 0。

(3) 将这个新的键-值对插入到 word_count 中。

(4) 读取新插入的元素，并将它的值赋为 1。

　　使用下标访问 map 与使用下标访问数组或 vector 的行为截然不同：用下标访问不存在的元素将导致在 map 容器中添加一个新的元素，它的键即为该下标值。

如同其他下标操作符一样，map 的下标也使用索引（其实就是键）来获取该键所关联的值。如果该键已在容器中，则 map 的下标运算与 vector 的下标运算行为相同：返回该键所关联的值。

362

只有在所查找的键不存在时，map 容器才为该键创建一个新的元素，并将它插入到此 map 对象中。此时，所关联的值采用值初始化：类类型的元素用默认构造函数初始化，而内置类型的元素则初始化为 0。

1. 下标操作符返回值的使用

通常来说，下标操作符返回左值。它返回的左值是特定键所关联的值。可如下读或写元素：

```
cout << word_count["Anna"];    // fetch element indexed by Anna; prints 1
++word_count["Anna"];          // fetch the element and add one to it
cout << word_count["Anna"];    // fetch the element and print it; prints 2
```

　　有别于 vector 或 string 类型，map 下标操作符返回的类型与对 map 迭代器进行解引用获得的类型不相同。

显然，map 迭代器返回 value_type 类型的值——包含 const key_type 和 mapped_type 类型成员的 pair 对象；下标操作符则返回一个 mapped_type 类型的值。

2. 下标行为的编程意义

对于 map 容器，如果下标所表示的键在容器中不存在，则添加新元素，这一特性可使程序惊人地简练：

```
// count number of times each word occurs in the input
map<string, int> word_count; // empty map from string to int
string word;
while (cin >> word)
    ++word_count[word];
```

这段程序创建一个 map 对象，用来记录每个单词出现的次数。while 循环每次从标准输入读取一个单词。如果这是一个新的单词，则在 word_count 中添加以该单词为索引的新元素。如果读入的单词已在 map 对象中，则将它所对应的值加 1。

其中最有趣的是，在单词第一次出现时，会在 word_count 中创建并插入一个以该单词为索引的新元素，同时将它的值初始化为 0。然后其值立即加 1，所以每次在 map 中添加新元素时，所统计的出现次数正好从 1 开始。

习题

习题 10.9　编写程序统计并输出所读入的单词出现的次数。

习题 10.10　解释下面程序的功能：

```
map<int, int> m;
m[0] = 1;
```

比较上一程序和下面程序的行为

```
vector<int> v;
v[0] = 1;
```

习题 10.11　哪些类型可用做 map 容器对象的下标？下标操作符返回的又是什么类型？给出一个具体例子说明，即定义一个 map 对象，指出哪些类型可用作其下标，以及下标操作符返回的类型。

10.3.5　`map::insert` 的使用

map 容器的 insert 成员（表 10-5）与顺序容器（9.3.3 节）的类似，但有一点要注意：必须考虑键的作用。键影响了实参的类型：插入单个元素的 insert 版本使用键–值 pair 类型的参数。类似地，对于参数为一对迭代器的版本，迭代器必须指向键–值 pair 类型的元素。另一个差别则是：map 容器的接受单个值的 insert 版本的返回类型。本节的后续部分将详细阐述这一特性。

表 10-5　**map** 容器提供的 **insert** 操作

`m.insert(e)`	e 是一个用在 m 上的 `value_type` 类型的值。如果键 (e.first) 不在 m 中，则插入一个值为 e.second 的新元素；如果该键在 m 中已存在，则保持 m 不变。该函数返回一个 pair 类型对象，包含指向键为 e.first 的元素的 map 迭代器，以及一个 bool 类型的对象，表示是否插入了该元素
`m.insert(beg, end)`	beg 和 end 是标记元素范围的迭代器，其中的元素必须为 m.value_type 类型的键–值对。对于该范围内的所有元素，如果它的键在 m 中不存在，则将该键及其关联的值插入到 m。返回 void 类型
`m.insert(iter, e)`	e 是一个用在 m 上的 value_type 类型的值。如果键 (e.first) 不在 m 中，则创建新元素，并以迭代器 iter 为起点搜索新元素存储的位置。返回一个迭代器，指向 m 中具有给定键的元素

1. 以 **insert** 代替下标运算

使用下标给 map 容器添加新元素时，元素的值部分将采用值初始化。通常，我们会立即为其赋值，其实就是对同一个对象进行初始化并赋值。而插入元素的另一个方法是：直接使用 insert 成员，其语法更紧凑：

```
// if Anna not already in word_count, inserts new element with value 1
word_count.insert(map<string, int>::value_type("Anna", 1));
```

这个 insert 函数版本的实参：

```
map<string,int>::value_type("Anna",1)
```

是一个新创建的 pair 对象，将直接插入到 map 容器中。谨记 value_type 是 pair<const K, V> 类型的同义词，K 为键类型，而 V 是键所关联的值的类型。insert 的实参创建了一个适当的 pair 类型新对象，该对象将插入到 map 容器。在添加新的 map 元素时，使用 insert 成员可避免使用下标操作符所带来的副作用：不必要的初始化。

传递给 insert 的实参相当笨拙。可用两种方法简化：使用 make_pair

```
word_count.insert(make_pair("Anna", 1));
```

或使用 typedef：

```
typedef map<string,int>::value_type valType;
word_count.insert(valType("Anna", 1));
```

这两种方法都使调用变得简单，提高了程序的可读性。

2. 检测 **insert** 的返回值

map 对象中一个给定键只对应一个元素。如果试图插入的元素所对应的键已在容器中，则 insert 将不做任何操作。含有一个或一对迭代器形参的 insert 函数版本并不说明是否有或有多

364

少个元素插入到容器中。

但是，带有一个键–值 pair 形参的 insert 版本将返回一个值：包含一个迭代器和一个 bool 值的 pair 对象，其中迭代器指向 map 中具有相应键的元素，而 bool 值则表示是否插入了该元素。如果该键已在容器中，则其关联的值保持不变，返回的 bool 值为 false；如果该键不在容器中，则插入新元素，且 bool 值为 true。在这两种情况下，迭代器都将指向具有给定键的元素。下面是使用 insert 重写的单词统计程序：

```
// count number of times each word occurs in the input
map<string, int> word_count; // empty map from string to int
string word;
while (cin >> word) {
    // inserts element with key equal to word and value 1;
    // if word already in word_count, insert does nothing
    pair<map<string, int>::iterator, bool> ret =
            word_count.insert(make_pair(word, 1));
    if (!ret.second)          // word already in word_count
        ++ret.first->second;  // increment counter
}
```

对于每个单词，都尝试 insert 它，并将它的值赋为 1。if 语句检测 insert 函数返回值中的 bool 值。如果该值为 false，则表示没有做插入操作，按 word 索引的元素已在 word_count 中存在。此时，将该元素所关联的值加 1。

3. 语法展开

ret 的定义和自增运算可能比较难解释：

```
pair<map<string, int>::iterator, bool> ret =
        word_count.insert(make_pair(word, 1));
```

首先，应该很容易看出我们定义的是一个 pair 对象，它的 second 成员为 bool 类型。而它的 first 成员则比较难理解，这是 map<string, int> 容器所定义的迭代器类型。

根据操作符的优先级次序（5.10.1 节），可如下从添加圆括号开始理解自增操作：

```
++((ret.first)->second); // equivalent expression
```

下面对这个表达式一步步地展开解释：

- ret 存储 insert 函数返回的 pair 对象。该 pair 对象的 first 成员是一个 map 迭代器，指向插入的键。
- ret.first 从 insert 返回的 pair 对象中获取 map 迭代器。
- ret.first->second 对该迭代器进行解引用，获得一个 value_type 类型的对象。这个对象同样是 pair 类型的，它的 second 成员即为我们所添加的元素的值部分。
- ++ret.first->second 实现该值的自增运算。

归结起来，这个自增语句获取指向按 word 索引的元素的迭代器，并将该元素的值加 1。

习题

习题 10.12 重写 10.3.4 节习题的单词统计程序，要求使用 insert 函数代替下标运算。你认为哪个程序更容易编写和阅读？请解释原因。

习题 10.13 假设有 map<string, vector<int>>类型，指出在该容器中插入一个元素的 insert 函数应具有的参数类型和返回值类型。

10.3.6 查找并读取 map 中的元素

下标操作符给出了读取一个值的最简单方法：

```
map<string,int> word_count;
int occurs = word_count["foobar"];
```

但是，使用下标存在一个很危险的副作用：如果该键不在 map 容器中，那么下标操作会插入一个具有该键的新元素。

这样的行为是否正确取决于程序员的意愿。在这个例子中，如果"foobar"不存在，则在 map 中插入具有该键的新元素，其关联的值为 0。在这种情况下，occurs 获得 0 值。

我们的单词统计程序的确是要通过下标引用一个不存在的元素来实现新元素的插入，并将其关联的值初始化为 0。然而，大多数情况下，我们只想知道某元素是否存在，而当该元素不存在时，并不想做插入运算。对于这种应用，则不能使用下标操作符来判断元素是否存在。

map 容器提供了两个操作：count 和 find，用于检查某个键是否存在而不会插入该键（见表 10-6）。

表 10-6　不修改 **map** 对象的查询操作	
m.count(k)	返回 m 中 k 的出现次数
m.find(k)	如果 m 容器中存在按 k 索引的元素，则返回指向该元素的迭代器。如果不存在，则返回超出末端迭代器（3.4 节）

1. 使用 **count** 检查 **map** 对象中某键是否存在

对于 map 对象，count 成员的返回值只能是 0 或 1。map 容器只允许一个键对应一个实例，所以 count 可有效地表明一个键是否存在。而对于 multimap 容器，count 的返回值将有更多的用途，相关内容将会在 10.5 节中介绍。如果返回值非 0，则可以使用下标操作符来获取该键所关联的值，而不必担心这样做会在 map 中插入新元素：

```
int occurs = 0;
if (word_count.count("foobar"))
    occurs = word_count["foobar"];
```

当然，在执行 count 后再使用下标操作符，实际上是对元素作了两次查找。如果希望当元素存在时就使用它，则应该用 find 操作。

2. 读取元素而又不插入该元素

find 操作返回指向元素的迭代器，如果元素不存在，则返回 end 迭代器：

```
int occurs = 0;
map<string,int>::iterator it = word_count.find("foobar");
if (it != word_count.end())
    occurs = it->second;
```

如果希望当具有指定键的元素存在时，就获取该元素的引用，否则就不在容器中创建新的元素，那么应该使用 find。

367

习题

习题 10.14　map 容器的 count 和 find 运算有何区别？

习题 10.15　你认为 count 适合用于解决哪一类问题？而 find 呢？

习题 10.16　定义并初始化一个变量，用来存储调用键为 string、值为 vector<int>的 map 对象的 find 函数的返回结果。

10.3.7　从 **map** 对象中删除元素

从 map 容器中删除元素的 erase 操作有三种变化形式（表 10-7）。与顺序容器一样，可向 erase 传递一个或一对迭代器，来删除单个元素或一段范围内的元素。其删除功能类似于顺序容器，但有一点不同：map 容器的 erase 操作返回 void，而顺序容器的 erase 操作则返回一个迭代器，指向被删除元素后面的元素。

表 10-7　　从 **map** 对象中删除元素	
m.erase(k)	删除 m 中键为 k 的元素。返回 size_type 类型的值，表示删除的元素个数
m.erase(p)	从 m 中删除迭代器 p 所指向的元素。p 必须指向 m 中确实存在的元素，而且不能等于 m.end()。返回 void 类型
m.erase(b, e)	从 m 中删除一段范围内的元素，该范围由迭代器对 b 和 e 标记。b 和 e 必须标记 m 中的一段有效范围：即 b 和 e 都必须指向 m 中的元素或最后一个元素的下一位置。而且，b 和 e 要么相等（此时删除的范围为空），要么 b 所指向的元素必须出现在 e 所指向的元素之前。返回 void 类型

除此之外，map 类型还提供了一种额外的 erase 操作，其参数是 key_type 类型的值，如果拥有该键的元素存在，则删除该元素。对于单词统计程序，可使用这个版本的 erase 函数来删除 word_count 中指定的单词，然后输出被删除的单词：

```
// erase of a key returns number of elements removed
if (word_count.erase(removal_word))
    cout << "ok: " << removal_word << " removed\n";
else cout << "oops: " << removal_word << " not found!\n";
```

erase 函数返回被删除元素的个数。对于 map 容器，该值必然是 0 或 1。如果返回 0，则表示欲删除的元素在 map 中不存在。

10.3.8　**map** 对象的迭代遍历

与其他容器一样，map 同样提供 begin 和 end 运算，以生成用于遍历整个容器的迭代器。例如，可如下将 10.3.4 节建立的 map 容器 word_count 的内容输出：

```
// get iterator positioned on the first element
map<string, int>::const_iterator
                    map_it = word_count.begin();
// for each element in the map
while (map_it != word_count.end()) {
    // print the element key, value pairs
    cout << map_it->first << " occurs "
        << map_it->second << " times" << endl;
    ++map_it; // increment iterator to denote the next element
}
```

while 循环的条件判断以及循环体中迭代器的自增都与输出 vector 或 string 容器内容的程序
非常相像。首先，初始化 map_it 迭代器，使之指向 word_count 的第一个元素。只要该迭代器
不等于 end 的值，就输出当前元素并给迭代器加 1。这段程序的循环体要比前面类似的程序更加
复杂，原因在于对于 map 的每个元素都必须分别输出它的键和值。

 　　这个单词统计程序依据字典顺序输出单词。在使用迭代器遍历 map 容器时，迭代
器指向的元素按键的升序排列。

10.3.9　"单词转换" **map** 对象

　　下面的程序说明如何创建、查找和迭代遍历一个 map 对象，我们将以此结束本节内容。这
个程序求解的问题是：给出一个 string 对象，把它转换为另一个 string 对象。本程序的输入
是两个文件。第一个文件包括了若干单词对，每对的第一个单词将出现在输入的字符串中，而第
二个单词则是用于输出。本质上，这个文件提供的是单词转换的集合——在遇到第一个单词时，
应该将之替换为第二个单词。第二个文件则提供了需要转换的文本。如果单词转换文件的内容是：

```
'em        them
cuz        because
gratz      grateful
i          I
nah        no
pos        supposed
sez        said
tanx       thanks
wuz        was
```

而要转换的文本是：

```
nah i sez tanx cuz i wuz pos to
not cuz i wuz gratz
```

则程序将产生如下输出结果：

```
no I said thanks because I was supposed to
not because I was grateful
```

单词转换程序

　　下面给出的解决方案是将单词转换文件的内容存储在一个 map 容器中，将被替换的单词作
为键，而用作替换的单词则作为其相应的值。接着读取输入，查找输入的每个单词是否对应有转
换。若有，则实现转换，然后输出其转换后的单词，否则，直接输出原词。

　　该程序的主函数需有两个实参（7.2.6 节）：单词转换文件的名字以及需要转换的文件名。程
序执行时，首先检查实参的个数。第一个实参 argv[0] 是命令名，而执行该程序所需要的两个文
件名参数则分别存储在 argv[1] 及 argv[2] 中。

　　如果 argv[1] 的值合法，则调用 open_file 函数（8.4.3 节）打开单词转换文件。假设 open
操作成功，则读入"单词转换对"。以"转换对"中的第一个单词为键，第二个为值，调用 insert
函数在容器中插入新元素。while 循环结束后，trans_map 容器对象包含了转换输入文本所需的
数据。而如果该实参有问题，则抛出异常（6.13 节）并结束程序的运行。

369

接下来，调用 open_file 打开要转换的文件。第二个 while 循环使用 getline 函数逐行读入该文件。因为程序每次读入一行，从而可在输出文件的相同位置进行换行。然后在内嵌的 while 循环中使用 istringstream 将每一行中的单词提取出来。这部分程序与 8.5 节的程序框架类似。

内层的 while 循环检查每个单词，判断它是否在转换的 map 对象中出现。如果在，则从该 map 对象中取出对应的值替代此单词。最后，无论是否做了转换，都输出该单词。同时，程序使用 bool 值 firstword 判断是否需要输出空格。如果当前处理的是这一行的第一个单词，则无须输出空格。

370

```
/*
 * A program to transform words.
 * Takes two arguments: The first is name of the word transformation file
 *                      The second is name of the input to transform
 */
int main(int argc, char **argv)
{
    // map to hold the word transformation pairs:
    // key is the word to look for in the input; value is word to use in the output
    map<string, string> trans_map;
    string key, value;
    if (argc != 3)
        throw runtime_error("wrong number of arguments");
    // open transformation file and check that open succeeded
    ifstream map_file;
    if (!open_file(map_file, argv[1]))
        throw runtime_error("no transformation file");
    // read the transformation map and build the map
    while (map_file >> key >> value)
        trans_map.insert(make_pair(key, value));
    // ok, now we're ready to do the transformations
    // open the input file and check that the open succeeded
    ifstream input;
    if (!open_file(input, argv[2]))
        throw runtime_error("no input file");
    string line;        // hold each line from the input
    // read the text to transform it a line at a time
    while (getline(input, line)) {
        istringstream stream(line);    // read the line a word at a time
        string word;
        bool firstword = true;    // controls whether a space is printed
        while (stream >> word) {
            // ok: the actual mapwork, this part is the heart of the program
            map<string, string>::const_iterator map_it =
                                trans_map.find(word);
            // if this word is in the transformation map
            if (map_it != trans_map.end())
                // replace it by the transformation value in the map
                word = map_it->second;
            if (firstword)
                firstword = false;
            else
                cout << " ";   // print space between words
            cout << word;
        }
        cout << endl;            // done with this line of input
    }
    return 0;
}
```

371

习题

习题 10.17 上述转换程序使用了 find 函数来查找单词：

```
map<string, string>::const_iterator map_it =
        trans_map.find(word);
```

你认为这个程序为什么要使用 find 函数？如果使用下标操作符又会怎么样？

习题 10.18 定义一个 map 对象，其元素的键是家族姓氏，而值则是存储该家族孩子名字的 vector 对象。为这个 map 容器输入至少六个条目。通过基于家族姓氏的查询检测你的程序，查询应输出该家族所有孩子的名字。

习题 10.19 把上一题的 map 对象再扩展一下，使其 vector 对象存储 pair 类型的对象，记录每个孩子的名字和生日。相应地修改程序，测试修改后的测试程序以检查所编写的 map 是否正确。

习题 10.20 列出至少三种可以使用 map 类型的应用。为每种应用定义 map 对象，并指出如何插入和读取元素。

10.4 set 类型

map 容器是键-值对的集合，好比以人名为键的地址和电话号码。相反地，set 容器只是单纯的键的集合。例如，某公司可能定义了一个名为 bad_checks 的 set 容器，用于记录曾经给本公司发空头支票的客户。当只想知道一个值是否存在时，使用 set 容器是最适合的。例如，在接收一张支票前，该公司可能想查询 bad_checks 对象，看看该客户的名字是否存在。

除了两种例外情况，set 容器支持大部分的 map 操作，包括下面几种：

- 10.2 节列出的所有通用的容器操作。
- 表 10-3 描述的构造函数。
- 表 10-5 描述的 insert 操作。
- 表 10-6 描述的 count 和 find 操作。
- 表 10-7 描述的 erase 操作。

两种例外包括：set 不支持下标操作符，而且没有定义 mapped_type 类型。在 set 容器中，value_type 不是 pair 类型，而是与 key_type 相同的类型。它们指的都是 set 中存储的元素类型。这一差别也体现了 set 存储的元素仅仅是键，而没有所关联的值。与 map 一样，set 容器存储的键也必须唯一，而且不能修改。

372

习题

习题 10.21 解释 map 和 set 容器的差别，以及它们各自适用的情况。

习题 10.22 解释 set 和 list 容器的差别，以及它们各自适用的情况。

10.4.1 set 容器的定义和使用

为了使用 set 容器，必须包含 set 头文件。set 支持的操作基本上与 map 提供的相同。

与 map 容器一样，set 容器的每个键都只能对应一个元素。以一段范围的元素初始化 set 对象，或在 set 对象中插入一组元素时，对于每个键，事实上都只添加了一个元素：

```
// define a vector with 20 elements, holding two copies of each number from 0 to 9
vector<int> ivec;
for (vector<int>::size_type i = 0; i != 10; ++i) {
    ivec.push_back(i);
    ivec.push_back(i); // duplicate copies of each number
}
// iset holds unique elements from ivec
set<int> iset(ivec.begin(), ivec.end());
cout << ivec.size() << endl;        // prints 20
cout << iset.size() << endl;        // prints 10
```

首先创建了一个名为 ivec 的 int 型 vector 容器，存储 20 个元素：0～9（包括 9）中每个整数都出现了两次。然后用 ivec 中所有的元素初始化一个 int 型的 set 容器。则这个 set 容器仅有 10 个元素：ivec 中不相同的各个元素。

1. 在 set 中添加元素

可使用 insert 操作在 set 中添加元素：

```
set<string> set1;           // empty set
set1.insert("the");         // set1 now has one element
set1.insert("and");         // set1 now has two elements
```

另一种用法是，调用 insert 函数时，提供一对迭代器实参，插入其标记范围内所有的元素。该版本的 insert 函数类似于形参为一对迭代器的构造函数——对于一个键，仅插入一个元素：

```
set<int>    iset2; //    empty set
iset2.insert(ivec.begin(), ivec.end());    // iset2 has 10 elements
```

与 map 容器的操作一样，带有一个键参数的 insert 版本返回 pair 类型对象，包含一个迭代器和一个 bool 值，迭代器指向拥有该键的元素，而 bool 值表明是否添加了元素。使用迭代器对的 insert 版本返回 void 类型。

2. 从 set 中获取元素

set 容器不提供下标操作符。为了通过键从 set 中获取元素，可使用 find 运算。如果只需简单地判断某个元素是否存在，同样可以使用 count 运算，返回 set 中该键对应的元素个数。当然，对于 set 容器，count 的返回值只能是 1（该元素存在）或 0（该元素不存在）：

```
iset.find(1)        // returns iterator that refers to the element with key == 1
iset.find(11)       // returns iterator == iset.end()
iset.count(1)       // returns 1
iset.count(11)      // returns 0
```

正如不能修改 map 中元素的键部分一样，set 中的键也为 const。在获得指向 set 中某元素的迭代器后，只能对其做读操作，而不能做写操作：

```
// set_it refers to the element with key == 1
set<int>::iterator set_it = iset.find(1);
*set_it = 11;               // error: keys in a set are read-only
cout << *set_it << endl;    // ok: can read the key
```

10.4.2 创建"单词排除"集

10.3.7 节的程序从 map 对象 word_count 中删除一个指定的单词。可将这个操作扩展为删除指定文件中所有的单词（即该文件记录的是排除集）。也即，我们的单词统计程序只对那些不在排除集中的单词进行统计。使用 set 和 map 容器，可以简单而直接地实现该功能：

```
void restricted_wc(ifstream &remove_file,
                   map<string, int> &word_count)
{
    set<string> excluded; // set to hold words we'll ignore
    string remove_word;
    while (remove_file >> remove_word)
        excluded.insert(remove_word);
        // read input and keep a count for words that aren't in the exclusion set
    string word;
    while (cin >> word)
        // increment counter only if the word is not in excluded
        if (!excluded.count(word))
            ++word_count[word];
}
```

这个程序类似 10.3.4 节的单词统计程序。其差别在于不需要费力地统计常见的单词。

该函数首先读取传递进来的文件，该文件列出了所有被排除的单词。读入这些单词并存储在一个名为 excluded 的 set 容器中。第一个 while 循环完成时，该 set 对象包含了输入文件中的所有单词。

接下来的程序类似原来的单词统计程序。关键的区别在于：在统计每个单词之前，先检查该单词是否出现在排除集中。第二个 while 循环里的 if 语句实现了该功能：

```
// increment counter only if the word is not in excluded
if (!excluded.count(word))
```

如果该单词出现在排除集 excluded 中，则调用 count 将返回 1，否则返回 0。对 count 的返回值做"非"运算，则当该 word 不在 excluded 中时，条件测试成功，此时，修改该单词在 map 中对应的值。

与单词统计程序原来的版本一样，需要使用下标操作符的性质：如果某键尚未在 map 容器中出现，则将该元素插入容器。所以语句

```
++word_count[word];
```

的效果是：如果 word 还没出现过，则将它插入到 word_count 中，并在插入元素后，将它关联的值初始化为 0。然后不管是否插入了新元素，相应元素的值都加 1。

习题

习题 10.23 编写程序将被排除的单词存储在 vector 对象中，而不是存储在 set 对象中。请指出使用 set 的好处。

习题 10.24 编写程序通过删除单词尾部的 's' 生成该单词的非复数版本。同时，建立一个单词排除集，用于识别以 's' 结尾、但这个结尾的 's' 又不能删除的单词。例如，放在该排除集

中的单词可能有 success 和 class。使用这个排除集编写程序，删除输入单词的复数后缀，而如果输入的是排除集中的单词，则保持该单词不变。

习题 10.25　定义一个 vector 容器，存储你在未来六个月里要阅读的书，再定义一个 set，用于记录你已经看过的书名。编写程序从 vector 中为你选择一本没有读过而现在要读的书。当它为你返回选中的书名后，应该将该书名放入记录已读书目的 set 中。如果实际上你把这本书放在一边没有看，则本程序应该支持从已读书目的 set 中删除该书的记录。在虚拟的六个月后，输出已读书目和还没有读的书目。

10.5　`multimap` 和 `multiset` 类型

map 和 set 容器中，一个键只能对应一个实例。而 multiset 和 multimap 类型则允许一个键对应多个实例。例如，在电话簿中，每个人可能有单独的电话号码列表。在作者的文章集中，每位作者可能有单独的文章标题列表。multimap 和 multiset 类型与相应的单元素版本具有相同的头文件定义：分别是 map 和 set 头文件。

375

multimap 和 multiset 所支持的操作分别与 map 和 set 的操作相同，只有一个例外：multimap 不支持下标运算。不能对 multimap 对象使用下标操作，因为在这类容器中，某个键可能对应多个值。为了顺应一个键可以对应多个值这一性质，map 和 multimap，或 set 和 multiset 中相同的操作都以不同的方式做出了一定的修改。在使用 multimap 或 multiset 时，对于某个键，必须做好处理多个值的准备，而非只有单一的值。

10.5.1　元素的添加和删除

表 10-5 描述的 insert 操作和表 10-7 描述的 erase 操作同样适用于 multimap 以及 multiset 容器，实现元素的添加和删除。

由于键不要求是唯一的，因此每次调用 insert 总会添加一个元素。例如，可如下定义一个 multimap 容器对象将作者映射到他们所写的书的书名上。这样的映射可为一个作者存储多个条目：

```
// adds first element with key Barth
authors.insert(make_pair(
  string("Barth, John"),
  string("Sot-Weed Factor")));
// ok: adds second element with key Barth
authors.insert(make_pair(
  string("Barth, John"),
  string("Lost in the Funhouse")));
```

带有一个键参数的 erase 版本将删除拥有该键的所有元素，并返回删除元素的个数。而带有一个或一对迭代器参数的版本只删除指定的元素，并返回 void 类型：

```
multimap<string, string> authors;
string search_item("Kazuo Ishiguro");
// erase all elements with this key; returns number of elements removed
multimap<string, string>::size_type cnt =
                        authors.erase(search_item);
```

10.5.2 在 **multimap** 和 **multiset** 中查找元素

注意到，关联容器 map 和 set 的元素是按顺序存储的。而 multimap 和 multiset 也一样。因此，在 multimap 和 multiset 容器中，如果某个键对应多个实例，则这些实例在容器中将相邻存放。

 迭代遍历 multimap 或 multiset 容器时，可保证依次返回特定键所关联的所有元素。 376

在 map 或 set 容器中查找一个元素很简单——该元素要么在要么不在容器中。但对于 multimap 或 multiset，该过程就复杂多了：某键对应的元素可能出现多次。例如，假设有作者与书名的映射，我们可能希望找到并输出某个作者写的所有书的书名。

事实证明，上述问题可用三种策略解决。而且三种策略都基于一个事实——在 multimap 中，同一个键所关联的元素必然相邻存放。

首先介绍第一种策略：仅使用前面介绍过的函数。但这种方法要编写比较多的代码，所以我们将继续探索更简洁的方法。

1. 使用 **find** 和 **count** 操作

使用 find 和 count 可有效地解决刚才的问题。count 函数求出某键出现的次数，而 find 操作则返回一个迭代器，指向第一个拥有正在查找的键的实例：

```
// author we'll look for
string search_item("Alain de Botton");
// how many entries are there for this author
typedef multimap<string, string>::size_type sz_type;
sz_type entries = authors.count(search_item);
// get iterator to the first entry for this author
multimap<string,string>::iterator iter =
                        authors.find(search_item);
// loop through the number of entries there are for this author
for (sz_type cnt = 0; cnt != entries; ++cnt, ++iter)
        cout <<iter->second << endl; // print each title
```

首先，调用 count 确定某作者所写的书籍数目，然后调用 find 获得指向第一个该键所关联的元素的迭代器。for 循环迭代的次数依赖于 count 返回的值。在特殊情况下，如果 count 返回 0 值，则该循环永不执行。

2. 与众不同的面向迭代器的解决方案

另一个更优雅简洁的方法是使用两个未曾见过的关联容器的操作：lower_bound 和 upper_bound。表 10-8 列出的这些操作适用于所有的关联容器，也可用于普通的 map 和 set 容器，但更常用于 multimap 和 multiset。所有这些操作都需要传递一个键，并返回一个迭代器。

表 10-8　返回迭代器的关联容器操作	
m.lower_bound(k)	返回一个迭代器，指向键不小于 k 的第一个元素
m.upper_bound(k)	返回一个迭代器，指向键大于 k 的第一个元素
m.equal_range(k)	返回一个迭代器的 pair 对象 它的 first 成员等价于 m.lower_bound(k)。而 second 成员则等价于 m.upper_bound(k)

在同一个键上调用 lower_bound 和 upper_bound，将产生一个迭代器范围（9.2.1 节），指示出该键所关联的所有元素。如果该键在容器中存在，则会获得两个不同的迭代器：lower_bound 返回的迭代器指向该键关联的第一个实例，而 upper_bound 返回的迭代器则指向最后一个实例的下一位置。如果该键不在 multimap 中，这两个操作将返回同一个迭代器，指向依据元素的排列顺序该键应该插入的位置。

当然，这些操作返回的也可能是容器自身的超出末端迭代器。如果所查找的元素拥有 multimap 容器中最大的键，那么在该键上调用 upper_bound 将返回超出末端迭代器。如果所查找的键不存在，而且比 multimap 容器中所有的键都大，则 lower_bound 也将返回超出末端迭代器。

> lower_bound 返回的迭代器不一定指向拥有特定键的元素。如果该键不在容器中，则 lower_bound 返回在保持容器元素顺序的前提下该键应被插入的第一个位置。

使用这些操作，可如下重写程序：

```
// definitions of authors and search_item as above
// beg and end denote range of elements for this author
typedef multimap<string, string>::iterator authors_it;
authors_it beg = authors.lower_bound(search_item),
           end = authors.upper_bound(search_item);
// loop through the number of entries there are for this author
while (beg != end) {
    cout << beg->second << endl; // print each title
    ++beg;
}
```

这个程序实现的功能与前面使用 count 和 find 的程序相同，但任务的实现更直接。调用 lower_bound 定位 beg 迭代器，如果键 search_item 在容器中存在，则使 beg 指向第一个与之匹配的元素。如果容器中没有这样的元素，那么 beg 将指向第一个键比 search_item 大的元素。调用 upper_bound 设置 end 迭代器，使之指向拥有该键的最后一个元素的下一位置。

> 这两个操作不会说明键是否存在，其关键之处在于返回值给出了迭代器范围。

若该键没有关联的元素，则 lower_bound 和 upper_bound 返回相同的迭代器：都指向同一个元素或同时指向 multimap 的超出末端位置。它们都指向在保持容器元素顺序的前提下该键应被插入的位置。

如果该键所关联的元素存在，那么 beg 将指向满足条件的元素中的第一个。可对 beg 做自增运算遍历拥有该键的所有元素。当迭代器累加至 end 标志时，表示已遍历了所有这些元素。当 beg 等于 end 时，表示已访问所有与该键关联的元素。

假设这些迭代器标记某个范围，可使用同样的 while 循环遍历该范围。该循环执行 0 次或多次，输出指定作者所写的所有书的书名（如果有的话）。如果没有相关的元素，那么 beg 和 end 相等，循环永不执行。否则，不断累加 beg 将最终到达 end，在这个过程中可输出该作者所关联的记录。

3. equal_range 函数

事实上，解决上述问题更直接的方法是：调用 equal_range 函数来取代调用 upper_bound

和 lower_bound 函数。equal_range 函数返回存储一对迭代器的 pair 对象。如果该值存在，则 pair 对象中的第一个迭代器指向该键关联的第一个实例，第二个迭代器指向该键关联的最后一个实例的下一位置。如果找不到匹配的元素，则 pair 对象中的两个迭代器都将指向此键应该插入的位置。

使用 equal_range 函数再次修改程序：

```
// definitions of authors and search_item as above
// pos holds iterators that denote range of elements for this key
pair<authors_it, authors_it>
                   pos = authors.equal_range(search_item);
// loop through the number of entries there are for this author
while (pos.first != pos.second) {
    cout << pos.first->second << endl; // print each title
    ++pos.first;
}
```

这个程序段与前面使用 upper_bound 和 lower_bound 的程序基本上是相同的。本程序不用局部变量 beg 和 end 来记录迭代器范围，而是直接使用 equal_range 返回的 pair 对象。该 pair 对象的 first 成员存储 lower_bound 函数返回的迭代器，而 second 成员则记录 upper_bound 函数返回的迭代器。

因此，本程序的 pos.first 等价于前一方法中的 beg，而 pos.second 等价于 end。

习题

习题 10.26 编写程序建立作者及其作品的 multimap 容器。使用 find 函数在 multimap 中查找元素，并调用 erase 将其删除。当所寻找的元素不存在时，确保你的程序依然能正确执行。

习题 10.27 重复上一题所编写的程序，但这一次要求使用 equal_range 函数获取迭代器，然后删除一段范围内的元素。

习题 10.28 沿用上题中的 multimap 容器，编写程序以下面的格式按姓名首字母的顺序输出作者及其作品：

```
Author Names Beginning with 'A':
Author, book, book, ...
...
Author Names Beginning with 'B':
...
```

习题 10.29 解释本节最后一个程序的输出表达式使用的操作数 pos.first->second 的含义。

10.6　容器的综合应用：文本查询程序

我们将实现一个简单的文本查询程序来结束本章。

我们的程序将读取用户指定的任意文本文件，然后允许用户从该文件中查找单词。查询的结果是该单词出现的次数，并列出每次出现所在的行。如果某单词在同一行中多次出现，程序将只显示该行一次。行号按升序显示，即第 7 行应该在第 9 行之前输出，依此类推。

例如，以本章的内容作为文件输入，然后查找单词"element"。输出的前几行应为：

```
element occurs 125 times
    (line 62) element with a given key.
    (line 64) second element with the same key.
    (line 153) element |==| operator.
    (line 250) the element type.
    (line 398) corresponding element.
```

后面省略了大约 120 行。

10.6.1　查询程序的设计

设计程序的一个良好习惯是首先将程序所涉及的操作列出来。明确需要提供的操作有助于建立需要的数据结构和实现这些行为。从需求出发，我们的程序需要支持如下任务：

(1) 它必须允许用户指明要处理的文件名字。程序将存储该文件的内容，以便输出每个单词所在的原始行。

(2) 它必须将每一行分解为各个单词，并记录每个单词所在的所有行。在输出行号时，应保证以升序输出，并且不重复。

(3) 对特定单词的查询将返回出现该单词的所有行的行号。

(4) 输出某单词所在的行文本时，程序必须能根据给定的行号从输入文件中获取相应的行。

1．数据结构

我们将用一个简单的类 TextQuery 实现这个程序。再加上几种容器的配合使用，就可相当巧妙地满足上述要求。

(1) 使用一个 vector<string>类型的对象存储整个输入文件的副本。输入文件的每一行是该 vector 对象的一个元素。因而，在希望输出某一行时，只需以行号为下标获取该行所在的元素即可。

(2) 将每个单词所在的行号存储在一个 set 容器对象中。使用 set 就可确保每行只有一个条目，而且行号将自动按升序排列。

(3) 使用一个 map 容器将每个单词与一个 set 容器对象关联起来，该 set 容器对象记录此单词所在的行号。

综上所述，我们定义的 TextQuery 类将有两个数据成员：储存输入文件的 vector 对象，以及一个 map 容器对象，该对象关联每个输入的单词以及记录该单词所在行号的 set 容器对象。

2．操作

对于类还要求有良好的接口。然而，一个重要的设计策略首先要确定：查询函数需返回存储一组行号的 set 对象。这个返回类型应该如何设计呢？

事实上，查询的过程相当简单：使用下标访问 map 对象获取关联的 set 对象即可。唯一的问题是如何返回所找到的 set 对象。安全的设计方案是返回该 set 对象的副本。但如此一来，就意味着要复制 set 中的每一个元素。如果处理的是一个相当庞大的文件，则复制 set 对象的代价会非常昂贵。其他可行的方法包括：返回一个 pair 对象，存储一对指向 set 中元素的迭代器；或者返回 set 对象的 const 引用。为简单起见，我们在这里采用返回副本的方法，但注意：如果在实际应用中复制代价太大，需重新考虑其实现方法。

第一、第三和第四个任务是使用这个类的程序员将执行的动作。第二个任务则是类的内部任务。将这四个任务映射为类的成员函数，则类的接口需提供下列三个 public 函数：

- read_file 成员函数，其形参为一个 ifstream&类型对象。该函数每次从文件中读入一行，并将它保存在 vector 容器中。输入完毕后，read_file 将创建关联每个单词及其所在行号的 map 容器。
- run_query 成员函数，其形参为一个 string 类型对象，返回一个 set 对象，该 set 对象包含出现该 string 对象的所有行的行号。
- text_line 成员函数，其形参为一个行号，返回输入文本中该行号对应的文本行。

无论 run_query 还是 text_line 都不会修改调用此函数的对象，因此，可将这两个操作定义为 const 成员函数（7.7.1 节）。

为实现 read_file 功能，还需定义两个 private 函数来读取输入文本和创建 map 容器：

- store_file 函数读入文件，并将文件内容存储在 vector 容器对象中。
- build_map 函数将每一行分解为各个单词，创建 map 容器对象，同时记录每个单词出现的行号。

10.6.2　**TextQuery** 类

经过前面的设计后，现在可以编写 TextQuery 类了：

```
class TextQuery {
public:
    // typedef to make declarations easier
    typedef std::vector<std::string>::size_type line_no;
    /* interface:
     *    read_file builds internal data structures for the given file
     *    run_query finds the given word and returns set of lines on which it appears
     *    text_line returns a requested line from the input file
     */
    void read_file(std::ifstream &is)
            { store_file(is); build_map(); }
    std::set<line_no> run_query(const std::string&) const;
    std::string text_line(line_no) const;
private:
    // utility functions used by read_file
    void store_file(std::ifstream&); // store input file
    void build_map(); // associated each word with a set of line numbers
    // remember the whole input file
    std::vector<std::string> lines_of_text;
    // map word to set of the lines on which it occurs
    std::map< std::string, std::set<line_no> > word_map;
};
```

这个类直接反映了我们的设计策略。唯一没有提及的是使用 typedef 为 vector 的 size_type 定义了一个别名。

 基于 3.1 节所提及的原因，这个类的定义在引用标准库内容时都必须完整地使用 std::限定符。

read_file 函数在类的内部定义。该函数首先调用 store_file 读取并保存输入文件，然后

调用 build_map 创建关联单词与行号的 map 容器。该类的其他函数将在 10.6.4 节定义。首先，
我们编写一个程序，使用这个类来解决文本查询问题。

382

习题

习题 10.30　TextQuery 类的成员函数仅使用了前面介绍过的内容。先别查看后面章节，请自己编
　　　　　写这些成员函数。提示：唯一棘手的是 run_query 函数在行号集合 set 为空时应返回
　　　　　什么值？解决方法是构造并返回一个新的（临时）set 对象。

10.6.3　**TextQuery** 类的使用

下面的主程序 main 使用 TextQuery 对象实现简单的用户查询会话。这段程序的主要工作是
实现与用户的互动：提示输入下一个要查询的单词，然后调用 print_results 函数（将在下面
定义）输出结果。

```
// program takes single argument specifying the file to query
int main(int argc, char **argv)
{
    // open the file from which user will query words
    ifstream infile;
    if (argc < 2 || !open_file(infile, argv[1])) {
        cerr << "No input file!" << endl;
        return EXIT_FAILURE;
    }
    TextQuery tq;
    tq.read_file(infile); // builds query map
    // iterate with the user: prompt for a word to find and print results
    // loop indefinitely; the loop exit is inside the while
    while (true) {
        cout << "enter word to look for, or q to quit: ";
        string s;
        cin >> s;
        // stop if hit eof on input or a 'q'is entered
        if (!cin || s == "q") break;
        // get the  set of line numbers on which this word appears
        set<TextQuery::line_no> locs = tq.run_query(s);
        // print count and all occurrences, if any
        print_results(locs, s, tq);
    }
    return 0;
}
```

1. 引子

程序首先检查 argv[1]是否合法，然后调用 open_file 函数（8.4.3 节）打开以 main 函数
实参形式给出的文件。检查流以判断输入文件是否正确。如果不正确，就给出适当的提示信息并

383

结束程序的运行，返回 EXIT_FAILURE（7.3.2 节）说明发生了错误。

一旦文件成功打开，建立支持查询的 map 容器就相当简单。定义一个局部变量 tq 来保存该
输入文件和所关联的数据结构：

```
TextQuery tq;
tq.read_file(infile);    // builds query map
```

tq 调用 read_file 操作，并将由 open_file 打开的文件传递给此函数。

read_file 完成后，tq 存储了两个数据结构：保存输入文件的 vector 对象，以及关联单词和行号的 map 容器对象。map 容器为输入文件中的每个单词建立唯一的元素，由每个单词关联的 set 容器记录了该单词出现的行号。

2. 实现查询

为了使用户在每次会话时都能查询多个单词，我们将提示语句也置于 while 循环中：

```
// iterate with the user: prompt for a word to find and print results
// loop indefinitely; the loop exit is inside the while
while (true) {
    cout << "enter word to look for, or q to quit: ";
    string s;
    cin >> s;
    // stop if hit eof on input or a 'q' is entered
    if (!cin || s == "q") break;
    // get the set  of line numbers on which this word appears
    set<TextQuery::line_no> locs = tq.run_query(s);
    // print count and all occurrences, if any
    print_results(locs, s, tq);
}
```

while 循环条件为布尔字面值 true，这就意味着循环条件总是成立。在检查 cin 和读入 s 的值后，由紧跟的 break 语句跳出循环。具体说来，当 cin 遇到错误或文件结束，或者用户输入 q 时，循环结束。

每次要查找一个单词时，访问 tq 获取记录该单词出现的行号的 set 对象。将 set 对象、要查找的单词和 TextQuery 对象作为参数传递给 print_results 函数，该函数输出查询结果。

3. 输出结果

现在只剩下 print_results 函数的定义：

```
void print_results(const set<TextQuery::line_no>& locs,
                   const string& sought, const TextQuery &file)
{
    // if the word was found, then print count and all occurrences
    typedef set<TextQuery::line_no> line_nums;
    line_nums::size_type size = locs.size();
    cout << "\n" << sought << " occurs "
        << size << " "
        << make_plural(size, "time", "s") << endl;
    // print each line in which the word appeared
    line_nums::const_iterator it = locs.begin();
    for ( ; it != locs.end(); ++it) {
        cout << "\t(line "
            // don't confound user with text lines starting at 0
            << (*it) + 1 << ") "
            << file.text_line(*it) << endl;
    }
}
```

384

函数首先使用 typedef 简化记录行号的 set 容器对象的使用。输出时，首先给出查询到的匹配个数，即 set 对象的大小。然后调用 make_plural（7.3.2 节），根据 size 是否为 1 输出 "time" 或 "times"。

这段程序最复杂的部分是处理 locs 对象的 for 循环，用于输出找到该单词的行号。其唯一的微妙之处是记得将行号修改为更友好的形式输出。为了与 C++的容器和数组下标编号匹配，在储存文本时，我们以行号 0 存储第一行。但考虑到很多用户会默认第一行的行号为 1，所以输出行号时，相应地在所存储的行号上加 1 使之转换为更通用的形式。

习题

习题 10.31 如果没有找到要查询的单词，main 函数输出什么？

10.6.4 编写成员函数

现在给没有在类内定义的成员函数编写定义。

1. 存储输入文件

第一个任务是读入需要查询的文件。使用 string 和 vector 容器提供的操作，可以很简便地实现这个任务：

```cpp
// read input file: store each line as element in lines_of_text
void TextQuery::store_file(ifstream &is)
{
    string textline;
    while (getline(is, textline))
        lines_of_text.push_back(textline);
}
```

385

由于我们希望每次存储文件的一行内容，因此使用 getline 读取输入，每读入一行就将它添加到名为 lines_of_text 的 vector 对象中。

2. 建立单词 map 容器

vector 容器中的每个元素就是一行文本。要建立一个从单词关联到行号的 map 容器，必须将每行分解为各个单词。再次使用 8.5 节描述的 istringstream：

```cpp
// finds whitespace-separated words in the input vector
// and puts the word in word_map along with the line number
void TextQuery::build_map()
{
    // process each line from the input vector
    for (line_no line_num = 0;
                 line_num != lines_of_text.size();
                 ++line_num)
    {
        //we'll use line to read the text a word at a time
        istringstream line(lines_of_text[line_num]);
        string word;
        while (line >> word)
            // add this line number to the set;
            // subscript will add word to the map if it's not already there
            word_map[word].insert(line_num);
    }
}
```

for 循环以每次一行的迭代过程遍历 lines_of_text。首先将 istringstream 对象 line 与当前行绑定起来，然后使用 istringstream 的输入操作符读入该行中的每个单词。回顾此类输入操作符，与其他 istream 操作符一样，将忽略空白符号。因此，while 循环将 line 中以空白符分隔的单词读取出来。

这个函数的结尾部分类似前面的单词统计程序。将 word 用做 map 容器的下标。如果 word 在 word_map 容器对象中不存在，那么下标操作符将该 word 添加到此容器中，并将其关联的值初始化为空的 set。不管是否添加了 word，下标运算都返回一个 set 对象。然后调用 insert 函数在该 set 对象中添加当前行号。如果某单词在同一行中重复出现，那么 insert 函数的调用将不做任何操作。

3. 支持查询

run_query 函数实现真正的查询功能：

```
set<TextQuery::line_no>
TextQuery::run_query(const string &query_word) const
{
    //Note: must use find and not subscript the map directly
    //to avoid adding words to word_map!
    map<string, set<line_no> >::const_iterator
                        loc = word_map.find(query_word);
    if (loc == word_map.end())
        return set<line_no>(); // not found, return empty set
    else
        // fetch and return set of line numbers for this word
        return loc->second;
}
```

386

run_query 函数带有指向 const string 类型对象的引用参数，并以这个参数作为下标来访问 word_map 对象。假设成功找到这个 string，那么该函数返回关联此 string 的 set 对象，否则返回一个空的 set 对象。

4. **run_query** 返回值的使用

运行 run_query 函数后，将获得一组所查找的单词出现的行号。除了输出该单词的出现次数之外，还需要输出出现该单词的每一行。这就是 text_line 函数实现的功能：

```
string TextQuery::text_line(line_no line) const
{
    if (line < lines_of_text.size())
        return lines_of_text[line];
    throw std::out_of_range("line number out of range");
}
```

该函数带有一个行号参数，返回该行号所对应的输入文本行。由于上述代码使用了 TextQuery 类，因此不能直接输出（因为 lines_of_text 是私有的），应该首先检查我们要查询的行是否位于合法范围内。如果是，则返回相应的行，否则，抛出 out_of_range 异常。

习题

习题 10.32　重新实现文本查询程序，使用 vector 容器代替 set 对象来存储行号。注意，由于行以升序出现，因此只有在当前行号不是 vector 容器对象中的最后一个元素时，才能将新行号添加到 vector 中。这两种实现方法的性能特点和设计特点分别是什么？你觉得哪一种解决方法更好？为什么？

习题 10.33　TextQuery::text_line 函数为什么不检查它的参数是否为负数？

387

小结

　　关联容器的元素按键排序和访问。关联容器支持通过键高效地查找和读取元素。键的使用，使关联容器区别于顺序容器，顺序容器的元素是根据位置访问的。

　　map 和 multimap 类型存储的元素是键-值对。它们使用在 utility 头文件中定义的标准库 pair 类，来表示这些键-值对元素。对 map 或 multimap 迭代器进行解引用将获得 pair 类型的值。pair 对象的 first 成员是一个 const 键，而 second 成员则是该键所关联的值。set 和 multiset 类型则专门用于存储键。在 map 和 set 类型中，一个键只能关联一个元素。而 multimap 和 multiset 类型则允许多个元素拥有相同的键。

　　关联容器共享了顺序容器的许多操作。除此之外，关联容器还定义了一些新的操作，并对某些顺序容器同样提供的操作重新定义了其含义或返回类型，这些操作的差别体现了关联容器中键的使用。

　　关联容器的元素可用迭代器访问。标准库保证迭代器按照键的次序访问元素。begin 操作将获得拥有最小键的元素，对此迭代器做自增运算则可以按非降序依次访问各个元素。

术语

associative array（关联数组） 由键而不是位置来索引元素的数组。通常描述为：此类数组将键映射到其关联的值上。

associative container（关联容器） 存储对象集合的类型，支持通过键的高效查询。

key_type 关联容器定义的类型，表示该容器在存储或读取值时所使用的键的类型。对于 map 容器，key_type 是用于索引该容器的类型。对于 set 容器，key_type 与 value_type 相同。

map 定义关联数组的关联容器类型。与 vector 容器一样，map 也是类模板。但是，map 容器定义了两种类型：键类型及其关联的值类型。在 map 中，每个键只能出现一次，并关联某一具体的值。对 map 容器的迭代器进行解引用将获得一个 pair 对象，该对象存储了一个 const 键和它所关联的值。

mapped_type map 或 multimap 容器定义的类型，表示在 map 容器中存储的值的类型。

multimap 类似 map 的关联容器。在 multimap 容器中，一个键可以出现多次。

multiset 只存储键的关联容器类型。在 multiset 容器中，一个键可以出现多次。

pair 一种类型，有两个 public 数据成员，分别名为 first 和 second。pair 类型是带有两个类型形参的模板类型，它的类型形参用作数据成员的类型。

set 只存储键的关联容器。在 set 容器中，一个键只能出现一次。

strict weak ordering（严格弱排序） 关联容器所使用的键之间的比较关系。在这种关系下，任意两个元素都可比较，并能确定两者之间谁比谁小。如果两个值都不比对方小，则这两个值相等。详见 10.3.1 节。

value_type 存储在容器中的元素的类型。对于 set 和 multiset 容器，value_type 与 key_type 相同。而对于 map 和 multimap 容器，该类型为 pair 类型，它的 first 成员是

const key_type 类型，second 成员则是
mapped_type 类型。

* operator（解引用操作符） 用于 map、set、
multimap 或 multiset 迭代器时，解引用操
作符将生成一个 value_type 类型的值。注意，
对于 map 和 multimap 容器，value_type 是

pair 类型。

【 】operator（下标操作符） 下标操作符。对
map 容器使用下标操作符时，[ ] 中的索引必
须是 key_type 类型（或者是可以转换为
key_type 的类型）的值；该运算生成
mapped_type 类型的值。

388
∼
389

第11章

泛 型 算 法

目录

　　标准库容器定义的操作非常少。标准库没有给容器添加大量的功能函数，而是选择提供一组算法，这些算法大都不依赖特定的容器类型，是"泛型"的，可作用在不同类型的容器和不同类型的元素上。

　　泛型算法以及对迭代器更详尽的描述，组成了本章的主题。

标准容器（the standard container）定义了很少的操作。大部分容器都支持添加和删除元素；访问第一个和最后一个元素；获取容器的大小，并在某些情况下重设容器的大小；以及获取指向第一个元素和最后一个元素的下一位置的迭代器。

可以想像，用户可能还希望对容器元素进行更多其他有用的操作：也许需要给顺序容器排序，或者查找某个特定的元素，或者查找最大或最小的元素，等等。标准库并没有为每种容器类型都定义实现这些操作的成员函数，而是定义了一组**泛型算法**（generic algorithm）：因为它们实现共同的操作，所以称之为"算法"；而"泛型"指的是它们可以操作在多种容器类型上——不但可作用于 vector 或 list 这些标准库类型，还可用在内置数组类型、甚至其他类型的序列上，这些我们将在本章的后续内容中了解。自定义的容器类型只要与标准库兼容，同样可以使用这些泛型算法。

大多数算法是通过遍历由两个迭代器标记的一段元素来实现其功能。典型情况下，算法在遍历一段元素范围时，操纵其中的每一个元素。算法通过迭代器访问元素，这些迭代器标记了要遍历的元素范围。

11.1   概述

假设有一个 int 型的 vector 对象，名为 vec，我们想知道其中是否包含某个特定值。解决这个问题最简单的方法是使用标准库提供的 find 运算：

```
// value we'll look for
int search_value = 42;
// call find to see if that value is present
vector<int>::const_iterator result =
        find(vec.begin(), vec.end(), search_value);
// report the result
cout << "The value " << search_value
     << (result == vec.end()
         ? " is not present" : " is present")
     << endl;
```

使用两个迭代器和一个值调用 find 函数，检查两个迭代器实参标记范围内的每一个元素。只要找到与给定值相等的元素，find 就会返回指向该元素的迭代器。如果没有匹配的元素，find 就返回它的第二个迭代器实参，表示查找失败。于是，只要检查该函数的返回值是否与它的第二个实参相等，就可得知元素是否找到了。我们在输出语句中使用条件操作符（5.7 节）实现这个检查并报告是否找到了给定值。

由于 find 运算是基于迭代器的，因此可在任意容器中使用相同的 find 函数查找值。例如，可在一个名为 lst 的 int 型 list 对象上，使用 find 函数查找一个值：

```
// call find to look through elements in a list
list<int>::const_iterator result =
        find(lst.begin(), lst.end(), search_value);
cout << "The value " << search_value
     << (result == lst.end()
         ? " is not present" : " is present")
```

```
        << endl;
```

除了 result 的类型和传递给 find 的迭代器类型之外,这段代码与使用 find 在 vector 对象中查找元素的程序完全相同。

类似地,由于指针的行为与作用在内置数组上的迭代器一样,因此也可以使用 find 来搜索数组:

```
int ia[6] = {27, 210, 12, 47, 109, 83};
int search_value = 83;
int *result = find(ia, ia + 6, search_value);
cout << "The value " << search_value
     << (result == ia + 6
          ? " is not present" : " is present")
     << endl;
```

这里给 find 函数传递了两个指针:指向 ia 数组中第一个元素的指针,以及指向 ia 数组起始位置之后第 6 个元素的指针(即 ia 的最后一个元素的下一位置)。如果返回的指针等于 ia+6,那么搜索不成功;否则,返回的指针指向找到的值。

如果需要传递一个子区间,则传递指向这个子区间的第一个元素以及最后一个元素的下一位置的迭代器(或指针)。例如,在下面对 find 函数的调用中,只搜索了 ia[1] 和 ia[2]:

```
// only search elements ia[1] and ia[2]
int *result = find(ia + 1, ia + 3, search_value);
```

1. 算法如何工作

每个泛型算法的实现都独立于单独的容器。这些算法还是大而不全的,并且不依赖于容器存储的元素类型。为了知道算法如何工作,让我们深入了解 find 操作。该操作的任务是在一个未排序的元素集合中查找特定的元素。从概念上看,find 必须包含以下步骤:

(1) 顺序检查每个元素。

(2) 如果当前元素等于要查找的值,那么返回指向该元素的迭代器。

(3) 否则,检查下一个元素,重复步骤 2,直到找到这个值,或者检查完所有的元素为止。

(4) 如果已经到达集合末尾,而且还未找到该值,则返回某个值,指明要查找的值在这个集合中不存在。

393

2. 标准算法固有地独立于类型

这种算法,正如我们所指出的,与容器的类型无关:在前面的描述中,没有任何内容依赖于容器类型。这种算法只在一点上隐式地依赖元素类型:必须能够对元素做比较运算。该算法的明确要求如下:

(1) 需要某种遍历集合的方式:能够从一个元素向前移到下一个元素。

(2) 必须能够知道是否到达了集合的末尾。

(3) 必须能够对容器中的每一个元素与被查找的元素进行比较。

(4) 需要一个类型来指出元素在容器中的位置,或者表示找不到该元素。

3. 迭代器将算法和容器绑定起来

泛型算法用迭代器来解决第一个要求:遍历容器。所有迭代器都支持自增操作符,从一个元素定位到下一个元素，并提供解引用操作符访问元素的值。除了 11.3.5 节将介绍的一个例外情况之外，迭代器还支持相等和不等操作符，用于判断两个迭代器是否相等。

大多数情况下，每个算法都需要使用（至少）两个迭代器来指出该算法操纵的元素范围。第一个迭代器指向第一个元素，而第二个迭代器则指向最后一个元素的下一位置。第二个迭代器[有时被称为**超出末端迭代器**（off-the-end iterator）]所指向的元素本身不是要操作的元素，而被用作终止遍历的哨兵（sentinel）。

使用超出末端迭代器还可以很方便地处理第四个要求，只要以此迭代器为返回值，即可表示没有找到要查找的元素。如果要查找的值未找到，则返回超出末端迭代器；否则，返回的迭代器指向匹配的元素。

第三个要求——元素值的比较，有两种解决方法。默认情况下，find 操作要求元素类型定义了相等（==）操作符，算法使用这个操作符比较元素。如果元素类型不支持相等（==）操作符，或者打算用不同的测试方法来比较元素，则可使用第二个版本的 find 函数。这个版本需要一个额外的参数：实现元素比较的函数名字。

这些算法从不使用容器操作，因而其实现与类型无关，元素的所有访问和遍历都通过迭代器实现。实际的容器类型未知（甚至所处理的元素是否存储在容器中也是未知的）。

标准库提供了超过 100 种算法。与容器一样，算法有着一致的结构。比起死记全部一百多种算法，了解算法的设计可使我们更容易学习和使用它们。本章除了举例说明这些算法的使用之外，还将描述标准库算法的统一原理。附录根据操作分类列出了所有的算法。

394

习题

习题 11.1   algorithm 头文件定义了一个名为 count 的函数，其功能类似于 find。这个函数使用一对迭代器和一个值做参数，返回这个值出现次数的统计结果。编写程序读取一系列 int 型数据，并将它们存储到 vector 对象中，然后统计某个指定的值出现了多少次。

习题 11.2   重复前面的程序，但是，将读入的值存储到一个 string 类型的 list 对象中。

关键概念：算法永不执行容器提供的操作

泛型算法本身从不执行容器操作，只是单独依赖迭代器和迭代器操作实现。算法基于迭代器及其操作实现，而并非基于容器操作。这个事实也许比较意外，但本质上暗示了：使用"普通"的迭代器时，算法从不修改基础容器的大小。正如我们所看到的，算法也许会改变存储在容器中的元素的值，也许会在容器内移动元素，但是，算法从不直接添加或删除元素。

11.3.1 节将介绍标准库提供的另一种特殊的迭代器类：插入器（inserter），除了用于遍历其所绑定的序列之外，还可实现更多的功能。在给这类迭代器赋值时，在基础容器上将执行插入运算。如果算法操纵这类迭代器，迭代器将可能导致在容器中添加元素。但是，算法本身从不这么做。

11.2　初窥算法

在研究算法标准库的结构之前，先看一些例子。上一节已经介绍了 find 函数的用法；本节将要使用其他的一些算法。使用泛型算法必须包含 algorithm 头文件：

```
#include <algorithm>
```

标准库还定义了一组泛化的算术算法（generalized numeric algorithm），其命名习惯与泛型算法相同。使用这些算法则必须包含 numeric 头文件：

```
#include <numeric>
```

除了少数例外情况，所有算法都在一段范围内的元素上操作，我们将这段范围称为"输入范围（input range）"。带有输入范围参数的算法总是使用头两个形参标记该范围。这两个形参是分别指向要处理的第一个元素和最后一个元素的下一位置的迭代器。

尽管大多数算法对输入范围的操作是类似的，但在该范围内如何操纵元素却有所不同。理解算法的最基本方法是了解该算法是否读元素、写元素或者对元素进行重新排序。在本节的余下内容中，将会观察到每种算法的例子。

395

11.2.1　只读算法

许多算法只会读取其输入范围内的元素，而不会写这些元素。find 就是一个这样的算法。另一个简单的只读算法是 accumulate，该算法在 numeric 头文件中定义。假设 vec 是一个 int 型的 vector 对象，下面的代码：

```
// sum the elements in vec starting the summation with the value 42
int sum = accumulate(vec.begin(), vec.end(), 42);
```

将 sum 设置为 vec 的元素之和再加上 42。accumulate 带有三个形参。头两个形参指定要累加的元素范围。第三个形参则是累加的初值。accumulate 函数将它的一个内部变量设置为指定的初值，然后在此初值上累加输入范围内所有元素的值。accumulate 算法返回累加的结果，其返回类型就是其第三个实参的类型。

　　　　用于指定累加起始值的第三个实参是必要的，因为 accumulate 对将要累加的元素类型一无所知，因此，除此之外，没有别的办法创建合适的起始值或者关联的类型。

accumulate 对要累加的元素类型一无所知，这个事实有两层含义。首先，调用该函数时必须传递一个起始值，否则，accumulate 将不知道使用什么起始值。其次，容器内的元素类型必须与第三个实参的类型匹配，或者可转换为第三个实参的类型。在 accumulate 内部，第三个实参用作累加的起点；容器内的元素按顺序连续累加到总和之中。因此，必须能够将元素类型加到总和类型上。

考虑下面的例子，可以使用 accumulate 把 string 型的 vector 容器中的元素连接起来：

```
// concatenate elements from v and store in sum
string sum = accumulate(v.begin(), v.end(), string(""));
```

这个函数调用的效果是：从空字符串开始，把 vec 里的每个元素连接成一个字符串。注意：程序显式地创建了一个 string 对象，用作该函数调用的第三个实参。传递一个字符串字面值，将会导致编译时错误。因为此时，累加和的类型将是 const char*，而 string 的加法操作符（3.2.3节）所使用的操作数则分别是 string 和 const char* 类型，加法的结果将产生一个 string 对象，而不是 const char* 指针。

find_first_of 的使用

除了 find 之外，标准库还定义了其他一些更复杂的查找算法。当中的一部分类似 string 类的 find 操作（9.6.4 节），其中一个是 find_first_of 函数。这个算法带有两对迭代器参数来标记两段元素范围，在第一段范围内查找与第二段范围中任意元素匹配的元素，然后返回一个迭代器，指向第一个匹配的元素。如果找不到匹配元素，则返回第一个范围的 end 迭代器。假设 roster1 和 roster2 是两个存放名字的 list 对象，可使用 find_first_of 统计有多少个名字同时出现在这两个列表中：

```
// program for illustration purposes only:
// there are much faster ways to solve this problem
size_t cnt = 0;
list<string>::iterator it = roster1.begin();
// look in roster1 for any name also in roster2
while   ((it = find_first_of(it, roster1.end(),
                roster2.begin(), roster2.end()))
                    != roster1.end()) {
    ++cnt;
    // we got a match, increment it to look in the rest of roster1
    ++it;
}
cout << "Found " << cnt
    << " names on both rosters" << endl;
```

调用 find_first_of 查找 roster2 中的每个元素是否与第一个范围内的元素匹配，也就是在 it 到 roster1.end() 范围内查找一个元素。该函数返回此范围内第一个同时存在于第二个范围中的元素。在 while 的第一次循环中，遍历整个 roster1 范围。第二次以及后续的循环迭代则只考虑 roster1 中尚未匹配的部分。

循环条件检查 find_first_of 的返回值，判断是否找到匹配的名字。如果找到一个匹配，则使计数器加 1，同时给 it 加 1，使它指向 roster1 中的下一个元素。很明显可知，当不再有任何匹配时，find_first_of 返回 roster1.end()，完成统计。

关键概念：迭代器实参类型

通常，泛型算法都是在标记容器（或其他序列）内的元素范围的迭代器上操作的。标记范围的两个实参类型必须精确匹配，而迭代器本身必须标记一个范围：它们必须指向同一个容器中的元素（或者超出容器末端的下一位置），并且如果两者不相等，则第一个迭代器通过不断地自增，必须可以到达第二个迭代器。

有些算法，例如 find_first_of，带有两对迭代器参数。每对迭代器中，两个实参的类型必须精确匹配，但不要求两对之间的类型匹配。特别是，元素可存储在不同类型的序列中，只要这两个序列的元素可以比较即可。

在上述程序中，roster1 和 roster2 的类型不必精确匹配：roster1 可以是 list 对象，而 roster2 则可以是 vector 对象、deque 对象或者是其他后面要学到的序列。只要这两个序列的元素可使用相等（==）操作符进行比较即可。如果 roster1 是 list<string>对象，则 roster2 可以是 vector<char*>对象，因为 string 标准库为 string 对象与 char*对象定义了相等（==）操作符。

397

习题

习题 11.3　用 accumulate 统计 vector<int>容器对象中的元素之和。

习题 11.4　假定 v 是 vector<double>类型的对象，则调用 accumulate(v.begin(),v.end(),0) 是否有错？如果有的话，错在哪里？

习题 11.5　对于本节调用 find_first_of 的例程，如果不给 it 加 1，将会如何？

11.2.2　写容器元素的算法

一些算法写入元素值。在使用这些算法写元素时要当心，必须确保算法所写的序列至少足以存储要写入的元素。

有些算法直接将数据写入到输入序列，另外一些则带有一个额外的迭代器参数指定写入目标。这类算法将目标迭代器用作输出的位置。还有第三种算法将指定数目的元素写入某个序列。

1. 写入输入序列的元素

写入到输入序列的算法本质上是安全的——只会写入与指定输入范围数量相同的元素。

写入到输入序列的一个简单算法是 fill 函数，考虑如下例子：

```
fill(vec.begin(), vec.end(), 0); // reset each element to 0
// set subsequence of the range to 10
fill(vec.begin(), vec.begin() + vec.size()/2, 10);
```

fill 带有一对迭代器形参，用于指定要写入的范围，而所写的值是它的第三个形参的副本。执行时，将该范围内的每个元素都设为给定的值。如果输入范围有效，则可安全写入。这个算法只会对输入范围内已存在的元素进行写入操作。

398

2. 不检查写入操作的算法

fill_n 函数带有的参数包括：一个迭代器、一个计数器以及一个值。该函数从迭代器指向的元素开始，将指定数量的元素设置为给定的值。fill_n 函数假定对指定数量的元素做写操作是安全的。初学者常犯的错误是：在没有元素的空容器上调用 fill_n 函数（或者类似的写元素算法）。

```
vector<int> vec; // empty vector
// disaster: attempts to write to 10 (nonexistent) elements in vec
fill_n(vec.begin(), 10, 0);
```

这个 fill_n 函数的调用将带来灾难性的后果。我们指定要写入 10 个元素，但这些元素却不存在——vec 是空的。其结果未定义,很可能导致严重的运行时错误。

 　　对指定数目的元素做写入运算,或者写到目标迭代器的算法,都不检查目标的大小是否足以存储要写入的元素。

3. 引入 `back_inserter`

确保算法有足够的元素存储输出数据的一种方法是使用**插入迭代器**(insert iterator)。插入迭代器是可以给基础容器添加元素的迭代器。通常,用迭代器给容器元素赋值时,被赋值的是迭代器所指向的元素。而使用插入迭代器赋值时,则会在容器中添加一个新元素,其值等于赋值运算的右操作数的值。

11.3.1 节将会讨论更多关于插入迭代器的内容。然而,为了说明如何安全使用写容器的算法,下面将使用 **`back_inserter`**。使用 `back_inserter` 的程序必须包含 `iterator` 头文件。

`back_inserter` 函数是迭代器适配器。与容器适配器(9.7 节)一样,迭代器适配器使用一个对象作为实参,并生成一个适应其实参行为的新对象。在本例中,传递给 `back_inserter` 的实参是一个容器的引用。`back_inserter` 生成一个绑定在该容器上的插入迭代器。在试图通过这个迭代器给元素赋值时,赋值运算将调用 `push_back` 在容器中添加一个具有指定值的元素。使用 `back_inserter` 可以生成一个指向 `fill_n` 写入目标的迭代器:

```
vector<int> vec; // empty vector
// ok: back_inserter creates an insert iterator that adds elements to vec
fill_n (back_inserter(vec), 10, 0); // appends 10 elements to vec
```

现在,`fill_n` 函数每写入一个值,都会通过 `back_inserter` 生成的插入迭代器实现。效果相当于在 vec 上调用 `push_back`,在 vec 末尾添加 10 个元素,每个元素的值都是 0。

4. 写入到目标迭代器的算法

第三类算法向目标迭代器写入未知个数的元素。正如 `fill_n` 函数一样,目标迭代器指向存放输出数据的序列中第一个元素。这类算法中最简单的是 `copy` 函数。`copy` 带有三个迭代器参数:头两个指定输入范围,第三个则指向目标序列的一个元素。传递给 `copy` 的目标序列必须至少要与输入范围一样大。假设 `ilst` 是一个存放 `int` 型数据的 `list` 对象,可如下将它 `copy` 给一个 `vector` 对象:

```
vector<int> ivec; // empty vector
// copy elements from ilst into ivec
copy (ilst.begin(), ilst.end(), back_inserter(ivec));
```

[399] `copy` 从输入范围中读取元素,然后将它们复制给目标 ivec。

当然,这个例子的效率比较差:通常,如果要以一个已存在的容器为副本创建新容器,更好的方法是直接用输入范围作为新构造容器的初始化式:

```
// better way to copy elements from ilst
vector<int> ivec(ilst.begin(), ilst.end());
```

5. 算法的`_copy` 版本

有些算法提供所谓的"复制(copying)"版本。这些算法对输入序列的元素做出处理,但不修改原来的元素，而是创建一个新序列存储元素的处理结果。

replace 算法就是一个很好的例子。该算法对输入序列做读写操作，将序列中特定的值替换为新的值。该算法带有四个形参：一对指定输入范围的迭代器和两个值。每一个等于第一个值的元素替换成第二个值。

```
// replace any element with value of 0 by 42
replace(ilst.begin(), ilst.end(), 0, 42);
```

这个调用将所有值为 0 的实例替换成 42。如果不想改变原来的序列，则调用 replace_copy。这个算法接受第三个迭代器实参，指定保存调整后序列的目标位置。

```
// create empty vector to hold the replacement
vector<int> ivec;
// use back_inserter to grow destination as needed
replace_copy (ilst.begin(), ilst.end(),
              back_inserter(ivec), 0, 42);
```

调用该函数后，ilst 没有改变，ivec 存储 ilst 的一份副本，而 ilst 内所有的 0 在 ivec 中都变成了 42。

习题

习题 11.6　使用 fill_n 编写程序，将一个 int 型序列的值设为 0。

习题 11.7　判断下面的程序是否有错，如果有，请改正之：

```
(a) vector<int> vec; list<int> lst; int i;
    while (cin >> i)
        lst.push_back(i);
    copy(lst.begin(), lst.end(), vec.begin());

(b) vector<int> vec;
    vec.reserve(10);
    fill_n(vec.begin(), 10, 0);
```

习题 11.8　前面说过，算法不改变它所操纵的容器的大小，为什么使用 back_inserter 也没有突破这个限制？

11.2.3　对容器元素重新排序的算法

假设我们要分析一组儿童故事中所使用的单词。例如，可能想知道它们使用了多少个由六个或以上字母组成的单词。每个单词只统计一次，不考虑它出现的次数，也不考虑它是否在多个故事中出现。要求以长度的大小输出这些单词，对于同样长的单词，则以字典顺序输出。

假定每本书的文本已经读入并保存在一个 string 类型的 vector 对象中，它的名字是 words。现在，应该怎么解决包括统计单词出现次数这个问题呢？为了解决此问题，要做下面几项操作：

(1) 去掉所有重复的单词。

(2) 按单词的长度排序。

(3) 统计长度等于或超过 6 个字符的单词个数。

上述每一步都可使用泛型算法实现。

为了说清楚，使用下面这个简单的故事作为我们的输入：

the quick red fox jumps over the slow red turtle

对于这个输入，我们的程序应该产生如下输出：

1 word 6 characters or longer

1. 去除重复

假设我们的输入存储在一个名为 words 的 vector 对象中，第一个子问题是将 words 中重复出现的单词去除掉：

```
//  sort words  alphabetically so we can find the duplicates
sort(words.begin(), words.end());
/* eliminate duplicate words:
 *  unique  reorders words  so that each word appears once in the
 *      front portion of  words  and returns an iterator one past the unique range;
 *  erase uses a  vector  operation to remove the nonunique elements
 */
vector<string>::iterator end_unique =
              unique(words.begin(), words.end());
words.erase(end_unique, words.end());
```

vector 对象包含每个故事中使用的所有单词。首先对此 vector 对象排序。sort 算法带有两个迭代器实参，指出要排序的元素范围。这个算法使用小于（<）操作符比较元素。在本次调用中，要求对整个 vector 对象排序。

调用 sort 后，此 vector 对象的元素按次序排列：

fox jumps over quick red red slow the the turtle

注意，单词 red 和 the 重复出现了。

2. unique 的使用

单词按次序排列后，现在的问题是：让故事中所用到的每个单词都只保留一个副本。unique 算法很适合用于解决这个问题，它带有两个指定元素范围的迭代器参数。该算法删除相邻的重复元素，然后重新排列输入范围内的元素，并且返回一个迭代器，表示无重复的值范围的结束。

调用 unique 后，vector 中存储的内容是：

words

fox	jumps	over	quick	red	slow	the	turtle	the	turtle

last_word
(One past last unique element)

注意，words 的大小并没有改变，依然保存着 10 个元素；只是这些元素的顺序改变了。调用 unique "删除"了相邻的重复值。给"删除"加上引号是因为 unique 实际上并没有删除任何元素，而是将无重复的元素复制到序列的前端，从而覆盖相邻的重复元素。unique 返回的迭代器指向超出无重复的元素范围末端的下一位置。

3. 使用容器操作删除元素

如果要删除重复的项，必须使用容器操作，在本例中调用 erase 实现该功能。这个函数调用从 end_unique 指向的元素开始删除，直到 words 的最后一个元素也删除掉为止。调用之后，words 存储输入的 8 个不相同的元素。

 算法不直接修改容器的大小。如果需要添加或删除元素，则必须使用容器操作。

值得注意的是，对没有重复元素的vector对象，调用erase也是安全的。如果不存在重复的元素，unique就会返回words.end()，此时，调用erase的两个实参值相同，都是words.end()。两个迭代器相等这个事实意味着erase函数要删除的范围是空的。删除一段空的范围没有任何作用，所以即使输入中没有重复的元素，我们的程序仍然正确。

4. 定义需要的实用函数

下一个子问题是统计长度不小于 6 的单词个数。为了解决这个问题，需要用到另外两个泛型算法：stable_sort 和 count_if。使用这些算法，还需要一个配套的实用函数，称为**谓词**（predicate）。谓词是做某些检测的函数，返回用于条件判断的类型，指出条件是否成立。

我们需要的第一个谓词将用在基于大小的元素排序中。为了实现排序，必须定义一个谓词函数来实现两个 string 对象的比较，并返回一个 bool 值，指出第一个字符串是否比第二个短：

```
// comparison function to be used to sort by word length
bool isShorter(const string &s1, const string &s2)
{
    return s1.size() < s2.size();
}
```

另一个所需的谓词函数将判断给出的 string 对象的长度是否不小于6：

```
// determine whether a length of a given word is 6 or more
bool GT6(const string &s)
{
    return s.size() >= 6;
}
```

尽管这个函数能解决问题，但存在不必要的限制——函数内部硬性规定了对长度大小的要求。如果要统计其他长度的单词个数，则必须编写另一个函数。其实很容易写出更通用的比较函数，使它带有两个形参，分别是 string 对象和一个长度大小值即可。但是，传递给 count_if 算法的函数只能带有一个实参，因此本程序不能使用上述更通用的方法。14.8.1 节将为这个问题提供更好的解决方案。

5. 排序算法

标准库定义了四种不同的排序算法，上面只使用了最简单的 sort 算法，使 words 按字典次序排列。除了 sort 之外，标准库还定义了 stable_sort 算法，stable_sort 保留相等元素的原始相对位置。通常，对于已排序的序列，我们并不关心其相等元素的相对位置，毕竟，这些元素是相等的。但是，在这个应用中，我们将"相等"定义为"相同的长度"，有着相同长度的元素还能以字典次序的不同而区分。调用 stable_sort 后，对于长度相同的元素，将保留其字典顺序。

sort 和 stable_sort 都是重载函数。其中一个版本使用元素类型提供的小于（<）操作符

实现比较。在查找重复元素之前，我们就是用这个 sort 版本对元素排序。第二个重载版本带有第三个形参：比较元素所使用的谓词函数的名字。这个谓词函数必须接受两个实参，实参的类型必须与元素类型相同，并返回一个可用作条件检测的值。下面将比较元素的 isShorter 函数作为实参，调用第二个版本的排序函数：

```
// sort words by size, but maintain alphabetic order for words of the same size
stable_sort(words.begin(), words.end(), isShorter);
```

调用后，words 中的元素按长度大小排序，而长度相同的单词则仍然保持字典顺序：

words
| fox | red | the | over | slow | jumps | quick | turtle |

6. 统计长度不小于 6 的单词

现在此 vector 对象已经按单词长度排序，剩下的问题就是统计长度不小于 6 的单词个数。使用 count_if 算法处理这个问题：

```
vector<string>::size_type wc =
                count_if(words.begin(), words.end(), GT6);
```

执行 count_if 时，首先读取它的头两个实参所标记的范围内的元素。每读出一个元素，就将它传递给第三个实参表示的谓词函数。此谓词函数需要单个元素类型的实参，并返回一个可用作条件检测的值。count_if 算法返回使谓词函数返回条件成立的元素个数。在这个程序中，count_if 将每个单词传递给 GT6，而 GT6 返回一个 bool 值，如果单词长度不小于 6，则该 bool 值为 true。

7. 将全部程序段放在一起

了解程序的细节之后，下面是完整的程序：

```
// comparison function to be used to sort by word length
bool isShorter(const string &s1, const string &s2)
{
    return s1.size() < s2.size();
}
// determine whether a length of a given word is 6 or more
bool GT6(const string &s)
{
    return s.size() >= 6;
}
int main()
{
    vector<string> words;
    // copy contents of each book into a single vector
    string next_word;
    while (cin >> next_word) {
        // insert next book's contents at end of words
        words.push_back(next_word);
    }
    // sort words alphabetically so we can find the duplicates
    sort (words.begin(), words.end());
    /* eliminate duplicate words:
     * unique reorders words so that each word appears once in the
```

```
  *       front portion of words and returns an iterator one past the unique range;
  *  erase uses a vector operation to remove the nonunique elements
  */
vector<string>::iterator end_unique =
                unique(words.begin(), words.end());
words.erase(end_unique, words.end());
// sort words by size, but maintain alphabetic order for words of the same size
stable_sort(words.begin(), words.end(), isShorter);
vector<string>::size_type wc =
                count_if (words.begin(), words.end(), GT6);
cout << wc << " " << make_plural(wc, "word", "s")
    << " 6 characters or longer" << endl;
return 0;
}
```

404

最后，我们留下按长度顺序输出单词这个问题作为习题。

习题

习题 11.9 编写程序统计长度不小于 4 的单词，并输出输入序列中不重复的单词。在程序源文件上运行和测试你自己编写的程序。

习题 11.10 标准库定义了一个 find_if 函数。与 find 一样，find_if 函数带有一对迭代器形参，指定其操作的范围。与 count_if 一样，该函数还带有第三个形参，表明用于检查范围内每个元素的谓词函数。find_if 返回一个迭代器，指向第一个使谓词函数返回非零值的元素。如果这样的元素不存在，则返回第二个迭代器实参。使用 find_if 函数重写上述例题中统计长度大于 6 的单词个数的程序部分。

习题 11.11 你认为为什么算法不改变容器的大小？

习题 11.12 为什么必须使用 erase，而不是定义一个泛型算法来删除容器中的元素？

11.3 再谈迭代器

11.2.2 节已强调标准库所定义的迭代器不依赖于特定的容器。事实上，C++语言还提供了另外三种迭代器：

(1) **插入迭代器**（insert iterator）：这类迭代器与容器绑定在一起，实现在容器中插入元素的功能。

(2) **iostream 迭代器**（iostream iterator）：这类迭代器可与输入或输出流绑定在一起，用于迭代遍历所关联的 IO 流。

(3) **反向迭代器**（reverse iterator）：这类迭代器实现向后遍历，而不是向前遍历。所有容器类型都定义了自己的 reverse_iterator 类型，由 rbegin 和 rend 成员函数返回。

上述迭代器类型都在 iterator 头文件中定义。

本节将详细分析上述每种迭代器，并介绍在泛型算法中如何使用这些迭代器，还会了解什么时候应该使用和如何使用 const_iterator 容器。

405

11.3.1　插入迭代器

11.2.2 节使用 back_inserter 创建一个迭代器，用来给容器添加元素。back_inserter 函数是一种**插入器**。插入器是一种迭代器适配器（9.7 节），带有一个容器参数，并生成一个迭代器，用于在指定容器中插入元素。通过插入迭代器赋值时，迭代器将会插入一个新的元素。C++语言提供了三种插入器，其差别在于插入元素的位置不同。

(1) back_inserter，创建使用 push_back 实现插入的迭代器。

(2) front_inserter，使用 push_front 实现插入。

(3) inserter，使用 insert 实现插入操作。除了所关联的容器外，inserter 还带有第二个实参：指向插入起始位置的迭代器。

1. front_inserter 需要使用 push_front

front_inserter 的操作类似于 back_inserter：该函数将创建一个迭代器，调用它所关联的基础容器的 push_front 成员函数代替赋值操作。

 只有当容器提供 push_front 操作时，才能使用 front_inserter。在 vector 或其他没有 push_front 运算的容器上使用 front_inserter，将产生错误。

2. inserter 将产生在指定位置实现插入的迭代器

inserter 适配器提供更普通的插入形式。这种适配器带有两个实参：所关联的容器和指示起始插入位置的迭代器。

```
// position an iterator into ilst
list<int>::iterator it =
                find (ilst.begin(), ilst.end(), 42);
// insert replaced copies of ivec at that point in ilst
replace_copy (ivec.begin(), ivec.end(),
              inserter (ilst, it), 100, 0);
```

首先用 find 定位 ilst 中的某个元素。使用 inserter 作为实参调用 replace_copy，inserter 将会在 ilst 中由 find 返回的迭代器所指向的元素前面插入新元素。而调用 replace_ copy 的效果是从 ivec 中复制元素，并将其中值为 100 的元素替换为 0 值。ilst 的新元素在 it 所标明的元素前面插入。

在创建 inserter 时，应指明新元素在何处插入。inserter 函数总是在它的迭代器实参所标明的位置前面插入新元素。

也许我们会认为可使用 inserter 和容器的 begin 迭代器来模拟 front_inserter 的效果。然而，inserter 的行为与 front_inserter 的有很大差别。在使用 front_inserter 时，元素始终在容器的第一个元素前面插入。而使用 inserter 时，元素则在指定位置前面插入。即使此指定位置初始化为容器中的第一个元素，但是，一旦在该位置前插入一个新元素后，插入位置就不再是容器的首元素了：

```
list<int> ilst, ilst2, ilst3;     // empty lists
// after this loop ilst contains: 3 2 1 0
for (list<int>::size_type i = 0; i != 4; ++i)
```

```
        ilst.push_front(i);
// after copy ilst2 contains: 0 1 2 3
copy (ilst.begin(), ilst.end(), front_inserter(ilst2));
// after copy, ilst3 contains: 3 2 1 0
copy (ilst.begin(), ilst.end(),
             inserter (ilst3, ilst3.begin()));
```

在复制并创建 ilst2 的过程中，元素总是在这个 list 对象的所有元素之前插入。而在复制创建 ilst3 的过程中，元素则在 ilst3 中的固定位置插入。刚开始时，这个插入位置是此 list 对象的头部，但在插入一个元素后，就不再是首元素了。

　　回顾 9.3.3 节的讨论，应该清楚理解 front_inserter 的使用将导致元素以相反的次序出现在目标对象中，这点非常重要。

习题

习题 11.13　解释三种插入迭代器的区别。

习题 11.14　编写程序使用 replace_copy 将一个容器中的序列复制给另一个容器，并将前一个序列中给定的值替换为指定的新值。分别使用 inserter、back_inserter 和 front_inserter 实现这个程序。讨论在不同情况下输出序列如何变化。

习题 11.15　算法标准库定义了一个名为 unique_copy 的函数，其操作与 unique 类似，唯一的区别在于：前者接受第三个迭代器实参，用于指定复制不重复元素的目标序列。编写程序使用 unique_copy 将一个 list 对象中不重复的元素复制到一个空的 vector 对象中。

11.3.2　**iostream** 迭代器

　　虽然 iostream 类型不是容器，但标准库同样提供了在 iostream 对象上使用的迭代器：**istream_iterator** 用于读取输入流，而 **ostream_iterator** 则用于写输出流（表 11-1）。这些迭代器将它们所对应的流视为特定类型的元素序列。使用流迭代器时，可以用泛型算法从流对象中读数据（或将数据写到流对象中）。

407

表 11-1　**iostream** 迭代器的构造函数	
istream_iterator<T> in(strm);	创建从输入流 strm 中读取 T 类型对象的 istream_iterator 对象
istream_iterator<T> in;	istream_iterator 对象的超出末端迭代器
ostream_iterator<T> in(strm);	创建将 T 类型的对象写到输出流 strm 的 ostream_iterator 对象
ostream_iterator<T> in(strm, delim);	创建将 T 类型的对象写到输出流 strm 的 ostream_iterator 对象，在写入过程中使用 delim 作为元素的分隔符。delim 是以空字符结束的字符数组

　　流迭代器只定义了最基本的迭代器操作：自增、解引用和赋值。此外，可比较两个 istream 迭代器是否相等（或不等）。而 ostream 迭代器则不提供比较运算（表 11-2）。

表 11-2 istream_iterator 的操作	
it1 == it2	比较两个 istream_iterator 对象是否相等（不等）。迭代器读取的必须是相同的类型。
it1 != it2	如果两个迭代器都是 end 值，则它们相等。对于两个都不指向流结束位置的迭代器，如果它们使用同一个输入流构造，则它们也相等
*it	返回从流中读取的值
it->mem	是(*it).mem 的同义词。返回从流中读取的对象的 mem 成员
++it it++	通过使用元素类型提供的>>操作符从输入流中读取下一个元素值，使迭代器向前移动。通常，前缀版本使迭代器在流中向前移动，并返回对加 1 后的迭代器的引用。而后缀版本使迭代器在流中向前移动后，返回原值

1. 流迭代器的定义

流迭代器都是类模板：任何已定义输入操作符（>>操作符）的类型都可以定义 istream_iterator。类似地，任何已定义输出操作符（<<操作符）的类型也可定义 ostream_iterator。

在创建流迭代器时，必须指定迭代器所读写的对象类型：

```
istream_iterator<int> cin_it(cin);        // reads ints from cin
istream_iterator<int> end_of_stream;      // end iterator value
// writes Sales_items from the ofstream named outfile
// each element is followed by a space
ofstream outfile;
ostream_iterator<Sales_item> output(outfile, " ");
```

ostream_iterator 对象必须与特定的流绑定在一起。在创建 istream_iterator 时，可直接将它绑定到一个流上。另一种方法是在创建时不提供实参，则该迭代器指向超出末端位置。ostream_iterator 不提供超出末端迭代器。

在创建 ostream_iterator 对象时，可提供第二个（可选的）实参，指定将元素写入输出流时使用的分隔符。分隔符必须是 C 风格字符串。因为它是 C 风格字符串，所以必须以空字符结束；否则，其行为将是未定义的。

2. istream_iterator 对象上的操作

构造与流绑定在一起的 istream_iterator 对象时，将对迭代器定位，以便第一次对该迭代器进行解引用时即可从流中读取第一个值。

考虑下面例子，可使用 istream_iterator 对象将标准输入读到 vector 对象中。

```
istream_iterator<int> in_iter(cin);       // read ints from cin
istream_iterator<int> eof;                // istream "end" iterator
// read until end of file, storing what was read in vec
while (in_iter != eof)
        // increment advances the stream to the next value
        // dereference reads next value from the istream
        vec.push_back(*in_iter++);
```

这个循环从 cin 中读取 int 型数据，并将读入的内容保存在 vec 中。每次循环都检查 in_iter 是否为 eof。其中 eof 迭代器定义为空的 istream_iterator 对象，用作结束迭代器。绑在流上的迭代器在遇到文件结束或某个错误时，将等于结束迭代器的值。

本程序最难理解的部分是传递给 push_back 的实参，该实参使用解引用和后自增操作符。

根据优先级规则（5.5 节），自增运算的结果将是解引用运算的操作数。对 istream_iterator 对象做自增运算使该迭代器在流中向前移动。然而，使用后自增运算的表达式，其结果是迭代器原来的值。自增的效果是使迭代器在流中移动到下一个值，但返回指向前一个值的迭代器。对该迭代器进行解引用获取该值。

更有趣的是可以这样重写程序：

```
istream_iterator<int> in_iter(cin);      // read ints from cin
istream_iterator<int> eof;               // istream "end" iterator
vector<int> vec(in_iter, eof);           // construct vec from an iterator range
```

这里，用一对标记元素范围的迭代器构造 vec 对象。这些迭代器是 istream_iterator 对象，这就意味着这段范围的元素是通过读取所关联的流来获得的。这个构造函数的效果是读 cin，直到到达文件结束或输入的不是 int 型数值为止。读取的元素将用于构造 vec 对象。

3. ostream_iterator 对象和 ostream_iterator 对象的使用

可使用 ostream_iterator 对象将一个值序列写入流中，其操作的过程与使用迭代器将一组值逐个赋给容器中的元素相同：

```
// write one string per line to the standard output
ostream_iterator<string> out_iter(cout, "\n");
// read strings from standard input and the end iterator
istream_iterator<string> in_iter(cin), eof;
// read until eof and write what was read to the standard output
while (in_iter != eof)
    // write value of in_iter to standard output
    // and then increment the iterator to get the next value from cin
    *out_iter++ = *in_iter++;
```

这个程序读 cin，并将每个读入的值依次写到 cout 中不同的行中。

首先，定义一个 ostream_iterator 对象，用于将 string 类型的数据写到 cout 中，每个 string 对象后跟一个换行符。定义两个 istream_iterator 对象，用于从 cin 中读取 string 对象。while 循环类似前一个例子。但是这一次不是将读取的数据存储在 vector 对象中，而是将读取的数据赋给 out_iter，从而输出到 cout 上。

这个赋值类似于 6.7 节将一个数组复制给另一个数组的程序。对这两个迭代器进行解引用，将右边的值赋给左边的元素，然后两个迭代器都自增 1。其效果就是：将读取的数据输出到 cout 上，然后两个迭代器都加 1，再从 cin 中读取下一个值。

4. 在类类型上使用 istream_iterator

提供了输入操作符（>>）的任何类型都可以创建 istream_iterator 对象。例如，可如下使用 istream_iterator 对象读取一系列的 Sales_item 对象，并求和：

```
istream_iterator<Sales_item> item_iter(cin), eof;
Sales_item sum;              // initially empty Sales_item
sum = *item_iter++;          // read first transaction into sum and get next record
while (item_iter != eof) {
    if (item_iter->same_isbn(sum))
        sum = sum + *item_iter;
    else {
        cout << sum << endl;
```

```
            sum = *item_iter;
        }
        ++item_iter; // read next transaction
    }
    cout << sum << endl; // remember to print last set of records
```

该程序将迭代器 item_iter 与 cin 绑在一起，意味着迭代器将读取 Sales_item 类型的对象。然后读入第一个记录，赋给 sum：

```
    sum = *item_iter++; // read first transaction into sum and get next record
```

这个语句使用解引用操作符获取标准输入的第一个记录，并将这个值赋给 sum。然后给迭代器加 1，使流从标准输入中读取下一记录。

while 循环反复执行直到到达 cin 的结束位置为止。在 while 循环中，将刚读入记录的 isbn 与 sum 的 isbn 比较。while 中的第一个语句使用了箭头操作符对 istream 迭代器进行解引用，获得最近读入的对象。然后在该对象和 sum 对象上调用 same_isbn 成员。

如果 isbn 值相同，则增加总和 sum。否则，输出 sum 的当前值，并将它重设为最近读取对象的副本。循环的最后一步是给迭代器加 1，在本例中，将导致从标准输入中读入下一个 Sales_item 对象。循环持续直到遇到错误或结束位置为止。在结束程序之前，记住输出从输入中读入的最后一个 ISBN 所关联的值。

5. 流迭代器的限制

流迭代器有下面几个重要的限制：

- 不可能从 ostream_iterator 对象读入，也不可能写到 istream_iterator 对象中。
- 一旦给 ostream_iterator 对象赋了一个值，写入就提交了。赋值后，没有办法再改变这个值。此外，ostream_iterator 对象中每个不同的值都只能正好输出一次。
- ostream_iterator 没有 -> 操作符。

6. 与算法一起使用流迭代器

正如大家所知，算法是基于迭代器操作实现的。如同前面所述，流迭代器至少定义了一些迭代器操作。由于流迭代器支持迭代器操作，因此，至少可在一些泛型算法上使用这类迭代器。考虑下面的例子，从标准输入读取一些数，再将读取的不重复的数写到标准输出：

```
istream_iterator<int> cin_it(cin);        // reads ints from cin
istream_iterator<int> end_of_stream;      // end iterator value
// initialize vec from the standard input:
vector<int> vec(cin_it, end_of_stream);
sort(vec.begin(), vec.end());
// writes ints to cout using " " as the delimiter
ostream_iterator<int> output(cout, " ");
// write only the unique elements in vec to the standard output
unique_copy(vec.begin(), vec.end(), output);
```

如果程序的输入是：

```
    23 109 45 89 6 34 12 90 34 23 56 23 8 89 23
```

输出则是：

```
    6 8 12 23 34 45 56 89 90 109
```

程序用一对迭代器 input 和 end_of_stream 创建了 vec 对象。这个初始化的效果是读取 cin 直到文件结束或者出现错误为止。读取的值保存在 vec 里。

读取输入和初始化 vec 后，调用 sort 对输入的数排序。sort 调用完成后，重复输入的数就会相邻存储。

程序再使用 unique_copy 算法，这是 unique 的"复制"版本。该算法将输入范围中不重复的值复制到目标迭代器。该调用将输出迭代器用作目标。其效果是将 vec 中不重复的值复制给 cout，每个复制的值后面输出一个空格。

习题

习题 11.16 重写（11.3.2 节第 3 小节）的程序，使用 copy 算法将一个文件的内容写到标准输出中。

习题 11.17 使用一对 istream_iterator 对象初始化一个 int 型的 vector 对象。

习题 11.18 编写程序使用 istream_iterator 对象从标准输入读入一系列整数。使用 ostream_iterator 对象将其中的奇数写到一个文件中，并在每个写入的值后面加一个空格。同样使用 ostream_iterator 对象将偶数写到第二个文件，每个写入的值都存放在单独的行中。

11.3.3 反向迭代器

反向迭代器是一种反向遍历容器的迭代器。也就是，从最后一个元素到第一个元素遍历容器。反向迭代器将自增（和自减）的含义反过来了：对于反向迭代器，++运算将访问前一个元素，而 --运算则访问下一个元素。

回想一下，所有容器都定义了 begin 和 end 成员，分别返回指向容器首元素和尾元素下一位置的迭代器。容器还定义了 rbegin 和 rend 成员，分别返回指向容器尾元素和首元素前一位置的反向迭代器。与普通迭代器一样，反向迭代器也有常量（const）和非常量（nonconst）类型。图 11-1 使用一个假设名为 vec 的 vector 类型对象阐明了这四种迭代器之间的关系。

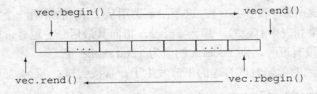

图 11-1 比较 begin/end 和 rbegin/rend 迭代器

假设有一个 vector 容器对象，存储了 0～9 这 10 个以升序排列的数字：

```
vector<int> vec;
for (vector<int>::size_type i = 0; i != 10; ++i)
    vec.push_back(i); // elements are 0,1,2,...9
```

下面的 for 循环将以逆序输出这些元素：

```
// reverse iterator of vector from back to front
```

```
vector<int>::reverse_iterator r_iter;
for (r_iter = vec.rbegin();      // binds r_iter to last element
     r_iter != vec.rend();       // rend refers 1 before 1st element
     ++r_iter)                   // decrements iterator one element
    cout << *r_iter << endl;     // prints 9,8,7,...0
```

虽然颠倒自增和自减这两个操作符的意义似乎容易使人迷惑,但是它让程序员可以透明地向前或向后处理容器。例如,为了以降序排列 vector,只需向 sort 传递一对反向迭代器:

```
// sorts vec in "normal" order
sort(vec.begin(), vec.end());
// sorts in reverse: puts smallest element at the end of vec
sort(vec.rbegin(), vec.rend());
```

1. 反向迭代器需要使用自减操作符

从一个既支持--也支持++的迭代器就可以定义反向迭代器,这不用感到吃惊。毕竟,反向迭代器的目的是移动迭代器反向遍历序列。标准容器上的迭代器既支持自增运算,也支持自减运算。但是,流迭代器却不然,由于不能反向遍历流,因此流迭代器不能创建反向迭代器。

2. 反向迭代器与其他迭代器之间的关系

假设有一个名为 line 的 string 对象,存储以逗号分隔的单词列表。我们希望输出 line 中的第一个单词。使用 find 可很简单地实现这个任务:

```
// find first element in a comma-separated list
string::iterator comma = find(line.begin(), line.end(), ',');
cout << string(line.begin(), comma) << endl;
```

如果在 line 中有一个逗号,则 comma 指向这个逗号;否则,comma 的值为 line.end()。在输出 string 对象中从 line.begin() 到 comma 的内容时,从头开始输出字符直到遇到逗号为止。如果该 string 对象中没有逗号,则输出整个 string 字符串。

如果要输出列表中最后一个单词,可使用反向迭代器:

```
// find last element in a comma-separated list
string::reverse_iterator rcomma =
                     find(line.rbegin(), line.rend(), ',');
```

因为此时传递的是 rbegin() 和 rend(),这个函数调用从 line 的最后一个字符开始往回搜索。当 find 完成时,如果列表中有逗号,那么 rcomma 指向其最后一个逗号,即指向反向搜索找到的第一个逗号。如果没有逗号,则 rcomma 的值为 line.rend()。

在尝试输出所找到的单词时,有趣的事情发生了。直接尝试:

```
// wrong: will generate the word in reverse order
cout << string(line.rbegin(), rcomma) << endl;
```

会产生假的输出。例如,如果输入是:

FIRST,MIDDLE,LAST

则将输出 TSAL!

图 11-2 阐明了这个问题:使用反向迭代器时,以逆序从后向前处理 string 对象。为了得到正确的输出,必须将反向迭代器 line.rbegin() 和 rcomma 转换为从前向后移动的普通迭代器。

其实没必要转换 line.rbegin()，因为我们知道转换的结果必定是 line.end()。只需调用所有反向迭代器类型都提供的成员函数 base 转换 rcomma 即可：

```
// ok: get a forward iterator and read to end of line
cout << string(rcomma.base(), line.end()) << endl;
```

假设还是前面给出的输入，该语句将如愿输出 LAST。

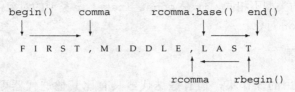

图 11-2　反向迭代器与普通迭代器之间的关系

图 11-2 显示的对象直观地解释了普通迭代器与反向迭代器之间的关系。例如，正如 line_rbegin() 和 line.end() 一样，rcomma 和 rcomma.base() 也指向不同的元素。为了确保正向和反向处理元素的范围相同，这些区别是必要的。从技术上来说，设计普通迭代器与反向迭代器之间的关系是为了适应左闭合范围（9.2.1 节）这个性质的，所以，[line.rbegin(), rcomma) 和 [rcomma.base(), line.end()) 标记的是 line 中的相同元素。

　　　　反向迭代器用于表示范围，而所表示的范围是不对称的，这个事实可推导出一个重要的结论：使用普通的迭代器对反向迭代器进行初始化或赋值时，所得到的迭代器并不是指向原迭代器所指向的元素。

习题

习题 11.19　编写程序使用 reverse_iterator 对象以逆序输出 vector 容器对象的内容。

习题 11.20　现在，使用普通的迭代器逆序输出上题中对象的元素。

习题 11.21　使用 find 在一个 int 型的 list 中寻找值为 0 的最后一个元素。

习题 11.22　假设有一个存储了 10 个元素的 vector 对象，将其中第 3～第 7 个位置上的元素以逆序复制给 list 对象。

11.3.4　**const** 迭代器

　　细心的读者可能已经注意到，在 11.1 节使用 find 的程序中，我们将 result 定义为 const_iterator 类型。这样做是因为我们不希望使用这个迭代器来修改容器中的元素。

　　另一方面，虽然 11.2.1 节的程序也不打算改变容器内的任何元素，但是它却使用了普通的非 const 迭代器来保存 find_first_of 的返回值。这两种处理存在细微的差别，值得解释一下。

　　原因是，在第二个例子中，程序将迭代器用作 find_first_of 的实参：

```
find_first_of(it, roster1.end(),
              roster2.begin(), roster2.end())
```

该函数调用的输入范围由 it 和调用 roster1.end() 返回的迭代器指定。算法要求用于指定范围的两个迭代器必须具有完全一样的类型。roster1.end() 返回的迭代器依赖于 roster1 的类型。如果该容器是 const 对象,则返回的迭代器是 const_iterator 类型;否则,就是普通的 iterator 类型。在这个程序中, roster1 不是 const 对象,因而 end 返回的只是一个普通的迭代器。

如果我们将 it 定义为 const_iterator,那么 find_first_of 的调用将无法编译。用来指定范围的两个迭代器的类型不相同。it 是 const_iterator 类型的对象,而 rotser1.end() 返回回的则是一个 iterator 对象。

11.3.5　五种迭代器

迭代器定义了常用的操作集,但有些迭代器具有比其他迭代器更强大的功能。例如, ostream_iterator 只支持自增、解引用和赋值运算,而 vector 容器提供的迭代器除了这些运算,还支持自减、关系和算术运算。因此,迭代器可根据所提供的操作集进行分类。

类似地,还可根据算法要求它的迭代器提供什么类型的操作,对算法分类。有一些算法,例如 find,只要求迭代器提供读取所指向内容和自增的功能。另一些算法,比如 sort,则要求其迭代器有读、写和随机访问元素的能力。算法要求的迭代器操作分为五个类别,分别对应表 11-3 列出的五种迭代器。

表 11-3　迭代器种类	
输入迭代器	读,不能写:只支持自增运算
输出迭代器	写,不能读:只支持自增运算
前向迭代器	读和写:只支持自增运算
双向迭代器	读和写:支持自增和自减运算
随机访问迭代器	读和写:支持完整的迭代器算术运算

(1) **输入迭代器**(input iterator)可用于读取容器中的元素,但是不保证能支持容器的写入操作。输入迭代器必须至少提供下列支持。

- 相等和不等操作符(==, !=),比较两个迭代器。
- 前置和后置的自增运算(++),使迭代器向前递进指向下一个元素。
- 用于读取元素的解引用操作符(*),此操作符只能出现在赋值运算的右操作数上。
- 箭头操作符(->),这是 (*it).member 的同义语,也就是说,对迭代器进行解引用来获取其所关联的对象的成员。

输入迭代器只能顺序使用;一旦输入迭代器自增了,就无法再用它检查之前的元素。要求在这个层次上提供支持的泛型算法包括 find 和 accumulate。标准库 istream_iterator 类型是输入迭代器。

(2) **输出迭代器**(output iterator)可视为与输入迭代器功能互补的迭代器;输出迭代器可用于向容器写入元素,但是不保证能支持读取容器内容。输出迭代器要求:

- 前置和后置的自增运算(++),使迭代器向前递进指向下一个元素。
- 解引用操作符(*),此操作符只能出现在赋值运算的左操作数上。给解引用的输出迭代

416

器赋值，将对该迭代器所指向的元素做写入操作。

输出迭代器可以要求每个迭代器的值必须正好写入一次。使用输出迭代器时，对于指定的迭代器值应该使用一次*运算，而且只能用一次。输出迭代器一般用作算法的第三个实参，标记起始写入的位置。例如，copy 算法使用一个输出迭代器作为它的第三个实参，将输入范围内的元素复制到输出迭代器指定的目标位置。标准库 ostream_iterator 类型是输出迭代器。

(3) **前向迭代器**（forward iterator）用于读写指定的容器。这类迭代器只会以一个方向遍历序列。前向迭代器支持输入迭代器和输出迭代器提供的所有操作，除此之外，还支持对同一个元素的多次读写。可复制前向迭代器来记录序列中的一个位置，以便将来返回此处。需要前向迭代器的泛型算法包括 replace。

(4) **双向迭代器**（bidirectional iterator）从两个方向读写容器。除了提供前向迭代器的全部操作之外，双向迭代器还提供前置和后置的自减运算（--）。需要使用双向迭代器的泛型算法包括 reverse。所有标准库容器提供的迭代器都至少达到双向迭代器的要求。

(5) **随机访问迭代器**（random-access iterator）提供在常量时间内访问容器任意位置的功能。这种迭代器除了支持双向迭代器的所有功能之外，还支持下面的操作：

- 关系操作符<、<=、>和>=，比较两个迭代器的相对位置。
- 迭代器与整型数值 n 之间的加法和减法操作符+、+=、-和-=，结果是迭代器在容器中向前（或退回）n 个元素。
- 两个迭代器之间的减法操作符（-），得到两个迭代器间的距离。
- 下标操作符 iter[n]，这是*(iter + n)的同义词。

需要随机访问迭代器的泛型算法包括 sort 算法。vector、deque 和 string 迭代器是随机访问迭代器，用作访问内置数组元素的指针也是随机访问迭代器。

除了输出迭代器，其他类别的迭代器形成了一个层次结构：需要低级类别迭代器的地方，可使用任意一种更高级的迭代器。对于需要输入迭代器的算法，可传递前向、双向或随机访问迭代器调用该算法。调用需要随机访问迭代器的算法时，必须传递随机访问迭代器。

map、set 和 list 类型提供双向迭代器，而 string、vector 和 deque 容器上定义的迭代器都是随机访问迭代器，用作访问内置数组元素的指针也是随机访问迭代器。istream_iterator 是输入迭代器，而 ostream_iterator 则是输出迭代器。

417

关键概念：关联容器与算法

尽管 map 和 set 类型提供双向迭代器，但关联容器只能使用算法的一个子集。问题在于：关联容器的键是 const 对象。因此，关联容器不能使用任何写序列元素的算法。只能使用与关联容器绑在一起的迭代器来提供用于读操作的实参。

提示 在处理算法时，最好将关联容器上的迭代器视为支持自减运算的输入迭代器，而不是完整的双向迭代器。

C++标准为所有泛型和算术算法的每一个迭代器形参指定了范围最小的迭代器种类。例如，

find（以只读方式单步遍历容器）至少需要一个输入迭代器。replace 函数至少需要一对前向迭代器。replace_copy 函数的头两个迭代器必须至少是前向迭代器，第三个参数代表输出目标，必须至少是输出迭代器。

对于每一个形参，迭代器必须保证最低功能。将支持更少功能的迭代器传递给函数是错误的；而传递更强功能的迭代器则没问题。

　　向算法传递无效的迭代器类别所引起的错误，无法保证会在编译时被捕获到。

习题

习题 11.23　列出五种迭代器及其各自支持的操作。

习题 11.24　list 容器拥有什么类型的迭代器？而 vector 呢？

习题 11.25　你认为 copy 算法需要使用哪种迭代器？而 reverse 和 unique 呢？

习题 11.26　解释下列代码错误的原因，指出哪些错误可以在编译时捕获。

```
(a) string sa[10];
    const vector<string> file_names(sa, sa+6);
    vector<string>::iterator it = file_names.begin()+2;

(b) const vector<int> ivec;
    fill(ivec.begin(), ivec.end(), ival);

(c) sort(ivec.begin(), ivec.rend());

(d) sort(ivec1.begin(), ivec2.end());
```

418

11.4　泛型算法的结构

　　正如所有的容器都建立在一致的设计模式上一样，算法也具有共同的设计基础。理解标准算法库的设计基础有利于学习和使用算法。C++提供了超过一百个算法，了解它们的结构显然要比死记所有的算法更好。

　　算法最基本的性质是需要使用的迭代器种类。所有算法都指定了它的每个迭代器形参可使用的迭代器类型。如果形参必须为随机访问迭代器，则可提供 vector 或 deque 类型的迭代器，或者提供指向数组的指针。而其他容器的迭代器不能用在这类算法上。

　　另一种为算法分类的方法，则如本章开头介绍的一样，根据对元素的操作将算法分为下面几种：

- 只读算法，不改变元素的值和顺序。
- 给指定元素赋新值的算法。
- 将一个元素的值移给另一个元素的算法。

　　正如本节后续部分所介绍的，C++还提供了另外两种算法模式：一种模式由算法所带的形参定义；另一种模式则通过两种函数命名和重载的规范定义。

11.4.1 算法的形参模式

任何其他的算法分类都含有一组形参规范。理解这些形参规范有利于学习新的算法——只要知道形参的含义，就可专注于了解算法实现的操作。大多数算法采用下面四种形式之一：

```
alg (beg, end, other parms);
alg (beg, end, dest, other parms);
alg (beg, end, beg2, other parms);
alg (beg, end, beg2, end2, other parms);
```

其中，alg 是算法的名字，beg 和 end 指定算法操作的元素范围。我们通常将该范围称为算法的"输入范围"。尽管几乎所有算法都有输入范围，但算法是否使用其他形参取决于它所执行的操作。这里列出了比较常用的其他形参：dest、beg2 和 end2，它们都是迭代器。这些迭代器在使用时，充当类似的角色。除了这些迭代器形参之外，有些算法还带有其他的非迭代器形参，它们是这些算法特有的。

1. 带有单个目标迭代器的算法

dest 形参是一个迭代器，用于指定存储输出数据的目标对象。算法假定无论需要写入多少个元素都是安全的。

调用这些算法时，必须确保输出容器有足够大的容量存储输出数据，这正是通常要使用插入迭代器或者 ostream_iterator 来调用这些算法的原因。如果使用容器迭代器调用这些算法，算法将假定容器里有足够多个需要的元素。

如果 dest 是容器上的迭代器，则算法将输出内容写到容器中已存在的元素上。更普遍的用法是，将 dest 与某个插入迭代器（11.3.1 节）或者 ostream_iterator 绑定在一起。插入迭代器在容器中添加元素，以确保容器有足够的空间存储输出。ostream_iterator 则实现写输出流的功能，无需考虑所写的元素个数。

2. 带第二个输入序列的算法

有一些算法带有一个 beg2 迭代器形参，或者同时带有 beg2 和 end2 迭代器形参，来指定它的第二个输入范围。这类算法通常将联合两个输入范围的元素来完成计算功能。算法同时使用 beg2 和 end2 时，这些迭代器用于标记完整的第二个范围。也就是说，此时，算法完整地指定了两个范围：beg 和 end 标记第一个输入范围，而 beg2 和 end2 则标记第二个输入范围。

带有 beg2 而不带 end2 的算法将 beg2 视为第二个输入范围的首元素，但没有指定该范围的最后一个元素。这些算法假定以 beg2 开始的范围至少与 beg 和 end 指定的范围一样大。

与写入 dest 的算法一样，只带有 beg2 的算法也假定以 beg2 开始的序列与 beg 和 end 标记的序列一样大。

11.4.2 算法的命名规范

标准库使用一组相同的命名和重载规范，了解这些规范有助于更容易地学习标准库。它们包括两种重要模式：第一种模式包括测试输入范围内元素的算法，第二种模式则应用于对输入范围内元素重新排序的算法。

1. 区别带有一个值或一个谓词函数参数的算法版本

很多算法通过检查其输入范围内的元素实现其功能。这些算法通常要用到标准关系操作符：== 或 < 。其中的大部分算法会提供第二个版本的函数，允许程序员提供比较或测试函数取代操作符的使用。

重新对容器元素排序的算法要使用<操作符。这些算法的第二个重载版本带有一个额外的形参，表示用于元素排序的不同运算：

```
sort (beg, end);              // use < operator to sort the elements
sort (beg, end, comp);        // use function named comp to sort the elements
```

检查指定值的算法默认使用==操作符。系统为这类算法提供另外命名的（而非重载的）版本，带有谓词函数（11.2.3 节）形参。带有谓词函数形参的算法，其名字带有后缀_if：

```
find(beg, end, val);          // find first instance of val in the input range
find_if(beg, end, pred);      // find first instance for which pred is true
```

上述两个算法都在输入范围内寻找指定元素的第一个实例。其中，find算法查找一个指定的值，而 find_if 算法则用于查找一个使谓词函数 pred 返回非零值的元素。

标准库为这些算法提供另外命名的版本，而非重载版本，其原因在于这两种版本的算法带有相同数目的形参。对于排序算法，只要根据参数的个数就很容易消除函数调用的歧义。而对于查找指定元素的算法，不管检查的是一个值还是谓词函数，函数调用都需要相同个数的参数。此时，如果使用重载版本，则可能导致二义性（7.8.2 节），尽管这个可能出现的几率很低。因此，标准库为这些算法提供两种不同名字的版本，而没有使用重载。

2. 区别是否实现复制的算法版本

无论算法是否检查它的元素值，都可能重新排列输入范围内的元素。在默认情况下，这些算法将重新排列的元素写回其输入范围。标准库也为这些算法提供另外命名的版本，将元素写到指定的输出目标。此版本的算法在名字中添加了_copy 后缀：

```
reverse(beg, end);
reverse_copy(beg, end, dest);
```

reverse 函数的功能就如它的名字所意味的：将输入序列中的元素反向重新排列。其中，第一个函数版本将自己的输入序列中的元素反向重排。而第二个版本，reverse_copy，则复制输入序列的元素，并将它们以逆序存储到 dest 开始的序列中。

习题

习题 11.27　标准库定义了下面的算法：

```
replace(beg, end, old_val, new_val);
replace_if(beg, end, pred, new_val);
replace_copy(beg, end, dest, old_val, new_val);
replace_copy_if(beg, end, dest, pred, new_val);
```

只根据这些函数的名字和形参，描述这些算法的功能。

习题 11.28 假设 lst 是存储了 100 个元素的容器。请解释下面的程序段，并修正你认为的错误。

```
vector<int> vec1;
reverse_copy(lst.begin(), lst.end(), vec1.begin());
```

11.5 容器特有的算法

list 容器上的迭代器是双向的，而不是随机访问类型。由于 list 容器不支持随机访问，因此，在此容器上不能使用需要随机访问迭代器的算法。这些算法包括 sort 及其相关的算法。还有一些其他的泛型算法，如 merge、remove、reverse 和 unique，虽然可以用在 list 上，但却付出了性能上的代价。如果这些算法利用 list 容器实现的特点，则可以更高效地执行。

如果可以结合利用 list 容器的内部结构，则可能编写出更快的算法。与其他顺序容器所支持的操作相比，标准库为 list 容器定义了更精细的操作集合，使它不必只依赖于泛型操作。表 11-4 列出了 list 容器特有的操作，其中不包括要求支持双向或更弱的迭代器类型的泛型算法，这类泛型算法无论是用在 list 容器上，还是用在其他容器上，都具有相同的效果。

表 11-4 **list** 容器特有的操作
lst.merge(lst2) lst.merge(lst2, comp)
将 lst2 的元素合并到 lst 中。这两个 list 容器对象都必须排序。lst2 中的元素将被删除。合并后，lst2 为空。返回 void 类型。第一个版本使用<操作符，而第二个版本则使用 comp 指定的比较运算
lst.remove(val) lst.remove_if(unaryPred)
调用 lst.erase 删除所有等于指定值或使指定的谓词函数返回非零值的元素。返回 void 类型
lst.reverse()　　　反向排列 lst 中的元素
lst.sort()　　　对 lst 中的元素排序
lst.splice(iter, lst2) lst.splice(iter, lst2, iter2) lst.splice(iter, beg, end)
将 lst2 的元素移到 lst 中迭代器 iter 指向的元素前面。在 lst2 中删除移出的元素。第一个版本将 lst2 的所有元素移到 lst 中；合并后，lst2 为空。lst 和 lst2 不能是同一个 list 对象。第二个版本只移动 iter2 所指向的元素，这个元素必须是 lst2 中的元素。在这种情况中，lst 和 lst2 可以是同一个 list 对象。也就是说，可在一个 list 对象中使用 splice 运算移动一个元素。第三个版本移动迭代器 beg 和 end 标记的范围内的元素。beg 和 end 照例必须指定一个有效的范围。这两个迭代器可标记任意 list 对象内的范围，包括 lst。当它们指定 lst 的一段范围时，如果 iter 也指向这个范围内的一个元素，则该运算未定义
lst.unique() lst.unique(binaryPred)
调用 erase 删除同一个值的连续副本。第一个版本使用==操作符判断元素是否相等；第二个版本则使用指定的谓词函数实现判断

421

对于 list 对象，应该优先使用 list 容器特有的成员版本，而不是泛型算法。

大多数 list 容器特有的算法类似于其泛型形式中已经见过的相应的算法，但并不相同：

```
l.remove(val);        // removes all instances of val from 1
l.remove_if(pred);    // removes all instances for which pred is true from 1
l.reverse();          // reverses the order of elements in 1
l.sort();             // use element type < operator to compare elements
l.sort(comp);         // use comp to compare elements
l.unique();           // uses element == to remove adjacent duplicates
l.unique(comp);       // uses comp to remove duplicate adjacent copies
```

list 容器特有的算法与其泛型算法版本之间有两个至关重要的差别。其中一个差别是 remove 和 unique 的 list 版本修改了其关联的基础容器：真正删除了指定的元素。例如，list::unique 将 list 中第二个和后续重复的元素删除出该容器。

 与对应的泛型算法不同，list 容器特有的操作能添加和删除元素。

　　另一个差别是 list 容器提供的 merge 和 splice 运算会破坏它们的实参。使用 merge 的泛型算法版本时，合并的序列将写入目标迭代器指向的对象，而它的两个输入序列保持不变。但是，使用 list 容器的 merge 成员函数时，则会破坏它的实参 list 对象——当实参对象的元素合并到调用 merge 函数的 list 对象时，实参对象的元素被移出并删除。

422

习题

423 **习题 11.29** 用 list 容器取代 vector 重新实现 11.2.3 节编写的排除重复单词的程序。

小结

　　C++标准化过程做出的更重要的贡献之一是：创建和扩展了标准库。容器和算法库是标准库的基础。标准库定义了超过一百个算法。幸运的是，这些算法具有相同的结构，使它们更易于学习和使用。

　　算法与类型无关：它们通常在一个元素序列上操作，这些元素可以存储在标准库容器类型、内置数组甚至是生成的序列（例如读写流所生成的序列）上。算法基于迭代器操作，从而实现类型无关性。大多数算法使用一对指定元素范围的迭代器作为其头两个实参。其他的迭代器实参包括指定输出目标的输出迭代器，或者用于指定第二个输入序列的另一个或一对迭代器。

　　迭代器可通过其所支持的操作来分类。标准库定义了五种迭代器类别：输入、输出、前向、双向和随机访问迭代器。如果一个迭代器支持某种迭代器类别要求的运算，则该迭代器属于这个迭代器类别。

正如迭代器根据操作来分类一样，算法的迭代器形参也通过其所要求的迭代器操作来分类。只需要读取其序列的算法通常只要求输入迭代器的操作。而写目标迭代器的算法则通常只要求输出迭代器的操作，依此类推。

查找某个值的算法通常提供第二个版本，用于查找使谓词函数返回非零值的元素。对于这种算法，第二个版本的函数名字以_if 后缀标识。类似地，很多算法提供所谓的复制版本，将（修改过的）元素写到输出序列，而不是写回输入范围。这种版本的名字以_copy 结束。

第三种模式是考虑算法是否对元素读、写或者重新排序。算法从不直接改变它所操纵的序列的大小。（如果算法的实参是插入迭代器，则该迭代器会添加新元素，但算法并不直接这么做。）算法可以从一个位置将元素复制到另一个位置，但不能直接添加或删除元素。

术语

back_inserter　形参为指向容器的引用的迭代器适配器，生成使用 push_back 为指定容器添加元素的插入迭代器。

bidirectional iterator（双向迭代器）　除了提供前向迭代器相同的操作之外，还支持使用--操作符向后遍历序列。

forward iterator（前向迭代器）　可读写元素的迭代器，但不支持--操作符。

front_inserter　一种迭代器适配器，生成使用 push_front 在指定容器的开始位置添加新元素的插入迭代器。

generic algorithm（泛型算法）　与类型无关的算法。

input iterator（输入迭代器）　只能读不能写元素的迭代器。

insert iterator（插入迭代器）　使用容器操作插入元素而不是覆写元素的迭代器。给插入迭代器赋值，等效于将具有所赋值的新元素插入到序列中。

inserter（插入器）　一种迭代器适配器，形参为一个迭代器和一个指向容器的引用，生成使用 insert 为容器添加元素的插入迭代器，新

元素插入在该适配器的迭代器形参所指向的元素前面。

istream_iterator　读输入流的流迭代器。

iterator category（迭代器种类）　基于迭代器所支持的操作，在概念上对迭代器进行分类。迭代器种类形成了一个层次结构，功能较强的迭代器种类提供比它弱的迭代器的所有操作。算法使用迭代器种类来指定它的迭代器实参必须支持什么操作。只要迭代器至少提供这个层次的操作，就可以用于该算法。例如，一些算法只要求输入迭代器，则可以使用除了输出迭代器之外的任意迭代器调用这样的算法。而要求使用随机访问迭代器的算法只能用在支持随机访问运算的迭代器上。

off-the-end iterator（超出末端迭代器）　一种迭代器，用于标记序列中一个元素范围的结束位置。超出末端迭代器用作结束遍历的"哨兵"，指向范围内最后一个元素的下一位置。超出末端迭代器可能指向不存在的元素，因此永远不能做解引用运算。

ostream_iterator　写输出流的迭代器。

output iterator（输出迭代器）　只能写不能读元素的迭代器。

predicate（谓词） 其返回类型可转换为 bool 值的函数。通常被泛型算法用于检查元素。标准库所使用的谓词函数不是一元（需要一个实参）的就是二元的（需要两个实参）。

random-access iterator（随机访问迭代器） 除了支持双向迭代器相同的操作之外，还提供了使用关系运算比较迭代器值的能力，以及在迭代器上做算术运算的能力。因此，这类迭代器支持随机访问元素。

reverse iterator（反向迭代器） 向后遍历序列的迭代器。这些迭代器颠倒了 ++ 和 -- 的含义。

stream iterator（流迭代器） 可与流绑定在一起的迭代器。

424
~
425

第三部分

类和数据抽象

在大多数 C++ 程序中，类都是至关重要的：我们能够使用类来定义为要解决的问题定制的数据类型，从而得到更加易于编写和理解的应用程序。设计良好的类类型可以像内置类型一样容易使用。

类定义了数据成员和函数成员：数据成员用于存储与该类类型的对象相关联的状态，而函数成员则负责执行赋予数据意义的操作。通过类我们能够将实现和接口分离，用接口指定类所支持的操作，而实现的细节只需类的实现者了解或关心。这种分离可以减少使编程冗长乏味和容易出错的那些繁琐工作。

类类型常被称为抽象数据类型。抽象数据类型将数据（即状态）和作用于状态的操作视为一个单元。我们可以抽象地考虑类该做些什么，而无须知道类如何去完成这些操作。抽象数据类型是面向对象编程和泛型编程的基础。

第 12 章开始详细地介绍如何定义类，包括类的使用中非常基本的主题：类作用域、数据隐藏和构造函数。此外，还介绍了类的一些新特征：友元、使用隐含的 this 指针，以及静态（static）和可变（mutable）成员的作用。

　　C++中的类能够控制在初始化、复制、赋值和销毁对象时发生的操作。在此方面，C++不同于许多其他语言，它们大多没有赋予类设计者控制这些操作的能力。第13章讨论了这些主题。

　　第14章考察了操作符重载，允许将类类型的操作数与内置操作符一起使用。利用操作符重载，在C++中创建新的类型，就像创建内置类型一样。此外，还介绍了另一种特殊的类成员函数——转换函数，这种函数定义了类类型对象之间的隐式转换。编译器应用这些转换就像它们是在内置类型之间发生的转换一样。

428

第 **12** 章

类

目录

在 C++中，用类来定义自己的**抽象数据类型**（abstract data type）。通过定义类型来对应所要解决的问题中的各种概念，可以使我们更容易编写、调试和修改程序。

本章进一步讨论类，并将更详细地阐述数据抽象的重要性。数据抽象能够隐藏对象的内部表示，同时仍然允许执行对象的公有（public）操作。

我们也将进一步解释类作用域、构造函数以及 this 指针。此外，还要介绍与类有关的三个新特征：友元、可变成员和静态成员。

类是 C++中最重要的特征。C++语言的早期版本被命名为"带类的 C（C with Classes）"，以强调类机制的中心作用。随着语言的演变，创建类的配套支持也在不断增加。语言设计的主要目标已变成提供这样一些特性：允许程序员定义自己的类型，它们用起来与内置类型一样容易和直观。本章将介绍类的许多基本特征。

12.1　类的定义和声明

从第 1 章开始，程序中就已经使用了类。已经用过的标准库类型，比如 vector, istream 和 string，都是类类型。还定义了一些简单的类，如 Sales_item 和 TextQuery 类。为了扼要重述，再来看看 Sales_item 类：

```cpp
class Sales_item {
public:
    // operations on Sales_item objects
    double avg_price() const;
    bool same_isbn(const Sales_item &rhs) const
        { return isbn == rhs.isbn; }
    // default constructor needed to initialize members of built-in type
    Sales_item(): units_sold(0), revenue(0.0) { }
private:
    std::string isbn;
    unsigned units_sold;
    double revenue;
};

double Sales_item::avg_price() const
{
    if (units_sold)
        return revenue/units_sold;
    else
        return 0;
}
```

12.1.1　类定义：扼要重述

在 2.8 节和 7.7 节中编写这个类时，已经学习了有关类的一些知识。

　　最简单地说来，类就是定义了一个新的类型和一个新的作用域。

1. 类成员

每个类可以没有成员，也可以定义多个成员，成员可以是数据、函数或类型别名。

一个类可以包含若干公有的、私有的和受保护的部分。我们已经使用过 public 和 private 访问标号：在 public 部分定义的成员可被使用该类型的所有代码访问；在 private 部分定义的成员可被其他类成员访问。在第 15 章讨论继承时将进一步探讨 protected。

所有成员必须在类的内部声明，一旦类定义完成后，就没有任何方式可以增加成员了。

2. 构造函数

创建一个类类型的对象时，编译器会自动使用一个构造函数（2.3.3 节）来初始化该对象。构造函数是一个特殊的、与类同名的成员函数，用于给每个数据成员设置适当的初始值。

构造函数一般应使用一个构造函数初始化列表（7.7.3 节），来初始化对象的数据成员：

```
// default constructor needed to initialize members of built-in type
Sales_item(): units_sold(0), revenue(0.0) { }
```

构造函数初始化列表由成员名和带括号的初始值组成,跟在构造函数的形参表之后,并以冒号开头。

3. 成员函数

在类内部，声明成员函数是必需的，而定义成员函数则是可选的。在类内部定义的函数默认为 inline（7.6 节）。

在类外部定义的成员函数必须指明它们是在类的作用域中。Sales_item::avg_price 的定义使用作用域操作符（1.2.2 节）来指明这是 Sales_item 类中 avg_price 函数的定义。

成员函数有一个附加的隐含实参，将函数绑定到调用函数的对象——当我们编写下面的函数时：

```
trans.avg_price()
```

就是在调用名为 trans 的对象的 avg_price 函数。如果 trans 是一个 Sales_item 对象，则在 avg_price 函数内部对 Sales_item 类成员的引用就是对 trans 成员的引用。

将关键字 const 加在形参表之后，就可以将成员函数声明为常量：

```
double avg_price() const;
```

const 成员不能改变其所操作的对象的数据成员。const 必须同时出现在声明和定义中，若只出现在其中一处，就会出现一个编译时错误。

431

习题

习题 12.1 编写一个名为 Person 的类，表示人的名字和地址。使用 string 来保存每个元素。

习题 12.2 为 Person 提供一个接受两个 string 参数的构造函数。

习题 12.3 提供返回名字和地址的操作。这些函数应为 const 吗？解释你的选择。

习题 12.4 指明 Person 的哪个成员应声明为 public，哪个成员应声明为 private。解释你的选择。

12.1.2 数据抽象和封装

类背后蕴涵的基本思想是**数据抽象**和**封装**。

数据抽象是一种依赖于接口和实现分离的编程（和设计）技术。类设计者必须关心类是如何实现的，但使用该类的程序员不必了解这些细节。相反，使用一个类型的程序员仅需了解类型的接口，他们可以抽象地考虑该类型做什么，而不必具体地考虑该类型如何工作。

封装是一项将低层次的元素组合起来形成新的、高层次实体的技术。函数是封装的一种形式：函数所执行的细节行为被封装在函数本身这个更大的实体中。被封装的元素隐藏了它们的实现细节——可以调用一个函数但不能访问它所执行的语句。同样地，类也是一个封装的实体：它代表若干成员的聚集，大多数（良好设计的）类类型隐藏了实现该类型的成员。

标准库类型 vector 同时具备数据抽象和封装的特性。在使用方面它是抽象的，只需考虑它的接口，即它能执行的操作。它又是封装的，因为我们既无法了解该类型如何表示的细节，也无法访问其任意的实现制品。另一方面，数组在概念上类似于 vector，但既不是抽象的，也不是封装的。可以通过访问存放数组的内存来直接操纵数组。

1. 访问标号实施抽象和封装

在 C++中，使用访问标号（2.8 节）来定义类的抽象接口和实施封装。一个类可以没有访问标号，也可以包含多个访问标号：

- 程序的所有部分都可以访问带有 public 标号的成员。类型的数据抽象视图由其 public 成员定义。

432

- 使用类的代码不可以访问带有 private 标号的成员。private 封装了类型的实现细节。

一个访问标号可以出现的次数通常是没有限制的。每个访问标号指定了随后的成员定义的访问级别。这个指定的访问级别持续有效，直至遇到下一个访问标号或看到类定义体的右花括号为止。

可以在任意的访问标号出现之前定义类成员。在类的左花括号之后、第一个访问标号之前定义成员的访问级别，其值依赖于类是如何定义的。如果类是用 struct 关键字定义的，则在第一个访问标号之前的成员是公有的；如果类是用 class 关键字定义的，则这些成员是私有的。

建议：具体类型和抽象类型

并非所有类型都必须是抽象的。标准库中的 pair 类就是一个实用的、设计良好的具体类而不是抽象类。具体类会暴露而非隐藏其实现细节。

一些类，例如 pair，确实没有抽象接口。pair 类型只是将两个数据成员捆绑成单个对象。在这种情况下，隐藏数据成员没有必要也没有明显的好处。在像 pair 这样的类中隐藏数据成员只会造成类型使用的复杂化。

尽管如此，这样的类型通常还是有成员函数。特别地，如果类具有内置类型或复合类型数据成员，那么定义构造函数来初始化这些成员就是一个好主意。类的使用者也可以初始化或赋值数据成员，但由类来做更不易出错。

---

2. 编程角色的不同类别

程序员经常会将运行应用程序的人看作“用户”。应用程序为最终“使用”它的用户而设计，并响应用户的反馈而完善。类也类似：类的设计者为类的“用户”设计并实现类。在这种情况下，“用户”是程序员，而不是应用程序的最终用户。

成功的应用程序的创建者会很好地理解和实现用户的需求。同样地，良好设计的、实用的类，其设计也要贴近类用户的需求。

另一方面，类的设计者与实现者之间的区别，也反映了应用程序的用户与设计和实现者之间的区分。用户只关心应用程序能否以合理的费用满足他们的需求。同样地，类的使用者只关心它的接口。好的类设计者会定义直观和易用的类接口，而使用者只关心类中影响他们使用的那部分实现。如果类的实现速度太慢或给类的使用者加上负担，则必然引起使用者的关注。在良好设计的类中，只有类的设计者会关心实现。

在简单的应用程序中，类的使用者和设计者也许是同一个人。即使在这种情况下，保持角色区分也是有益的。设计类的接口时，设计者应该考虑的是如何方便类的使用；使用类的时候，设计者就不应该考虑类如何工作。

433

> 注意　C++程序员经常会将应用程序的用户和类的使用者都称为"用户"。

提到"用户"时，应该由上下文清楚地标明所指的是哪类用户。如果提到"用户代码"或Sales_item 类的"用户"，指的就是使用类编写应用程序的程序员。如果提到书店应用程序的"用户"，那么指的是运行应用程序的书店管理人员。

关键概念：数据抽象和封装的好处

数据抽象和封装提供了两个重要优点：

- 避免类内部出现无意的、可能破坏对象状态的用户级错误。
- 随时间推移可以根据需求改变或缺陷（bug）报告来完善类实现，而无须改变用户级代码。

仅在类的私有部分定义数据成员，类的设计者就可以自由地修改数据。如果实现改变了，那么只需检查类代码来了解此变化可能造成的影响。如果数据为公有的，则任何直接访问原有数据成员的函数都可能遭到破坏。在程序可重新使用之前，有必要定位和重写依赖原有表示的那部分代码。

同样地，如果类的内部状态是私有的，则数据成员的改变只可能在有限的地方发生。避免数据中出现用户可能引入的错误。如果有缺陷会破坏对象的状态，就在局部位置搜寻缺陷：如果数据是私有的，那么只有成员函数可能对该错误负责。对错误的搜寻是有限的，从而大大方便了程序的维护和修正。

如果数据是私有的并且没有改变成员函数的接口，则操纵类对象的用户函数无须改变。

　改变头文件中的类定义可有效地改变包含该头文件的每个源文件的程序文本，所以，当类发生改变时，使用该类的代码必须重新编译。

习题

习题 12.5　C++类支持哪些访问标号？在每个访问标号之后应定义哪种成员？如果有的话，在类的定义中，一个访问标号可以出现在何处以及可出现多少次？约束条件是什么？

习题 12.6　用 class 关键字定义的类和用 struct 定义的类有什么不同？

习题 12.7　什么是封装？为什么封装是有用的？

12.1.3 关于类定义的更多内容

迄今为止, 所定义的类都是简单的, 然而通过这些类我们已经了解到 C++语言为类所提供的相当多的支持。本节的其余部分将阐述编写类的更多基础知识。

1. 同一类型的多个数据成员

正如我们所见, 类的数据成员的声明类似于普通变量的声明。如果一个类具有多个同一类型的数据成员, 则这些成员可以在一个成员声明中指定, 这种情况下, 成员声明和普通变量声明是相同的。

例如, 可以定义一个名为 Screen 的类型来表示计算机上的窗口。每个 Screen 可以有一个保存窗口内容的 string 成员, 以及三个 string::size_type 成员: 一个指定光标当前停留的字符, 另外两个指定窗口的高度和宽度。可以用如下方式定义这个类的成员:

```
class Screen {
public:
    // interface member functions
private:
    std::string contents;
    std::string::size_type cursor;
    std::string::size_type height, width;
};
```

2. 使用类型别名来简化类

除了定义数据和函数成员之外, 类还可以定义自己的局部类型名字。如果为 std::string::size_type 提供一个类型别名, 那么 Screen 类将是一个更好的抽象:

```
class Screen {
public:
    // interface member functions
    typedef std::string::size_type index;
private:
    std::string contents;
    index cursor;
    index height, width;
};
```

类所定义的类型名遵循任何其他成员的标准访问控制。将 index 的定义放在类的 public 部分, 是因为希望用户使用这个名字。Screen 类的使用者不必了解用 string 实现的底层细节。定义 index 来隐藏 Screen 的实现细节。将这个类型设为 public, 就允许用户使用这个名字。

3. 成员函数可被重载

这些类之所以简单, 另一个方面也是因为它们只定义了几个成员函数。特别地, 这些类都不需要定义其任意成员函数的重载版本。然而, 像非成员函数一样, 成员函数也可以被重载 (7.8节)。

重载操作符 (14.9.5 节) 有特殊规则, 是个例外, 成员函数只能重载本类的其他成员函数。类的成员函数与普通的非成员函数以及在其他类中声明的函数不相关, 也不能重载它们。重载的成员函数和普通函数应用相同的规则: 两个重载成员的形参数量和类型不能完全相同。调用非成员重载函数所用到的函数匹配 (7.8.2 节) 过程也应用于重载成员函数的调用。

4. 定义重载成员函数

为了举例说明重载，可以给出 Screen 类的两个重载成员，用于从窗口返回一个特定字符。两个重载成员中，一个版本返回由当前光标指示的字符，另一个返回指定行列处的字符：

```
class Screen {
public:
    typedef std::string::size_type index;
    // return character at the cursor or at a given position
    char get() const { return contents[cursor]; }
    char get(index ht, index wd) const;
    // remaining members
private:
    std::string contents;
    index cursor;
    index height, width;
};
```

与任意的重载函数一样，给指定的函数调用提供适当数目和/或类型的实参来选择运行哪个版本：

```
Screen myscreen;
char ch = myscreen.get();// calls Screen::get()
ch = myscreen.get(0,0);  // calls Screen::get(index, index)
```

5. 显式指定 inline 成员函数

在类内部定义的成员函数，例如不接受实参的 get 成员，将自动作为 inline 处理。也就是说，当它们被调用时，编译器将试图在同一行内扩展该函数（7.6 节）。也可以显式地将成员函数声明为 inline：

```
class Screen {
public:
    typedef std::string::size_type index;
    // implicitly inline when defined inside the class declaration
    char get() const { return contents[cursor]; }
    // explicitly declared as inline; will be defined outside the class declaration
    inline char get(index ht, index wd) const;
    // inline not specified in class declaration, but can be defined inline later
    index get_cursor() const;
    // ...
};
// inline declared in the class declaration; no need to repeat on the definition
char Screen::get(index r, index c) const
{
    index row = r * width;      // compute the row location
    return contents[row + c]; // offset by c to fetch specified character
}
// not declared as inline in the class declaration, but ok to make inline in definition
inline Screen::index Screen::get_cursor() const
{
    return cursor;
}
```

可以在类定义体内部指定一个成员为 inline，作为其声明的一部分。或者，也可以在类定义体外部的函数定义上指定 inline。在声明和定义处指定 inline 都是合法的。在类的外部定义

436

inline 的一个好处是可以使得类比较容易阅读。

　　像其他 inline 一样，inline 成员函数的定义必须在调用该函数的每个源文件中是可见的。不在类定义体内定义的 inline 成员函数，其定义通常应放在有类定义的同一头文件中。

习题

习题 12.8　将 Sales_item::avg_price 定义为内联函数。

习题 12.9　修改本节中给出的 Screen 类，给出一个构造函数，根据屏幕的高度、宽度和内容的值来创建 Screen。

习题 12.10　解释下述类中的每个成员：

```
class Record {
    typedef std::size_t size;
    Record(): byte_count(0) { }
    Record(size s): byte_count(s) { }
    Record(std::string s): name(s), byte_count(0) { }
    size byte_count;
    std::string name;
public:
    size get_count() const { return byte_count; }
    std::string get_name() const { return name; }
};
```

12.1.4　类声明与类定义

　　一旦遇到右花括号，类的定义就结束了。并且一旦定义了类，那以我们就知道了所有的类成员，以及存储该类的对象所需的存储空间。在一个给定的源文件中，一个类只能被定义一次。如果在多个文件中定义一个类，那么每个文件中的定义必须是完全相同的。

　　将类定义放在头文件中，可以保证在每个使用类的文件中以同样的方式定义类。使用头文件保护符（header guard）（2.9.2 节），来保证即使头文件在同一文件中被包含多次，类定义也只出现一次。

　　可以声明一个类而不定义它：

　　class Screen; // *declaration of the Screen class*

这个声明，有时称为**前向声明**（forward declaration），在程序中引入了类类型的 Screen。在声明之后、定义之前，类 Screen 是一个**不完全类型**（incompete type），即已知 Screen 是一个类型，但不知道包含哪些成员。

　　不完全类型只能以有限方式使用。不能定义该类型的对象。不完全类型只能用于定义指向该类型的指针及引用，或者用于声明（而不是定义）使用该类型作为形参类型或返回类型的函数。

　　在创建类的对象之前，必须完整地定义该类。必须定义类，而不只是声明类，这样，编译器

437

就会给类的对象预定相应的存储空间。同样地，在使用引用或指针访问类的成员之前，必须已经
定义类。

为类的成员使用类声明

只有当类定义已经在前面出现过，数据成员才能被指定为该类类型。如果该类型是不完全类
型，那么数据成员只能是指向该类类型的指针或引用。

因为只有当类定义体完成后才能定义类，因此类不能具有自身类型的数据成员。然而，只要
类名一出现就可以认为该类已声明。因此，类的数据成员可以是指向自身类型的指针或引用：

```
class LinkScreen {
    Screen window;
    LinkScreen *next;
    LinkScreen *prev;
};
```

类的前向声明一般用来编写相互依赖的类。在 13.4 节中，我们将看到这种用法的
一个例子。

习题

习题 12.11 定义两个类 X 和 Y，X 中有一个指向 Y 的指针，Y 中有一个 X 类型的对象。

习题 12.12 解释类声明与类定义之间的差异。何时使用类声明？何时使用类定义？

12.1.5 类对象

定义一个类时，也就是定义了一个类型。一旦定义了类，就可以定义该类型的对象。定义对
象时，将为其分配存储空间，但（一般而言）定义类型时不进行存储分配：

```
class Sales_item {
public:
    // operations on Sales_item objects
private:
    std::string isbn;
    unsigned units_sold;
    double revenue;
};
```

定义了一个新的类型，但没有进行存储分配。当我们定义一个对象

```
Sales_item item;
```

时，编译器分配了足以容纳一个 Sales_item 对象的存储空间。item 指的就是那个存储空间。
每个对象具有自己的类数据成员的副本。修改 item 的数据成员不会改变任何其他 Sales_item
对象的数据成员。

1. 定义类类型的对象

定义了一个类类型之后，可以按以下两种方式使用。

- 将类的名字直接用作类型名。
- 指定关键字 class 或 struct，后面跟着类的名字：

```
Sales_item item1;          // default initialized object of type Sales_item
class Sales_item item1;     // equivalent definition of item1
```

两种引用类类型的方法是等价的。第二种方法是从 C 继承而来的，在 C++中仍然有效。第一种更为简练，由 C++语言引入，使得类类型更容易使用。

2. 为什么类的定义以分号结束

我们在 2.8 节中指出，类的定义以分号结束。分号是必需的，因为在类定义之后可以接一个对象定义列表。定义必须以分号结束：

```
class Sales_item { /* ... */ };
class Sales_item { /* ... */ } accum, trans;
```

> 通常，将对象定义成类定义的一部分是个坏主意。这样做，会使所发生的操作难以理解。对读者而言，将两个不同的实体（类和变量）组合在一个语句中，也会令人迷惑不解。

12.2 隐含的 **this** 指针

在 7.7.1 节中已经提到，成员函数具有一个附加的隐含形参，即指向该类对象的一个指针。这个隐含形参命名为 this，与调用成员函数的对象绑定在一起。成员函数不能定义 this 形参，而是由编译器隐含地定义。成员函数的函数体可以显式使用 this 指针，但不是必须这么做。如果对类成员的引用没有限定，编译器会将这种引用处理成通过 this 指针的引用。

1. 何时使用 **this** 指针

尽管在成员函数内部显式引用 this 通常是不必要的，但有一种情况下必须这样做：当我们需要将一个对象作为整体引用而不是引用对象的一个成员时。最常见的情况是在这样的函数中使用 this：该函数返回对调用该函数的对象的引用。

某种类可能具有某些操作，这些操作应该返回引用，Screen 类就是这样的一个类。迄今为止，我们的类只有一对 get 操作。逻辑上，我们可以添加下面的操作。

- 一对 set 操作，将特定字符或光标指向的字符设置为给定值。
- 一个 move 操作，给定两个 index 值，将光标移至新位置。

理想情况下，希望用户能够将这些操作的序列连接成一个单独的表达式：

```
// move cursor to given position, and set that character
myScreen.move(4,0).set('#');
```

这个语句等价于：

```
myScreen.move(4,0);
myScreen.set('#');
```

2. 返回 ***this**

在单个表达式中调用 move 和 set 操作时，每个操作必须返回一个引用，该引用指向执行操作的那个对象：

```
class Screen {
```

```
public:
    // interface member functions
    Screen& move(index r, index c);
    Screen& set(char);
    Screen& set(index, index, char);
    // other members as before
};
```

注意，这些函数的返回类型是 Screen&，指明该成员函数返回对其自身类类型的对象的引用。每个函数都返回调用自己的那个对象。使用 this 指针来访问该对象。下面是对两个新成员的实现：

```
Screen& Screen::set(char c)
{
    contents[cursor] = c;
    return *this;
}
Screen& Screen::move(index r, index c)
{
    index row = r * width; // row location
    cursor = row + c;
    return *this;
}
```

函数中唯一需要关注的部分是 return 语句。在这两个操作中，每个函数都返回*this。在这些函数中，this 是一个指向非常量 Screen 的指针。如同任意的指针一样，可以通过对 this 指针解引用来访问 this 指向的对象。

441

3. 从 const 成员函数返回*this

在普通的非 const 成员函数中，this 的类型是一个指向类类型的 const 指针（4.2.5 节）。可以改变 this 所指向的值，但不能改变 this 所保存的地址。在 const 成员函数中，this 的类型是一个指向 const 类类型对象的 const 指针。既不能改变 this 所指向的对象，也不能改变 this 所保存的地址。

> 不能从 const 成员函数返回指向类对象的普通引用。const 成员函数只能返回*this 作为一个 const 引用。

例如，我们可以给 Screen 类增加一个 display 操作。这个函数应该在给定的 ostream 上打印 contents。逻辑上，这个操作应该是一个 const 成员。打印 contents 不会改变对象。如果将 display 作为 Screen 的 const 成员，则 display 内部的 this 指针将是一个 const Screen*型的 const。

然而，与 move 和 set 操作一样，我们希望能够在一个操作序列中使用 display：

```
// move cursor to given position, set that character and display the screen
myScreen.move(4,0).set('#').display(cout);
```

这个用法暗示了 display 应该返回一个 Screen 引用，并接受一个 ostream 引用。如果 display 是一个 const 成员，则它的返回类型必须是 const Screen&。

不幸的是，这个设计存在一个问题。如果将 display 定义为 const 成员，就可以在非 const 对象上调用 display，但不能将对 display 的调用嵌入到一个长表达式中。下面的代码将是非法的：

```
Screen myScreen;
// this code fails if display is a const member function
// display return a const reference; we cannot call set on a const
myScreen.display().set('*');
```

问题在于这个表达式是在由 display 返回的对象上运行 set。该对象是 const，因为 display 将其对象作为 const 返回。我们不能在 const 对象上调用 set。

4. 基于 const 的重载

为了解决这个问题，我们必须定义两个 display 操作：一个是 const，另一个不是 const。基于成员函数是否为 const，可以重载一个成员函数；同样地，基于一个指针形参是否指向 const（7.8.4 节），可以重载一个函数。const 对象只能使用 const 成员。非 const 对象可以使用任一成员，但非 const 版本是一个更好的匹配。

在此，我们将定义一个名为 do_display 的 private 成员来打印 Screen。每个 display 操作都将调用此函数，然后返回调用自己的那个对象：

```
class Screen {
public:
    // interface member functions
    // display overloaded on whether the object is const or not
    Screen& display(std::ostream &os)
                { do_display(os); return *this; }
    const Screen& display(std::ostream &os) const
                { do_display(os); return *this; }
private:
    // single function to do the work of displaying a Screen,
    // will be called by the display operations
    void do_display(std::ostream &os) const
                    { os << contents; }
    // as before
};
```

现在，当我们将 display 嵌入到一个长表达式中时，将调用非 const 版本。当我们 display 一个 const 对象时，就调用 const 版本：

```
Screen myScreen(5,3);
const Screen blank(5, 3);
myScreen.set('#').display(cout);    // calls nonconst version
blank.display(cout);                // calls const version
```

5. 可变数据成员

有时（但不是很经常），我们希望类的数据成员（甚至在 const 成员函数内）可以修改。这可以通过将它们声明为 mutable 来实现。

可变数据成员永远都不能为 const，甚至当它是 const 对象的成员时也如此。因此，const 成员函数可以改变 mutable 成员。要将数据成员声明为可变的，必须将关键字 mutable 放在成员声明之前：

```
class Screen {
public:
// interface member functions
private:
    mutable size_t access_ctr; // may change in a const members
    // other data members as before
};
```

我们给 Screen 添加了一个新的可变数据成员 access_ctr。使用 access_ctr 来跟踪调用 Screen 成员函数的频繁程度：

```
void Screen::do_display(std::ostream& os) const
{
    ++access_ctr; // keep count of calls to any member function
    os << contents;
}
```

443

尽管 do_display 是 const，它也可以增加 access_ctr。该成员是可变成员，所以，任意成员函数，包括 const 函数，都可以改变 access_ctr 的值。

建议：用于公共代码的私有实用函数

有些读者可能会奇怪为什么要费力地单独定义一个 do_display 操作。毕竟，对 do_display 的调用并不比在 do_display 内部所做的操作更简单。为什么还要如此麻烦？我们这样做有下面几个原因。

(1) 一般愿望是避免在多个地方编写同样的代码。

(2) display 操作预期会随着类的演变而变得更复杂。当所涉及的动作变得更复杂时，只在一处而不是两处编写这些动作有更显著的意义。

(3) 很可能我们会希望在开发时给 do_display 增加调试信息，这些调试信息将会在代码的最终成品版本中去掉。如果只需要改变一个 do_display 的定义来增加或删除调试代码，这样做将更容易。

(4) 这个额外的函数调用不需要涉及任何开销。我们使 do_display 成为内联的，所以调用 do_display 与将代码直接放入 display 操作的运行时性能应该是相同的。

实际上，设计良好的 C++ 程序经常具有许多像 do_display 这样的小函数，它们被调用来完成一些其他函数的"实际"工作。

习题

习题 12.13 扩展 Screen 类以包含 move、set 和 display 操作。通过执行如下表达式来测试类：

```
// move cursor to given position, set that character and display the screen
myScreen.move(4,0).set('#').display(cout);
```

习题 12.14 通过 this 指针引用成员虽然合法，但却是多余的。讨论显式使用 this 指针访问成员的优缺点。

12.3　类作用域

每个类都定义了自己的新作用域和唯一的类型。在类的定义体内声明类成员，将成员名引入类的作用域。两个不同的类具有两个不同的类作用域。

即使两个类具有完全相同的成员列表，它们也是不同的类型。每个类的成员不同于任何其他类（或任何其他作用域）的成员。

例如：
```
class First {
public:
    int memi;
    double memd;
};

class Second {
public:
    int memi;
    double memd;
};

First obj1;
Second obj2 = obj1; // error: obj1 and obj2 have different types
```

1. 使用类的成员

在类作用域之外，成员只能通过对象或指针分别使用成员访问操作符 . 或 -> 来访问。这些操作符左边的操作数分别是一个类对象或指向类对象的指针。跟在操作符后面的成员名字必须在相关联的类的作用域中声明：

```
Class obj;           // Class is some class type
Class *ptr = &obj;
// member is a data member of that class
ptr->member;         // fetches member from the object to which ptr points
obj.member;          // fetches member from the object named obj
// memfcn is a function member of that class
ptr->memfcn();       // runs memfcn on the object to which ptr points
obj.memfcn();        // runs memfcn on the object named obj
```

一些成员使用成员访问操作符来访问，另一些直接通过类使用作用域操作符（::）来访问。一般的数据或函数成员必须通过对象来访问。定义类型的成员，如 Screen::index，使用作用域操作符来访问。

2. 作用域与成员定义

尽管成员是在类的定义体之外定义的，但成员定义就好像它们是在类的作用域中一样。回忆一下，出现在类的定义体之外的成员定义必须指明成员出现在哪个类中：

```
double Sales_item::avg_price() const
{
    if (units_sold)
        return revenue/units_sold;
    else
```

```
        return 0;
    }
```

在这里，我们用完全限定名 `Sales_item::avg_price` 来指出这是类 `Sales_item` 作用域中的 `avg_price` 成员的定义。一旦看到成员的完全限定名，就知道该定义是在类作用域中。因为该定义是在类作用域中，所以我们可以引用 revenue 或 units_sold，而不必写 this->revenue 或 this->units_sold。

3. 形参表和函数体处于类作用域中

在定义于类外部的成员函数中，形参表和成员函数体都出现在成员名之后。这些都是在类作用域中定义，所以可以不用限定而引用其他成员。例如，类 Screen 中 get 的二形参版本的定义：

```
char Screen::get(index r, index c) const
{
    index row = r * width;         // compute the row location
    return contents[row + c];      // offset by c to fetch specified character
}
```

该函数用 Screen 内定义的 index 类型来指定其形参类型。因为形参是在 Screen 类的作用域内，所以不必指明我们想要的是 Screen::index。我们想要的是定义在当前类作用域中的，这是隐含的。同样，使用 index、width 和 contents 时指的都是 Screen 类中声明的名字。

4. 函数返回类型不一定在类作用域中

与形参类型相比，返回类型出现在成员名字前面。如果函数在类定义体之外定义，则用于返回类型的名字在类作用域之外。如果返回类型使用由类定义的类型，则必须使用完全限定名。例如，考虑 get_cursor 函数：

```
class Screen {
public:
    typedef std::string::size_type index;
    index get_cursor() const;
};
inline Screen::index Screen::get_cursor() const
{
    return cursor;
}
```

该函数的返回类型是 index，这是在 Screen 类内部定义的一个类型名。如果在类定义体之外定义 get_cursor，则在函数名被处理之前，代码不在类作用域内。当看到返回类型时，其名字是在类作用域之外使用。必须用完全限定的类型名 Screen::index 来指定所需要的 index 是在类 Screen 中定义的名字。

习题

习题 12.15　列出在类作用域中的程序文本部分。

习题 12.16　如果如下定义 get_cursor，将会发生什么：

```
index Screen::get_cursor() const
{
    return cursor;
}
```

类作用域中的名字查找

迄今为止，在我们所编写的程序中，**名字查找**（寻找与给定的名字使用相匹配的声明的过程）是相对直接的。

(1) 首先，在使用该名字的块中查找名字的声明。只考虑在该项使用之前声明的名字。

(2) 如果找不到该名字，则在包围的作用域中查找。

如果找不到任何声明，则程序出错。在 C++程序中，所有名字必须在使用之前声明。

类作用域也许表现得有点不同，但实际上遵循同一规则。可能引起混淆的是函数中名字确定的方式，而该函数是在类定义体内定义的。

> 类定义实际上是在两个阶段中处理：
> (1) 首先，编译成员声明；
> (2) 只有在所有成员出现之后，才编译它们的定义本身。

当然，类作用域中使用的名字并非必须是类成员名。类作用域中的名字查找也会发现在其他作用域中声明的名字。在名字查找期间，如果类作用域中使用的名字不能确定为类成员名，则在包含该类或成员定义的作用域中查找，以便找到该名字的声明。

1. 类成员声明的名字查找

按以下方式确定在类成员的声明中用到的名字。

- 检查出现在名字使用之前的类成员的声明。
- 如果第 1 步查找不成功，则检查包含类定义的作用域中出现的声明以及出现在类定义之前的声明。

[447]

  例如：

```
typedef double Money;
class Account {
public:
    Money balance() { return bal; }
private:
    Money bal;
    // ...
};
```

在处理 **balance** 函数的声明时，编译器首先在类 Account 的作用域中查找 Money 的声明。编译器只考虑出现在 Money 使用之前的声明。因为找不到任何成员声明，编译器随后在全局作用域中查找 Money 的声明。只考虑出现在类 Account 的定义之前的声明。找到全局的类型别名 Money 的声明，并将它用作函数 balance 的返回类型和数据成员 bal 的类型。

> 必须在类中先定义类型名字，才能将它们用作数据成员的类型，或者成员函数的返回类型或形参类型。

编译器按照成员声明在类中出现的次序来处理它们。通常，名字必须在使用之前进行定义。而且，一旦一个名字被用作类型名，该名字就不能被重复定义：

```
typedef double Money;
class Account {
public:
    Money balance() { return bal; } // uses global definition of Money
private:
    // error: cannot change meaning of Money
    typedef long double Money;
    Money bal;
    // ...
};
```

2. 类成员定义中的名字查找

按以下方式确定在成员函数的函数体中用到的名字。

- 首先检查成员函数局部作用域中的声明。
- 如果在成员函数中找不到该名字的声明，则检查对所有类成员的声明。
- 如果在类中找不到该名字的声明，则检查在此成员函数定义之前的作用域中出现的声明。 448

3. 类成员遵循常规的块作用域名字查找

 例示名字查找的程序经常不得不依赖一些坏习惯。下面的几个程序故意包含了坏的风格。

下面的函数使用了相同的名字来表示形参和成员，这是通常应该避免的。这样做的目的是展示如何确定名字：

```
// Note: This code is for illustration purposes only and reflects bad practice
// It is a bad idea to use the same name for a parameter and a member
int height;
class Screen {
public:
    void dummy_fcn(index height) {
        cursor = width * height; // which height? The parameter
    }
private:
    index cursor;
    index height, width;
};
```

查找 dummy_fcn 的定义中使用的名字 height 的声明时，编译器首先在该函数的局部作用域中查找。函数的局部作用域中声明了一个函数形参。dummy_fcn 的函数体中使用的名字 height 指的就是这个形参声明。

在本例中，height 形参屏蔽名为 height 的成员。

 尽管类的成员被屏蔽了，但仍然可以通过用类名来限定成员名或显式使用 this 指针来使用它。

如果我们想覆盖常规的查找规则，应该这样做：

```
// bad practice: Names local to member functions shouldn't hide member names
void dummy_fcn(index height) {
    cursor = width * this->height;        // member height
    // alternative way to indicate the member
    cursor = width * Screen::height;      // member height
}
```

4. 函数作用域之后，在类作用域中查找

如果想要使用 height 成员，更好的方式也许是为形参取一个不同的名字：

```
// good practice: Don't use member name for a parameter or other local variable
void dummy_fcn(index ht) {
    cursor = width * height; // member height
}
```

现在当编译器查找名字 height 时，它将不会在函数内查找该名字。编译器接着会在 Screen 类中查找。因为 height 是在成员函数内部使用，所以编译器在所有成员声明中查找。尽管 height 是先在 dummy_fcn 中使用，然后再声明，编译器还是确定这里用的是名为 height 的数据成员。

5. 类作用域之后，在外围作用域中查找

如果编译器不能在函数或类作用域中找到，就在外围作用域中查找。在本例子中，出现在 Screen 定义之前的全局作用域中声明了一个名为 height 的全局对象。然而，该对象被屏蔽了。

 　　尽管全局对象被屏蔽了，但通过用全局作用域确定操作符来限定名字，仍然可以使用它。

```
// bad practice: Don't hide names that are needed from surrounding scopes
void dummy_fcn(index height) {
    cursor = width * ::height;// which height? The global one
}
```

6. 在文件中名字的出现处确定名字

当成员定义在类定义的外部时，名字查找的第 3 步不仅要考虑在 Screen 类定义之前的全局作用域中的声明，而且要考虑在成员函数定义之前出现的全局作用域声明。例如：

```
class Screen {
public:
    // ...
    void setHeight(index);
private:
    index height;
};

Screen::index verify(Screen::index);

void Screen::setHeight(index var) {
    // var: refers to the parameter
    // height: refers to the class member
    // verify: refers to the global function
    height = verify(var);
}
```

注意，全局函数 verify 的声明在 Screen 类定义之前是不可见的。然而，名字查找的第 3 步要考虑那些出现在成员定义之前的外围作用域声明，并找到全局函数 verify 的声明。

450

习题

习题 12.17 如果将 Screen 类中的类型别名放到类中的最后一行，将会发生什么？

习题 12.18 解释下述代码。指出每次使用 Type 或 initVal 时用到的是哪个名字定义。如果存在错误，说明如何改正。

```
typedef string Type;
Type initVal();

class Exercise {
public:
    // ...
    typedef double Type;
    Type setVal(Type);
    Type initVal();
private:
    int val;
};

Type Exercise::setVal(Type parm) {
    val = parm + initVal();
}
```

成员函数 setVal 的定义有错。进行必要的修改以便类 Exercise 使用全局的类型别名 Type 和全局函数 initVal。

12.4 构造函数

构造函数（2.3.3 节）是特殊的成员函数，只要创建类类型的新对象，都要执行构造函数。构造函数的工作是保证每个对象的数据成员具有合适的初始值。7.7.3 节展示了如何定义构造函数：

```
class Sales_item {
public:
    // operations on Sales_item objects
    // default constructor needed to initialize members of built-in type
    Sales_item(): units_sold(0), revenue(0.0) { }
private:
    std::string isbn;
    unsigned units_sold;
    double revenue;
};
```

这个构造函数使用构造函数初始化列表来初始化 units_sold 和 revenue 成员。isbn 成员由 sring 的默认构造函数隐式初始化为空串。

451

构造函数的名字与类的名字相同，并且不能指定返回类型。像其他任何函数一样，它们可以没有形参，也可以定义多个形参。

1. 构造函数可以被重载

可以为一个类声明的构造函数的数量没有限制，只要每个构造函数的形参表是唯一的。我们如何才能知道应该定义哪个或多少个构造函数？一般而言，不同的构造函数允许用户指定不同的方式来初始化数据成员。

例如，逻辑上可以通过提供两个额外的构造函数来扩展 Sales_item 类：一个允许用户提供 isbn 的初始值，另一个允许用户通过读取 istream 对象来初始化对象：

```
class Sales_item;
// other members as before
public:
    // added constructors to initialize froma string or an istream
    Sales_item(const std::string&);
    Sales_item(std::istream&);
    Sales_item();
};
```

2. 实参决定使用哪个构造函数

我们的类现在定义了三个构造函数。在定义新对象时，可以使用这些构造函数中的任意一个：

```
// uses the default constructor:
// isbn is the empty string; units_sold and revenue are 0
Sales_item empty;
// specifies an explicit isbn; units_sold and revenue are 0
Sales_item Primer_3rd_Ed("0-201-82470-1");
// reads values from the standard input into isbn, units_sold, and revenue
Sales_item Primer_4th_ed(cin);
```

用于初始化一个对象的实参类型决定使用哪个构造函数。在 empty 的定义中，没有初始化式，所以运行默认构造函数。接受一个 string 实参的构造函数用于初始化 Primer_3rd_ed；接受一个 istream 引用的构造函数初始化 Primer_4th_ed。

3. 构造函数自动执行

只要创建该类型的一个对象，编译器就运行一个构造函数：

```
// constructor that takes a string used to create and initialize variable
Sales_item Primer_2nd_ed("0-201-54848-8");
// default constructor used to initialize unnamed object on the heap
Sales_item *p = new Sales_item();
```

452 第一种情况下，运行接受一个 string 实参的构造函数，来初始化变量 Primer_2nd_ed。第二种情况下，动态分配一个新的 Sales_item 对象。假定分配成功，则通过运行默认构造函数初始化该对象。

4. 用于 **const** 对象的构造函数

构造函数不能声明为 const（7.7.1 节）：

```
class Sales_item {
public:
    Sales_item() const;    // error
};
```

const 构造函数是不必要的。创建类类型的 const 对象时，运行一个普通构造函数来初始化该

const 对象。构造函数的工作是初始化对象。不管对象是否为 const，都用一个构造函数来初始化该对象。

习题

习题 12.19　提供一个或多个构造函数，允许该类的用户不指定数据成员的初始值或指定所有数据成员的初始值：

```cpp
class NoName {
public:
    // constructor(s) go here ...
private:
    std::string *pstring;
    int         ival;
    double      dval;
};
```

解释如何确定需要多少个构造函数以及它们应该接受什么样的形参。

习题 12.20　从下述抽象中选择一个（或一个自己定义的抽象），确定类中需要什么数据，并提供适当的构造函数集。解释你的决定：

(a) Book　　　(b) Date　　　(c) Employee
(d) Vehicle　　(e) Object　　(f) Tree

12.4.1　构造函数初始化式

与任何其他函数一样，构造函数具有名字、形参表和函数体。与其他函数不同的是，构造函数也可以包含一个构造函数初始化列表：

```cpp
// recommended way to write constructors using a constructor initializer
Sales_item::Sales_item(const string &book):
    isbn(book), units_sold(0), revenue(0.0) { }
```

构造函数初始化列表以一个冒号开始，接着是一个以逗号分隔的数据成员列表，每个数据成员后面跟一个放在圆括号中的初始化式。这个构造函数将 isbn 成员初始化为 book 形参的值，将 units_sold 和 revenue 初始化为 0。与任意的成员函数一样，构造函数可以定义在类的内部或外部。构造函数初始化式只在构造函数的定义中而不是声明中指定。

　　　　　　构造函数初始化列表是许多相当有经验的 C++程序员都没有掌握的一个特性。

构造函数初始化列表难以理解的一个原因在于，省略初始化列表并在构造函数的函数体内对数据成员赋值是合法的。例如，可以将接受一个 string 的 Sales_item 构造函数编写为：

```cpp
// legal but sloppier way to write the constructor:
// no constructor initializer
Sales_item::Sales_item(const string &book)
{
```

```
isbn = book;
units_sold = 0;
revenue = 0.0;
}
```

这个构造函数给类 Sales_item 的成员赋值，但没有进行显式初始化。不管是否有显式的初始化式，在执行构造函数之前，要初始化 isbn 成员。这个构造函数隐式使用默认的 string 构造函数来初始化 isbn。执行构造函数的函数体时，isbn 成员已经有值了。该值被构造函数函数体中的赋值所覆盖。

从概念上讲，可以认为构造函数分两个阶段执行：（1）初始化阶段；（2）普通的计算阶段。计算阶段由构造函数函数体中的所有语句组成。

 　　　不管成员是否在构造函数初始化列表中显式初始化，类类型的数据成员总是在初始化阶段初始化。初始化发生在计算阶段开始之前。

在构造函数初始化列表中没有显式提及的每个成员，使用与初始化变量（2.3.4 节）相同的规则来进行初始化。运行该类型的默认构造函数，来初始化类类型的数据成员。内置或复合类型的成员的初始值依赖于对象的作用域：在局部作用域中这些成员不被初始化，而在全局作用域中它们被初始化为 0。

[454]

在本节中编写的两个 Sales_item 构造函数版本具有同样的效果：无论是在构造函数初始化列表中初始化成员，还是在构造函数函数体中对它们赋值，最终结果是相同的。构造函数执行结束后，三个数据成员保存同样的值。不同之处在于，使用构造函数初始化列表的版本初始化数据成员，没有定义初始化列表的构造函数版本在构造函数函数体中对数据成员赋值。这个区别的重要性取决于数据成员的类型。

1. 有时需要构造函数初始化列表

如果没有为类成员提供初始化式，则编译器会隐式地使用成员类型的默认构造函数。如果那个类没有默认构造函数，则编译器尝试使用默认构造函数将会失败。在这种情况下，为了初始化数据成员，必须提供初始化式。

 　　　有些成员必须在构造函数初始化列表中进行初始化。对于这样的成员，在构造函数函数体中对它们赋值不起作用。没有默认构造函数的类类型的成员，以及 const 或引用类型的成员，不管是哪种类型，都必须在构造函数初始化列表中进行初始化。

因为内置类型的成员不进行隐式初始化，所以对这些成员是进行初始化还是赋值似乎都无关紧要。除了两个例外，对非类类型的数据成员进行赋值或使用初始化式在结果和性能上都是等价的。

例如，下面的构造函数是错误的：

```
class ConstRef {
public:
    ConstRef(int ii);
private:
    int i;
```

```
        const int ci;
        int &ri;
};
// no explicit constructor initializer: error ri is uninitialized
ConstRef::ConstRef(int ii)
{               // assignments:
    i = ii;     // ok
    ci = ii;    // error: cannot assign to a const
    ri = i;     // assigns to ri which was not bound to an object
}
```

记住，可以初始化 const 对象或引用类型的对象，但不能对它们赋值。在开始执行构造函数的函数体之前，要完成初始化。初始化 const 或引用类型数据成员的唯一机会是在构造函数初始化列表中。编写该构造函数的正确方式为

```
// ok: explicitly initialize reference and const members
ConstRef::ConstRef(int ii): i(ii), ci(i), ri(ii) { }
```

455

建议：使用构造函数初始化列表

在许多类中，初始化和赋值严格来讲都是低效率的：数据成员可能已经被直接初始化了，还要对它进行初始化和赋值。比效率问题更重要的是，某些数据成员必须要初始化，这是一个事实。

 必须对任何 const 或引用类型成员以及没有默认构造函数的类类型的任何成员使用初始化式。

当类成员需要使用初始化列表时，通过常规地使用构造函数初始化列表，就可以避免发生编译时错误。

2. 成员初始化的次序

每个成员在构造函数初始化列表中只能指定一次，这不会令人惊讶。毕竟，给一个成员两个初始值意味着什么？也许更令人惊讶的是，构造函数初始化列表仅指定用于初始化成员的值，并不指定这些初始化执行的次序。成员被初始化的次序就是定义成员的次序。第一个成员首先被初始化，然后是第二个，依次类推。

 初始化的次序常常无关紧要。然而，如果一个成员是根据其他成员而初始化，则成员初始化的次序是至关重要的。

考虑下面的类：

```
class X {
    int i;
    int j;
public:
    // run-time error: i is initialized before j
    X(int val): j(val), i(j) { }
};
```

在这种情况下，构造函数初始化列表看起来似乎是用 val 初始化 j，然后再用 j 来初始化 i。然

而，i 首先被初始化。这个初始化列表的效果是用尚未初始化的 j 值来初始化 i！

如果数据成员在构造函数初始化列表中的列出次序与成员被声明的次序不同，那么有的编译器非常友好，会给出一个警告。

> 🖌 **最佳
> 实践**　　按照与成员声明一致的次序编写构造函数初始化列表是个好主意。此外，尽可能避免使用成员来初始化其他成员。

一般情况下，通过（重复）使用构造函数的形参而不是使用对象的数据成员，可以避免由初始化式的执行次序而引起的任何问题。例如，下面这样为 X 编写构造函数可能更好：

```
X(int val): i(val), j(val) { }
```

在这个版本中，i 和 j 初始化的次序就是无关紧要的。

3. 初始化式可以是任意表达式

一个初始化式可以是任意复杂的表达式。例如，可以给 Sales_item 类一个新的构造函数，该构造函数接受一个 string 表示 isbn，一个 usigned 表示售出书的数目，一个 double 表示每本书的售出价格：

```
Sales_item(const std::string &book, int cnt, double price):
    isbn(book), units_sold(cnt), revenue(cnt * price) { }
```

revenue 的初始化式使用表示价格和售出数目的形参来计算对象的 revenue 成员。

4. 类类型的数据成员的初始化式

初始化类类型的成员时，要指定实参并传递给成员类型的一个构造函数。可以使用该类型的任意构造函数。例如，Sales_item 类可以使用任意一个 string 构造函数来初始化 isbn（9.6.1 节）。也可以用 ISBN 取值的极限值来表示 isbn 的默认值，而不是用空字符串。可以将 isbn 初始化为由 10 个 9 构成的串：

```
// alternative definition for Sales_item default constructor
Sales_item(): isbn(10, '9'), units_sold(0), revenue(0.0) {}
```

这个初始化式使用 string 构造函数，接受一个计数值和一个字符，并生成一个 string，来保存重复指定次数的字符。

习题

习题 12.21　使用构造函数初始化列表编写类的默认构造函数，该类包含如下成员：一个 const string，一个 int，一个 double*和一个 ifstream&。初始化 string 来保存类的名字。

习题 12.22　下面的初始化式有错误。找出并改正错误。

```
struct X {
    X (int i, int j): base(i), rem(base % j) { }
    int rem, base;
};
```

习题 12.23　假定有个命名为 NoDefault 的类，该类有一个接受一个 int 的构造函数，但没有默认构造函数。定义有一个 NoDefault 类型成员的类 C。为类 C 定义默认构造函数。

12.4.2 默认实参与构造函数

再来看看默认构造函数和接受一个 string 的构造函数的定义：

```cpp
Sales_item(const std::string &book):
            isbn(book), units_sold(0), revenue(0.0) { }
Sales_item(): units_sold(0), revenue(0.0) { }
```

这两个构造函数几乎是相同的：唯一的区别在于，接受一个 string 形参的构造函数使用该形参来初始化 isbn。默认构造函数（隐式地）使用 string 的默认构造函数来初始化 isbn。

可以通过为 string 初始化式提供一个默认实参将这些构造函数组合起来：

```cpp
class Sales_item {
public:
    // default argument for book is the empty string
    Sales_item(const std::string &book = ""):
                isbn(book), units_sold(0), revenue(0.0) { }
    Sales_item(std::istream &is);
    // as before
};
```

在这里，我们只定义了两个构造函数，其中一个为其形参提供一个默认实参。对于下面的任一定义，将执行为其 string 形参接受默认实参的那个构造函数：

```cpp
Sales_item empty;
Sales_item Primer_3rd_Ed("0-201-82470-1");
```

在 empty 的情况下，使用默认实参，而 Primer_3rd_ed 提供了一个显式实参。

类的两个版本提供同一接口：给定一个 string 或不给定初始化式，它们都将一个 Sales_item 初始化为相同的值。

 最佳实践 我们更喜欢使用默认实参，因为它减少代码重复。

习题

习题 12.24 上面的 Sales_item 定义了两个构造函数，其中之一有一个默认实参对应其单个 string 形参。使用该 Sales_item 版本，确定用哪个构造函数来初始化下述的每个变量，并列出每个对象中数据成员的值：

```cpp
Sales_item first_item(cin);

int main() {
    Sales_item next;
    Sales_item last("9-999-99999-9");
}
```

习题 12.25 逻辑上讲，我们可能希望将 cin 作为默认实参提供给接受一个 istream& 形参的构造函数。编写使用 cin 作为默认实参的构造函数声明。

习题 12.26 接受一个 string 和接受一个 istream& 的构造函数都具有默认实参是合法的吗？如果不是，为什么？

12.4.3 默认构造函数

只要定义一个对象时没有提供初始化式，就使用默认构造函数。为所有形参提供默认实参的构造函数也定义了默认构造函数。

1. 合成的默认构造函数

一个类哪怕只定义了一个构造函数，编译器也不会再生成默认构造函数。这条规则的根据是，如果一个类在某种情况下需要控制对象初始化，则该类很可能在所有情况下都需要控制。

 只有当一个类没有定义构造函数时，编译器才会自动生成一个默认构造函数。

合成的默认构造函数（synthesized default constructor）使用与变量初始化相同的规则来初始化成员。具有类类型的成员通过运行各自的默认构造函数来进行初始化。内置和复合类型的成员，如指针和数组，只对定义在全局作用域中的对象才初始化。当对象定义在局部作用域中时，内置或复合类型的成员不进行初始化。

最佳实践 如果类包含内置或复合类型的成员，则该类不应该依赖于合成的默认构造函数。它应该定义自己的构造函数来初始化这些成员。

此外，每个构造函数应该为每个内置或复合类型的成员提供初始化式。没有初始化内置或复合类型成员的构造函数，将使那些成员处于未定义的状态。除了作为赋值的目标之外，以任何方式使用一个未定义的成员都是错误的。如果每个构造函数将每个成员设置为明确的已知状态，则成员函数可以区分空对象和具有实际值的对象。

2. 类通常应定义一个默认构造函数

在某些情况下，默认构造函数是由编译器隐式应用的。如果类没有默认构造函数，则该类就不能用在这些环境中。为了例示需要默认构造函数的情况，假定有一个 NoDefault 类，它没有定义自己的默认构造函数，却有一个接受一个 string 实参的构造函数。因为该类定义了一个构造函数，因此编译器将不合成默认构造函数。NoDefault 没有默认构造函数，意味着：

(1) 具有 NoDefault 成员的每个类的每个构造函数，必须通过传递一个初始的 string 值给 NoDefault 构造函数来显式地初始化 NoDefault 成员。

(2) 编译器将不会为具有 NoDefault 类型成员的类合成默认构造函数。如果这样的类希望提供默认构造函数，就必须显式地定义，并且默认构造函数必须显式地初始化其 NoDefault 成员。

(3) NoDefault 类型不能用作动态分配数组的元素类型。

(4) NoDefault 类型的静态分配数组必须为每个元素提供一个显式的初始化式。

(5) 如果有一个保存 NoDefault 对象的容器，例如 vector，就不能使用接受容器大小而没有同时提供一个元素初始化式的构造函数。

最佳实践 实际上，如果定义了其他构造函数，则提供一个默认构造函数几乎总是对的。通常，在默认构造函数中给成员提供的初始值应该指出该对象是"空"的。

3. 使用默认构造函数

初级 C++程序员常犯的一个错误是，采用以下方式声明一个用默认构造函数初始化的对象：

```
// oops! declares a function, not an object
Sales_item myobj();
```

编译 myobj 的声明没有问题。然而，当我们试图使用 myobj 时

```
Sales_item myobj();    // ok: but defines a function, not an object
if (myobj.same_isbn(Primer_3rd_ed))    // error: myobj is a function
```

编译器会指出不能将成员访问符号用于一个函数！问题在于 myobj 的定义被编译器解释为一个函数的声明，该函数不接受参数并返回一个 Sales_item 类型的对象——与我们的意图大相径庭！使用默认构造函数定义一个对象的正确方式是去掉最后的空括号：

```
// ok: defines a class object ...
Sales_item myobj;
```

另一方面，下面这段代码也是正确的：

```
// ok: create an unnamed, empty Sales_item and use to initialize myobj
Sales_item myobj = Sales_item();
```

在这里，我们创建并初始化一个 Sales_item 对象，然后用它来按值初始化 myobj。编译器通过运行 Sales_item 的默认构造函数来按值初始化一个 Sales_item。

习题

习题 12.27 下面的陈述中哪个是不正确的（如果有的话）？为什么？

(a) 类必须提供至少一个构造函数。

(b) 默认构造函数的形参列表中没有形参。

(c) 如果一个类没有有意义的默认值，则该类不应该提供默认构造函数。

(d) 如果一个类没有定义默认构造函数，则编译器会自动生成一个，同时将每个数据成员初始化为相关类型的默认值。

12.4.4 隐式类类型转换

在 5.12 节介绍过，C++语言定义了内置类型之间的几个自动转换。也可以定义如何将其他类型的对象隐式转换为我们的类类型，或将我们的类类型的对象隐式转换为其他类型。在 14.9 节将会看到如何定义从类类型到其他类型的转换。为了定义到类类型的隐式转换，需要定义合适的构造函数。

可以用单个实参来调用的构造函数定义了从形参类型到该类类型的一个隐式转换。

让我们再看看定义了两个构造函数的 Sales_item 版本：

```
class Sales_item {
public:
    // default argument for book is the empty string
    Sales_item(const std::string &book = ""):
                isbn(book), units_sold(0), revenue(0.0) { }
    Sales_item(std::istream &is);
    // as before
};
```

这里的每个构造函数都定义了一个隐式转换。因此，在期待一个 Sales_item 类型对象的地方，可以使用一个 string 或一个 istream：

```
string null_book = "9-999-99999-9";
// ok: builds a Sales_item with 0 units_sold and revenue from
//     and isbn equal to null_book
item.same_isbn(null_book);
```

461

这段程序使用一个 string 类型对象作为实参传给 Sales_item 的 same_isbn 函数。该函数期待一个 Sales_item 对象作为实参。编译器使用接受一个 string 的 Sales_item 构造函数从 null_book 生成一个新的 Sales_item 对象。新生成的（临时的）Sales_item 被传递给 same_isbn。

这个行为是否我们想要的，依赖于我们认为用户将如何使用这个转换。在这种情况下，它可能是一个好主意。book 中的 string 可能代表一个不存在的 ISBN，对 same_isbn 的调用可以检测 item 中的 Sales_item 是否表示一个空的 Sales_item。另一方面，用户也许在 null_book 上错误地调用了 same_isbn。

更成问题的是从 istream 到 Sales_item 的转换：

```
// ok: uses the Sales_item istream constructor to build an object
//     to pass to same_isbn
item.same_isbn(cin);
```

这段代码将 cin 隐式转换为 Sales_item。这个转换执行接受一个 istream 的 Sales_item 构造函数。该构造函数通过读标准输入来创建一个（临时的）Sales_item 对象。然后该对象被传递给 same_isbn。

这个 Sales_item 对象是一个临时对象（7.3.2 节）。一旦 same_isbn 结束，就不能再访问它。实际上，我们构造了一个在测试完成后被丢弃的对象。这个行为几乎肯定是一个错误。

1. 抑制由构造函数定义的隐式转换

可以通过将构造函数声明为 explicit，来防止在需要隐式转换的上下文中使用构造函数：

```
class Sales_item {
public:
    // default argument for book is the empty string
    explicit Sales_item(const std::string &book = ""):
                isbn(book), units_sold(0), revenue(0.0) { }
    explicit Sales_item(std::istream &is);
    // as before
};
```

explicit 关键字只能用于类内部的构造函数声明上。在类的定义体外部所做的定义上不再重复它：

```
// error: explicit allowed only on constructor declaration in class header
explicit Sales_item::Sales_item(istream& is)
{
    is >> *this; // uses Sales_item input operator to read the members
}
```

现在，两个构造函数都不能用于隐式地创建对象。前两个使用都不能编译：

```
item.same_isbn(null_book);  // error: string constructor is explicit
item.same_isbn(cin);        // error: istream constructor is explicit
```

462

 当构造函数被声明为 explicit 时，编译器将不使用它作为转换操作符。

2. 为转换而显式地使用构造函数

只要显式地按下面这样做，就可以用显式的构造函数来生成转换：

```
string null_book = "9-999-99999-9";
// ok: builds a Sales_item with 0 units_sold and revenue from
//     and isbn equal to null_book
item.same_isbn(Sales_item(null_book));
```

在这段代码中，从 null_book 创建一个 Sales_item。尽管构造函数为显式的，但这个用法是允许的。显式使用构造函数只是中止了隐式地使用构造函数。任何构造函数都可以用来显式地创建临时对象。

 通常，除非有明显的理由想要定义隐式转换，否则，单形参构造函数应该为 explicit。将构造函数设置为 explicit 可以避免错误，并且当转换有用时，用户可以显式地构造对象。

习题

习题 12.28　解释一下接受一个 string 的 Sales_item 构造函数是否应该为 explicit。将构造函数设置为 explicit 的好处是什么？缺点是什么？

习题 12.29　解释在下面的定义中所发生的操作。

```
string null_isbn = "9-999-99999-9";
Sales_item null1(null_isbn);
Sales_item null("9-999-99999-9");
```

习题 12.30　编译如下代码：

```
f(const vector<int>&);
int main() {
    vector<int> v2;
    f(v2);   // should be ok
    f(42);   // should be an error
    return 0;
}
```

基于对 f 的第二个调用中出现的错误，我们可以对 vector 构造函数作出什么推断？如果该调用成功了，那么你能得出什么结论？

463

12.4.5 类成员的显式初始化

尽管大多数对象可以通过运行适当的构造函数进行初始化,但是直接初始化简单的非抽象类的数据成员仍是可能的。对于没有定义构造函数并且其全体数据成员均为 public 的类,可以采用与初始化数组元素相同的方式初始化其成员:

```
struct Data {
    int ival;
    char *ptr;
};
// val1.ival = 0; val1.ptr = 0
Data val1 = { 0, 0 };
// val2.ival = 1024;
// val2.ptr = "Anna Livia Plurabelle"
Data val2 = { 1024, "Anna Livia Plurabelle" };
```

根据数据成员的声明次序来使用初始化式。例如,因为 ival 在 ptr 之前声明,所以下面的用法是错误的:

```
// error: can't use "Anna Livia Plurabelle" to initialize the int ival
Data val2 = { "Anna Livia Plurabelle" , 1024 };
```

这种形式的初始化从 C 继承而来,支持与 C 程序兼容。显式初始化类类型对象的成员有三个重大的缺点。

(1) 要求类的全体数据成员都是 public。

(2) 将初始化每个对象的每个成员的负担放在程序员身上。这样的初始化是乏味且易于出错的,因为容易遗忘初始化式或提供不适当的初始化式。

(3) 如果增加或删除一个成员,必须找到所有的初始化并正确更新。

> 定义和使用构造函数几乎总是较好的。当我们为自己定义的类型提供一个默认构造函数时,允许编译器自动运行那个构造函数,以保证每个类对象在初次使用之前正确地初始化。

习题

习题 12.31 pair 的数据成员为 public,然而下面这段代码却不能编译,为什么?

```
pair<int, int> p2 = {0, 42};    // doesn't compile, why?
```

12.5 友元

在某些情况下,允许特定的非成员函数访问一个类的私有成员,同时仍然阻止一般的访问,这是很方便做到的。例如,被重载的操作符,如输入或输出操作符,经常需要访问类的私有数据成员。这些操作符不可能为类的成员,具体原因参见第 14 章。然而,尽管不是类的成员,它们仍是类的"接口的组成部分"。

友元（friend）机制允许一个类将对其非公有成员的访问权授予指定的函数或类。友元的声明以关键字 friend 开始。它只能出现在类定义的内部。友元声明可以出现在类中的任何地方：友元不是授予友元关系的那个类的成员，所以它们不受其声明出现部分的访问控制影响。

 通常，将友元声明成组地放在类定义的开始或结尾是个好主意。

1. 友元关系：一个例子

想像一下，除了 Screen 类之外，还有一个窗口管理器，管理给定显示器上的一组 Screen。窗口管理类在逻辑上可能需要访问由其管理的 Screen 对象的内部数据。假定 Window_Mgr 是该窗口管理类的名字，Screen 应该允许 Window_Mgr 像下面这样访问其成员：

```
class Screen {
    // Window_Mgr members can access private parts of class Screen
    friend class Window_Mgr;
    // ...rest of the Screen class
};
```

Window_Mgr 的成员可以直接引用 Screen 的私有成员。例如，Window_Mgr 可以有一个函数来重定位一个 Screen：

```
Window_Mgr&
Window_Mgr::relocate(Screen::index r, Screen::index c,
                     Screen& s)
{
    // ok to refer to height and width
    s.height += r;
    s.width += c;
    return *this;
}
```

缺少友元声明时，这段代码将会出错：将不允许使用形参 s 的 height 和 width 成员。因为 Screen 将友元关系授予 Window_Mgr，所以，Window_Mgr 中的函数都可以访问 Screen 的所有成员。

465

友元可以是普通的非成员函数，或前面定义的其他类的成员函数，或整个类。将一个类设为友元，友元类的所有成员函数都可以访问授予友元关系的那个类的非公有成员。

2. 使其他类的成员函数成为友元

如果不是将整个 Window_Mgr 类设为友元，Screen 就可以指定只允许 relocate 成员访问：

```
class Screen {
    // Window_Mgr must be defined before class Screen
    friend Window_Mgr&
        Window_Mgr::relocate(Window_Mgr::index,
                             Window_Mgr::index,
                             Screen&);
    // ...rest of the Screen class
};
```

当我们将成员函数声明为友元时，函数名必须用该函数所属的类名字加以限定。

3. 友元声明与作用域

为了正确地构造类，需要注意友元声明与友元定义之间的互相依赖。在前面的例子中，类

Window_Mgr 必须先定义。否则，Screen 类就不能将一个 Window_Mgr 函数指定为友元。然而，只有在定义类 Screen 之后，才能定义 relocate 函数——毕竟，它被设为友元是为了访问类 Screen 的成员。

更一般地讲，必须先定义包含成员函数的类，才能将成员函数设为友元。另一方面，不必预先声明类和非成员函数来将它们设为友元。

 友元声明将已命名的类或非成员函数引入到外围作用域中。此外，友元函数可以在类的内部定义，该函数的作用域扩展到包围该类定义的作用域。

用友元引入的类名和函数（定义或声明），可以像预先声明的一样使用：

```
class X {
    friend class Y;
    friend void f() { /* ok to define friend function in the class body */ }
};
class Z {
    Y *ymem; // ok: declaration for class Y introduced by friend in X
    void g() { return ::f(); } // ok: declaration of f introduced by X
};
```

4. 重载函数与友元关系
类必须将重载函数集中每一个希望设为友元的函数都声明为友元：

```
// overloaded storeOn functions
extern std::ostream& storeOn(std::ostream &, Screen &);
extern BitMap& storeOn(BitMap &, Screen &);
class Screen {
    // ostream version of storeOn may access private parts of Screen objects
    friend std::ostream& storeOn(std::ostream &, Screen &);
    // ...
};
```

类 Screen 将接受一个 ostream&的 storeOn 版本设为自己的友元。接受一个 BitMap&的版本对 Screen 没有特殊访问权。

习题

习题 12.32   什么是友元函数？什么是友元类？

习题 12.33   什么时候友元是有用的？讨论使用友元的优缺点。

习题 12.34   定义一个将两个 Sales_item 对象相加的非成员函数。

习题 12.35   定义一个非成员函数，读取一个 istream 并将读入的内容存储到一个 Sales_item 中。

12.6 **static** 类成员

对于特定类类型的全体对象而言，访问一个全局对象有时是必要的。也许，在程序的任意点需要统计已创建的特定类类型对象的数量；或者，全局对象可能是指向类的错误处理例程的一个指针；或者，它是指向类类型对象的内存自由存储区的一个指针。

然而，全局对象会破坏封装：对象需要支持特定类抽象的实现。如果对象是全局的，一般的用户代码就可以修改这个值。类可以定义**类静态成员**，而不是定义一个可普遍访问的全局对象。

通常，非 static 数据成员存在于类类型的每个对象中。不像普通的数据成员，static 数据成员独立于该类的任意对象而存在；每个 static 数据成员是与类关联的对象，并不与该类的对象相关联。

正如类可以定义共享的 static 数据成员一样，类也可以定义 static 成员函数。static 成员函数没有 this 形参，它可以直接访问所属类的 static 成员，但不能直接使用非 static 成员。

1. 使用类的 **static** 成员的优点

使用 static 成员而不是全局对象有三个优点。

(1) static 成员的名字是在类的作用域中，因此可以避免与其他类的成员或全局对象名字冲突。

(2) 可以实施封装。static 成员可以是私有成员，而全局对象不可以。

(3) 通过阅读程序容易看出 static 成员是与特定类关联的。这种可见性可清晰地显示程序员的意图。

2. 定义 **static** 成员

在成员声明前加上关键字 static 将成员设为 static。static 成员遵循正常的公有/私有访问规则。

例如，考虑一个简单的表示银行账户的类。每个账户具有余额和拥有者，并且按月获得利息，但应用于每个账户的利率总是相同的。可以按下面这样编写这个类

```
class Account {
public:
    // interface functions here
    void applyint() { amount += amount * interestRate; }
    static double rate() { return interestRate; }
    static void rate(double); // sets a new rate
private:
    std::string owner;
    double amount;
    static double interestRate;
    static double initRate();
};
```

这个类的每个对象具有两个数据成员：owner 和 amount。对象没有与 static 数据成员对应的数据成员，但是，存在一个单独的 interestRate 对象，由 Account 类型的全体对象共享。

3. 使用类的 **static** 成员

可以通过作用域操作符从类直接调用 static 成员，或者通过对象、引用或指向该类类型对象的指针间接调用。

```
Account ac1;
Account *ac2 = &ac1;
// equivalent ways to call the static member rate function
double rate;
```

```
rate = ac1.rate();        // through an Account object or reference
rate = ac2->rate();       // through a pointer to an Account object
rate = Account::rate();   // directly from the class using the scope operator
```

像使用其他成员一样，类成员函数可以不用作用域操作符来引用类的 static 成员：

```
class Account {
public:
    // interface functions here
    void applyint() { amount += amount * interestRate; }
};
```

习题

习题 12.36 什么是 static 类成员？static 成员的优点是什么？它们与普通成员有什么不同？

习题 12.37 编写自己的 Account 类版本。

12.6.1 **static** 成员函数

Account 类有两个名为 rate 的 static 成员函数，其中一个定义在类的内部。当我们在类的外部定义 static 成员时，无须重复指定 static 保留字，该保留字只出现在类定义体内部的声明处：

```
void Account::rate(double newRate)
{
    interestRate = newRate;
}
```

static 函数没有 this 指针

static 成员是类的组成部分但不是任何对象的组成部分，因此，static 成员函数没有 this 指针。通过使用非 static 成员显式或隐式地引用 this 是一个编译时错误。

因为 static 成员不是任何对象的组成部分，所以 static 成员函数不能被声明为 const。毕竟，将成员函数声明为 const 就是承诺不会修改该函数所属的对象。最后，static 成员函数也不能被声明为虚函数。我们将在 15.2.4 节学习虚函数。

习题

习题 12.38 定义一个命名为 Foo 的类，具有单个 int 型数据成员。为该类定义一个构造函数，接受一个 int 值并用该值初始化数据成员。为该类定义一个函数，返回其数据成员的值。

习题 12.39 给定上题中定义的 Foo 类定义另一个 Bar 类。Bar 类具有两个 static 数据成员：一个为 int 型，另一个为 Foo 类型。

习题 12.40 使用上面两题中定义的类，给 Bar 类增加一对成员：第一个成员命名为 FooVal，返回 Bar 类的 Foo 类型 static 成员的值；第二个成员命名为 callsFooVal，保存 FooVal 被调用的次数。

12.6.2 **static** 数据成员

static 数据成员可以声明为任意类型，可以是常量、引用、数组、类类型，等等。

static 数据成员必须在类定义体的外部定义（正好一次）。不像普通数据成员，static 成员不是通过类构造函数进行初始化，而是应该在定义时进行初始化。

 保证对象正好定义一次的最好办法，就是将 static 数据成员的定义放在包含类的非内联成员函数定义的文件中。

定义 static 数据成员的方式与定义其他类成员和变量的方式相同：先指定类型名，接着是成员的完全限定名。

可以定义如下 interestRate：

```
// define and initialize static class member
double Account::interestRate = initRate();
```

这个语句定义名为 interestRate 的 static 对象，它是类 Account 的成员，为 double 型。像其他成员定义一样，一旦成员名出现，static 成员的定义就是在类作用域中。因此，我们可以没有限定地直接使用名为 initRate 的 static 成员函数，作为 interestRate[1]的初始化式。注意，尽管 initRate 是私有的，我们仍然可以使用该函数来初始化 interestRate。像任意的其他成员定义一样，interestRate 的定义是在类的作用域中，因此可以访问该类的私有成员。

 像使用任意的类成员一样，在类定义体外部引用类的 static 成员时，必须指定成员是在哪个类中定义的。然而，static 关键字只能用于类定义体内部的声明中，定义不能标示为 static。

1. 特殊的整型 const static 成员

一般而言，类的 static 成员，像普通数据成员一样，不能在类的定义体中初始化。相反，static 数据成员通常在定义时才初始化。

这个规则的一个例外是，只要初始化式是一个常量表达式，整型 const static 数据成员就可以在类的定义体中进行初始化：

```
class Account {
public:
    static double rate() { return interestRate; }
    static void rate(double);  // sets a new rate
private:
    static const int period = 30; // interest posted every 30 days
    double daily_tbl[period]; // ok: period is constant expression
};
```

用常量值初始化的整型 const static 数据成员是一个常量表达式。同样地，它可以用在任何需要常量表达式的地方，例如指定数组成员 daily_tbl 的维。

 const static 数据成员在类的定义体中初始化时，该数据成员仍必须在类的定义体之外进行定义。

---

1. 原文为 rate，应为 interestRate——译者注

在类内部提供初始化式时，成员的定义不必再指定初始值：

```
// definition of static member with no initializer;
//  the initial value is specified inside the class definition
const int Account::period;
```

2. static 成员不是类对象的组成部分

普通成员都是给定类的每个对象的组成部分。static 成员独立于任何对象而存在，不是类类型对象的组成部分。因为 static 数据成员不是任何对象的组成部分，所以它们的使用方式对于非 static 数据成员而言是不合法的。

例如，static 数据成员的类型可以是该成员所属的类类型。非 static 成员被限定声明为其自身类对象的指针或引用：

```
class Bar {
public:
    // ...
private:
    static Bar mem1;    // ok
    Bar *mem2;          // ok
    Bar mem3;           // error
};
```

类似地，static 数据成员可用作默认实参：

```
class Screen {
public:
    // bkground refers to the static member
    // declared later in the class definition
    Screen& clear(char = bkground);
private:
    static const char bkground = '#';
};
```

非 static 数据成员不能用作默认实参，因为它的值不能独立于所属的对象而使用。使用非 static 数据成员作默认实参，将无法提供对象以获取该成员的值，因而是错误的。

习题

习题 12.41　利用 12.6.1 节的习题中编写的类 Foo 和 Bar，初始化 Bar 的 static 成员。将 int 成员初始化为 20，并将 Foo 成员初始化为 0。

习题 12.42　下面的 static 数据成员声明和定义中哪些是错误的（如果有的话）？解释为什么。

```
// example.h
class Example {
public:
    static double rate = 6.5;

    static const int vecSize = 20;
    static vector<double> vec(vecSize);
};

// example.C
#include "example.h"
double Example::rate;
vector<double> Example::vec;
```

小结

类是 C++ 中最基本的特征，允许定义新的类型以适应应用程序的需要，同时使程序更短且更易于修改。

数据抽象是指定义数据和函数成员的能力，而封装是指从常规访问中保护类成员的能力，它们都是类的基础。成员函数定义类的接口。通过将类的实现所用到的数据和函数设置为 private 来封装类。

类可以定义构造函数，它们是特殊的成员函数，控制如何初始化类的对象。可以重载构造函数。每个构造函数应初始化每个数据成员。初始化列表包含的是名-值对，其中的名是一个成员，而值则是该成员的初始值。

类可以将对其非 public 成员的访问权授予其他类或函数，并通过将其他的类或函数设为友元来授予其访问权。

类也可以定义 mutable 或 static 成员。mutable 成员永远都不能为 const；它的值可以在 const 成员函数中修改。static 成员可以是函数或数据，独立于类类型的对象而存在。

术语

abstract data type（抽象数据类型） 使用封装来隐藏其实现的数据结构，允许使用类型的程序员抽象地考虑该类型做什么，而不是具体地考虑类型如何表示。C++ 中的类可用来定义抽象数据类型。

access label（访问标号） public 或 private 标号，指定后面的成员可以被类的使用者访问或者只能被类的友元和成员访问。每个标号为在该标号到下一个标号之间声明的成员设置访问保护。标号可以在类中出现多次。

class（类） 是 C++ 中定义抽象数据类型的一种机制，可以有数据、函数或类型成员。一个类定义了新的类型和新的作用域。

class declaration（类声明） 类可以在定义之前声明。类声明用关键字 class（或 struct）表示，后面加类名字和一个分号。已声明但没有定义的类是一个不完全的类型。

class keyword（**class** 关键字） 用在 class

关键字定义的类中，初始的隐式访问标号是 private。

class scope（类作用域） 每个类定义一个作用域。类作用域比其他作用域复杂得多——在类的定义体内定义的成员函数可以使用出现在该定义之后的名字。

concrete class（具体类） 暴露其实现细节的类。

const member function（常量成员函数） 一种成员函数，不能改变对象的普通（即，既不是 static 也不是 mutable）数据成员。const 成员中的 this 指针指向 const 对象。成员函数是否可以被重载取决于该函数是否为 const。

constructor initializer list（构造函数初始化列表） 指定类的数据成员的初始值。在构造函数体执行前，用初始化列表中指定的值初始化成员。没有在初始化列表中初始化的类成员，使用它们的默认构造函数隐式初始化。

conversion constructor（转换构造函数）　可用单个实参调用的非 explicit 构造函数。隐式使用转换构造函数将实参的类型转换为类类型。

data abstraction（数据抽象）　注重类型接口的编程技术。数据抽象允许程序员忽略类型如何表示的细节，而只考虑该类型可以执行的操作。数据抽象是面向对象编程和泛型编程的基础。

default constructor（默认构造函数）　没有指定初始化式时使用的构造函数。

encapsulation（封装）　实现与接口的分离。封装隐藏了类型的实现细节。在 C++中，实施封装可以阻止普通用户访问类的 private 部分。

explicit constructor（显式构造函数）　可以用单个实参调用但不能用于执行隐式转换的构造函数。通过将关键字 explicit 放在构造函数的声明之前而将其设置为 explicit。

forward declaration（前向声明）　对尚未定义的名字的声明。大多用于引用出现在类定义之前的类声明。参见不完全类型。

friend（友元）　类授权访问其非 public 成员的机制。类和函数都可以被指定为友元。友元拥有与成员一样的访问权。

incomplete type（不完全类型）　已声明但未定义的类型。不能使用不完全类型来定义变量或类成员。定义指向不完全类型的引用或指针是合法的。

member function（成员函数）　类的函数成员。普通成员函数通过隐式的 this 指针绑定到类

类型的对象。static 成员函数不与对象绑定且没有 this 指针。成员函数可以被重载，只要该函数的版本可由形参的数目或类型来区别。

mutable data member（可变数据成员）　一种永远也不能为 const 对象的数据成员，即使作为 const 对象的成员，也不能为 const 对象。mutable 成员可以在 const 函数中改变。

name lookup（名字查找）　将名字的使用与其相应的声明相匹配的过程。

private member（私有成员）　在 private 访问标号之后定义的成员，只能被友元和其他的类成员访问。类所使用的数据成员和实用函数在不作为类型接口的组成部分时，通常声明为 private。

public member（公用成员）　在 public 访问标号之后定义的成员，可被类的任意使用者访问。一般而言，只有定义类接口的函数应定义在 public 部分。

static member（静态成员）　不是任意对象的组成部分、但由给定类的全体对象所共享的数据或函数成员。

struct keyword（**struct** 关键字）　用在 struct 关键字定义的类中，初始的隐式访问标号为 public。

synthesized default constructor（合成的默认构造函数）　编译器为没有定义任何构造函数的类创建（合成）的构造函数。这个构造函数通过运行该类的默认构造函数来初始化类类型的成员，内置类型的成员不进行初始化。

第**13**章

复 制 控 制

　　每种类型，无论是内置类型还是类类型，都对该类型对象的一组（可能为空的）操作的含义进行了定义。比如，我们可以将两个 int 值相加，运行 vector 对象的 size 操作，等等。这些操作定义了用给定类型的对象可以完成什么任务。

　　每种类型还定义了创建该类型的对象时会发生什么——构造函数定义了该类类型对象的初始化。类型还能控制复制、赋值或撤销该类型的对象时会发生什么——类通过特殊的成员函数：复制构造函数、赋值操作符和析构函数来控制这些行为。本章将介绍这些操作。

475

当定义一个新类型的时候，需要显式或隐式地指定复制、赋值和撤销该类型的对象时会发生什么——这是通过定义特殊成员：复制构造函数、赋值操作符和析构函数来达到的。如果没有显式定义复制构造函数或赋值操作符，编译器（通常）会为我们定义。

复制构造函数（copy constructor）是一种特殊构造函数，具有单个形参，该形参（常用 const 修饰）是对该类类型的引用。当定义一个新对象并用一个同类型的对象对它进行初始化时，将显式使用复制构造函数。当将该类型的对象传递给函数或从函数返回该类型的对象时，将隐式使用复制构造函数。

析构函数（destructor）是构造函数的互补：当对象超出作用域或动态分配的对象被删除时，将自动应用析构函数。析构函数可用于释放对象时构造或在对象的生命期中所获取的资源。不管类是否定义了自己的析构函数，编译器都自动执行类中非 static 数据成员的析构函数。

在下一章我们将进一步学习操作符重载，本章中我们先介绍**赋值操作符**（assignment operator）。与构造函数一样，赋值操作符可以通过指定不同类型的右操作数而重载。右操作数为类类型的版本比较特殊：如果我们没有编写这种版本，编译器将为我们合成一个。

复制构造函数、赋值操作符和析构函数总称为**复制控制**（copy control）。编译器自动实现这些操作，但类也可以定义自己的版本。

> 复制控制是定义任意 C++ 类必不可少的部分。初学 C++ 的程序员常对必须定义在复制、赋值或撤销对象时发生什么感到困惑。因为如果我们没有显式定义这些操作，编译器将为我们定义它们（尽管它们也许不像我们期望的那样工作），这往往使初学者更加困惑。

通常，编译器合成的复制控制函数是非常精练的——它们只做必需的工作。但对某些类而言，依赖于默认定义会导致灾难。实现复制控制操作最困难的部分，往往在于识别何时需要覆盖默认版本。有一种特别常见的情况需要类定义自己的复制控制成员的：类具有指针成员。

13.1 复制构造函数

只有单个形参，而且该形参是对本类类型对象的引用（常用 const 修饰），这样的构造函数称为复制构造函数。与默认构造函数一样，复制构造函数可由编译器隐式调用。复制构造函数可用于：

- 根据另一个同类型的对象显式或隐式初始化一个对象。
- 复制一个对象，将它作为实参传给一个函数。
- 从函数返回时复制一个对象。
- 初始化顺序容器中的元素。
- 根据元素初始化式列表初始化数组元素。

1. 对象的定义形式

回忆一下，C++ 支持两种初始化形式（2.3.3 节）：直接初始化和复制初始化。复制初始化使用 = 符号，而直接初始化将初始化式放在圆括号中。

当用于类类型对象时，初始化的复制形式和直接形式有所不同：直接初始化直接调用与实参匹配的构造函数，复制初始化总是调用复制构造函数。复制初始化首先使用指定构造函数创建一个临时对象（7.3.2 节），然后用复制构造函数将那个临时对象复制到正在创建的对象：

```
string null_book = "9-999-99999-9";      // copy-initialization
string dots(10, '.');                    // direct-initialization
string empty_copy = string();            // copy-initialization
string empty_direct;                     // direct-initialization
```

对于类类型对象，只有指定单个实参或显式创建一个临时对象用于复制时，才使用复制初始化。

创建 dots 时，调用参数为一个数量和一个字符的 string 构造函数并直接初始化 dots 的成员。创建 null_book 时，编译器首先调用接受一个 C 风格字符串形参的 string 构造函数，创建一个临时对象，然后，编译器使用 string 复制构造函数将 null_book 初始化为那个临时对象的副本。

empty_copy 和 empty_direct 的初始化都调用默认构造函数。对前者初始化时，默认构造函数创建一个临时对象，然后复制构造函数用该对象初始化 empty_copy。对后者初始化时，直接运行 empty_direct 的默认构造函数。

支持初始化的复制形式主要是为了与 C 的用法兼容。当情况许可时，可以允许编译器跳过复制构造函数直接创建对象，但编译器没有义务这样做。

通常直接初始化和复制初始化仅在低级别优化上存在差异。然而，对于不支持复制的类型，或者使用非 explicit 构造函数（12.4.4 节）的时候，它们有本质区别：

```
ifstream file1("filename"); // ok: direct initialization
ifstream file2 = "filename";// error: copy constructor is private
// This initialization is okay only if
// the Sales_item(const string&) constructor is not explicit
Sales_item item = string("9-999-99999-9");
```

file1 的初始化是正确的。ifstream 类定义了一个可用 C 风格字符串调用的构造函数，使用该构造函数初始化 file1。

看上去等效的 file2 初始化使用复制初始化，但该定义不正确。由于不能复制 IO 类型的对象（8.1 节），所以不能对那些类型的对象使用复制初始化。

item 的初始化是否正确，取决于正在使用哪个版本的 Sales_item 类。某些版本将参数为一个 string 的构造函数定义为 explicit。如果构造函数是显式的，则初始化失败；如果构造函数不是显式的，则初始化成功。

2. 形参与返回值

正如我们所知，当形参为非引用类型（7.2.1节）的时候，将复制实参的值。类似地，以非引用类型作返回值时，将返回 return 语句中的值的副本（7.3.2 节）。

当形参或返回值为类类型时，由复制构造函数进行复制。例如，考虑 7.3.2 节的 make_plural 函数：

```
// copy constructor used to copy the return value;
// parameters are references, so they aren't copied
string make_plural(size_t, const string&, const string&);
```

477

这个函数隐式使用 string 复制构造函数返回给定单词的复数形式。形参是 const 引用，不能复制。

3. 初始化容器元素

复制构造函数可用于初始化顺序容器中的元素。例如，可以用表示容量的单个形参来初始化容器（3.3.1 节）。容器的这种构造方式使用了默认构造函数和复制构造函数：

```
// default string constructor and five string copy constructors invoked
vector<string> svec(5);
```

编译器首先使用 string 默认构造函数创建一个临时值来初始化 svec，然后使用复制构造函数将临时值复制到 svec 的每个元素。

  作为一般规则（9.1.1 节），除非你想使用容器元素的默认初始值，更有效的办法是，分配一个空容器并将已知元素的值加入容器。

4. 构造函数与数组元素

如果没有为类类型数组提供元素初始化式，则将用默认构造函数初始化每个元素。然而，如果使用常规的花括号括住的数组初始化列表（4.4.1节）来提供显式元素初始化式，则使用复制初始化来初始化每个元素。根据指定值创建适当类型的元素，然后用复制构造函数将该值复制到相应元素：

```
Sales_item primer_eds[] = { string("0-201-16487-6"),
                            string("0-201-54848-8"),
                            string("0-201-82470-1"),
                            Sales_item()
                          };
```

如前三个元素的初始化式中所示可以直接指定一个值，用于调用元素类型的单实参构造函数。如果希望不指定实参或指定多个实参，就需要使用完整的构造函数语法，正如最后一个元素的初始化式那样。

习题

习题 13.1　什么是复制构造函数？何时使用它？

习题 13.2　下面第二个初始化不能编译。可以从 vector 的定义得出什么推断？

```
vector<int> v1(42); // ok: 42 elements, each 0
vector<int> v2 = 42;    // error: what does this error tell us about vector?
```

习题 13.3　假定 Point 为类类型，该类类型有一个复制构造函数，指出下面程序段中每一个使用了复制构造函数的地方：

```
Point global;

Point foo_bar(Point arg)
{
    Point local = arg;
    Point *heap = new Point(global);
    *heap = local;
    Point pa[ 4 ] = { local, *heap };
    return *heap;
}
```

13.1.1 合成的复制构造函数

如果我们没有定义复制构造函数，编译器就会为我们合成一个。与合成的默认构造函数（12.4.2 节）不同，即使我们定义了其他构造函数，也会合成复制构造函数。**合成复制构造函数**（synthesized copy constructor）的行为是，执行**逐个成员初始化**（memberwise initialize），将新对象初始化为原对象的副本。

所谓“逐个成员”，指的是编译器将现有对象的每个非 static 成员，依次复制到正创建的对象。只有一个例外，每个成员的类型决定了复制该成员的含义。合成复制构造函数直接复制内置类型成员的值，类类型成员使用该类的复制构造函数进行复制。数组成员的复制是个例外。虽然一般不能复制数组，但如果一个类具有数组成员，则合成复制构造函数将复制数组。复制数组时合成复制构造函数将复制数组的每一个元素。

逐个成员初始化最简单的概念模型是，将合成复制构造函数看作这样一个构造函数：其中每个数据成员在构造函数初始化列表中进行初始化。例如，对于我们的 Sales_item 类，它有三个数据成员：

```
class Sales_item {
// other members and constructors as before
private:
    std::string isbn;
    int units_sold;
    double revenue;
};
```

合成复制构造函数如下所示：

```
Sales_item::Sales_item(const Sales_item &orig):
    isbn(orig.isbn),            // uses string copy constructor
    units_sold(orig.units_sold),// copies orig.units_sold
    revenue(orig.revenue)       // copy orig.revenue
    {   }                       // empty body
```

13.1.2 定义自己的复制构造函数

复制构造函数就是接受单个类类型引用形参（通常用 const 修饰）的构造函数：

```
class Foo {
public:
    Foo();              // default constructor
    Foo(const Foo&);    // copy constructor
    // ...
};
```

虽然也可以定义接受非 const 引用的复制构造函数，但形参通常是一个 const 引用。因为用于向函数传递对象和从函数返回对象，该构造函数一般不应设置为 explicit（12.4.4 节）。复制构造函数应将实参的成员复制到正在构造的对象。

对许多类而言，合成复制构造函数只完成必要的工作。只包含类类型成员或内置类型（但不是指针类型）成员的类，无须显式地定义复制构造函数，也可以复制。

然而，有些类必须对复制对象时发生的事情加以控制。这样的类经常有一个数据成员是指针，或者有成员表示在构造函数中分配的其他资源。而另一些类在创建新对象时必须做一些特定工作。这两种情况下，都必须定义复制构造函数。

通常，定义复制构造函数最困难的部分在于认识到需要复制构造函数。只要能认识到需要复制构造函数，定义构造函数一般非常简单。复制构造函数的定义与其他构造函数一样：它与类同名，没有返回值，可以（而且应该）使用构造函数初始化列表初始化新创建对象的成员，可以在函数体中做任何其他必要工作。

后续章节中将给出一些需要定义复制构造函数的类的例子。13.4 节给出了一对类，它们需要显式复制构造函数，用于处理与简单消息处理应用程序相关的工作。具有指针成员的类在 13.5 节给出。

习题

习题 13.4　对于如下的类的简单定义，编写一个复制构造函数复制所有成员。复制 pstring 指向的对象而不是复制指针。

```
struct NoName {
    NoName(): pstring(new std::string), i(0), d(0) { }
private:
    std::string *pstring;
    int    i;
    double d;
};
```

习题 13.5　哪个类定义可能需要一个复制构造函数？

(a) 包含四个 float 成员的 Point3w 类。

(b) Matrix 类，其中，实际矩阵在构造函数中动态分配，在析构函数中删除。

(c) Payroll 类，在这个类中为每个对象提供唯一 ID。

(d) Word 类，包含一个 string 和一个以行列位置对为元素的 vector。

习题 13.6　复制构造函数的形参并不限制为 const，但必须是一个引用。解释这个限制的基本原理，例如，解释为什么下面的定义不能工作。

```
Sales_item::Sales_item(const Sales_item rhs);
```

13.1.3　禁止复制

有些类需要完全禁止复制。例如，iostream 类就不允许复制（8.1 节）。如果想要禁止复制，似乎可以省略复制构造函数，然而，如果不定义复制构造函数，编译器将合成一个。

 　为了防止复制，类必须显式声明其复制构造函数为 private。

如果复制构造函数是私有的，将不允许用户代码复制该类类型的对象，编译器将拒绝任何进行复制的尝试。

然而，类的友元和成员仍可以进行复制。如果想要连友元和成员中的复制也禁止，就可以声明一个（private）复制构造函数但不对其定义。

声明而不定义成员函数是合法的，但是，使用未定义成员的任何尝试将导致链接失败。通过声明（但不定义）private 复制构造函数，可以禁止任何复制类类型对象的尝试：用户代码中的复制尝试将在编译时标记为错误，而成员函数和友元中的复制尝试将在链接时导致错误。

大多数类应定义复制构造函数和默认构造函数

不定义复制构造函数和/或默认构造函数，会严重局限类的使用。不允许复制的类对象只能作为引用传递给函数或从函数返回，它们也不能用作容器的元素。

> **最佳实践** 一般来说，最好显式或隐式定义默认构造函数和复制构造函数。只有不存在其他构造函数时才合成默认构造函数。如果定义了复制构造函数，也必须定义默认构造函数。

13.2 赋值操作符

与类要控制初始化对象的方式一样，类也定义了该类型对象赋值时会发生什么：

```
Sales_item trans, accum;
trans = accum;
```

与复制构造函数一样，如果类没有定义自己的赋值操作符，则编译器会合成一个。

1. 介绍重载赋值

在介绍合成赋值操作符之前，需要简单了解一下**重载操作符**（overloaded operator），我们将在第 14 章详细介绍。

重载操作符是一些函数，其名字为 operator 后跟着所定义的操作符的符号。因此，通过定义名为 operator=的函数，我们可以对赋值进行定义。像任何其他函数一样，操作符函数有一个返回值和一个形参表。形参表必须具有与该操作符操作数数目相同的形参（如果操作符是一个成员，则包括隐式 this 形参）。赋值是二元运算，所以该操作符函数有两个形参：第一个形参对应着左操作数，第二个形参对应右操作数。

大多数操作符可以定义为成员函数或非成员函数。当操作符为成员函数时，它的第一个操作数隐式绑定到 this 指针。有些操作符（包括赋值操作符）必须是定义自己的类的成员。因为赋值必须是类的成员，所以 this 绑定到指向左操作数的指针。因此，赋值操作符接受单个形参，且该形参是同一类类型的对象。右操作数一般作为 const 引用传递。

赋值操作符的返回类型应该与内置类型赋值运算返回的类型相同（5.4.1 节）。内置类型的赋值运算返回对右操作数的引用，因此，赋值操作符也返回对同一类类型的引用。

例如，Sales_item 的赋值操作符可以声明为：

```
class Sales_item {
public:
    // other members as before
    // equivalent to the synthesized assignment operator
    Sales_item& operator=(const Sales_item &);
};
```

2. 合成赋值操作符

合成赋值操作符（synthesized assignment operator）与合成复制构造函数的操作类似。它会执行**逐个成员赋值**（memberwise assignment）：右操作数对象的每个成员赋值给左操作数对象的对应成员。除数组之外，每个成员用所属类型的常规方式进行赋值。对于数组，给每个数组元素赋值。

例如，Sales_item 的合成赋值操作符可能如下所示：

```
// equivalent to the synthesized assignment operator
Sales_item&
Sales_item::operator=(const Sales_item &rhs)
{
    isbn = rhs.isbn;                // calls string::operator=
    units_sold = rhs.units_sold; // uses built-in int assignment
    revenue = rhs.revenue;          // uses built-in double assignment
    return *this;
}
```

合成赋值操作符根据成员类型使用适合的内置或类定义的赋值操作符，依次给每个成员赋值，该操作符返回*this，它是对左操作数对象的引用。

3. 复制和赋值常一起使用

可以使用合成复制构造函数的类通常也可以使用合成赋值操作符。我们的 Sales_item 类无须定义复制构造函数或赋值操作符，这些操作符的合成版本工作得很好。

然而，类也可以定义自己的赋值操作符。一般而言，如果类需要复制构造函数，它也会需要赋值操作符。

 实际上，应将这两个操作符看作一个单元。如果需要其中一个，我们几乎也肯定需要另一个。

我们将在 13.4 节和 13.5 节介绍类需要自定义赋值操作符的例子。

习题

习题 13.7   类何时需要定义赋值操作符？

习题 13.8   对于习题 13.5 中列出的每个类型，指出类是否需要赋值操作符。

习题 13.9   习题 13.4 中包括 NoName 类的简单定义。确定这个类是否需要赋值操作符。如果需要，实现它。

习题 13.10   定义一个 Employee 类，包含雇员名字和一个唯一的雇员标识。为该类定义默认构造函数和参数为表示雇员名字的 string 的构造函数。如果该类需要复制构造函数或赋值操作符，实现这些函数。

13.3   析构函数

构造函数的一个用途是自动获取资源。例如，构造函数可以分配一个缓冲区或打开一个文件，在构造函数中分配了资源之后，需要一个对应操作自动回收或释放资源。析构函数就是这样的一个特殊函数，它可以完成所需的资源回收，作为类构造函数的补充。

1. 何时调用析构函数

撤销类对象时会自动调用析构函数:

```
// p points to default constructed object
Sales_item *p = new Sales_item;
{                              // new scope
    Sales_item item(*p);   // copy constructor copies *p into item
    delete p;                  // destructor called on object pointed to by p
}                              // exit local scope; destructor called on item
```

变量(如 item)在超出作用域时应该自动撤销。因此,当遇到右花括号时,将运行 item 的析构函数。

　　动态分配的对象只有在指向该对象的指针被删除时才撤销。如果没有删除指向动态对象的指针,则不会运行该对象的析构函数,对象就一直存在,从而导致内存泄漏,而且,对象内部使用的任何资源也不会释放。

　　　　当对象的引用或指针超出作用域时,不会运行析构函数。只有删除指向动态分配对象的指针或实际对象(而不是对象的引用)超出作用域时,才会运行析构函数。

　　撤销一个容器(不管是标准库容器还是内置数组)时,也会运行容器中的类类型元素的析构函数:

```
{
    Sales_item *p = new Sales_item[10]; // dynamically allocated
    vector<Sales_item> vec(p, p + 10); // local object
    // ...
    delete [] p; // array is freed; destructor run on each element
}  // vec goes out of scope; destructor run on each element
```

容器中的元素总是按逆序撤销:首先撤销下标为 size()-1 的元素,然后是下标为 size()-2 的元素……直至最后撤销下标为 0 的元素。

2. 何时编写显式析构函数

　　许多类不需要显式析构函数,尤其是具有构造函数的类不一定需要定义自己的析构函数。仅在有些工作需要析构函数完成时,才需要析构函数。析构函数通常用于释放在构造函数或在对象生命期内获取的资源。

　　　　如果类需要析构函数,则它也需要赋值操作符和复制构造函数,这是一个有用的经验法则。这个规则常称为**三法则**(rule of three),指的是如果需要析构函数,则需要所有这三个复制控制成员。

　　析构函数并不仅限于用来释放资源。一般而言,析构函数可以执行任意操作,该操作是类设计者希望在该类对象的使用完毕之后执行的。

3. 合成析构函数

　　与复制构造函数或赋值操作符不同,编译器总是会为我们合成一个析构函数。合成析构函数按对象创建时的逆序撤销每个非 static 成员,因此,它按成员在类中声明次序的逆序撤销成员。

485 对于类类型的每个成员,合成析构函数调用该成员的析构函数来撤销对象。

 　　　撤销内置类型成员或复合类型的成员没什么影响。尤其是,合成析构函数并不删除指针成员所指向的对象。

4. 如何编写析构函数

Sales_item 类是类没有分配资源因此不需要自己的析构函数的一个例子。分配了资源的类一般需要定义析构函数以释放那些资源。析构函数是个成员函数,它的名字是在类名字之前加上一个代字号(~),它没有返回值,没有形参。因为不能指定任何形参,所以不能重载析构函数。虽然可以为一个类定义多个构造函数,但只能提供一个析构函数,应用于类的所有对象。

析构函数与复制构造函数或赋值操作符之间的一个重要区别是,即使我们编写了自己的析构函数,合成析构函数仍然运行。例如,可以为 Sales_item 类编写如下的空析构函数:

```
class Sales_item {
public:
    // empty; no work to do other than destroying the members,
    // which happens automatically
     ~Sales_item() { }
    // other members as before
};
```

撤销 Sales_item 类型的对象时,将运行这个什么也不做的析构函数,它执行完毕后,将运行合成析构函数以撤销类的成员。合成析构函数调用 string 析构函数来撤销 string 成员,string 析构函数释放了保存 isbn 的内存。units_sold 和 revenue 成员是内置类型,所以合成析构函数撤销它们不需要做什么。

习题

习题 13.11 什么是析构函数?合成析构函数有什么用?什么时候会合成析构函数?什么时候一个类必须定义自己的析构函数?

习题 13.12 确定在习题 13.4 中概略定义的 NoName 类是否需要析构函数,如果需要,实现它。

习题 13.13 确定在习题 13.10 中定义的 Employee 类是否需要析构函数,如果需要,实现它。

习题 13.14 理解复制控制成员和构造函数的一个良好方式是定义一个简单类,该类具有这些成员,每个成员打印自己的名字:

```
struct Exmpl {
    Exmpl() { std::cout << "Exmpl()" << std::endl; }
    Exmpl(const Exmpl&)
       { std::cout << "Exmpl(const Exmpl&)" << std::endl; }
    // ...
};
```

编写一个像 Exmpl 这样的类,给出复制控制成员和其他构造函数。然后写一个程序,用不同方式使用 Exmpl 类型的对象:作为非引用形参和引用形参传递,动态分配,放在容器中,等等。研究何时执行哪个构造函数和复制控制成员,可以帮助你融会贯通地理解这些概念。

习题 13.15 下面的代码段中发生了多少次析构函数的调用?

```
void fcn(const Sales_item *trans, Sales_item accum)
{
    Sales_item item1(*trans), item2(accum);
    if (!item1.same_isbn(item2)) return;
    if (item1.avg_price() <= 99) return;
    else if (item2.avg_price() <= 99) return;
    // ...
}
```

13.4 消息处理示例

有些类为了做一些工作需要对复制进行控制,为了给出这样的例子,我们将概略定义两个类,这两个类可用于邮件处理应用程序。Message 类和 Folder 类分别表示电子邮件(或其他)消息和消息所出现的目录,一个给定消息可以出现在多个目录中。Message 上有 Save 和 Remove 操作,用于在指定 Folder 中保存或删除该消息。

对每个 Message,我们并不是在每个 Folder 中都存放一个副本,而是使每个 Message 保存一个指针集(set),set 中的指针指向该 Message 所在的 Folder。每个 Folder 也保存着一些指针,指向它所包含的 Message。将要实现的数据结构如图 13-1 所示。

创建新的 Message 时,将指定消息的内容但不指定 Folder。调用 save 将 Message 放入一个 Folder。

486

复制一个 Message 对象时,将复制原始消息的内容和 Folder 指针集,还必须给指向源 Message 的每个 Folder 增加一个指向该 Message 的指针。

将一个 Message 对象赋值给另一个,类似于复制一个 Message:赋值之后,内容和 Folder 集将是相同的。首先从左边 Message 在赋值之前所处的 Folder 中删除该 Message。原来的 Message 去掉之后,再将右边操作数的内容和 Folder 集复制到左边,还必须在这个 Folder 集中的每个 Folder 中增加一个指向左边 Message 的指针。

撤销一个 Message 对象时,必须更新指向该 Message 的每个 Folder。一旦去掉了 Message,指向该 Message 的指针将失效,所以必须从该 Message 的 Folder 指针集的每个 Folder 中删除这个指针。

487

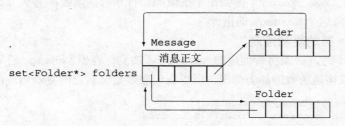

图 13-1　Message 和 Folder 类设计

查看这个操作列表,可以看到,析构函数和赋值操作符分担了从保存给定 Message 的 Folder 列表中删除消息的工作。类似地,复制构造函数和赋值操作符分担将一个 Message 加到给定

Folder 列表的工作。我们将定义一对 private 实用函数完成这些任务。

1. Message 类

对于以上的设计，可以如下编写 Message 类的部分代码：

```
class Message {
public:
    // folders is initialized to the empty set automatically
    Message(const std::string &str = ""):
                    contents (str) { }
    // copy control: we must manage pointers to this Message
    // from the Folders pointed to by folders
    Message(const Message&);
    Message& operator=(const Message&);
    ~Message();
    // add/remove this Message from specified Folder's set of messages
    void save (Folder&);
    void remove(Folder&);
private:
    std::string contents;          // actual message text
    std::set<Folder*> folders;     // Folders that have this Message
    // Utility functions used by copy constructor, assignment, and destructor:
    // Add this Message to the Folders that point to the parameter
    void put_Msg_in_Folders(const std::set<Folder*>&);
    // remove this Message from every Folder in folders
    void remove_Msg_from_Folders();
};
```

Message 类定义了两个数据成员：contents 是一个保存实际消息的 string，folders 是一个 set，包含指向该 Message 所在的 Folder 的指针。

构造函数接受单个 string 形参，表示消息的内容。构造函数将消息的副本保存在 contents 中，并（隐式）将 Folder 的 set 初始化为空集。这个构造函数提供一个默认实参（为空串），所以它也可以作为默认构造函数。

实用函数提供由复制控制成员共享的行为。put_Msg_in_Folders 函数将自身 Message 的一个副本添加到指向给定 Message 的各 Folder 中，这个函数执行完后，形参指向的[1]每个 Folder 也将指向这个 Message。复制构造函数和赋值操作符都将使用这个函数。

remove_Msg_from_Folders 函数用于赋值操作符和析构函数，它从 folders 成员的每个 Folder 中删除指向这个 Message 的指针。

2. Message 类的复制控制

复制 Message 时，必须将新创建的 Message 添加到保存原 Message 的每个 Folder 中。这个工作超出了合成构造函数的能力范围，所以我们必须定义自己的复制构造函数：

```
Message::Message(const Message &m):
    contents(m.contents), folders(m.folders)
{
    // add this Message to each Folder that points to m
    put_Msg_in_Folders(folders);
```

---

1. 此处原文误为"指向形参的"。——译者注

```
}
```

复制构造函数将用旧对象成员的副本初始化新对象的数据成员。除了这些初始化之外（合成复制构造函数可以完成这些初始化），还必须用 folders 进行迭代，将这个新的 Message 加到那个集的每个 Folder 中。复制构造函数使用 put_Msg_in_Folder 函数完成这个工作。

 编写自己的复制构造函数时，必须显式复制需要复制的任意成员。显式定义的复制构造函数不会进行任何自动复制。

像其他任何构造函数一样，如果没有初始化某个类成员，则那个成员用该成员的默认构造函数初始化。复制构造函数中的默认初始化不会使用成员的复制构造函数。

3. put_Msg_in_Folder 成员

put_Msg_in_Folder 通过形参 rhs 的成员 folders 中的指针进行迭代。这些指针表示指向 rhs 的每个 Folder，需要将指向这个 Message 的指针加到每个 Folder 中。

函数通过 rhs.folders 进行循环，调用命名为 addMsg 的 Folder 成员来完成这个工作，addMsg 函数将指向该 Message 的指针加到 Folder 中。

```
// add this Message to Folders that point to rhs
void Message::put_Msg_in_Folders(const set<Folder*> &rhs)
{
    for(std::set<Folder*>::const_iterator beg = rhs.begin();
                                    beg != rhs.end(); ++beg)
        (*beg)->addMsg(this);       // *beg points to a Folder
}
```

这个函数中唯一复杂的部分是对 **addMsg** 的调用：

```
(*beg) -> addMsg(this);     // *beg points to a Folder
```

那个调用以（*beg）开头，它解除迭代器引用。解除迭代器引用将获得一个指向 Folder 的指针。然后表达式对 Folder 指针应用箭头操作符以执行 addMsg 操作，将 this 传给 addMsg，该指针指向我们想要添加到 Folder 中的 Message。

4. Message 赋值操作符

赋值比复制构造函数更复杂。像复制构造函数一样，赋值必须对 contents 赋值并更新 folders 使之与右操作数的 folders 相匹配。它还必须将该 Message 加到指向 rhs 的每个 Folder 中，可以使用 put_Msg_in_Folders 函数完成赋值的这一部分工作。

在从 rhs 复制之前，必须首先从当前指向该 Message 的每个 Folder 中删除它。我们需要通过 folders 进行迭代，从 folders 的每个 Folder 中删除指向该 Message 的指针。命名为 remove_Msg_from_Folders 的函数将完成这项工作。

对于完成实际工作的 remove_Msg_from_Folders 和 put_Msg_in_Folders，赋值操作符本身相当简单：

```
Message& Message::operator=(const Message &rhs)
{
    if (&rhs != this) {
        remove_Msg_from_Folders(); // update existing Folders
```

```
        contents = rhs.contents;    // copy contents from rhs
        folders = rhs.folders;       // copy Folder pointers from rhs
        // add this Message to each Folder in rhs
        put_Msg_in_Folders(rhs.folders);
    }
    return *this;
}
```

赋值操作符首先检查左右操作数是否相同。查看函数的后续部分可以清楚地看到进行这一检查的
原因。假定操作数是不同对象，调用 remove_Msg_from_Folders 从 folders 成员的每个 Folder
中删除该 Message。一旦这项工作完成，必须将右操作数的 contents 和 folders 成员赋值给这
个对象。最后，调用 put_Msg_in_Folders 将指向这个 Message 的指针添加至指向 rhs 的每个
Folder 中。

> 490

　　了解了 remove_Msg_from_Folders 的工作之后，我们来看看为什么赋值操作符首先要检查
对象是否不同。赋值时需删除左操作数，并在撤销左操作数的成员之后，将右操作数的成员赋值
给左操作数的相应成员。如果对象是相同的，则撤销左操作数的成员也将撤销右操作数的成员！

　　　　即使对象赋值给自己，赋值操作符的正确工作也非常重要。保证这个行为的通用
方法是显式检查对自身的赋值。

5. remove_Msg_from_Folders 成员

　　除了调用 remMsg 从 folders 指向的每个 Folder 中删除这个 Message 之外，remove_Msg_
from_Folders 函数的实现与 put_Msg_in_Folders 类似：

```
// remove this Message from corresponding Folders
void Message::remove_Msg_from_Folders()
{
    // remove this message from corresponding folders
    for(std::set<Folder*>::const_iterator beg =
        folders.begin (); beg != folders.end (); ++beg)
        (*beg)->remMsg(this); // *beg points to a Folder
}
```

6. Message 析构函数

剩下必须实现的复制控制函数是析构函数：

```
Message::~Message()
{
    remove_Msg_from_Folders();
}
```

有了 remove_Msg_from_Folders 函数，编写析构函数将非常简单。我们调用 remove_Msg_from_
Folders 函数清除 folders，系统自动调用 string 析构函数释放 contents，自动调用 set 析
构函数清除用于保存 folders 成员的内存，因此，Message 析构函数唯一要做的是调用
remove_Msg_from_Folders。

　　　　赋值操作符通常要做复制构造函数和析构函数也要完成的工作。在这种情况下，
通用工作应放在 private 实用函数中。

习题

习题 13.16 编写本节中描述的 Message 类。

习题 13.17 为 Message 类增加与 Folder 的 addMsg 和 remMsg 操作类似的函数。这些函数可以命名为 addFldr 和 remFldr，应接受一个指向 Folder 的指针并将该指针插入到 folders。这些函数可为 private 的，因为它们将仅在 Message[1]类的实现中使用。

习题 13.18 编写相应的 Folder 类。该类应保存一个 set<Message*>，包含指向 Message 的元素。

习题 13.19 在 Message 类[2]中增加 save 和 remove 操作。这些操作应接受一个 Folder，并将该 Folder 加入到指向这个 Message 的 Folder 集中（或从其中删除该 Folder）。操作还必须更新 Folder 以反映它指向该 Message，这可以通过调用 addMsg 或 remMsg 完成。

13.5 管理指针成员

本书始终提倡使用标准库。这样做的一个原因是，使用标准库能够大大减少现代 C++程序中对指针的需要。然而，许多应用程序仍需要使用指针，特别是在类的实现中。包含指针的类需要特别注意复制控制，原因是复制指针时只复制指针中的地址，而不会复制指针指向的对象。

设计具有指针成员的类时，类设计者必须首先需要决定的是该指针应提供什么行为。将一个指针复制到另一个指针时，两个指针指向同一对象。当两个指针指向同一对象时，可能使用任一指针改变基础对象。类似地，很可能一个指针删除了一对象时，另一指针的用户还认为基础对象仍然存在。

指针成员默认具有与指针对象同样的行为。然而，通过不同的复制控制策略，可以为指针成员实现不同的行为。大多数 C++类采用以下三种方法之一管理指针成员：

(1) 指针成员采取常规指针型行为。这样的类具有指针的所有缺陷但无需特殊的复制控制。

(2) 类可以实现所谓的"智能指针"行为。指针所指向的对象是共享的，但类能够防止悬垂指针。

(3) 类采取值型行为。指针所指向的对象是唯一的，由每个类对象独立管理。

本节中介绍三个类，分别实现管理指针成员的三种不同方法。

1. 一个带指针成员的简单类

为了阐明所涉及的问题，我们将实现一个简单类，该类包含一个 int 值和一个指针：

```
// class that has a pointer member that behaves like a plain pointer
class HasPtr {
public:
    // copy of the values we're given
```

---

1. 此处原书误为 Folder。正如 Message 类的实现需要使用 Folder 类的 addMsg 和 remMsg 操作一样，Message 类的 addFldr 和 remFldr 操作也需要在 Folder 类的实现中使用，所以，这些函数都需要定义为 public。——译者注

2. 此处原书误为"在 Message 类和 Folder 类"，应该是指 Message 类的 save 和 remove 操作。Folder 类的 save 和 remove 操作应接受一个 Message，并将该 Message 加入到这个 Folder 所指向的 Message 集中（或从其中删除该 Message）。Folder 类的 save 和 remove 操作还必须更新 Message 以反映它指向该 Folder，这可以通过调用 addFldr 或 remFldr 完成。——译者注

```
        HasPtr(int *p, int i): ptr(p), val(i) { }
        // const members to return the value of the indicated data member
        int *get_ptr() const { return ptr; }
        int get_int() const { return val; }
        // non const members to change the indicated data member
        void set_ptr(int *p) { ptr = p; }
        void set_int(int i) { val = i; }
        // return or change the value pointed to, so ok for const objects
        int get_ptr_val() const { return *ptr; }
        void set_ptr_val(int val) const { *ptr = val; }
    private:
        int *ptr;
        int val;
    };
```

HasPtr 构造函数接受两个形参，将它们复制到 HasPtr 的数据成员。HasPtr 类提供简单的访问函数：函数 get_int 和 get_ptr 分别返回 int 成员和指针成员的值；set_int 和 set_ptr 成员则使我们能够改变这些成员，给 int 成员一个新值或使指针成员指向不同的对象。还定义了 get_ptr_val 和 set_ptr_val 成员，它们能够获取和设置指针所指向的基础值。

2. 默认复制/赋值与指针成员

因为 HasPtr 类没有定义复制构造函数，所以复制一个 HasPtr 对象将复制两个成员：

```
int obj = 0;
HasPtr ptr1(&obj, 42);    // int* member points to obj, val is 42
HasPtr ptr2(ptr1);        // int* member points to obj, val is 42
```

复制之后，ptr1 和 ptr2 中的指针指向同一对象且两个对象中的 int 值相同。但是，因为指针的值不同于它所指对象的值，这两个成员的行为看来非常不同。复制之后，int 值是清楚和独立的，而指针则纠缠在一起。

具有指针成员且使用默认合成复制构造函数的类具有普通指针的所有缺陷。尤其是，类本身无法避免悬垂指针。

3. 指针共享同一对象

复制一个算术值时，副本独立于原版，可以改变一个副本而不改变另一个：

```
ptr1.set_int(0); // changes val member only in ptr1
ptr2.get_int();  // returns 42
ptr1.get_int();  // returns 0
```

复制指针时，地址值是可区分的，但指针指向同一基础对象。如果在任一对象上调用 set_ptr_val，则二者的基础对象都会改变：

```
ptr1.set_ptr_val(42); // sets object to which both ptr1 and ptr2 point
ptr2.get_ptr_val();   // returns 42
```

两个指针指向同一对象时，其中任意一个都可以改变共享对象的值。

4. 可能出现悬垂指针

因为类直接复制指针，会使用户面临潜在的问题：HasPtr 保存着给定指针。用户必须保证只要 HasPtr 对象存在，该指针指向的对象就存在：

```
int *ip = new int(42);    // dynamically allocated int initialized to 42
HasPtr ptr(ip, 10);       // HasPtr points to same object as ip does
delete ip;                // object pointed to by ip is freed
ptr.set_ptr_val(0); // disaster: The object to which HasPtr points was freed!
```

这里的问题是 ip 和 ptr 中的指针指向同一对象。删除了该对象时，ptr[1]中的指针不再指向有效对象。然而，没有办法得知对象已经不存在了。

习题

习题 13.20 对于 HasPtr 类的原始版本（依赖于复制控制的默认定义），描述下面代码中会发生什么：

```
int i = 42;
HasPtr p1(&i, 42);
HasPtr p2 = p1;
cout << p2.get_ptr_val() << endl;
p1.set_ptr_val(0);
cout << p2.get_ptr_val() << endl;
```

习题 13.21 如果给 HasPtr 类添加一个析构函数，用来删除指针成员，会发生什么？

494

13.5.1　定义智能指针类

上节中我们定义了一个简单类，保存一个指针和一个 int 值。其中指针成员的行为与其他任意指针完全相同。对该指针指向的对象所做的任意改变都将作用于共享对象。如果用户删除该对象，则类就有一个悬垂指针，指向一个不复存在的对象。

除了使指针成员与指针完全相同之外，另一种方法是定义所谓的**智能指针**（smart pointer）类。智能指针除了增加功能外，其行为像普通指针一样。本例中让智能指针负责删除共享对象。用户将动态分配一个对象并将该对象的地址传给新的 HasPtr 类。用户仍然可以通过普通指针访问对象，但绝不能删除指针。HasPtr 类将保证在撤销指向对象的最后一个 HasPtr 对象时删除对象。

HasPtr 在其他方面的行为与普通指针一样。具体而言，复制对象时，副本和原对象将指向同一基础对象，如果通过一个副本改变基础对象，则通过另一对象访问的值也会改变。

新的 HasPtr 类需要一个析构函数来删除指针，但是，析构函数不能无条件地删除指针。如果两个 HasPtr 对象指向同一基础对象，那么，在两个对象都撤销之前，我们并不希望删除基础对象。为了编写析构函数，需要知道这个 HasPtr 对象是否为指向给定对象的最后一个。

1. 引入使用计数

定义智能指针的通用技术是采用一个**使用计数**（use count）。智能指针类将一个计数器与类指向的对象相关联。使用计数跟踪该类有多少个对象共享同一指针。使用计数为 0 时，删除对象。使用计数有时也称为**引用计数**（reference count）。

每次创建类的新对象时，初始化指针并将使用计数置为 1。当对象作为另一对象的副本而创建时，复制构造函数复制指针并增加与之相应的使用计数的值。对一个对象进行赋值时，赋值操

---

1. 此处原文误为 HasPtr。——译者注

作符减少左操作数所指对象的使用计数的值（如果使用计数减至 0，则删除对象），并增加右操作数所指对象的使用计数的值。最后，调用析构函数时，析构函数减少使用计数的值，如果计数减至 0，则删除基础对象。

唯一的创新在于决定将使用计数放在哪里。计数器不能直接放在 HasPtr 对象中，为什么呢？考虑下面的情况：

```
int obj;
HasPtr p1(&obj, 42);
HasPtr p2(p1);  // p1 and p2 both point to same int object
HasPtr p3(p1);  // p1, p2, and p3 all point to same int object
```

495

如果使用计数保存在 HasPtr 对象中，创建 p3 时怎样更新它？可以在 p1 中将计数增量并复制到 p3，但怎样更新 p2 中的计数？

2. 使用计数类

实现使用计数有两种经典策略，在这里将使用其中一种，另一种方法在 15.8.1 节中讲述。这里所用的方法中，需要定义一个单独的具体类用以封装使用计数和相关指针：

```
// private class for use by HasPtr only
class U_Ptr {
    friend class HasPtr;
    int *ip;
    size_t use;
    U_Ptr(int *p): ip(p), use(1) { }
    ~U_Ptr() { delete ip; }
};
```

这个类的所有成员均为 private。我们不希望普通用户使用 U_Ptr 类，所以它没有任何 public 成员。将 HasPtr 类设置为友元，使其成员可以访问 U_Ptr 的成员。

尽管该类的工作原理比较难，但这个类相当简单。U_Ptr 类保存指针和使用计数，每个 HasPtr 对象将指向一个 U_Ptr 对象，使用计数将跟踪指向每个 U_Ptr 对象的 HasPtr 对象的数目。U_Ptr 定义的仅有函数是构造函数和析构函数，构造函数复制指针，而析构函数删除它。构造函数还将使用计数置为 1，表示一个 HasPtr 对象指向这个 U_Ptr 对象。

假定刚从指向 int 值 42 的指针创建了一个 HasPtr 对象，可以画出这些对象，如下图：

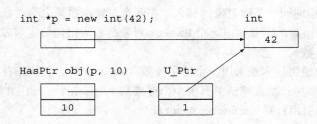

496 如果复制这个对象，则对象如下图所示。

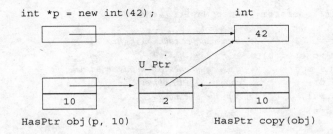

3. 使用计数类的使用

新的 HasPtr 类保存一个指向 U_Ptr 对象的指针，U_Ptr 对象指向实际的 int 基础对象。必须改变每个成员以说明 HasPtr 类指向一个 U_Ptr 对象而不是一个 int[1]值。

先看看构造函数和复制控制成员：

```
/*  smart pointer class: takes ownership of the dynamically allocated
 *            object to which it is bound
 *  User code must dynamically allocate an object to initialize a HasPtr
 *  and must not delete that object; the HasPtr class will delete it
 */
class HasPtr {
public:
    // HasPtr owns the pointer; p must have been dynamically allocated
    HasPtr(int *p, int i): ptr(new U_Ptr(p)), val(i) { }
    // copy members and increment the use count
    HasPtr(const HasPtr &orig):
        ptr(orig.ptr), val(orig.val) { ++ptr->use; }
    HasPtr& operator=(const HasPtr&);
    // if use count goes to zero, delete the U_Ptr object
    ~HasPtr() { if (--ptr->use == 0) delete ptr; }
private:
    U_Ptr *ptr;          // points to use-counted U_Ptr class
    int val;
};
```

接受一个指针和一个 int 值的 HasPtr 构造函数使用其指针形参创建一个新的 U_Ptr 对象。HasPtr 构造函数执行完毕后，HasPtr 对象指向一个新分配的 U_Ptr 对象，该 U_Ptr 对象存储给定指针。新 U_Ptr 中的使用计数为 1，表示只有一个 HasPtr 对象指向它。

复制构造函数从形参复制成员并增加使用计数的值。复制构造函数执行完毕后，新创建对象与原有对象指向同一 U_Ptr 对象，该 U_Ptr 对象的使用计数加 1。

析构函数将检查 U_Ptr 基础对象的使用计数。如果使用计数为 0，则这是最后一个指向该 U_Ptr 对象的 HasPtr 对象，在这种情况下，HasPtr 析构函数删除其 U_Ptr 指针。删除该指针将引起对 U_Ptr 析构函数的调用，U_Ptr 析构函数删除 int 基础对象。

4. 赋值与使用计数

赋值操作符比复制构造函数复杂一点：

---

1. 原文误为 int*。——译者注

```
HasPtr& HasPtr::operator=(const HasPtr &rhs)
{
    ++rhs.ptr->use;         // increment use count on rhs first
    if (--ptr->use == 0)
        delete ptr;         // if use count goes to 0 on this object, delete it
    ptr = rhs.ptr;          // copy the U_Ptr object
    val = rhs.val;          // copy the int member
    return *this;
}
```

在这里，首先将右操作数中的使用计数加 1，然后将左操作数对象的使用计数减 1 并检查这个使用计数。像析构函数中那样，如果这是指向 U_Ptr 对象的最后一个对象，就删除该对象，这会依次撤销 int 基础对象。将左操作数中的当前值减 1（可能撤销该对象）之后，再将指针从 rhs 复制到这个对象。赋值照常返回对这个对象的引用。

 　　这个赋值操作符在减少左操作数的使用计数之前使 rhs 的使用计数加 1，从而防止自身赋值。

如果左右操作数相同，赋值操作符的效果将是 U_Ptr 基础对象的使用计数加 1 之后立即减 1。

5. 改变其他成员

现在需要改变访问 int* 的其他成员，以便通过 U_Ptr 指针间接获取 int：

```
class HasPtr {
public:
    // copy control and constructors as before
    // accessors must change to fetch value from U_Ptr object
    int *get_ptr() const { return ptr->ip; }
    int get_int() const { return val; }
    // change the appropriate data member
    void set_ptr(int *p) { ptr->ip = p; }
    void set_int(int i) { val = i; }
    // return or change the value pointed to, so ok for const objects
    // Note: *ptr->ip is equivalent to *(ptr->ip)
    int get_ptr_val() const { return *ptr->ip; }
    void set_ptr_val(int i) { *ptr->ip = i; }
private:
    U_Ptr *ptr;             // points to use-counted U_Ptr class
    int val;
};
```

498

获取和设置 int 成员的函数不变。那些使用指针操作的函数必须对 U_Ptr 解引用，以便获取 int* 基础对象。

　　复制 HasPtr 对象时，int 成员的行为与第一个类中一样。所复制的是 int 成员的值，各成员是独立的，副本和原对象中的指针仍指向同一基础对象，对基础对象的改变将影响通过任一 HasPtr 对象所看到的值。然而，HasPtr 的用户无须担心悬垂指针。只要他们让 HasPtr 类负责释放对象，HasPtr 类将保证只要有指向基础对象的 HasPtr 对象存在，基础对象就存在。

建议：管理指针成员

具有指针成员的对象一般需要定义复制控制成员。如果依赖合成版本，会给类的用户增加负担。用户必须保证成员所指向的对象存在，只要还有对象指向该对象。

为了管理具有指针成员的类，必须定义三个复制控制成员：复制构造函数、赋值操作符和析构函数。这些成员可以定义指针成员的指针型行为或值型行为。

值型类将指针成员所指基础值的副本给每个对象。复制构造函数分配新元素并从被复制对象处复制值，赋值操作符撤销所保存的原对象并从右操作数向左操作数复制值，析构函数撤销对象。

作为定义值型行为或指针型行为的另一选择，是使用称为"智能指针"的一些类。这些类在对象间共享同一基础值，从而提供了指针型行为。但它们使用复制控制技术以避免常规指针的一些缺陷。为了实现智能指针行为，类需要保证基础对象一直存在，直到最后一个副本消失。使用计数（13.5.1 节）是管理智能指针类的通用技术。同一基础值的每个副本都有一个使用计数。复制构造函数将指针从旧对象复制到新对象时，会将使用计数加 1。赋值操作符将左操作数的使用计数减 1 并将右操作数的使用计数加 1，如果左操作数的使用计数减至 0，赋值操作符必须删除它所指向的对象，最后，赋值操作符将指针从右操作数复制到左操作数。析构函数将使用计数减 1，并且，如果使用计数减至 0，就删除基础对象。

管理指针的这些方法用得非常频繁，因此使用带指针成员类的程序员必须充分熟悉这些编程技术。

习题

习题 13.22 什么是使用计数？

习题 13.23 什么是智能指针？智能指针类如何与实现普通指针行为的类相区别？

习题 13.24 实现你自己的使用计数的 HasPtr 类的版本。

13.5.2 定义值型类

处理指针成员的另一个完全不同的方法，是给指针成员提供值语义（value semantics）。具有值语义的类所定义的对象，其行为很像算术类型的对象：复制值型对象时，会得到一个不同的新副本。对副本所做的改变不会反映在原有对象上，反之亦然。string 类是值型类的一个例子。

要使指针成员表现得像一个值，复制 HasPtr 对象时必须复制指针所指向的对象：

```
/*
 * Valuelike behavior even though HasPtr has a pointer member:
 * Each time we copy a HasPtr object, we make a new copy of the
 * underlying int object to which ptr points.
 */
class HasPtr {
```

499

```
public:
    // no point to passing a pointer if we're going to copy it anyway
    // store pointer to a copy of the object we're given
    HasPtr(const int &p, int i): ptr(new int(p)), val(i) {}
    // copy members and increment the use count
    HasPtr(const HasPtr &orig):
        ptr(new int (*orig.ptr)), val(orig.val) { }
    HasPtr& operator=(const HasPtr&);
    ~HasPtr() { delete ptr; }
    // accessors must change to fetch value from Ptr object
    int get_ptr_val() const { return *ptr; }
    int get_int() const { return val; }
    // change the appropriate data member
    void set_ptr(int *p) { ptr = p; }
    void set_int(int i) { val = i; }
    // return or change the value pointed to, so ok for const objects
    int *get_ptr() const { return ptr; }
    void set_ptr_val(int p) const { *ptr = p; }
private:
    int *ptr;          // points to an int
    int val;
};
```

复制构造函数不再复制指针，它将分配一个新的 int 对象，并初始化该对象以保存与被复制对象相同的值。每个对象都保存属于自己的 int 值的不同副本。因为每个对象保存自己的副本，所以析构函数将无条件删除指针。

赋值操作符不需要分配新对象，它只是必须记得给其指针所指向的对象赋新值，而不是给指针本身赋值：

```
HasPtr& HasPtr::operator=(const HasPtr &rhs)
{
    // Note: Every HasPtr is guaranteed to point at an actual int;
    //    We know that ptr cannot be a zero pointer
    *ptr = *rhs.ptr;        // copy the value pointed to
    val = rhs.val;          // copy the int
    return *this;
}
```

换句话说，改变的是指针所指向的值，而不是指针。

　　　即使要将一个对象赋值给它本身，赋值操作符也必须总是保证正确。本例中，即使左右操作数相同，操作本质上也是安全的，因此，不需要显式检查自身赋值。

习题

习题 13.25　什么是值型类？

习题 13.26　实现你自己的值型 HasPtr 类版本。

习题 13.27　值型 HasPtr 类定义了所有复制控制成员。描述将会发生什么，如果该类：

(a) 定义了复制构造函数和析构函数但没有定义赋值操作符。

(b) 定义了复制构造函数和赋值操作符但没有定义析构函数。

(c) 定义了析构函数但没有定义复制构造函数和赋值操作符。

习题 13.28 对于如下的类，实现默认构造函数和必要的复制控制成员。

```
(a) class TreeNode {            (b) class BinStrTree {
    public:                         public:
        // ...                          //...
    private:                        private:
        std::string value;              TreeNode *root;
        int         count;      };
        TreeNode    *left;
        TreeNode    *right;
    };
```

501

小结

　　类除了定义该类型对象上的操作，还需要定义复制、赋值或撤销该类型对象的含义。特殊成员函数（复制构造函数、赋值操作符和析构函数）可用于定义这些操作。这些操作统称为"复制控制"函数。

　　如果类没有定义这些操作中的一个或多个，编译器将自动定义它们。合成操作执行逐个成员初始化、赋值或撤销：合成操作依次取得每个成员，根据成员类型进行成员的复制、赋值或撤销。如果成员为类类型的，合成操作调用该类的相应操作（即，复制构造函数调用成员的复制构造函数，析构函数调用成员的析构函数，等等）。如果成员为内置类型或指针，则直接复制或赋值，析构函数对撤销内置类型或指针类型的成员没有影响。如果成员为数组，则根据元素类型以适当方式复制、赋值或撤销数组中的元素。

　　与复制构造函数和赋值操作符不同，无论类是否定义了自己的析构函数，都会创建和运行合成析构函数。如果类定义了析构函数，则在类定义的析构函数结束之后运行合成析构函数。

　　　　定义复制控制函数最为困难的部分通常在于认识到它们的必要性。

　　分配内存或其他资源的类几乎总是需要定义复制控制成员来管理所分配的资源。如果一个类需要析构函数，则它几乎也总是需要定义复制构造函数和赋值操作符。

术语

assignment operator（赋值操作符） 赋值操作符可以重载，对将某个类类型对象赋值给另一同类型对象的含义进行定义。赋值操作符必须是类的成员并且必须返回对所属类对象的引用。如果类没有定义赋值操作符，则编译器将会合成一个。

copy constructor（复制构造函数） 将新对象初始化为另一同类型对象的副本的构造函数。显式应用复制构造函数进行对象的按值传递，向函数传递对象或从函数返回对象。如果没有定义复制构造函数,编译器就为我们合成一个。

copy control(复制控制) 控制类类型对象的复制、赋值和撤销的特殊成员。如果类没有另外定义它们,则编译器将为这些操作合成适当定义。

destructor(析构函数) 当对象超出作用域或删除对象时,清除对象的特殊成员函数。编译器将自动撤销每个成员。类类型的成员通过调用它们的析构函数而撤销,撤销内置或复合类型的成员无须做显式工作。特别地,析构函数的自动工作不会删除指针成员所指向的对象。

memberwise copy(逐个成员复制) 用于描述合成赋值操作符如何工作的术语。赋值操作符将成员依次从旧对象赋值给新对象。内置或复合类型成员直接赋值,类类型成员使用成员的赋值操作符进行赋值。

memberwise initialization(逐个成员初始化) 用于描述合成复制构造函数如何工作的术语。构造函数将成员依次从旧对象复制到新对象。内置或复合类型成员直接复制,类类型成员使用成员的复制构造函数进行复制。

overloaded operator(重载操作符) 将一个C++操作符重定义以操作类类型对象的函数。本章介绍了如何定义赋值操作符,第 14 章将更详细地介绍重载操作符。

reference count(引用计数) 使用计数的同义词。

Rule of Three(三法则) 一个经验原则的简写形式,即,如果一个类需要析构函数,则该类几乎也必然需要定义自己的复制构造函数和赋值操作符。

smart pointer(智能指针) 一个行为类似指针但也提供其他功能的类。智能指针的一个通用形式接受指向动态分配对象的指针并负责删除该对象。用户分配对象,但由智能指针类删除它。智能指针类需要实现复制控制成员来管理指向共享对象的指针。只有在撤销了指向共享对象的最后一个智能指针后,才能删除该共享对象。使用计数是实现智能指针类最常用的方式。

synthesized assignment operator(合成赋值操作符) 由编译器为没有显式定义赋值操作符的类创建(合成)的赋值操作符版本。合成赋值操作符将右操作数逐个成员地赋值给左操作数。

synthesized copy constructor(合成复制构造函数) 由编译器为没有显式定义复制构造函数的类创建(合成)的复制构造函数。合成复制构造函数将原对象逐个成员地初始化新对象。

use count(使用计数) 复制控制成员中使用的编程技术。使用计数与共享对象一起存储。需要创建一个单独类指向共享对象并管理使用计数。由构造函数,而不是复制构造函数,设置共享对象的状态并将使用计数置为 1。每当由复制构造函数或赋值操作符生成一个新副本时,使用计数加 1。由析构函数撤销对象或作为赋值操作符的左操作数撤销对象时,使用计数减 1。赋值操作符和析构函数检查使用计数是否已减至 0,如果是,则撤销对象。

value semantics(值语义) 对类模拟算术类型复制方式的复制控制行为的描述。值型对象的副本是独立的:对副本的改变不会影响原有对象。具有指针成员的值型类必须定义自己的复制控制成员。复制控制操作复制指针所指向的对象。只包含其他值型类或内置类型的值型类,通常可以依赖合成的复制控制成员。

502
~
503

第 **14** 章

重载操作符与转换

第 5 章介绍过，C++定义了许多内置类型间的操作符和自动转换。使用这些设施程序员能够编写丰富的混合类型表达式。

C++允许我们重定义操作符用于类类型对象时的含义。如果需要，可以像内置转换那样使用类类型转换，将一个类型的对象隐式转换到另一类型。

通过操作符重载，程序员能够针对类类型的操作数定义不同的操作符版本。第 13 章阐述了赋值操作符的重要性并介绍了怎样定义赋值操作符。我们第一次使用重载操作符是在第 1 章，那时程序用移位操作符（>>和<<）进行输入输出，用加号操作符（+）将两个 Sales_item 相加。本章我们终于可以看到怎样定义这些重载操作符了。

通过操作符重载，可以重定义第 5 章介绍的大多数操作符，使它们用于类类型对象。明智地使用操作符重载可以使类类型的使用像内置类型一样直观。例如，标准库为容器类定义了几个重载操作符。这些容器类定义了下标操作符以访问数据元素，定义了*和->对容器迭代器解引用。这些标准库的类型具有相同的操作符，使用它们就像使用内置数组和指针一样。允许程序使用表达式而不是命名函数，可以使编写和阅读程序容易得多。将

```
cout << "The sum of " << v1 << " and " << v2
        << " is " << v1 + v2 << endl;
```

和以下更为冗长的代码相比较就能够看到。如果 IO 使用命名函数，类似下面的代码将无法避免：

```
// hypothetical expression if IO used named functions
cout.print("The sum of ").print(v1).
        print(" and ").print(v2).print(" is ").
        print(v1 + v2).print("\n").flush();
```

14.1   重载操作符的定义

重载操作符是具有特殊名称的函数：保留字 operator 后接需定义的操作符符号。像任意其他函数一样，重载操作符具有返回类型和形参表，如下语句：

```
Sales_item operator+(const Sales_item&, const Sales_item&);
```

声明了加号操作符，可用于将两个 Sales_item 对象"相加"并获得一个 Sales_item 对象的副本。

除了函数调用操作符之外，重载操作符的形参数目（包括成员函数的隐式 this 指针）与操作符的操作数数目相同。函数调用操作符可以接受任意数目的操作数。

1. 重载的操作符名

表 14-1 列出了可以重载的操作符，不能重载的在表 14-2 列出。

表 14-1 可重载的操作符					
+	-	*	/	%	^
&	|	~	!	,	=
<	>	<=	>=	++	--
<<	>>	==	!=	&&	||
+=	-=	/=	%=	^=	&=
|=	*=	<<=	>>=	[]	()
->	->*	new	new []	delete	delete []

表 14-2 不能重载的操作符			
::	.*	.	?:

通过连接其他合法符号可以创建新的操作符。例如，定义一个 operator** 以提供求幂运算是合法的。第 18 章将介绍重载 new 和 delete。

2. 重载操作符必须具有一个类类型操作数

用于内置类型的操作符，其含义不能改变。例如，内置的整型加号操作符不能重定义：

```
// error: cannot redefine built-in operator for ints
int operator+(int, int);
```

也不能为内置数据类型重定义加号操作符。例如，不能定义接受两个数组类型操作数的 operator+。

 重载操作符必须具有至少一个类类型或枚举类型（2.7 节）的操作数。这条规则强制重载操作符不能重新定义用于内置类型对象的操作符的含义。

3. 优先级和结合性是固定的

操作符的优先级（5.10.1 节）、结合性或操作数数目不能改变。不管操作数的类型和操作符的功能定义如何，表达式

```
x == y + z;
```

总是将实参 y 和 z 绑定到 operator+，并且将结果用作 operator== 的右操作数。

有四个符号（+、-、*和&）既可作一元操作符又可作二元操作符，这些操作符有的在其中一种情况下可以重载，有的两种都可以，定义的是哪个操作符由操作数数目控制。除了函数调用操作符 operator()之外，重载操作符时使用默认实参是非法的。

4. 不再具备短路求值特性

重载操作符并不保证操作数的求值顺序，尤其是，不会保证内置逻辑 AND、逻辑 OR（5.2 节）和逗号操作符（5.9 节）的操作数求值。在&&和||的重载版本中，两个操作数都要进行求值，而且对操作数的求值顺序不做规定。因此，重载&&、||或逗号操作符不是一种好的做法。

5. 类成员与非成员

大多数重载操作符可以定义为普通非成员函数或类的成员函数。

 作为类成员的重载函数，其形参看起来比操作数数目少 1。作为成员函数的操作符有一个隐含的 this 形参，限定为第一个操作数。

重载一元操作符如果作为成员函数就没有（显式）形参，如果作为非成员函数就有一个形参。类似地，重载二元操作符定义为成员时有一个形参，定义为非成员函数时有两个形参。

类 Sales_item 中给出了成员和非成员二元操作符的良好例子。我们知道该类有一个加号操作符。因为它有一个加号操作符，所以也应该定义一个复合赋值（+=）操作符，该操作符将一个 Sales_item 对象的值加至另一个 Sales_item 对象。

一般将算术和关系操作符定义为非成员函数，而将赋值操作符定义为成员：

```
// member binary operator: left-hand operand bound to implicit this pointer
Sales_item& Sales_item::operator+=(const Sales_item&);
```

```
// nonmember binary operator: must declare a parameter for each operand
Sales_item operator+(const Sales_item&, const Sales_item&);
```

加和复合赋值都是二元操作符,但这些函数定义了不同数目的形参,差异的原因在于 this 指针。

当操作符为成员函数,this 指向左操作数,因此,非成员 operator+ 定义两个形参,都引用 const Sales_item 对象。即使复合赋值是二元操作符,成员复合赋值操作符也只接受一个(显式的)形参。使用操作符时,一个指向左操作数的指针自动绑定到 this,而右操作数限定为函数的唯一形参。

复合赋值返回一个引用而加操作符返回一个 Sales_item 对象,这也没什么。当应用于算术类型时,这一区别与操作符的返回类型相匹配:加返回一个右值,而复合赋值返回对左操作数的引用。

6. 操作符重载和友元关系

操作符定义为非成员函数时,通常必须将它们设置为所操作类的友元(12.5 节)。在本章的后面部分,将给出操作符可以定义为非成员的两个原因。在这种情况下,操作符通常需要访问类的私有部分。

Sales_item 类也是说明为何有些操作符需要设置为友元的一个好例子。它定义了一个成员操作符,并且有三个非成员操作符。这些非成员操作符需要访问私有数据成员,声明为友元:

```
class Sales_item {
    friend std::istream& operator>>
                        (std::istream&, Sales_item&);
    friend std::ostream& operator<<
                        (std::ostream&, const Sales_item&);
public:
    Sales_item& operator+=(const Sales_item&);
};
Sales_item operator+(const Sales_item&, const Sales_item&);
```

输入和输出操作符需要访问 private 数据不会令人惊讶,毕竟,它们的作用是读入和写出那些成员。另一方面,不需要将加操作符设置为友元,它可以用 public 成员 operator+= 实现。

7. 使用重载操作符

使用重载操作符的方式,与内置类型操作数上使用操作符的方式一样。假定 item1 和 item2 是 Sales_item 对象,可以打印它们的和,就像打印两个 int 的和一样:

```
cout << item1 + item2 << endl;
```

这个表达式隐式调用为 Sales_item 类而定义的 operator+。

也可以像调用普通函数一样调用重载操作符函数,指定函数并传递适当类型适当数目的形参:

```
// equivalent direct call to nonmember operator function
cout << operator+(item1, item2) << endl;
```

这个调用与将 item1 和 item2 相加的表达式等效。

调用成员操作符函数与调用任意其他函数是一样的:指定运行函数的对象,然后使用点或箭头操作符获取希望调用的函数,同时传递所需数目和类型的实参。对于二元成员操作符函数的情况，我们必须传递一个操作数：

```
item1 += item2;            // expression based "call"
item1.operator+=(item2);   // equivalent call to member operator function
```

两个语句都将 item2 的值加至 item1。第一种情况下，使用表达式语法隐式调用重载操作符 | 509 |
函数；第二种情况下，在 item1 对象上调用成员操作符函数。

习题

习题 14.1　在什么情况下重载操作符与内置操作符不同？在什么情况下重载操作符与内置操作符相同？

习题 14.2　为 Sales_item 编写输入、输出、加以及复合赋值操作符的重载声明。

习题 14.3　解释如下程序，假定接受一个 string 参数的 Sales_item 构造函数不为 explicit。解释如果构造函数为 explicit 会怎样。

```
string null_book = "9-999-99999-9";
Sales_item item(cin);
item += null_book;
```

习题 14.4　string 和 vector 类都定义了一个重载的 ==，可用于比较这些类的对象。指出下面表达式中应用了哪个 == 版本：

```
string s; vector<string> svec1, svec2;
"cobble" == "stone"
svec1[0] == svec2[0];
svec1 == svec2
```

重载操作符的设计

设计类的时候，需要记住一些有用的经验原则，可以有助于确定应该提供哪些重载操作符（如果需要提供）。

1. 不要重载具有内置含义的操作符

赋值操作符、取地址操作符和逗号操作符对类类型操作数有默认含义。如果没有特定重载版本，编译器就自己定义以下这些操作符。

- 合成赋值操作符（13.2 节）进行逐个成员赋值：使用成员自己的赋值操作符依次对每个成员进行赋值。
- 默认情况下，取地址操作符（&）和逗号操作符（,）在类类型对象上的执行，与在内置类型对象上的执行一样。取地址操作符返回对象的内存地址，逗号操作符从左至右计算每个表达式的值，并返回最右边操作数的值。 | 510 |
- 内置逻辑与（&&）和逻辑或（||）操作符使用短路求值（5.2 节）。如果重新定义该操作符，将失去操作符的短路求值特征。

通过为给定类类型的操作数重定义操作符，可以改变这些操作符的含义。

最佳实践　重载逗号、取地址、逻辑与、逻辑或等操作符通常不是好做法。这些操作符具有有用的内置含义，如果我们定义了自己的版本，就不能再使用这些内置含义。

有时我们需要定义自己的赋值运算。这样做时，它应表现得类似于合成操作符：赋值之后，左右操作数的值应是相同的，并且操作符应返回对左操作数的引用。重载的赋值运算应在赋值的内置含义基础上进行定制，而不是完全绕开。

2. 大多数操作符对类对象没有意义

除非提供了重载定义，赋值、取地址和逗号操作符对于类类型操作数没有意义。设计类的时候，应该确定要支持哪些操作符。

为类设计操作符，最好的方式是首先设计类的公用接口。定义了接口之后，就可以考虑应将哪些操作符定义为重载操作符。那些逻辑上可以映射到某个操作符的操作可以考虑作为候选的重载操作符。例如：

- 相等测试操作应使用 operator==。
- 一般通过重载移位操作符进行输入和输出。
- 测试对象是否为空的操作可用逻辑非操作符 operator!表示。

3. 复合赋值操作符

如果一个类有算术操作符（5.1 节）或位操作符（5.3 节），那么，提供相应的复合赋值操作符一般是个好的做法。例如，Sales_item 类定义了+操作符，逻辑上，它也应该定义+=。不用说，操作符的行为应定义为与内置操作符一样：复合赋值的行为应与+之后接着=类似。

警告：审慎使用操作符重载

每个操作符用于内置类型都有关联的含义。例如，二元+与加法是完全相同的。将二元+对应到一个类类型的类似操作可提供方便的简写方法。例如，标准库的类型 string，遵循许多程序设计语言的通用规范，使用+表示连接——将一个串"加"至另一个串。

当内置操作符和类型上的操作存在逻辑对应关系时，操作符重载最有用。使用重载操作符而不是创造命名操作，可以令程序更自然、更直观，而滥用操作符重载会使得我们的类难以理解。

在实践中很少发生明显的操作符重载滥用。例如，不负责任的程序员可能会定义operator+来执行减法。更常见但仍不可取的是，改变操作符的"正常"含义以强行适应给定类型。操作符应该只用于对用户而言无二义的操作。在这里所谓有二义的操作符，就是指具有多个不同解释的操作符。

当一个重载操作符的含义不明显时，给操作取一个名字更好。对于很少用的操作，**最佳实践** 使用命名函数通常也比用操作符更好。如果不是普通操作，没有必要为简洁而使用操作符。

---

4. 相等和关系操作符

将要用作关联容器键类型的类应定义<操作符。关联容器默认使用键类型的<操作符。即使该类型将只存储在顺序容器中，类通常也应该定义相等（==）操作符和小于（<）操作符，理由是许多算法假定这些操作符存在。例如 sort 算法使用<操作符，而 find 算法使用==操作符。

如果类定义了相等操作符，它也应该定义不等操作符!=。类用户会假设如果可以进行相等比较，则也可以进行不等比较。同样的规则也应用于其他关系操作符。如果类定义了<，则它可能应该定义全部的四个关系操作符（>，>=，<，<=）。

5. 选择成员或非成员实现

为类设计重载操作符的时候，必须选择是将操作符设置为类成员还是普通非成员函数。在某些情况下，程序员没有选择，操作符必须是成员；在另一些情况下，有些经验原则可指导我们做出决定。下面是一些指导原则，有助于决定将操作符设置为类成员还是普通非成员函数：

- 赋值（=）、下标（[]）、调用（()）和成员访问箭头（->）等操作符必须定义为成员，将这些操作符定义为非成员函数将在编译时标记为错误。
- 像赋值一样，复合赋值操作符通常应定义为类的成员。与赋值不同的是，不一定非得这样做，如果定义非成员复合赋值操作符，不会出现编译错误。
- 改变对象状态或与给定类型紧密联系的其他一些操作符，如自增、自减和解引用，通常应定义为类成员。
- 对称的操作符，如算术操作符、相等操作符、关系操作符和位操作符，最好定义为普通非成员函数。

512

习题

习题 14.5　列出必须定义为类成员的操作符。

习题 14.6　解释下面操作符是否应该为类成员，为什么？

　　　(a)+　　(b)+=　　(c)++　　(d)->　　(e)<<　　(f)&&　　(g)==　　(h)()

14.2　输入和输出操作符

支持 I/O 操作的类所提供的 I/O 操作接口，一般应该与标准库 iostream 为内置类型定义的接口相同，因此，许多类都需要重载输入和输出操作符。

14.2.1　输出操作符<<的重载

 为了与 IO 标准库一致，操作符应接受 ostream&作为第一个形参，对类类型 const 对象的引用作为第二个形参，并返回对 ostream 形参的引用。

重载输出操作符一般的简单定义如下：

```
// general skeleton of the overloaded output operator
ostream&
operator <<(ostream& os, const ClassType &object)
{
    // any special logic to prepare object

    // actual output of members
    os << // ...
```

```
    //  return ostream object
    return os;
}
```

第一个形参是对 ostream 对象的引用，在该对象上将产生输出。ostream 为非 const，因为写入到流会改变流的状态。该形参是一个引用，因为不能复制 ostream 对象。

第二个形参一般应是对要输出的类类型的引用。该形参是一个引用以避免复制实参。它可以是 const，因为（一般而言）输出一个对象不应该改变该对象。使形参成为 const 引用，就可以使用同一个定义来输出 const 和非 const 对象。

返回类型是一个 ostream 引用，它的值通常是输出操作符所操作的 ostream 对象。

1. Sales_item 输出操作符

现在可以编写 Sales_item 的输出操作符了：

```
ostream&
operator<<(ostream& out, const Sales_item& s)
{
    out << s.isbn << "\t" << s.units_sold << "\t"
        << s.revenue << "\t" << s.avg_price();
    return out;
}
```

输出 Sales_item，就需要输出它的三个数据成员以及计算得到的平均销售价格，每个成员用制表符间隔。输出值之后，该操作符返回对所写 ostream 对象的引用。

2. 输出操作符通常所做格式化应尽量少

关于输出，类设计者面临一个重要决定：是否格式化以及进行多少格式化。

> **最佳实践**　一般而言，输出操作符应输出对象的内容，进行最小限度的格式化，它们不应该输出换行符。

用于内置类型的输出操作符所做的格式化很少，并且不输出换行符。由于内置类型的这种既定处理，用户预期类输出操作符也有类似行为。通过限制输出操作符只输出对象的内容，如果需要执行任意额外的格式化，我们让用户决定该如何处理。尤其是，输出操作符不应该输出换行符，如果该操作符输出换行符，则用户就不能将说明文字与对象输出在同一行上。尽量减少操作符所做的格式化，让用户自己控制输出细节。

3. IO 操作符必须为非成员函数

当定义符合标准库 iostream 规范的输入或输出操作符的时候，必须使它成为非成员操作符，为什么需要这样做呢？

我们不能将该操作符定义为类的成员，否则，左操作数将只能是该类类型的对象：

```
// if operator<< is a member of Sales_item
Sales_item item;
item << cout;
```

这个用法与为其他类型定义的输出操作符的正常使用方式相反。

如果想要支持正常用法，则左操作数必须为 ostream 类型。这意味着，如果该操作符是类的成员，则它必须是 ostream 类的成员，然而，ostream 类是标准库的组成部分，我们（以及任何想要定义 IO 操作符的人）是不能为标准库中的类增加成员的。

相反，如果想要使用重载操作符为该类型提供 IO 操作，就必须将它们定义为非成员函数。IO 操作符通常对非公用数据成员进行读写，因此，类通常将 IO 操作符设为友元。

习题

习题 14.7 为下面的 CheckoutRecord 类定义一个输出操作符：

```
class CheckoutRecord {
public:
    // ...
private:
    double book_id;
    string title;
    Date date_borrowed;
    Date date_due;
    pair<string,string> borrower;
    vector< pair<string,string>* > wait_list;
};
```

习题 14.8 12.4 节的习题中，你编写了下面某个类的框架：

(a) Book   (b) Date   (c) Employee
(d) Vehicle   (e) Object   (f) Tree

为所选择的类编写输出操作符。

14.2.2 输入操作符 >> 的重载

与输出操作符类似，输入操作符的第一个形参是一个引用，指向它要读的流，并且返回的也是对同一个流的引用。它的第二个形参是对要读入的对象的非 const 引用，该形参必须为非 const，因为输入操作符的目的是将数据读到这个对象中。

 更重要但通常重视不够的是，输入和输出操作符有如下区别：输入操作符必须处理错误和文件结束的可能性。

515

1. Sales_item 的输入操作符

Sales_item 的输入操作符如下：

```
istream&
operator>>(istream& in, Sales_item& s)
{
    double price;
    in >> s.isbn >> s.units_sold >> price;
    // check that the inputs succeeded
    if (in)
        s.revenue = s.units_sold * price;
    else
        s = Sales_item(); // input failed: reset object to default state
```

```
    return in;
}
```

这个操作符从 istream 形参中读取三个值:一个 string 值,存储到 Sales_item 形参的 isbn 成员中;一个 unsigned 值,存储到 Sales_item 形参的 units_sold 成员中;一个 double 值,存储到 Sales_item 形参的 price 成员中。假定读取成功,操作符用 price 和 units_sold 来设置 Sales_item 对象的 revenue 成员。

2. 输入期间的错误

Sales_item 的输入操作符将读入所期望的值并检查是否发生错误。可能发生的错误包括如下种类:

(1) 任何读操作都可能因为提供的值不正确而失败。例如,读入 isbn 之后,输入操作符将期望下两项是数值型数据。如果输入非数值型数据,这次的读入以及流的后续使用都将失败。

(2) 任何读入都可能碰到输入流中的文件结束或其他一些错误。

我们无需检查每次读入,只在使用读入数据之前检查一次即可:

```
// check that the inputs succeeded
if (in)
    s.revenue = s.units_sold * price;
else
    s = Sales_item(); // input failed: reset object to default state
```

如果这些读入有一个失败了,则 price 可能没有初始化。因此,在使用 price 之前,我们需要检查输入流是否仍有效。如果有效,就进行计算并将结果存储到 revenue 中;如果出现了错误,我们不用关心是哪个输入失败了,相反,我们将整个对象复位,就好像它是一个空 Sales_item 对象,具体做法是创建一个新的、未命名的、用默认构造函数构造的 Sales_item 对象并将它赋值给 s。赋值之后,s 的 isbn 成员是一个空 string,它的 revenue 和 units_sold 成员为 0。

[516]

3. 处理输入错误

如果输入操作符检测到输入失败了,则确保对象处于可用和一致的状态是个好做法。如果对象在错误发生之前已经写入了部分信息,这样做就特别重要。

例如,在 Sales_item 的输入操作符中,可能成功地读入了一个新的 isbn,然后遇到了流错误。在读入 isbn 之后发生错误意味着旧对象的 units_sold 和 revenue 成员没变,结果会将另一个 isbn 与那个数据关联。

在这个操作符中,如果发生了错误,就将形参恢复为空 Sales_item 对象,以避免给它一个无效状态。用户如果需要知道输入是否成功,可以测试流。即使用户忽略了输入可能错误,对象仍处于可用状态——它的成员都已经定义。类似地,对象将不会产生令人误解的结果——它的数据是内在一致的。

最佳实践   设计输入操作符时,如果可能,要确定错误恢复措施,这很重要。

4. 指出错误

除了处理可能发生的任何错误之外,输入操作符还可能需要设置输入形参的条件状态(8.2

节）。我们的输入操作符相当简单——我们只关心读入期间可能发生的错误。如果读入成功，则输入操作符就是正确的而且不需要进行附加检查。

有些输入操作符的确需要进行附加检查。例如，我们的输入操作符可以检查读到的 isbn 格式是否恰当。也许我们已成功读取了数据，但这些数据不能恰当解释为 ISBN，在这种情况下，尽管从技术上说实际的 IO 是成功的，但输入操作符仍可能需要设置条件状态以指出失败。通常输入操作符仅需设置 failbit。设置 eofbit 意思是文件耗尽，设置 badbit 可以指出流被破坏，这些错误最好留给 IO 标准库自己来指出。

习题

习题 14.9　给定下述输入，描述 Sales_item 输入操作符的行为。

```
(a) 0-201-99999-9 10 24.95
(b) 10 24.95 0-201-99999-9
```

习题 14.10　下述 Sales_item 输入操作符有什么错误？

```
istream& operator>>(istream& in, Sales_item& s)
{
    double price;
    in >> s.isbn >> s.units_sold >> price;
    s.revenue = s.units_sold * price;
    return in;
}
```

如果将上题中的数据作为输入，将会发生什么？

习题 14.11　为 14.2.1 节习题中定义的 CheckoutRecord 类定义一个输入操作符，确保该操作符处理输入错误。

14.3　算术操作符和关系操作符

一般而言，将算术和关系操作符定义为非成员函数，像下面给出的 Sales_item 加法操作符一样：

```
// assumes that both objects refer to the same isbn
Sales_item
operator+(const Sales_item& lhs, const Sales_item& rhs)
{
    Sales_item ret(lhs);    // copy lhs into a local object that we'll return
    ret += rhs;             // add in the contents of rhs
    return ret;             // return ret by value
}
```

加法操作符并不改变操作数的状态，操作数是对 const 对象的引用；相反，它产生并返回一个新的 Sales_item 对象，该对象初始化为 lhs 的副本。我们使用 Sales_item 的复合赋值操作符来加入 rhs 的值。

517

> 最佳实践　　注意，为了与内置操作符保持一致，加法返回一个右值，而不是一个引用。

算术操作符通常产生一个新值，该值是两个操作数的计算结果，它不同于任一操作数且在一个局部变量中计算，返回对那个变量的引用是一个运行时错误。

> **最佳实践**　既定义了算术操作符又定义了相关复合赋值操作符的类，一般应使用复合赋值实现算术操作符。

根据复合赋值操作符（如+=）来实现算术操作符（如+），比其他方式更简单且更有效。例如，我们的 Sales_item 操作符。如果我们调用+=来实现+，则可以不必创建和撤销一个临时量来保存+的结果。

习题

习题 14.12　编写 Sales_item 操作符，用+进行实际加法，而+=调用+。与本节中操作符的实现方法相比较，讨论这个方法的缺点。

习题 14.13　如果有，你认为 Sales_item 还应该支持哪些其他算术操作符？定义你认为该类应包含的那些。

14.3.1　相等操作符

通常，C++中的类使用相等操作符表示对象是等价的。即，它们通常比较每个数据成员，如果所有对应成员都相同，则认为两个对象相等。与这一设计原则一致，Sales_item 的相等操作符应比较 isbn 以及销售数据：

```cpp
inline bool
operator==(const Sales_item &lhs, const Sales_item &rhs)
{
    // must be made a friend of Sales_item
    return lhs.units_sold == rhs.units_sold &&
           lhs.revenue == rhs.revenue &&
        lhs.same_isbn(rhs);
}
inline bool
operator!=(const Sales_item &lhs, const Sales_item &rhs)
{
    return !(lhs == rhs); // != defined in terms of operator==
}
```

这些函数的定义并不重要，重要的是这些函数所包含的设计原则：

- 如果类定义了==操作符，该操作符的含义是两个对象包含同样的数据。
- 如果类具有一个操作，能确定该类型的两个对象是否相等，通常将该函数定义为 operator== 而不是创造命名函数。用户将习惯于用==来比较对象，而且这样做比记住新名字更容易。
- 如果类定义了 operator==，它也应该定义 operator!=。用户会期待如果可以用某个操作符，则另一个也存在。
- 相等和不等操作符一般应该相互联系起来定义，让一个操作符完成比较对象的实际工作，而另一个操作符只是调用前者。

定义了 operator== 的类更容易与标准库一起使用。有些算法，如 find，默认使用==操作符，如果类定义了==，则这些算法可以无须任何特殊处理而用于该类类型。

519

14.3.2　关系操作符

定义了相等操作符的类一般也具有关系操作符。尤其是，因为关联容器和某些算法使用小于操作符，所以定义 operator< 可能相当有用。

我们也许认为 Sales_item 类应该支持关系操作符，但恰恰相反，它很可能不应该支持关系操作符，原因有些微妙，值得了解。

正如第 15 章将要介绍的，我们可能想要使用关联容器来保存 Sales_item 事务。将对象放在容器中时，我们会希望它们按 ISBN 排序，而不会关心两个记录中的销售数据是否不同。

但是，如果将 operator< 定义为对 isbn 的比较，该定义将与前面==的定义不相容。如果有两个针对同一 ISBN 的事务，其中任意一个都不会小于另一个，然而，如果这两个对象中的销售数据不同，则它们就会不相等。但是，一般说来，如果有两个对象，其中任意一个都不小于另一个，则认为它们相等。

因为<的逻辑定义与==的逻辑定义不一致，所以根本不定义<会更好。第 15 章将会介绍想要将 Sales_item 对象存储到关联容器中时，怎样使用单独的命名函数来比较 Sales_item 对象。

关联容器以及某些算法，使用默认< 操作符。一般而言，关系操作符，诸如相等操作符，应定义为非成员函数。

14.4　赋值操作符

13.2 节讨论了类类型对象对同类型其他对象的赋值。类赋值操作符接受类类型形参，通常，该形参是对类类型的 const 引用，但也可以是类类型或对类类型的非 const 引用。如果没有定义这个操作符，则编译器将合成它。类赋值操作符必须是类的成员，以便编译器可以知道是否需要合成一个。

可以为一个类定义许多附加的赋值操作符，这些赋值操作符会因右操作数类型的不同而不同。例如，标准库的类 string 定义了 3 个赋值操作符：除了接受 const string& 作为右操作数的类赋值操作符之外，类还定义了接受 C 风格字符串或 char 作为右操作数的赋值操作符，这些操作符可以这样使用：

```
string car ("Volks");
car = "Studebaker";      // string = const char*
string model;
model = 'T';             // string = char
```

520

为了支持这些操作符，string 类包含如下的成员：

```
// illustration of assignment operators for class string
class string {
public:
```

```
    string& operator=(const string &);      // s1 = s2;
    string& operator=(const char *);        // s1 = "str";
    string& operator=(char);                // s1 = 'c';
    // ....
};
```

赋值操作符可以重载。无论形参为何种类型，赋值操作符必须定义为成员函数，这一点与复合赋值操作符有所不同。

赋值必须返回对 ***this** 的引用

string 赋值操作符返回 string 引用，这与内置类型的赋值一致。而且，因为赋值返回一个引用，就不需要创建和撤销结果的临时副本。返回值通常是左操作数的引用，例如，这是 Sales_item 复合赋值操作符的定义：

```
// assumes that both objects refer to the same isbn
Sales_item& Sales_item::operator+=(const Sales_item& rhs)
{
    units_sold += rhs.units_sold;
    revenue += rhs.revenue;
    return *this;
}
```

一般而言，赋值操作符与复合赋值操作符应返回左操作数的引用。

习题

习题 14.14 定义一个赋值操作符，将 isbn 赋值给 Sales_item 对象。

习题 14.15 为 14.2.1 节习题中介绍的 CheckoutRecord 类定义赋值操作符。

习题 14.16 CheckoutRecord 类还应该定义其他赋值操作符吗？如果是，解释哪些类型应该用作操作数并解释为什么。为这些类型实现赋值操作符。

14.5 下标操作符

可以从容器中检索单个元素的容器类一般会定义下标操作符，即 operator[]。标准库的类 string 和 vector 均是定义了下标操作符的类的例子。

下标操作符必须定义为类成员函数。

1. 提供读写访问

定义下标操作符比较复杂的地方在于，它在用作赋值的左右操作数时都应该能表现正常。下标操作符出现在左边，必须生成左值，可以指定引用作为返回类型而得到左值。只要下标操作符返回引用，就可用作赋值的任意一方。

可以对 const 和非 const 对象使用下标也是个好主意。应用于 const 对象时，返回值应为 const 引用，因此不能用作赋值的目标。

类定义下标操作符时，一般需要定义两个版本：一个为非 const 成员并返回引用，另一个为 const 成员并返回 const 引用。

2. 原型下标操作符

下面的类定义了下标操作符。为简单起见，假定 Foo 所保存的数据存储在一个 vector <int> 中：

```cpp
class Foo {
public:
    int &operator[] (const size_t);
    const int &operator[] (const size_t) const;
    // other interface members
private:
    vector<int> data;
    // other member data and private utility functions
};
```

下标操作符本身可能看起来像这样：

```cpp
int& Foo::operator[] (const size_t index)
{
    return data[index];   // no range checking on index
}
const int& Foo::operator[] (const size_t index) const
{
    return data[index];   // no range checking on index
}
```

522

习题

习题 14.17　14.2.1 节习题中定义了一个 CheckoutRecord 类，为该类定义一个下标操作符，从等待列表中返回一个名字。

习题 14.18　讨论用下标操作符实现这个操作的优缺点。

习题 14.19　提出另一种方法定义这个操作。

14.6　成员访问操作符

为了支持指针型类，例如迭代器，C++语言允许重载解引用操作符（*）和箭头操作符（->）。

　　箭头操作符必须定义为类成员函数。解引用操作符不要求定义为成员，但将它作为成员一般也是正确的。

1. 构建更安全的指针

解引用操作符和箭头操作符常用在实现智能指针（13.5.1 节）的类中。作为例子，假定想要定义一个类类型表示指向第 12 章中编写的 Screen 类型对象的指针，将该类命名为 ScreenPtr。ScreenPtr 类将类似于我们的第二个 HasPtr 类。ScreenPtr 的用户将会传递一个指针，该指针指向动态分配的 Screen，ScreenPtr 类将拥有该指针，并安排在指向基础对象的最后一个

ScreenPtr 消失时删除基础对象。另外，不用为 ScreenPtr 类定义默认构造函数。因此，我们知道一个 ScreenPtr 对象将总是指向一个 Screen 对象，不会有未绑定的 ScreenPtr，这一点与内置指针不同。应用程序可以使用 ScreenPtr 对象而无须首先测试它是否指向一个 Screen 对象。

像 HasPtr 类一样，ScreenPtr 类将对其指针进行使用计数。我们将定义一个伙伴类保存指针及其相关使用计数：

```
// private class for use by ScreenPtr only
class ScrPtr {
    friend class ScreenPtr;
    Screen *sp;
    size_t use;
    ScrPtr(Screen *p): sp(p), use(1) { }
    ~ScrPtr() { delete sp; }
};
```

这个类看来很像 U_Ptr 类并且作用同样。ScrPtr 保存指针及其相关使用计数。将 ScreenPtr 设为友元，以便 ScreenPtr 可以访问使用计数。ScreenPtr 类将管理使用计数：

```
/*
 * smart pointer: Users pass to a pointer to a dynamically allocated Screen, which
 *                is automatically destroyed when the last ScreenPtr goes away
 */
class ScreenPtr {
public:
    // no default constructor: ScreenPtrs must be bound to an object
    ScreenPtr(Screen *p): ptr(new ScrPtr(p)) { }
    // copy members and increment the use count
    ScreenPtr(const ScreenPtr &orig):
      ptr(orig.ptr) { ++ptr->use; }
    ScreenPtr& operator=(const ScreenPtr&);
    // if use count goes to zero, delete the ScrPtr object
    ~ScreenPtr() { if (--ptr->use == 0) delete ptr; }
private:
    ScrPtr *ptr;      // points to use-counted ScrPtr class
};
```

因为没有默认构造函数，所以 ScreenPtr 类型的每个对象必须提供一个初始化函数，初始化函数必须是另一个 ScreenPtr 对象或指向动态分配的 Screen 的指针。构造函数分配一个新的 ScrPtr 对象以保存那个指针及相关的使用计数。

试图定义一个不带初始化式的 ScreenPtr 对象是错误的：

```
ScreenPtr p1; // error: ScreenPtr has no default constructor
ScreenPtr ps(new Screen(4,4));    // ok: ps points to a copy of myScreen
```

2. 支持指针操作

指针支持的基本操作有解引用操作和箭头操作。我们的类可以这样定义这些操作：

```
class ScreenPtr {
public:
    // constructor and copy control members as before
    Screen &operator*() { return *ptr->sp; }
    Screen *operator->() { return ptr->sp; }
```

```
    const Screen &operator*() const { return *ptr->sp; }
    const Screen *operator->() const { return ptr->sp; }
private:
    ScrPtr *ptr;        // points to use-counted ScrPtr class
};
```

3. 重载解引用操作符

解引用操作符是个一元操作符。在这个类中，解引用操作符定义为成员，因此没有显式形参，该操作符返回对 ScreenPtr 所指向的 Screen 的引用。

像下标操作符一样，我们需要解引用操作符的 const 和非 const 版本。它们的区别在于返回类型：const 成员返回 const 引用以防止用户改变基础对象。

524

4. 重载箭头操作符

箭头操作符与众不同。它可能表现得像二元操作符一样：接受一个对象和一个成员名。对对象解引用以获取成员。不管外表如何，箭头操作符不接受显式形参。

这里没有第二个形参，因为 -> 的右操作数不是表达式，相反，是对应着类成员的一个标识符。没有明显可行的途径将一个标识符作为形参传递给函数，相反，由编译器处理获取成员的工作。

当这样编写时：

```
point -> action();
```

由于优先级规则，它实际等价于编写：

```
(point -> action)();
```

换句话说，我们想要调用的是对 point->action 求值的结果。编译器这样对该代码进行求值：

(1) 如果 point 是一个指针，指向具有名为 action 的成员的类对象，则编译器将代码编译为调用该对象的 action 成员。

(2) 否则，如果 action 是定义了 operator-> 操作符的类的一个对象，则 point->action 与 point.operator->()->action 相同。即，执行 point 的 operator->()，然后使用该结果重复这三步。

(3) 否则，代码出错。

5. 使用重载箭头

可以这样使用 ScreenPtr 对象访问 Screen 对象的成员：

```
ScreenPtr p(&myScreen);     // copies the underlying Screen
p->display(cout);
```

因为 p 是一个 ScreenPtr 对象，p->display 的含义与对 (p.operator->())->display 求值相同。对 p.operator->() 求值将调用 ScreenPtr 类的 operator->，它返回指向 Screen 对象的指针，该指针用于获取并运行 ScreenPtr 所指对象的 display 成员。

6. 对重载箭头的返回值的约束

 　重载箭头操作符必须返回指向类类型的指针，或者返回定义了自己的箭头操作符的类类型对象。

如果返回类型是指针，则内置箭头操作符可用于该指针，编译器对该指针解引用并从结果对象获取指定成员。如果被指向的类型没有定义那个成员，则编译器产生一个错误。

如果返回类型是类类型的其他对象（或是这种对象的引用），则将递归应用该操作符。编译器检查返回对象所属类型是否具有成员箭头，如果有，就应用那个操作符；否则，编译器产生一个错误。这个过程继续下去，直到返回一个指向带有指定成员的对象的指针，或者返回某些其他值，在后一种情况下，代码出错。

习题

习题 14.20   在 ScreenPtr 类的概略定义中，声明但没有定义赋值操作符。请实现 ScreenPtr 赋值操作符。

习题 14.21   定义一个类，该类保存一个指向 ScreenPtr 的指针。为该类定义一个重载的箭头操作符。

习题 14.22   智能指针可能应该定义相等操作符和不等操作符，以便测试两个指针是否相等或不等。将这些操作加入到 ScreenPtr 类。

14.7   自增操作符和自减操作符

自增（++）和自减（--）操作符经常由诸如迭代器这样的类实现，这样的类提供类似于指针的行为来访问序列中的元素。例如，可以定义一个类，该类指向一个数组并为该数组中的元素提供访问检查。理想情况下，带访问检查的指针类可用于任意类型的数组，这一点的实现我们将在第 16 章介绍类模板时学习。现在，我们的类将处理 int 数组：

```
/*
 * smart pointer: Checks access to elements throws an out_of_range
 *                exception if attempt to access a nonexistent element
 * users allocate and free the array
 */
class CheckedPtr {
public:
    // no default constructor; CheckedPtrs must be bound to an object
    CheckedPtr(int *b, int *e): beg(b), end(e), curr(b) { }
    // dereference and increment operations
private:
    int* beg;   // pointer to beginning of the array
    int* end;   // one past the end of the array
    int* curr;  // current position within the array
};
```

像 ScreenPtr 一样，这个类没有默认构造函数。创建一个 CheckedPtr 对象时，必须提供指向数组的指针。一个 CheckedPtr 对象有三个数据成员：beg，指向数组的第一个元素；end，指向数组的末端；curr，指向 CheckedPtr 对象当前引用的数组元素。

构造函数的参数是两个指针：一个指向数组的开头，另一个指向超出数组末端的下一位置。构造函数用这两个指针初始化 beg 和 end，并将 curr 初始化为指向第一个元素。

1. 定义自增/自减操作符

📝 **最佳实践** C++语言不要求自增操作符或自减操作符一定作为类的成员，但是，因为这些操作符改变操作对象的状态，所以更倾向于将它们作为成员。

在为类定义重载的自增操作符和自减操作符之前，还必须考虑另一件事情。对内置类型而言，自增操作符和自减操作符有前缀和后缀两种形式。毫不奇怪，也可以为我们自己的类定义自增操作符和自减操作符的前缀和后缀实例。我们首先介绍前缀形式，然后实现后缀形式。

2. 定义前自增/前自减操作符

前缀式操作符的声明看起来像这样：

```cpp
class CheckedPtr {
public:
    CheckedPtr& operator++();        // prefix operators
    CheckedPtr& operator--();
    // other members as before
};
```

📝 **最佳实践** 为了与内置类型一致，前缀式操作符应返回被增量或减量对象的引用。

这个自增操作符根据 end 检查 curr，从而确保用户不能将 curr 增量到超过数组的末端。如果 curr 增量到超过 end，就抛出一个 out_of_range 异常；否则，将 curr 加 1 并返回对象引用：

```cpp
// prefix: return reference to incremented/decremented object
CheckedPtr& CheckedPtr::operator++()
{
    if (curr == end)
        throw out_of_range
                ("increment past the end of CheckedPtr");
    ++curr;                  // advance current state
    return *this;
}
```

除了将 curr 减 1 并检查是否会减到 beg，自减操作符的行为与自增操作符类似：

```cpp
CheckedPtr& CheckedPtr::operator--()
{
    if (curr == beg)
        throw out_of_range
            ("decrement past the beginning of CheckedPtr");
    --curr;                  // move current state back one element
    return *this;
}
```

3. 区别操作符的前缀和后缀形式

同时定义前缀式操作符和后缀式操作符存在一个问题：它们的形参数目和类型相同，普通重载不能区别所定义的是前缀式操作符还是后缀式操作符。

为了解决这一问题，后缀式操作符函数接受一个额外的（即，无用的）int 型形参。使用后缀式操作符时，编译器提供 0 作为这个形参的实参。尽管我们的前缀式操作符函数可以使用这个

527

额外的形参，但通常不应该这样做。那个形参不是后缀式操作符的正常工作所需要的，它的唯一目的是使后缀函数与前缀函数区别开来。

4. 定义后缀式操作符

现在将后缀式操作符加到 CheckedPtr：

```
class CheckedPtr {
public:
    // increment and decrement
    CheckedPtr operator++(int);          // postfix operators
    CheckedPtr operator--(int);
    // other members as before
};
```

最佳实践　为了与内置操作符一致，后缀式操作符应返回旧值（即，尚未自增或自减的值），并且，应作为值返回，而不是返回引用。

后缀式操作符可以这样实现：

```
// postfix: increment/decrement object but return unchanged value
CheckedPtr CheckedPtr::operator++(int)
{
    // no check needed here, the call to prefix increment will do the check
    CheckedPtr ret(*this);    // save current value
    ++*this;                  // advance one element, checking the increment
    return ret;               // return saved state
}
CheckedPtr CheckedPtr::operator--(int)
{
    // no check needed here, the call to prefix decrement will do the check
    CheckedPtr ret(*this);    // save current value
    --*this;                  // move backward one element and check
    return ret;               // return saved state
}
```

操作符的后缀式比前缀式复杂一点，必须记住对象在加 1/减 1 之前的当前状态。这些操作符定义了一个局部 CheckedPtr 对象，将它初始化为*this 的副本，即 ret 是这个对象当前状态的副本。

保存了当前状态的副本后，操作符调用自己的前缀式操作符分别进行加 1 或减 1：

    ++*this

调用这个对象的 CheckedPtr 前缀自增操作符，该操作符检查自增是否安全并将 curr 加 1 或抛出一个异常。假定不抛出异常，前自增操作符函数以返回存储在 ret 的副本而结束。因此，返回之后，对象本身加了 1，但返回的是尚未自增的原值。

因为通过调用前缀式版本实现这些操作符，不需要检查 curr 是否在范围之内，那个检查以及必要的 throw，在相应的前缀式操作符中完成。

 因为不使用 int 形参，所以没有对其命名。

5. 显式调用前缀式操作符

正如在 14.1 节所见，可以显式调用重载操作符而不是将它作为操作符用在表达式中。如果想要使用函数调用来调用后缀式操作符，必须给出一个整型实参值：

```
CheckedPtr parr(ia, ia + size);    // ia points to an array of ints
parr.operator++(0);                // call postfix operator++
parr.operator++();                 // call prefix operator++
```

所传递的值通常被忽略，但该值是必要的，用于通知编译器需要的是后缀式版本。

> 最佳实践　　一般而言，最好前缀式和后缀式都定义。只定义前缀式或只定义后缀式的类，将会让习惯于使用两种形式的用户感到奇怪。 529

习题

习题 14.23　CheckedPtr 类表示指向数组的指针。为该类重载下标操作符和解引用操作符。使操作符确保 CheckedPtr 有效：它应该不可能对超出数组末端的元素进行解引用或索引。

习题 14.24　上题中定义的解引用操作符或下标操作符，是否也应该检查对数组起点之前的元素进行的解引用或索引？解释你的答案。

习题 14.25　为了表现得像数组指针，CheckedPtr 类应实现相等和关系操作符，以便确定两个 CheckedPtr 对象是否相等，或者一个小于另一个，诸如此类。为 CheckedPtr 类增加这些操作。

习题 14.26　为 CheckedPtr 类定义加法或减法，以便这些操作符实现指针运算（4.2.4 节）。

习题 14.27　讨论允许将空数组实参传给 CheckedPtr 构造函数的优缺点。

习题 14.28　没有定义自增和自减操作符的 const 版本，为什么？

习题 14.29　我们也没有实现箭头操作符，为什么？

习题 14.30　定义一个 CheckedPtr 版本，保存 Screen 数组。为该类实现重载的自增、自减、解引用、箭头等操作符。

14.8　调用操作符和函数对象

可以为类类型的对象重载函数调用操作符。一般为表示操作的类重载调用操作符。例如，可以定义名为 absInt 的结构，该结构封装将 int 类型的值转换为绝对值的操作：

```
struct absInt {
    int operator() (int val) {
        return val < 0 ? -val : val;
    }
};
```

这个类很简单，它定义了一个操作：函数调用操作符，该操作符有一个形参并返回形参的绝对值。 530

通过为类类型的对象提供一个实参表而使用调用操作符，所用的方式看起来像一个函数调用：

```
int i = -42;
```

```
absInt absObj; // object that defines function call operator
unsigned int ui = absObj(i);        // calls absInt::operator(int)
```

尽管 absObj 是一个对象而不是函数，我们仍然可以"调用"该对象，效果是运行由 absObj 对象定义的重载调用操作符，该操作符接受一个 int 值并返回它的绝对值。

 　　函数调用操作符必须声明为成员函数。一个类可以定义函数调用操作符的多个版本，由形参的数目或类型加以区别。

　　定义了调用操作符的类，其对象常称为**函数对象**（function object），即它们是行为类似函数的对象。

习题

习题 14.31　　定义一个函数对象执行"如果-则-否则"操作：该函数对象应接受三个形参，它应该测试第一个形参，如果测试成功，就返回第二个形参，否则，就返回第三个形参。

习题 14.32　　一个重载的函数调用操作符可以接受多少个操作数？

14.8.1　将函数对象用于标准库算法

　　函数对象经常用作通用算法的实参。在 11.2.3 节解决的问题就是这样一个例子。那个程序分析一组故事中的单词，计算有多少个单词长度在 6 字符以上。该解决方案的一个部分包括定义一个函数以确定给定 string 的长度是否大于 6 字符：

```
// determine whether a length of a given word is 6 or more
bool GT6(const string &s)
{
    return s.size() >= 6;
}
```

使用 GT6 作为传给 count_if 算法的实参，以计算使 GT6 返回 true 的单词的数目：

```
vector<string>::size_type wc =
            count_if(words.begin(), words.end(), GT6);
```

1. 函数对象可以比函数更灵活

　　我们的实现有个严重问题：它将 6 这个数字固化在 GT6 函数的定义中。count_if 算法运行只用一个形参且返回 bool 的函数。理想情况下，应传递 string 和我们想要的长度进行测试。通过该方式，可以使用同一代码对不同长度的字符串进行计数。

　　通过将 GT6 定义为带函数调用成员的类，可以获得所需的灵活性。将这个类命名为 GT_cls 以区别于函数：

```
// determine whether a length of a given word is longer than a stored bound
class GT_cls {
public:
    GT_cls(size_t val = 0): bound(val) { }
    bool operator()(const string &s)
                    { return s.size() >= bound; }
private:
```

531

```
          std::string::size_type bound;
      };
```

这个类有一个构造函数，该构造函数接受一个整型值并用名为 bound 的成员记住那个值。如果没有提供值，构造函数将 bound 置 0。该类也定义了调用操作符，接受一个 string 参数并返回一个 bool。调用操作符将 string 实参的长度与数据成员 bound 中存储的值相比较。

2. 使用 GT_cls 函数对象

可以像前面一样进行计数，但这一次使用 GT_cls 类型的对象而不是 GT6 函数：

```
cout << count_if(words.begin(), words.end(), GT_cls(6))
     << " words 6 characters or longer" << endl;
```

这个 count_if 调用传递一个 GT_cls 类型的临时对象而不再是名为 GT6 的函数。用整型值 6 来初始化那个临时对象，构造函数将这个值存储在 bound 成员中。现在，count_if 每次调用它的函数形参时，它都使用 GT_cls 的调用操作符，该调用操作符根据 bound 的值测试其 string 实参的长度。

使用函数对象，容易修改程序以根据其他值进行测试，只需为传给 count_if 的对象改变构造函数实参即可。例如，这样修改程序，就可以计算长度在 5 个字符以上的单词数：

```
cout << count_if(words.begin(), words.end(), GT_cls(5))
     << " words 5 characters or longer" << endl;
```

更为有用的是，还可以计算长度在 1 至 10 个字符的单词数：

```
for (size_t i = 0; i != 11; ++i)
    cout << count_if(words.begin(), words.end(), GT(i))
         << " words " << i
         << " characters or longer" << endl;
```

如果使用函数代替函数对象来编写这个程序，可能需要编写 10 个不同的函数，每个函数测试一个不同的值。

532

习题

习题 14.33　使用标准库算法和 GT_cls 类，编写一个程序查找序列中第一个比指定值大的元素。

习题 14.34　编写类似于 GT_cls 的函数对象类，但测试两个值是否相等。使用该对象和标准库算法编写程序，替换序列中给定值的所有实例。

习题 14.35　编写类似于 GT_cls 的类，但测试给定 string 对象的长度是否与其边界相匹配。使用该对象重写 11.2.3 节中的程序，以便报告输入中有多少单词的长度在 1 到 10 之间（含 1 和 10）。

习题 14.36　修改前一程序以报告长度在 1 到 9 之间以及 10 以上的单词的数目。

14.8.2　标准库定义的函数对象

标准库定义了一组算术、关系与逻辑函数对象类，表 14-3 列出了这些类。标准库还定义了一组函数适配器，使我们能够特化或者扩展标准库所定义的以及自定义的函数对象类。这些标准库函数对象类型是在 functional 头文件中定义的。

表 14-3 标准库函数对象		
类 型	函数对象	所应用的操作符
算术函数对象类型	plus<Type>	+
	minus<Type>	-
	multiplies<Type>	*
	divides<Type>	/
	modulus<Type>	%
	negate<Type>	-
关系函数对象类型	equal_to<Type>	==
	not_equal_to<Type>	!=
	greater<Type>	>
	greater_equal<Type>	>=
	less<Type>	<
	less_equal<Type>	<=
	logical_and<Type>	&&
逻辑函数对象类型	logical_or<Type>	|
	logical_not<Type>	!

1. 每个类表示一个给定操作符

每个标准库函数对象类表示一个操作符，即，每个类都定义了应用命名操作的调用操作符。例如，plus 是表示加法操作符的模板类型。plus 模板中的调用操作符对一对操作数应用+运算。

不同的函数对象定义了执行不同操作的调用操作符。正如 plus 定义了执行+操作符的调用操作符，modulus 类定义了应用二元操作符%的调用操作符，equal_to 类应用==，等等。

有两个**一元函数对象**（unary function-object）类：一元减（negate<Type>）和逻辑非（logical_not<Type>）。其余的标准库函数对象都是表示二元操作符的**二元函数对象**（binary function-object）类。为二元操作符定义的调用操作符需要两个给定类型的形参，而一元函数对象类型定义了接受一个实参的调用操作符。

2. 表示操作数类型的模板类型

每个函数对象类都是一个类模板，我们需要为该模板提供一个类型。正如从诸如 vector 的顺序容器所了解的，类模板是可以用于不同类型的类。函数对象类的模板类型指定调用操作符的形参类型。

例如，plus<string>将 string 加法操作符应用于 string 对象，对于 plus<int>，操作数是 int 值，plus<Sales_item>将+应用于 Sales_item 对象，依次类推：

```
plus<int> intAdd;         // function object that can add two int values
negate<int> intNegate;    // function object that can negate an int value
// uses intAdd::operator(int, int) to add 10 and 20
int sum = intAdd(10, 20);         // sum = 30
// uses intNegate::operator(int) to generate –10 as second parameter
// to intAdd::operator(int, int)
sum = intAdd(10, intNegate(10));    // sum = 0
```

3. 在算法中使用标准库函数对象

函数对象常用于覆盖算法使用的默认操作符。例如，sort 默认使用 operator<按升序对容器进行排序。为了按降序对容器进行排序，可以传递函数对象 greater。该类将产生一个调用操

作符，调用基础对象的大于操作符。如果 svec 是一个 vector<string>对象，以下代码

```
// passes temporary function object that applies > operator to two strings
sort(svec.begin(), svec.end(), greater<string>());
```

将按降序对 vector 进行排序。像通常那样，传递一对迭代器以指明被排序序列。第三个实参用于传递比较元素的谓词（11.2.3 节）函数。该实参是 greater<string>类型的临时对象，是一个将>操作符应用于两个 string 操作数的函数对象。

534

14.8.3　函数对象的函数适配器

标准库提供了一组**函数适配器**（function adapter），用于特化和扩展一元和二元函数对象。函数适配器分为如下两类：

(1) **绑定器**（binder），是一种函数适配器，它通过将一个操作数绑定到给定值而将二元函数对象转换为一元函数对象。

(2) **求反器**（negator），是一种函数适配器，它将谓词函数对象的真值求反。

标准库定义了两个绑定器适配器：bind1st 和 bind2nd。每个绑定器接受一个函数对象和一个值。正如你可能想到的，bind1st 将给定值绑定到二元函数对象的第一个实参，bind2nd 将给定值绑定到二元函数对象的第二个实参。例如，为了计算一个容器中所有小于或等于 10 的元素的个数，可以这样给 count_if 传递值：

```
count_if(vec.begin(), vec.end(),
        bind2nd(less_equal<int>(), 10));
```

传给 count_if 的第三个实参使用 bind2nd 函数适配器，该适配器返回一个函数对象，该对象用 10 作右操作数应用<=操作符。这个调用计算输入范围中小于或等于 10 的元素的个数。

标准库还定义了两个求反器：not1 和 not2。你可能已经想到的，not1 将一元函数对象的真值求反，not2 将二元函数对象的真值求反。

为了对 less_equal 函数对象的绑定求反，可以编写这样的代码：

```
count_if(vec.begin(), vec.end(),
        not1(bind2nd(less_equal<int>(), 10)));
```

这里，首先将 less_equal 对象的第二个操作数绑定到 10，实际上是将该二元操作转换为一元操作。再用 not1 对操作的返回值求反，效果是测试每个元素是否<=10。然后，对结果真值求反。这个 count_if 调用的效果是对不<=10 的那些元素进行计数。

习题

习题 14.37　使用标准库函数对象和函数适配器，定义一个对象用于：

　　　　(a) 查找大于 1024 的所有值。

　　　　(b) 查找不等于 pooh 的所有字符串。

　　　　(c) 将所有值乘以 2。

习题 14.38　最后一个 count_if 调用中，用 not1 将 bind2nd(less_equal<int>(),10)的结果

求反。为什么使用 not1 而不用 not2？

习题 14.39   使用标准库函数对象代替 GT_cls 来查找指定长度的单词。

14.9   转换与类类型

在 12.4.4 节介绍过，可用一个实参调用的非 explicit 构造函数定义一个隐式转换。当提供了实参类型的对象而需要一个类类型的对象时，编译器将使用该转换。这种构造函数定义了到类类型的转换。

除了定义到类类型的转换之外，我们还可以定义从类类型的转换。即，我们可以定义转换操作符，给定类类型的对象，该操作符将产生其他类型的对象。像其他转换一样，编译器将自动应用这个转换。在介绍如何定义这种转换之前，将说明它们为什么可能有用。

14.9.1   转换为什么有用

假定想要定义一个名为 SmallInt 的类，该类实现安全小整数，这个类将使我们能够定义对象以保存与 8 位 unsigned char 同样范围的值，即，0 到 255。这个类可以捕获下溢和上溢错误，因此使用起来比内置 unsigned char 更安全。

我们希望这个类定义 unsigned char 支持的所有操作。具体而言，我们想要定义 5 个算术操作符（+, -, *, /, %）及其对应的复合赋值操作符，4 个关系操作符（<, <=, >, >=），以及相等操作符（==, !=）。显然，需要定义 16 个操作符。

1. 支持混合类型表达式

而且，我们希望可以在混合模式表达式中使用这些操作符。例如，应该可以将两个 SmallInt 对象相加，也可以将任意算术类型加到 SmallInt。通过为每个操作符定义三个实例来达到目标：

```
int operator+(int, const SmallInt&);
int operator+(const SmallInt&, int);
SmallInt operator+(const SmallInt&, const SmallInt&);
```

因为存在从任意算术类型到 int 的转换，这三个函数可以涵盖支持 SmallInt 对象的混合模式使用的要求。但是，这个设计仅仅接近内置整数运算的行为，它不能适当处理浮点类型的混合模式操作，也不能适当支持 long、unsigned int 或 unsigned long 的加运算。问题在于这个设计将所有算术类型（甚至包括那些比 int 大的）转换为 int 并进行 int 加运算。

2. 转换减少所需操作符的数目

即使忽略浮点或大整型操作数的问题，如果要实现这个设计，也必须定义 48 个操作符！幸好，C++提供了一种机制，利用这种机制，一个类可以定义自己的转换，应用于其类类型对象。对 SmallInt 而言，可以定义一个从 SmallInt 到 int 类型的转换。如果定义了该转换，则无须再定义任何算术、关系或相等操作符。给定到 int 的转换，SmallInt 对象可以用在任何可用 int 值的地方。

如果存在一个到 int 的转换，则以下代码：

```
SmallInt si(3);
```

```
si + 3.14159;          // convert si to int, then convert to double
```
可这样确定：

(1) 将 si 转换为 int 值。

(2) 将所得 int 值结果转换为 double 值并与双精度字面值常量 3.14159 相加，得到 double 值。

14.9.2　转换操作符

转换操作符（conversion operator）是一种特殊的类成员函数。它定义将类类型值转变为其他类型值的转换。转换操作符在类定义体内声明，在保留字 operator 之后跟着转换的目标类型：

```
class SmallInt {
public:
    SmallInt(int i = 0): val(i)
    { if (i < 0 || i > 255)
        throw std::out_of_range("Bad SmallInt initializer");
    }
    operator int() const { return val; }
private:
    std::size_t val;
};
```

转换函数采用如下通用形式：

```
operator type();
```

这里，type 表示内置类型名、类类型名或由类型别名所定义的名字。对任何可作为函数返回类型的类型（除了 void 之外）都可以定义转换函数。一般而言，不允许转换为数组或函数类型，转换为指针类型（数据和函数指针）以及引用类型是可以的。

537

> **注解**　转换函数必须是成员函数，不能指定返回类型，并且形参表必须为空。

下述所有声明都是错误的：

```
operator int(SmallInt &);           // error: nonmember

class SmallInt {
public:
    int operator int();             // error: return type
    operator int(int = 0);          // error: parameter list
    // ...
};
```

虽然转换函数不能指定返回类型，但是每个转换函数必须显式返回一个指定类型的值。例如，operator int 返回一个 int 值；如果定义 operator Sales_item，它将返回一个 Sales_item 对象，诸如此类。

> **最佳实践**　转换函数一般不应该改变被转换的对象。因此，转换操作符通常应定义为 const 成员。

1. 使用类类型转换

只要存在转换，编译器将在可以使用内置转换的地方自动调用它（5.12.1 节）：

- 在表达式中：

```
SmallInt si;
double dval;
si >= dval        // si converted to int and then convert to double
```

- 在条件中：

```
if (si)                // si converted to int and then convert to bool
```

- 将实参传给函数或从函数返回值：

```
int calc(int);
SmallInt si;
int i = calc(si);  // convert si to int and call calc
```

- 作为重载操作符的操作数：

```
// convert si to int then call opeator<< on the int value
cout << si << endl;
```

- 在显式类型转换中：

```
int ival;
SmallInt si = 3.541;
// instruct compiler to cast si to int
ival = static_cast<int>(si) + 3;
```

2. 类类型转换和标准转换

使用转换函数时，被转换的类型不必与所需要的类型完全匹配。必要时可在类类型转换之后跟上标准转换以获得想要的类型。例如，在一个 SmallInt 对象与一个 double 值的比较中：

```
SmallInt si;
double dval;
si >= dval          // si converted to int and then convert to double
```

首先将 si 从 SmallInt 对象转换为 int 值，然后将该 int 值转换为 double 值。

3. 只能应用一个类类型转换

> 　　类类型转换之后不能再跟另一个类类型转换。如果需要多个类类型转换，则代码将出错。

例如，假定有另一个类 Integral，它可以转换为 SmallInt 但不能转换为 int：

```
// class to hold unsigned integral values
class Integral {
public:
    Integral(int i = 0): val(i) { }
    operator SmallInt() const { return val % 256; }
private:
    std::size_t val;
};
```

可以在需要 SmallInt 的地方使用 Integral，但不能在需要 int 的地方使用 Integral：

```
int calc(int);
Integral intVal;
SmallInt si(intVal);   // ok: convert intVal to SmallInt and copy to si
int i = calc(si);      // ok: convert si to int and call calc
int j = calc(intVal);  // error: no conversion to int from Integral
```

创建 si 时使用 SmallInt 复制构造函数。首先调用 Integral 转换操作符产生一个 SmallInt 类型的临时值，将 int_val 对象转换为 SmallInt 对象。然后（合成的）复制构造函数使用该对象值初始化 si。

第一个 calc 调用也是正确的：将实参 si 自动转换为 int，然后将 int 值传给函数。

第二个 calc 调用是错误的：没有从 Integral 到 int 的直接转换。从 Integral 获得 int 需要两次类类型转换：首先从 Integral 到 SmallInt，然后从 SmallInt 到 int。但是，语言只允许一次类类型转换，所以该调用出错。

4. 标准转换可放在类类型转换之前

使用构造函数执行隐式转换（12.4.4 节）的时候，构造函数的形参类型不必与所提供的类型完全匹配。例如，下面的代码调用 SmallInt 类中定义的构造函数 SmallInt(int) 将 sobj 转换为 SmallInt 类型：

```
void calc(SmallInt);
short sobj;
// sobj promoted from short to int
// that int converted to SmallInt through the SmallInt(int) constructor
calc(sobj);
```

如果需要，在调用构造函数执行类类型转换之前，可将一个标准转换序列应用于实参。为了调用函数 calc()，应用标准转换将 dobj 从 double 类型转换为 int 类型，然后调用构造函数 SmallInt(int) 将转换结果转换为 SmallInt 类型。

习题

习题 14.40 编写可将 Sales_item 对象转换为 string 类型和 double 类型的操作符。你认为这些操作符应返回什么值？你认为定义这些操作符是个好办法吗？解释你的结论。

习题 14.41 解释这两个转换操作符之间的不同[1]：

```
class Integral {
public:
    operator const int();
    operator int() const;
};
```

这两个转换操作符是否太严格了？如果是，怎样使得转换更通用一些？

习题 14.42 为 14.2.1 节习题中的 CheckoutRecord 类定义到 bool 的转换操作符。

习题 14.43 解释 bool 转换操作符做了什么。这是这个 CheckoutRecord 类型转换唯一可能的含义吗？解释你是否认为这个转换是一种转换操作的良好使用。

---

1. 此代码段的第 3 行和第 4 行原书有误，遗漏 operator。——译者注

14.9.3　实参匹配和转换

> 本章其余部分讨论比较高级的主题。在第一次阅读时可跳过这些内容。

类类型转换可能是实现和使用类的一个好处。通过为 SmallInt 定义到 int 的转换，能够更容易实现和使用 SmallInt 类。int 转换使 SmallInt 的用户能够对 SmallInt 对象使用所有算术和关系操作符，而且，用户可以安全编写将 SmallInt 和其他算术类型混合使用的表达式。定义一个转换操作符就能代替定义 48 个（或更多）重载操作符，类实现者的工作就简单多了。

类类型转换也可能是编译时错误的一大来源。当从一个类型转换到另一类型有多种方式时，问题就出现了。如果有几个类类型转换可以使用，编译器必须决定对给定表达式使用哪一个。在这一节，我们介绍怎样用类类型转换将实参和对应形参相匹配。首先介绍非重载函数的形参匹配，然后介绍重载函数的形参匹配。

> 如果小心使用，类类型转换可以大大简化类代码和用户代码。如果使用得太过自由，类类型转换会产生令人迷惑的编译时错误，这些错误难以理解而且难以避免。

1. 实参匹配和多个转换操作符

为了举例说明类类型值的转换怎样与函数匹配相互作用，我们给 SmallInt 类加上另外两个转换，包括接受一个 double 参数的构造函数和一个将 SmallInt 转换为 double 的转换操作符：

```
// unwise class definition:
// multiple constructors and conversion operators to and from the built-in types
// can lead to ambiguity problems
class SmallInt {
public:
    // conversions to SmallInt from int and double
    SmallInt(int = 0);
    SmallInt(double);
    // Conversions to int or double from SmallInt
    // Usually it is unwise to define conversions to multiple arithmetic types
    operator int() const { return val; }
    operator double() const { return val; }
    // ...
private:
    std::size_t val;
};
```

541

> 一般而言，给出一个类与两个内置类型之间的转换是不好的做法，在这里这样做是为了举例说明所包含的缺陷。

考虑最简单的调用非重载函数的情况：

```
void compute(int);
```

```
void fp_compute(double);
void extended_compute(long double);
SmallInt si;
compute(si);            // SmallInt::operator int() const
fp_compute(si);         // SmallInt::operator double() const
extended_compute(si);   // error: ambiguous
```

任一转换操作符都可用于 compute 调用中:

(1) operator int 产生对形参类型的完全匹配。

(2) 首先调用 operator double 进行转换, 后跟从 double 到 int 的标准转换与形参类型匹配。

完全匹配转换比需要标准转换的其他转换更好, 因此, 第一个转换序列更好, 选择转换函数 SmallInt::operator int() 来转换实参。

类似地, 在第二个调用中, 可用任一转换调用 fp_compute。但是, 到 double 的转换是一个完全匹配, 不需要额外的标准转换。

最后一个对 extended_compute 的调用有二义性。可以使用任一转换函数, 但每个都必须跟上一个标准转换来获得 long double, 因此, 没有一个转换比其他的更好, 调用具有二义性。

 如果两个转换操作符都可用在一个调用中, 而且在转换函数之后存在标准转换 (7.8.4 节), 则根据该标准转换的类别选择最佳匹配。

2. 实参匹配和构造函数转换

正如可能存在两个转换操作符, 也可能存在两个构造函数可以用来将一个值转换为目标类型。

考虑 manip 函数, 它接受一个 SmallInt 类型的实参:

```
void manip(const SmallInt &);
double d; int i; long l;
manip(d);       // ok: use SmallInt(double) to convert the argument
manip(i);       // ok: use SmallInt(int) to convert the argument
manip(l);       // error: ambiguous
```

在第一个调用中, 可以用任一构造函数将 d 转换为 SmallInt 类型的值。int 构造函数需要对 d 的标准转换, 而 double 构造函数是完全匹配。因为完全匹配比标准转换更好, 所以用构造函数 SmallInt(double) 进行转换。

在第二个调用中, 情况恰恰相反, 构造函数 SmallInt(int) 提供完全匹配——不需要附加的转换, 调用接受一个 double 参数的 SmallInt 构造函数需要首先将 i 转换为 double 类型。对于这个调用, 用 int 构造函数转换实参。

第三个调用具有二义性。没有构造函数完全匹配于 long。使用每一个构造函数之前都需要对实参进行转换:

(1) 标准转换 (从 long 到 double) 后跟 SmallInt(double)。

(2) 标准转换 (从 long 到 int) 后跟 SmallInt(int)。

这些转换序列是不能区别的, 所以该调用具有二义性。

当两个构造函数定义的转换都可以使用时，如果存在构造函数实参所需的标准转换，就用该标准转换的类别选择最佳匹配。

3. 当两个类定义了转换时的二义性

当两个类定义了相互转换时，很可能存在二义性：

```
class Integral;
class SmallInt {
public:
    SmallInt(Integral); // convert from Integral to SmallInt
    // ...
};
class Integral {
public:
    operator SmallInt() const; // convert from SmallInt to Integral
    // ...
};
void compute(SmallInt);
Integral int_val;
compute(int_val);   // error: ambiguous
```

实参 int_val 可以用两种不同方式转换为 SmallInt 对象，编译器可以使用接受 Integral 对象的构造函数，也可以使用将 Integral 对象转换为 SmallInt 对象的 Integral 转换操作。因为这两个函数没有高下之分，所以这个调用会出错。

在这种情况下，不能用显式类型转换来解决二义性——显式类型转换本身既可以使用转换操作又可以使用构造函数，相反，需要显式调用转换操作符或构造函数：

```
compute(int_val.operator SmallInt());   // ok: use conversion operator
compute(SmallInt(int_val));             // ok: use SmallInt constructor
```

543

而且，由于某些似乎微不足道的原因，我们认为可能有二义性的转换是合法的。例如，Small-Int 类构造函数复制它的 Integral 实参，如果改变构造函数以接受 const Integral 引用：

```
class SmallInt {
public:
SmallInt(const Integral&);
};
```

则对 compute(int_val)的调用不再有二义性！原因在于使用 SmallInt 构造函数需要将一个引用绑定到 int_val，而使用 Integral 类的转换操作符可以避免这个额外的步骤。这一小小区别足以使我们倾向于使用转换操作符。

避免二义性最好的方法是避免编写互相提供隐式转换的成对的类。

警告：避免转换函数的过度使用

与使用重载操作符一样，转换操作符的适当使用可以大大简化类设计者的工作并使得类的使用更简单。但是，有两个潜在的缺陷：定义太多转换操作符可能导致二义性代码，一些转换可能利大于弊。

避免二义性最好的方法是，保证最多只有一种途径将一个类型转换为另一类型。做到这一点，最好的办法是限制转换操作符的数目，尤其是，到一种内置类型应该只有一个转换。

当转换操作符用于没有明显映射关系的类类型和转换类型之间时，容易引起误解，在这种情况下，提供转换函数可能会令类的使用者迷惑不解。

例如，如果有一个表示 Date 的类，我们可能会认为提供从 Date 到 int 的转换是个好主意，但是，这个转换函数应返回什么值？该函数可以返回公历日期，这是表示当前日期的一个顺序数，以 0 表示 1 月 1 日，但年份是否应放在日期之前或之后？即，1986 年 1 月 31 日是否应表示为 1986031 或 311986？作为一种选择，转换操作符可以返回一个表示从某个新纪元点开始计数的天数，计数器可以从 1971 年 1 月 1 日或其他起始点开始计算天数。

问题在于，无论怎样选择，Date 对象的使用将具有二义性，因为没有一个 Date 类型对象与 int 类型值之间的一对一映射。在这种情况下，不定义转换函数更好。相反，这个类应该定义一个或多个普通成员从这些不同形式中抽取信息。

14.9.4　重载确定和类的实参

正如我们看到的，在需要转换函数的实参时，编译器自动应用类的转换操作符或构造函数。因此，应该在函数确定期间考虑类转换操作符。函数重载确定（7.8.2 节）由三步组成：

544

（1）确定候选函数集合：这些是与被调用函数同名的函数。

（2）选择可行的函数：这些是形参数目和类型与函数调用中的实参相匹配的候选函数。选择可行函数时，如果有转换操作，编译器还要确定需要哪个转换操作来匹配每个形参。

（3）选择最佳匹配的函数。为了确定最佳匹配，对将实参转换为对应形参所需的类型转换进行分类。对于类类型的实参和形参，可能的转换的集合包括类类型转换。

1. 转换操作符之后的标准转换

哪个函数是最佳匹配，可能依赖于在匹配不同函数中是否涉及了一个或多个类类型转换。

如果重载集中的两个函数可以用同一转换函数匹配，则使用在转换之后或之前的标准转换序列的等级来确定哪个函数具有最佳匹配。

否则，如果可以使用不同转换操作，则认为这两个转换是一样好的匹配，不管可能需要或不需要的标准转换的等级如何。

14.9.3 节中介绍了类类型转换在非重载函数调用上的效果，现在，我们将看看类似的调用，但假定函数是重载的：

```
void compute(int);
void compute(double);
void compute(long double);
```

假定使用原来的 SmallInt 类，该类只定义了一个转换操作符——从 SmallInt 到 int 的转换，那么，如果将 SmallInt 对象传给 compute，该调用与接受一个 int 的 compute 版本相匹配。

三个函数都是可行的：

- compute(int)可行，因为 SmallInt 有到 int 的转换，该转换是对形参的完全匹配。
- compute(double)和 compute(long double)也是可行的，可以使用到 int 的转换，后面跟上适当的用于 double 或 long double 的标准转换。

因为可以用同一类类型转换来匹配这三个函数，如果存在标准转换，就用标准转换的等级确定最佳匹配。因为完全匹配比标准转换更好，所以选择 compute(int)函数作为最佳可行函数。

 只有两个转换序列使用同一转换操作时，才用类类型转换之后的标准转换序列作为选择标准。

2. 多个转换和重载确定

现在可以看看为什么增加一个到 double 的转换是个坏主意。如果使用修改后的定义了到 int 和 double 的转换的 SmallInt 类，则用 SmallInt 值调用 compute 具有二义性：

```
class SmallInt {
public:
    // Conversions to int or double from SmallInt
    // Usually it is unwise to define conversions to multiple arithmetic types
    operator int() const { return val; }
    operator double() const { return val; }
    // ...
private:
    std::size_t val;
};
void compute(int);
void compute(double);
void compute(long double);
SmallInt si;
compute(si);      // error: ambiguous
```

在这个例子中，可以使用 operator int 转换 si 并调用接受 int 参数的 compute 版本，或者，可以使用 operator double 转换 si 并调用 compute(double)。

编译器将不会试图区别两个不同的类类型转换。具体而言，即使一个调用需要在类类型转换之后跟一个标准转换，而另一个是完全匹配，编译器仍会将该调用标记为错误。

3. 显式强制转换[1]消除二义性

面对二义性转换，程序员可以使用强制转换来显式指定应用哪个转换操作：

```
void compute(int);
void compute(double);

SmallInt si;
compute(static_cast<int>(si)); // ok: convert and call compute(int)
```

这个调用现在是合法的，因为它显式指出了将哪个转换操作应用到实参。实参类型强制转换为 int，该类型与接受 int 参数的第一个 compute 版本完全匹配。

4. 标准转换和构造函数

现在来看存在多个转换构造函数的重载确定：

---

1. 原文此处误作“构造函数调用”。——译者注

```
class SmallInt {
public:
    SmallInt(int = 0);
};
class Integral {
public:
    Integral(int = 0);
};
void manip(const Integral&);
void manip(const SmallInt&);
manip(10);      // error: ambiguous
```

问题在于，Integral 和 SmallInt 这两个类都提供接受 int 参数的构造函数，其中任意一个构造函数都可以与 manip 的一个版本相匹配，因此，函数调用有二义性：它既可以表示将 Integral 转换为 int 并调用 manip 的第一个版本，也可以表示将 SmallInt 转换为 int 并调用 manip 的第二个版本。

即使其中一个类定义了实参需要标准转换的构造函数，这个函数调用也可能具有二义性。例如，如果 SmallInt 定义了一个构造函数，接受 short 而不是 int 参数，函数调用 manip(10) 将在使用构造函数之前需要一个从 int 到 short 的标准转换。在函数调用的重载版本中进行选择时，一个调用需要标准转换而另一个不需要，这一事实不是实质性的，编译器不会更喜欢直接构造函数，调用仍具有二义性。

5. 显式构造函数调用消除二义性

调用者可以通过显式构造所需类型的值而消除二义性：

```
manip(SmallInt(10));      // ok: call manip(SmallInt)
manip(Integral(10));      // ok: call manip(Integral)
```

　　在调用重载函数时，需要使用构造函数或强制类型转换来转换实参，这是设计拙劣的表现。

习题

习题 14.44　为下述每个初始化列出可能的类类型转换序列[1]。每个初始化的结果是什么？

```
class LongDouble {
public:
    operator double();
    operator float();
};
LongDouble ldObj;
(a) int ex1 = ldObj;      (b) float ex2 = ldObj;
```

习题 14.45　哪个 calc() 函数是如下函数调用的最佳可行函数？列出调用每个函数所需的转换序列，并解释为什么所选定的就是最佳可行函数。

```
class LongDouble {
public:
    LongDouble(double);
    // ...
};
void calc(int);
```

---

1. 此代码段的第 2 行原书遗漏，此处为翻译时所加。——译者注

```
void calc(LongDouble);
double dval;

calc(dval); // which function?
```

14.9.5 重载、转换和操作符

重载操作符就是重载函数。使用与确定重载函数调用一样的过程来确定将哪个操作符（内置的还是类类型的）应用于给定表达式。给定如下代码：

```
ClassX sc;
int iobj = sc + 3;
```

有四种可能性：

- 有一个重载的加操作符与 ClassX 和 int 相匹配。
- 存在转换，将 sc 和/或 int 值转换为定义了+的类型。如果是这样，该表达式将先使用转换，接着应用适当的加操作符。
- 因为既定义了转换操作符又定义了+的重载版本，该表达式具有二义性。
- 因为既没有转换又没有重载的+可以使用，该表达式非法。

1. 重载确定和操作符

 　　成员函数和非成员函数都是可能的，这一事实改变了选择候选函数集的方式。

操作符的重载确定（7.8.2 节）遵循常见的三步过程：

(1) 选择候选函数。

(2) 选择可行函数，包括识别每个实参的潜在转换序列。

(3) 选择最佳匹配的函数。

2. 操作符的候选函数

一般而言，候选函数集由所有与被使用的函数同名的函数构成，被使用的函数可以从函数调用处看到。对于操作符用在表达式中的情况，候选函数包括操作符的内置版本以及该操作符的普通非成员版本。另外，如果左操作数具有类类型，而且该类定义了该操作符的重载版本，则候选集将包含操作符的重载版本。

 　　一般而言，函数调用的候选集只包括成员函数或非成员函数，不会两者都包括。而确定操作符的使用时，操作符的非成员和成员版本可能都是候选者。

确定指定函数的调用时，与操作符的使用相反，由调用本身确定所考虑的名字的作用域。如果是通过类类型的对象（或通过这种对象的引用或指针）的调用，则只需考虑该类的成员函数。具有同一名字的成员函数和非成员函数不会相互重载。使用重载操作符时，调用本身不会告诉我们与使用的操作符函数作用域相关的任何事情，因此，成员和非成员版本都必须考虑。

警告：转换和操作符

正确设计类的重载操作符、转换构造函数和转换函数需要多加小心。尤其是，如果类既定义了转换操作符又定义了重载操作符，容易产生二义性。下面几条经验规则会有所帮助：

(1) 不要定义相互转换的类，即如果类 Foo 具有接受类 Bar 的对象的构造函数，不要再为类 Bar 定义到类型 Foo 的转换操作符。

(2) 避免到内置算术类型的转换。具体而言，如果定义了到算术类型的转换，则

- 不要定义接受算术类型的操作符的重载版本。如果用户需要使用这些操作符，转换操作符将转换你所定义的类型的对象，然后可以使用内置操作符。
- 不要定义转换到一个以上算术类型的转换。让标准转换提供到其他算术类型的转换。

最简单的规则是：对于那些"明显正确"的，应避免定义转换函数并限制非显式构造函数。

549

3. 转换可能引起内置操作符的二义性

我们再次扩展 SmallInt 类。这一次，除了到 int 的转换操作符和接受 int 参数的构造函数之外，将增加一个重载的加操作符：

```
class SmallInt {
public:
    SmallInt(int = 0); // convert from int to SmallInt
    // conversion to int from SmallInt
    operator int() const { return val; }
    // arithmetic operators
    friend SmallInt
    operator+(const SmallInt&, const SmallInt&);
private:
    std::size_t val;
};
```

现在，可以用这个类将两个 SmallInt 对象相加，但是，如果试图进行混合模式运算，将会遇到二义性问题：

```
SmallInt s1, s2;
SmallInt s3 = s1 + s2;      // ok: uses overloaded operator+
int i = s3 + 0;             // error: ambiguous
```

第一个加使用接受两个 SmallInt 值的+的重载版本。第二个加有二义性，问题在于，可以将 0 转换为 SmallInt 并使用+的 SmallInt 版本，也可以将 s3 转换为 int 值并使用 int 值上的内置加操作符。

　　既为算术类型提供转换函数，又为同一类类型提供重载操作符，可能会导致重载操作符和内置操作符之间的二义性。

4. 可行的操作符函数和转换

通过为每个调用列出可行函数，可以理解这两个调用的行为。在第一个调用中，有两个可行的加操作符：

- operator+(const SmallInt&, const SmallInt&).
- 内置的 operator+(int, int).

第一个加不需要实参转换——s1 和 s2 与形参的类型完全匹配。使用内置加操作符对两个实参都需要转换，因此，重载操作符与两个实参匹配得较好，所以将调用它。对于第二个加运算：

`550`

```
int i = s3 + 0;    // error: ambiguous
```

两个函数同样可行。在这种情况下，重载的+版本与第一个实参完全匹配，而内置版本与第二个实参完全匹配。第一个可行函数对左操作数而言较好，而第二个可行函数对右操作数而言较好。因为找不到最佳可行函数，所以将该调用标记为有二义性的。

习题

习题 14.46　对于 main 中的加操作，哪个 operator+是最佳可行函数？列出候选函数、可行函数以及对每个可行函数中实参的类型转换。[1]

```
class Complex {
public:
    Complex(double);
    // ...
};
class LongDouble {
    friend LongDouble operator+(LongDouble&, int);
public:
    LongDouble(int);
    operator double();
    LongDouble operator+(const Complex &);
    // ...
};
LongDouble operator+(const LongDouble &, double);

LongDouble ld(16.08);
    double res = ld + 15.05; // which operator+ ?
```

`551`

小结

第 5 章介绍了 C++为内置类型所定义的丰富的操作符集合，该章也涵盖了标准转换，标准转换自动将操作数从一个类型转换为另一类型。

通过定义内置操作符的重载版本，我们可以为自己的类型（即，类类型或枚举类型）的对象定义同样丰富的表达式集合。重载操作符必须具有至少一个类类型或枚举类型的操作数。应用于内置类型时，重载操作符与对应操作符具有同样数目的操作数、同样的结合性和优先级。

大多数重载操作符可以定义为类成员或普通非成员函数，赋值操作符、下标操作符、调用操作符和箭头操作符必须为类成员。操作符定义为成员时，它是普通成员函数。具体而言，成员操作符有一个隐式 this 指针，该指针一定是第一个操作数，即，一元操作符唯一的操作数，二元操作符的左操作数。

重载了 operator()（即，函数调用操作符）的类的对象，称为"函数对象"。这种对象通

---

1. 此代码段的第 2 行原书遗漏，此处为翻译时所加；第 11 行的 Complex 原书误为 complex。——译者注

常用于定义与标准算法结合使用的谓词函数。

类可以定义转换,当一个类型的对象用在需要另一不同类型对象的地方时,自动应用这些转换。接受单个形参且未指定为explicit(12.4.4节)的构造函数定义了从其他类型到类类型[1]的转换,重载操作符转换函数则定义了从类类型到其他类型[2]的转换。转换操作符必须为所转换类的成员,没有形参并且不定义返回值,转换操作符返回操作符所具有类型的值,例如,operator int 返回int。

重载操作符和类类型转换都有助于更容易、更自然地使用类型,但是,必须注意避免设计对用户而言不明显的操作符和转换,而且应避免定义一个类型与另一类型之间的多个转换。

术语

binary function object(二元函数对象) 具有函数调用操作符且表示一个二元操作符(例如一个算术操作符或关系操作符)的类。

binder(绑定器) 绑定指定函数对象的一个操作数的适配器。例如, bind2nd(minus<int>(),2)产生一个一元函数对象,从操作数中减去 2。

class-type conversion(类类型转换) 到类类型或从类类型的转换。接受一个形参的非显式构造函数定义从形参类型到类类型的转换。转换操作符定义从类类型到操作符所指定类型的转换。

conversion operators(转换操作符) 转换操作符是定义从类类型到另一类型的转换的成员函数。转换操作符必须是类的成员,而且不能指定返回类型不能接受形参。转换操作符返回转换操作符类型的值,即,operator int 返回 int,operator Sales_item返回Sales_item,依此类推。

function adaptor(函数适配器) 为函数对象提供新接口的标准库的类型。

function object(函数对象) 定义了重载调用操作符的类的对象。函数对象可以用在需要函数的地方。

negator(求反器) 将指定函数对象的返回值求反的适配器。例如,not2(equal_to<int>())产生与 not_equal_to<int>等价的函数对象。

smart pointer(智能指针) 一个类,定义了指针式行为和其他功能,如,引用计数、内存管理、更全面的检查等。这种类通常定义了解引用操作符(operator*)和成员访问操作符(operator->)的重载版本。

unary function object(一元函数对象) 具有函数调用操作符且表示一个一元操作符的类,如一元减或逻辑非。

---

1. 此处原文弄反了。——译者注
2. 此处原文弄反了。——译者注

第四部分
面向对象编程与泛型编程

第四部分继续第三部分的讨论，涵盖 C++如何支持面向对象编程和泛型编程。

第 15 章讨论继承和动态绑定。继承和动态绑定与数据抽象一起成为面向对象编程的基础。

第 16 章讨论函数模板和类模板。模板使我们能够编写独立于具体类型的泛型类和泛型函数。

编写自己的面向对象类型或泛型类型需要对 C++的充分理解，幸运的是，我们可以使用面向对象和泛型类型而无需了解它们的构建细节。事实上，标准库广泛使用了将在第 15 章和第 16 章中介绍的设施，而且我们已经在不了解实现细节的情况下使用了标准库中的类型和算法。因此，读者应该理解第四部分涵盖的是一些高级主题。编写模板或面向对象的类，需要充分理解 C++的基本原理并且很好地掌握怎样定义更基本的类。

第 15 章

面向对象编程

目录

面向对象编程基于三个基本概念：数据抽象、继承和动态绑定。在 C++ 中，用类进行数据抽象，用类派生从一个类继承另一个类：派生类继承基类的成员。动态绑定使编译器能够在运行时决定是使用基类中定义的函数还是派生类中定义的函数。

继承和动态绑定在两个方面简化了我们的程序：能够容易地定义与其他类相似但又不相同的新类，能够更容易地编写忽略这些相似类型之间区别的程序。

许多应用程序的特性可以用一些相关但略有不同的概念来描述。例如，书店可以为不同的书提供不同的定价策略，有些书可以只按给定价格出售，另一些书可以根据不同的折扣策略出售。可以给购买某书一定数量的顾客打折，或者，购买一定数量以内可以打折而超过给定限制就付全价。

面向对象编程（Object-oriented programming，OOP）与这种应用非常匹配。通过继承可以定义一些类型，以模拟不同种类的书，通过动态绑定可以编写程序，使用这些类型而又忽略与具体类型相关的差异。

继承和动态绑定的思想在概念上非常简单，但对于如何创建应用程序以及对于程序设计语言必须支持哪些特性，它们的含义深远。在讨论 C++如何支持面向对象编程之前，我们将介绍这种编程风格的一些基本概念。

15.1　面向对象编程：概述

面向对象编程的关键思想是**多态性**（polymorphism）。多态性派生于一个希腊单词，意思是"许多形态"。之所以称通过继承而相关联的类型为多态类型，是因为在许多情况下可以互换地使用派生类型或基类型的"许多形态"。正如我们将看到的，在 C++中，多态性仅用于通过继承而相关联的类型的引用或指针。

1. 继承

通过继承我们能够定义这样的类，它们对类型之间的关系建模，共享公共的东西，仅仅特化本质上不同的东西。**派生类**（derived class）能够继承**基类**（base class）定义的成员，派生类可以无须改变而使用那些与派生类型具体特性不相关的操作，派生类可以重定义那些与派生类型相关的成员函数，将函数特化，考虑派生类型的特性。最后，除了从基类继承的成员之外，派生类还可以定义更多的成员。

我们经常称因继承而相关联的类为构成了一个**继承层次**（inheritance hierarchy）。其中有一个类称为根，所有其他类直接或间接继承根类。在书店例子中，我们将定义一个基类，命名为 Item_base，表示未打折的书，第二个类继承 Item_base，命名为 Bulk_item，表示带数量折扣销售的书。

这些类至少定义如下操作：
- 名为 book 的操作，返回 ISBN。
- 名为 net_price 的操作，返回购买指定数量的书的价格。

Item_base 的派生类将无须改变地继承 book 函数：派生类不需要重新定义获取 ISBN 的含义。另一方面，每个派生类需要定义自己的 net_price 函数版本，以实现适当的折扣价格策略。

在 C++中，基类必须指出希望派生类重定义哪些函数，定义为 **virtual** 的函数是基类期待派生类重新定义的，基类希望派生类继承的函数不能定义为虚函数。

讨论过这些之后，可以看到我们的类将定义三个（const）成员函数：
- 非虚函数 std::string book()，返回 ISBN。由 Item_base 定义，Bulk_item 继承。
- 虚函数 double net_price(size_t)的两个版本,返回给定数目的某书的总价。Item_base

类和 Bulk_item 类将定义该函数自己的版本。

2. 动态绑定

通过**动态绑定**（dynamic binding）我们能够编写程序使用继承层次中任意类型的对象，无须关心对象的具体类型。使用这些类的程序无须区分函数是在基类还是在派生类中定义的。

例如，书店应用程序可以允许顾客在一次交易中选择几本书，当顾客购书时，应用程序可以计算总的应付款，指出最终账单的一个部分将是为每本书打印一行，以显示总数和售价。

可以定义一个名为 print_total 的函数管理应用程序的这个部分。给定一个项目和数量，函数应打印 ISBN 以及购买给定数量的某书的总价。这个函数的输出应该像这样：

```
ISBN: 0-201-54848-8 number sold: 3 total price: 98
ISBN: 0-201-82470-1 number sold: 5 total price: 202.5
```

可以这样编写 print_total 函数：

```
// calculate and print price for given number of copies, applying any discounts
void print_total(ostream &os,
                 const Item_base &item, size_t n)
{
    os << "ISBN: " << item.book()  // calls Item_base::book
       << "\tnumber sold: " << n << "\ttotal price: "
       // virtual call: which version of net_price to call is resolved at run time
       << item.net_price(n) << endl;
}
```

该函数的工作很普通：调用其 item 形参的 book 和 net_price 函数，打印结果。关于这个函数，有两点值得注意。

第一，虽然这个函数的第二个形参是 Item_base 的引用，但可以将 Item_base 对象或 Bulk_item 对象传给它。

第二，因为形参是引用且 net_price 是虚函数，所以对 net_price 的调用将在运行时确定。调用哪个版本的 net_price 将依赖于传给 print_total 的实参。如果传给 print_total 的实参是一个 Bulk_item 对象，将运行 Bulk_item 中定义的应用折扣的 net_price；如果实参是一个 Item_base 对象，则调用由 Item_base 定义的版本。

> 在 C++ 中，通过基类的引用（或指针）调用虚函数时，发生动态绑定。引用（或指针）既可以指向基类对象也可以指向派生类对象，这一事实是动态绑定的关键。用引用（或指针）调用的虚函数在运行时确定，被调用的函数是引用（或指针）所指对象的实际类型所定义的。

15.2　定义基类和派生类

基类和派生类的定义在许多方面像我们已见过的其他类一样。但是，在继承层次中定义类还需要另外一些特性，本节将介绍这些特性，后续的节将介绍这些特性的使用对类以及使用继承类编写的程序有何影响。

15.2.1   定义基类

像任意其他类一样，基类也有定义其接口和实现的数据和函数成员。在（非常简化的）书店定价应用程序的例子中，Item_base 类定义了 book 和 net_price 函数并且需要存储每本书的ISBN 和标准价格：

```
// Item sold at an undiscounted price
// derived classes will define various discount strategies
class Item_base {
public:
    Item_base(const std::string &book = "",
                double sales_price = 0.0):
                        isbn(book), price(sales_price) { }
    std::string book() const { return isbn; }
    // returns total sales price for a specified number of items
    // derived classes will override and apply different discount algorithms
    virtual double net_price(std::size_t n) const
                { return n * price; }
    virtual ~Item_base() { }
private:
    std::string isbn;    // identifier for the item
protected:
    double price;        // normal, undiscounted price
};
```

这个类的大部分看起来像我们已见过的其他类一样。它定义了一个构造函数以及我们已描述过的函数，该构造函数使用默认实参（7.4.1 节），允许用 0 个、1 个或两个实参进行调用，它用这些实参初始化数据成员。

新的部分是 protected 访问标号以及对析构函数和 net_price 函数所使用的保留字virtual。我们将在 15.4.4 节解释虚析构函数，现在只需注意到继承层次的根类一般都要定义虚析构函数即可。

1. 基类成员函数

Item_base 类定义了两个函数，其中一个前面带有保留字 virtual。保留字 virtual 的目的是启用动态绑定。成员默认为非虚函数，对非虚函数的调用在编译时确定。为了指明函数为虚函数，在其返回类型前面加上保留字 virtual。除了构造函数之外，任意非 static 成员函数都可以是虚函数。保留字 virtual 只在类内部的成员函数声明中出现，不能用在类定义体外部出现的函数定义上。

15.2.4 节将进一步介绍虚函数。

基类通常应将派生类需要重定义的任意函数定义为虚函数。

2. 访问控制和继承

在基类中，public 和 private 标号具有普通含义：用户代码可以访问类的 public 成员而不能访问 private 成员，private 成员只能由基类的成员和友元访问。派生类对基类的 public和 private 成员的访问权限与程序中任意其他部分一样：它可以访问 public 成员而不能访问

private 成员。

有时作为基类的类具有一些成员，它希望允许派生类访问但仍禁止其他用户访问这些成员。对于这样的成员应使用**受保护的访问标号**（protected access label）。protected 成员可以被派生类对象访问但不能被该类型的普通用户访问。

我们的 Item_base 类希望它的派生类重定义 net_price 函数，为了重定义 net_price 函数，这些类将需要访问 price 成员。希望派生类用与普通用户一样通过 book 访问函数访问 isbn，因此，isbn 成员为 private，不能被 Item_base 的继承类所访问。

561

习题

习题 15.1 什么是虚成员？

习题 15.2 给出 protected 访问标号的定义。它与 private 有何不同？

习题 15.3 定义自己的 Item_base 类版本。

习题 15.4 图书馆可以借阅不同种类的资料——书、CD、DVD 等等。不同种类的借阅资料有不同的登记、检查和过期规则。下面的类定义了这个应用程序可以使用的基类。指出在所有借阅资料中，哪些函数可能定义为虚函数，如果有，哪些函数可能是公共的。（注：假定 LibMember 是表示图书馆读者的类，Date 是表示特定年份的日历日期的类。）

```cpp
class Library {
public:
    bool check_out(const LibMember&);
    bool check_in (const LibMember&);
    bool is_late(const Date& today);
    double apply_fine();
    ostream& print(ostream& = cout);
    Date due_date() const;
    Date date_borrowed() const;
    string title() const;
    const LibMember& member() const;
};
```

15.2.2 protected 成员

可以认为 protected 访问标号是 private 和 public 的混合：

- 像 private 成员一样，protected 成员不能被类的用户访问。
- 像 public 成员一样，protected 成员可被该类的派生类访问。

此外，protected 还有另一重要性质：

- 派生类[1]只能通过派生类对象访问其基类的 protected 成员，派生类对其基类类型对象的 protected 成员没有特殊访问权限。

例如，假定 Bulk_item 定义了一个成员函数，接受一个 Bulk_item 对象的引用和一个 Item_base 对象的引用，该函数可以访问自己对象的 protected 成员以及 Bulk_item 形参的

---

1. 原文此处误为"派生类对象"。——译者注

562   protected 成员，但是，它不能访问 Item_base 形参的 protected 成员。

```
void Bulk_item::memfcn(const Bulk_item &d, const Item_base &b)
{
    // attempt to use protected member
    double ret = price;  // ok: uses this->price
    ret = d.price; // ok: uses price from a Bulk_item object
    ret = b.price; // error: no access to price from an Item_base
}
```

d.price 的使用正确，因为是通过 Bulk_item 类型对象引用 price；b.price 的使用非法，因为对 Base_item 类型的对象没有特殊访问权限。

关键概念：类设计与受保护成员

如果没有继承，类只有两种用户：类本身的成员和该类的用户。将类划分为 private 和 public 访问级别反映了用户种类的这一分隔：用户只能访问 public 接口，类成员和友元既可以访问 public 成员也可以访问 private 成员。

有了继承，就有了类的第三种用户：从类派生定义新类的程序员。派生类的提供者通常（但并不总是）需要访问（一般为 private 的）基类实现，为了允许这种访问而仍然禁止对实现的一般访问，提供了附加的 protected 访问标号。类的 protected 部分仍然不能被一般程序访问，但可以被派生类访问。只有类本身和友元可以访问基类的 private 部分，派生类不能访问基类的 private 成员。

定义类充当基类时，将成员设计为 public 的标准并没有改变：仍然是接口函数应该为 public 而数据一般不应为 public。被继承的类必须决定实现的哪些部分声明为 protected 而哪些部分声明为 private。希望禁止派生类访问的成员应该设为 private，提供派生类实现所需操作或数据的成员应设为 protected。换句话说，提供给派生类型的接口是 protected 成员和 public 成员的组合。

15.2.3　派生类

为了定义派生类，使用**类派生列表**（class derivation list）指定基类。类派生列表指定了一个或多个基类，具有如下形式：

```
class classname: access-label base-class
```

这里 *access-label* 是 public、protected 或 private，*base-class* 是已定义的类的名字。类派生 563 列表可以指定多个基类。继承单个基类最为常见，也是本章的主题。17.3 节讨论多个基类的使用。

15.2.5 节将进一步介绍派生列表中使用的访问标号，现在，只需要了解访问标号决定了对继承成员的访问权限。如果想要继承基类的接口，则应该进行 public 派生。

派生类继承基类的成员并且可以定义自己的附加成员。每个派生类对象包含两个部分：从基类继承的成员和自己定义的成员。一般而言，派生类只（重）定义那些与基类不同或扩展基类行为的方面。

1. 定义派生类

在书店应用程序中，将从 Item_base 类派生 Bulk_item 类，因此 Bulk_item 类将继承 book、isbn 和 price 成员。Bulk_item 类必须重定义 net_price 函数并定义该操作所需要的数据成员：

```cpp
// discount kicks in when a specified number of copies of same book are sold
// the discount is expressed as a fraction used to reduce the normal price
class Bulk_item : public Item_base {
public:
    // redefines base version so as to implement bulk purchase discount policy
    double net_price(std::size_t) const;
private:
    std::size_t min_qty;   // minimum purchase for discount to apply
    double discount;       // fractional discount to apply
};
```

每个 Bulk_item 对象包含四个数据成员：从 Item_base 继承的 isbn 和 price，自己定义的 min_qty 和 discount，后两个成员指定最小数量以及购买超过该数量时给的折扣。Bulk_item 类还需要定义一个构造函数，我们将在 15.4 节定义它。

2. 派生类和虚函数

尽管不是必须这样做，派生类一般会重定义所继承的虚函数。如果派生类没有重定义某个虚函数，则使用基类中定义的版本。

派生类型必须对想要重定义的每个继承成员进行声明。Bulk_item 类指出，它将重定义 net_price 函数但将使用 book 的继承版本。

派生类中虚函数的声明（7.4 节）必须与基类中的定义方式完全匹配，但有一个例外：返回对基类型的引用（或指针）的虚函数。派生类中的虚函数可以返回基类函数所返回类型的派生类的引用（或指针）。

例如，Item_base 类可以定义返回 Item_base* 的虚函数，如果这样，Bulk_item 类中定义的实例可以定义为返回 Item_base* 或 Bulk_item*。15.9 节将介绍这种虚函数的一个例子。

> 　　一旦函数在基类中声明为虚函数，它就一直为虚函数，派生类无法改变该函数为虚函数这一事实。派生类重定义虚函数时，可以使用 virtual 保留字，但不是必须这样做。

3. 派生类对象包含基类对象作为子对象

派生类对象由多个部分组成：派生类本身定义的（非 static）成员加上由基类（非 static）成员组成的子对象。可以认为 Bulk_item 对象由图 15-1 表示的两个部分组成。

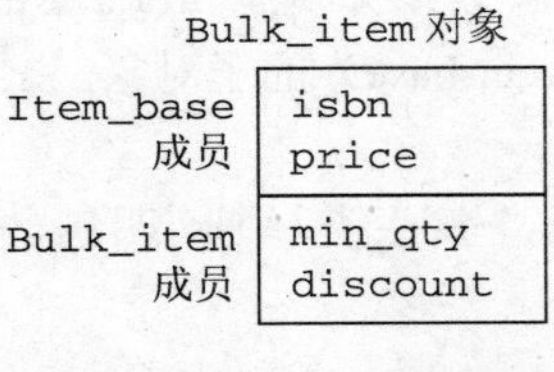

```
                 Bulk_item 对象
    Item_base   ┌─────────────┐
    成员        │ isbn        │
                │ price       │
                ├─────────────┤
    Bulk_item   │ min_qty     │
    成员        │ discount    │
                └─────────────┘
```

图 15-1　Bulk_item 对象的概念结构

C++语言不要求编译器将对象的基类部分和派生部分连续排列，因此，图 15-1 是关于类如何工作的概念表示而不是物理表示。

4. 派生类中的函数可以使用基类的成员

像任意成员函数一样，派生类函数可以在类的内部或外部定义，正如这里的 net_price 函数一样：

```
// if specified number of items are purchased, use discounted price
double Bulk_item::net_price(size_t cnt) const
{
    if (cnt >= min_qty)
        return cnt * (1 - discount) * price;
    else
        return cnt * price;
}
```

该函数产生折扣价格：如果给定数量多于 min_qty，就对 price 应用 discount（discount 存储为分数）。

    因为每个派生类对象都有基类部分，类可以访问其基类的 public 和 protected 成员，就好像那些成员是派生类自己的成员一样。

5. 用作基类的类必须是已定义的

已定义的类才可以用作基类。如果已经声明了 Item_base 类，但没有定义它，则不能用 Item_base 作基类：

```
class Item_base; // declared but not defined

// error: Item_base must be defined
class Bulk_item : public Item_base { ... };
```

这一限制的原因应该很容易明白：每个派生类包含并且可以访问其基类的成员，为了使用这些成员，派生类必须知道它们是什么。这一规则暗示着不可能从类自身派生出一个类。

6. 用派生类作基类

基类本身可以是一个派生类：

```
class Base { /* ... */ };
class D1: public Base { /* ... */ };
class D2: public D1 { /* ... */ };
```

每个类继承其基类的所有成员。最底层的派生类继承其基类的成员，基类又继承自己的基类的成员，如此沿着继承链依次向上。从效果来说，最底层的派生类对象包含其每个**直接基类**（immediate-base）和间接基类（indirect-base）的子对象。

7. 派生类的声明

如果需要声明（但并不实现）一个派生类，则声明包含类名但不包含派生列表。例如，下面的前向声明会导致编译时错误：

```
// error: a forward declaration must not include the derivation list
```

```
class Bulk_item : public Item_base;
```

正确的前向声明为:

```
// forward declarations of both derived and nonderived class
class Bulk_item;
class Item_base;
```

习题

习题 15.5 如果有，下面声明中哪些是错误的?

```
class Base { ... };

(a) class Derived : public Derived { ... };
(b) class Derived : Base { ... };
(c) class Derived : private Base { ... };
(d) class Derived : public Base;
(e) class Derived inherits Base { ... };
```

习题 15.6 编写自己的 Bulk_item 类版本。

习题 15.7 可以定义一个类型实现有限折扣策略。这个类可以给低于某个上限的购书量一个折扣，如果购买的数量超过该上限，则超出部分的书应按正常价格购买。定义一个类实现这种策略。

15.2.4　**virtual** 与其他成员函数

C++中的函数调用默认不使用动态绑定。要触发动态绑定，必须满足两个条件：第一，只有指定为虚函数的成员函数才能进行动态绑定，成员函数默认为非虚函数，非虚函数不进行动态绑定；第二，必须通过基类类型的引用或指针进行函数调用。要理解这一要求，需要理解在使用继承层次中某一类型的对象的引用或指针时会发生什么。

1. 从派生类到基类的转换

因为每个派生类对象都包含基类部分，所以可将基类类型的引用绑定到派生类对象的基类部分，也可以用指向基类的指针指向派生类对象：

```
// function with an Item_base reference parameter
double print_total(const Item_base&, size_t);
Item_base item;          // object of base type
// ok: use pointer or reference to Item_base to refer to an Item_base object
print_total(item, 10);   // passes reference to an Item_base object
Item_base *p = &item;    // p points to an Item_base object
Bulk_item bulk;          // object of derived type
// ok: can bind a pointer or reference to Item_base to a Bulk_item object
print_total(bulk, 10);   // passes reference to the Item_base part of bulk
p = &bulk;               // p points to the Item_base part of bulk
```

这段代码使用同一基类类型指针指向基类类型的对象和派生类型的对象，该代码还传递基类类型和派生类型的对象来调用需要基类类型引用的函数，两种使用都是正确的，因为每个派生类对象都拥有基类部分。

因为可以使用基类类型的指针或引用来引用派生类型对象，所以，使用基类类型的引用或指针时，不知道指针或引用所绑定的对象的类型：基类类型的引用或指针可以引用基类类型对象，也可以引用派生类型对象。无论实际对象具有哪种类型，编译器都将它当作基类类型对象。将派生类对象当作基类对象是安全的，因为每个派生类对象都拥有基类子对象。而且，派生类继承基类的操作，即，任何可以在基类对象上执行的操作也可以通过派生类对象使用。

　　基类类型引用和指针的关键点在于**静态类型**（static type，在编译时可知的引用类型或指针类型）和**动态类型**（dynamic type，指针或引用所绑定的对象的类型，这是仅在运行时可知的）可能不同。

2. 可以在运行时确定 **virtual** 函数的调用

　　将基类类型的引用或指针绑定到派生类对象对基对象没有影响，对象本身不会改变，仍为派生类对象。对象的实际类型可能不同于该对象引用或指针的静态类型，这是 C++中动态绑定的关键。

　　通过引用或指针调用虚函数时，编译器将生成代码，在运行时确定调用哪个函数，被调用的是与动态类型相对应的函数。例如，我们再来看 print_total 函数：

```
// calculate and print price for given number of copies, applying any discounts
void print_total(ostream &os,
                 const Item_base &item, size_t n)
{
    os << "ISBN: " << item.book() // calls Item_base::book
       << "\tnumber sold: " << n << "\ttotal price: "
       // virtual call: which version of net_price to call is resolved at run time
       << item.net_price(n) << endl;
}
```

　　因为 item 形参是一个引用且 net_price 是虚函数，item.net_price(n) 所调用的 net_price 版本取决于在运行时绑定到 item 形参的实参类型：

```
Item_base base;
Bulk_item derived;
// print_total makes a virtual call to net_price
print_total(cout, base, 10);       // calls Item_base::net_price
print_total(cout, derived, 10);    // calls Bulk_item::net_price
```

在第一个调用中，item 形参在运行时绑定到 Item_base 类型的对象，因此，print_total 内部调用 Item_base 中定义的 net_price 版本。在第二个调用中，item 形参绑定到 Bulk_item 类型的对象，从 print_total 调用的是 Bulk_item 类定义的 net_price 版本。

关键概念：C++中的多态性

　　引用和指针的静态类型与动态类型可以不同，这是 C++用以支持多态性的基石。

　　通过基类引用或指针调用基类中定义的函数时，我们并不知道执行函数的对象的确切类型，执行函数的对象可能是基类类型的，也可能是派生类型的。

　　如果调用非虚函数，则无论实际对象是什么类型，都执行基类类型所定义的函数。如果调用虚函数，则直到运行时才能确定调用哪个函数，运行的虚函数是引用所绑定的或指针所指向的对象所属类型定义的版本。

从编写代码的角度看我们无需担心。只要正确地设计和实现了类，不管实际对象是基类类型或派生类型，操作都将完成正确的工作。

另一方面，对象是非多态的——对象类型已知且不变。对象的动态类型总是与静态类型相同，这一点与引用或指针相反。运行的函数（虚函数或非虚函数）是由对象的类型定义的。

只有通过引用或指针调用，虚函数才在运行时确定。只有在这些情况下，直到运行时才知道对象的动态类型。

3. 在编译时确定非 **virtual** 调用

不管传给 `print_total` 的实参的实际类型是什么，对 `book` 的调用在编译时确定为调用 `Item_base::book`。

即使 `Bulk_item` 定义了自己的 `book` 函数版本，这个调用也会调用基类中的版本。

非虚函数总是在编译时根据调用该函数的对象、引用或指针的类型而确定。`item` 的类型是 `const Item_base` 的引用，所以，无论在运行时 `item` 引用的实际对象是什么类型，调用该对象的非虚函数都将会调用 `Item_base` 中定义的版本。

4. 覆盖虚函数机制

在某些情况下，希望覆盖虚函数机制并强制函数调用使用虚函数的特定版本，这时可以使用作用域操作符：

```
Item_base *baseP = &derived;
// calls version from the base class regardless of the dynamic type of baseP
double d = baseP->Item_base::net_price(42);
```

这段代码强制将 `net_price` 调用确定为 `Item_base` 中定义的版本，该调用将在编译时确定。

只有成员函数中的代码才应该使用作用域操作符覆盖虚函数机制。

为什么会希望覆盖虚函数机制？最常见的理由是为了派生类虚函数调用基类中的版本。在这种情况下，基类版本可以完成继承层次中所有类型的公共任务，而每个派生类型只添加自己的特殊工作。

例如，可以定义一个具有虚操作的 `Camera` 类层次。`Camera` 类中的 `display` 函数可以显示所有的公共信息，派生类（如 `PerspectiveCamera`）可能既需要显示公共信息又需要显示自己的独特信息。可以显式调用 `Camera` 版本以显示公共信息，而不是在 `PerspectiveCamera` 的 `display` 实现中复制 `Camera` 的操作。在这种情况下，已经确切知道调用哪个实例，因此，不需要通过虚函数机制。

派生类虚函数调用基类版本时，必须显式使用作用域操作符。如果派生类函数忽略了这样做，则函数调用会在运行时确定并且将是一个自身调用，从而导致无穷递归。

5. 虚函数与默认实参

像其他任何函数一样，虚函数也可以有默认实参。通常，如果有用在给定调用中的默认实参值，该值将在编译时确定。如果一个调用省略了具有默认值的实参，则所用的值由调用该函数的类型定义，与对象的动态类型无关。通过基类的引用或指针调用虚函数时，默认实参为在基类虚函数声明中指定的值，如果通过派生类的指针或引用调用虚函数，则默认实参是在派生类的版本中声明的值。

在同一虚函数的基类版本和派生类版本中使用不同的默认实参几乎一定会引起麻烦。如果通过基类的引用或指针调用虚函数，但实际执行的是派生类中定义的版本，这时就可能会出现问题。在这种情况下，为虚函数的基类版本定义的默认实参将传给派生类定义的版本，而派生类版本是用不同的默认实参定义的。

习题

习题 15.8　对于下面的类，解释每个函数：

```
struct base {
    string name() { return basename; }
    virtual void print(ostream &os) { os << basename; }
private:
    string basename;
};

struct derived {
    void print() { print(ostream &os); os << " " << mem; }
private:
    int mem;
};
```

如果该代码有问题，如何修正？

习题 15.9　给定上题中的类和如下对象，确定在运行时调用哪个函数：

```
base bobj;      base *bp1 = &bobj; base &br1 = bobj;
derived dobj; base *bp2 = &dobj; base &br2 = dobj;

(a) bobj.print();    (b) dobj.print();    (c) bp1->name();
(d) bp2->name();     (e) br1.print();     (f) br2.print();
```

15.2.5　公用、私有和受保护的继承

派生类中定义的成员访问控制的处理与任意其他类中完全一样（12.1.2 节）。派生类可以定义零个或多个访问标号，指定跟随其后的成员的访问级别。对类所继承的成员的访问由基类中的成员访问级别和派生类派生列表中使用的访问标号共同控制。

 　　每个类控制它所定义的成员的访问。派生类可以进一步限制但不能放松对所继承的成员的访问。

基类本身指定对自身成员的最小访问控制。如果成员在基类中为 private，则只有基类和基类的友元可以访问该成员。派生类不能访问基类的 private 成员，也不能使自己的用户能够访

问那些成员。如果基类成员为 public 或 protected，则派生列表中使用的访问标号决定该成员在派生类中的访问级别：

- 如果是**公用继承**（public inheritance），基类成员保持自己的访问级别：基类的 public 成员为派生类的 public 成员，基类的 protected 成员为派生类的 protected 成员。
- 如果是**受保护继承**（protected inheritance），基类的 public 和 protected 成员在派生类中为 protected 成员。
- 如果是**私有继承**（private inheritance），基类的所有成员在派生类中为 private 成员。

例如，考虑下面的继承层次：

```cpp
class Base {
public:
    void basemem(); // public member
protected:
    int i;          // protected member
    // ...
};
struct Public_derived : public Base {
    int use_base() { return i; } // ok: derived classes can access i
    // ...
};
struct Private_derived : private Base {
    int use_base() { return i; } // ok: derived classes can access i
};
```

无论派生列表中是什么访问标号，所有继承 Base 的类对 Base 中的成员具有相同的访问。派生访问标号将控制派生类的用户对从 Base 继承而来的成员的访问：

```cpp
Base b;
Public_derived d1;
Private_derived d2;
b.basemem();     // ok: basemem is public
d1.basemem();    // ok: basemem is public in the derived class
d2.basemem();    // error: basemem is private in the derived class
```

Public_derived 和 Private_derived 都继承了 basemem 函数。当进行 public 继承时，该成员保持其访问标号，所以，d1 可以调用 basemem。在 Private_derived 中，Base 的成员为 private，Private_derived 的用户不能调用 basemem。

派生访问标号还控制来自非直接派生类的访问：

```cpp
struct Derived_from Private : public Private_derived {
    // error: Base::i is private in Private_derived
    int use_base() { return i; }
};
struct Derived_from_Public : public Public_derived {
    // ok: Base::i remains protected in Public_derived
    int use_base() { return i; }
};
```

从 Public_derived 派生的类可以访问来自 Base 类的 i，是因为该成员在 Public_derived 中仍为 protected 成员。从 Private_derived 派生的类没有这样的访问，对它们而言，Private_

571

derived 从 Base 继承的所有成员均为 private。

1. 接口继承与实现继承

public 派生类继承基类的接口，它具有与基类相同的接口。设计良好的类层次中，public 派生类的对象可以用在任何需要基类对象的地方。

使用 private 或 protected 派生的类不继承基类的接口，相反，这些派生通常被称为实现继承。派生类在实现中使用被继承类但继承基类的部分并未成为其接口的一部分。

如 15.3 节所介绍的，类是使用接口继承还是实现继承对派生类的用户具有重要含义。

 迄今为止，最常见的继承形式是 public。

关键概念：继承与组合

继承层次的设计本身是个复杂的主题，已超出本书的范围。但是，有一个重要的设计指南非常基础，每个程序员都应该熟悉它。

定义一个类作为另一个类的公用派生类时，派生类应反映与基类的**"是一种（Is A）"**关系。在书店例子中，基类表示按规定价格销售的书的概念，Bulk_item 是一种书，但具有不同的定价策略。

类型之间另一种常见的关系是称为**"有一个（Has A）"**的关系。书店例子中的类具有价格和 ISBN。通过"有一个"关系而相关的类型暗含有成员关系，因此，书店例子中的类由表示价格和 ISBN 的成员组成。

---

2. 去除个别成员

如果进行 private 或 protected 继承，则基类成员的访问级别在派生类中比在基类中更受限：

```
class Base {
public:
    std::size_t size() const { return n; }
protected:
    std::size_t n;
};
class Derived : private Base { . . . };
```

 派生类可以恢复继承成员的访问级别，但不能使访问级别比基类中原来指定的更严格或更宽松。

在这一继承层次中，size 在 Base 中为 public，但在 Derived 中为 private。为了使 size 在 Derived 中成为 public，可以在 Derived 的 public 部分增加一个 using 声明。如下这样改变 Derived 的定义，可以使 size 成员能够被用户访问，并使 n 能够被从 Derived 派生的类访问：

```
class Derived : private Base {
public:
    // maintain access levels for members related to the size of the object
    using Base::size;
```

```
protected:
    using Base::n;
    // ...
};
```

正如可以使用 using 声明（3.1 节）从命名空间使用名字，也可以使用 using 声明访问基类中的名字，除了在作用域操作符左边用类名字代替命名空间名字之外，使用形式是相同的。

3. 默认继承保护级别

在 2.8 节介绍过用 struct 和 class 保留字定义的类具有不同的默认访问级别，同样，默认继承访问级别根据使用哪个保留字定义派生类也不相同。使用 class 保留字定义的派生类默认具有 private 继承，而用 struct 保留字定义的类默认具有 public 继承：

```
class Base { /* ... */ };
struct D1 : Base { /* ... */ };   // public inheritance by default
class D2 : Base { /* ... */ };    // private inheritance by default
```

有一种常见的误解认为用 struct 保留字定义的类与用 class 定义的类有更大的区别。唯一的不同只是默认的成员保护级别和默认的派生保护级别，没有其他区别：

```
class D3 : public Base {
public:
    /* ... */
};
// equivalent definition of D3
struct D3 : Base {           // inheritance public by default
    /* ... */                // initial member access public by default
};
struct D4 : private Base {
private:
    /* ... */
};
// equivalent definition of D4
class D4 : Base {            // inheritance private by default
    /* ... */                // initial member access private by default
};
```

　　尽管私有继承在使用 class 保留字时是默认情况，但这在实践中相对罕见。因为私有继承是如此罕见，通常显式指定 private 是比依赖于默认更好的办法。显式指定可清楚指出想要私有继承而不是一时疏忽。

习题

习题 15.10　在 15.2.1 节的习题中编写了一个表示图书馆借阅政策的基类。假定图书馆提供下列种类的借阅资料，每一种有自己的检查和登记政策。将这些项目组织成一个继承层次：

book	audio book	record
children's puppet	sega video game	video
cdrom book	nintendo video game	rental book
sony playstation video game		

习题 15.11　在下列包含一族类型的一般抽象中选择一种（或者自己选择一个），将这些类型组织成

一个继承层次。

(a) 图像文件格式（如 gif, tiff, jpeg, bmp）

(b) 几何图元（如矩形，圆，球形，锥形）

(c) C++语言的类型（如类，函数，成员函数）

习题 15.12 对上题中选择的类，标出可能的虚函数以及 public 和 protected 成员。

15.2.6　友元关系与继承

像其他类一样，基类或派生类可以使其他类或函数成为友元（12.5 节）。友元可以访问类的 private 和 protected 数据。

> 友元关系不能继承。基类的友元对派生类的成员没有特殊访问权限。如果基类被授予友元关系，则只有基类具有特殊访问权限，该基类的派生类不能访问授予友元关系的类。

每个类控制对自己的成员的友元关系：

```
class Base {
    friend class Frnd;
protected:
    int i;
};
// Frnd has no access to members in D1
class D1 : public Base {
protected:
    int j;
};
class Frnd {
public:
    int mem(Base b) { return b.i; }   // ok: Frnd is friend to Base
    int mem(D1 d) { return d.i; }     // error: friendship doesn't inherit
};
// D2 has no access to members in Base
class D2 : public Frnd {
public:
    int mem(Base b) { return b.i; }  // error: friendship doesn't inherit
};
```

如果派生类想要将自己成员的访问权授予其基类的友元，派生类必须显式地这样做：基类的友元对从该基类派生的类型没有特殊访问权限。同样，如果基类和派生类都需要访问另一个类，那个类必须特地将访问权限授予基类和每一个派生类。

15.2.7　继承与静态成员

如果基类定义了 static 成员（12.6 节），则整个继承层次中只有一个这样的成员。无论从基类派生出多少个派生类，每个 static 成员只有一个实例。

static 成员遵循常规访问控制：如果成员在基类中为 private，则派生类不能访问它。假定可以访问成员，则既可以通过基类访问 static 成员，也可以通过派生类访问 static 成员。一般而言，既可以使用作用域操作符也可以使用点或箭头成员访问操作符。

```
struct Base {
    static void statmem();  // public by default
};
struct Derived : Base {
    void f(const Derived&);
};
void Derived::f(const Derived &derived_obj)
{
    Base::statmem();        // ok: Base defines statmem
    Derived::statmem();     // ok: Derived inherits statmem
    // ok: derived objects can be used to access static from base
    derived_obj.statmem();  // accessed through Derived object
    statmem();              // accessed through this class
}
```

576

习题

习题 15.13 对于下面的类，列出 C1 中的成员函数访问 ConcreteBase 的 static 成员的所有方式，列出 C2 类型的对象访问这些成员的所有方式。

```
struct ConcreteBase {
    static std::size_t object_count();
protected:
    static std::size_t obj_count;
};
struct C1 : public ConcreteBase { /* . . . */ };
struct C2 : public ConcreteBase { /* . . . */ };
```

15.3　转换与继承

理解基类类型和派生类型之间的转换，对于理解面向对象编程在 C++中如何工作非常关键。

我们已经看到，每个派生类对象包含一个基类部分，这意味着可以像使用基类对象一样在派生类对象上执行操作。因为派生类对象也是基类对象，所以存在从派生类型引用到基类类型引用的自动转换，即，可以将派生类对象的引用转换为基类子对象的引用，对指针也类似。

基类类型对象既可以作为独立对象存在，也可以作为派生类对象的一部分而存在，因此，一个基类对象可能是也可能不是一个派生类对象的部分，结果，没有从基类引用（或基类指针）到派生类引用（或派生类指针）的（自动）转换。

相对于引用或指针而言，对象转换的情况更为复杂。虽然一般可以使用派生类型的对象对基类类型的对象进行初始化或赋值，但，没有从派生类型对象到基类类型对象的直接转换。

15.3.1　派生类到基类的转换

如果有一个派生类型的对象，则可以使用它的地址对基类类型的指针进行赋值或初始化。同样，可以使用派生类型的引用或对象初始化基类类型的引用。严格说来，对对象没有类似转换。编译器不会自动将派生类型对象转换为基类类型对象。

但是，一般可以使用派生类型对象对基类对象进行赋值或初始化。对对象进行初始化和/或赋值以及可以自动转换引用或指针，这之间的区别是微妙的，必须好好理解。

1. 引用转换不同于转换对象

我们已经看到，可以将派生类型的对象传给希望接受基类引用的函数。也许会因此认为对象进行转换，但是，事实并非如此。将对象传给希望接受引用的函数时，引用直接绑定到该对象，虽然看起来在传递对象，实际上实参是该对象的引用，对象本身未被复制，并且，转换不会在任何方面改变派生类型对象，该对象仍是派生类型对象。

将派生类对象传给希望接受基类类型对象（而不是引用）的函数时，情况完全不同。在这种情况下，形参的类型是固定的——在编译时和运行时形参都是基类类型对象。如果用派生类型对象调用这样的函数，则该派生类对象的基类部分被复制到形参。

一个是将派生类对象转换为基类类型引用，一个是用派生类对象对基类对象进行初始化或赋值，理解它们之间的区别很重要。

2. 用派生类对象对基类对象进行初始化或赋值

对基类对象进行初始化或赋值，实际上是在调用函数：初始化时调用构造函数，赋值时调用赋值操作符。

用派生类对象对基类对象进行初始化或赋值时，有两种可能性。第一种（虽然不太可能的）可能性是，基类可能显式定义了将派生类型对象复制或赋值给基类对象的含义，这可以通过定义适当的构造函数或赋值操作符实现：

```
class Derived;
class Base {
public:
    Base(const Derived&);  // create a new Base from a Derived
    Base &operator=(const Derived&);  // assign from a Derived
    // ...
};
```

在这种情况下，这些成员的定义将控制用 Drived 对象对 Base 对象进行初始化或赋值时会发生什么。

然而，类显式定义怎样用派生类型对象对基类类型进行初始化或赋值并不常见，相反，基类一般（显式或隐式地）定义自己的复制构造函数和赋值操作符（第 13 章），这些成员接受一个形参，该形参是基类类型的（const）引用。因为存在从派生类引用到基类引用的转换，这些复制控制成员可用于从派生类对象对基类对象进行初始化或赋值：

```
Item_base item;    // object of base type
Bulk_item bulk;    // object of derived type
// ok: uses Item_base::Item_base(const Item_base&) constructor
Item_base item(bulk); // bulk is "sliced down" to its Item_base portion
// ok: calls Item_base::operator=(const Item_base&)
item = bulk;          // bulk is "sliced down" to its Item_base portion
```

用 Bulk_item 类型的对象调用 Item_base 类的复制构造函数或赋值操作符时，将发生下列

步骤:

- 将 Bulk_item 对象转换为 Item_base 引用,这仅仅意味着将一个 Item_base 引用绑定到 Bulk_item 对象。
- 将该引用作为实参传给复制构造函数或赋值操作符。
- 那些操作符使用 Bulk_item 的 Item_base 部分分别对调用构造函数或赋值的 Item_base 对象的成员进行初始化或赋值。
- 一旦操作符执行完毕,对象即为 Item_base。它包含 Bulk_item 的 Item_base 部分的副本,但实参的 Bulk_item 部分被忽略。

在这种情况下,我们说 bulk 的 Bulk_item 部分在对 item 进行初始化或赋值时被“切掉”了。Item_base 对象只包含基类中定义的成员,不包含由任意派生类型定义的成员,Item_base 对象中没有派生类成员的存储空间。

3. 派生类到基类转换的可访问性

像继承的成员函数一样,从派生类到基类的转换可能是也可能不是可访问的。转换是否可访问取决于在派生类的派生列表中指定的访问标号。

> **提示**　要确定到基类的转换是否可访问,可以考虑基类的 public 成员是否可访问,如果可以,转换是可访问的,否则,转换是不可访问的。

如果是 public 继承,则用户代码和后代类都可以使用派生类到基类的转换。如果类是使用 private 或 protected 继承派生的,则用户代码不能将派生类型对象转换为基类对象。如果是 private 继承,则从 private 继承类派生的类不能转换为基类。如果是 protected 继承,则后续派生类的成员可以转换为基类类型。

无论是什么派生访问标号,派生类本身都可以访问基类的 public 成员,因此,派生类本身的成员和友元总是可以访问派生类到基类的转换。

579

15.3.2　基类到派生类的转换

从基类到派生类的自动转换是不存在的。需要派生类对象时不能使用基类对象:

```
Item_base base;
Bulk_item* bulkP = &base;      // error: can't convert base to derived
Bulk_item& bulkRef = base;     // error: can't convert base to derived
Bulk_item bulk = base;         // error: can't convert base to derived
```

没有从基类类型到派生类型的(自动)转换,原因在于基类对象只能是基类对象,它不能包含派生类型的成员。如果允许用基类对象给派生类型对象赋值,那么就可以试图使用该派生类对象访问不存在的成员。

有时更令人惊讶的是,甚至当基类指针或引用实际绑定到派生类对象时,从基类到派生类的转换也存在限制:

```
Bulk_item bulk;
Item_base *itemP = &bulk;      // ok: dynamic type is Bulk_item
Bulk_item *bulkP = itemP;      // error: can't convert base to derived
```

编译器在编译时无法知道特定转换在运行时实际上是安全的。编译器确定转换是否合法，只看指针或引用的静态类型。

在这些情况下，如果知道从基类到派生类的转换是安全的，就可以使用 static_cast（5.12.4 节）强制编译器进行转换。或者，可以用 dynamic_cast 申请在运行时进行检查，18.2.1 节将介绍 dynamic_cast。

15.4 构造函数和复制控制

每个派生类对象由派生类中定义的（非 static）成员加上一个或多个基类子对象构成，这一事实影响着派生类型对象的构造、复制、赋值和撤销。当构造、复制、赋值和撤销派生类型对象时，也会构造、复制、赋值和撤销这些基类子对象。

构造函数和复制控制成员不能继承，每个类定义自己的构造函数和复制控制成员。像任何类一样，如果类不定义自己的默认构造函数和复制控制成员，就将使用合成版本。

15.4.1 基类构造函数和复制控制

本身不是派生类的基类，其构造函数和复制控制基本上不受继承影响。构造函数看起来像已经见过的许多构造函数一样：

```
Item_base(const std::string &book = "",
          double sales_price = 0.0):
                  isbn(book), price(sales_price) { }
```

继承对基类构造函数的唯一影响是，在确定提供哪些构造函数时，必须考虑一类新用户。像任意其他成员一样，构造函数可以为 protected 或 private，某些类需要只希望派生类使用的特殊构造函数，这样的构造函数应定义为 protected。

15.4.2 派生类构造函数

派生类的构造函数受继承关系的影响，每个派生类构造函数除了初始化自己的数据成员之外，还要初始化基类。

1. 合成的派生类默认构造函数

派生类的合成默认构造函数（12.4.3 节）与非派生的构造函数只有一点不同：除了初始化派生类的数据成员之外，它还初始化派生类对象的基类部分。基类部分由基类的默认构造函数初始化。

对于 Bulk_item 类，合成的默认构造函数会这样执行：

(1) 调用 Item_base 的默认构造函数，将 isbn 成员初始化为空串，将 price 成员初始化为 0。

(2) 用常规变量初始化规则初始化 Bulk_item 的成员，也就是说，qty 和 discount 成员会是未初始化的。

2. 定义默认构造函数

因为 Bulk_item 具有内置类型成员，所以应定义自己的默认构造函数：

```
class Bulk_item : public Item_base {
public:
    Bulk_item(): min_qty(0), discount(0.0) { }
    // as before
};
```

这个构造函数使用构造函数初始化列表（7.7.3 节）初始化 min_qty 和 discount 成员，该构造函数还隐式调用 Item_base 的默认构造函数初始化对象的基类部分。

运行这个构造函数的效果是，首先使用 Item_base 的默认构造函数初始化 Item_base 部分，那个构造函数将 isbn 置为空串并将 price 置为 0。Item_base 的构造函数执行完毕后，再初始化 Bulk_item 部分的成员，并执行构造函数的函数体（函数体为空）。

581

3. 向基类构造函数传递实参

除了默认构造函数之外，Item_base 类还使用户能够初始化 isbn 和 price 成员，我们希望支持同样的 Bulk_item 对象的初始化，事实上，我们希望用户能够指定整个 Bulk_item 的值，包括折扣率和数量。

派生类构造函数的初始化列表只能初始化派生类的成员，不能直接初始化继承成员。相反，派生类构造函数通过将基类包含在构造函数初始化列表中来间接初始化继承成员。

```
class Bulk_item : public Item_base {
public:
    Bulk_item(const std::string& book, double sales_price,
              std::size_t qty = 0, double disc_rate = 0.0):
                  Item_base(book, sales_price),
                  min_qty(qty), discount(disc_rate) { }
    // as before
};
```

这个构造函数使用有两个形参的 Item_base 构造函数初始化基类子对象，它将自己的 book 和 sales_price 实参传递给该构造函数。这个构造函数可以这样使用：

```
// arguments are the isbn, price, minimum quantity, and discount
Bulk_item bulk("0-201-82470-1", 50, 5, .19);
```

要建立 bulk，首先运行 Item_base 构造函数，该构造函数使用从 Bulk_item 构造函数初始化列表传来的实参初始化 isbn 和 price。Item_base 构造函数执行完毕之后，再初始化 Bulk_item 的成员。最后，运行 Bulk_item 构造函数的（空）函数体。

 构造函数初始化列表为类的基类和成员提供初始值，它并不指定初始化的执行次序。首先初始化基类，然后根据声明次序初始化派生类的成员。

4. 在派生类构造函数中使用默认实参

当然，也可以将这两个 Bulk_item 构造函数编写为一个接受默认实参的构造函数[1]：

```
class Bulk_item : public Item_base {
public:
    Bulk_item(const std::string& book="", double sales_price=0.0,
              std::size_t qty = 0, double disc_rate = 0.0):
                  Item_base(book, sales_price),
```

---

1. 此代码段的第 3 行原书误为 Bulk_item(const std::string& book, double sales_price,。——译者注

```
                    min_qty(qty), discount(disc_rate) { }
        // as before
    };
```

这里为每个形参提供了默认值，因此，可以用 0 至 4 个实参使用该构造函数。

5. 只能初始化直接基类

一个类只能初始化自己的直接基类。直接基类就是在派生列表中指定的类。如果类 C 从类 B 派生，类 B 从类 A 派生，则 B 是 C 的直接基类。虽然每个 C 类对象包含一个 A 类部分，但 C 的构造函数不能直接初始化 A 部分。相反，需要类 C 初始化类 B，而类 B 的构造函数再初始化类 A。这一限制的原因是，类 B 的作者已经指定了怎样构造和初始化 B 类型的对象。像类 B 的任何用户一样，类 C 的作者无权改变这个规约。

作为更具体的例子，书店可以有几种折扣策略。除了批量折扣外，还可以为购买某个数量打折，此后按全价销售，或者，购买量超过一定限度的可以打折，在该限度之内不打折。

这些折扣策略都需要一个数量和一个折扣量，可以定义名为 Disc_item 的新类存储数量和折扣量，以支持这些不同的折扣策略。Disc_item 类可以不定义 net_price 函数，但可以作为定义不同折扣策略的其他类（如 Bulk_item 类）的基类。

关键概念：重构

将 Disc_item 加到 Item_base 层次是重构（refactoring）的一个例子。重构包括重新定义类层次，将操作和/或数据从一个类移到另一个类。为了适应应用程序的需要而重新设计类以便增加新函数或处理其他改变时，最有可能需要进行重构。

重构常见在面向对象应用程序中非常常见。值得注意的是，虽然改变了继承层次，使用 Bulk_item 类或 Item_base 类的代码不需要改变。然而，对类进行重构，或以任意其他方式改变类，使用这些类的任意代码都必须重新编译。

要实现这个设计，首先需要定义 Disc_item 类：

```
// class to hold discount rate and quantity
// derived classes will implement pricing strategies using these data
class Disc_item : public Item_base {
public:
    Disc_item(const std::string& book = "",
              double sales_price = 0.0,
              std::size_t qty = 0, double disc_rate = 0.0):
                  Item_base(book, sales_price),
                  quantity(qty), discount(disc_rate) { }
protected:
    std::size_t quantity;    // purchase size for discount to apply
    double discount;         // fractional discount to apply
};
```

这个类继承 Item_base 类并定义了自己的 discount 和 quantity 成员。它唯一的成员函数是构造函数，用以初始化基类和 Disc_item 定义的成员。

其次，可以重新实现 Bulk_item 以继承 Disc_item，而不再直接继承 Item_base：

```
//  discount kicks in when a specified number of copies of same book are sold
//  the discount is expressed as a fraction to use to reduce the normal price
class Bulk_item : public Disc_item {
public:
    Bulk_item(const std::string& book = "",
              double sales_price = 0.0,
              std::size_t qty = 0, double disc_rate = 0.0):
          Disc_item(book, sales_price, qty, disc_rate) { }
    // redefines base version so as to implement bulk purchase discount policy
    double net_price(std::size_t) const;
};
```

Bulk_item 类现在有一个直接基类 Disc_item，还有一个间接基类 Item_base。每个 Bulk_item 对象有三个子对象：一个（空的）Bulk_item 部分和一个 Disc_item 子对象，Disc_item 子对象又有一个 Item_base 基类子对象。

虽然 Bulk_item 没有自己的数据成员，但为了获取值用来初始化其继承成员，它定义了一个构造函数。

派生类构造函数只能初始化自己的直接基类，在 Bulk_item 类的构造函数初始化列表中指定 Item_base 是一个错误。

关键概念：尊重基类接口

构造函数只能初始化其直接基类的原因是每个类都定义了自己的接口。定义 Disc_item 时，通过定义它的构造函数指定了怎样初始化 Disc_item 对象。一旦类定义了自己的接口，与该类对象的所有交互都应该通过该接口，即使对象是派生类对象的一部分也不例外。

同样，派生类构造函数不能初始化基类的成员且不应该对基类成员赋值。如果那些成员为 public 或 protected，派生构造函数可以在构造函数函数体中给基类成员赋值，但是，这样做会违反基类的接口。派生类应通过使用基类构造函数尊重基类的初始化意图，而不是在派生类构造函数函数体中对这些成员赋值。

习题

习题 15.14 重新定义 Bulk_item 和 Item_base 类，使每个类只需定义一个构造函数。

习题 15.15 对于 15.2.5 节习题第一题中描述的图书馆类层次，识别基类和派生类构造函数。

习题 15.16 对于下面的基类定义：

```
struct Base {
    Base(int val): id(val) { }
protected:
    int id;
};
```

解释为什么下述每个构造函数是非法的。

```
(a) struct C1 : public Base {
        C1(int val): id(val) { }
    };
(b) struct C2 : public C1 {
        C2(int val): Base(val), C1(val){ }
```

```
                };
  (c) struct C3 : public C1 {
            C3(int val): Base(val) { }
        };
  (d) struct C4 : public Base {
            C4(int val) : Base(id + val){ }
        };
  (e) struct C5 : public Base {
            C5() { }
        };
```

15.4.3 复制控制和继承

像任意其他类一样，派生类也可以使用第 13 章所介绍的合成复制控制成员。合成操作对对象的基类部分连同派生部分的成员一起进行复制、赋值或撤销，使用基类的复制构造函数、赋值操作符或析构函数对基类部分进行复制、赋值或撤销。

类是否需要定义复制控制成员完全取决于类自身的直接成员。基类可以定义自己的复制控制而派生类使用合成版本，反之亦然。

只包含类类型或内置类型数据成员、不含指针的类一般可以使用合成操作，复制、赋值或撤销这样的成员不需要特殊控制。具有指针成员的类一般需要定义自己的复制控制来管理这些成员。

Item_base 类及其派生类可以使用复制控制操作的合成版本。复制 Bulk_item 对象时，调用（合成的）Item_base 复制构造函数复制 isbn 和 price 成员。使用 string 复制构造函数复制 isbn，直接复制 price 成员。一旦复制了基类部分，就复制派生部分。Bulk_item 的两个成员都是 double 型，直接复制这些成员。赋值操作符和析构函数类似处理。

1. 定义派生类复制构造函数

如果派生类显式定义自己的复制构造函数或赋值操作符，则该定义将完全覆盖默认定义。被继承类的复制构造函数和赋值操作符负责对基类成分以及类自己的成员进行复制或赋值。

如果派生类定义了自己的复制构造函数，该复制构造函数一般应显式使用基类复制构造函数初始化对象的基类部分：

```
class Base { /* ... */ };
class Derived: public Base {
public:
    // Base::Base(const Base&) not invoked automatically
    Derived(const Derived& d):
        Base(d) /* other member initialization */ { /*... */ }
};
```

初始化函数 Base(d) 将派生类对象 d 转换（15.3 节）为它的基类部分的引用，并调用基类复制构造函数。如果省略基类初始化函数，如下代码：

```
// probably incorrect definition of the Derived copy constructor
Derived(const Derived& d) /* derived member initizations */
                          {/* ... */ }
```

效果是运行 Base 的默认构造函数初始化对象的基类部分。假定 Derived 成员的初始化从 d 复制对应成员，则新构造的对象将具有奇怪的配置：它的 Base 部分将保存默认值，而它的 Derived 成员是另一对象的副本。

2. 派生类赋值操作符

赋值操作符通常与复制构造函数类似：如果派生类定义了自己的赋值操作符，则该操作符必须对基类部分进行显式赋值。

```
// Base::operator=(const Base&) not invoked automatically
Derived &Derived::operator=(const Derived &rhs)
{
    if (this != &rhs) {
        Base::operator=(rhs); // assigns the base part
        // do whatever needed to clean up the old value in the derived part
        // assign the members from the derived
    }
    return *this;
}
```

赋值操作符必须防止自身赋值。假定左右操作数不同，则调用 Base 类的赋值操作符给基类部分赋值。该操作符可以由类定义，也可以是合成赋值操作符，这没什么关系——我们可以直接调用它。基类操作符将释放左操作数中基类部分的值，并赋以来自 rhs 的新值。该操作符执行完毕后，接着要做的是为派生类中的成员赋值。

3. 派生类析构函数

析构函数的工作与复制构造函数和赋值操作符不同：派生类析构函数不负责撤销基类对象的成员。编译器总是显式调用派生类对象基类部分的析构函数。每个析构函数只负责清除自己的成员：

```
class Derived: public Base {
public:
    // Base::~Base invoked automatically
    ~Derived()     { /* do what it takes to clean up derived members */ }
};
```

对象的撤销顺序与构造顺序相反：首先运行派生类析构函数，然后按继承层次依次向上调用各基类析构函数。

15.4.4 虚析构函数

自动调用基类部分的析构函数对基类的设计有重要影响。

删除指向动态分配对象的指针时，需要运行析构函数在释放对象的内存之前清除对象。处理继承层次中的对象时，指针的静态类型可能与被删除对象的动态类型不同，可能会删除实际指向派生类对象的基类类型指针。

如果删除基类指针，则需要运行基类析构函数并清除基类的成员，如果对象实际是派生类型的，则没有定义该行为。要保证运行适当的析构函数，基类中的析构函数必须为虚函数：

```
class Item_base {
```

586

```
public:
    // no work, but virtual destructor needed
    // if base pointer that points to a derived object is ever deleted
    virtual ~Item_base() { }
};
```

587

如果析构函数为虚函数，那么通过指针调用时，运行哪个析构函数将因指针所指对象类型的不同而不同：

```
Item_base *itemP = new Item_base; // same static and dynamic type
delete itemP;                     // ok: destructor for Item_base called
itemP = new Bulk_item;            // ok: static and dynamic types differ
delete itemP;                     // ok: destructor for Bulk_item called
```

像其他虚函数一样，析构函数的虚函数性质都将继承。因此，如果层次中根类的析构函数为虚函数，则派生类析构函数也将是虚函数，无论派生类显式定义析构函数还是使用合成析构函数，派生类析构函数都是虚函数。

基类析构函数是三法则（13.3 节）的一个重要例外。三法则指出，如果类需要析构函数，则类几乎也确实需要其他复制控制成员。基类几乎总是需要析构函数，从而可以将析构函数设为虚函数。如果基类为了将析构函数设为虚函数而具有空析构函数，那么，类具有析构函数并不表示也需要赋值操作符或复制构造函数。

    即使析构函数没有工作要做，继承层次的根类也应该定义一个虚析构函数。

构造函数和赋值操作符不是虚函数

在复制控制成员中，只有析构函数应定义为虚函数，构造函数不能定义为虚函数。构造函数是在对象完全构造之前运行的，在构造函数运行的时候，对象的动态类型还不完整。

虽然可以在基类中将成员函数 operator=定义为虚函数，但这样做并不影响派生类中使用的赋值操作符。每个类有自己的赋值操作符，派生类中的赋值操作符有一个与类本身类型相同的形参，该类型必须不同于继承层次中任意其他类的赋值操作符的形参类型。

将赋值操作符设为虚函数可能会令人混淆，因为虚函数必须在基类和派生类中具有同样的形参。基类赋值操作符有一个形参是自身类类型的引用，如果该操作符为虚函数，则每个类都将得到一个虚函数成员，该成员定义了参数为一个基类对象的 operator=。但是，对派生类而言，这个操作符与赋值操作符是不同的。

588

将类的赋值操作符设为虚函数很可能会令人混淆，而且不会有什么用处。

习题

习题 15.17   说明在什么情况下类应该具有虚析构函数。

习题 15.18   虚析构函数必须执行什么操作？

习题 15.19   如果这个类定义有错，可能是什么错？

```
class AbstractObject {
public:
    virtual void doit();
    // other members not including any of the copy-control functions
};
```

习题 15.20　回忆在 13.3 节习题中编写的类，该类的复制控制成员打印一条消息，为 Item_base 和 Bulk_item 类的构造函数增加打印语句。定义复制控制成员，使之完成与合成版本相同的工作外，还打印一条消息。应用使用了 Item_base 类型的那些对象和函数编写一些程序，在每种情况下，预测将会创建和撤销什么对象，并将你的预测与程序所产生的结果进行比较。继续实验，直至你能够正确地预测对于给定的代码片段，会执行哪些复制控制成员。

15.4.5　构造函数和析构函数中的虚函数

构造派生类对象时首先运行基类构造函数初始化对象的基类部分。在执行基类构造函数时，对象的派生类部分是未初始化的。实际上，此时对象还不是一个派生类对象。

撤销派生类对象时，首先撤销它的派生类部分，然后按照与构造顺序的逆序撤销它的基类部分。

在这两种情况下，运行构造函数或析构函数的时候，对象都是不完整的。为了适应这种不完整，编译器将对象的类型视为在构造或析构期间发生了变化。在基类构造函数或析构函数中，将派生类对象当作基类类型对象对待。

构造或析构期间的对象类型对虚函数的绑定有影响。

　　如果在构造函数或析构函数中调用虚函数，则运行的是为构造函数或析构函数自身类型定义的版本。

无论由构造函数（或析构函数）直接调用虚函数，或者从构造函数（或析构函数）所调用的函数间接调用虚函数，都应用这种绑定。

要理解这种行为，考虑如果从基类构造函数（或析构函数）调用虚函数的派生类版本会怎么样。虚函数的派生类版本很可能会访问派生类对象的成员，毕竟，如果派生类版本不需要使用派生类对象的成员，派生类多半能够使用基类中的定义。但是，对象的派生部分的成员不会在基类构造函数运行期间初始化，实际上，如果允许这样的访问，程序很可能会崩溃。

15.5　继承情况下的类作用域

每个类都保持着自己的作用域（12.3 节），在该作用域中定义了成员的名字。在继承情况下，派生类的作用域嵌套在基类作用域中。如果不能在派生类作用域中确定名字，就在外围基类作用域中查找该名字的定义。

正是这种类作用域的层次嵌套使我们能够直接访问基类的成员，就好象这些成员是派生类成员一样。如果编写如下代码：

```
Bulk_item bulk;
cout << bulk.book();
```

名字 book 的使用将这样确定：

(1) bulk 是 Bulk_item 类对象，在 Bulk_item 类中查找，找不到名字 book。

(2) 因为从 Item_base 派生 Bulk_item，所以接着在 Item_base 类中查找，找到名字 book，引用成功地确定了。

15.5.1   名字查找在编译时发生

对象、引用或指针的静态类型决定了对象能够完成的行为。甚至当静态类型和动态类型可能不同的时候，就像使用基类类型的引用或指针时可能会发生的，静态类型仍然决定着可以使用什么成员。例如，可以给 Disc_item 类增加一个成员，该成员返回一个保存最小（或最大）数量和折扣价格的 pair 对象：

```
class Disc_item : public Item_base {
public:
    std::pair<size_t, double> discount_policy() const
        { return std::make_pair(quantity, discount); }
    // other members as before
};
```

590 只能通过 Disc_item 类型或 Disc_item 派生类型的对象、指针或引用访问 discount_policy：

```
Bulk_item bulk;
Bulk_item *bulkP = &bulk;    // ok: static and dynamic types are the same
Item_base *itemP = &bulk;    // ok: static and dynamic types differ
bulkP->discount_policy();    // ok: bulkP has type Bulk_item*
itemP->discount_policy();    // error: itemP has type Item_base*
```

通过 itemP 的访问是错误的，因为基类类型的指针（引用或对象）只能访问对象的基类部分，而在基类中没有定义 discount_policy 成员。

习题

习题 15.21   重新定义 Item_base 层次以包含 Disc_item 类。

习题 15.22   重新定义 Bulk_item 和你在 15.2.3 节习题中实现的那个表示有限折扣策略的类，以继承 Disc_item 类。

15.5.2   名字冲突与继承

虽然可以直接访问基类成员，就像它是派生类成员一样，但是成员保留了它的基类成员资格。一般我们并不关心是哪个实际类包含成员，通常只在基类和派生类共享同一名字时才需要注意。

    与基类成员同名的派生类成员将屏蔽对基类成员的直接访问。

```
struct Base {
    Base(): mem(0) { }
protected:
    int mem;
```

```
};
struct Derived : Base {
    Derived(int i): mem(i) { }     // initializes Derived::mem
    int get_mem() { return mem; } // returns Derived::mem
protected:
    int mem;    // hides mem in the base
};
```

get_mem 中对 mem 的引用被确定为使用 Derived 中的名字。如果编写如下代码：

```
Derived d(42);
cout << d.get_mem() << endl;    // prints 42
```

591

则输出将是 42。

使用作用域操作符访问被屏蔽成员

可以使用作用域操作符访问被屏蔽的基类成员：

```
struct Derived : Base {
    int get_base_mem() { return Base::mem; }
};
```

作用域操作符指示编译器在 Base 中查找 mem。

设计派生类时，只要可能，最好避免与基类成员的名字冲突。

习题

习题 15.23 对于下面的基类和派生类定义：

```
struct Base {
    foo(int);
protected:
    int bar;
    double foo_bar;
};

struct Derived : public Base {
    foo(string);
    bool bar(Base *pb);
    void foobar();
protected:
    string bar;
};
```

找出下述每个例子中的错误并说明怎样改正：

```
(a) Derived d; d.foo(1024);
(b) void Derived::foobar() { bar = 1024; }
(c) bool Derived::bar(Base *pb)
        { return foo_bar == pb->foo_bar; }
```

15.5.3 作用域与成员函数

在基类和派生类中使用同一名字的成员函数，其行为与数据成员一样：在派生类作用域中派生类成员将屏蔽基类成员。即使函数原型不同，基类成员也会被屏蔽：

592

```
struct Base {
    int memfcn();
};
struct Derived : Base {
    int memfcn(int); // hides memfcn in the base
};
Derived d; Base b;
b.memfcn();        // calls Base::memfcn
d.memfcn(10);      // calls Derived::memfcn
d.memfcn();        // error: memfcn with no arguments is hidden
d.Base::memfcn();  // ok: calls Base::memfcn
```

Derived 中的 memfcn 声明隐藏了 Base 中的声明。这并不奇怪，第一个调用通过 Base 对象 b 调用基类中的版本，同样，第二个调用通过 d 调用 Derived 中的版本。可能比较奇怪的是第三个调用：

```
d.memfcn(); // error: Derived has no memfcn that takes no arguments
```

要确定这个调用，编译器需要查找名字 memfcn，并在 Derived 类中找到。一旦找到了名字，编译器就不再继续查找了。这个调用与 Derived 中的 memfcn 定义不匹配，该定义希望接受 int 实参，而这个函数调用没有提供那样的实参，因此出错。

> 　　回忆一下，局部作用域中声明的函数不会重载全局作用域中定义的函数(7.8.1 节)，同样，派生类中定义的函数也不重载基类中定义的成员。通过派生类对象调用函数时，实参必须与派生类中定义的版本相匹配，只有在派生类根本没有定义该函数时，才考虑基类函数。

重载函数

像其他任意函数一样，成员函数（无论虚还是非虚）也可以重载。派生类可以重定义所继承的 0 个或多个版本。

> 　　如果派生类重定义了重载成员，则通过派生类型只能访问派生类中重定义的那些成员。

如果派生类想通过自身类型使用所有的重载版本，则派生类必须要么重定义所有重载版本，要么一个也不重定义。

有时类需要仅仅重定义一个重载集中某些版本的行为，并且想要继承其他版本的含义，在这种情况下，为了重定义需要特化的某个版本而不得不重定义每一个基类版本，可能会令人厌烦。

派生类不用重定义所继承的每一个基类版本，它可以为重载成员提供 using 声明(15.2.5 节)。一个 using 声明只能指定一个名字，不能指定形参表，因此，为基类成员函数名称而作的 using 声明将该函数的所有重载实例加到派生类的作用域。将所有名字加入作用域之后，派生类只需要重定义本类型确实必须定义的那些函数，对其他版本可以使用继承的定义。

593

15.5.4   虚函数与作用域

还记得吗，要获得动态绑定，必须通过基类的引用或指针调用虚成员。当我们这样做时，编译器将在基类中查找函数。假定找到了名字，编译器就检查实参是否与形参匹配。

现在可以理解虚函数为什么必须在基类和派生类中拥有同一原型了。如果基类成员与派生类成员接受的实参不同，就没有办法通过基类类型的引用或指针调用派生类函数。考虑如下（人为的）类集合：

```
class Base {
public:
    virtual int fcn();
};
class D1 : public Base {
public:
    // hides fcn in the base; this fcn is not virtual
    int fcn(int); // parameter list differs from fcn in Base
    // D1 inherits definition of Base::fcn()
};
class D2 : public D1 {
public:
    int fcn(int); // nonvirtual function hides D1::fcn(int)
    int fcn();      // redefines virtual fcn from Base
};
```

D1 中的 fcn 版本没有重定义 Base 的虚函数 fcn，相反，它屏蔽了基类的 fcn。结果 D1 有两个名为 fcn 的函数：类从 Base 继承了一个名为 fcn 的虚函数，类又定义了自己的名为 fcn 的非虚成员函数，该函数接受一个 int 形参。但是，从 Base 继承的虚函数不能通过 D1 对象（或 D1 的引用或指针）调用，因为该函数被 fcn(int) 的定义屏蔽了。

类 D2 重定义了它继承的两个函数，它重定义了 Base 中定义的 fcn 的原始版本并重定义了 D1 中定义的非虚版本。

通过基类调用被屏蔽的虚函数

通过基类类型的引用或指针调用函数时，编译器将在基类中查找该函数而忽略派生类：

```
Base bobj;  D1 d1obj;  D2 d2obj;
Base *bp1 = &bobj, *bp2 = &d1obj, *bp3 = &d2obj;
bp1->fcn();    // ok: virtual call, will call Base::fcn  at run time
bp2->fcn();    // ok: virtual call, will call Base::fcn  at run time
bp3->fcn();    // ok: virtual call, will call D2::fcn  at run time
```

三个指针都是基类类型的指针，因此通过在 Base 中查找 fcn 来确定这三个调用，所以这些调用是合法的。另外，因为 fcn 是虚函数，所以编译器会生成代码，在运行时基于引用或指针所绑定的对象的实际类型进行调用。在 bp2 的情况，基本对象是 D1 类的，D1 类没有重定义不接受实参的虚函数版本，通过 bp2 的函数调用（在运行时）调用 Base 中定义的版本。

关键概念：名字查找与继承

理解 C++ 中继承层次的关键在于理解如何确定函数调用。确定函数调用遵循以下四个步骤：

(1) 首先确定进行函数调用的对象、引用或指针的静态类型。

(2) 在该类中查找函数，如果找不到，就在直接基类中查找，如此循着类的继承链往上找，直到找到该函数或者查找完最后一个类。如果不能在类或其相关基类中找到该名字，则调用是错误的。

    (3) 一旦找到了该名字，就进行常规类型检查（7.1.2 节），查看如果给定找到的定义，该函数调用是否合法。

    (4) 假定函数调用合法，编译器就生成代码。如果函数是虚函数且通过引用或指针调用，则编译器生成代码以确定根据对象的动态类型运行哪个函数版本，否则，编译器生成代码直接调用函数。

习题

习题 15.24   对于如下代码：

```
Bulk_item bulk;
Item_base item(bulk);
Item_base *p = &bulk;
```

为什么表达式

```
p->net_price(10);
```

调用 net_price 的 Bulk_item 实例，而表达式

```
item.net_price(10);
```

调用 Item_base 实例？

习题 15.25   假定 Derived 继承 Base，并且 Base 将下面的函数定义为虚函数，假定 Derived 打算定义自己的这个虚函数的版本，确定在 Derived 中哪个声明是错误的，并指出为什么错。

```
(a)  Base* Base::copy(Base*);
     Base* Derived::copy(Derived*);
(b)  Base* Base::copy(Base*);
     Derived* Derived::copy(Base*);
(c)  ostream& Base::print(int, ostream&=cout);
     ostream& Derived::print(int, ostream&);
(d)  void Base::eval() const;
     void Derived::eval();
```

15.6 纯虚函数

    在 15.4.2 节所编写的 Disc_item 类提出了一个有趣的问题：该类从 Item_base 继承了 net_price 函数但没有重定义该函数。因为对 Disc_item 类而言没有可以给予该函数的意义，所以没有重定义该函数。在我们的应用程序中，Disc_item 不对应任何折扣策略，这个类的存在只是为了让其他类继承。

    我们不想让用户定义 Disc_item 对象，相反，Disc_item 对象只应该作为 Disc_item 派生类型的对象的一部分而存在。但是，正如已定义的，没有办法防止用户定义一个普通的 Disc_item 对象。这带来一个问题：如果用户创建一个 Disc_item 对象并调用该对象的 net_price 函数，会发生什么呢？从前面章节的讨论中了解到，结果将是调用从 Item_base 继承而来的 net_price 函数，该函数产生的是不打折的价格。

    很难说用户可能期望调用 Disc_item 的 net_price 会有什么样的行为。真正的问题在于，我们宁愿用户根本不能创建这样的对象。可以使 net_price 成为**纯虚函数**（pure virtual function），

强制实现这一设计意图并正确指出 Disc_item 的 net_price 版本没有意义。在函数形参表后面写上=0 以指定纯虚函数：

```
class Disc_item : public Item_base {
public:
    double net_price(std::size_t) const = 0;
};
```

将函数定义为纯虚能够说明，该函数为后代类型提供了可以覆盖的接口，但是这个类中的版本决不会调用。重要的是，用户将不能创建 Disc_item 类型的对象。

试图创建抽象基类的对象将发生编译时错误：

```
// Disc_item declares pure virtual functions
Disc_item discounted;  // error: can't define a Disc_item object
Bulk_item bulk;        // ok: Disc_item subobject within Bulk_item
```

596

　　含有（或继承）一个或多个纯虚函数的类是**抽象基类**（abstract base class）。除了作为抽象基类的派生类的对象的组成部分，不能创建抽象类型的对象。

习题

习题 15.26　使你的 Disc_item 类版本成为抽象类。

习题 15.27　试试定义 Disc_item 类型的一个对象，看看会从编译器得到什么错误。

15.7　容器与继承

我们希望使用容器（或内置数组）保存因继承而相关联的对象。但是，对象不是多态的（15.3.1 节），这一事实对将容器用于继承层次中的类型有影响。

例如，书店应用程序中可能有购物篮，购物篮代表顾客正在购买的书。我们希望能够在 multiset（10.5 节）中存储购买物，要定义 multiset，必须指定容器将保存的对象的类型。将对象放进容器时，复制元素（9.3.3 节）。

如果定义 multiset 保存基类类型的对象：

```
multiset<Item_base> basket;
Item_base base;
Bulk_item bulk;
basket.insert(base);  // ok: add copy of base to basket
basket.insert(bulk);  // ok: but bulk sliced down to its base part
```

则加入派生类型的对象时，只将对象的基类部分保存在容器中。记住，将派生类对象复制到基类对象时，派生类对象将被切掉（15.3.1 节）。

容器中的元素是 Item_base 对象，无论元素是否作为 Bulk_item 对象的副本而建立，当计算元素的 net_price 时，元素将按不打折定价。一旦对象放入了 multiset，它就不再是派生类对象了。

因为派生类对象在赋值给基类对象时会被"切掉",所以容器与通过继承相关的类型不能很好地融合。

不能通过定义容器保存派生类对象来解决这个问题。在这种情况下,不能将 Item_base 对象放入容器——没有从基类类型到派生类型的标准转换。可以显式地将基类对象强制转换为派生类对象并将结果对象加入容器,但是,如果这样做,当试图使用这样的元素时,会产生大问题:在这种情况下,元素可以当作派生类对象对待,但派生类部分的成员将是未初始化的。

唯一可行的选择可能是使用容器保存对象的指针。这个策略可行,但代价是需要用户面对管理对象和指针的问题,用户必须保证只要容器存在,被指向的对象就存在。如果对象是动态分配的,用户必须保证在容器消失时适当地释放对象。下一节将介绍对这个问题更好更通用的解决方案。

习题

习题 15.28   定义一个 vector 保存 Item_base 类型的对象,并将一些 Bulk_item 类型对象复制到 vector 中。遍历并计算容器中元素的总和。

习题 15.29   重复程序,但这次存储 Item_base 类型对象的指针。比较结果总和。

习题 15.30   解释上两题程序所产生总和的差异。如果没有差异,解释为什么没有。

15.8   句柄类与继承

C++中面向对象编程的一个颇具讽刺意味的地方是,不能使用对象支持面向对象编程,相反,必须使用指针或引用。例如,下面的代码段中:

```
void get_prices(Item_base object,
                const Item_base *pointer,
                const Item_base &reference)
{
    // which version of net_price is called is determined at run time
    cout << pointer->net_price(1) << endl;
    cout << reference.net_price(1) << endl;

    // always invokes Item_base::net_price
    cout << object.net_price(1) << endl;
}
```

通过 pointer 和 reference 进行的调用在运行时根据它们所绑定对象的动态类型而确定。

但是,使用指针或引用会加重类用户的负担。在前一节中讨论继承类型对象与容器的相互作用时,已经碰到了一种这样的负担。

C++中一个通用的技术是定义包装(cover)类或**句柄**(handle)类。句柄类存储和管理基类指针。指针所指对象的类型可以变化,它既可以指向基类类型对象又可以指向派生类型对象。用户通过句柄类访问继承层次的操作。因为句柄类使用指针执行操作,虚成员的行为将在运行时根据句柄实际绑定的对象的类型而变化。因此,句柄的用户可以获得动态行为但无须操心指针的管理。

包装了继承层次的句柄有两个重要的设计考虑因素：

- 像对任何保存指针（13.5 节）的类一样，必须确定对复制控制做些什么。包装了继承层次的句柄通常表现得像一个智能指针（13.5.1 节）或者像一个值（13.5.2 节）。
- 句柄类决定句柄接口屏蔽还是不屏蔽继承层次，如果不屏蔽继承层次，用户必须了解和使用基本层次中的对象。

对于这些选项没有正确的选择，决定取决于继承层次的细节，以及类设计者希望程序员如何与那些类相互作用。下面两节将实现两种不同的句柄，用不同的方式解决这些设计问题。

15.8.1　指针型句柄

像第一个例子一样，我们将定义一个名为 Sales_item 的指针型句柄类，表示 Item_base 层次。Sales_item 的用户将像使用指针一样使用它：用户将 Sales_item 绑定到 Item_base 类型的对象并使用*和->操作符执行 Item_base 的操作：

```
// bind a handle to a Bulk_item object
Sales_item item(Bulk_item("0-201-82470-1", 35, 3, .20));

item->net_price();    // virtual call to net_price function
```

但是，用户不必管理句柄指向的对象，Sales_item 类将完成这部分工作。当用户通过 Sales_item 类对象调用函数时，将获得多态行为。

1. 定义句柄

Sales_item 类有三个构造函数：默认构造函数、复制构造函数和接受 Item_base 对象的构造函数。第三个构造函数将复制 Item_base 对象，并保证：只要 Sales_item 对象存在副本就存在。当复制 Sales_item 对象或给 Sales_item 对象赋值时，将复制指针而不是复制对象。像对其他指针型句柄类一样，将用使用计数来管理副本。

迄今为止，我们已经使用过的使用计数式类，都使用一个伙伴类来存储指针和相关的使用计数。这个例子将使用不同的设计，如图 15-2 所示。Sales_item 类将有两个数据成员，都是指针：一个指针将指向 Item_base 对象，而另一个将指向使用计数。Item_base 指针可以指向 Item_base 对象也可以指向 Item_base 派生类型的对象。通过指向使用计数，多个 Sales_item 对象可以共享同一计数器。

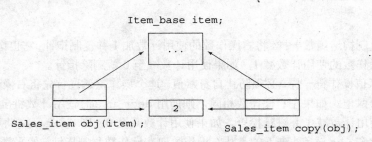

图 15-2　Sales_item 句柄类的使用计数策略

除了管理使用计数之外，Sales_item 类还将定义解引用操作符和箭头操作符：

```cpp
// use counted handle class for the Item_base hierarchy
class Sales_item {
public:
    // default constructor: unbound handle
    Sales_item(): p(0), use(new std::size_t(1)) { }
    // attaches a handle to a copy of the Item_base object
    Sales_item(const Item_base&);
    // copy control members to manage the use count and pointers
    Sales_item(const Sales_item &i):
                    p(i.p), use(i.use) { ++*use; }
    ~Sales_item() { decr_use(); }
    Sales_item& operator=(const Sales_item&);
    // member access operators
    const Item_base *operator->() const { if (p) return p;
        else throw std::logic_error("unbound Sales_item"); }
    const Item_base &operator*() const { if (p) return *p;
        else throw std::logic_error("unbound Sales_item"); }
private:
    Item_base *p;         // pointer to shared item
    std::size_t *use;     // pointer to shared use count
    // called by both destructor and assignment operator to free pointers
    void decr_use()
        { if (--*use == 0) { delete p; delete use; } }
};
```

| 600 |

2. 使用计数式复制控制

复制控制成员适当地操纵使用计数和 Item_base 指针。复制 Sales_item 对象包括复制两个指针和将使用计数加 1。析构函数将使用计数减 1，如果计数减至 0 就撤销指针。因为赋值操作符需要完成同样的工作，所以在一个名为 decr_use 的私有实用函数中实现析构函数的行为。

赋值操作符比复制构造函数复杂一点：

```cpp
// use-counted assignment operator; use is a pointer to a shared use count
Sales_item&
Sales_item::operator=(const Sales_item &rhs)
{
    ++*rhs.use;
    decr_use();
    p = rhs.p;
    use = rhs.use;
    return *this;
}
```

赋值操作符像复制构造函数一样，将右操作数的使用计数加 1 并复制指针；它也像析构函数一样，首先必须将左操作数的使用计数减 1，如果使用计数减至 0 就删除指针。

像通常对赋值操作符一样，必须防止自身赋值。这个操作符通过首先将右操作数的使用计数加 1 来处理自身赋值。如果左右操作数相同，则调用 decr_use 时使用计数将至少为 2。该函数将左操作数的使用计数减 1 并进行检查，如果使用计数减至 0，则 decr_use 将释放该对象中的 Item_base 对象和 use 对象。剩下的是从右操作数向左操作数复制指针，像平常一样，我们的赋值操作符返回左操作数的引用。

除了复制控制成员以外，Sales_item定义的其他函数是操作符函数 operator* 和 operator ->，用户将通过这些操作符访问 Item_base 成员。因为这两个操作符分别返回指针和引用，所以通过这些操作符调用的函数将进行动态绑定。

我们只定义了这些操作符的 const 版本，因为基础 Item_base 层次中的成员都是 const 成员。

3. 构造句柄

我们的句柄有两个构造函数：默认构造函数创建未绑定的 Sales_item 对象，第二个构造函数接受一个对象，将句柄与其关联。

第一个构造函数容易定义：将 Item_base 指针置 0 以指出该句柄没有关联任何对象上。构造函数分配一个新的计数器并将它初始化为 1。

601

第二个构造函数难一点，我们希望句柄的用户创建自己的对象，在这些对象上关联句柄。构造函数将分配适当类型的新对象并将形参复制到新分配的对象中，这样，Sales_item 类将拥有对象并能够保证在关联到该对象的最后一个 Sales_item 对象消失之前不会删除对象。

15.8.2 复制未知类型

要实现接受 Item_base 对象的构造函数，必须首先解决一个问题：我们不知道给予构造函数的对象的实际类型。我们知道它是一个 Item_base 对象或者是一个 Item_base 派生类型的对象。句柄类经常需要在不知道对象的确切类型时分配已知对象的新副本。Sales_item 构造函数是个好例子。

 解决这个问题的通用方法是定义虚操作进行复制，我们称将该操作命名为 clone。

为了支持句柄类，需要从基类开始，在继承层次的每个类型中增加 clone，基类必须将该函数定义为虚函数：

```
class Item_base {
public:
    virtual Item_base* clone() const
                      { return new Item_base(*this); }
};
```

每个类必须重定义该虚函数。因为函数的存在是为了生成类对象的新副本，所以定义返回类型为类本身：

```
class Bulk_item : public Item_base {
public:
    Bulk_item* clone() const
        { return new Bulk_item(*this); }
};
```

15.2.3 节介绍过，对于派生类的返回类型必须与基类实例的返回类型完全匹配的要求，但有一个例外。这个例外支持像这个类这样的情况。如果虚函数的基类实例返回类类型的引用或指针，则该虚函数的派生类实例可以返回基类实例返回的类型的派生类（或者是类类型的指针或引用）。

定义句柄构造函数

一旦有了 clone 函数，就可以这样编写 Sales_item 构造函数：

```
Sales_item::Sales_item(const Item_base &item):
                p(item.clone()), use(new std::size_t(1)) { }
```

像默认构造函数一样，这个构造函数分配并初始化使用计数，它调用形参的 clone 产生那个对象的（虚）副本。如果实参是 Item_base 对象，则运行 Item_base 的 clone 函数；如果实参是 Bulk_item 对象，则执行 Bulk_item 的 clone 函数。

习题

习题 15.31　为 15.2.3 节的习题中实现的有限折扣类定义和实现 clone 操作。

习题 15.32　实际上，程序不太可能在第一次运行或第一次用真实数据运行时就能正确运行。在类的设计中包括调试策略经常是有用的。为 Item_base 类层次实现一个 debug 虚函数，显示各个类的数据成员。

习题 15.33　对于 Item_base 层次的包括 Disc_item 抽象基类的版本，指出 Disc_item 类是否应实现 clone 函数，为什么？

习题 15.34　修改调试函数以允许用户打开或关闭调试。用两种方式实现控制：

    (a) 通过定义 debug 函数的形参。

    (b) 通过定义类数据成员。该成员允许个体对象打开或关闭调试信息的显示。

15.8.3　句柄的使用

使用 Sales_item 对象可以更容易地编写书店应用程序。代码将不必管理 Item_base 对象的指针，但仍然可以获得通过 Sales_item 对象进行的调用的虚行为。

例如，可以使用 Item_base 对象解决 15.7 节提出的问题。可以使用 Sales_item 对象跟踪顾客所做的购买，在 multiset 中保存一个对象表示一次购买，当顾客完成购买时，可以计算销售总数。

1. 比较两个 Sales_item 对象

在编写函数计算销售总数之前，需要定义比较 Sales_item 对象的方法。要用 Sales_item 作为关联容器的关键字，必须能够比较它们（10.3.1 节）。关联容器默认使用关键字类型的小于操作符，但是，基于 14.3.2 节讨论过的有关原始 Sales_item 类型的同样理由，为 Sales_item 句柄类定义 operator< 可能是个坏主意：当使用 Sales_item 作关键字时，只想考虑 ISBN，但确定相等时又想要考虑所有数据成员。

幸好，关联容器使我们能够指定一个函数[或函数对象（14.8 节）]用作比较函数，这样做类似于 11.2.3 节中将单独函数传给 stable_sort 算法的方式。在那种情况下，只需要将附加的实参传给 stable_sort 以提供比较函数，代替<操作符的使用。覆盖关联容器的比较函数有点复杂，因为，正如我们将看到的，在定义容器对象时必须提供比较函数。

让我们从容易的部分开始，定义一个函数用于比较 Sales_item 对象：

```
// compare defines item ordering for the multiset in Basket
inline bool
compare(const Sales_item &lhs, const Sales_item &rhs)
{
    return lhs->book() < rhs->book();
}
```

我们的 compare 函数与小于操作符有同样的接口，它接受两个 Sales_item 对象的 const 引用，通过比较 ISBN 而比较形参，返回一个 bool 值。该函数使用 Sales_item 的->操作符，该操作符返回 Item_base 对象的指针，那个指针用于获取并运行成员 book，该成员返回 ISBN。

2. 使用带比较器的关联容器

如果考虑一下如何使用比较函数，就会认识到，它必须作为容器的部分而存储。任何在容器中增加或查找元素的操作都要使用比较函数。原则上，每个这样的操作可以接受一个可选的附加实参，表示比较函数。但是，这种策略容易导致出错：如果两个操作使用不同的比较函数，顺序可能会不一致。不可能预测实际上会发生什么。

要有效地工作，关联容器需要对每个操作使用同一比较函数。然而，期望用户每次记住比较函数是不合理的，尤其是，没有办法检查每个调用使用同一比较函数。因此，容器记住比较函数是有意义的。通过将比较器存储在容器对象中，可以保证比较元素的每个操作将一致地进行。

基于同样的理由，容器需要知道元素类型，为了存储比较器，它需要知道比较器类型。原则上，通过假定比较器是一个函数指针，该函数接受两个容器的 key_type 类型的对象并返回 bool 值，容器可以推断出这个类型。不幸的是，这个推断出的类型可能限制太大。首先，应该允许比较器是函数对象或是普通函数。即使我们愿意要求比较器为函数，这个推断出的类型也可能仍然太受限制了，毕竟，比较函数可以返回 int 或者其他任意可用在条件中的类型。同样，形参类型也不需要与 key_type 完全匹配，应该允许可以转换为 key_type 的任意形参类型。

604

所以，要使用 Sales_item 的比较函数，在定义 multiset 时必须指定比较器类型。在我们的例子中，比较器类型是接受两个 const Sales_item 引用并返回 bool 值的函数。

首先定义一个类型别名，作为该类型的同义词（7.9 节）：

```
// type of the comparison function used to order the multiset
typedef bool (*Comp)(const Sales_item&, const Sales_item&);
```

这个语句将 Comp 定义为函数类型指针的同义词，该函数类型与我们希望用来比较 Sales_item 对象的比较函数相匹配。

接着需要定义 multiset，保存 Sales_item 类型的对象并在它的比较函数中使用这个 Comp 类型。关联容器的每个构造函数使我们能够提供比较函数的名字。可以这样定义使用 compare 函数的空 multiset：

```
std::multiset<Sales_item, Comp> items(compare);
```

这个定义是说，items 是一个 multiset，它保存 Sales_item 对象并使用 Comp 类型的对象比较它们。multiset 是空的——我们没有提供任何元素，但我们的确提供了一个名为 compare 的比较函数。当在 items 中增加或查找元素时，将用 compare 函数对 multiset 进行排序。

3. 容器与句柄类

既然知道了怎样提供比较函数，我们将定义名为 Basket 的类，以跟踪销售并计算购买价格：

```cpp
class Basket {
    // type of the comparison function used to order the multiset
    typedef bool (*Comp)(const Sales_item&, const Sales_item&);
public:
    // make it easier to type the type of our set
    typedef std::multiset<Sales_item, Comp> set_type;
    // typedefs modeled after corresponding container types
    typedef set_type::size_type size_type;
    typedef set_type::const_iterator const_iter;
    Basket(): items(compare) { } // initialze the comparator
    void add_item(const Sales_item &item)
                        { items.insert(item); }
    size_type size(const Sales_item &i) const
                        { return items.count(i); }
    double total() const; // sum of net prices for all items in the basket
private:
    std::multiset<Sales_item, Comp> items;
};
```

605

这个类在 Sales_item 对象的 multiset 中保存顾客购买的商品，用 multiset 使顾客能够购买同一本书的多个副本。

该类定义了一个构造函数，即 Basket 默认构造函数。该类需要自己的默认构造函数，以便将 compare 传给建立 items 成员的 multiset 构造函数。

Basket 类定义的操作非常简单：add_item 操作接受 Sales_item 对象引用并将该项目的副本放入 multiset；对于给定 ISBN，size[1] 操作返回购物篮中该 ISBN 的记录数。除了操作，Basket 还定义了三个类型别名，这样使用它的 multiset 成员就比较容易了。

4. 使用句柄执行虚函数

Basket 类唯一的复杂成员是 total 函数，该函数返回购物篮中所有物品的价格：

```cpp
double Basket::total() const
{
    double sum = 0.0;    // holds the running total
    /* find each set of items with the same isbn and calculate
     * the net price for that quantity of items
     * iter refers to first copy of each book in the set
     * upper_bound refers to next element with a different isbn
     */
    for (const_iter iter = items.begin();
                    iter != items.end();
                    iter = items.upper_bound(*iter))
    {
        // we know there's at least one element with this key in the Basket
        // virtual call to net_price applies appropriate discounts, if any
        sum += (*iter)->net_price(items.count(*iter));
    }
```

---

1. 此处原文误为 item_count。——译者注

```
                return sum;
        }
```

total 函数有两个有趣的部分：对 net_price 函数的调用，以及 for 循环结构。我们逐一进行分析。

调用 net_price 函数时，需要告诉它某本书已经购买了多少本，net_price 函数使用这个实参确定是否打折。这个要求暗示着我们希望成批处理 multiset——处理给定标题的所有记录，然后处理下一个标题的所有记录，以此类推。幸好，multiset 非常适合处理这个问题。

for 循环开始于定义 iter 并将 iter 初始化为指向 multiset 中的第一个元素。我们使用 multiset 的 count 成员（10.3.6 节）确定 multiset 中的多少成员具有相同的键（即，相同的 isbn），并且使用该数目作为实参调用 net_price 函数。

for 循环中的"增量"表达式很有意思。与读每个元素的一般循环不同，我们推进 iter 指向下一个键。调用 upper_bound 函数以跳过与当前键匹配的所有元素，upper_bound 函数的调用返回一个迭代器，该迭代器指向与 iter 键相同的最后一个元素的下一元素，即，该迭代器指向集合的末尾或下一本书。测试 iter 的新值，如果与 items.end() 相等，则跳出 for 循环，否则，就处理下一本书。

606

for 循环的循环体调用 net_price 函数，阅读这个调用需要一点技巧：

```
sum += (*iter) -> net_price(items.count(*iter)) ;
```

对 iter 解引用获得基础 Sales_item 对象，对该对象应用 Sales_item 类重载的箭头操作符，该操作符返回句柄所关联的基础 Item_base 对象的指针，用该 Item_base 对象指针调用 net_price 函数，传递具有相同 isbn 的图书的 count 作为实参[1]。net_price 是虚函数，所以调用的定价函数的版本取决于基础 Item_base 对象的类型。

习题

习题 15.35 编写自己的 compare 函数和 Basket 类的版本并使用它们管理销售。

习题 15.36 Basket::const_iter 的基础类型是什么？

习题 15.37 为什么在 Basket 的 private 部分定义 Comp 类型别名？

习题 15.38 为什么在 Basket 中定义两个 private 部分？

15.9 再谈文本查询示例

作为继承的最后一个例子，我们来扩展 10.6 节的文本查询应用程序。使用在 10.6 节开发的类，已经能够在文本文件中查找给定单词的出现，但我们想扩展系统以支持更复杂的查询。

为了说明问题，将用下面的简单小说来运行查询：

```
Alice Emma has long flowing red hair.
Her Daddy says when the wind blows
through her hair, it looks almost alive,
like a fiery bird in flight.
```

---

1. 此处原文有误。——译者注

```
A beautiful fiery bird, he tells her,
magical but untamed.
"Daddy, shush, there is no such thing,"
she tells him, at the same time wanting
him to tell her more.
Shyly, she asks, "I mean, Daddy, is there?"
```

607

系统应该支持：

(1) 查找单个单词的查询。按升序显示所有包含该单词的行：

```
Executed Query for: Daddy
match occurs 3 times:
(line 2) Her Daddy says when the wind blows
(line 7) "Daddy, shush, there is no such thing,"
(line 10) Shyly, she asks, "I mean, Daddy, is there?"
```

(2) "非"查询，使用~操作符。显示所有不匹配的行：

```
Executed Query for: ~(Alice)
match occurs 9 times:
(line 2) Her Daddy says when the wind blows
(line 3) through her hair, it looks almost alive,
(line 4) like a fiery bird in flight.
. . .
```

(3) "或"查询，使用|操作符。显示与两个查询条件中任意一个匹配的所有行：

```
Executing Query for: (hair | Alice)
match occurs 2 times:
(line 1) Alice Emma has long flowing red hair.
(line 3) through her hair, it looks almost alive,
```

(4) "与"查询，使用&操作符。显示与两个查询条件都匹配的所有行：

```
Executed query: (hair & Alice)
match occurs 1 time:
(line 1) Alice Emma has long flowing red hair.
```

而且，可以组合这些元素，如

```
fiery & bird | wind
```

我们的系统没有复杂到能够读这些表达式。我们将在 C++ 程序中创建它们，因此，将用常规 C++ 优先级规则对诸如此类的复合表达式求值。这个查询的求值结果将与出现 fiery 和 bird 的行或者出现 wind 的行相匹配，而不会与 fiery 或 bird 单独出现的行相匹配：

```
Executing Query for: ((fiery & bird) | wind)
match occurs 3 times:
(line 2) Her Daddy says when the wind blows
(line 4) like a fiery bird in flight.
(line 5) A beautiful fiery bird, he tells her,
```

输出将打印查询，并使用圆括号指出解释该查询的方法。像原来的实现一样，系统必须足够聪明，不会重复显示相同行。

608

15.9.1 面向对象的解决方案

可以考虑使用 10.6.2 节的 TextQuery 表示单词查询，然后从 TextQuery 类派生其他类。

但是，这个设计可能有缺陷。概念上，"非"查询不是一种单词查询，相反，非查询"有一个"查询（单词查询或其他任意种类的查询），非查询对该查询的值求反。

注意到这一点，我们将不同种类的查询建模为独立的类，它们共享一个公共基类：

```
WordQuery  // Shakespeare
NotQuery   // ~Shakespeare
OrQuery    // Shakespeare | Marlowe
AndQuery   // William & Shakespeare
```

我们不继承 TextQuery，而是使用 TextQuery 类保存文件并建立相关的 word_map，使用查询类建立表达式，这些表达式最终对 TextQuery 对象中的文件运行查询。

1. 抽象接口类

已经识别出四种查询类，这些类在概念上是兄弟类。它们共享相同的抽象接口，这暗示我们定义一个抽象基类（15.6 节）以表示由查询执行的操作。将该抽象基类命名为 Query_base，以指出它的作用是作为查询继承层次的根。

直接从抽象基类派生 WordQuery 和 NotQuery 类，WordQuery 和 NotQuery 类具有系统中其他类所没有的一个性质：它们都有两个操作数。要为此建立模型，将在继承层次中增加另一个名为 BinaryQuery 的抽象类，表示带两个操作数的查询。WordQuery 和 NotQurey 类将继承 BinaryQuery 类，BinaryQuery 类继承 Query_base 类。这些决定得出了图 15-3 所示的类设计。

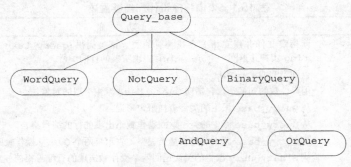

图 15-3 Query_base 继承层次

2. 操作

Query_base 类的存在主要是为了表示查询类型，不做实际工作。我们将重用 TextQuery 类以存储文件、建立查询以及查找每个单词。查询类型只需要两个操作：

(1) eval 操作，返回匹配行编号的集合。该操作接受 TextQuery 对象，在 TextQuery 对象上执行查询。

(2) display 操作，接受 ostream 引用并打印给定对象在该 ostream 上执行的查询。

我们将这些操作定义为 Query_base 中的纯虚函数（15.6 节），每个派生类都必须对这些函数定义自己的版本。

15.9.2 值型句柄

程序将处理计算查询，而不建立查询，但是，需要能够创建查询以便运行程序。最简单的办法是编写 C++表达式直接创建查询，例如，可以编写这样的代码：

```
Query q = Query("fiery") & Query("bird") | Query("wind");
```

以产生前面描述的复合查询。

这个问题描述暗示我们，用户级代码将不能直接使用我们的继承层次，相反，我们将定义一个名为 Query 的句柄类，用它隐藏继承层次。用户代码将根据句柄执行，用户代码只能间接操纵 Query_base 对象。

像 Sales_item 句柄一样，Query 句柄将保存指向继承层次中一个类型的对象的指针，Query 类还指向一个使用计数，我们用这个使用计数管理句柄指向的对象。

在这种情况下，句柄将完全屏蔽基础继承层次，用户将只能间接地通过 Query 对象的操作创建和操纵 Query_base 对象。我们将定义 Query 对象的三个重载操作符以及 Query 构造函数，Query 构造函数将动态分配新的 Query_base 对象。每个操作符将生成的对象绑定到 Query 句柄：&操作符将生成绑定到新的 AndQuery 对象的 Query 对象；|操作符将生成绑定到新的 OrQuery 对象的 Query 对象；~操作符将生成绑定到新的 NotQuery 对象的 Query 对象。给 Query 定义一个参数为 string 对象的构造函数，该构造函数将生成新的 WordQuery。

Query 类将提供与 Query_base 类同样的操作：eval 对相关查询进行计算，display 打印查询。它将定义重载输出操作符显示相关查询。

610

表 15-1 查询程序设计：扼要重述	
操作或表达式	**功　　能**
TextQuery	读指定文件并建立相关查找映射的类。该类提供 query_text 操作，该操作接受 string 实参并返回一个 set，保存出现实参的行的编号。
Query_base	查询类的抽象基类。
Query	用户计数的句柄类，它指向 Query_base 派生类型的对象。
WordQuery	从 Query_base 派生的类，查找给定单词。
NotQuery	从 Query_base 派生的类，返回操作数不出现的行的编号集合。
BinaryQuery	从 Query_base 派生的抽象基类类型，表示带两个 Query 操作数的查询。
OrQuery	从 BinaryQuery 派生的类，返回两个操作数出现的行编号集的并集。
AndQuery	从 BinaryQuery 派生的类，返回两个操作数出现的行编号集的交集。
q1 & q2	返回 Query 对象，该 Query 对象绑定到保存 q1 和 q2 的新 AndQuery 对象。
q1 | q2	返回 Query 对象，该 Query 对象绑定到保存 q1 和 q2 的新 OrQuery 对象。
~q	返回 Query 对象，该 Query 对象绑定到保存 q 的新 NotQuery 对象。
Query q(s)	将 Query q 绑定到保存 string s 的新 WordQuery 对象。

我们的设计：扼要重述

理解设计经常是最困难的部分，尤其是刚开始设计面向对象系统时。一旦熟悉了设计，实现就是顺理成章的了。

这个应用程序的主要工作由建立对象表示用户的查询构成，认识到这一点很重要。正如图 15-4 所示，表达式

```
Query q = Query("fiery") & Query("bird") | Query("wind");
```

生成 10 个对象：5 个 Query_base 对象及其相关联的句柄。5 个 Query_base 对象分别是 3 个 WordQuery 对象，一个 OrQuery 对象和一个 AndQuery 对象。

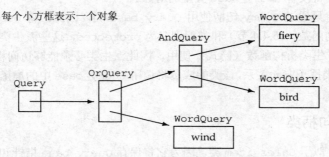

表达式 Query("fiery") & Query("bird") | Query("wind")
创建的对象

图 15-4　Query 表达式创建的对象

一旦建立了对象树，计算（或显示）给定查询基本上是沿着这些链接，要求树中每个对象计算（或显示）自己的过程，该过程由编译器管理。例如，如果调用 q（即，在这棵树的树根）的 eval，则 eval 将要求 q 指向的 OrQuery 对象调用 eval 来计算自己，计算这个 OrQuery 对象用两个操作数调用 eval，这会依次调用 AndQuery 对象和 WordQuery 对象的 eval，查找单词 wind，依此类推。

611

习题

习题 15.39　给定 s1、s2、s3 和 s4 均为 string 对象，确定下述 Query 类的使用创建什么对象：

(a) Query(s1) | Query(s2) & ~ Query(s3);
(b) Query(s1) | (Query(s2) & ~ Query(s3));
(c) (Query(s1) & (Query(s2)) | (Query(s3) & Query(s4)));

15.9.3　Query_base 类

现在我们的设计已经解释清楚，该开始实现了。首先来定义 Query_base 类：

```
// private, abstract class acts as a base class for concrete query types
class Query_base {
    friend class Query;
protected:
    typedef TextQuery::line_no line_no;
    virtual ~Query_base() { }
private:
    // eval returns the |set| of lines that this Query matches
```

```
    virtual std::set<line_no>
        eval(const TextQuery&) const = 0;
    // display prints the query
    virtual std::ostream&
        display(std::ostream& = std::cout) const = 0;
};
```

612

这个类定义了两个接口成员：eval 和 display。两个成员都是纯虚函数（15.6 节），因此该类为抽象类，应用程序中将没有 Query_base 类型的对象。

用户和派生类将只通过 Query 句柄使用 Query_base 类，因此，将 Query_base 接口设为 private。（虚）析构函数（15.4.4 节）和类型别名为 protected，这些派生类型就能够访问这些成员，析构函数由派生类析构函数（隐式）使用，因此派生类必须能够访问析构函数。

给 Query 句柄类授予友元关系，该类的成员将调用 Query_base 中的虚函数因此必须能够访问它们。

15.9.4 Query 句柄类

Query 句柄将类似于 Sales_item 类，因为它将保存 Query_base 指针和使用计数指针。像 Sales_item 类一样，Query 的复制控制成员将管理使用计数和 Query_base 指针。

与 Sales_item 类不同的是，Query 类将只为 Query_base 继承层次提供接口。用户将不能直接访问 Query 或其派生类的任意成员，这一设计决定导致 Query 和 Sales_item 之间存在两个区别。第一个区别是，Query 类将不定义解引用操作符和箭头操作符的重载版本。Query_base 类没有 public 成员，如果 Query 句柄定义了解引用操作符和箭头操作符，它们将没有用处！使用那些操作符访问成员的任何尝试都将失败，相反，Query 类必须定义接口函数 eval 和 display 的自身版本。

另一个区别来自于我们打算怎样创建继承层次的对象。我们的设计指出将只通过 Query 句柄的操作创建 Query_base 的派生类对象，这个区别导致 Query 类需要与 Sales_item 句柄中所用的构造函数不同的构造函数。

1. Query 类

按照前面的设计，Query 类本身相当简单：

```
// handle class to manage the Query_base inheritance hierarchy
class Query {
    // these operators need access to the Query_base* constructor
    friend Query operator~(const Query &);
    friend Query operator|(const Query&, const Query&);
    friend Query operator&(const Query&, const Query&);
public:
    Query(const std::string&); // builds a new WordQuery
    // copy control to manage pointers and use counting
    Query(const Query &c): q(c.q), use(c.use) { ++*use; }
    ~Query() { decr_use(); }
    Query& operator=(const Query&);
    // interface functions: will call corresponding Query_base operations
    std::set<TextQuery::line_no>
        eval(const TextQuery &t) const { return q->eval(t); }
```

613

```
            std::ostream &display(std::ostream &os) const
                                { return q->display(os); }
        private:
            Query(Query_base *query): q(query),
                                use(new std::size_t(1)) { }
            Query_base *q;
            std::size_t *use;
            void decr_use()
            { if (--*use == 0) { delete q; delete use; } }
        };
```

首先指定创建 Query 对象的操作符为友元，我们将很快看到为什么需要将这些操作符设为友元。

在 Query 类的 public 接口中，声明了但没有定义接受 string 对象的构造函数，该构造函数创建 WordQuery 对象，因此在定义 WordQuery 类之前不能定义它。

后面三个成员处理复制控制，与 Sales_item 类中的对应成员相同。

最后两个 public 成员表示对 Query_base 类的接口。每种情况下，Query 操作都使用它的 Query_base 指针调用相应 Query_base 操作。这些操作是虚函数，在运行时根据 q 指向的对象的类型确定调用的实际版本。

Query 类实现的 private 部分包括一个接受 Query_base 对象指针的构造函数，该构造函数将获得的指针存储在 q 中并分配新的使用计数，将使用计数初始化为 1。该构造函数为 private，是因为我们不希望普通用户代码定义 Query_base 对象，相反，创建 Query 对象的操作符需要这个构造函数。因为构造函数为 private，所以必须将操作符设为友元。

2. Query 重载操作符

|、&和~操作符分别创建 OrQuery、AndQuery 和 NotQuery 对象：

```
inline Query operator&(const Query &lhs, const Query &rhs)
{
    return new AndQuery(lhs, rhs);
}
inline Query operator|(const Query &lhs, const Query &rhs)
{
    return new OrQuery(lhs, rhs);
}
inline Query operator~(const Query &oper)
{
    return new NotQuery(oper);
}
```

614

每个操作动态分配 Query_base 派生类型的新对象，return 语句（隐式）使用接受 Query_base 指针的 Query 构造函数，用操作分配的 Query_base 指针创建 Query 对象。例如，~操作符中的 return 语句等价于：

```
// allocate a new NotQuery object
// convert the resulting pointer to NotQuery to a pointer to Query_base
Query_base *tmp = new NotQuery(expr);
return Query(tmp); // use Query constructor that takes a pointer to Query_base
```

没有操作符创建 WordQuery 对象，相反，为 Query 类定义一个接受 string 对象的构造函数，该构造函数生成 WordQuery 对象查找给定 string。

3. Query 输出操作符

我们希望用户可以用标准（重载的）输出操作符打印 Query 对象，但是，也需要打印操作是虚函数——打印 Query 对象应打印 Query 对象指向的 Query_base 对象。这里存在一个问题：只有成员函数可以为虚函数，但输出操作符不能是 Query_base 类的成员（14.2.1 节）。

要获得必要的虚函数行为，Query_base 类定义了一个虚函数成员 display，Query 输出操作符将使用它：

```cpp
inline std::ostream&
operator<<(std::ostream &os, const Query &q)
{
    return q.display(os);
}
```

如果编写

```cpp
Query andq = Query(sought1) & Query(sought2);
cout << "\nExecuted query: " << andq << endl;
```

将调用 Query 输出操作符，该操作符调用 q.display(os)，其中，q 引用指向该 AndQuery 对象的 Query 对象，os 绑定到 cout。如果编写

```cpp
Query name(sought);
cout << "\nExecuted Query for: " << name << endl;
```

将调用 display 的 WordQuery 实例。更一般的，以下代码

```cpp
Query query = some_query;
cout << query << endl;
```

615 将调用程序运行到此时与 query 所指对象相关联的 display 实例。

15.9.5　派生类

下面要实现具体的查询类。关于这些类，一个有趣的部分是如何表示它们。WordQuery 类最直接，它的工作是保存要查找的单词。

其他类操作一个或两个 Query 操作数。NotQuery 对象对别的 Query 对象的结果求反，AndQuery 类和 OrQuery 类都有两个操作数，操作数实际存储在它们的公共基类 BinaryQuery 中。

在这些类当中，操作数都可以是任意具体 Query_base 类的对象：NotQuery 对象可以应用于 WordQuery 对象、AndQuery 对象、OrQuery 对象或其他 NotQuery 对象。要允许这种灵活性，操作数必须存储为 Query_base 指针，它可以指向任意具体的 Query_base 类。

但是，我们的类不存储 Query_base 指针，而是自己使用 Query 句柄。正如使用句柄可以简化用户代码，也可以使用同样的句柄类简化类代码。将 Query 操作数设为 const，因为一旦创立了 Query_base 对象，就没有操作可以改变操作数了。

了解了这些类的设计之后，就可以实现它们了。

1. WordQuery 类

WordQuery 是一种 Query_base，它在给定的查询映射中查找指定单词：

```
class WordQuery: public Query_base {
    friend class Query; // Query uses the WordQuery constructor
    WordQuery(const std::string &s): query_word(s) { }
    // concrete class: WordQuery defines all inherited pure virtual functions
    std::set<line_no> eval(const TextQuery &t) const
                        { return t.run_query(query_word); }
    std::ostream& display (std::ostream &os) const
                            { return os << query_word; }
    std::string query_word; // word for which to search
};
```

像 Query_base 类一样，WordQuery 类没有 public 成员，WordQuery 类必须将 Query 类设为友元以允许 Query 访问 WordQuery 构造函数。

每个具体的查询类必须定义继承的纯虚函数。WordQuery 类的操作足够简单，可以定义在类定义体中。eval 成员调用其 TextQuery 形参的 query_text 成员，将用于创建该 WordQuery 对象的 string 对象传给它。要 display 一个 WordQuery 对象，就打印 query_word 对象。

2. NotQuery 类

NotQuery 对象保存一个 const Query 对象，对它求反：

```
class NotQuery: public Query_base {
    friend Query operator~(const Query &);
    NotQuery(Query q): query(q) { }
    // concrete class: NotQuery defines all inherited pure virtual functions
    std::set<line_no> eval(const TextQuery&) const;
    std::ostream& display(std::ostream &os) const
            { return os << "~(" << query << ")"; }
    const Query query;
};
```

将 Query 的重载~操作符设为友元，从而允许该操作符创建新的 NotQuery 对象。为了 display 一个 NotQuery 对象，打印~符号，后接基础 Query 对象，将输出用圆括号括住以保证读者清楚优先级。

display 操作中输出操作符的使用最终是对 Query_base 对象的虚函数调用：

```
// uses the Query output operator, which calls Query::display
// that funtion makes a virtual call to Query_base::display
{ return os << "~(" << query << ")"
```

eval 成员比较复杂，我们将在类定义体之外实现它，eval 函数见 15.9.6 节。

3. BinaryQuery 类

BinaryQuery 类是一个抽象类，保存 AndQuery 和 OrQuery 两个查询类型所需的数据，AndQuery 和 OrQuery 有两个操作数：

```
class BinaryQuery: public Query_base {
protected:
    BinaryQuery(Query left, Query right, std::string op):
        lhs(left), rhs(right), oper(op) { }
    // abstract class: BinaryQuery doesn't define eval
    std::ostream& display(std::ostream &os) const
    { return os << "(" << lhs << " " << oper << " "
                    << rhs << ")"; }
```

616

```
    const Query lhs, rhs;    // right- and left-hand operands
    const std::string oper;  // name of the operator
};
```

· BinaryQuery 中的数据是两个 Query 操作数，以及显示查询时使用的操作符符号。这些数据均声明为 const，因为一旦建立了查询的内容就不应该再改变。构造函数接受两个操作数以及操作符符号，将它们存储在适当的数据成员中。

要显示一个 Binaryoperator 对象，打印由圆括号括住的表达式、该表达式由左操作数后接操作符、再接右操作数构成。像显示 NotQuery 对象一样，用于打印 left 和 right 的重载<<操作符最终对基础 Query_base 对象的 display 进行虚函数调用。

> BinaryQuery 类没有定义 eval 函数，因此继承了一个纯虚函数。这样，Binary-Query 也是一个抽象类，不能创建 BinaryQuery 类型的对象。

4. AndQuery 和 OrQuery 类

AndQuery 类和 OrQuery 类几乎完全相同：

```
class AndQuery: public BinaryQuery {
    friend Query operator&(const Query&, const Query&);
    AndQuery (Query left, Query right):
                        BinaryQuery(left, right, "&") { }
    // concrete class: AndQuery inherits display and defines remaining pure virtual
    std::set<line_no> eval(const TextQuery&) const;
};

class OrQuery: public BinaryQuery {
    friend Query operator|(const Query&, const Query&);
    OrQuery(Query left, Query right):
                BinaryQuery(left, right, "|") { }
    // concrete class: OrQuery inherits display and defines remaining pure virtual
    std::set<line_no> eval(const TextQuery&) const;
};
```

这两个类将各自的操作符设为友元，并定义了构造函数用适当的操作符创建它们的 BinaryQuery 基类部分。它们继承 BinaryQuery 类的 display 函数定义，但各自定义了自己的 eval 函数版本。

习题

习题 15.40　对图 15-4 中建立的表达式：

(a) 列出处理这个表达式所执行的构造函数。

(b) 列出执行 cout << q 所调用的 display 函数和重载的<<操作符。

(c) 列出计算 q.eval 时所调用的 eval 函数。

15.9.6　eval 函数

查询类层次的中心是虚函数 eval。每个 eval 函数调用其操作数的 eval 函数，然后应用自己的逻辑: AndQuery 的 eval 操作返回两个操作数的结果的并集, OrQuery 的 eval 操作返回交集, NotQuery 的 eval 操作比较复杂: 它必须返回不在其操作数的集合中的行编号。

618

1. OrQuery::eval

OrQuery 对象合并由它的两个操作数返回的行编号集合——其结果是它的两个操作数的结果的并集:

```
// returns union of its operands' result sets
set<TextQuery::line_no>
OrQuery::eval(const TextQuery& file) const
{
    // virtual calls through the Query handle to get result sets for the operands
    set<line_no> right = rhs.eval(file),
              ret_lines = lhs.eval(file); // destination to hold results
    // inserts the lines from right that aren't already in ret_lines
    ret_lines.insert(right.begin(), right.end());
    return ret_lines;
}
```

eval 函数首先调用每个操作数的 eval 函数, 操作数的 eval 函数调用 Query::eval, Query::eval 再调用基础 Query_base 对象的虚函数 eval, 每个调用获得其操作数出现在其中的行的编号 set。然后 OrQuery::eval 函数调用 ret_lines 的 insert 函数, 传递一对迭代器表示对右操作数求值所返回的 set。因为 ret_lines 是一个 set 对象, 这个调用将 right 中未在 left 中出现的元素加到 ret_lines 中。调用 insert 函数之后, ret_lines 包含在 left 集或在 right 集的每个行编号。返回 ret_lines 而结束 OrQuery::eval 函数。

2. AndQuery::eval

AndQuery 的 eval 版本使用了完成集合式操作的一个标准库算法。标准库附录中说明了这些算法, 见 A.2.8 节。

```
// returns intersection of its operands' result sets
set<TextQuery::line_no>
AndQuery::eval(const TextQuery& file) const
{
    // virtual calls through the Query handle to get result sets for the operands
    set<line_no> left = lhs.eval(file),
                right = rhs.eval(file);
    set<line_no> ret_lines; // destination to hold results
    // writes intersection of two ranges to a destination iterator
    // destination iterator in this call adds elements to ret
    set_intersection(left.begin(), left.end(),
                right.begin(), right.end(),
                inserter(ret_lines, ret_lines.begin()));
    return ret_lines;
}
```

eval 函数的这个版本使用 set_intersection 算法查找两个查询中的公共行: 该算法接受 5 个迭代器, 前 4 个表示两个输入范围, 最后一个表示目的地。算法将同时在两个输入范围中存在的每个元素写到目的地。该调用的目的地是一个迭代器 (11.3.1 节), 它将新元素插入到 ret_lines 中。

619

3. `NotQuery::eval`

NotQuery 查找未出现操作数的每个文本行。要支持这个函数，需要 TextQuery 类增加一个成员返回文件的大小，以便了解存在什么样的行编号。

```
// returns lines not in its operand's result set
set<TextQuery::line_no>
NotQuery::eval(const TextQuery& file) const
{
    // virtual call through the Query handle to eval
    set<TextQuery::line_no> has_val = query.eval(file);
    set<line_no> ret_lines;
    // for each line in the input file, check whether that line is in has_val
    // if not, add that line number to ret_lines
    for (TextQuery::line_no n = 0; n != file.size(); ++n)
        if (has_val.find(n) == has_val.end())
            ret_lines.insert(n);
    return ret_lines;
}
```

像其他 eval 函数一样，首先调用该对象的操作数的 eval 函数。该调用返回操作数所出现的行编号的 set，而我们想要的是不出现操作数的行编号的 set，通过查找输入文件的每个行编号获得该 set。使用必须加到 TextQuery 的 size 成员控制 for 循环，该循环将没有在 has_val 中出现的每个行编号加到 ret_lines 中，一旦处理完所有的行编号，就返回 ret_lines。

习题

习题 15.41　实现 Query 类和 Query_base 等类，并为第 10 章的 TextQuery 类增加需要的 size 操作。通过计算和打印如图 15-4 所示的查询，测试你的应用程序。

习题 15.42　设计并实现下述增强中的一个：

(a) 引入基于同一句子而不是同一行计算单词的支持。

(b) 引入历史系统，用户可以用编号查阅前面的查询，并可以在其中增加内容或与其他查询组合。

(c) 除了显示匹配数目和所有匹配行之外，允许用户对中间查询计算和最终查询指出要显示的行的范围。

小结

继承和动态绑定的思想，简单但功能强大。继承使我们能够编写新类，新类与基类共享行为但重定义必要的行为。动态绑定使编译器能够在运行时根据对象的动态类型确定运行函数的哪个版本。继承和动态绑定的结合使我们能够编写具有特定类型行为而又独立于类型的程序。

在 C++ 中，动态绑定仅在通过引用或指针调用时才能应用于声明为虚的函数。C++ 程序定义继承层次接口的句柄类很常见，这些类分配并管理指向继承层次中对象的指针，因此能够使用户代码在无须处理指针的情况下获得动态行为。

继承对象由基类部分和派生类部分组成。继承对象是通过在处理派生部分之前对对象的基类部分进行构造、复制和赋值，而进行构造、复制和赋值的。因为派生类对象包含基类部分，所以可以将派生类型的引用或指针转换为基类类型的引用或指针。

即使另外不需要析构函数，基类通常也应定义一个虚析构函数。如果经常会在指向基类的指针实际指向派生类对象时删除它，析构函数就必须为虚函数。

术语

abstract base class（抽象基类） 具有或继承了一个或多个纯虚函数的类。不能创建抽象基类类型的对象。抽象基类的存在定义了一个接口，派生类将为基类中定义的纯虚函数定义特定类型的实现，以完成类型。

base class（基类） 从中派生其他类的类。基类的成员成为派生类的成员。

class derivation list（类派生列表） 类定义用它指出类是派生类。派生列表包含可选的访问级别和基类的名字，如果不指定访问标号，继承的类型取决于用来定义派生类的保留字，默认情况下，如果派生类用保留字 struct 定义，则公有继承基类，如果派生类用保留字 class 定义，则私有继承基类。

derived class（派生类） 继承了其他类的类。基类的成员也是派生类的成员，派生类可以重定义其基类的成员还可以定义新成员。派生类作用域嵌套在基类作用域中，因此派生类可以直接访问基类的成员。派生类中定义的与基类成员同名的成员屏蔽基类成员，具体而言，派生类中的成员函数不重载基类成员。基类中的被屏蔽成员可以用作用域操作符访问。

direct base class（直接基类） immediate base class 的同义词。

dynamic binding（动态绑定） 延迟到运行时才选择运行哪个函数。在 C++中，动态绑定指的是在运行时基于引用或指针绑定的对象的基础类型而选择运行哪个 virtual 函数。

dynamic type（动态类型） 运行时类型。基类类型的指针和引用可以绑定到派生类型的对象，在这种情况下，静态类型是基类引用（或指针），但动态类型是派生类引用（或指针）。

handle class（句柄类） 提供到其他类的接口的类。一般用于分配和管理继承层次对象的指针。

immediate base class（直接基类） 被派生类直接继承的基类。直接基类是在派生列表中指定的基类，直接基类本身可以是派生类。

indirect base class（间接基类） 非直接基类。直接基类直接或间接继承的类是派生类的间接基类。

inheritance hierarchy（继承层次） 描述因共享公共基类的继承而相关联的类之间关系的术语。

object-oriented programming（面向对象编程） 描述使用数据抽象、继承和动态绑定的程序的术语。

polymorphism（多态性） 从意为"多种形态"的希腊单词派生的术语。在面向对象编程中，多态性指的是基于引用或指针的动态类型获得类型明确的行为的能力。

private inheritance（私有继承） 实现继承的一种形式，在这种形式中，private 基类的 public 和 protected 成员在派生类中均为 private。

protected access label（受保护访问标号）
定义在 protected 标号之后的成员可以被类
成员、友元和派生类成员（非友元）访问。类
的普通用户不能访问 protected 成员。

protected inheritance（受保护继承）　在受保
护继承中，基类的 protected 和 public 成员
在派生类中均为 protected。

public inheritance（公有继承）　基类的 pub-
lic 接口是派生类的 public 接口的一部分。

pure virtual（纯虚函数）　类的头文件中在函
数形参表末尾用=0 声明的虚函数。类不必（但
可以）定义纯虚函数。带纯虚函数的类为抽象
类。如果派生类没有定义所继承的纯虚函数的
自身版本，则派生类也是抽象类。

refactoring（重构）　重新设计程序将相关部分
集合到一个抽象中，用新抽象的使用代替原来
的代码。在面向对象编程中，重新设计继承层

621
~
622

次中的类时经常发生重构。响应需求的改变通
常需要进行重构。一般而言，对类进行重构时，
需要将数据或函数成员移到继承层次的最高
公共点以避免代码重复。

sliced（切掉的）　描述用派生类型对象对基类
类型对象进行初始化或赋值时情况的术语。对
象的派生部分被"切掉"，只留下基类部分，
赋给基类对象。

static type（静态类型）　编译时类型。对象的
静态类型与动态类型相同。引用或指针所引用
的对象的动态类型可以不同于引用或指针的
静态类型。

virtual function（虚函数）　定义类型明确的行
为的成员函数。通过引用或指针进行的虚函数
调用，在运行时基于引用或指针所绑定的对象
而确定。

第 16 章

模板与泛型编程

所谓泛型编程就是以独立于任何特定类型的方式编写代码。使用泛型程序时，我们需要提供具体程序实例所操作的类型或值。第二部分中描述的标准库的容器、迭代器和算法都是泛型编程的例子。每种容器（如 vector）都有单一的定义，但可以定义许多不同种类的 vector，它们的区别在于所包含的元素类型。

模板是泛型编程的基础。使用模板时可以无须了解模板的定义。本章将介绍怎样定义自己的模板类和模板函数。

623

泛型编程与面向对象编程一样，都依赖于某种形式的多态性[1]。面向对象编程中的多态性在运行时应用于存在继承关系的类。我们能够编写使用这些类的代码，忽略基类与派生类之间类型上的差异。只要使用基类的引用或指针，基类类型或派生类类型的对象就可以使用相同的代码。

在泛型编程中，我们所编写的类和函数能够多态地用于跨越编译时不相关的类型。一个类或一个函数可以用来操纵多种类型的对象。标准库中的容器、迭代器和算法是很好的泛型编程的例子。标准库用独立于类型的方式定义每个容器、迭代器和算法，因此几乎可以在任意类型上使用标准库的类和函数。例如，虽然 vector 的设计者不可能了解应用程序特定的类，但我们能够定义 Sales_item 对象组成的 vector。

在 C++中，模板是泛型编程的基础。模板是创建类或函数的蓝图或公式。例如，标准库定义了一个类模板，该模板定义了 vector 的含义，它可以用于产生任意数量的特定类型的 vector 类，例如，vector<int>或 vector<string>。本书第二部分介绍了怎样使用泛型类型和泛型函数，本章将介绍怎样自定义模板。

16.1   模板定义

假设想要编写一个函数比较两个值并指出第一个值是小于、等于还是大于第二个值。实践中，我们可能希望定义几个这样的函数，每一个可以比较一种给定类型的值，第一次尝试可能是定义几个重载函数：

```
// returns 0 if the values are equal, -1 if v1 is smaller, 1 if v2 is smaller
int compare(const string &v1, const string &v2)
{
    if (v1 < v2) return -1;
    if (v2 < v1) return 1;
    return 0;
}
int compare(const double &v1, const double &v2)
{
    if (v1 < v2) return -1;
    if (v2 < v1) return 1;
    return 0;
}
```

这些函数几乎相同，它们之间唯一的区别是形参的类型，每个函数的函数体是相同的。

每个要比较的类型都需重复函数的函数体，不仅麻烦而且容易出错。更重要的是，需要事先知道究竟可能会比较哪些类型。如果希望将函数用于未知类型，这种策略就不起作用了。

16.1.1   定义函数模板

我们可以不用为每个类型定义一个新函数，而是只定义一个**函数模板**（function template）。函数模板是一个独立于类型的函数，可作为一种方式，产生函数的特定类型版本。例如，可以编

---

1. 面向对象编程所依赖的多态性称为运行时多态性，泛型编程所依赖的多态性称为编译时多态性或参数式多态性。——译者注

写名为 compare 的函数模板，它告诉编译器如何为我们想要比较的类型产生特定的 compare 版本。

下面是 compare 的模板版本：

```
// implement strcmp-like generic compare function
// returns 0 if the values are equal, 1 if v1 is larger, -1 if v1 is smaller
template <typename T>
int compare(const T &v1, const T &v2)
{
    if (v1 < v2) return -1;
    if (v2 < v1) return 1;
    return 0;
}
```

模板定义以关键字 template 开始，后接**模板形参表**（template parameter list），模板形参表是用尖括号括住的一个或多个**模板形参**（template parameter）的列表，形参之间以逗号分隔。

 模板形参表不能为空。

1. 模板形参表

模板形参表很像函数形参表，函数形参表定义了特定类型的局部变量但并不初始化那些变量，在运行时再提供实参来初始化形参。

同样，模板形参表示可以在类或函数的定义中使用的类型或值。例如，compare 函数声明了一个名为 T 的类型形参。在 compare 内部，可以使用名字 T 引用一个类型，T 表示哪个实际类型由编译器根据所用的函数而确定。

模板形参可以是表示类型的**类型形参**（type parameter），也可以是表示常量表达式的**非类型形参**（nontype parameter）。非类型形参跟在类型说明符之后声明，16.1.5 节将进一步介绍非类型形参。类型形参跟在关键字 class 或 typename 之后定义，例如，class T 是名为 T 的类型形参，在这里 class 和 typename 没有区别。

2. 使用函数模板

使用函数模板时，编译器会推断哪个（或哪些）**模板实参**（template argument）绑定到模板形参。一旦编译器确定了实际的模板实参，就称它**实例化**（instantiate）了函数模板的一个实例。

实质上，编译器将确定用什么类型代替每个类型形参，以及用什么值代替每个非类型形参。推导出实际模板实参后，编译器使用实参代替相应的模板形参产生并编译该版本的函数。编译器承担了为我们使用的每种类型而编写函数的单调工作。

对于以下的调用

```
int main ()
{
    // T is int;
    // compiler instantiates int compare(const int&, const int&)
    cout << compare(1, 0) << endl;
    // T is string;
    // compiler instantiates int compare(const string&, const string&)
```

625

```
    string s1 = "hi", s2 = "world";
    cout << compare(s1, s2) << endl;
    return 0;
}
```

编译器将实例化 compare 的两个不同版本,编译器将用 int 代替 T 创建第一个版本,并用 string
代替 T 创建第二个版本。

3. inline 函数模板

函数模板可以用与非模板函数一样的方式声明为 inline。说明符放在模板形参表之后、返
回类型之前,不能放在关键字 template 之前。

```
// ok: inline specifier follows template parameter list
template <typename T> inline T min(const T&, const T&);
// error: incorrect placement of inline specifier
inline template <typename T> T min(const T&, const T&);
```

习题

习题 16.1 编写一个模板返回形参的绝对值。至少用三种不同类型的值调用模板。注意:在 16.3 节
讨论编译器怎样处理模板实例化之前,你应该将每个模板定义和该模板的所有使用放在
同一文件中。

习题 16.2 编写一个函数模板,接受一个 ostream 引用和一个值,将该值写入流。用至少四种不同
类型调用函数。通过写至 cout、写至文件和写至 stringstream 来测试你的程序。

习题 16.3 当调用两个 string 对象的 compare 时,传递用字符串字面值初始化的两个 string 对
象。如果编写以下代码会发生什么?

```
compare ("hi", "world");
```

626

16.1.2   定义类模板

就像可以定义函数模板一样,也可以定义类模板。

 为了举例说明类模板,我们将为标准库 queue 类(9.7 节)实现一个自己的版本。
用户程序应使用标准的 queue 类,而不是我们这里定义的这个 Queue 类。

我们自定义的 Queue 类必须能够支持不同类型的对象,所以将它定义为**类模板**(class
template)。Queue 类将支持的操作是标准 queue 类接口的子集:

* push 操作,在队尾增加一项
* pop 操作,从队头删除一项
* front 操作,返回队头元素的引用
* empty 操作,指出队列中是否有元素

16.4 节将介绍怎样实现 Queue 类,这里先定义它的接口:

```
template <class Type> class Queue {
public:
    Queue ();                        // default constructor
```

```
    Type &front ();                // return element from head of Queue
    const Type &front () const;
    void push (const Type &);      // add element to back of Queue
    void pop();                    // remove element from head of Queue
    bool empty() const;            // true if no elements in the Queue
private:
    // ...
};
```

  类模板也是模板，因此必须以关键字 template 开头，后接模板形参表。Queue 模板接受一个名为 Type 的模板类型形参。

  除了模板形参表外，类模板的定义看起来与任意其他类相似。类模板可以定义数据成员、函数成员和类型成员，也可以使用访问**标号**控制对成员的访问，还可以定义构造函数和析构函数等等。在类和类成员的定义中，可以使用模板形参作为类型或值的占位符，在使用类时再提供那些类型或值。

  例如，Queue 模板有一个模板类型形参，可以在任何可以使用类型名字的地方使用该形参。在这个模板定义中，用 Type 指定重载 front 操作的返回类型以及作为 push 操作的形参类型。

627

使用类模板

  与调用函数模板形成对比，使用类模板时，必须为模板形参显式指定实参：

```
Queue<int> qi;                 // Queue that holds ints
Queue< vector<double> > qc;    // Queue that holds vectors of doubles
Queue<string> qs;              // Queue that holds strings
```

编译器使用实参来实例化这个类的特定类型版本。实质上，编译器用用户提供的实际特定类型代替 Type，重新编写 Queue 类。在这个例子中，编译器将实例化三个 Queue 类：第一个用 int 代替 Type，第二个用 vector<double> 代替 Type，第三个用 string 代替 Type。

习题

习题 16.4 什么是函数模板？什么是类模板？

习题 16.5 定义一个函数模板，返回两个值中较大的一个。

习题 16.6 类似于我们的 queue 简化版本，编写一个名为 List 的类模板，作为标准 list 类的简化版本。

16.1.3 模板形参

  像函数形参一样，程序员为模板形参选择的名字没有本质含义。在我们的例子中，将 compare 的模板类型形参命名为 T，但也可以将它命名为任意名字：

```
// equivalent template definition
template <class Glorp>
int compare(const Glorp &v1, const Glorp &v2)
{
    if (v1 < v2) return -1;
    if (v2 < v1) return 1;
    return 0;
}
```

该代码定义的 compare 模板与前面一样。

可以给模板形参赋予的唯一含义是区别形参是类型形参还是非类型形参。如果是类型形参，我们就知道该形参表示未知类型，如果是非类型形参，我们就知道它是一个未知值。

如果希望使用模板形参所表示的类型或值，可以使用与对应模板形参相同的名字。例如，compare 函数中所有的 Glorp 引用将在该函数被实例化时确定为同一类型。

1. 模板形参作用域

模板形参的名字可以在声明为模板形参之后直到模板声明或定义的末尾处使用。

模板形参遵循常规名字屏蔽规则。与全局作用域中声明的对象、函数或类型同名的模板形参会屏蔽全局名字：

```
typedef double T;
template <class T> T calc(const T &a, const T &b)
{
    // tmp has the type of the template parameter T
    // not that of the global typedef
    T tmp = a;
    // ...
    return tmp;
}
```

将 T 定义为 double 的全局类型别名将被名为 T 的类型形参所屏蔽，因此，tmp 不是 double 型，相反，tmp 的类型是绑定到模板形参的任意类型。

2. 使用模板形参名字的限制

用作模板形参的名字不能在模板内部重用：

```
template <class T> T calc(const T &a, const T &b)
{
    typedef double T; // error: redeclares template parameter T
    T tmp = a;
    // ...
    return tmp;
}
```

这一限制还意味着模板形参的名字只能在同一模板形参表中使用一次：

```
// error: illegal reuse of template parameter name V
template <class V, class V> V calc(const V&, const V&) ;
```

当然，正如可以重用函数形参名字一样，模板形参的名字也能在不同模板中重用：

```
// ok: reuses parameter type name across different templates
template <class T> T calc (const T&, const T&) ;
template <class T> int compare(const T&, const T&) ;
```

3. 模板声明

像其他任意函数或类一样，对于模板可以只声明而不定义。声明必须指出函数或类是一个模板：

```
// declares compare but does not define it
template <class T> int compare(const T&, const T&) ;
```

同一模板的声明和定义中，模板形参的名字不必相同。

```
// all three uses of calc refer to the same function template
// forward declarations of the template
template <class T> T calc(const T&, const T&) ;
template <class U> U calc(const U&, const U&) ;
// actual definition of the template
template <class Type>
Type calc(const Type& a, const Type& b) { /* ... */ }
```

每个模板类型形参前面必须带上关键字 class 或 typename，每个非类型形参前面必须带上类型名字，省略关键字或类型说明符是错误的：

```
// error: must precede U by either typename or class
template <typename T, U> T calc (const T&, const U&) ;
```

习题

习题 16.7　解释下面每个函数模板的定义并指出是否有非法的。改正所发现的错误。

```
(a) template <class T, U, typename V> void f1(T, U, V) ;
(b) template <class T> T f2(int &T) ;
(c) inline template <class T> T foo(T, unsigned int*) ;
(d) template <class T> f4 (T, T) ;
(e) typedef char Ctype ;
    template <typename Ctype> Ctype f5(Ctype a) ;
```

习题 16.8　如果有，解释下面哪些声明是错误的并说明为什么。

```
(a) template <class Type> Type bar(Type, Type) ;
    template <class Type> Type bar(Type, Type) ;
(b) template <class T1, class T2> void bar(T1, T2) ;
    template <class C1, typename C2> void bar(C1, C2) ;
```

习题 16.9　编写行为类似于标准库中 find 算法的模板。你的模板应接受一个类型形参，该形参指定函数形参（一对迭代器）的类型。使用你的函数在 vector<int> 和 vector<string> 中查找给定值。

16.1.4　模板类型形参

　　类型形参由关键字 class 或 typename 后接说明符构成。在模板形参表中，这两个关键字具有相同的含义，都指出后面所接的名字表示一个类型。

　　模板类型形参可作为类型说明符用在模板中的任何地方，与内置类型说明符或类类型说明符的使用方式完全相同。具体而言，它可以用于指定返回类型或函数形参类型，以及在函数体中用于变量声明或强制类型转换。

```
// ok: same type used for the return type and both parameters
template <class T> T calc (const T& a, const T& b)
{
    // ok: tmp will have same type as the parameters & return type
    T tmp = a;
    // ...
    return tmp;
}
```

1. **typename** 与 **class** 的区别

在函数模板形参表中，关键字 typename 和 class 具有相同含义，可以互换使用，两个关键字都可以在同一模板形参表中使用：

```
// ok: no distinction between typename and class in template parameter list
template <typename T, class U> calc (const T&, const U&);
```

使用关键字 typename 代替关键字 class 指定模板类型形参也许更为直观，毕竟，可以使用内置类型（非类类型）作为实际的类型形参，而且，typename 更清楚地指明后面的名字是一个类型名。但是，关键字 typename 是作为标准 C++的组成部分加入到 C++中的，因此旧的程序更有可能只用关键字 class。

2. 在模板定义内部指定类型

除了定义数据成员或函数成员之外，类还可以定义类型成员。例如，标准库的容器类定义了不同的类型，如 size_type，使我们能够以独立于机器的方式使用容器。如果要在函数模板内部使用这样的类型，必须告诉编译器我们正在使用的名字指的是一个类型。必须显式地这样做，因为编译器（以及程序的读者）不能通过检查得知，由类型形参定义的名字何时是一个类型何时是一个值。例如，考虑下面的函数：

```
template <class Parm, class U>
Parm fcn(Parm* array, U value)
{
    Parm: :size_type * p; // If Parm::size_type is a type, then a declaration
                          // If Parm::size_type is an object, then multiplication
}
```

我们知道 size_type 必定是绑定到 Parm 的那个类型的成员，但我们不知道 size_type 是一个类型成员的名字还是一个数据成员的名字，默认情况下，编译器假定这样的名字指定数据成员，而不是类型。

如果希望编译器将 size_type 当作类型，则必须显式告诉编译器这样做：

```
template <class Parm, class U>
Parm fcn(Parm* array, U value)
{
    typename Parm::size_type * p; // ok: declares p to be a pointer
}
```

通过在成员名前加上关键字 typename 作为前缀，可以告诉编译器将成员当作类型。通过编写 typename Parm::size_type，指出绑定到 Parm 的类型的 size_type 成员是类型的名字。当然，这一声明给用来实例化 fcn 的类型增加了一个职责：那些类型必须具有名为 size_type 的成员，而且该成员是一个类型。

　　如果拿不准是否需要以 typename 指明一个名字是一个类型，那么指定它是个好主意。在类型之前指定 typename 没有害处，因此，即使 typename 是不必要的，也没有关系。

习题

习题 16.10 声明为 `typename` 的类型形参与声明为 `class` 的类型形参有区别吗？区别在哪里？

习题 16.11 何时必须使用 `typename`？

习题 16.12 编写一个函数模板，接受表示未知类型迭代器的一对值，找出在序列中出现得最频繁的值。

习题 16.13 编写一个函数，接受一个容器的引用并打印该容器的元素。使用容器的 `size_type` 和 `size` 成员控制打印元素的循环。

习题 16.14 重新编写上题的函数，使用从 `begin` 和 `end` 返回的迭代器来控制循环。

16.1.5 非类型模板形参

模板形参不必都是类型。本节将介绍函数模板使用的非类型形参。在介绍了类模板实现的更多内容之后，16.4.2 节将介绍类模板的非类型形参。

在调用函数时非类型形参将用值代替，值的类型在模板形参表中指定。例如，下面的函数模板声明了 `array_init` 是一个含有一个类型模板形参和一个非类型模板形参的函数模板。函数本身接受一个形参，该形参是数组的引用（7.2.4 节）：

632

```
// initialize elements of an array to zero
template <class T, size_t N> void array_init(T (&parm)[N])
{
    for (size_t i = 0; i != N; ++i) {
        parm[i] = 0;
    }
}
```

模板非类型形参是模板定义内部的常量值，在需要常量表达式的时候，可使用非类型形参（例如，像这里所做的一样）指定数组的长度。

当调用 `array_init` 时，编译器从数组实参计算非类型形参的值：

```
int x[42];
double y[10];
array_init(x);  // instantiates array_init(int(&)[42])
array_init(y);  // instantiates array_init(double(&)[10])
```

编译器将为 `array_init` 调用中用到的每种数组实例化一个 `array_init` 版本。对于上面的程序，编译器将实例化 `array_init` 的两个版本：第一个实例的形参绑定到 `int[42]`，另一个实例中的形参绑定到 `double[10]`。

类型等价性与非类型形参

对模板的非类型形参而言，求值结果相同的表达式将认为是等价的。下面的两个 `array_init` 调用引用的是相同的实例——`array_init<int, 42>`：

```
int x[42];
const int sz = 40;
int y[sz + 2];
array_init(x);  // instantiates array_init(int(&)[42])
array_init(y);  // equivalent instantiation
```

习题

习题 16.15 编写可以确定数组长度的函数模板。

习题 16.16 将 7.2.4 节的 printValues 函数重新编写为可用于打印不同长度数组内容的函数模板。

16.1.6 编写泛型程序

编写模板时，代码不可能针对特定类型，但模板代码总是要对将使用的类型做一些假设。例如，虽然 compare 函数从技术上说对任意类型都是有效的，但实际上，实例化的版本可能是非法的。

产生的程序是否合法，取决于函数中使用的操作以及所用类型支持的操作。compare 函数有三条语句：

```
if (v1 < v2) return -1;  // < on two objects of type T
if (v2 < v1) return 1;   // < on two objects of type T
return 0;                // return int; not dependent on T
```

前两条语句包含隐式依赖于形参类型的代码，if 测试对形参使用 < 操作符，直到编译器看见 compare 调用并且 T 绑定到一个实际类型时，才知道形参的类型，使用哪个 < 操作符完全取决于实参类型。

如果用不支持 < 操作符的对象调用 compare，则该调用将是无效的：

```
Sales_item item1, item2;
// error: no < on Sales_item
cout << compare(item1, item2) << endl;
```

程序会出错。Sales_item 类型没有定义 < 操作符，所以该程序不能编译。

在函数模板内部完成的操作限制了可用于实例化该函数的类型。程序员的责任是，保证用作函数实参的类型实际上支持所用的任意操作，以及保证在模板使用那些操作的环境中那些操作运行正常。

编写独立于类型的代码

编写良好泛型代码的技巧超出了本书的范围，但是，有个一般原则值得注意。

编写模板代码时，对实参类型的要求尽可能少是很有益的。

虽然简单，但它说明了编写泛型代码的两个重要原则：

- 模板的形参是 const 引用。
- 函数体中的测试只用 < 比较。

通过将形参设为 const 引用，就可以允许使用不允许复制的类型。大多数类型（包括内置类型和我们已使用过的除 IO 类型之外的所有标准库的类型）都允许复制。但是，也有不允许复制的类类型。将形参设为 const 引用，保证这种类型可以用于 compare 函数，而且，如果有比较大的对象调用 compare，则这个设计还可以使函数运行得更快。

634

一些读者可能认为使用<和>操作符两者进行比较会更加自然：

```
// expected comparison
if (v1 < v2) return -1;
if (v1 > v2) return 1;
return 0;
```

但是，将代码编写为

```
// expected comparison
if (v1 < v2) return -1;
if (v2 < v1) return 1; // equivalent to v1 > v2
return 0;
```

可以减少对可用于 compare 函数的类型的要求，这些类型必须支持<，但不必支持>。

习题

习题 16.17　在 3.3.2 节的"关键概念"中，我们注意到，C++程序员习惯于使用!=而不用<，解释这一习惯的基本原理。

习题 16.18　本节中我们提到应该慎重地编写 compare 中的比较以避免要求类型同时具有<和>操作符，另一方面，往往假定类型既有==又有!=。解释为什么这一看似不一致的处理实际上反映了良好的编程风格。

警告：链接时的编译时错误

　　一般而言，编译模板时，编译器可能会在三个阶段中标识错误：第一阶段是编译模板定义本身时。在这个阶段中编译器一般不能发现许多错误，可以检测到诸如漏掉分号或变量名拼写错误一类的语法错误。

　　第二个错误检测时间是在编译器见到模板的使用时。在这个阶段，编译器仍没有很多检查可做。对于函数模板的调用，许多编译器只检查实参的数目和类型是否恰当，编译器可以检测到实参太多或太少，也可以检测到假定类型相同的两个实参是否真地类型相同。对于类模板，编译器可以检测提供的模板实参的正确数目。

　　产生错误的第三个时间是在实例化的时候，只有在这个时候可以发现类型相关的错误。根据编译器管理实例化的方式（将在 16.3 节讨论），有可能在链接时报告这些错误。

　　重要的是，要认识到在编译模板定义的时候，对程序是否有效所知不多。类似地，甚至可能会在已经成功编译了使用模板的每个文件之后出现编译错误。只在实例化期间检测错误的情况很少，错误检测可能发生在链接时。

635

16.2　实例化

　　模板是一个蓝图，它本身不是类或函数。编译器用模板产生指定的类或函数的特定类型版本。产生模板的特定类型实例的过程称为**实例化**，这个术语反映了创建模板类型或模板函数的新"实例"的概念。

模板在使用时将进行实例化，类模板在引用实际模板类类型时实例化，函数模板在调用它或用它对函数指针进行初始化或赋值时实例化。

1. 类的实例化

当编写 Queue<int> qi;时，编译器自动创建名为 Queue<int>的类。实际上，编译器通过重新编写 Queue 模板，用类型 int 代替模板形参的每次出现而创建 Queue<int>类。实例化的类就像已经编写的一样：

```
// simulated version of Queue instantiated for type int
template <class Type> class Queue<int> {
public:
    Queue();                      // this bound to Queue<int>*
    int &front();                 // return type bound to int
    const int &front() const;     // return type bound to int
    void push(const int &);       // parameter type bound to int
    void pop();                   // type invariant code
    bool empty() const;           // type invariant code
private:
    // ...
};
```

要为 string 类型的对象创建 Queue 类，可以编写

Queue<string> qs;

在这个例子中，用 string 代替 Type 的每次出现。

 类模板的每次实例化都会产生一个独立的类类型。为 int 类型实例化的 Queue 与任意其他 Queue 类型没有关系，对其他 Queue 类型的成员也没有特殊的访问权。

2. 类模板形参是必需的

想要使用类模板，就必须显式指定模板实参：

Queue qs; // error: which template instantiation?

类模板不定义类型，只有特定的实例才定义了类型。特定的实例化是通过提供模板实参与每个模板形参匹配而定义的。模板实参在用逗号分隔并用尖括号括住的列表中指定：

```
Queue<int> qi;           // ok: defines Queue that holds ints
Queue<string> qs;        // ok: defines Queue that holds strings
```

用模板类定义的类型总是包含模板实参。例如，Queue 不是类型，而 Queue<int>或 Queue<string>是类型。

3. 函数模板实例化

使用函数模板时，编译器通常会为我们推断模板实参：

```
int main()
{
    compare(1, 0);           // ok: binds template parameter to int
    compare(3.14, 2.7);      // ok: binds template parameter to double
    return 0;
```

```
}
```

这个程序实例化了 compare 的两个版本：一个用 int 代替 T，另一个用 double 代替 T，实质上是编译器为我们编写了 compare 的这两个实例：

```
int compare(const int &v1, const int &v2)
{
    if (v1 < v2) return -1;
    if (v2 < v1) return 1;
    return 0;
}
int compare(const double &v1, const double &v2)
{
    if (v1 < v2) return -1;
    if (v2 < v1) return 1;
    return 0;
}
```

16.2.1　模板实参推断

要确定应该实例化哪个函数，编译器会查看每个实参。如果相应形参声明为类型形参的类型，则编译器从实参的类型推断形参的类型。在 compare 的例子中，两个实参有同样的模板类型，都是用类型形参 T 声明的。

第一个调用 compare(1, 0) 中，实参为 int 类型；第二个调用 compare(3.14,2.7) 中，实参为 double 类型。从函数实参确定模板实参的类型和值的过程叫做**模板实参推断**（template argument deduction）。

637

1. 多个类型形参的实参必须完全匹配

模板类型形参可以用作一个以上函数形参的类型。在这种情况下，模板类型推断必须为每个对应的函数实参产生相同的模板实参类型。如果推断的类型不匹配，则调用将会出错：

```
template <typename T>
int compare(const T& v1, const T& v2)
{
    if (v1 < v2) return -1;
    if (v2 < v1) return 1;
    return 0;
}
int main()
{
    short si;
    // error: cannot instantiate compare(short, int)
    // must be: compare(short, short) or
    //          compare(int, int)
    compare(si, 1024);
    return 0;
}
```

这个调用是错误的，因为调用 compare 时的实参类型不相同，从第一个实参推断出的模板类型是 short，从第二个实参推断出 int 类型，两个类型不匹配，所以模板实参推断失败。

如果 compare 的设计者想要允许实参的常规转换，则函数必须用两个类型形参来定义：

```
// argument types can differ, but must be compatible
template <typename A, typename B>
int compare(const A& v1, const B& v2)
{
    if (v1 < v2) return -1;
    if (v2 < v1) return 1;
    return 0;
}
```

现在用户可以提供不同类型的实参了：

```
short si;
compare(si, 1024);  // ok: instantiates compare(short, int)
```

但是，比较那些类型的值的<操作符必须存在。

2. 类型形参的实参的受限转换

考虑下面的 compare 调用：

```
short s1, s2;
int i1, i2;
compare(i1, i2);          // ok: instantiate compare(int, int)
compare(s1, s2);          // ok: instantiate compare(short, short)
```

第一个调用产生将 T 绑定到 int 的实例，为第二个调用创建新的实例，将 T 绑定到 short。

如果 compare(int, int) 是普通的非模板函数，则第二个调用会匹配那个函数，short 实参将提升（5.12.2 节）为 int。因为 compare 是一个模板，所以将实例化一个新函数，将类型形参绑定到 short。

一般而言，不会转换实参以匹配已有的实例化，相反，会产生新的实例。除了产生新的实例化之外，编译器只会执行两种转换：

- const 转换：接受 const 引用或 const 指针的函数可以分别用非 const 对象的引用或指针来调用，无须产生新的实例化。如果函数接受非引用类型，形参类型和实参都忽略 const，即，无论传递 const 或非 const 对象给接受非引用类型的函数，都使用相同的实例化。
- 数组或函数到指针的转换：如果模板形参不是引用类型，则对数组或函数类型的实参应用常规指针转换。数组实参将当作指向其第一个元素的指针，函数实参当作指向函数类型的指针。

例如，考虑对函数 fobj 和 fref 的调用。fobj 函数复制它的形参，而 fref 的形参是引用：

```
template <typename T> T fobj(T, T);         // arguments are copied
template <typename T>
T fref(const T&, const T&);                 // reference arguments
string s1("a value");
const string s2("another value");
fobj(s1, s2);     // ok: calls f(string, string), const is ignored
fref(s1, s2);     // ok: non const object s1 converted to const reference
int a[10], b[42];
fobj(a, b);  // ok: calls f(int*, int*)
fref(a, b);  // error: array types don't match; arguments aren't converted to pointers
```

第一种情况下，传递 string 对象和 const string 对象作为实参，即使这些类型不完全匹配，两个调用也都是合法的。在 fobj 的调用中，实参被复制，因此原来的对象是否为 const 无关紧要。在 fref 的调用中，形参类型是 const 引用，对引用形参而言，转换为 const 是可以接受的转换，所以这个调用也正确。

在第二种情况中，将传递不同长度的数组实参。fobj 的调用中，数组不同无关紧要，两个数组都转换为指针，fobj 的模板形参类型是 int*。但是，fref 的调用是非法的，当形参为引用时（7.2.4 节），数组不能转换为指针，a 和 b 的类型不匹配，所以调用将出错。

639

3. 应用于非模板实参的常规转换

 类型转换的限制只适用于类型为模板形参的那些实参。

用普通类型定义的形参可以使用常规转换（7.1.2 节），下面的函数模板 sum 有两个形参：

```
template <class Type> Type sum(const Type &op1, int op2)
{
    return op1 + op2;
}
```

第一个形参 op1 具有模板形参类型，它的实际类型到函数使用时才知道。第二个形参 op2 的类型已知，为 int。

因为 op2 的类型是固定的，在调用 sum 的时候，可以对传递给 op2 的实参应用常规转换：

```
double d = 3.14;
string s1("hiya"), s2(" world");
sum(1024, d);  // ok: instantiates sum(int, int), converts d to int
sum(1.4, d);   // ok: instantiates sum(double, int), converts d to int
sum(s1, s2);   // error: s2 cannot be converted to int
```

在前两个调用中，第二个实参 dd 的类型与对应函数形参的类型不同，但是，这些调用是正确的：有从 double 到 int 的转换。因为第二个形参的类型独立于模板形参，编译器将隐式转换 dd。第一个调用导致实例化函数 sum(int, int)，第二个调用实例化 sum(double, int)。

第三个调用是错误的。没有从 string 到 int 的转换，使用 string 实参来匹配 int 形参与一般情况一样，是非法的。

4. 模板实参推断与函数指针

可以使用函数模板对函数指针进行初始化或赋值（7.9 节），这样做的时候，编译器使用指针的类型实例化具有适当模板实参的模板版本。

例如，假定有一个函数指针指向返回 int 值的函数，该函数接受两个形参，都是 const int 引用，可以用该指针指向 compare 的实例化：

```
template <typename T> int compare(const T&, const T&);
// pf1 points to the instantiation int compare (const int&, const int&)
int (*pf1) (const int&, const int&) = compare;
```

pf1 的类型是一个指针，指向"接受两个 const int& 类型形参并返回 int 值的函数"，形参的类型决定了 T 的模板实参的类型，T 的模板实参为 int 型，指针 pf1 引用的是将 T 绑定到 int 的实

640 例化。

 　　获取函数模板实例化的地址的时候，上下文必须是这样的：它允许为每个模板形参确定唯一的类型或值。

　　如果不能从函数指针类型确定模板实参，就会出错。例如，假定有两个名为 func 的函数，每个函数接受一个指向函数实参的指针。func 的第一个版本接受有两个 const string 引用形参并返回 string 对象的函数的指针，func 的第二个版本接受带两个 const int 引用形参并返回 int 值的函数的指针，不能使用 compare 作为传给 func 的实参：

```
// overloaded versions of func; each take a different function pointer type
void func(int(*) (const string&, const string&));
void func(int(*) (const int&, const int&));
func(compare); // error: which instantiation of compare?
```

问题在于，通过查看 func 的形参类型不可能确定模板实参的唯一类型，对 func 的调用可以实例化下列函数中的任意一个：

```
compare(const string&, const string&)
compare(const int&, const int&)
```

因为不能为传给 func 的实参确定唯一的实例化，该调用会产生一个编译时（或链接时）错误。

习题

习题 16.19　什么是实例化？

习题 16.20　在模板实参推断期间发生什么？

习题 16.21　指出对模板实参推断中涉及的函数实参允许的类型转换。

习题 16.22　对于下面的模板

```
template <class Type>
Type calc (const Type* array, int size);
template <class Type>
Type fcn(Type p1,Type p2;
```

下面这些调用有错吗？如果有，哪些是错误的？为什么？

```
double dobj;    float fobj;    char cobj;
int ai[5] = { 511, 16, 8, 63, 34 };

(a) calc(cobj, 'c');
(b) calc(dobj, fobj);
(c) fcn(ai, cobj);
```

641

16.2.2　函数模板的显式实参

　　在某些情况下，不可能推断模板实参的类型。当函数的返回类型必须与形参表中所用的所有类型都不同时，最常出现这一问题。在这种情况下，有必要覆盖模板实参推断机制，并显式指定为模板形参所用的类型或值。

1. 指定显式模板实参

考虑下面的问题。我们希望定义名为 sum、接受两个不同类型实参的函数模板，希望返回类型足够大，可以包含按任意次序传递的任意两个类型的两个值的和，怎样才能做到？应如何指定 sum 的返回类型？

```
// T or U as the return type?
template <class T, class U> ??? sum(T, U);
```

在这个例子中，答案是没有一个形参在任何时候都可行，使用任一形参都一定会在某些时候失败：

```
// neither T nor U works as return type
sum(3, 4L); // second type is larger; want U sum(T, U)
sum(3L, 4); // first type is larger; want T sum(T, U)
```

解决这一问题的一个办法，可能是强制 sum 的调用者将较小的类型强制转换（5.12.4 节）为希望作为结果使用的类型：

```
// ok: now either T or U works as return type
int i; short s;
sum(static_cast<int>(s), i); // ok: instantiates int sum(int, int)
```

2. 在返回类型中使用类型形参

指定返回类型的一种方式是引入第三个模板形参，它必须由调用者显式指定：

```
// T1 cannot be deduced: it doesn't appear in the function parameter list
template <class T1, class T2, class T3>
T1 sum(T2, T3);
```

这个版本增加了一个模板形参以指定返回类型。只有一个问题：没有实参的类型可用于推断 T1 的类型，相反，调用者必须在每次调用 sum 时为该形参显式提供实参。

为调用提供显式模板实参与定义类模板的实例很类似，在以逗号分隔、用尖括号括住的列表中指定显式模板实参。显式模板类型的列表出现在函数名之后、实参表之前：

```
// ok T1 explicitly specified; T2 and T3 inferred from argument types
long val3 = sum<long>(i, lng); // ok: calls long sum(int, long)
```

这一调用显式指定 T1 的类型，编译器从调用中传递的实参推断 T2 和 T3 的类型。

显式模板实参从左至右与对应模板形参相匹配，第一个模板实参与第一个模板形参匹配，第二个实参与第二个形参匹配，以此类推。假如可以从函数形参推断，则只有结尾（最右边）形参的显式模板实参可以省略。如果这样编写 sum 函数：

```
// poor design: Users must explicitly specify all three template parameters
template <class T1, class T2, class T3>
T3 alternative_sum(T2, T1);
```

则总是必须为所有三个形参指定实参：

```
// error: can't infer initial template parameters
long val3 = alternative_sum<long>(i, lng);
// ok: All three parameters explicitly specified
long val2 = alternative_sum<long, int, long>(i, lng);
```

642

3. 显式实参与函数模板的指针

可以使用显式模板实参的另一个例子是 16.2.1 节中有二义性的程序，通过使用显式模板实参能够消除二义性：

```
template <typename T> int compare(const T&, const T&);
// overloaded versions of func; each take a different function pointer type
void func(int(*) (const string&, const string&));
void func(int(*) (const int&, const int&));
func(compare<int>); // ok: explicitly specify which version of compare
```

像前面一样，需要在调用中传递 compare 实例给名为 func 的重载函数。只查看不同版本 func 的形参表来选择传递 compare 的哪个实例是不可能的，两个不同的实例都可能满足该调用。显式模板形参需要指出应使用哪个 compare 实例以及调用哪个 func 函数。

习题

习题 16.23 标准库函数 max 接受单个类型形参，可以传递 int 和 double 对象调用 max 吗？如果可以，怎样做？如果不能，为什么？

习题 16.24 在 16.2.1 节我们看到，对于具有单个模板类型形参的 compare 版本，传给它的实参必须完全匹配，如果想要用兼容类型如 int 和 short 调用该函数，可以使用显式模板实参指定 int 或 short 作为形参类型。编写程序使用具有一个模板形参的 compare 版本，使用允许你传递 int 和 short 类型实参的显式模板实参调用 compare。

习题 16.25 使用显式模板实参，使得可以传递两个字符串字面值调用 compare。

习题 16.26 对于下面的 sum 模板定义：

```
template <class T1, class T2, class T3> T1 sum(T2, T3);
```

解释下面的每个调用。是否有错？如果有，指出哪些是错误的，对每个错误，解释错在哪里。

```
double dobj1, dobj2; float fobj1, fobj2; char cobj1, cobj2;

(a) sum(dobj1, dobj2);
(b) sum<double, double, double>(fobj1, fobj2);
(c) sum<int>(cobj1, cobj2);
(d) sum<double, ,double>(fobj2, dobj2);
```

16.3　模板编译模型

当编译器看到模板定义的时候，它不立即产生代码。只有在看到用到模板时，如调用了函数模板或定义了类模板的对象的时候，编译器才产生特定类型的模板实例。

一般而言，当调用函数的时候，编译器只需要看到函数的声明。类似地，定义类类型的对象时，类定义必须可用，但成员函数的定义不是必须存在的。因此，应该将类定义和函数声明放在头文件中，而普通函数和类成员函数的定义放在源文件中。

模板则不同：要进行实例化，编译器必须能够访问定义模板的源代码。当调用函数模板或类模板的成员函数的时候，编译器需要函数定义，需要那些通常放在源文件中的代码。

标准 C++为编译模板代码定义了两种模型。在两种模型中，构造程序的方式很大程度上是相同的：类定义和函数声明放在头文件中，而函数定义和成员定义放在源文件中。两种模型的不同在于，编译器怎样使用来自源文件的定义。如本书所述，所有编译器都支持第一种模型，称为"包含"模型，只有一些编译器支持第二种模型，"分别编译"模型。

要编译使用自己的类模板和函数模板的代码，必须查阅编译器的用户指南，看看编译器怎样处理实例化。

1. 包含编译模型

在**包含编译模型**（inclusion compilation model）中，编译器必须看到用到的所有模板的定义。一般而言，可以通过在声明函数模板或类模板的头文件中添加一条#include 指示使定义可用，该#include 引入了包含相关定义的源文件：

```
// header file utlities.h
#ifndef UTLITIES_H  // header gaurd (Section 2.9.2, p. 69)
#define UTLITIES_H
template <class T> int compare(const T&, const T&);
// other declarations

#include "utilities.cc"  // get the definitions for compare etc.
#endif

// implemenatation file utlities.cc
template <class T> int compare(const T &v1, const T &v2)
{
    if (v1 < v2) return -1;
    if (v2 < v1) return 1;
    return 0;
}
// other definitions
```

这一策略使我们能够保持头文件和实现文件的分离，但是需要保证编译器在编译使用模板的代码时能看到两种文件。

某些使用包含模型的编译器，特别是较老的编译器，可以产生多个实例。如果两个或多个单独编译的源文件使用同一模板，这些编译器将为每个文件中的模板产生一个实例。通常，这种方法意味着给定模板将实例化超过一次。在链接的时候，或者在预链接阶段，编译器会选择一个实例化而丢弃其他的。在这种情况下，如果有许多实例化同一模板的文件，编译时性能会显著降低。对许多应用程序而言，这种编译时性能降低不大可能在现代计算机上成为问题，但是，在大系统环境中，编译时选择问题可能变得非常重要。

这种编译器通常支持某些机制，避免同一模板的多个实例化中隐含的编译时开销。编译器优化编译时性能的方法各不相同。如果使用模板的程序的编译时间难于承担，请查阅编译器的用户指南，看看你的编译器能提供什么支持以避免多余的实例化。

2. 分别编译模型

在**分别编译模型**（separate compilation model）中，编译器会为我们跟踪相关的模板定义。但

644

是，我们必须让编译器知道要记住给定的模板定义，可以使用 **export** 关键字（export keyword）来做这件事。

export 关键字能够指明给定的定义可能会需要在其他文件中产生实例化。在一个程序中，一个模板只能定义为导出一次。编译器在需要产生这些实例化时计算出怎样定位模板定义。export 关键字不必在模板声明中出现。

一般我们在函数模板的定义中指明函数模板为导出的，这是通过在关键字 template 之前包含 export 关键字而实现的：

```
// the template definition goes in a separately-compiled source file
export template <typename Type>
Type sum(Type t1, Type t2) /* ...*/
```

这个函数模板的声明像通常一样应放在头文件中，声明不必指定 export。

对类模板使用 export 更复杂一些。通常，类声明必须放在头文件中，头文件中的类定义体不应该使用关键字 export，如果在头文件中使用了 export，则该头文件只能被程序中的一个源文件使用。

相反，应该在类的实现文件中使用 export：

```
// class template header goes in shared header file
template <class Type> class Queue { ... };
// Queue.cc implementation file declares Queue as exported
export template <class Type> class Queue;
#include "Queue.h"
// Queue member definitions
```

导出类的成员将自动声明为导出的。也可以将类模板的个别成员声明为导出的，在这种情况下，关键字 export 不在类模板本身指定，而是只在被导出的特定成员定义上指定。导出成员函数的定义不必在使用成员时可见。任意非导出成员的定义必须像在包含模型中一样对待：定义应放在定义类模板的头文件中。

习题

习题 16.27 确定你的编译器使用的是哪种编译模型。编写并调用函数模板，在保存未知类型对象的 vector 中查找中间值。（注：中间值是这样一个值，一半元素比它大，一半元素比它小。）用常规方式构造你的程序：函数定义应放在一个文件中，它的声明放在一个头文件中，定义和使用函数模板的代码应包含该头文件。

习题 16.28 如果所用的编译器支持分别编译模型，将类模板的成员函数和 static 数据成员的定义放在哪里？为什么？

习题 16.29 如果你的编译器使用包含模型，将那些模板成员定义放在哪里？为什么？

警告：类模板中的名字查找

编译模板是异常困难的工作。幸好，它是由编译器作者处理的任务。不幸的是，某些复杂性被推到模板用户的身上：模板包含两种名字：

(1) 独立于模板形参的那些名字

(2) 依赖于模板形参的那些名字

设计者的责任是，保证所有不依赖于模板形参的名字在模板本身的作用域中定义。

模板用户的责任是，保证与用来实例化模板的类型相关的所有函数、类型和操作符的声明可见。这个责任意味着，在实例化类模板的成员或函数模板的时候，用户必须保证这些声明是可见的。

适当使用头文件的结构良好的程序都容易满足这两个要求。模板的作者应提供头文件，该头文件包含在类模板或在其成员定义中使用的所有名字的声明。在用特定类型定义模板或者使用该模板的成员之前，用户必须保证包含了模板类型的头文件，以及定义用作成员类型的类型的头文件。

16.4 类模板成员

到目前为止，我们只介绍了怎样声明 Queue 类模板的接口成员，本节将介绍怎样实现该类。

 标准库将 queue 实现为其他容器之上的适配器（9.7 节）。为了强调在使用低级数据结构中涉及的编程要点，我们将 Queue 实现为链表。实际上，在我们的实现中使用标准库容器可能是一个更好的决定。

1. Queue 的实现策略

如图 16-1 所示，我们的实现使用两个类：

(1) QueueItem 类表示 Queue 的链表中的节点，该类有两个数据成员 item 和 next：

- item 保存 Queue 中元素的值，它的类型随 Queue 的每个实例而变化。
- next 是队列中指向下一 QueueItem 对象的指针。

Queue 中的每个元素保存在一个 QueueItem 对象中。

(2) Queue 类将提供 16.1.2 节描述的接口函数，Queue 类也有两个数据成员：head 和 tail，这些成员是 QueueItem 指针。

像标准容器一样，Queue 类将复制指定给它的值。

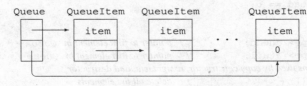

图 16-1 Queue 的实现

2. QueueItem 类

首先编写 QueueItem 类：

```
template <class Type> class QueueItem {
// private class: no public section
```

647

```
        QueueItem(const Type &t): item(t), next(0) { }
        Type item;                  // value stored in this element
        QueueItem *next;            // pointer to next element in the  Queue
    };
```

这个类似乎已经差不多完整了：它保存由其构造函数初始化的两个数据成员。像 Queue 类一样，QueueItem 是一个类模板，该类使用模板形参指定 item 成员的类型，Queue 中每个元素的值将保存在 item 中。

每当实例化一个 Queue 类的时候，也将实例化 QueueItem 的相同版本。例如，如果创建 Queue<int>，则将实例化一个伙伴类 QueueItem<int>。

QueueItem 类为私有类——它没有公用接口。我们这个类只是为了实现 Queue，并不想用于一般目的，因此，它没有公用成员。需要将 Queue 类设为 QueueItem 类的友元，以便 Queue 类的成员能够访问 QueueItem 的成员。16.4.4 节将介绍怎样做。

   在类模板的作用域内部，可以用它的非限定名字引用该类。

3. Queue 类

现在充实 Queue 类：

```
template <class Type> class Queue {
public:
    // empty Queue
    Queue(): head(0), tail(0) { }
    // copy control to manage pointers to QueueItems in the  Queue
    Queue(const Queue &Q): head(0), tail(0)
                                    { copy_elems(Q); }
    Queue& operator=(const Queue&);
    ~Queue() { destroy(); }
    // return element from head of Queue
    // unchecked operation: front on an empty  Queue  is undefined
    Type& front()            { return head->item; }
    const Type &front() const { return head->item; }
    void push(const Type &);        // add element to back of Queue
    void pop ();                    // remove element from head of  Queue
    bool empty () const {           // true if no elements in the  Queue
        return head == 0;
    }
private:
    QueueItem<Type> *head;          // pointer to first element in  Queue
    QueueItem<Type> *tail;          // pointer to last element in  Queue
    // utility functions used by copy constructor, assignment, and destructor
    void destroy();                 // delete all the elements
    void copy_elems(const Queue&); // copy elements from parameter
};
```

除了接口成员之外，还增加了三个复制控制成员（第 13 章）以及那些成员所用的相关实用函数。private 实用函数 destroy 和 copy_elems 将完成释放 Queue 中的元素以及从另一 Queue 复制元素到这个 Queue 的任务。复制控制成员用于管理数据成员 head 和 tail，head 和 tail

是指向 Queue 中首尾元素的指针，这些成员是 QueueItem<Type> 类型的值。

Queue 类实现了几个成员函数：

- 默认构造函数，将 head 和 tail 指针置 0，指明当前 Queue 为空。
- 复制构造函数，初始化 head 和 tail，并调用 copy_elems 从它的初始器复制元素。
- 几个 front 函数，返回头元素的值。这些函数不进行检查：像标准 queue 中的类似操作一样，用户不能在空 Queue 上运行 front 函数。
- empty 函数，返回 head 与 0 的比较结果。如果 head 为 0，Queue 为空；否则，Queue 是非空的。

4. 模板作用域中模板类型的引用

这个类的主要部分应该是我们熟悉的。它只与我们已经定义过的类有少许区别。新的内容是 Queue 类型和 QueueItem 类型的引用中对模板类型形参的使用（或缺少）。

通常，当使用类模板的名字的时候，必须指定模板形参。这一规则有个例外：在类本身的作用域内部，可以使用类模板的非限定名。例如，在默认构造函数和复制构造函数的声明中，名字 Queue 是 Queue<Type> 的缩写表示。实质上，编译器推断，当我们引用类的名字时，引用的是同一版本。因此，复制构造函数定义其实等价于：

```
Queue<Type>(const Queue<Type> &Q): head(0), tail(0)
            { copy_elems(Q); }
```

编译器不会为类中使用的其他模板的模板形参进行这样的推断，因此，在声明伙伴类 QueueItem 的指针时，必须指定类型形参：

```
QueueItem<Type> *head;      // pointer to first element in  Queue
QueueItem<Type> *tail;      // pointer to last element in  Queue
```

这些声明指出，对于 Queue 类的给定实例化，head 和 tail 指向为同一模板形参实例化的 QueueItem 类型的对象，即，在 Queue<int> 实例化的内部，head 和 tail 的类型是 QueueItem<int>。在 head 和 tail 成员的定义中省略模板形参将是错误的：

```
QueueItem *head;            // error: which version of QueueItem?
QueueItem *tail;            // error: which version of QueueItem?
```

习题

习题 16.30　如果有，指出下面类模板声明（或声明对）中哪些是非法的。

```
(a) template <class Type> class C1;
    template <class Type, int size> class C1;
(b) template <class T, U, class V> class C2;
(c) template <class C1, typename C2> class C3 { };
(d) template <typename myT, class myT> class C4 { };
(e) template <class Type, int *ptr> class C5;
    template <class T, int *pi> class C5;
```

习题 16.31　下面 List 的定义不正确，怎样改正？

```
template <class elemType> class ListItem;
template <class elemType> class List {
```

```
      public:
          List<elemType>();
          List<elemType>(const List<elemType> &);
          List<elemType>& operator=(const List<elemType> &);
          ~List();
          void insert(ListItem *ptr, elemType value);
          ListItem *find(elemType value);
      private:
          ListItem *front;
          ListItem *end;
      };
```
650

16.4.1   类模板成员函数

类模板成员函数的定义具有如下形式：

- 必须以关键字 template 开头，后接类的模板形参表。
- 必须指出它是哪个类的成员。
- 类名必须包含其模板形参。

从这些规则可以看到，在类外定义的 Queue 类的成员函数的开头应该是：

```
template <class T> ret-type Queue<T>::member-name
```

1. destroy 函数

为了举例说明在类外定义的类模板成员函数，我们来看 destroy 函数：

```
template <class Type> void Queue<Type>::destroy()
{
    while (!empty())
        pop();
}
```

这个定义可以从左至右读作：

- 用名为 Type 的类型形参定义一个函数模板；
- 它返回 void；
- 它是在类模板 Queue<Type>的作用域中。

在作用域操作符（::）之前使用的 Queue<Type>指定成员函数所属的类。

跟在成员函数名之后的是函数定义。在 destroy 的例子中，函数体看来很像普通的非模板函数定义，它的工作是遍历这个 Queue 的每个分支，调用 pop 除去每一项。

2. pop 函数

pop 成员的作用是除去 Queue 的队头值：

```
template <class Type> void Queue<Type>::pop()
{
    // pop is unchecked: Popping off an empty  Queue  is undefined
    QueueItem<Type>* p = head;   // keep pointer to  head  so we can delete it
    head = head->next;           // head  now points to next element
    delete p;                    // delete old head  element
}
```
651

　　pop 函数假设用户不会在空 Queue 上调用 pop。pop 的工作是除去 Queue 的头元素。必须重置 head 指针以指向 Queue 中的下一元素，然后删除 head 位置的元素。唯一有技巧的部分是记得保持指向该元素的一个单独指针，以便在重置 head 指针之后可以删除元素。

3. push 函数

push 成员将新项放在队列末尾：

```
template <class Type> void Queue<Type>::push(const Type &val)
{
    // allocate a new QueueItem object
    QueueItem<Type> *pt = new QueueItem<Type>(val);
    // put item onto existing queue
    if (empty())
        head = tail = pt; // the queue now has only one element
    else {
        tail->next = pt;  // add new element to end of the queue
        tail = pt;
    }
}
```

　　这个函数首先分配新的 QueueItem 对象，用传递的值初始化它。这里实际上有些令人惊讶的工作，陈述如下：

　　(1) QueueItem 构造函数将实参复制到 QueueItem 对象的 item 成员。像标准容器所做的一样，Queue 类存储所给元素的副本。

　　(2) 如果 item 为类类型，item 的初始化使用 item 所具有任意类型的复制构造函数。

　　(3) QueueItem 构造函数还将 next 指针初始化为 0，以指出该元素没有指向其他 QueueItem 对象。

　　因为将在 Queue 的末尾增加元素，将 next 置 0 正是我们所希望的。

　　创建和初始化新元素之后，必须将它链入 Queue。如果 Queue 为空，则 head 和 tail 都应该指向这个新元素。如果 Queue 中已经有元素了，则使当前 tail 元素指向这个新元素。旧的 tail 不再是最后一个元素了，这也是通过使 tail 指向新构造的元素指明的。

4. copy_elems[1] 函数

　　我们将赋值操作符的实现留作习题，剩下要编写的函数只有 copy_elems 了。设计该函数的目的是供赋值操作符和复制构造函数使用，它的工作是从形参中复制元素到这个 Queue：

652

```
template <class Type>
void Queue<Type>::copy_elems(const Queue &orig)
{
    // copy elements from orig into this Queue
    // loop stops when pt == 0, which happens when we reach orig.tail
    for (QueueItem<Type> *pt = orig.head; pt; pt = pt->next)
        push(pt->item); // copy the element
}
```

　　在 for 循环中复制元素，for 循环始于将 pt 设为等于形参的 head 指针。循环进行直至获得 orig 中最后一个元素之后，pt 为 0。对于 orig 中的每个元素，将该元素值的副本 push

---

1. 此处原文误为 copy。——译者注

到这个 Queue, 并推进 pt 以指向 orig 中的下一元素。

5. 类模板成员函数的实例化

类模板的成员函数本身也是函数模板。像任何其他函数模板一样, 需要使用类模板的成员函数产生该成员的实例化。与其他函数模板不同的是, 在实例化类模板成员函数的时候, 编译器不执行模板实参推断, 相反, 类模板成员函数的模板形参由调用该函数的对象的类型确定。例如, 当调用 Queue<int> 类型对象的 push 成员时, 实例化的 push 函数为

```
void Queue<int>::push(const int &val)
```

对象的模板实参能够确定成员函数模板形参, 这一事实意味着, 调用类模板成员函数比调用类似函数模板更灵活。用模板形参定义的函数形参的实参允许进行常规转换:

```
Queue<int> qi;    // instantiates class Queue<int>
short s = 42;
int i = 42;
// ok: s converted to int and passed to push
qi.push(s);  // instantiates Queue<int>::push(const int&)
qi.push(i);  // uses Queue<int>::push(const int&)
f(s);        // instantiates f(const short&)
f(i);        // instantiates f(const int&)
```

6. 何时实例化类和成员

类模板的成员函数只有为程序所用才进行实例化。如果某函数从未使用, 则不会实例化该成员函数。这一行为意味着, 用于实例化模板的类型只需满足实际使用的操作的要求。9.1.1 节中只接受一个容量形参的顺序容器构造函数就是这样的例子, 该构造函数使用元素类型的默认构造函数。如果有一个没有定义默认构造函数的类型, 仍然可以定义容器来保存该类型, 但是, 不能使用只接受一个容量的构造函数。

定义模板类型的对象时, 该定义导致实例化类模板。定义对象也会实例化用于初始化该对象的任一构造函数, 以及该构造函数调用的任意成员[1]:

```
// instantiates Queue<string> class and Queue<int>::Queue()
Queue<string> qs;
qs.push("hello"); // instantiates Queue<string>::push
```

第一个语句实例化 Queue<string> 类及其默认构造函数, 第二个语句实例化 push 成员函数。

push 成员的实例化:

```
template <class Type> void Queue<Type>::push(const Type &val)
{
    // allocate a new QueueItem object
    QueueItem<Type> *pt = new QueueItem<Type>(val);
    // put item onto existing queue
    if (empty())
        head = tail = pt;     // the queue now has only one element
    else {
        tail->next = pt;      // add new element to end of the queue
        tail = pt;
    }
}
```

将依次实例化伙伴类 QueueItem<string> 及其构造函数。

---

1. 此代码段的第 1 行和第 3 行中的 Queue<string> 原书误为 Queue<int>。——译者注

Queue 类中的 QueueItem 成员是指针。类模板的指针定义不会对类进行实例化,只有用到这样的指针时才会对类进行实例化。因此,在创建 Queue 对象时不会实例化 QueueItem 类,相反,在使用诸如 front、push 或 pop 这样的 Queue 成员时才会实例化 QueueItem 类。

习题

习题 16.32 为 Queue 类实现赋值操作符。

习题 16.33 解释在 copy_elems 函数中新创建的 Queue 对象中的 next 指针怎样设置。

习题 16.34 编写 16.1.2 节习题中定义的 List 类的成员函数定义。

习题 16.35 编写 14.7 节中描述的 CheckedPtr 类的泛型版本。

654

16.4.2 非类型形参的模板实参

我们已经了解了如何实现类模板,现在来看看类模板的非类型形参。我们将为第 12 章引入的 Screen 类定义一个新版本,借此介绍类模板的非类型形参。在这个例子中,将 Screen 类重新定义为模板,以高度和宽度为形参。

```cpp
template <int hi, int wid>
class Screen {
public:
    // template nontype parameters used to initialize data members
    Screen(): screen(hi * wid, '#'), cursor (0),
              height(hi), width(wid) { }
    // ...
private:
    std::string           screen;
    std::string::size_type cursor;
    std::string::size_type height, width;
};
```

这个模板有两个形参,均为非类型形参。当用户定义 Screen 对象时,必须为每个形参提供常量表达式以供使用。类在默认构造函数中使用这些形参设置默认 Screen 的尺寸。

像任意类模板一样,使用 Screen 类型时必须显式声明形参值:

```cpp
Screen<24,80> hp2621;  // screen 24 lines by 80 characters
```

对象 hp2621 使用模板实例化 Screen<24, 80>。hi 的模板实参是 24,而 wid 的模板实参是 80,两种情况下,模板实参都是常量表达式。

 非类型模板实参必须是编译时常量表达式。

习题

习题 16.36 每个带标号的语句,会导致实例化吗?如果会,解释导致什么样的实例化。

```cpp
template <class T> class Stack { };
void f1(Stack<char>);                    // (a)
class Exercise {
```

```
        Stack<double>   &rsd;                    // (b)
        Stack<int>       si;                     // (c)
    };
    int main() {
        Stack<char> *sc;                         // (d)
        f1(*sc)¹;                                // (e)
        int iObj = sizeof(Stack< string >);      // (f)
    }
```

习题 16.37 下面哪些模板实例化是有效的？解释为什么实例化无效。

```
template <class T, int size> class Array { /* . . . */ };
template <int hi, int wid> class Screen { /* . . . */ };
(a) const int hi = 40, wi = 80; Screen<hi, wi+32> sObj;
(b) const int arr_size = 1024; Array<string, arr_size> a1;
(c) unsigned int asize = 255; Array<int, asize> a2;
(d) const double db = 3.1415; Array<double, db> a3;
```

16.4.3 类模板中的友元声明

在类模板中可以出现三种友元声明，每一种都声明了与一个或多个实体的友元关系：

(1) 普通非模板类或函数的友元声明，将友元关系授予明确指定的类或函数。

(2) 类模板或函数模板的友元声明，授予对友元所有实例的访问权。

(3) 只授予对类模板或函数模板的特定实例的访问权的友元声明。

1. 普通友元

非模板类或非模板函数可以是类模板的友元：

```
template <class Type> class Bar {
    // grants access to ordinary, nontemplate class and function
    friend class FooBar;
    friend void fcn();
    // ...
};
```

这个声明是说，FooBar的成员和fcn函数可以访问Bar类的任意实例的private成员和protected成员。

2. 一般模板友元关系

友元可以是类模板或函数模板：

```
template <class Type> class Bar {
    // grants access to Foo1 or templ_fcn1 parameterized by any type
    template <class T> friend class Foo1;
    template <class T> friend void templ_fcn1(const T&);
    // ...
};
```

这些友元声明使用与类本身不同的类型形参，该类型形参指的是 Foo1 和 templ_fcn1 的类型形参。在这两种情况下，都将没有数目限制的类和函数设为 Bar 的友元。Foo1 的友元声明是说，Foo1 的任意实例都可以访问 Bar 的任意实例的私有元素，类似地，templ_fcn1 的任意实例可以访问 Bar 的任意实例。

---

1. 原题此处有误：指针 sc 尚未赋值就使用了。——译者注

这个友元声明在 Bar 与其友元 Foo1 和 templ_fcn1 的每个实例之间建立了一对多的映射。对 Bar 的每个实例而言，Foo1 或 templ_fcn1 的所有实例都是友元。

3. 特定的模板友元关系

除了将一个模板的所有实例设为友元，类也可以只授予对特定实例的访问权：

```
template <class T> class Foo2;
template <class T> void templ_fcn2(const T&);
template <class Type> class Bar {
    // grants access to a single specific instance parameterized by char*
    friend class Foo2<char*>;
    friend void templ_fcn2<char*>(char* const &);
    // ...
};
```

即使 Foo2 本身是类模板，友元关系也只扩展到 Foo2 的形参类型为 char* 的特定实例。类似地，templ_fcn2 的友元声明是说，只有形参类型为 char* 的函数实例是 Bar 类的友元。形参类型为 char* 的 Foo2 和 templ_fcn2 的特定实例可以访问 Bar 的每个实例。

下面形式的友元声明更为常见：

```
template <class T> class Foo3;
template <class T> void templ_fcn3(const T&);
template <class Type> class Bar {
    // each instantiation of Bar grants access to the
    // version of Foo3 or templ_fcn3 instantiated with the same type
    friend class Foo3<Type>;
    friend void templ_fcn3<Type>(const Type&);
    // ...
};
```

这些友元定义了 Bar 的特定实例与使用同一模板实参的 Foo3 或 templ_fcn3 的实例之间的友元关系。每个 Bar 实例有一个相关的 Foo3 和 templ_fcn3 友元：

```
Bar<int> bi;     // Foo3<int> and templ_fcn3<int> are friends
Bar<string> bs;  // Foo3<string>, templ_fcn3<string> are friends
```

只有与给定 Bar 实例有相同模板实参的那些 Foo3 或 templ_fcn3 版本是友元。因此，Foo3<int> 可以访问 Bar<int> 的私有部分，但不能访问 Bar<string> 或者任意其他 Bar 实例的私有部分。

657

4. 声明依赖性

当授予对给定模板的所有实例的访问权的时候，在作用域中不需要存在该类模板或函数模板的声明。实质上，编译器将友元声明也当作类或函数的声明对待。

想要限制对特定实例化的友元关系时，必须在可以用于友元声明之前声明类或函数：

```
template <class T> class A;
template <class T> class B {
public:
    friend class A<T>;              // ok: A is known to be a template
    friend class C;                 // ok: C must be an ordinary, nontemplate class
    template <class S> friend class D; // ok: D is a template
    friend class E<T>;              // error: E wasn't declared as a template
    friend class F<int>;            // error: F wasn't declared as a template
};
```

如果没有事先告诉编译器该友元是一个模板，则编译器将认为该友元是一个普通非模板类或非模板函数。

16.4.4   `Queue` 和 `QueueItem` 的友元声明

`QueueItem` 类不打算为一般程序所用：它的所有成员都是私有的。为了让 `Queue` 类使用 `QueueItem` 类，`QueueItem` 类必须将 `Queue` 类设为友元。

1．将类模板设为友元

像我们已经看到的，将类模板设为友元的时候，类设计者必须决定友元关系应设置多广。在 `QueueItem` 类的例子中，需要决定 `QueueItem` 类应该将友元关系授予所有的 `Queue` 类实例，还是只授予特定实例。

将每个 `Queue` 类设为每个 `QueueItem` 类的友元太宽泛了，允许用 `string` 类型实例化的 `Queue` 类去访问用 `double` 类型实例化的 `QueueItem` 类的成员是没有意义的。`Queue<string>` 实例只应该是用 `string` 实例化的 `QueueItem` 类的友元，即，对于实例化的 `Queue` 类的每种类型，我们想要 `Queue` 类和 `QueueItem` 类之间的一对一映射：

```
// declaration that Queue is a template needed for friend declaration in QueueItem
template <class Type> class Queue;
template <class Type> class QueueItem {
    friend class Queue<Type>;
    // ...
};
```

这个声明建立了想要的一对一映射，只将与 `QueueItem` 类用同样类型实例化的 `Queue` 类设为友元。

2．`Queue` 输出操作符

`Queue` 类接口中可能增加的一个有用操作，是输出 `Queue` 对象的内容的能力。提供输出操作符的重载实例，可以做到这一点。这个操作符将遍历 `Queue` 中的元素链表并输出每个元素的值，将在一对尖括号内输出元素。

因为希望能够输出任意类型 `Queue` 的内容，所以需要将输出操作符也设为模板：

```
template <class Type>
ostream& operator<<(ostream &os, const Queue<Type> &q)
{
    os << "< ";
    QueueItem<Type> *p;
    for (p = q.head; p; p = p->next)
            os << p->item << " ";
    os <<">";
    return os;
}
```

如果 `int` 类型的 `Queue` 包含值 3、5、8 和 13，这个 `Queue` 的输出显示如下：

    < 3 5 8 13 >

如果 `Queue` 为空，`for` 循环不执行。结果是输出一对空的尖括号。

3. 将函数模板设为友元

输出操作符需要成为 Queue 类和 QueueItem 类的友元。它使用 Queue 类的 head 成员和 QueueItem 类的 next 和 item 成员。我们的类将友元关系授予用同样类型实例化的输出操作符的特定实例:

```
// function template declaration must precede friend declaration in QueueItem
template <class T>
std::ostream& operator<<(std::ostream&, const Queue<T>&);
template <class Type> class QueueItem {
    friend class Queue<Type>;
    // needs access to item and next
    friend std::ostream&
    operator<< <Type> (std::ostream&, const Queue<Type>&);
    // ...
};
template <class Type> class Queue {
    // needs access to head
    friend std::ostream&
    operator<< <Type> (std::ostream&, const Queue<Type>&);
};
```

659

每个友元声明授予对对应 operator<<实例的访问权, 即输出 Queue<int>的输出操作符是 Queue<int>类(以及 QueueItem<int>类)的友元, 它不是任意其他 Queue 类型的友元。

4. 类型依赖性与输出操作符

Queue 类的输出 operator<<依赖于 item 对象的 operator<<实际输出每个元素:

```
os << p->item << " ";
```

当使用 p->item 作为<<操作符的操作数的时候, 使用的是为 item 所属的任意类型而定义的<<。

此代码是 Queue 和 Queue 保存的元素之间的类型依赖性的例子。实际上, 绑定到 Queue 且使用 Queue 输出操作符的每种类型本身必须有输出操作符。没有语言机制指定或强制 Queue 自身定义中的依赖性。为没有定义输出操作符的类创建 Queue 对象是合法的, 但输出保存这种类型的 Queue 对象会发生编译时(或链接时)错误。

习题

习题 16.38 编写 Screen 类模板, 使用非类型形参定义 Screen 的高度和宽度。

习题 16.39 为 Screen 模板类实现输入和输出操作符。

习题 16.40 要使输入和输出操作符能够工作, Screen 类需要友元吗?如果需要, 要哪些友元解释为什么需要每个友元声明。

习题 16.41 Queue 类中的 operator<<的友元声明是:

```
friend std::ostream&
operator<< <Type> (std::ostream&, const Queue<Type>&);
```

将 Queue 形参写为 const Queue&而不是 const Queue<Type>&, 会有什么结果?

习题 16.42 编写一个输入操作符, 读一个 istream 对象并将读到的值放入一个 Queue 对象中。

16.4.5 成员模板

任意类（模板或非模板）可以拥有本身为类模板或函数模板的成员，这种成员称为**成员模板**（member template），成员模板不能为虚。

成员模板的一个例子是标准容器的 assign 成员（9.3.8 节），接受两个迭代器的 assign 版本使用模板形参表示其迭代器形参的类型。另一个成员模板例子是接受两个迭代器的容器构造函数（9.1.1 节）。该构造函数和 assign 成员使我们能够从不同但兼容的元素类型序列和/或不同容器类型建立容器。实现了自己的 Queue 类之后，我们现在能够更好地理解这些标准容器成员的设计了。

考虑 Queue 类的复制构造函数：它接受一个形参，是 Queue<Type>的引用。想要通过从 vector 对象中复制元素而创建 Queue 对象，是办不到的，因为没有从 vector 到 Queue 的转换。类似地，想要从 Queue<short>复制元素到 Queue<int>，也办不到。同样的逻辑应用于赋值操作符，它也接受一个 Queue<Type>&类型的形参。

问题在于，复制构造函数和赋值操作符固定了容器和元素的类型。我们希望定义一个构造函数和一个 assign 成员，使容器类型和元素类型都能变化。需要形参类型变化的时候，就需要定义函数模板。在这个例子中，我们将定义构造函数和 assign 成员接受一对在其他序列指明范围的迭代器，这些函数将有一个表示迭代器类型的模板类型形参。

标准 queue 类没有定义这些成员：不支持从其他容器建立 queue 对象或给 queue 对象赋值。我们在这里定义这些成员只是为了举例说明。

1. 定义成员模板

模板成员声明看起来像任意模板的声明一样：

```
template <class Type> class Queue {
public:
    // construct a  Queue from a pair of iterators on some sequence
    template <class It>
    Queue(It beg, It end):
          head(0), tail(0) { copy_elems(beg, end); }
    // replace current  Queue by contents delimited by a pair of iterators
    template <class Iter> void assign(Iter, Iter);
    // rest of Queue class as before
private:
    // version of copy to be used by  assign  to copy elements from iterator range
    template <class Iter> void copy_elems(Iter, Iter);
};
```

成员声明的开头是自己的模板形参表。构造函数和 assign 成员各有一个模板类型形参，这些函数使用该类型形参作为其函数形参的类型，它们的函数形参是指明要复制元素范围的迭代器。

2. 在类外部定义成员模板

像非模板成员一样，成员模板可以定义在包含它的类或类模板定义的内部或外部。我们已经在类定义体内部定义了构造函数，它的工作是从迭代器实参形成的迭代器范围复制元素，实际复制工作是通过调用 copy_elems 的迭代器版本完成的。

当在类模板作用域外部定义成员模板的时候，必须包含两个模板形参表：

```
template <class T> template <class Iter>
void Queue<T>::assign(Iter beg, Iter end)
{
    destroy();                 // remove existing elements in this Queue
    copy_elems(beg, end);  // copy elements from the input range
}
```

当成员模板是类模板的成员时，它的定义必须包含类模板形参以及自己的模板形参。首先是类模板形参表，后面接着成员自己的模板形参表。assign 函数定义的开头为

```
template <class T> template <class Iter>
```

第一个模板形参表 template<class T>是类模板的，第二个模板形参表 template<class Iter>是成员模板的。

assign 函数的行为非常简单：它首先调用 destroy 函数，destroy 函数释放这个 Queue 的现存成员，然后 assign 成员调用名为 copy_elems 的新实用函数，完成从输入范围复制元素的工作。copy_elems 函数也是一个成员模板：

```
template <class Type> template <class It>
void Queue<Type>::copy_elems(It beg, It end)
{
    while (beg != end) {
        push(*beg);
        ++beg;
    }
}
```

copy_elems 的迭代器版本遍历由一对迭代器指定的输入范围，它对范围内的每个元素调用 push 函数，实际上由 push 函数将元素加入 Queue。

　　因为 assign 函数删除现存容器中的成员，所以传给 assign 函数的迭代器有必要引用不同容器中的元素。标准容器的 assign 成员和迭代器构造函数有相同的限制。 662

3. 成员模板遵循常规访问控制

成员模板遵循与任意其他类成员一样的访问规则。如果成员模板为私有的，则只有该类的成员函数和友元可以使用该成员模板。因为函数成员模板 assign 是公有的，所以整个程序都可以使用它；copy_elems 是私有的，所以只有 Queue 的友元和成员可以访问它。

4. 成员模板和实例化

与其他成员一样，成员模板只有在程序中使用时才实例化。类模板的成员模板的实例化比类模板的普通成员函数的实例化要复杂一点。成员模板有两种模板形参：由类定义的和由成员模板本身定义的。类模板形参由调用函数的对象的类型确定，成员定义的模板形参的行为与普通函数模板一样。这些形参都通过常规模板实参推断（16.2.1 节）而确定。

要理解实例化的原理，我们来看看使用这些成员从 short 数组或 vector<int>复制和赋值

元素:

```
short a[4] = { 0, 3, 6, 9 };
// instantiates Queue<int>::Queue(short *, short *)
Queue<int> qi(a, a + 4); // copies elements from a into qi
vector<int> vi(a, a + 4);
// instantiates Queue<int>::assign(vector<int>::iterator,
//                                 vector<int>::iterator)
qi.assign(vi.begin(), vi.end());
```

因为所构造的是 Queue<int>类型的对象,我们知道编译器将为 Queue<int>实例化基于迭代器的构造函数。该构造函数本身模板形参的类型由编译器根据 a 和 a+4 的类型推断,而该类型为 short 指针。因此,qi 的定义将实例化

```
void Queue<int>::Queue(short *, short *);
```

这个构造函数的效果是,从名为 a 的数组中复制 short 类型的元素到 qi。

对 assign 的调用将实例化 qi 的成员。qi 具有 Queue<int>类型,因此,这个调用将实例化名为 assign 的 Queue<int>成员。该函数本身是函数模板,像对任意其他函数模板一样,编译器从传给调用的实参推断 assign 的模板实参,推断得到的类型是 vector<int>::iterator,即,这个调用将实例化

```
void Queue<int>::assign(vector<int>::iterator,
                        vector<int>::iterator);
```

663

16.4.6 完整的 Queue 类

为了完整起见,在这里给出 Queue 类的最终定义:

```
// declaration that Queue is a template needed for friend declaration in QueueItem
template <class Type> class Queue;
// function template declaration must precede friend declaration in QueueItem
template <class T>
std::ostream& operator<<(std::ostream&, const Queue<T>&);
template <class Type> class QueueItem {
    friend class Queue<Type>;
    // needs access to item and next
    friend std::ostream&      // defined on page 659
    operator<< <Type> (std::ostream&, const Queue<Type>&);
// private class: no public section
    QueueItem(const Type &t): item(t), next(0) { }
    Type item;             // value stored in this element
    QueueItem *next;       // pointer to next element in the Queue
};
template <class Type> class Queue {
    // needs access to head
    friend std::ostream& // defined on page 659
    operator<< <Type> (std::ostream&, const Queue<Type>&);
public:
    // empty Queue
    Queue(): head(0), tail(0) { }
    // construct a Queue from a pair of iterators on some sequence
    template <class It>
    Queue(It beg, It end):
```

```
                     head(0), tail(0) { copy_elems(beg, end); }
    // copy control to manage pointers to QueueItems in the Queue
    Queue(const Queue &Q): head(0), tail(0)
                                   { copy_elems(Q); }
    Queue& operator=(const Queue&); // left as exercise for the reader
    ~Queue() { destroy(); }
    // replace current Queue by contents delimited by a pair of iterators
    template <class Iter> void assign(Iter, Iter);
    // return element from head of Queue
    // unchecked operation: front on an empty Queue is undefined
    Type& front()            { return head->item; }
    const Type &front() const { return head->item; }
    void push(const Type &); // defined on page 652
    void pop();              // defined on page 651
    bool empty() const {           //  true if no elements in the Queue
        return head == 0;
    }
private:
    QueueItem<Type> *head;        // pointer to first element in Queue
    QueueItem<Type> *tail;        // pointer to last element in Queue
    // utility functions used by copy constructor, assignment, and destructor
    void destroy();              // defined on page 651
    void copy_elems(const Queue&); // defined on page 652
    // version of copy to be used by assign to copy elements from iterator range
    // defined on page 662
    template <class Iter> void copy_elems(Iter, Iter);
};
// Inclusion Compilation Model: include member function definitions as well
#include "Queue.cc"
```

未在类本身中定义的成员可在本章前面几节中找到,跟在这些成员后面的注释指出了可以在哪一节找到它们。

习题

习题 16.43　为你的 List 类增加 assign 成员和一个参数为一对迭代器的构造函数。

习题 16.44　为了举例说明怎样实现类模板,我们实现了自己的 Queue 类。可以简化实现的一种方式可能是将 Queue 定义在一个现存的标准库容器类型之上,用这种方法,可以避免必须管理 Queue 元素的分配和回收。用 std::list[1]保存实际 Queue 元素,重新实现 Queue 类。

16.4.7　类模板的 **static** 成员

类模板可以像任意其他类一样声明 static 成员（12.6 节）。以下代码:

```
template <class T> class Foo {
public:
    static std::size_t count() { return ctr; }
    // other interface members
private:
    static std::size_t ctr;
    // other implementation members
};
```

_____

1. 此处英文原书误为 List。——译者注定义了名为 Foo 的类模板,它有一个名为 count 的 public static 成员函数和一个名为 ctr 的 private static 数据成员。

Foo 类的每个实例化有自己的 static 成员:

```
// Each object shares the same Foo<int>::ctr and Foo<int>::count members
Foo<int> fi, fi2, fi3;
// has static members Foo<string>::ctr and Foo<string>::count
Foo<string> fs;
```

665

每个实例化表示截然不同的类型,所以给定实例化的所有对象都共享一个 static 成员。因此,Foo<int> 类型的任意对象共享同一 static 成员 ctr,Foo<string> 类型的对象共享另一个不同的 ctr 成员。

1. 使用类模板的 **static** 成员

通常,可以通过类类型的对象访问类模板的 static 成员,或者通过使用作用域操作符直接访问成员。当然,当试图通过类使用 static 成员的时候,必须引用实际的实例化:

```
Foo<int> fi, fi2;                 // instantiates Foo<int> class
size_t ct = Foo<int>::count();    // instantiates Foo<int>::count
ct = fi.count();                  // ok: uses Foo<int>::count
ct = fi2.count();                 // ok: uses Foo<int>::count
ct = Foo::count();                // error: which template instantiation?
```

与任意其他成员函数一样,static 成员函数只有在程序中使用时才进行实例化。

2. 定义 **static** 成员

像使用任意其他 static 数据成员一样,必须在类外部出现数据成员的定义。在类模板含有 static 成员的情况下,成员定义必须指出它是类模板的成员:

```
template <class T>
size_t Foo<T>::ctr = 0; // define and initialize ctr
```

static 数据成员像定义在类外部的任意其他类成员一样定义,它用关键字 template 开头,后面接着类模板形参表和类名。在这个例子中,static 数据成员的名字以 Foo<T> 为前缀,表示成员属于类模板 Foo。

16.5   一个泛型句柄类

这个例子体现了 C++相当复杂的语言应用,理解它需要很好地理解继承和模板。在熟悉了这些特性之后再研究这个例子也许会有帮助。另一方面,这个例子还能很好地测试你对这些特性的理解程度。

在第 15 章定义了两个句柄类:Sales_item 类(15.8 节)和 Query 类(15.9 节)。这两个类管理继承层次中对象的指针,句柄的用户不必管理指向这些对象的指针,用户代码可以使用句柄类来编写。句柄能够动态分配和释放相关继承类的对象,并且将所有"实际"工作转发给继承层次中的底层类。

666

这两个句柄类似但并不相同:类似之处在于都定义了使用计数式的复制控制,管理指向继承层次中某类型对象的指针；不同之处在于它们提供给继承层次用户的接口。

两个类的使用计数的实现是相同的。这类问题非常适合于泛型编程：可以定义类模板管理指针和进行使用计数。原本不相关的 Sales_item 类型和 Query 类型，可通过使用该模板进行公共的使用计数工作而得以简化。至于是公开还是隐藏下层的继承层次，句柄可以保持不同。

本节将实现一个**泛型句柄类**（generic handle class），提供管理使用计数和基础对象的操作。然后，我们重新编写 Sales_item 类，展示它怎样使用泛型句柄而不是定义自己的使用计数操作。

16.5.1　定义句柄类

Handle 类的行为类似于指针：复制 Handle 对象将不会复制基础对象，复制之后，两个 Handle 对象将引用同一基础对象。要创建 Handle 对象，用户需要传递属于由 Handle 管理的类型（或从该类型派生的类型）的动态分配对象的地址，从此刻起，Handle 将"拥有"这个对象。而且，一旦不再有任意 Handle 对象与该对象关联，Handle 类将负责删除该对象。

对于这一设计，我们的泛型 Handle 类的实现如下：

```
/* generic handle class: Provides pointerlike behavior. Although access through
 * an unbound Handle is checked and throws a runtime_error exception.
 * The object to which the Handle points is deleted when the last Handle goes away.
 * Users should allocate new objects of type T and bind them to a Handle.
 * Once an object is bound to a Handle, the user must not delete that object.
 */
template <class T> class Handle {
public:
    // unbound handle
    Handle(T *p = 0): ptr(p), use(new size_t(1)) { }
    // overloaded operators to support pointer behavior
    T& operator*();
    T* operator->();
    const T& operator*() const;
    const T* operator->() const;
    // copy control: normal pointer behavior, but last Handle deletes the object
    Handle(const Handle& h): ptr(h.ptr), use(h.use)
                                          { ++*use; }
    Handle& operator=(const Handle&);
    ~Handle() { rem_ref(); }
private:
    T* ptr;            // shared object
    size_t *use;       // count of how many Handles spoint to *ptr
    void rem_ref()
        { if (--*use == 0) { delete ptr; delete use; } }
};
```

这个类看来与其他句柄类似，赋值操作符也类似。

```
template <class T>
inline Handle<T>& Handle<T>::operator=(const Handle &rhs)
{
    ++*rhs.use;        // protect against self-assignment
    rem_ref();         // decrement use count and delete pointers if needed
    ptr = rhs.ptr;
    use = rhs.use;
    return *this;
}
```

667

Handle 类将定义的其他成员是解引用操作符和成员访问操作符，这些操作符将用于访问基础对象。让这些操作检查 Handle 是否确实绑定到对象，可以提供一种安全措施。如果 Handle 没有绑定到对象，则试图访问对象将抛出一个异常。

这些操作的非 const 版本看来如下所示：

```
template <class T> inline T& Handle<T>::operator*()
{
    if (ptr) return *ptr;
    throw std::runtime_error
                    ("dereference of unbound Handle");
}
template <class T> inline T* Handle<T>::operator->()
{
    if (ptr) return ptr;
    throw std::runtime_error
                    ("access through unbound Handle");
}
```

const 版本与此类似，留作习题。

习题

习题 16.45 实现一个 Handle 类的自己的版本。

习题 16.46 解释复制 Handle 类型的对象时会发生什么。

习题 16.47 Handle 类对用来实例化实际 Handle 类的类型有限制吗？如果有，限制有哪些？

习题 16.48 解释如果用户将 Handle 对象与局部对象关联会发生什么。解释如果用户删除 Handle 对象所关联的对象会发生什么。

16.5.2 使用句柄

我们希望 Handle 类能够用于其他类的内部实现中。但是，为了帮助理解 Handle 类怎样工作，将首先介绍一个较简单的例子。这个例子通过分配一个 int 对象，并将一个 Handle 对象绑定到新分配的 int 对象而说明 Handle 的行为：

```
{ // new scope
    // user allocates but must not delete the object to which the Handle is attached
    Handle<int> hp(new int(42));
    { // new scope
        Handle<int> hp2 = hp; // copies pointer; use count incremented
        cout << *hp << " " << *hp2 << endl; // prints 42 42
        *hp2 = 10;              // changes value of shared underlying int
    }   // hp2 goes out of scope; use count is decremented
    cout << *hp << endl; // prints 10
} // hp goes out of scope; its destructor deletes the int
```

即使是 Handle 的用户分配了 int 对象，Handle 析构函数也将删除它。在外层代码块末尾最后一个 Handle 对象超出作用域时，删除该 int 对象。为了访问基础对象，应用了 Handle 的 * 操作符，该操作符返回对基础 int 对象的引用。

使用 **Handle** 对象对指针进行使用计数

作为在类实现中使用 Handle 的例子，可以重新实现 Sales_item 类（15.8.1 节），该类的这个版本定义相同的接口，但可以通过用 Handle<Item_base>对象代替 Item_base 指针而删去复制控制成员：

```
class Sales_item {
public:
    // default constructor: unbound handle
    Sales_item(): h() { }
    // copy item and attach handle to the copy
    Sales_item(const Item_base &item): h(item.clone()) { }
    // no copy control members: synthesized versions work
    // member access operators: forward their work to the Handle class
    const Item_base& operator*() const { return *h; }
    const Item_base* operator->() const
                            { return h.operator->(); }
private:
    Handle<Item_base> h; // use-counted handle
};
```

虽然 Sales_item 类的接口没变，它的实现与原来的相当不同：

- 两个类都定义了默认构造函数和以 Item_base 对象为参数的 const 引用的构造函数。
- 两个类都将重载的*和->操作符定义为 const 成员。

基于 Handle 的 Sales_item 版本有一个数据成员，该数据成员是关联传给构造函数的 Item_base 对象的副本上的 Handle 对象。因为 Sales_item 的这个版本没有指针成员，所以不需要复制控制成员，Sales_item 的这个版本可以安全地使用合成的复制控制成员。管理使用计数和相关 Item_base 对象的工作在 Handle 内部完成。

因为接口没变，所以不需要改变使用 Sales_item 类的代码。例如，15.8.3 节中编写的程序可以无须改变而使用：

```
double Basket::total() const
{
    double sum = 0.0; // holds the running total
    /* find each set of items with the same isbn and calculate
     * the net price for that quantity of items
     *    iter refers to first copy of each book in the set
     *    upper_bound refers to next element with a different isbn
     */
    for (const_iter iter = items.begin();
                    iter != items.end();
                    iter = items.upper_bound(*iter))
    {
        // we know there's at least one element with this key in the Basket
        // virtual call to net_price applies appropriate discounts, if any
        sum += (*iter)->net_price(items.count(*iter));
    }
    return sum;
}
```

调用 net_price 函数的语句值得仔细分析一下：

669

```
sum += (*iter)->net_price(items.count(*iter));
```

这个语句使用->操作符获取并运行 net_price 函数，重要的是理解这个操作符怎样工作：

- (*iter)返回 h，h 是使用计数式句柄的成员。
- 因此，(*iter)->使用句柄类的重载箭头操作符。
- 编译器计算 h.operator->()，获得该 Handle 对象保存的 Item_base 指针。
- 编译器对该 Item_base 指针解引用，并调用指针所指对象的 net_price 成员。

670

习题

习题 16.49   实现本节提出的 Sales_item 句柄的版本，该版本使用泛型 Handle 类管理 Item_base 指针。

习题 16.50   重新运行函数计算销售总额。列出让你的代码工作必须进行的所有修改。

习题 16.51   重新编写 15.9.4 节的 Query 类以使用泛型 Handle 类。注意你需要将 Handle 类设为 Query_base 类的友元，以使它能够访问 Query_base 构造函数。列出并解释让程序工作要做的其他所有修改。

16.6   模板特化

本章其余部分将介绍一个比较高级的主题，在第一次阅读时可以跳过它。

我们并不总是能够写出对所有可能被实例化的类型都最合适的模板。某些情况下，通用模板定义对于某个类型可能是完全错误的，通用模板定义也许不能编译或者做错误的事情；另外一些情况下，可以利用关于类型的一些特殊知识，编写比从模板实例化来的函数更有效率的函数。

compare 函数和 Queue 类都是这一问题的好例子：与 C 风格字符串一起使用时，它们都不能正确工作。让我们再来看看 compare 函数模板：

```
template <typename T>
int compare(const T &v1, const T &v2)
{
    if (v1 < v2) return -1;
    if (v2 < v1) return 1;
    return 0;
}
```

如果用两个 const char*实参调用这个模板定义，函数将比较指针值。它将告诉我们这两个指针在内存中的相对位置，但没有说明与指针所指数组的内容有关的任何事情。

为了能够将 compare 函数用于字符串，必须提供一个知道怎样比较 C 风格字符串的特殊定义。这些版本是特化的，这一事实对模板的用户透明。对用户而言，调用特化函数或使用特化类，与使用从通用模板实例化的版本无法区别。

671

16.6.1　函数模板的特化

模板特化（template specialization）是这样的一个定义，该定义中一个或多个模板形参的实际类型或实际值是指定的。特化的形式如下：

- 关键字 `template` 后面接一对空的尖括号（`< >`）；
- 再接模板名和一对尖括号，尖括号中指定这个特化定义的模板形参；
- 函数形参表；
- 函数体。

下面的程序定义了当模板形参类型绑定到 `const char*` 时，`compare` 函数的特化：

```
// special version of compare to handle C-style character strings
template <>
int compare<const char*>(const char* const &v1,
                         const char* const &v2)
{
    return strcmp(v1, v2);
}
```

特化的声明必须与对应的模板相匹配。在这个例子中，模板有一个类型形参和两个函数形参，函数形参是类型形参的 `const` 引用，在这里，将类型形参固定为 `const char*`，因此，函数形参是 `const char*` 的 `const` 引用。

现在，当调用 `compare` 函数的时候，传给它两个字符指针，编译器将调用特化版本。编译器将为任意其他实参类型（包括普通 `char*`）调用泛型版本：

```
const char *cp1 = "world", *cp2 = "hi";
int i1, i2;
compare(cp1, cp2);    // calls the specialization
compare(i1, i2);      // calls the generic version instantiated with int
```

1. 声明模板特化

与任意函数一样，函数模板特化可以声明而无须定义。模板特化声明看起来与定义很像，但省略了函数体：

```
// declaration of function template explicit specialization
template<>
int compare<const char*>(const char* const&,
                         const char* const&);
```

672

这个声明由一个后接返回类型的空模板形参表（`template<>`），后接一对尖括号中指定的显式模板实参的函数名（可选），以及函数形参表构成。模板特化必须总是包含空模板形参说明符，即 `template<>`，而且，还必须包含函数形参表。如果可以从函数形参表推断模板实参，则不必显式指定模板实参：

```
// error: invalid specialization declarations
// missing template<>
int compare<const char*>(const char* const&,
                         const char* const&);

// error: function parameter list missing
template<> int compare<const char*>;
```

```
// ok: explicit template argument const char* deduced from parameter types
template<> int compare(const char* const&,
                       const char* const&);
```

2. 函数重载与模板特化

在特化中省略空的模板形参表 template<> 会有令人惊讶的结果。如果缺少该特化语法，则结果是声明该函数的重载非模板版本：

```
// generic template definition
template <class T>
int compare(const T& t1, const T& t2) { /* ... */ }
```

```
// OK: ordinary function declaration
int compare(const char* const&, const char* const&);
```

compare 的定义没有定义模板特化，相反，它声明了一个普通函数，该函数含有返回类型和可与模板实例化相匹配的形参表。

下一节将更详细地介绍重载和模板的交互作用。现在，重要的是知道，当定义非模板函数的时候，对实参应用常规转换；当特化模板的时候，对实参类型不应用转换。在模板特化版本的调用中，实参类型必须与特化版本函数的形参类型完全匹配，如果不完全匹配，编译器将为实参从模板定义实例化一个实例。

3. 不是总能检测到重复定义

如果程序由多个文件构成，模板特化的声明必须在使用该特化的每个文件中出现。不能在一些文件中从泛型模板定义实例化一个函数模板，而在其他文件中为同一模板实参集合特化该函数模板。

673

> 🖊 最佳 与其他函数声明一样，应在一个头文件中包含模板特化的声明，然后使用该特化
> 实践 的每个源文件包含该头文件。

4. 普通作用域规则适用于特化

在能够声明或定义特化之前，它所特化的模板的声明必须在作用域中。类似地，在调用模板的这个版本之前，特化的声明必须在作用域中：

```
// define the general compare template
template <class T>
int compare(const T& t1, const T& t2) { /* ... */ }

int main() {
    // uses the generic template definition
    int i = compare("hello", "world");
    // ...
}

// invalid program: explicit specialization after call
template<>
int compare<const char*>(const char* const& s1,
                         const char* const& s2)
{ /* ... */ }
```

这个程序有错误，因为在声明特化之前，进行了可以与特化相匹配的一个调用。当编译器看到一个函数调用时，它必须知道这个版本需要特化，否则，编译器将可能从模板定义实例化该函数。

 对具有同一模板实参集的同一模板，程序不能既有显式特化又有实例化。

特化出现在对该模板实例的调用之后是错误的。

习题

习题 16.52 定义函数模板 count 计算一个 vector 中某些值的出现次数。

习题 16.53 编写一个程序调用上题中定义的 count 函数，首先传给该函数一个 double 型 vector，然后传递一个 int 型 vector，最后传递一个 char 型 vector。

习题 16.54 引入 count 函数的一个特化模板实例以处理 string 对象。重新运行你所编写的调用函数模板实例化的程序。

674

16.6.2 类模板的特化

当用于 C 风格字符串时，Queue 类具有与 compare 函数相似的问题。在这种情况下，问题出在 push 函数中，该函数复制给定值以创建 Queue 中的新元素。默认情况下，复制 C 风格字符串只会复制指针，不会复制字符。这种情况下复制指针将出现共享指针在其他环境中会出现的所有问题，最严重的是，如果指针指向动态内存，用户就有可能删除指针所指的数组。

1. 定义类特化

为 C 风格字符串的 Queue 提供正确行为的一种途径，是为 const char*定义整个类的特化版本：

```
/* definition of specialization for const char*
 * this class forwards its work to Queue<string>;
 * the push function translates the const char* parameter to a string
 * the front functions return a string rather than a const char*
 */
template<> class Queue<const char*> {
public:
    // no copy control: Synthesized versions work for this class
    // similarly, no need for explicit default constructor either
    void push(const char*);
    void pop()                  {real_queue.pop();}
    bool empty() const          {return real_queue.empty();}
    // Note: return type does not match template parameter type
    std::string front()         {return real_queue.front();}
    const std::string &front() const
                                {return real_queue.front();}
private:
    Queue<std::string> real_queue; // forward calls to real_queue
};
```

这个实现给了 Queue 一个数据元素：string 对象的 Queue。各个成员将它们的工作委派给这个成员。例如，通过调用 real_queue 的 pop 实现 pop 成员。

　　Queue 类的这个版本没有定义复制控制成员，它唯一的数据成员为类类型，该类类型在被复制、被赋值或被撤销时完成正确的工作。可以使用合成的复制控制成员。

　　这个 Queue 类实现了与 Queue 的模板版本大部分相同但不完全相同的接口，区别在于 front 成员返回的是 string 而不是 char*，这样做是为了避免必须管理字符数组——如果想要返回指针，就需要字符数组。

　　值得注意的是，特化可以定义与模板本身完全不同的成员。如果一个特化无法从模板定义某个成员，该特化类型的对象就不能使用该成员。类模板成员的定义不会用于创建显式特化成员的定义。

675

　　类模板特化应该与它所特化的模板定义相同的接口，否则当用户试图使用未定义的成员时会感到奇怪。

2. 类特化定义

　　在类特化外部定义成员时，成员之前不能加 template<>标记。

　　我们的类只在类的外部定义了一个成员：

```
void Queue<const char*>::push(const char* val)
{
    return real_queue.push(val);
}
```

　　虽然这个函数几乎没有做什么工作，但它隐式复制了 val 指向的字符数组。复制是在对 real_queue.push 的调用中进行的，该调用从 const char*实参创建了一个新的 string 对象。const char*实参使用了以 const char*为参数的 string 构造函数，string 构造函数将 val 所指的数组中的字符复制到未命名的 string 对象，该对象将被存储在 push 到 real_queue 的元素中。

习题

习题 16.55　Queue 针对 const char*的特化版本中的注释指出，不必定义默认构造函数或复制控制成员，解释为什么对于 Queue 的这个版本合成成员就足够了。

习题 16.56　我们已经解释过未针对 const char*特化的 Queue 的泛型行为，使用泛型 Queue 模板解释下面代码中会发生什么：

```
Queue<const char*> q1;
q1.push("hi"); q1.push("bye"); q1.push("world");
Queue<const char*> q2(q1); // q2 is a copy of q1

Queue<const char*> q3;      // empty Queue
q1 = q3;
```
具体而言，就是说明在 q2 的初始化和 q1[1]的赋值之后，q1 和 q2 是什么值。

习题 16.57　我们的 Queue 特化版本从 front 函数返回 string 对象而不是 const char*，你认为为什么这样做？你能够怎样实现 Queue 以返回 const char*？讨论每种方法的优缺点。

---

1. 此处英文原书误为 q3。——译者注

16.6.3 特化成员而不特化类

如果更深入一点分析我们的类，就能够看到代码可以简化：除了特化整个模板之外，还可以只特化 push 和 pop 成员。我们将特化 push 成员以复制字符数组，并且特化 pop 成员以释放该副本使用的内存：

```
template <>
void Queue<const char*>::push(const char *const &val)
{
    // allocate a new character array and copy characters from val
    char* new_item = new char[strlen(val) + 1];
    strncpy(new_item, val, strlen(val) + 1);
    // store pointer to newly allocated and initialized element
    QueueItem<const char*> *pt =
        new QueueItem<const char*>(new_item);
    // put item onto existing queue
    if (empty())
        head = tail = pt; // queue has only one element
    else {
        tail->next = pt;  // add new element to end of queue
        tail = pt;
    }
}
template <>
void Queue<const char*>::pop()
{
    // remember head so we can delete it
    QueueItem<const char*> *p = head;
    delete head->item;   // delete the array allocated in push
    head = head->next;   // head now points to next element
    delete p;            // delete old head element
}
```

现在，类类型 Queue<const char*>将从通用类模板定义实例化而来，而 push 和 pop 函数例外。调用 Queue<const char*>对象的 push 或 pop 函数时，将调用特化版本；调用任意其他成员时，将从类模板为 const char*实例化一个通用版本。

特化声明

成员特化的声明与任何其他函数模板特化一样，必须以空的模板形参表开头：

```
// push and pop specialized for const char*
template <>
void Queue<const char*>::push(const char* const &);
template <> void Queue<const char*>::pop();
```

这些声明应放在 Queue 类的头文件中。

677

习题

习题 16.58 前一小节中给出的 Queue 类的特化，以及本小节中 push 和 pop 函数的特化，只适用于 const char*类型的 Queue。为普通 char*实现特化 Queue 的这两种不同方式。

习题 16.59 如果走只特化 push 函数的路线，对于 C 风格字符串的 Queue，front 返回什么值？

习题 16.60 讨论这两个设计的优缺点：为 const char*定义该类的特化版本和只特化 push 和 pop 函数。具体而言，比较 front 的行为的异同以及用户代码中的错误破坏 Queue 元素的可能性。

16.6.4   类模板的部分特化

如果类模板有一个以上的模板形参，我们也许想要特化某些模板形参而非全部。使用类模板的部分特化可以做到这一点：

```
template <class T1, class T2>
class some_template {
    // ...
};
// partial specialization: fixes T2 as int and allows T1 to vary
template <class T1>
class some_template<T1, int> {
    // ...
};
```

类模板的部分特化（partial specialization）本身也是模板。部分特化的定义看来像模板定义，这种定义以关键字 template 开头，接着是由尖括号（<>）括住的模板形参表。部分特化的模板形参表是对应的类模板定义形参表的子集。some_template 的部分特化只有一个名为 T1 的模板类型形参，第二个模板形参 T2 的实参已知为 int。部分特化的模板形参表只列出未知模板实参的那些形参。

使用类模板的部分特化

部分特化与对应类模板有相同名字，即这里的 some_template。类模板的名字后面必须接着模板实参列表，前面例子中，模板实参列表是<T1, int>。因为第一个模板形参的实参值未知，实参列表使用模板形参名 T1 作为占位符，另一个实参是类型 int，为 int 而部分特化模板。

像任何其他类模板一样，部分特化是在程序中使用时隐式实例化：

```
some_template<int, string> foo;      // uses template
some_template<string, int> bar;      // uses partial specialization
```

注意第二个变量的类型，形参为 string 和 int 的 some_template，既可以从普通类模板定义实例化，也可以从部分特化实例化。为什么选择部分特化来实例化该模板呢？当声明了部分特化的时候，编译器将为实例化选择最特化的模板定义，当没有部分特化可以使用的时候，就使用通用模板定义。foo 的实例化类型与提供的部分特化不匹配，因此，foo 的类型必然从通用类模板实例化，将 int 绑定到 T1 并将 string 绑定到 T2。部分特化只用于实例化第二个类型为 int 的 some_template 类型。

部分特化的定义与通用模板的定义完全不会冲突。部分特化可以具有与通用类模板完全不同的成员集合。类模板成员的通用定义永远不会用来实例化类模板部分特化的成员。

16.7   重载与函数模板

函数模板可以重载：可以定义有相同名字但形参数目或类型不同的多个函数模板，也可以定义与函数模板有相同名字的普通非模板函数。

当然,声明一组重载函数模板不保证可以成功调用它们,重载的函数模板可能会导致二义性。

1. 函数匹配与函数模板

如果重载函数中既有普通函数又有函数模板,确定函数调用的步骤如下:

(1) 为这个函数名建立候选函数集合,包括:

(a) 与被调用函数名字相同的任意普通函数。

(b) 任意函数模板实例化,在其中,模板实参推断发现了与调用中所用函数实参相匹配的模板实参。

(2) 确定哪些普通函数是可行的 (7.8.2 节) (如果有可行函数的话)。候选集合中的每个模板实例都是可行的,因为模板实参推断保证函数可以被调用。

(3) 如果需要转换来进行调用,根据转换的种类排列可行函数,记住,调用模板函数的实例所允许的转换是有限的。

(a) 如果只有一个函数可选,就调用这个函数。

(b) 如果调用有二义性,从可行函数集合中去掉所有函数模板实例。

(4) 重新排列去掉函数模板实例的可行函数。

● 如果只有一个函数可选,就调用这个函数。

● 否则,调用有二义性。

2. 函数模板匹配的例子

考虑下面普通函数和函数模板的重载集合:

```
// compares two objects
template <typename T> int compare(const T&, const T&);
// compares elements in two sequences
template <class U, class V> int compare(U, U, V);
// plain functions to handle C-style character strings
int compare(const char*, const char*);
```

重载集合包含三个函数:第一个模板处理简单值,第二个模板比较两个序列的元素,第三个是处理 C 风格字符串的普通函数。

3. 确定重载函数模板的调用

可以在不同类型上调用这些函数:

```
// calls compare(const T&, const T&) with T bound to int
compare(1, 0);
// calls compare(U, U, V), with U and V bound to vector<int>::iterator
vector<int> ivec1(10), ivec2(20);
compare(ivec1.begin(), ivec1.end(), ivec2.begin());
int ia1[] = {0,1,2,3,4,5,6,7,8,9};
// calls compare(U, U, V) with U bound to int*
// and V bound to vector<int>::iterator
compare(ia1, ia1 + 10, ivec1.begin());
// calls the ordinary function taking const char* parameters
const char const_arr1[] = "world", const_arr2[] = "hi";
compare(const_arr1, const_arr2);
// calls the ordinary function taking const char* parameters
```

```
char ch_arr1[] = "world", ch_arr2[] = "hi";
compare(ch_arr1, ch_arr2);
```

680　下面依次介绍每个调用。

compare(1, 0)：两个形参都是 int 类型。候选函数是第一个模板将 T 绑定到 int 的实例化，以及名为 compare 的普通函数。但该普通函数不可行——不能将 int 对象传给期待 char* 对象的形参。用 int 实例化的函数与该调用完全匹配，所以选择它。

compare(ivec1.begin(), ivec1.end(), ivec2.begin())

compare(ia1, ia1+10, ivec1.begin())：这两个调用中，唯一可行的函数是有三个形参的模板的实例化。带两个参数的模板和普通非模板[1]函数都不能匹配这两个调用。

compare(const_arr1, const_arr2)：这个调用正如我们所期待的，调用普通函数。该函数和将 T 绑定到 const char* 的第一个模板都是可行的，也都完全匹配。根据规则(3)(b)，会选择普通函数。从候选集合中去掉模板实例，只剩下普通函数可行。

compare(ch_arr1, ch_arr2)：这个调用也绑定到普通函数。候选者是将 T 绑定到 char* 的函数模板的版本，以及接受 const char* 实参的普通函数，两个函数都需要稍加转换将数组 ch_arr1 和 ch_arr2 转换为指针。因为两个函数一样匹配，所以普通函数优先于模板版本。

4. 转换与重载的函数模板

设计一组重载函数，其中一些是模板而另一些是普通函数，这可能是困难的。这样做需要深入理解类型之间的关系，具体而言，就是当涉及模板时可以发生和不能发生的隐式转换。

来看两个例子，看看为什么当重载集合中既有模板又有非模板版本的时候，设计正确工作的重载函数是困难的。首先，考虑用指针代替数组本身的 compare 调用：

```
char *p1 = ch_arr1, *p2 = ch_arr2;
compare(p1, p2);
```

这个调用与模板版本匹配！通常，我们希望无论是传递数组，还是传递指向该数组元素的指针，都获得同一函数。但是，在这个例子中，将 char* 绑定到 T 的函数模板与该调用完全匹配。普通版本仍然需要从 char* 到 const char* 的转换，所以优先选择函数模板。

另一个具有惊人结果的改变是，如果 compare 的模板版本有一个 T 类型的形参代替 T 的 const 引用，会发生的情况：

```
template <typename T> int compare2(T, T);
```

681　这个例子中，如果有一个普通类型的数组，则无论传递数组本身，还是传递指针，都将调用模板版本。调用非模板版本的唯一途径是在实参是 const char 或者 const char* 指针数组的时候：

```
// calls compare(T, T) with T bound to char*
compare(ch_arr1, ch_arr2);
// calls compare(T, T) with T bound to char*
compare(p1, p2);
// calls the ordinary function taking const char* parameters
compare(const_arr1, const_arr2);
const char *cp1 = const_arr1, *cp2 = const_arr2;
// calls the ordinary function taking const char* parameters
```

---

1. 此处原文误作"非重载"。——译者注

```
compare(cp1, cp2);
```

在这些情况下，普通函数和函数模板都完全匹配。像通常一样，当匹配同样好时，非模板版本优先。

最佳实践 设计既包含函数模板又包含非模板函数的重载函数集合是困难的，因为可能会使函数的用户感到奇怪，定义函数模板特化（16.6 节）几乎总是比使用非模板版本更好。

习题

习题 16.61 实现 compare 函数的三个版本。在每个函数中包含一个输出语句，指出正在调用哪个函数。使用这些函数检查对其余问题的回答。

习题 16.62 对于本节定义的 compare 函数和变量，解释下面每个函数调用中，哪个函数被调用以及为什么。

```
compare(ch_arr1, const_arr1);
compare(ch_arr2, const_arr2);
compare(0, 0);
```

习题 16.63 对于下面的每个调用，列出候选函数和可行函数，指出调用是否有效，以及如果有效，调用哪个函数。

```
template <class T> T calc(T, T);
double calc(double, double);
template <> char calc<char>(char, char);
int ival; double dval; float fd;
calc(0, ival);          calc(0.25, dval);
calc(0, fd);            calc (0, 'J');
}
```

682

小结

模板是 C++语言与众不同的特性，是标准库的基础。模板是独立于类型的蓝图，编译器可以用它产生多种特定类型的实例。我们只需编写一次模板，编译器将为使用模板的不同类型实例化模板。既可以编写函数模板又可以编写类模板。

函数模板是建立算法库的基础，类模板是建立标准库容器和迭代器类型的基础。

编译模板需要编程环境的支持。语言为实例化模板定义了两个主要策略：包含模型和分别编译模型。这些模型规定了模板定义应该放在头文件还是源文件中，就此而言，它们影响着构建系统的方式。现在，所有编译器实现了包含模型，只有一些编译器实现了分别编译模型。编译器的用户指南应该会说明系统怎样管理模板。

显式模板实参使我们能够固定一个或多个模板形参的类型或值。显式实参使我们能够设计无需从对应实参推断模板类型的函数，也使我们能够对实参进行转换。

模板特化是一种特化的定义，它定义了模板的不同版本，将一个或多个形参绑定到特定类型或特定值。对于默认模板定义不适用的类型，特化非常有用。

术语

class template（类模板） 可以用来定义一组特定类型的类的类定义。类模板用 template 关键字后接用尖括号（<>）括住、以逗号分隔的一个或多个形参的列表来定义。

export keyword（导出关键字） 用来指出编译器必须记住相关模板定义位置的关键字，支持模板实例化的分别编译模型的编译器使用它。export 关键字一般与函数定义一起出现，类通常在相关类实现文件中声明为 export。在一个程序中，一个模板只能用 export 关键字定义一次。

function template（函数模板） 可用于不同类型的函数的定义。函数模板用 template 关键字后接用尖括号（<>）括住、以逗号分隔的一个或多个形参的列表来定义。

generic handle class（泛型句柄类） 保存和管理指向其他类的指针的类。泛型句柄接受单个类型形参，并且分配和管理指向该类型对象的指针。句柄类定义了必要的复制控制成员，它还定义了解引用操作符（*）和箭头成员访问操作符（->）。泛型句柄不需要了解它管理的类型。

inclusion compilation model（包含编译模型） 编译器用来寻找模板定义的机制，它依赖于模板定义被包含在每个使用模板的文件中。一般而言，模板定义存储在一个头文件中，使用模板的任意文件必须包含该头文件。

instantiation（实例化） 用实际模板实参产生模板特定实例的编译器过程，在该实例中，用对应实参代替形参。函数基于调用中使用的实参自动实例化，使用类模板时必须显式提供模板实参。

member template（成员模板） 类或类模板的是函数模板的成员。成员模板不能为虚。

nontype parameter（非类型形参） 表示值的模板形参。在实例化函数模板的时候，将每个非类型形参绑定到一个常量表达式，该常量表达式作为调用中使用的实参给出。在实例化类模板的时候，将每个非类型形参绑定到一个常量表达式，该常量表达式作为类实例化中使用的实参给出。

partial specialization（部分特化） 类模板的一个版本，其中指定了某些但非全部的模板形参。

separate compilation model（分别编译模型） 编译器用来查找模板定义的机制，它允许将模板定义和声明存储在独立的文件中。模板声明放在一个头文件中，而定义只在程序中出现一次，一般在源文件中，无论什么编程环境所支持的编译器都必须找到该源文件，并实例化程序所使用的模板版本。

template argument（模板实参） 在使用模板类型（如定义对象或在强制类型转换中指定类型）的时候，指定的类型或值。

template argument deduction（模板实参推断） 编译器用来确定实例化哪个函数模板的过程。编译器检查用模板形参指定的实参的类型，它用绑定到模板形参的类型或值自动实例化函数的一个版本。

template parameter（模板形参） 在模板形参表中指定的、可以在模板定义内部使用的名字。模板形参可以是类型形参或非类型形参。要使用模板，必须为每个模板形参指定实参，编译器使用这些类型或值来实例化类的一个版本，其中形参的使用以实参代替。当使用函数模板的时候，编译器从函数调用中的实参推断模板实参，并使用推断得到的模板实参实例化特定函数。

template parameter list（模板形参表） 在模板定义或声明中使用的类型形参或非类型形参（以逗号分隔）的列表。

template specialization（模板特化） 类模板或类模板的成员的重定义，其中指定了模板形参。在定义了被特化的模板之前，不能出现该模板的特化。在使用任意实参特化的模板之前，必须先出现模板特化。

type parameter（类型形参） 模板形参表中使用的表示类型的名字。当实例化模板的时候，将每个类型形参绑定到实际类型。在函数模板中，从实参类型中推断类型或者在调用中显式指定类型。类模板的类型实参必须在使用类的时候指定。

第五部分

高 级 主 题

目录

这一部分涵盖了一些高级特征，虽然它们在适当情况下是有用的，但不是每个 C++ 程序员都需要。这些特征分为两类：用于大规模问题的，以及应用于特殊问题的。

第 17 章涵盖了异常处理、命名空间和多重继承。这些特征在大规模问题的环境中最有用。

即使是可由一个开发人员编写的简单程序也可以从异常处理中获益，这是我们之所以要在第 6 章介绍异常处理基础知识的原因。但是，在需要大的编程团队的问题中，处理不可预期的运行时错误变得更加重要，更难管理。第 17 章将讨论另外一些有用的异常处理设施，还将更详细地介绍怎样处理异常、资源分配和回收异常的含义，以及怎样定义和使用自己的异常类。

大规模应用程序经常使用来自多个独立供应商的代码，如果将供应商定义的名字都放在一个命名空间，组合独立开发的库即使不是完全不可能，将是很困难的。独立开发的库几乎不可避免地会使用彼此相同的名字，一个库中定义的名字可能会与其他库中的相同名冲突。为了避免名字冲突，可以将名字定义在 namespace 内。

其实从本书一开始我们已经使用了命名空间。只要用到标准库中的名字，其实都是

685

在使用名为 std 的命名空间中定义的名字。第 17 章将介绍怎样自定义命名空间。

第 17 章的最后介绍了一个重要但不常用的语言特征——多重继承。多重继承对于相当复杂的继承层次最为有用。

第 18 章讨论了几个特殊的工具和技术，这些工具和技术可应用于某些特定类型的问题。

第 18 章的第一节介绍了类怎样自定义优化内存管理，接着介绍 C++对运行时类型识别（RTTI）的支持，这种设施使我们能够在运行时确定对象的实际类型。

接下来，介绍怎样定义和使用类成员的指针。类成员的指针不同于指向普通数据或函数的指针，普通指针只根据对象或函数的类型而变化，而成员的指针还必须反映成员所属的类。

然后，介绍另外三种聚合类型：联合、嵌套类和局部类。

第 18 章最后简要介绍了一些固有的不可移植的特征：volatile 限定符、位域和链接指示。

686

第**17**章
用于大型程序的工具

　　用C++解决的问题，其复杂性千变万化，有的问题一个程序员几小时便可解决，有的则需要用许多年开发和修改的数千万行代码构成的庞大系统。本书前面所介绍的内容对这些编程问题都同样适用。

　　C++语言包含的一些特征在问题比较复杂，非个人所能管理时最为有用。本章的主题就是这些特征，即异常处理、命名空间和多重继承。

687

相对于小的程序员团队所能开发的系统需求而言，大规模编程对程序设计语言的要求更高。大规模应用程序往往具有下列特殊要求：

(1) 更严格的正常运转时间以及更健壮的错误检测和错误处理。错误处理经常必须跨越独立开发的多个子系统进行。

(2) 能够用各种库（可能包含独立开发的库）构造程序。

(3) 能够处理更复杂的应用概念。

C++中有下列三个特征分别针对这些要求：异常处理、命名空间和多重继承。本章将介绍这三个特征。

17.1　异常处理

使用异常处理，程序中独立开发的各部分能够就程序执行期间出现的问题相互通信，并处理这些问题。程序的一个部分能够检测出本部分无法解决的问题，这个问题检测部分可以将问题传递给准备处理问题的其他部分。

 　　通过异常我们能够将问题的检测和问题的解决分离，这样程序的问题检测部分可以不必了解如何处理问题。

C++的异常处理中，需要由问题检测部分抛出一个对象给处理代码，通过这个对象的类型和内容，两个部分能够就出现了什么错误进行通信。

6.13 节介绍了在 C++中使用异常的基本概念和基本机制，在该节中，假定更复杂的书店应用程序可以通过异常就出现的问题进行通信。例如，如果操作数的 isbn 成员不匹配，Sales_item的加操作符可以抛出一个异常：

```
// throws exception if both objects do not refer to the same  isbn
Sales_item
operator+(const Sales_item& lhs, const Sales_item& rhs)
{
    if (!lhs.same_isbn(rhs))
        throw runtime_error("Data must refer to same ISBN");
    // ok, if we're still here the ISBNs are the same so it's okay to do the addition
    Sales_item ret(lhs);                        // copy lhs into a local object that we'll return
    ret += rhs;                                 // add in the contents of rhs
    return ret;                                 // return a copy of ret
}
```

688

程序中将 Sales_item 对象相加的那些部分可以使用一个 try 块，以便在异常发生时捕获异常：

```
// part of the application that interacts with the user
Sales_item item1, item2, sum;
while (cin >> item1 >> item2) {          // read two transactions
    try {
        sum = item1 + item2;            // calculate their sum
        // use sum
    } catch (const runtime_error &e) {
```

```
        cerr << e.what() << " Try again.\n"
             << endl;
    }
}
```

本节将扩展对这些基础知识的讨论并涵盖另外一些异常处理设施。有效使用异常处理需要理解：在抛出异常时会发生什么，在捕获异常时又会发生什么，还有用来传递错误的对象的含义。

17.1.1　抛出类类型的异常

异常是通过**抛出**（throw）对象而**引发**（raise）的。该对象的类型决定应该激活哪个处理代码。被选中的处理代码是调用链中与该对象类型匹配且离抛出异常位置最近的那个。

异常以类似于将实参传递给函数的方式抛出和捕获。异常可以是可传给非引用形参的任意类型的对象，这意味着必须能够复制该类型的对象。

回忆一下，传递数组或函数类型实参的时候，该实参自动转换为一个指针。被抛出的对象将发生同样的自动转换，因此，不存在数组或函数类型的异常。相反，如果抛出一个数组，被抛出的对象转换为指向数组首元素的指针，类似地，如果抛出一个函数，函数被转换为指向该函数的指针（7.9 节）。

执行 throw 的时候，不会执行跟在 throw 后面的语句，而是将控制从 throw 转移到匹配的 catch，该 catch 可以是同一函数中局部的 catch，也可以在直接或间接调用发生异常的函数的另一个函数中。控制从一个地方传到另一地方，这有两个重要含义：

(1) 沿着调用链的函数提早退出。17.1.2 节将讨论函数因异常而退出时会发生什么。

(2) 一般而言，在处理异常的时候，抛出异常的块中的局部存储不存在了。

因为在处理异常的时候会释放局部存储，所以被抛出的对象就不能再局部存储，而是用 throw 表达式初始化一个称为**异常对象**（exception object）的特殊对象。异常对象由编译器管理，而且保证驻留在可能被激活的任意 catch 都可以访问的空间。这个对象由 throw 创建，并被初始化为被抛出的表达式的副本。异常对象将传给对应的 catch，并且在完全处理了异常之后撤销。

　　　异常对象通过复制被抛出表达式的结果创建，该结果必须是可以复制的类型。

1. 异常对象与继承

在实践中，许多应用程序所抛出的表达式，其类型都来自某个继承层次。正如 17.1.7 节将介绍的，标准异常（6.13 节）定义在一个继承层次中。目前重要的是，知道 throw 表达式的形式如何与因继承而相关的类型相互影响。

　　　当抛出一个表达式的时候，被抛出对象的静态编译时类型将决定异常对象的类型。

通常，使用静态类型抛出对象不成问题。当抛出一个异常的时候，通常在抛出点构造将抛出的对象，该对象表示出了什么问题，所以我们知道确切的异常类型。

689

2. 异常与指针

用抛出表达式抛出静态类型时，比较麻烦的一种情况是，在抛出中对指针解引用。对指针解引用的结果是一个对象，其类型与指针的类型匹配。如果指针指向继承层次中的一种类型，指针所指对象的类型就有可能与指针的类型不同。无论对象的实际类型是什么，异常对象的类型都与指针的静态类型相匹配。如果该指针是一个指向派生类对象的基类类型指针，则那个对象将被分割（15.3.1 节），只抛出基类部分。

如果抛出指针本身，可能会引发比分割对象更严重的问题。具体而言，抛出指向局部对象的指针总是错误的，其理由与从函数返回指向局部对象的指针是错误的一样（7.3.2 节）。抛出指针的时候，必须确定进入处理代码时指针所指向的对象存在。

如果抛出指向局部对象的指针，而且处理代码在另一函数中，则执行处理代码时指针所指向的对象将不再存在。即使处理代码在同一函数中，也必须确信指针所指向的对象在 catch 处存在。如果指针指向某个在 catch 之前退出的块中的对象，那么，将在 catch 之前撤销该局部对象。

690

> 抛出指针通常是个坏主意：抛出指针要求在对应处理代码存在的任意地方存在指针所指向的对象。

习题

习题 17.1　下面的 throw 语句中，异常对象的类型是什么？

```
(a) range_error r("error");   (b) exception *p = &r;
    throw r;                       throw *p;
```

习题 17.2　如果第二个 throw 语句写成 throw p，会发生什么情况？

17.1.2　栈展开

抛出异常的时候，将暂停当前函数的执行，开始查找匹配的 catch 子句。首先检查 throw 本身是否在 try 块内部，如果是，检查与该 try 相关的 catch 子句，看是否其中之一与被抛出对象相匹配。如果找到匹配的 catch，就处理异常；如果找不到，就退出当前函数（释放当前函数的内存并撤销局部对象），并且继续在调用函数中查找。

如果对抛出异常的函数的调用是在 try 块中，则检查与该 try 相关的 catch 子句。如果找到匹配的 catch，就处理异常；如果找不到匹配的 catch，调用函数也退出，并且继续在调用这个函数的函数中查找。

这个过程，称之为**栈展开**（stack unwinding），沿嵌套函数调用链继续向上，直至为异常找到一个 catch 子句。只要找到能够处理异常的 catch 子句，就进入该 catch 子句，并在该处理代码中继续执行。当 catch 结束的时候，在紧接在与该 try 块相关的最后一个 catch 子句之后的点继续执行。

1. 为局部对象调用析构函数

栈展开期间，提早退出包含 throw 的函数和调用链中可能的其他函数。一般而言，这些函数已经创建了可以在退出函数时撤销的局部对象。因异常而退出函数时，编译器保证适当地撤销局部对象。每个函数退出的时候，它的局部存储都被释放，在释放内存之前，撤销在异常发生之前创建的所有对象。如果局部对象是类类型的，就自动调用该对象的析构函数。通常，编译器不撤销内置类型的对象。

691

　　栈展开期间，释放局部对象所用的内存并运行类类型局部对象的析构函数。

　　如果一个块直接分配资源,而且在释放资源之前发生异常,在栈展开期间将不会释放该资源。例如，一个块可以通过调用 new 动态分配内存，如果该块因异常而退出，编译器不会删除该指针，已分配的内存将不会释放。
　　由类类型对象分配的资源一般会被适当地释放。运行局部对象的析构函数，由类类型对象分配的资源通常由它们的析构函数释放。17.1.8 节说明面对异常使用类管理资源分配的编程技术。

2. 析构函数应该从不抛出异常

　　栈展开期间会经常执行析构函数。在执行析构函数的时候，已经引发了异常但还没有处理它。如果在这个过程中析构函数本身抛出新的异常，又会发生什么呢？新的异常应该取代仍未处理的早先的异常吗？应该忽略析构函数中的异常吗？
　　答案是：在为某个异常进行栈展开的时候，析构函数如果又抛出自己的未经处理的另一个异常，将会导致调用标准库 **terminate** 函数。一般而言，terminate 函数将调用 **abort** 函数，强制从整个程序非正常退出。
　　因为 terminate 函数结束程序，所以析构函数做任何可能导致异常的事情通常都是非常糟糕的主意。在实践中，因为析构函数释放资源，所以它不太可能抛出异常。标准库类型都保证它们的析构函数不会引发异常。

3. 异常与构造函数

　　与析构函数不同，构造函数内部所做的事情经常会抛出异常。如果在构造函数对象的时候发生异常，则该对象可能只是部分被构造，它的一些成员可能已经初始化，而另一些成员在异常发生之前还没有初始化。即使对象只是部分被构造了，也要保证将会适当地撤销已构造的成员。
　　类似地，在初始化数组或其他容器类型的元素的时候，也可能发生异常，同样，也要保证将会适当地撤销已构造的元素。

4. 未捕获的异常终止程序

　　不能不处理异常。异常是足够重要的、使程序不能继续正常执行的事件。如果找不到匹配的 catch，程序就调用库函数 terminate。

692

17.1.3　捕获异常

　　catch 子句（catch clause）中的**异常说明符**（exception specifier）看起来像只包含一个形参的形参表，异常说明符是在其后跟一个（可选）形参名的类型名。
　　说明符的类型决定了处理代码能够捕获的异常种类。类型必须是完全类型，即必须是内置类型或者是已经定义的程序员自定义类型。类型的前向声明不行。

当 catch 为了处理异常只需要了解异常的类型的时候，异常说明符可以省略形参名；如果处理代码需要已发生异常的类型之外的信息，则异常说明符就包含形参名，catch 使用这个名字访问异常对象。

1. 查找匹配的处理代码

在查找匹配的 catch 期间，找到的 catch 不必是与异常最匹配的那个 catch，相反，将选中第一个找到的可以处理该异常的 catch。因此，在 catch 子句列表中，最特殊的 catch 必须最先出现。

异常与 catch 异常说明符匹配的规则比匹配实参和形参类型的规则更严格，大多数转换都不允许——除下面几种可能的区别之外，异常的类型与 catch 说明符的类型必须完全匹配：

- 允许从非 const 到 const 的转换。也就是说，非 const 对象的 throw 可以与指定接受 const 引用的 catch 匹配。
- 允许从派生类型到基类类型的转换。
- 将数组转换为指向数组类型的指针，将函数转换为指向函数类型的适当指针。

在查找匹配 catch 的时候，不允许其他转换。具体而言，既不允许标准算术转换，也不允许为类类型定义的转换。

2. 异常说明符

进入 catch 的时候，用异常对象初始化 catch 的形参。像函数形参一样，异常说明符类型可以是引用。异常对象本身是被抛出对象的副本。是否再次将异常对象复制到 catch 位置取决于异常说明符类型。

如果说明符不是引用，就将异常对象复制到 catch 形参中，catch 操作异常对象的副本，对形参所做的任何改变都只作用于副本，不会作用于异常对象本身。如果说明符是引用，则像引用形参一样，不存在单独的 catch 对象，catch 形参只是异常对象的另一名字。对 catch 形参所做的改变作用于异常对象。

3. 异常说明符与继承

像形参声明一样，基类的异常说明符可以用于捕获派生类型的异常对象，而且，异常说明符的静态类型决定 catch 子句可以执行的动作。如果被抛出的异常对象是派生类类型的，但由接受基类类型的 catch 处理，那么，catch 不能使用派生类特有的任何成员。

> **最佳实践**　通常，如果 catch 子句处理因继承而相关的类型的异常，它就应该将自己的形参定义为引用。

如果 catch 形参是引用类型，catch 对象就直接访问异常对象，catch 对象的静态类型可以与 catch 对象所引用的异常对象的动态类型不同。如果异常说明符不是引用，则 catch 对象是异常对象的副本，如果 catch 对象是基类类型对象而异常对象是派生类型的，就将异常对象分割（15.3.1 节）为它的基类子对象。

而且，正如 15.2.4 节所介绍的，对象（相对于引用）不是多态的。当通过对象而不是引用使用虚函数的时候，对象的静态类型和动态类型相同，函数是虚函数也一样。只有通过引用或指针调用时才发生动态绑定，通过对象调用不进行动态绑定。

4. catch 子句的次序必须反映类型层次

将异常类型组织成类层次的时候，用户可以选择应用程序处理异常的粒度级别。例如，只希望清除并退出的应用程序可以定义一个 try 块，该 try 块包围 main 函数中带有如下 catch 代码：

```
catch(exception &e) {
    // do cleanup
    // print a message
    cerr << "Exiting: " << e.what() << endl;
    size_t status_indicator = 42;        // set and return an
    return(status_indicator);            // error indicator
}
```

有更严格实时需求的程序可能需要更好的异常控制，这样的应用程序将清除导致异常的一切并继续执行。

因为 catch 子句按出现次序匹配，所以使用来自继承层次的异常的程序必须将它们的 catch 子句排序，以便派生类型的处理代码出现在其基类类型的 catch 之前。

694

 　带有因继承而相关的类型的多个 catch 子句，必须从最低派生类型到最高派生类型排序。

习题

习题 17.3　解释下面这个 try 块为什么不正确，并改正它。

```
try {
    // use of the C++ standard library
} catch(exception) {
    // ...
} catch(const runtime_error &re) {
    // ...
} catch(overflow_error eobj) { /* ... */ }
```

17.1.4　重新抛出

有可能单个 catch 不能完全处理一个异常。在进行了一些校正行动之后，catch 可能确定该异常必须由函数调用链中更上层的函数来处理，catch 可以通过**重新抛出**（rethrow）将异常传递给函数调用链中更上层的函数。重新抛出是后面不跟类型或表达式的一个 throw：

```
throw;
```

空 throw 语句将重新抛出异常对象，它只能出现在 catch 或者从 catch 调用的函数中。如果在处理代码不活动时碰到空 throw，就调用 terminate 函数。

虽然重新抛出不指定自己的异常，但仍然将一个异常对象沿链向上传递，被抛出的异常是原来的异常对象，而不是 catch 形参。当 catch 形参是基类类型的时候，我们不知道由重新抛出表达式抛出的实际类型，该类型取决于异常对象的动态类型，而不是 catch 形参的静态类型。例如，来自带基类类型形参 catch 的重新抛出，可能实际上抛出一个派生类型的对象。

一般而言，catch 可以改变它的形参。在改变它的形参之后，如果 catch 重新抛出异常，那么，只有当异常说明符是引用的时候，才会传播那些改变。

```
catch (my_error &eObj) {          // specifier is a reference type
    eObj.status = severeErr;      // modifies the exception object
    throw; // the status member of the exception object is severeErr
} catch (other_error eObj) {      // specifier is a nonreference type
    eObj.status = badErr;         // modifies local copy only
    throw; // the status member of the exception rethrown is unchanged
}
```

17.1.5　捕获所有异常的处理代码

即使函数不能处理被抛出的异常，它也可能想要在随抛出异常退出之前执行一些动作。除了为每个可能的异常提供特定 catch 子句之外，因为不可能知道可能被抛出的所有异常，所以可以使用**捕获所有异常** catch 子句（catch-all）的。捕获所有异常的 catch 子句形式为（...）。例如：

```
// matches any exception that might be thrown
catch (...) {
    // place our code here
}
```

捕获所有异常的 catch 子句与任意类型的异常都匹配。

catch（...）经常与重新抛出表达式结合使用，catch 完成可做的所有局部工作，然后重新抛出异常：

```
void manip() {
    try {
        // actions that cause an exception to be thrown
    }
    catch (...) {
        // work to partially handle the exception
        throw;
    }
}
```

catch（...）子句可以单独使用，也可以用在几个 catch 子句中间。

如果 catch（...）与其他 catch 子句结合使用，它必须是最后一个，否则，任何跟在它后面的 catch 子句都将不能被匹配。

17.1.6　函数测试块与构造函数

一般而言，异常可能发生在程序执行的任何一点。具体而言，异常可能发生在构造函数中，或者发生在处理构造函数初始化式的时候。在进入构造函数函数体之前处理构造函数初始化式，构造函数函数体内部的 catch 子句不能处理在处理构造函数初始化式时可能发生的异常。

为了处理来自构造函数初始化式的异常，必须将构造函数编写为**函数测试块**（function try block）。可以使用函数测试块将一组 catch 子句与函数联成一个整体。作为例子，可以将第 16 章的 Handle 构造函数包装在一个用来检测 new 中失败的测试块当中：

```
template <class T> Handle<T>::Handle(T *p)
try : ptr(p), use(new size_t(1))
{
    // empty function body
} catch(const std::bad_alloc &e)
    { handle_out_of_memory(e); }
```

696

习题

习题 17.4　对于如下的基本 C++程序

```
int main() {
    // use of the C++ standard library
}
```

修改 main 函数以捕获由 C++标准库中函数抛出的任何异常。处理代码应该在调用 abort 函数（在头文件 cstdlib 中定义）终止 main 函数之前显示与异常相关的错误信息。

习题 17.5　对于下面的异常类型以及 catch 子句，编写一个 throw 表达式，该表达式创建一个可被每个 catch 子句捕获的异常对象。

```
(a) class exceptionType { };
    catch(exceptionType *pet) { }
(b) catch(...) { }
(c) enum mathErr { overflow, underflow, zeroDivide };
    catch(mathErr &ref) { }
(d) typedef int EXCPTYPE;
    catch(EXCPTYPE) { }
```

注意，关键字 try 出现在成员初始化列表之前，并且测试块的复合语句包围了构造函数的函数体。catch 子句既可以处理从成员初始化列表中抛出的异常，也可以处理从构造函数函数体中抛出的异常。

　　构造函数要处理来自构造函数初始化式的异常，唯一的方法是将构造函数编写为函数测试块。

17.1.7　异常类层次

　　6.13 节介绍过标准库异常类，但该节没有涵盖的是这些类是因继承而相关的，图 17-1 描绘了这个继承层次。

　　exception 类型所定义的唯一操作是一个名为 what 的虚成员，该函数返回 const char* 对象，它一般返回用来在抛出位置构造异常对象的信息。因为 what 是虚函数，如果捕获了基类类型引用，对 what 函数的调用将执行适合异常对象的动态类型的版本。

1. 用于书店应用程序的异常类

　　标准异常类可以用于许多应用程序，此外，应用程序还经常通过从 exception 类或者中间基类派生附加类型来扩充 exception 层次。这些新派生的类可以表示特定于应用程序领域的异常类型。

697

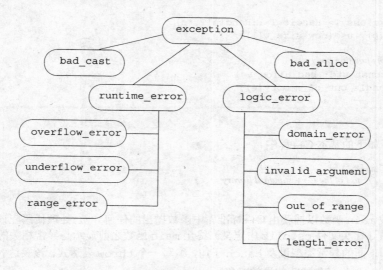

图 17-1   标准 exception 类层次

　　如果正在建立一个实际的书店应用程序，我们的类也许比本书给出的复杂得多，使它们更为精细的一个方法可能在于它们的异常处理。事实上，我们可能已经定义了自己的异常层次来表示可能出现的特定于应用程序的问题。我们的设计可能包括下面这样的类：

```
// hypothetical exception classes for a bookstore application
class out_of_stock: public std::runtime_error {
public:
    explicit out_of_stock(const std::string &s):
                    std::runtime_error(s) { }
};
class isbn_mismatch: public std::logic_error {
public:
    explicit isbn_mismatch(const std::string &s):
                        std::logic_error(s) { }
    isbn_mismatch(const std::string &s,
        const std::string &lhs, const std::string &rhs):
        std::logic_error(s), left(lhs), right(rhs) { }
    const std::string left, right;
    // Section 17.1.10 explains the destructor and why we need one
    virtual ~isbn_mismatch() throw() { }
};
```

698

　　在这里，通过从标准异常类派生，定义了特定于应用程序的异常类型。像任何层次一样，可以认为异常类按层组织。随着层次的加深，每一层变得更特殊的异常。例如，层次中第一层即最一般的层由 exception 类代表，当捕获这一类型的对象时，我们所知道的只是有些地方出错了。

　　第二层将 exception 特化为两个大类：运行时错误和逻辑错误。我们的书店异常类表示更特化的层中的事件。out_of_stock 类表示可能在运行时出现问题的特定于应用程序的事情，可以用它发出不能履行某个订单的信号。isbn_mismatch 异常是从 logic_error 派生的更特殊的异常，原则上，程序可以通过调用 same_isbn 检测到不匹配的 ISBN。

2. 使用程序员定义的异常类型

用和使用标准库类相同的方法使用自己的异常类。程序的一个部分抛出某个这些类型的对象，程序的另一部分捕获并处理指出的问题。例如，可以为 Sales_item 类定义重载加操作符，以便如果它检测到 ISBN 不匹配就抛出一个 isbn_mismatch 类型的错误：

```
// throws exception if both objects do not refer to the same isbn
Sales_item
operator+(const Sales_item& lhs, const Sales_item& rhs)
{
    if (!lhs.same_isbn(rhs))
        throw isbn_mismatch("isbn mismatch",
                            lhs.book(), rhs.book());
    Sales_item ret(lhs);   // copy lhs into a local object that we'll return
    ret += rhs;            // add in the contents of rhs
    return ret;            // return ret by value
}
```

然后，使用加操作符的代码可以检测这个错误，写出适当的错误消息，并继续：

```
// use hypothetical bookstore exceptions
Sales_item item1, item2, sum;
while (cin >> item1 >> item2) {     // read two transactions
    try {
        sum = item1 + item2;        // calculate their sum
        // use sum
    } catch (const isbn_mismatch &e) {
      cerr << e.what() << ": left isbn(" << e.left
           << ") right isbn(" << e.right << ")"
           << endl;
    }
}
```

17.1.8 自动资源释放

17.1.2 节介绍过，在发生异常时自动撤销局部对象。运行析构函数这一事实对应用程序的设计具有重要含义，这也是为什么我们鼓励使用标准库类的原因。考虑下面的函数：

```
void f()
{
    vector<string> v;                // local vector
    string s;
    while (cin >> s)
        v.push_back(s);              // populate the vector
    string *p = new string[v.size()]; // dynamic array
    // remaining processing
    // it is possible that an exception occurs in this code
    // function cleanup is bypassed if an exception occurs
    delete [] p;
}   // v destroyed automatically when the function exits
```

这个函数定义了一个局部 vector 并动态分配了一个数组。在正常执行的情况下，数组和 vector 都在退出函数之前被撤销，函数中最后一个语句释放数组，在函数结束时自动撤销 vector。

699

但是，如果在函数内部发生异常，则将撤销 vector 而不会释放数组。问题在于数组不是自动释放的。在 new 之后但在 delete 之前发生的异常使得数组没有被撤销。不管何时发生异常，都保证运行 vector 析构函数。

用类管理资源分配

对析构函数的运行导致一个重要的编程技术的出现，它使程序更为**异常安全的**（exception safe）。异常安全的意味着，即使发生异常，程序也能正确操作。在这种情况下，"安全"来自于保证"如果发生异常，被分配的任何资源都适当地释放"。

通过定义一个类来封装资源的分配和释放，可以保证正确释放资源。这一技术常称为"资源分配即初始化"，简称 RAII。

应该设计资源管理类，以便构造函数分配资源而析构函数释放资源。想要分配资源的时候，就定义该类类型的对象。如果不发生异常，就在获得资源的对象超出作用域的时候释放资源。更为重要的是，如果在创建了对象之后但在它超出作用域之前发生异常，那么，编译器保证撤销该对象，作为展开定义对象的作用域的一部分。

700

下面的类是一个原型例子，其中构造函数分配资源而析构函数释放资源：

```
class Resource {
public:
    Resource(parms p): r(allocate(p)) { }
    ~Resource() { release(r); }
    // also need to define copy and assignment
private:
    resource_type *r;                    // resource managed by this type
    resource_type *allocate(parms p);    // allocate this resource
    void release(resource_type*);        // free this resource
};
```

Resource 类是分配资源和回收资源的类型，它保存表示该资源的数据成员。Resource 的构造函数分配资源，而析构函数释放它。当使用这个类的时候

```
void fcn()
{
    Resource res(args);  // allocates resource_type
    // code that might throw an exception
    // if exception occurs, destructor for res is run automatically
    // ...
} // res goes out of scope and is destroyed automatically
```

自动释放资源。如果函数正常终止，就在 Resource 对象超出作用域时释放资源；如果函数因异常而提早退出，编译器就运行 Resource 的析构函数作为异常处理过程的一部分。

> **最佳实践**   可能存在异常的程序以及分配资源的程序应该使用类来管理那些资源。如本节所述，使用类管理分配和回收可以保证如果发生异常就释放资源。

习题

习题 17.6   给定下面的函数，解释当发生异常时会发生什么。

```
    void exercise(int *b, int *e)
    {
        vector<int> v(b, e);
        int *p = new int[v.size()];
        ifstream in("ints");
        // exception occurs here
        // ...
    }
```

习题 17.7　有两种方法可以使上面的代码是异常安全的，描述并实现它们。

17.1.9　**auto_ptr** 类

　　标准库的 **auto_ptr** 类是上一节中介绍的异常安全的"资源分配即初始化"技术的例子。auto_ptr 类（见表 17-1）是接受一个类型形参的模板，它为动态分配的对象提供异常安全。auto_ptr 类在头文件 memory 中定义。

表 17-1　**auto_ptr** 类

auto_ptr<T> ap;	创建名为 ap 的未绑定的 auto_ptr 对象
auto_ptr<T> ap(p);	创建名为 ap 的 auto_ptr 对象，ap 拥有指针 p 指向的对象。该构造函数为 explicit
auto_ptr<T> ap1(ap2);	创建名为 ap1 的 auto_ptr 对象，ap1 保存原来存储在 ap2 中的指针。将所有权转给 ap1，ap2 成为未绑定的 auto_ptr 对象
ap1 = ap2	将所有权从 ap2 转给 ap1。删除 ap1 指向的对象并且使 ap1 指向 ap2 指向的对象，使 ap2 成为未绑定的
~ap	析构函数。删除 ap 指向的对象
*ap	返回对 ap 所绑定的对象的引用
ap->	返回 ap 保存的指针
ap.reset(p)	如果 p 与 ap 的值不同，则删除 ap 指向的对象并且将 ap 绑定到 p
ap.release()	返回 ap 所保存的指针并且使 ap 成为未绑定的
ap.get()	返回 ap 保存的指针

　　auto_ptr 只能用于管理从 new 返回的一个对象，它不能管理动态分配的数组。正如我们所见，当 auto_ptr 被复制或赋值的时候，有不寻常的行为，因此，不能将 auto_ptr 存储在标准库容器类型中。

　　auto_ptr 对象只能保存一个指向对象的指针，并且不能用于指向动态分配的数组，使用 auto_ptr 对象指向动态分配的数组会导致未定义的运行时行为。

　　每个 auto_ptr 对象绑定到一个对象或者指向一个对象。当 auto_ptr 对象指向一个对象的时候，可以说它"拥有"该对象。当 auto_ptr 对象超出作用域或者另外撤销的时候，就自动回收 auto_ptr 所指向的动态分配对象。

1. 为异常安全的内存分配使用 **auto_ptr**

　　如果通过常规指针分配内存，而且在执行 delete 之前发生异常，就不会自动释放该内存：

```
void f()
```

```
    {
        int *ip = new int(42);           // dynamically allocate a new object
        // code that throws an exception that is not caught inside f
        delete ip;                       // return the memory before exiting
    }
```

如果在 new 和 delete 之间发生异常，并且该异常不被局部捕获，就不会执行 delete，则永不回收该内存。

　　如果使用一个 auto_ptr 对象来代替，将会自动释放内存，即使提早退出这个块也是这样：

```
void f()
{
    auto_ptr<int> ap(new int(42)); // allocate a new object
    // code that throws an exception that is not caught inside f
}   // auto_ptrfreed automatically when function ends
```

702 在这个例子中，编译器保证在展开栈越过 f 之前运行 ap 的析构函数。

2. **auto_ptr** 是可以保存任何类型指针的模板

　　auto_ptr 类是接受单个类型形参的模板，该类型指定 auto_ptr 可以绑定的对象的类型，因此，可以创建任何类型的 auto_ptr：

```
auto_ptr<string> ap1(new string("Brontosaurus"));
```

3. 将 **auto_ptr** 绑定到指针

　　在最常见的情况下，将 auto_ptr 对象初始化为由 new 表达式返回的对象的地址：

```
auto_ptr<int> pi(new int(1024));
```

这个语句将 pi 初始化为由 new 表达式创建的对象的地址，这个 new 表达式将对象初始化为 1024。

　　接受指针的构造函数为 explicit（12.4.4 节）构造函数，所以必须使用初始化的直接形式来创建 auto_ptr 对象：

```
// error: constructor that takes a pointer is explicit and can't be used implicitly
auto_ptr<int> pi = new int(1024);
auto_ptr<int> pi(new int(1024)); // ok: uses direct initialization
```

　　pi 所指的由 new 表达式创建的对象在超出作用域时自动删除。如果 pi 是局部对象，pi 所

703 指对象在定义 pi 的块的末尾删除；如果发生异常，则 pi 也超出作用域，析构函数将自动运行 pi 的析构函数作为异常处理的一部分；如果 pi 是全局对象，就在程序末尾删除 pi 引用的对象。

4. 使用 **auto_ptr** 对象

　　假设希望访问 string 操作。用普通 string 指针，像下面这样做：

```
string *pstr_type = new string("Brontosaurus");
if (pstr_type->empty())
    // oops, something wrong
```

　　auto_ptr 类定义了解引用操作符（*）和箭头操作符（->）的重载版本（14.6 节），因为 auto_ptr 定义了这些操作符，所以可以用类似于使用内置指针的方式使用 auto_ptr 对象：

```
// normal pointer operations for dereference and arrow
*ap1 = "TRex";          // assigns a new value to the object to which ap1 points
string s = *ap1;        // initializes s as a copy of the object to which ap1 points
```

```
if (ap1->empty())    // runs empty on the string to which ap1 points
```

  auto_ptr 的主要目的是，在保证自动删除 auto_ptr 对象引用的对象的同时，支持普通指针式行为。正如我们所见，自动删除该对象这一事实导致在怎样复制和访问它们的地址值方面，auto_ptr 与普通指针明显不同。

5. **auto_ptr** 对象的复制和赋值是破坏性操作

  auto_ptr 和内置指针对待复制和赋值有非常关键的重要区别。当复制 auto_ptr 对象或者将它的值赋给其他 auto_ptr 对象的时候，将基础对象的所有权从原来的 auto_ptr 对象转给副本，原来的 auto_ptr 对象重置为未绑定状态。

  复制（或者赋值）普通指针是复制（或者赋值）地址，在复制（或者赋值）之后，两个指针指向同一对象。在复制（或者赋值）auto_ptr 对象之后，原来的 auto_ptr 对象不指向对象而新的 auto_ptr 对象（左边的 auto_ptr 对象）拥有基础对象：

```
auto_ptr<string> ap1(new string("Stegosaurus"));
// after the copy ap1 is unbound
auto_ptr<string> ap2(ap1);  // ownership transferred from ap1 to ap2
```

  当复制 auto_ptr 对象或者对 auto_ptr 对象赋值的时候，右边的 auto_ptr 对象让出对基础对象的所有职责并重置为未绑定的 auto_ptr 对象。在上例中，删除 string 对象的是 ap2 而不是 ap1，在复制之后，ap1 不再指向任何对象。

704

  与其他复制或赋值操作不同，auto_ptr 的复制和赋值改变右操作数，因此，赋值的左右操作数必须都是可修改的左值。

6. 赋值删除左操作数指向的对象

  除了将所有权从右操作数转给左操作数之外，赋值还删除左操作数原来指向的对象——假如两个对象不同。通常自身赋值没有效果。

```
auto_ptr<string> ap3(new string("Pterodactyl"));
// object pointed to by ap3 is deleted and ownership transferred from ap2 to ap3;
ap3 = ap2;  // after the assignment, ap2 is unbound
```

  将 ap2 赋给 ap3 之后：

- 删除了 ap3 指向的对象。
- 将 ap3 置为指向 ap2 所指的对象。
- ap2 是未绑定的 auto_ptr 对象。

  因为复制和赋值是破坏性操作，所以**不能**将 auto_ptr 对象存储在标准容器中。标准库的容器类要求在复制或赋值之后两个对象相等，auto_ptr 不满足这一要求，如果将 ap2 赋给 ap1，则在赋值之后 ap1 != ap2，复制也类似。

7. **auto_ptr** 的默认构造函数

  如果不给定初始式，auto_ptr 对象是未绑定的，它不指向对象：

```
auto_ptr<int> p_auto;  // p_auto doesn't refer to any object
```

默认情况下，auto_ptr 的内部指针值置为 0。对未绑定的 auto_ptr 对象解引用，其效果与对未绑定的指针解引用相同——程序出错并且没有定义会发生什么：

```
*p_auto = 1024;  // error: dereference auto_ptr that doesn't point to an object
```

8. 测试 **auto_ptr** 对象

为了检查指针是否未绑定，可以在条件中直接测试指针，效果是确定指针是否为 0。相反，不能直接测试 auto_ptr 对象：

```
// error: cannot use an auto_ptr as a condition
if (p_auto)
    *p_auto = 1024;
```

auto_ptr 类型没有定义到可用作条件的类型的转换，相反，要测试 auto_ptr 对象，必须使用它的 get 成员，该成员返回包含在 auto_ptr 对象中的基础指针：

```
// revised test to guarantee p_auto refers to an object
if (p_auto.get())
    *p_auto = 1024;
```

为了确定 auto_ptr 是否指向一个对象，可以将 get 的返回值与 0 比较。

应该只用 get 询问 auto_ptr 对象或者使用返回的指针值，不能用 get 作为创建其他 auto_ptr 对象的实参。

使用 get 成员初始化其他 auto_ptr 对象违反 auto_ptr 类设计原则：在任意时刻只有一个 auto_ptr 对象保存给定指针，如果两个 auto_ptr 对象保存相同的指针，该指针就会被 delete 两次。

9. **reset** 操作

auto_ptr 对象与内置指针的另一个区别是，不能直接将一个地址（或者其他指针）赋给 auto_ptr 对象：

```
p_auto = new int(1024);  // error: cannot assign a pointer to an auto_ptr
```

相反，必须调用 reset 函数来改变指针：

```
// revised test to guarantee p_auto refers to an object
if (p_auto.get())
    *p_auto = 1024;
else
    // reset p_auto to a new object
    p_auto.reset(new int(1024));
```

要复位 auto_ptr 对象，可以将 0 传给 reset 函数。

调用 auto_ptr 对象的 reset 函数时，在将 auto_ptr 对象绑定到其他对象之前，会删除 auto_ptr 对象所指向的对象（如果存在）。但是，正如自身赋值是没有效果的一样，如果调用该 auto_ptr 对象已经保存的同一指针的 reset 函数，也没有效果，不会删除对象。

习题

习题 17.8 下面 auto_ptr 声明中,哪些是不合法的或者可能导致随后的程序错误?解释每个声明的问题。

```
int ix = 1024, *pi = &ix, *pi2 = new int(2048);
typedef auto_ptr<int> IntP;
(a)  IntP p0(ix);                (b)  IntP p1(pi);
(c)  IntP p2(pi2);               (d)  IntP p3(&ix);
(e)  IntP p4(new int(2048));     (f)  IntP p5(p2.get());
```

习题 17.9 假定 ps 是一个指向 string 的 auto_ptr 对象,如果有的话,下面两个 assign(9.6.2 节)调用有什么不同?你认为哪个更好,为什么?

```
(a)  ps.get()->assign("Danny");     (b)  ps->assign("Danny");
```

17.1.10 异常说明

查看普通函数声明的时候,不可能确定该函数会抛出什么异常,但是,为了编写适当的 catch 子句,了解函数是否抛出异常以及会抛出哪种异常是很有用的。**异常说明**(exception specification)指定,如果函数抛出异常,被抛出的异常将是包含在该说明中的一种,或者是从列出的异常中派生的类型。

706

> **警告:auto_ptr 的缺陷**
>
> auto_ptr 类模板为处理动态分配的内存提供了安全性和便利性的尺度。要正确地使用 auto_ptr 类,必须坚持该类强加的下列限制:
>
> (1) 不要使用 auto_ptr 对象保存指向静态分配对象的指针,否则,当 auto_ptr 对象本身被撤销的时候,它将试图删除指向非动态分配对象的指针,导致未定义的行为。
>
> (2) 永远不要使用两个 auto_ptr 对象指向同一对象,导致这个错误的一种明显方式是,使用同一指针来初始化或者 reset 两个不同的 auto_ptr 对象。另一种导致这个错误的微妙方式可能是,使用一个 auto_ptr 对象的 get 函数的结果来初始化或者 reset 另一个 auto_ptr 对象。
>
> (3) 不要使用 auto_ptr 对象保存指向动态分配数组的指针。当 auto_ptr 对象被删除的时候,它只释放一个对象——它使用普通 delete 操作符,而不用数组的 delete[] 操作符。
>
> (4) 不要将 auto_ptr 对象存储在容器中。容器要求所保存的类型定义复制和赋值操作符,使它们表现得类似于内置类型的操作符:在复制(或者赋值)之后,两个对象必须具有相同值,auto_ptr 类不满足这个要求。

1. 定义异常说明

异常说明跟在函数形参表之后。一个异常说明在关键字 throw 之后跟着一个(可能为空的)由圆括号括住的异常类型列表:

```
void recoup(int) throw (runtime_error);
```

这个声明指出，recoup 是接受 int 值的函数，并返回 void。如果 recoup 抛出一个异常，该异常将是 runtime_error 对象，或者是由 runtime_error 派生的类型的异常。

空说明列表指出函数不抛出任何异常：

```
void no_problem() throw();
```

异常说明是函数接口的一部分，函数定义以及该函数的任意声明必须具有相同的异常说明。

> 如果一个函数声明没有指定异常说明，则该函数可以抛出任意类型的异常。

2. 违反异常说明

但是，不可能在编译时知道程序是否抛出异常以及会抛出哪些异常，只有在运行时才能检测是否违反函数异常说明。

如果函数抛出了没有在其异常说明中列出的异常，就调用标准库函数 **unexpected**。默认情况下，unexpected 函数调用 terminate 函数，terminate 函数一般会终止程序。

> 在编译的时候，编译器不能也不会试图验证异常说明。

即使对函数代码的偶然阅读指明，它可能抛出异常说明中没有的异常，编译器也不会给出提示：

```
void f() throw()              // promise not to throw any exception
{
    throw exception();        // violates exception specification
}
```

相反，编译器会产生代码以便保证：如果抛出了一个违反异常说明的异常，就调用 unexpected 函数。

3. 确定函数不抛出异常

因为不能在编译时检查异常说明，异常说明的应用通常是有限的。

> 异常说明有用的一种重要情况是，如果函数可以保证不会抛出任何异常。

确定函数将不抛出任何异常，对函数的用户和编译器都有所帮助：知道函数不抛出异常会简化编写调用该函数的异常安全的代码的工作，我们可以知道在调用函数时不必担心异常，而且，如果编译器知道不会抛出异常，它就可以执行被可能抛出异常的代码所抑制的优化。

4. 异常说明与成员函数

像非成员函数一样，成员函数声明的异常说明跟在函数形参表之后。例如，C++标准库中的 bad_alloc 类定义为所有成员都有空异常说明，这些成员承诺不抛出异常：

```
// ilustrative definition of library bad_alloc class
class bad_alloc : public exception {
public:
    bad_alloc() throw();
```

```
bad_alloc(const bad_alloc &) throw();
bad_alloc & operator=(const bad_alloc &) throw();
virtual ~bad_alloc() throw();
virtual const char* what() const throw();
};
```

注意，在 const 成员函数声明中，异常说明跟在 const 限定符之后。

5. 异常说明与析构函数

17.1.7 节介绍了两个假设的书店应用程序异常类，isbn_mismatch 类将析构函数定义为：

```
class isbn_mismatch: public std::logic_error {
public:
    virtual ~isbn_mismatch() throw() { }
};
```

并说明我们会在这里解释这种用法。

　　isbn_mismatch 类从 logic_error 类继承而来，logic_error 是一个标准异常类，该标准异常类的析构函数包含空 throw() 说明符，它们承诺不抛出任何异常。当继承这两个类中的一个时，我们的析构函数也必须承诺不抛出任何异常。

　　out_of_stock 类没有成员，所以它的合成析构函数不做任何可能抛出异常的事情，因此，编译器可以知道合成析构函数将遵守不抛出异常的承诺。

　　isbn_mismatch 类有两个 string 类成员，这意味着 isbn_mismatch 的合成析构函数调用 string 析构函数。C++标准保证，string 析构函数像任意其他标准库类析构函数一样，不抛出异常。但是，标准库的析构函数没有定义异常说明，在这种情况下，我们知道，但编译器不知道，string 析构函数将不抛出异常。我们必须定义自己的析构函数来恢复析构函数不抛出异常的承诺。

6. 异常说明与虚函数

　　基类中虚函数的异常说明，可以与派生类中对应虚函数的异常说明不同。

　　但是，派生类虚函数的异常说明必须与对应基类虚函数的异常说明同样严格，或者比后者更受限。

　　这个限制保证，当使用指向基类类型的指针调用派生类虚函数的时候，派生类的异常说明不会增加新的可抛出异常。例如：

709

```
class Base {
public:
    virtual double f1(double) throw ();
    virtual int f2(int) throw (std::logic_error);
    virtual std::string f3() throw
            (std::logic_error, std::runtime_error);
};
class Derived : public Base {
public:
    // error: exception specification is less restrictive than  Base::f1's
    double f1(double) throw (std::underflow_error);
    // ok: same exception specification as  Base::f2
    int f2(int) throw (std::logic_error);
    // ok: Derived  f3  is more restrictive
```

```
    std::string f3() throw ();
};
```

派生类中 f1 的声明是错误的，因为它的异常说明在基类 f1 版本列出的异常中增加了一个异常。派生类不能在异常说明列表中增加异常，原因在于，继承层次的用户应该能够编写依赖于该说明列表的代码。如果通过基类指针或引用进行函数调用，那么，这些类的用户所涉及的应该只是在基类中指定的异常。

通过将派生类抛出的异常限制为由基类所列出的那些，在编写代码时就可以知道必须处理哪些异常。代码可以依赖于这样一个事实：基类中的异常列表是虚函数的派生类版本可以抛出的异常列表的超集。例如，当调用 f3 的时候，我们知道只需要处理 logic_error 或 runtime_error：

```
// guarantees not to throw exceptions
void compute(Base *pb) throw()
{
    try {
        // may throw exception of type std::logic_error
        // or std::runtime_error
        pb->f3();
    } catch (const logic_error &le)  { /* ... */ }
      catch (const runtime_error &re) { /* ... */ }
}
```

710 在确定可能需要捕获什么异常的时候，compute 函数使用基类中的异常说明。

17.1.11 函数指针的异常说明

异常说明是函数类型的一部分。这样，也可以在函数指针的定义中提供异常说明：

```
void (*pf) (int) throw(runtime_error);
```

这个声明是说，pr 指向接受 int 值的函数，该函数返回 void 对象，该函数只能抛出 runtime_error 类型的异常。如果不提供异常说明，该指针就可以指向能够抛出任意类型异常的具有匹配类型的函数。

在用另一指针初始化带异常说明的函数的指针，或者将后者赋值给函数地址的时候，两个指针的异常说明不必相同，但是，源指针的异常说明必须至少与目标指针的一样严格。

```
void recoup(int) throw(runtime_error);
// ok: recoup is as restrictive as pf1
void (*pf1)(int) throw(runtime_error) = recoup;
// ok: recoup is more restrictive than pf2
void (*pf2)(int) throw(runtime_error, logic_error) = recoup;
// error: recoup is less restrictive than pf3
void (*pf3)(int) throw() = recoup;
// ok: recoup is more restrictive than pf4
void (*pf4)(int) = recoup;
```

第三个初始化是错误的。指针声明指出，pf3 指向不抛出任何异常的函数，但是，recoup 函数指出它能抛出 runtime_error 类型的异常，recoup 函数抛出的异常类型超出了 pf3 所指定的，对 pf3 而言，recoup 函数不是有效的初始化式，并且会引发一个编译时错误。

习题

习题 17.10　如果函数有形如 throw() 的异常说明，它能抛出什么异常？如果没有异常说明呢？

习题 17.11　如果有，下面哪个初始化是错误的？为什么？

```
void example() throw(string);
(a) void (*pf1)() = example;
(b) void (*pf2)() throw() = example;
```

习题 17.12　下面函数可以抛出哪些异常？

```
(a) void operate() throw(logic_error);
(b) int op(int) throw(underflow_error, overflow_error);
(c) char manip(string) throw();
(d) void process();
```

711

17.2　命名空间

在一个给定作用域中定义的每个名字在该作用域中必须是唯一的，对庞大、复杂的应用程序而言，这个要求可能难以满足。这样的应用程序的全局作用域中一般有许多名字定义。由独立开发的库构成的复杂程序更有可能遇到名字冲突——同样的名字既可能在我们自己的代码中使用，也可能（更常见地）在独立供应商提供的代码中使用。

库倾向于定义许多全局名字——主要是模板名、类型名或函数名。在使用来自多个供应商的库编写应用程序的时候，这些名字中有一些几乎不可避免地会发生冲突，这种名字冲突问题称为**命名空间污染**（namespace pollution）问题。

传统上，程序员通过将全局实体的名字设得很长来避免命名空间污染，经常用特定字符序列作为程序中名字的前缀：

```
class cplusplus_primer_Query { ... };
ifstream&
cplusplus_primer_open_file(ifstream&, const string&);
```

这个解决方案很不理想：程序员编写和阅读使用这种长名字的程序非常麻烦。**命名空间**（namespace）为防止名字冲突提供了更加可控的机制，命名空间能够划分全局命名空间，这样使用独立开发的库就更加容易了。一个命名空间是一个作用域，通过在命名空间内部定义库中的名字，库的作者（以及用户）可以避免全局名字固有的限制。

17.2.1　命名空间的定义

命名空间定义以关键字 namespace 开始，后接命名空间的名字。

```
namespace cplusplus_primer {
    class Sales_item { /* ... */};
    Sales_item operator+(const Sales_item&,
                         const Sales_item&);
    class Query {
    public:
        Query(const std::string&);
```

```
                std::ostream &display(std::ostream&) const;
                // ...
        };
        class Query_base { /* ... */};
    }
```

这段代码定义了名为 cplusplus_primer 的命名空间，它有四个成员：两个类，一个重载的+操作符，一个函数。

像其他名字一样，命名空间的名字在定义该命名空间的作用域中必须是唯一的。命名空间可以在全局作用域或其他作用域内部定义，但不能在函数或类内部定义。

命名空间名字后面接着由花括号括住的一块声明和定义，可以在命名空间中放入可以出现在全局作用域的任意声明：类、变量（以及它们的初始化）、函数（以及它们的定义）、模板以及其他命名空间。

 命名空间作用域不能以分号结束。

1. 每个命名空间是一个作用域

定义在命名空间中的实体称为命名空间成员。像任意作用域的情况一样，命名空间中的每个名字必须引用该命名空间中的唯一实体。因为不同命名空间引入不同作用域，所以不同命名空间可以具有同名成员。

在命名空间中定义的名字可以被命名空间中的其他成员直接访问，命名空间外部的代码必须指出名字定义在哪个命名空间中：

```
cplusplus_primer::Query q =
                cplusplus_primer::Query("hello");
q.display(cout);
// ...
```

如果另一命名空间（如 **AddissonWesley**）也提供 TextQuery 类，而且我们想要使用那个类代替 cplusplus_primer 中定义的 TextQuery，可以通过这样修改代码而实现：

```
AddisonWesley::Query q = AddisonWesley::Query("hello");
q.display(cout);
// ...
```

2. 从命名空间外部使用命名空间成员

当然，总是使用限定名 namespace_name::member_name 引用命名空间成员可能非常麻烦。像对 std 中定义的命名空间所做的那样，可以编写 using 声明（3.1 节）来获得对我们知道将经常使用的名字的直接访问：

```
using cplusplus_primer::Query;
```

在这个 using 声明之后，程序可以无须 cplusplus_primer 限定符而直接使用名字 Query，在 17.2.4 节将介绍简化访问的其他方法。

3. 命名空间可以是不连续的

与其他作用域不同，命名空间可以在几个部分中定义。命名空间由它的分离定义部分的总和构成，命名空间是累积的。一个命名空间的分离部分可以分散在多个文件中，在不同文本文件中的命名空间定义也是累积的。当然，名字只在声明名字的文件中可见，这一常规限制继续应用，所以，如果命名空间的一个部分需要定义在另一文件中的名字，仍然必须声明该名字。

编写命名空间定义：

```
namespace namespace_name {
// declarations
}
```

既可以定义新的命名空间，也可以添加到现存命名空间中。

如果名字 *namespace_name* 不是引用前面定义的命名空间，则用该名字创建新的命名空间，否则，这个定义打开一个已存在的命名空间，并将这些新声明加到那个命名空间。

4. 接口和实现的分离

命名空间定义可以不连续意味着，可以用分离的接口文件和实现文件构成命名空间，因此，可以用与管理自己的类和函数定义相同的方法来组织命名空间：

(1) 定义类的命名空间成员，以及作为类接口的一部分的函数声明与对象声明，可以放在头文件中，使用命名空间成员的文件可以包含这些头文件。

(2) 命名空间成员的定义可以放在单独的源文件中。

按这种方式组织命名空间，也满足了不同实体（非内联函数、静态数据成员、变量等）只能在一个程序中定义一次的要求，这个要求同样适用于命名空间中定义的名字。通过将接口和实现分离，可以保证函数和其他我们需要的名字只定义一次，但相同的声明可以在任何使用该实体的地方见到。

> **最佳实践** 定义多个不相关类型的命名空间应该使用分离的文件，表示该命名空间定义的每个类型。

5. 定义本书的命名空间

使用将接口和实现分离的策略，可以将 `cplusplus_primer` 库定义在几个分离的文件中。本书第一部分建立的 `Sales_item` 的声明及其相关函数可以放在 `Sales_item.h` 中，第 15 章的 `Query` 类的定义以及相关函数放在 `Query.h` 中，以此类推。对应的实现文件可以是 `Sales_item.cc` 和 `Query.cc`：

714

```
// ---- Sales_item.h ----
namespace cplusplus_primer {
    class Sales_item { /* ... */};
    Sales_item operator+(const Sales_item&,
                         const Sales_item&);
    // declarations for remaining functions in the Sales_item interface
}
// ---- Query.h ----
namespace cplusplus_primer {
    class Query {
    public:
        Query(const std::string&);
        std::ostream &display(std::ostream&) const;
        // ...
    };
```

```
        class Query_base { /* ... */};
    }
    // ---- Sales_item.cc ----
    #include "Sales_item.h"
    namespace cplusplus_primer {
    // definitions for Sales_item members and overloaded operators
    }
    // ---- Query.cc ----
    #include "Query.h"
    namespace cplusplus_primer {
        // definitions for Query members and related functions
    }
```

这种程序组织给予开发者和库用户必要的模块性。每个类仍组织在自己的接口和实现文件中，一个类的用户不必编译与其他类相关的名字。如果允许 Sales_item.cc 和 Query.cc 文件编译和链接到一个程序而不会导致编译时错误和运行时错误，就可以对用户隐藏实现。库的开发者可以独立工作于每个类型的实现。

使用我们的库的程序可以包含需要的头文件，那些头文件中的名字定义在命名空间 cplusplus_primer 内部：

```
    // ---- user.cc ----
    // defines the cplusplus_primer::Sales_item class
    #include "Sales_item.h"
    int main()
    {
        // ...
        cplusplus_primer::Sales_item trans1, trans2;
        // ...
        return 0;
    }
```

715

6. 定义命名空间成员

在命名空间内部定义的函数可以使用同一命名空间中定义的名字的简写形式：

```
    namespace cplusplus_primer {
    // members defined inside the namespace may use unqualified names
    std::istream&
    operator>>(std::istream& in, Sales_item& s)
    {
        // ...
    }
```

也可以在命名空间定义的外部定义命名空间成员，用类似于在类外部定义类成员的方式：名字的命名空间声明必须在作用域中，并且定义必须指定该名字所属的命名空间：

```
    // namespace members defined outside the namespace must use qualified names
    cplusplus_primer::Sales_item
    cplusplus_primer::operator+(const Sales_item& lhs,
                                const Sales_item& rhs)
    {
        Sales_item ret(lhs);
        // ...
    }
```

这个定义看起来类似于定义在类外部的类成员函数，返回类型和函数名由命名空间名字限定。一旦看到完全限定的函数名，就处于命名空间的作用域中。因此，形参表和函数体中的命名空间成员引用可以使用非限定名引用 Sales_item。

7. 不能在不相关的命名空间中定义成员

虽然可以在命名空间定义的外部定义命名空间成员，对这个定义可以出现的地方仍有些限制，只有包围成员声明的命名空间可以包含成员的定义。例如，operator+既可以定义在命名空间 cplusplus_primer 中，也可以定义在全局作用域中，但它不能定义在不相关的命名空间中。

8. 全局命名空间

定义在全局作用域的名字（在任意类、函数或命名空间外部声明的名字）是定义在**全局命名空间**（global namespace）中的。全局命名空间是隐式声明的，存在于每个程序中。在全局作用域定义实体的每个文件将那些名字加到全局命名空间。

可以用作用域操作符引用全局命名空间的成员。因为全局命名空间是隐含的，它没有名字，所以记号::member_name 引用全局命名空间的成员。

716

习题

习题 17.13 将 17.1.7 节描述的书店异常类定义为名为 Bookstore 的命名空间的成员。

习题 17.14 在命名空间 Bookstore 内部定义 Sales_item 及其操作符。定义加操作符抛出一个异常。

习题 17.15 编写一个程序，使用 Sales_item 加操作符并处理任何异常。使这个程序成为名为 MyApp 的另一命名空间的成员。这个程序应使用上题中在命名空间 Bookstore 中定义的异常类。

17.2.2 嵌套命名空间

一个嵌套命名空间即是一个嵌套作用域——其作用域嵌套在包含它的命名空间内部。嵌套命名空间中的名字遵循常规规则：外围命名空间中声明的名字被嵌套命名空间中同一名字的声明所屏蔽。嵌套命名空间内部定义的名字局部于该命名空间。外围命名空间之外的代码只能通过限定名引用嵌套命名空间中的名字。

嵌套命名空间可以改进库中代码的组织：

```
namespace cplusplus_primer {
    // first nested namespace:
    // defines the  Query  portion of the library
    namespace QueryLib {
        class Query { /* ... */ };
        Query operator&(const Query&, const Query&);
        // ...
    }
    // second nested namespace:
    // defines the  Sales_item  portion of the library
    namespace Bookstore {
        class Item_base { /* ... */ };
        class Bulk_item : public Item_base { /* ... */ };
```

```
        // ...
    }
}
```

命名空间 cplusplus_primer 现在包含两个嵌套命名空间：名为 QueryLib 的命名空间和名为 Bookstore 的命名空间。

当库提供者需要防止库中每个部分的名字与库中其他部分的名字冲突的时候，嵌套命名空间是很有用的。

嵌套命名空间中成员的名字由外围命名空间的名字和嵌套命名空间的名字构成。例如，嵌套命名空间 QueryLib 中声明的类的名字是

```
cplusplus_primer::QueryLib::Query
```

习题

习题 17.16 将为回答每章中的问题而编写的程序组织到每一章自己的命名空间中，也就是说，命名空间 chapterrefinheritance 将包含 Query 程序的代码，而 chapterrefalgs 将包含 TextQuery 代码。使用这个结构，编译 Query 代码示例。

习题 17.17 在本书中，我们定义了两个名为 Sales_item 的不同类：在第一部分定义和使用的初始简单类，以及在 15.8.1 节定义的与 Item_base 继承层次接口的句柄类。在命名空间 cplusplus_primer 内部定义两个嵌套命名空间，用于区别这两个类定义。

17.2.3　未命名的命名空间

命名空间可以是未命名的，**未命名的命名空间**（unnamed namespace）在定义时没有给定名字。未命名的命名空间以关键字 namespace 开头，接在关键字 namespace 后面的是由花括号定界的声明块。

 　　未命名的命名空间与其他命名空间不同，未命名的命名空间的定义局部于特定文件，从不跨越多个文本文件。

未命名的命名空间可以在给定文件中不连续，但不能跨越文件，每个文件有自己的未命名的命名空间。

未命名的命名空间用于声明局部于文件的实体。在未命名的命名空间中定义的变量在程序开始时创建，在程序结束之前一直存在。

未命名的命名空间中定义的名字可直接使用，毕竟，没有命名空间名字来限定它们。不能使用作用域操作符来引用未命名的命名空间的成员。

未命名的命名空间中定义的名字只在包含该命名空间的文件中可见。如果另一文件包含一个未命名的命名空间，两个命名空间不相关。两个命名空间可以定义相同的名字，而这些定义将引用不同的实体。

未命名的命名空间中定义的名字可以在定义该命名空间所在的作用域中找到。如果在文件的最外层作用域中定义未命名的命名空间，那么，未命名的命名空间中的名字必须与全局作用域中

定义的名字不同：

```
int i;    // global declaration for i
namespace {
    int i;
}
// error: ambiguous defined globally and in an unnested, unnamed namespace
i = 10;
```

　　像任意其他命名空间一样，未命名的命名空间也可以嵌套在另一命名空间内部。如果未命名 718
的命名空间是嵌套的，其中的名字按常规方法使用外围命名空间名字访问：

```
namespace local {
    namespace {
        int i;
    }
}
    // ok: i defined in a nested unnamed namespace is distinct from global i
    local::i = 42;
```

　　　　如果头文件定义了未命名的命名空间，那么，在每个包含该头文件的文件中，该
命名空间中的名字将定义不同的局部实体。

　　在所有其他方式中，未命名的命名空间的成员都是普通程序实体。

未命名的命名空间取代文件中的静态声明

　　在标准 C++中引入命名空间之前，程序必须将名字声明为 static，使它们局部于一个文
件。文件中静态声明的使用从 C 语言继承而来，在 C 语言中，声明为 static 的局部实体在声
明它的文件之外不可见。

　　　　C++不赞成文件静态声明。不赞成的特征是在未来版本中可能不支持的特征。应该
避免文件静态而使用未命名的命名空间代替。

习题

习题 17.18　为什么在程序中定义自己的命名空间？何时可以使用未命名的命名空间？

习题 17.19　假定有下面的 operator*的声明，operator*是嵌套命名空间 cplusplus_primer::
　　　　　　MatrixLib 的成员：

```
namespace cplusplus_primer {
    namespace MatrixLib {
        class matrix { /* ... */ };
        matrix operator*
                (const matrix &, const matrix &);
        // ...
    }
}
```

　　　　　　怎样在全局作用域中定义这个操作符？只需给出操作符定义的原型。

719

17.2.4 命名空间成员的使用

像命名空间名 namespace_name::member_name 成员名这样引用命名空间的成员无可否认是很麻烦，特别是，命名空间名字很长的时候。幸好，有办法让使用命名空间成员比较容易。我们的程序已经使用了其中的一种方法，就是 using 声明（3.1 节），本节将介绍其他方法：命名空间别名和 using 指示。

> 除了在函数或其他作用域内部，头文件不应该包含 using 指示或 using 声明。在其顶级作用域包含 using 指示或 using 声明的头文件，具有将该名字注入包含该头文件的文件中的效果。头文件应该只定义作为其接口的一部分的名字，不要定义在其实现中使用的名字。

1. using 声明，扼要重述

本书中使用标准库中名字的程序一般假设进行了适当的 **using 声明**：

```
map<string, vector< pair<size_t, size_t> > > word_map;
```

假定进行了下面的声明：

```
using std::map;
using std::pair;
using std::size_t;
using std::string;
using std::vector;
```

一个 using 声明一次只引入一个命名空间成员，它使得无论程序中使用哪些名字，都能够非常明确。

2. using 声明的作用域

using 声明中引入的名字遵循常规作用域规则。从 using 声明点开始，直到包含该 using 声明的作用域的末尾，名字都是可见的。外部作用域中定义的同名实体被屏蔽。

简写名字只能在声明它的作用域及其嵌套作用域中使用，一旦该作用域结束了，就必须使用完全限定名。

using 声明可以出现在全局作用域、局部作用域或者命名空间作用域中。类作用域中的 using 声明局限于被定义类的基类中定义的名字。

3. 命名空间别名

可用**命名空间别名**（namespace alias）将较短的同义词与命名空间名字相关联。例如，像

```
namespace cplusplus_primer     { /* ... */ };
```

这样的长命名空间名字，可以像下面这样与较短的同义词相关联：

```
namespace primer = cplusplus_primer;
```

命名空间别名声明以关键字 namespace 开头，接（较短的）命名空间别名名字，再接=，再接原来的命名空间名字和分号。如果原来的命名空间名字是未定义的，就会出错。

命名空间别名也可以引用嵌套的命名空间。除了编写

```
cplusplus_primer::QueryLib::Query tq;
```

之外，我们可以定义和使用 cplusplus_primer::QueryLib 的别名：

```
namespace Qlib = cplusplus_primer::QueryLib;
Qlib::Query tq;
```

> 一个命名空间可以有许多别名，所有别名以及原来的命名空间名字都可以互换使用。

4. using 指示

像 using 声明一样，**using** 指示使我们能够使用命名空间名字的简写形式。与 using 声明不同，using 指示无法控制使得哪些名字可见——它们都是可见的。

5. using 指示的形式

using 指示以关键字 using 开头，后接关键字 namespace，再接命名空间名字。如果该名字不是已经定义的命名空间名字，就会出错。

using 指示使得特定命名空间的所有名字可见，没有限制。短格式名字可从 using 指示点开始使用，直到出现 using 指示的作用域的末尾。

> 可以尝试用 using 指示编写程序，但在使用多个库的时候，这样做会重新引入名字冲突的所有问题。

6. using 指示与作用域

用 using 指示引入的名字的作用域比 using 声明的更复杂。using 声明将名字直接放入出现 using 声明的作用域，好像 using 声明是命名空间成员的局部别名一样。因为这种声明是局部化的，冲突的机会最小。

> using 指示不声明命名空间成员名字的别名，相反，它具有将命名空间成员提升到包含命名空间本身和 using 指示的最近作用域的效果。

在最简单的情况下，假定有命名空间 A 和函数 f，二者都在全局作用域中定义。如果 f 有关于 A 的 using 指示，那么，在 f 中，将好像 A 中的名字出现在全局作用域中 f 的定义之前一样：

```
// namespace A and function f are defined at global scope
namespace A {
    int i, j;
}
void f()
{
    using namespace A;        // injects names from A into the global scope
    cout << i * j << endl;    // uses i and j from namespace A
    //...
}
```

> using 指示有用的一种情况是，用在命名空间本身的实现文件中。

721

7. using 指示例子

看一个例子：

```
namespace blip {
    int bi = 16, bj = 15, bk = 23;
    // other declarations
}
int bj = 0; // ok: bj inside blip is hidden inside a namespace
void manip()
{
    // using directive - names in blip "added" to global scope
    using namespace blip;
                            // clash between ::bj and blip::bj
                            // detected only if bj is used
    ++bi;                   // sets blip::bi to 17
    ++bj;                   // error: ambiguous
                            // global bj or blip::bj?
    ++::bj;                 // ok: sets global bj to 1
    ++blip::bj;             // ok: sets blip::bj to 16
    int bk = 97;            // local bk hides blip::bk
    ++bk;                   // sets local bk to 98
}
```

722

manip 中的 using 指示使 manip 能够直接访问 blip 中的所有名字：使用它们的简化形式，该函数可以引用这些成员的名字。

blip 的成员看来好像是在定义 blip 和 manip 的作用域中定义的一样。如果在全局作用域中定义 blip，则 blip 的成员看来好像是声明在全局作用域的一样。因为名字在不同的作用域中，manip 内部的局部声明可以屏蔽命名空间的某些成员名字，局部变量 bk 屏蔽命名空间名字 blip::bk，在 manip 内部对 bk 的引用没有二义性，它引用局部变量 bk。

命名空间中的名字可能会与外围作用域中定义的其他名字冲突。例如，对 manip 而言，blip 成员 bj 看来好像声明在全局作用域中，但是，全局作用域存在另一名为 bj 的对象。这种冲突是允许的，但为了使用该名字，必须显式指出想要的是哪个版本，因此，在 manip 内部的 bj 使用是有二义性的：该名字既可引用全局变量又可引用命名空间 blip 的成员。

为了使用像 bj 这样的名字，必须使用作用域操作符指出想要的是哪个名字。可以编写 ::bj 来获得在全局作用域中定义的变量，要使用 blip 中定义的 bj，必须使用它的限定名字 blip::bj。

习题

习题 17.20 解释 using 声明和 using 指示之间的区别。

习题 17.21 考虑下面代码样本：

```
namespace Exercise {
    int ivar = 0;
    double dvar = 0;
    const int limit = 1000;
}
int ivar = 0;
// position 1
```

```
void manip() {
    // position 2
    double dvar = 3.1416;
    int iobj = limit + 1;
    ++ivar;
    ++::ivar;
}
```

如果命名空间 Exercise 的所有成员的 using 声明放在标为 *position 1* 的地方，这个代码样本中的声明和表达式的效果是什么？如果放在 *position 2* 位置呢？用命名空间 Exercise 的 using 指示代替 using 声明，回答同一问题。

723

警告：避免 using 指示

　　using 指示注入来自一个命名空间的所有名字，它的使用是靠不住的：只用一个语句，命名空间的所有成员名就突然可见了。虽然这个方法看似简单，但也有它自身的问题。如果应用程序使用许多库，并且用 using 指示使得这些库中的名字可见，那么，全局命名空间污染问题就重新出现。

　　而且，当引入库的新版本的时候，正在工作的程序可能会编译失败。如果新版本引入一个与应用程序正在使用的名字冲突的名字，就会引发这个问题。

　　另一个问题是，由 using 指示引起的二义性错误只能在使用处检测，这个后来的检测意味着，可能在特定库引入很久之后才引发冲突，如果程序开始使用该库的新部分，就可能引发先前未检测到的冲突。

　　相对于依赖于 using 指示，对程序中使用的每个命名空间名字使用 using 声明更好，这样做减少注入到命名空间[1]中的名字数目，由 using 声明引起的二义性错误在声明点而不是使用点检测，因此更容易发现和修正。

17.2.5　类、命名空间和作用域

　　正如我们已经注意到的，命名空间是作用域。像在任意其他作用域中一样，名字从声明点开始可见。名字的可见性穿过任意嵌套作用域，直到引入名字的块的末尾。

　　对命名空间内部使用的名字的查找遵循常规 C++ 查找规则：当查找名字的时候，通过外围作用域向外查找。对命名空间内部使用的名字而言，外围作用域可能是一个或多个嵌套的命名空间，最终以全包围的全局命名空间结束。只考虑已经在使用点之前声明的名字，而该使用点仍在开放的块中：

```
namespace A {
    int i;
    namespace B {
        int i;              // hides A::i within B
        int j;
        int f1()
        {
```

---

1. 此处原文有误，"命名空间"应为"程序"。——译者注

```
            int j;         // j is local to f1 and hides A::B::j
            return i;      // returns B::i
        }
    } // namespace B is closed and names in it are no longer visible
    int f2() {
        return j;          // error: j is not defined
    }
    int j = i;             // initialized from A::i
}
```

[724]　　用非常相似的方式确定类成员定义中使用的名字，只有一个重要区别：如果名字不是局部于成员函数的，就试着在查找更外层作用域之前在类成员中确定名字。

　　正如 12.3 节所介绍的，类内部所定义的成员可以使用出现在定义文本之后的名字。例如，即使数据成员的定义出现在构造函数定义之后，类定义体内部定义的构造函数也可以初始化那些数据成员。当在类作用域中使用名字的时候，首先在成员本身中查找，然后在类中查找，包括任意基类，只有在查找完类之后，才检查外围作用域。当类包在命名空间中的时候，发生相同的查找：首先在成员中找，然后在类（包括基类）中找，再在外围作用域中找，外围作用域中的一个或多个可以是命名空间：

```
namespace A {
    int i;
    int k;
    class C1 {
    public:
        C1(): i(0), j(0) { }       // ok: initializes C1::i and C1::j
        int f1()
        {
            return k;              // returns A::k
        }
        int f2()
        {
            return h;              // error: h is not defined
        }
        int f3();
    private:
        int i;                     // hides A::i within C1
        int j;
    };
    int h = i;                     // initialized from A::i
}
// member f3 is defined outside class C1 and outside namespace A
int A::C1::f3()
{
    return h;                      // ok: returns A::h
}
```

　　除了成员定义例外，总是向上查找作用域：名字在使用之前必须声明。因此，f2 中的 return 语句将不能编译，它试图引用命名空间 A 中的名字 h，但 h 还没有定义。如果使 A 中的名字在 C1 的定义之前定义，h 的使用就是合法的。类似地，f3 内部对 h 的使用是正确的，因为 f3 定义在已经定义了 A::h 之后。

可以从函数的限定名推断出查找名字时所检查作用域的次序,限定名以相反次序
指出被查找的作用域。

限定符 A::C1::f3 指出了查找类作用域和命名空间作用域的相反次序,首先查找函数 f3 的
作用域,然后查找外围类 C1 的作用域。在查找包含 f3 定义的作用域之前,最后查找命名空间 A
的作用域。

1. 实参相关的查找与类类型形参

考虑下面的简单程序:

```
std::string s;
// ok: calls std::getline(std::istream&, const std::string&)
getline(std::cin, s);
```

这段程序使用了 std::string 类型,但它不加限制地引用了 getline 函数。为什么可以无须特
定 std:: 限定符或 using 声明而使用该函数?

它给出了屏蔽命名空间名字规则的一个重要例外。

 接受类类型形参(或类类型指针及引用形参)的函数(包括重载操作符),以及
与类本身定义在同一命名空间中的函数(包括重载操作符),在用类类型对象(或类
类型的引用及指针)作为实参的时候是可见的。

当编译器看到 getline 函数的使用 getline(std::cin, s); 的时候,它在当前作用域、包
含调用的作用域以及定义 cin 的类型和 string 类型的命名空间中查找匹配的函数。因此,它在
命名空间 std 中查找并找到由 string 类型定义的 getline 函数。

如果函数具有类类型形参就使得函数可见,其原因在于,允许无须单独的 using 声明就可
以使用概念上作为类接口组成部分的非成员函数。能够使用非成员操作对操作符函数特别有用。

例如,考虑下面的简单程序:

```
std::string s;
cin >> s;
```

如果没有查找规则的这个例外,我们将必须编写下面二者之一:

```
using std::operator>>;           // need to allow  cin >> s
std::operator>>(std::cin, s);    // ok: explicitly use  std::>>
```

这两个声明都不方便使用,而且可能使 string 和 IO 库的使用变得更复杂。

2. 隐式友元声明与命名空间

回忆一下,当一个类声明友元函数(12.5 节)的时候,函数的声明不必是可见的。如果不存
在可见的声明,那么,友元声明具有将该函数或类的声明放入外围作用域的效果。如果类在命名
空间内部定义,则没有另外声明的友元函数在同一命名空间中声明。

```
namespace A {
    class C {
        friend void f(const C&); // makes  f  a member of namespace  A
    };
}
```

因为该友元接受类类型实参并与类隐式声明在同一命名空间中，所以使用它时可以无须使用显式命名空间限定符：

```
// f2 defined at global scope
void f2()
{
    A::C cobj;
    f(cobj); // calls A::f
}
```

17.2.6　重载与命名空间

正如我们所见，每个命名空间维持自己的作用域，因此，作为两个不同命名空间的成员的函数不能互相重载。但是，给定命名空间可以包含一组重载函数成员。

一般而言，命名空间内部的函数匹配（7.8.2 节）以与我们已经见过的方式相同的方式进行：

(1) 找到候选函数集。如果一个函数在调用时其声明可见并且与被调用函数同名，这个函数就是候选者。

(2) 从候选集中选择可行函数。如果函数的形参数目与函数调用的实参数目相同，并且每个形参都可用对应实参匹配，这个函数就是可行的。

(3) 从可行集合中选择一个最佳匹配，并产生代码调用该函数。如果可行集合为空，则调用出错，没有匹配；如果可行集合非空且没有最佳匹配，则调用有二义性。

1. 候选函数与命名空间

命名空间对函数匹配有两个影响。一个影响是明显的：using 声明或 using 指示可以将函数加到候选集合。另一个影响则微妙得多。

正如前节所见，有一个或多个类类型形参的函数的名字查找包括定义每个形参类型的命名空间。这个规则还影响怎样确定候选集合，为找候选函数而查找定义形参类（以及定义其基类）的每个命名空间，将那些命名空间中任意与被调用函数名字相同的函数加入候选集合。即使这些函数在调用点不可见，也将之加入候选集合。将那些命名空间中带有匹配名字的函数加入候选集合：

```
namespace NS {
    class Item_base { /* ... */ };
    void display(const Item_base&) { }
}
// Bulk_item's  base class is declared in namespace NS
class Bulk_item : public NS::Item_base { };
int main() {
    Bulk_item book1;
    display(book1);
    return 0;
}
```

display 函数的实参 book1 具有类类型 Bulk_item。display 调用的候选函数不仅是在调用 display 函数的地方其声明可见的函数，还包括声明 Bulk_item 类及其基类 Item_base 的命名空间中的函数。命名空间 NS 中声明的函数 display(const Item_base&) 被加到候选函数集合中。

2. 重载与 using 声明

using 声明声明一个名字。正如 15.5.3 节所见，没有办法编写 using 声明来引用特定函数声明：

```
using NS::print(int);   // error: cannot specify parameter list
using NS::print;        // ok: using declarations specify names only
```

如果命名空间内部的函数是重载的，那么，该函数名字的 using 声明声明了所有具有该名字的函数。如果命名空间 NS 中有用于 int 和 double 的 print 函数，则 NS::print 的 using 声明使得两个函数都在当前作用域中可见。

一个 using 声明包括重载函数的所有版本以保证不违反命名空间的接口。库作者为一个理由提供不同函数，允许用户选择性地忽略重载函数集合中的某些但不是全部函数，可能会导致奇怪的程序行为。

由 using 声明引入的函数，重载出现 using 声明的作用域中的任意其他同名函数的声明。

如果 using 声明在已经有同名且带相同形参表的函数的作用域中引入函数，则 using 声明出错，否则，using 定义给定名字的另一重载实例，效果是增大候选函数集合。

3. 重载与 using 指示

using 指示将命名空间成员提升到外围作用域。如果命名空间函数与命名空间所在的作用域中声明的函数同名，就将命名空间成员加到重载集合中：

```
namespace libs_R_us {
    extern void print(int);
    extern void print(double);
}
void print(const std::string &);
// using directive:
using namespace libs_R_us;
// using directive added names to the candidate set for calls to print:
// print(int) from libs_R_us
// print(double) from libs_R_us
// print(const std::string &) declared explicitly
void fooBar(int ival)
{
    print("Value: ");    // calls global print(const string &)
    print(ival);         // calls libs_R_us::print(int)
}
```

4. 跨越多个 using 指示的重载

如果存在许多 using 指示，则来自每个命名空间的名字成为候选集合的组成部分：

```
namespace AW {
    int print(int);
}
namespace Primer {
    double print(double);
}
// using directives:
// form an overload set of functions from different namespaces
using namespace AW;
using namespace Primer;
long double print(long double);
int main() {
    print(1);        // calls AW::print(int)
    print(3.1);      // calls Primer::print(double)
```

```
        return 0;
    }
```

全局作用域中 print 函数的重载集合包含函数 print(int)、print(double)和 print(long double)，即使这些函数原来在不同的命名空间中声明，它们都是为 main 中函数调用考虑的重载集合的组成部分。

习题

习题 17.22   给定下面的代码，如果有，确定哪个函数与 compute 函数的调用匹配，列出候选函数与可行函数。如果有，对实参应用什么类型转换序列，以匹配每个可行函数的形参？

```
namespace primerLib {
    void compute();
    void compute(const void *);
}
using primerLib::compute;
void compute(int);
void compute(double, double = 3.4);
void compute(char*, char* = 0);

int main()
{
    compute(0);
    return 0;
}
```

如果将 using 声明放在 main 中的 compute 调用之前，会发生什么情况？回答与前面相同的问题。

17.2.7   命名空间与模板

在命名空间内部声明模板影响着怎样声明模板特化（16.6 节）：模板的显式特化必须在定义通用模板的命名空间中声明，否则，该特化将与它所特化的模板不同名。

有两种定义特化的方式：一种是重新打开命名空间并加入特化的定义，可以这样做是因为命名空间定义是不连续的；或者，可以用与在命名空间定义外部定义命名空间成员相同的方式来定义特化：使用由命名空间名字限定的模板名定义特化。

为了提供命名空间中所定义模板的自己的特化，必须保证在包含原始模板定义的命名空间中定义特化。

17.3   多重继承与虚继承

大多数应用程序使用单个基类的公用继承，但是，在某些情况下，单继承是不够用的，因为可能无法为问题域建模，或者会对模型带来不必要的复杂性。

在这些情况下，**多重继承**（multiple inheritance）可以更直接地为应用程序建模。多重继承是从多于一个直接基类派生类的能力，多重继承的派生类继承其所有父类的属性。尽管概念简单，缠绕多个基类的细节可能会带来错综复杂的设计问题或实现问题。

17.3.1 多重继承

本节使用动物园动物层次的一个教学例子。动物园动物在不同抽象级别存在，有个体的动物，由名字区分，如 Ling-Ling、Mowgli 和 Balou；每个动物属于一个物种，例如，Ling-Ling 是一个大熊猫；物种又是科的成员，大熊猫是熊科的成员；每个科又是动物界的成员——在这个例子中，比较受限的是一个特定的动物园。

每个抽象级别包含支持广泛用户的数据和操作。我们将定义一个抽象 ZooAnimal 类保存所有动物园动物的公共信息并提供公用接口，Bear 类将包含 Bear 科的独特信息，以此类推。

除了实际的动物园动物类之外，还有一些辅助类封装不同的抽象，如濒临灭绝的动物。例如，在 Panda 类的实现中，Panda 同时从 Bear 和 Endangered 派生。

1. 定义多个类

为了支持多重继承，扩充派生列表

```
class Bear : public ZooAnimal {
};
```

以支持由逗号分隔的基类列表：

```
class Panda : public Bear, public Endangered {
};
```

派生类为每个基类（显式或隐式地）指定了访问级别——public、protected 或 private。像单继承一样，只有在定义之后，类才可以用作多重继承的基类。对于类可以继承的基类的数目，没有语言强加的限制，但在一个给定派生列表中，一个基类只能出现一次。

2. 多重继承的派生类从每个基类中继承状态

在多重继承下，派生类的对象包含每个基类的基类子对象（15.2.3 节）。当我们编写

```
Panda ying_yang("ying_yang");
```

的时候，对象 ying_yang 包含一个 Bear 类子对象（Bear 类子对象本身包含一个 ZooAnimal 基类子对象）、一个 Endangered 类子对象以及 Panda 类中声明的非 static 数据成员（如果有的话），见图 17-2。

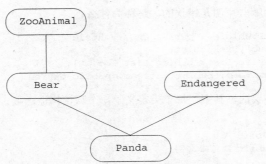

图 17-2 多重继承的 Panda 层次

3. 派生类构造函数初始化所有基类

构造派生类型的对象包括构造和初始化它的所有基类子对象。像继承单个基类（15.4.1 节）的情况一样，派生类的构造函数可以在构造函数初始化式中给零个或多个基类传递值：

```cpp
//  explicitly initialize both base classes
Panda::Panda(std::string name, bool onExhibit)
    : Bear(name, onExhibit, "Panda"),
        Endangered(Endangered::critical) { }
//  implicitly use  Bear  default constructor to initialize the  Bear  subobject
Panda::Panda()
    : Endangered(Endangered::critical) { }
```

4. 构造的次序

构造函数初始化式只能控制用于初始化基类的值，不能控制基类的构造次序。基类构造函数按照基类构造函数在类派生列表中的出现次序调用。对 Panda 而言，基类初始化的次序是：

(1) ZooAnimal，从 Panda 的直接基类 Bear 沿层次向上的最终基类。

(2) Bear，第一个直接基类。

(3) Endangered，第二个直接基类，它本身没有基类。

(4) Panda，初始化 Panda 本身的成员，然后运行它的构造函数的函数体。

    构造函数调用次序既不受构造函数初始化列表中出现的基类的影响，也不受基类在构造函数初始化列表中的出现次序的影响。

例如，在 Panda 类的默认构造函数中，隐式调用 Bear 类的默认构造函数，它不出现在构造函数初始化列表中，虽然如此，仍在显式列出的 Endangered 类构造函数之前调用 Bear 类的默认构造函数。

5. 析构的次序

总是按构造函数运行的逆序调用析构函数。在我们的例子中，调用析构函数的次序是 ~Panda、~Endangered、~Bear、~ZooAnimal。

习题

习题 17.23   如果有，下面哪些声明是错误的。解释为什么。

```cpp
(a) class CADVehicle : public CAD, Vehicle { ... };
(b) class DoublyLinkedList:
        public List, public List { ... };
(c) class iostream: public istream, public ostream { ... };
```

习题 17.24   给定下面的类层次，其中，每个类定义了一个默认构造函数，

```cpp
class A { ... };
class B : public A { ... };
class C : public B { ... };
class X { ... };
class Y { ... };
class Z : public X, public Y { ... };
```

```
class MI : public C, public Z { ... };
```

对于下面的定义，构造函数的执行次序是什么？

```
MI mi;
```

733

17.3.2　转换与多个基类

在单个基类情况下，派生类的指针或引用可以自动转换为基类的指针或引用，对于多重继承也是如此，派生类的指针或引用可以转换为其任意基类的指针或引用。例如，Panda 指针或引用可以转换为 ZooAnimal、Bear 或 Endangered 的指针或引用。

```
// operations that take references to base classes of type Panda
void print(const Bear&);
void highlight(const Endangered&);
ostream& operator<<(ostream&, const ZooAnimal&);
Panda ying_yang("ying_yang");    // create a Panda object
print(ying_yang);         // passes Panda as reference to Bear
highlight(ying_yang);     // passes Panda as reference to Endangered
cout << ying_yang << endl; // passes Panda as reference to ZooAnimal
```

在多重继承情况下，遇到二义性转换的可能性更大。编译器不会试图根据派生类转换来区别基类间的转换，转换到每个基类都一样好。例如，如果有 print 函数的重载版本：

```
void print(const Bear&);
void print(const Endangered&);
```

通过 Panda 对象对 print 函数的未限定调用

```
Panda ying_yang("ying_yang");
print(ying_yang);                 // error: ambiguous
```

导致一个编译时错误，指出该调用是二义性的。

习题

习题 17.25 给定下面的类层次，其中每个类定义了一个默认构造函数，

```
class X { ... };
class A { ... };
class B : public A { ... };
class C : private B { ... };
class D : public X, public C { ... };
```

如果有，下面转换中哪些是不允许的？

```
D *pd = new D;
(a) X *px = pd;  (c) B *pb = pd;
(b) A *pa = pd;  (d) C *pc = pd;
```

734

1. 多重继承下的虚函数

为了看看多重继承怎样影响虚函数机制，假定我们的类定义表 17-2 中列出的虚成员。

表 17-2 **ZooAnimal/Endangered** 类中的虚函数	
函　　数	定义自己版本的类
print	ZooAnimal::ZooAnimal
	Bear::Bear
	Endangered::Endangered
	Panda::Panda
highlight	Endangered::Endangered
	Panda::Panda
toes	Bear::Bear
	Panda::Panda
cuddle	Panda::Panda
析构函数	ZooAnimal::ZooAnimal
	Endangered::Endangered

2. 基于指针类型或引用类型的查找

像单继承一样，用基类的指针或引用只能访问基类中定义（或继承）的成员，不能访问派生类中引入的成员。

当一个类继承于多个基类的时候，那些基类之间没有隐含的关系，不允许使用一个基类的指针访问其他基类的成员。

作为例子，我们可以使用 Bear、ZooAnimal、Endangered 或 Panda 的指针或引用来访问 Panda 对象。所用指针的类型决定了可以访问哪些操作。如果使用 ZooAnimal 指针，只能使用 ZooAnimal 类中定义的操作，不能访问 Panda 接口的 Bear 特定、Panda 特定和 Endangered 部分。类似地，Bear 指针或引用只知道 Bear 和 ZooAnimal 成员，Endangered 指针或引用局限于 Endangered 成员：

```
Bear *pb = new Panda("ying_yang");
pb->print(cout);      // ok: Panda::print(ostream&)
pb->cuddle();         // error: not part of Bear interface
pb->highlight();      // error: not part of Bear interface
delete pb;            // ok: Panda::~Panda()
```

如果将 Panda 对象赋给 ZooAnimal 指针，这个调用集合将用完全相同的方式确定。

在通过 Endangered 指针或引用使用 Panda 对象的时候，不能访问 Panda 接口的 Panda 特定的部分和 Bear 部分：

```
Endangered *pe = new Panda("ying_yang");
pe->print(cout);      // ok: Panda::print(ostream&)
pe->toes();           // error: not part of Endangered interface
pe->cuddle();         // error: not part of Endangered interface
pe->highlight();      // ok: Endangered::highlight()
delete pe;            // ok: Panda::~Panda()
```

3. 确定使用哪个虚析构函数

假定所有根基类都将它们的析构函数适当定义为虚函数，那么，无论通过哪种指针类型删除对象，虚析构函数的处理都是一致的：

```
// each pointer points to a Panda
delete pz;  // pz is a ZooAnimal*
```

```
delete pb; // pb is a Bear*
delete pp; // pp is a Panda*
delete pe; // pe is a Endangered*
```

假定这些指针每个都指向 Panda 对象，则每种情况下发生完全相同的析构函数调用次序。析构函数调用的次序是构造函数次序的逆序：通过虚机制调用 Panda 析构函数。随着 Panda 析构函数的执行，依次调用 Endangered、Bear 和 ZooAnimal 的析构函数。

习题

习题 17.26 本节给出了一系列通过指向 Panda 对象的 Bear 指针所进行的调用。我们指出，如果指针是 ZooAnimal 指针，将以同样方式确定函数调用。解释为什么。

习题 17.27 假定有两个基类 Base1 和 Base2，其中每一个定义了一个名为 print 的虚成员和一个虚析构函数。从这些基类派生下面的类，其中每一个类都重定义了 print 函数：

```
class D1 : public Base1 { /* ... */ };
class D2 : public Base2 { /* ... */ };
class MI : public D1, public D2 { /* ... */ };
```

使用下面的指针确定在每个调用中使用哪个函数：
```
Base1 *pb1 = new MI; Base2 *pb2 = new MI;
D1 *pd1 = new MI; D2 *pd2 = new MI;
```

(a) pb1->print();　　(b) pd1->print();　　(c) pd2->print();
(d) delete pb2;　　(e) delete pd1;　　(f) delete pd2;

习题 17.28 编写与图 17-2 对应的类定义。

736

17.3.3 多重继承派生类的复制控制

多重继承的派生类的逐个成员初始化、赋值和析构（第 13 章），表现得与单继承下的一样，使用基类自己的复制构造函数、赋值操作符或析构函数隐式构造、赋值或撤销每个基类。

假定 Panda 类使用默认复制控制成员。ling_ling 的初始化

```
Panda ying_yang("ying_yang"); // create a Panda object
Panda ling_ling = ying_yang; // uses copy constructor
```

使用默认复制构造函数调用 Bear 复制构造函数，Bear 复制构造函数依次在执行 Bear 复制构造函数之前运行 ZooAnimal 复制构造函数。一旦构造了 ling_ling 的 Bear 部分，就运行 Endangered 复制构造函数来创建对象的那个部分。最后，运行 Panda 复制构造函数。

合成的赋值操作符的行为类似于复制构造函数，它首先对对象的 Bear 部分进行赋值，并通过 Bear 对对象的 ZooAnimal 部分进行赋值，然后，对 Endangered 部分进行赋值，最后对 Panda 部分进行赋值。

合成的析构函数撤销 Panda 对象的每个成员，并且按构造次序的逆序为基类部分调用析构函数。

像单继承（15.4.3 节）的情况一样，如果具有多个基类的类定义了自己的析构函数，该析构函数只负责清除派生类。如果派生类定义了自己的复制构造函数或赋值操作符，则类负责复制（赋值）所有的基类子部分。只有派生类使用复制构造函数或赋值操作符的合成版本，才自动复制或赋值基类部分。

17.3.4　多重继承下的类作用域

　　在多重继承下，类作用域（15.5 节）更加复杂，因为多个基类作用域可以包围派生类作用域。通常，成员函数中使用的名字的查找首先在函数本身进行，如果不能在本地找到名字，就继续在成员的类中查找，然后依次查找每个基类。在多重继承下，查找同时检察所有的基类继承子树——在我们的例子中，并行查找 Endangered 子树和 Bear/ZooAnimal 子树。如果在多个子树中找到该名字，则那个名字的使用必须显式指定使用哪个基类；否则，该名字的使用是二义性的。

737

　　　　当一个类有多个基类的时候，通过所有直接基类同时进行名字查找。多重继承的派生类有可能从两个或多个基类继承同名成员，对该成员不加限定的使用是二义性的。

1. 多个基类可能导致二义性

　　假定 Bear 类和 Endangered 类都定义了名为 print 的成员，如果 Panda 类没有定义该成员，则

```
ying_yang.print(cout);
```
这样的语句将导致编译时错误。

　　Panda 类的派生（它导致有两个名为 print 的成员）是完全合法的。派生只是导致潜在的二义性，如果没有 Panda 对象调用 print，就可以避免这个二义性。如果每个 print 调用明确指出想要哪个版本——Bear::print 还是 Endangered::print，也可以避免错误。只有在存在使用该成员的二义性尝试的时候，才会出错。

　　如果只在一个基类子树中找到声明，则标识符得以确定而查找算法结束。例如，Endangered 类可能有一个操作返回给定其对象的估计数目，如果是这样，下面的调用

```
ying_yang.population();
```
可以顺利编译，名字 population 将在基类 Endangered 中找到，并且在 Bear 类或其任意基类中都不会出现。

2. 首先发生名字查找

　　虽然两个继承的 print 成员的二义性相当明显，但是也许更令人惊讶的是，即使两个继承的函数有不同的形参表，也会产生错误。类似地，即使函数在一个类中是私有的而在另一个类中是公用或受保护的，也是错误的。最后，如果在 ZooAnimal 类中定义了 print 而 Bear 类中没有定义，调用仍是错误的。

　　名字查找总是以两个步骤发生（7.8.1 节）：首先编译器找到一个匹配的声明（或者，在这个例子中，找到两个匹配的声明，这导致二义性），然后，编译器才确定所找到的声明是否合法。

3. 避免用户级二义性

可以通过指定使用哪个类解决二义性：

```
ying_yang.Endangered::print(cout);
```

避免潜在二义性最好的方法是，在解决二义性的派生类中定义函数的一个版本。例如，应该给选择使用哪个 print 版本的 Panda 类一个 print 函数：

```
std::ostream& Panda::print(std::ostream &os) const
{
    Bear::print(os);            // print the Bear part
    Endangered::print(os);      // print the Endangered part
    return os;
}
```

738

本节习题的代码

```
struct Base1 {
    void print(int) const;
protected:
    int    ival;
    double dval;
    char   cval;
private:
    int   *id;
};
struct Base2 {
    void print(double) const;
protected:
    double fval;
private:
    double dval;
};
struct Derived : public Base1 {
    void print(std::string) const;
protected:
    std::string sval;
    double      dval;
};
struct MI : public Derived, public Base2 {
    void print(std::vector<double>);
protected:
    int               *ival;
    std::vector<double>  dvec;
};
```

习题

习题 17.29 给定前面给出的类层次以及下面的 MI::foo 成员函数框架，

```
int ival;
double dval;
void MI::foo(double dval) { int id; /* ... */ }
```

(a) 识别从 MI 中可见的成员名字。有从多个基类中都可见的名字吗？

(b) 识别从 MI::foo 中可见的成员的集合。

739

习题 17.30 给定前面给出的类层次，为什么下面这个 print 调用是错误的？

```
MI mi;
mi.print(42);
```

修改 MI，使得这个 print 调用可以正确编译和执行。

习题 17.31 使用前面给出的类层次，如果下面赋值中有错误的，识别哪些是错误的：

```
void MI::bar() {
    int sval;
    //  exercise questions occur here ...
}
```

(a) dval = 3.14159;　　(d) fval = 0;
(b) cval = 'a';　　　　(e) sval = *ival; (c) id = 1;

习题 17.32 使用前面给出的类层次以及下面的 MI::foobar 成员函数框架

```
void MI::foobar(double cval)
{
    int dval;
    //  exercise questions occur here ...
}
```

(1) 将 Base1 的 dval 成员和 Derived 的 dval 成员的和赋给 dval 的局部实例。

(2) 将 MI::dvec 中最后一个元素赋给 Base2::fval。

(3) 将 Base1 的 cval 赋给 Derived 中 sval 的第一个字符。

17.3.5　虚继承

在多重继承下，一个基类可以在派生层次中出现多次。实际上，我们的程序已经使用过通过继承层次多次继承同一基类的类。

每个 IO 库类都继承了一个共同的抽象基类，那个抽象基类管理流的条件状态并保存流所读写的缓冲区。istream 和 ostream 类直接继承这个公共基类，库定义了另一个名为 iostream 的类，它同时继承 istream 和 ostream，iostream 类既可以对流进行读又可以对流进行写。IO 继承层次的简化版本如图 17-3 所示。

740

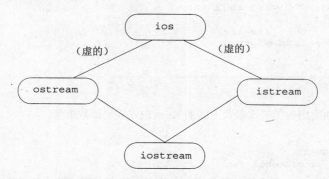

图 17-3　虚继承 iostream 层次（简化的）

像我们知道的那样，多重继承的类从它的每个父类继承状态和动作，如果 IO 类型使用常规继承，则每个 iostream 对象可能包含两个 ios 子对象：一个包含在它的 istream 子对象中，另一个包含在它的 ostream 子对象中。从设计角度讲，这个实现正是错误的：iostream 类想要对单个缓冲区进行读和写，它希望跨越输入和输出操作符共享条件状态。如果有两个单独的 ios 对象，这种共享是不可能的。

在 C++ 中，通过使用**虚继承**（virtual inheritance）解决这类问题。虚继承是一种机制，类通过虚继承指出它希望共享其虚基类的状态。在虚继承下，对给定虚基类，无论该类在派生层次中作为虚基类出现多少次，只继承一个共享的基类子对象。共享的基类子对象称为**虚基类**（virtual base class）。

istream 和 ostream 类对它们的基类进行虚继承。通过使基类成为虚基类，istream 和 ostream 指定，如果其他类（如 iostream）同时继承它们两个，则派生类中只出现它们的公共基类的一个副本。通过在派生列表中包含关键字 virtual 设置虚基类：

```
class istream : public virtual ios { ... };
class ostream : virtual public ios { ... };

// iostream inherits only one copy of its ios base class
class iostream: public istream, public ostream { ... };
```

一个不同的 Panda 类

为了举例说明虚继承，我们将继续使用 Panda 类作为教学例子。在动物学圈子中，对于 Panda 是属于 Raccoon 科还是 Bear 科已经争论了 100 年以上。因为软件设计主要是一种服务行业，所以最现实的解决方案是从二者派生 Panda：

```
class Panda : public Bear,
              public Raccoon, public Endangered {
};
```

虚继承 Panda 层次如图 17-4 所示。如果检查该层次，我们注意到虚继承一个不直观的特征：必须在提出虚派生的任意实际需要之前进行虚派生（在例中，Bear 类和 Raccoon 类的虚派生）。只有在使用 Panda 的声明时，虚继承才是必要的，但如果 Bear 类和 Raccoon 类不是虚派生的，Panda 类的设计者就没有好运气了。

741

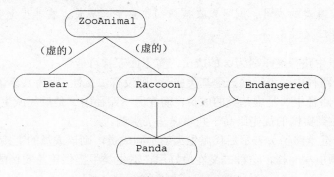

图 17-4　虚继承 Panda 层次

实际上，中间基类指定其继承为虚继承的要求很少引起任何问题。通常，使用虚继承的类层次是一次性由一个人或一个项目设计组设计的，独立开发的类很少需要其基类中的一个是虚基类，而且新基类的开发者不能改变已经存在的层次。

17.3.6 虚基类的声明

通过用关键字 virtual 修改声明，将基类指定为通过虚继承派生。例如，下面的声明使 ZooAnimal 类成为 Bear 类和 Raccoon 类的虚基类：

```
// the order of the keywords public and virtual is not significant
class Raccoon : public virtual ZooAnimal { /* ... */ };
class Bear : virtual public ZooAnimal { /* ... */ };
```

 指定虚派生只影响从指定了虚基类的类派生的类。除了影响派生类自己的对象之外，它也是关于派生类与自己的未来派生类的关系的一个陈述。

742

virtual 说明符陈述了在后代派生类中共享指定基类的单个实例的愿望。

任何可被指定为基类的类也可以被指定为虚基类，虚基类可以包含通常由非虚基类支持的任意类元素。

1. 支持到基类的常规转换

即使基类是虚基类，也照常可以通过基类类型的指针或引用操纵派生类的对象。例如，即使 Panda 类将它的 ZooAnimal 部分作为虚基类继承，下面所有 Panda 的基类转换也能正确执行：

```
void dance(const Bear*);
void rummage(const Raccoon*);
ostream& operator<<(ostream&, const ZooAnimal&);
Panda ying_yang;
dance(&ying_yang);      // ok: converts address to pointer to Bear
rummage(&ying_yang);    // ok: converts address to pointer to Raccoon
cout << ying_yang;      // ok: passes ying_yang as a ZooAnimal
```

2. 虚基类成员的可见性

使用虚基类的多重继承层次比没有虚继承的引起更少的二义性问题。

 可以无二义性地直接访问共享虚基类中的成员。同样，如果只沿一个派生路径重定义来自虚基类的成员，则可以直接访问该重定义成员。在非虚派生情况下，两种访问都可能是二义性的。

假定通过多个派生路径继承名为 X 的成员，有下面三种可能性：

(1) 如果在每个路径中 X 表示同一虚基类成员，则没有二义性，因为共享该成员的单个实例。

(2) 如果在某个路径中 X 是虚基类的成员，而在另一路径中 X 是后代派生类的成员，也没有二义性——特定派生类实例的优先级高于共享虚基类实例。

(3) 如果沿每个继承路径 X 表示后代派生类的不同成员，则该成员的直接访问是二义性的。像非虚多重继承层次一样，这种二义性最好用在派生类中提供覆盖实例的类来解决。

743

习题

习题 17.33　给定下面的类层次，从 VMI 类内部可以不加限定地访问哪些继承成员？哪些继承成员需要限定？解释你的推理。

```
class Base {
public:
    bar(int);
protected:
    int ival;
};
class Derived1 : virtual public Base {
public:
    bar(char);
    foo(char);
protected:
    char cval;
};
class Derived2 : virtual public Base {
public:
    foo(int);
protected:
    int ival;
    char cval;
};
class VMI : public Derived1, public Derived2 { };
```

17.3.7　特殊的初始化语义

通常，每个类只初始化自己的直接基类。在应用于虚基类的时候，这个初始化策略会失败。如果使用常规规则，就可能会多次初始化虚基类。类将沿着包含该虚基类的每个继承路径初始化。在 ZooAnimal 示例中，使用常规规则将导致 Bear 类和 Raccoon 类都试图初始化 Panda 对象的 ZooAnimal 类部分。

为了解决这个重复初始化问题，从具有虚基类的类继承的类对初始化进行特殊处理。在虚派生中，由最低层派生类的构造函数初始化虚基类。在我们的例子中，当创建 Panda 对象的时候，只有 Panda 构造函数控制怎样初始化 ZooAnimal 基类。

虽然由最低层派生类初始化虚基类，但是任何直接或间接继承虚基类的类一般也必须为该基类提供自己的初始化式。只要可以创建虚基类派生类类型的独立对象，该类就必须初始化自己的虚基类，这些初始化式只在创建中间类型的对象时使用。

在我们的层次中，可以有 Bear、Raccoon 或 Panda 类型的对象。创建 Panda 对象的时候，它是最低层派生类型并控制共享的 ZooAnimal 基类的初始化；创建 Bear 对象（或 Raccoon 对象）的时候，不涉及更低层的派生类型。在这种情况下，Bear（或 Raccoon）构造函数像平常一样直接初始化它们的 ZooAnimal 基类：

```
Bear::Bear(std::string name, bool onExhibit):
        ZooAnimal(name, onExhibit, "Bear") { }
Raccoon::Raccoon(std::string name, bool onExhibit)
        : ZooAnimal(name, onExhibit, "Raccoon") { }
```

虽然 ZooAnimal 不是 Panda 的直接基类，但是 Panda 构造函数也初始化 ZooAnimal 基类：

```
Panda::Panda(std::string name, bool onExhibit)
    : ZooAnimal(name, onExhibit, "Panda"),
      Bear(name, onExhibit),
      Raccoon(name, onExhibit),
      Endangered(Endangered::critical),
      sleeping_flag(false) { }
```

创建 Panda 对象的时候，这个构造函数初始化 Panda 对象的 ZooAnimal 部分。

1. 怎样构造虚继承的对象

让我们看看虚继承情况下怎样构造对象。

```
Bear winnie("pooh");        // Bear constructor initializes ZooAnimal
Raccoon meeko("meeko");     // Raccoon constructor initializes ZooAnimal
Panda yolo("yolo");         // Panda constructor initializes ZooAnimal
```

当创建 Panda 对象的时候，

(1) 首先使用构造函数初始化列表中指定的初始化式构造 ZooAnimal 部分。

(2) 接下来，构造 Bear 部分。忽略 Bear 的用于 ZooAnimal 构造函数初始化列表的初始化式。

(3) 然后，构造 Raccoon 部分，再次忽略 ZooAnimal 初始化式。

(4) 最后，构造 Panda 部分。

如果 Panda 构造函数不显式初始化 ZooAnimal 基类，就使用 ZooAnimal 默认构造函数；如果 ZooAnimal 没有默认构造函数，则代码出错。当编译 Panda 构造函数的定义时，编译器将给出一个错误信息。

745

2. 构造函数与析构函数次序

　　无论虚基类出现在继承层次中任何地方，总是在构造非虚基类之前构造虚基类。

例如，下面毫无规律的 TeddyBear（图 17-5）派生中，有两个虚基类：ToyAnimal 基类和派生 Bear 的间接基类 ZooAnimal：

```
class Character { /* ... */ };
class BookCharacter : public Character { /* ... */ };
class ToyAnimal { /* ... */ };
class TeddyBear : public BookCharacter,
                  public Bear, public virtual ToyAnimal
                  { /* ... */ };
```

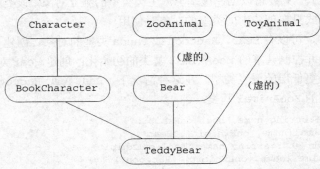

图 17-5　虚继承 TeddyBear 层次

按声明次序检查直接基类,确定是否存在虚基类。例中,首先检查 BookCharacter 的继承子树,然后检查 Bear 的继承子树,最后检查 ToyAnimal 的继承子树。按从根类开始向下到最低层派生类的次序检查每个子树。

TeddyBear 的虚基类的构造次序是先 ZooAnimal 再 ToyAnimal。一旦构造了虚基类,就按声明次序调用非虚基类的构造函数:首先是 BookCharacter,它导致调用 Character 构造函数,然后是 Bear。因此,为了创建 TeddyBear 对象,按下面次序调用构造函数:

```
ZooAnimal();          // Bear's virtual base class
ToyAnimal();          // immediate virtual base class
Character();          // BookCharacter's nonvirtual base class
BookCharacter();      // immediate nonvirtual base class
Bear();               // immediate nonvirtual base class
TeddyBear();          // most derived class
```

在这里,由最低层派生类 TeddyBear 指定用于 ZooAnimal 和 ToyAnimal 的初始化式。

在合成复制构造函数中使用同样的构造次序,在合成赋值操作符中也是按这个次序给基类赋值。保证调用基类析构函数的次序与构造函数的调用次序相反。

习题

习题 17.34　有一种情况下派生类不必为虚基类提供初始化式,这种情况是什么?

习题 17.35　给定下面类层次,

```
class Class { ... };
class Base : public Class { ... };
class Derived1 : virtual public Base { ... };
class Derived2 : virtual public Base { ... };
class MI : public Derived1,
           public Derived2 { ... };
class Final : public MI, public Class { ... };
```

(a) 对于 Final 对象的定义,构造函数和析构函数的次序是什么?

(b) 一个 Final 对象中有几个 Base 子对象?有几个 Class 子对象?

(c) 下面哪个赋值在编译时有错?

```
Base    *pb;        Class    *pc;
MI      *pmi;       Derived2 *pd2;
(a) pb = new Class;           (c) pmi = pb;
(b) pc = new Final;           (d) pd2 = pmi;
```

习题 17.36　给定前面的层次,并假定 Base 定义了下面三个构造函数,定义从 Base 派生的类,给每个类同样的三个构造函数,每个构造函数使用实参初始化其 Base 部分。

```
struct Base {
    Base();
    Base(std::string);
    Base(const Base&);
protected:
    std::string name;
};
```

小结

C++的大部分特征都可以应用于范围很广的问题——从几小时便可解决的问题到大团队花几年时间才能解决的问题。其中有一些特征则最适用于大规模问题的情况，这些特征包括异常处理、命名空间、多重继承和虚继承。

通过异常处理我们能够将程序的错误检测部分与错误处理部分分开。异常处理是在 6.13 节中引入的，本章最终完成了对异常处理的讨论。在抛出异常的时候，会终止当前正在执行的函数并开始查找最近的 catch 子句，在查找 catch 子句的时候，作为异常处理的一部分，将撤销退出函数内部定义的局部变量。这种撤销对象提供了一个重要的编程技术，称为"资源分配即初始化"（RAII）。

命名空间是一种机制，用于管理用独立供应商开发的代码建立的大型复杂应用程序。一个命名空间就是一个作用域，其中可以定义对象、类型、函数、模板和其他命名空间。标准库就定义在名为 std 的命名空间中。

通过 using 声明，当前作用域中就都可以访问某个命名空间中的名字了。当然，也可以通过 using 指示将一个命名空间中的所有名字带入当前作用域，但这种做法很不安全。

从概念上来看，多重继承很简单：派生类可以继承多个直接基类，派生类对象由派生部分和每个基类所贡献的基类部分构成。虽然多重继承概念简单，但细节可能非常复杂，尤其是，继承多个基类引入了新的名字冲突可能性，并且会导致对对象基类部分中的名字的引用出现二义性。

一个类继承多个直接基类的时候，那些类有可能本身还共享另一个基类。在这种情况下，中间类可以选择使用虚继承，声明愿意与层次中虚继承同一基类的其他类共享虚基类。用这种方法，后代派生类中将只有一个共享虚基类的副本。

术语

abort　异常终止程序执行的库函数。通常，由 terminate 调用 abort，程序也可以直接调用 abort。abort 定义在头文件 cstdlib 中。

auto_ptr　一个库类模板，提供对动态分配对象的异常安全的访问。不能将 auto_ptr 对象绑定到数组或者变量指针，auto_ptr 对象的复制和赋值是破坏性操作：将对象的所有权从右操作数转到左操作数。对 auto_ptr 对象进行赋值删除左操作数中的对象，因此，不能将 auto_ptr 对象存储在容器中。

catch-all（捕获所有异常子句）　异常说明符为（...）的 catch 子句。这种子句能够捕获任意类型的异常，它通常用于捕获为进行局部清除而局部检测的异常。异常被重新抛出给程序的其他部分，以处理问题的基本原因。

catch clause（catch 子句）　程序中处理异常的部分，也称异常处理代码。catch 子句由关键字 catch 后接异常说明符和语句块构成。catch 内部的代码完成的必要工作来处理由异常说明符定义的类型的异常。

constructor order（构造函数次序）　一般而言，应该按照类派生列表中指定的次序构造基类，派生类构造函数应该通过构造函数初始化列表显式初始化每个基类。构造函数初始化列表中指定基类的次序不影响构造基类的次序。在虚继承中，虚基类在任何其他基类之前构造，它们按照在派生类型的派生列表中（直接或间接地）出现的次序进行构造，只有最低层派生类型可以初始化虚基类，中间基类中出现的基类构造函数初始化列表被忽略。

destructor order（析构函数次序） 应该按照构造次序的逆序撤销派生类对象——首先撤销派生部分，然后，从最后一个基类开始，撤销类派生列表中指定的类。在多重继承层次中作为基类的类通常应该将它们的析构函数定义为虚函数。

exception handler（异常处理代码） catch 子句的另一个名称。

exception handling（异常处理） 管理运行时异常的语言级支持。代码中一个独立开发的部分可以检测并"引发"异常，由程序中另一个独立开发的部分"处理"该异常。也就是说，程序的错误检测部分抛出异常，错误处理部分在 try 块的 catch 子句中处理异常。

exception object（异常对象） 用于在异常的 throw 和 catch 方之间进行通信的对象。在抛出点创建该对象，该对象是被抛出表达式的副本。异常对象一直存在，直到该异常的最后一个处理代码结束。异常对象的类型是被抛出表达式的类型。

exception safe（异常安全的） 用于描述在抛出异常时表现正确的程序的术语。

exception specification（异常说明） 用于函数声明之上，指出函数抛出什么（如果有）异常类型。在用圆括号括住、以逗号分隔、跟在关键字 throw 之后的列表中指定异常类型。空列表表示函数不抛出异常，没有异常说明的函数可以抛出任何异常。

exception specifier（异常说明符） 说明给定 catch 子句将处理的异常的类型。异常说明符

的行为像形参表，由异常对象初始化它的单个形参。像参数传递一样，如果异常说明符是非引用类型，就将异常对象复制到 catch 中。

file static（文件静态） 用关键字 static 声明的局部于文件的名字。在 C 语言和标准版本之前的 C++ 中，文件中的静态声明用于声明只能在单个文件中使用的对象，C++ 不赞成文件静态，已经用未命名的命名空间代替它。

function try block（函数测试块） 是函数体的 try 块。关键字 try 出现在函数体的左花括号之前，以出现在函数体的右花括号之后的 catch 子句作为结束。函数测试块最经常用于包围构造函数定义，以便捕获由构造函数初始化式抛出的异常。

global namespace（全局命名空间） 每个程序中保存所有全局定义的（隐式）命名空间。

multiple inheritance（多重继承） 类有多个直接基类的继承。派生类继承所有基类的成员，通过在类派生列表中指定多个基类而定义多个基类，每个基类需要一个单独的访问标号。

namespace（命名空间） 将一个库或其他程序集合定义的所有名字聚集到单个作用域的机制。与 C++ 中其他作用域不同，命名空间作用域可以在几个部分中定义，在程序的不同部分，命名空间可以是打开的、关闭的和重新打开的。

namespace alias（命名空间别名） 为给定命名空间定义同义词的机制。namespace N1 = N; 将 N1 定义为名为 N 的命名空间的另一名字。一个命名空间可以有多个别名，并且命名空间名字和它的别名可以互换使用。

namespace pollution（命名空间污染） 用来描述类和函数的所有名字放在全局命名空间时发生什么情况的术语。如果名字是全局的，

则使用由多个独立团队编写的代码的大程序经常遇到名字冲突。

raise（引发） 经常用作抛出的同义词。C++程序员互换地使用"抛出"异常或"引发"异常。

rethrow（重新抛出） 一个空的 throw——没有指定表达式的 throw。只有捕获子句或者从 catch 直接或间接调用的函数中的重新抛出才有效，其效果是将接到的异常对象重新抛出。

scope operator（作用域操作符） 用于访问命名空间或类中名字的操作符。

stack unwinding（栈展开） 用于描述在查找 catch 时退出引起被抛出异常的函数的过程。在进入相应 catch 之前，撤销在异常之前构造的局部对象。

terminate 一个库函数。如果没有捕获到异常或者在异常处理过程中发生异常，就调用这个库函数。该函数通常调用 abort 函数来结束程序。

throw e 中断当前执行路径的表达式。每个 throw 将控制转到可以处理被抛出异常类型的最近的外围 catch 子句，表达式 e 被复制到异常对象。

try block（测试块） 由关键字 try 以及一个或多个 catch 子句包围的语句块。如果 try 块内部的代码引发一个异常，而一个 catch 子句与异常的类型匹配，则由该 catch 处理异常；否则，将异常传出 try 之外，传给调用链中更上层的 catch。

unexpected 一个库函数，如果被抛出异常违反函数的异常说明，就调用该函数。

unnamed namespace（未命名的命名空间） 没有定义名字的命名空间。未命名的命名空间中定义的名字可以无须使用作用域操作符而直接访问。每个文件都具有自己的未命名的命名空间，文件中的名字在该文件之外不可见。

using declaration（using 声明） 将命名空间中单个名字注入当前作用域的机制。using std::cout;使得命名空间 std 中的名字 cout 在当前作用域中可见，可以无须限定符 std:: 而使用名字 cout。

using directive（using 指示） 使一个命名空间中的所有名字在包含 using 指示和命名空间本身的最近作用域中可见的机制。

virtual base class（虚基类） 使用关键字 virtual 继承的基类。即使同一类在层次中作为虚基类出现多次，派生类对象中的虚基类部分也只出现一次。在非虚继承中，构造函数只能初始化自己的直接基类，当对一个类进行虚继承的时候，由最低层的派生类初始化那个类，因此最低层的派生类应包含用于其所有虚父类的初始化式。

virtual inheritance（虚继承） 多重继承的形式，这种形式中，派生类共享在层次中被包含多次的基类的一个副本。

第 **18** 章

特殊工具与技术

　　本书前四部分讨论了怎样使用 C++ 中有普遍用途的特征，几乎所有 C++ 程序员都有可能在某些时候使用这些特征。此外，C++ 还定义了一些更为特殊的特征，许多程序员从不（或者很少）需要使用本章所介绍的这些特征。

18.1 优化内存分配

C++的内存分配是一种类型化操作：new（5.11 节）为特定类型分配内存，并在新分配的内存中构造该类型的一个对象。new 表达式自动运行合适的构造函数来初始化每个动态分配的类类型对象。

new 基于每个对象分配内存的事实可能会对某些类强加不可接受的运行时开销，这样的类可能需要使用户级的类类型对象分配能够更快一些。这样的类使用的通用策略是，预先分配用于创建新对象的内存，需要时在预先分配的内存中构造每个新对象。

另外一些类希望按最小尺寸为自己的数据成员分配需要的内存。例如，标准库中的 vector 类预先分配（9.4 节）额外内存以保存加入的附加元素，将新元素加入到这个保留容量中。将元素保持在连续内存中的时候，预先分配的元素使 vector 能够高效地加入元素。

在每种情况下（预先分配内存以保存用户级对象或者保存类的内部数据）都需要将内存分配与对象构造分离开。将内存分配与对象构造分离开的明显的理由是，在预先分配的内存中构造对象很浪费，可能会创建从不使用的对象。当实际使用预先分配的对象的时候，被使用的对象必须重新赋以新值。更微妙的是，如果预先分配的内存必须被构造，某些类就不能使用它。例如，考虑 vector，它使用了预先分配策略。如果必须构造预先分配的内存中的对象，就不能有基类型为没有默认构造函数的 vector——vector 没有办法知道怎样构造这些对象。

　　本节提出的技术不保证使所有程序更快。即使它们确实能改善性能，也可能带来其他开销，如空间的使用或调试困难。最好将优化推迟到已知程序能够工作，并且运行时测度指出改进内存分配将解决已知的性能问题的时候。

18.1.1　C++中的内存分配

C++中，内存分配和对象构造紧密纠缠，就像对象析构和内存回收一样。使用 new 表达式的时候，分配内存，并在该内存中构造一个对象；使用 delete 表达式的时候，调用析构函数撤销对象，并将对象所用内存返还给系统。

接管内存分配时，必须处理这两个任务。分配原始内存时，必须在该内存中构造对象；在释放该内存之前，必须保证适当地撤销这些对象。

　　对未构造的内存中的对象进行赋值而不是初始化，其行为是未定义的。对许多类而言，这样做引起运行时崩溃。赋值涉及删除现存对象，如果没有现存对象，赋值操作符中的动作就会有灾难性效果。

C++提供下面两种方法分配和释放未构造的原始内存。

（1）**allocator** 类，它提供可感知类型的内存分配。这个类支持一个抽象接口，以分配内存并随后使用该内存保存对象。

（2）标准库中的 operator new 和 operator delete，它们分配和释放需要大小的原始的、未类型化的内存。

C++还提供不同的方法在原始内存中构造和撤销对象。

(1) allocator 类定义了名为 construct 和 destroy 的成员，其操作正如它们的名字所指出的那样：construct 成员在未构造内存中初始化对象，destroy 成员在对象上运行适当的析构函数。

(2) 定位 new 表达式（placement new expression）接受指向未构造内存的指针，并在该空间中初始化一个对象或一个数组。

(3) 可以直接调用对象的析构函数来撤销对象。运行析构函数并不释放对象所在的内存。

(4) 算法 uninitialized_fill 和 uninitialized_copy 像 fill 和 copy 算法一样执行，除了它们在目的地构造对象而不是给对象赋值之外。

> 现代 C++程序一般应该使用 allocator 类来分配内存，它更安全更灵活。但是，在构造对象的时候，用 new 表达式比 allocator::construct 成员更灵活。有几种情况下必须使用 new。

18.1.2　**allocator** 类

allocator 类是一个模板，它提供类型化的内存分配以及对象构造与撤销。表 18-1 概述了 allocator 类支持的操作。

表 18-1　标准 **allocator** 类与定制算法	
allocator<T> a;	定义名为 a 的 allocator 对象，可以分配内存或构造 T 类型的对象
a.allocate(n)	分配原始的未构造内存以保存 T 类型的 n 个对象
a.deallocate(p, n)	释放内存，在名为 p 的 T*指针中包含的地址处保存 T 类型的 n 个对象。运行调用 deallocate 之前在该内存中构造的任意对象的 destroy 是用户的责任
a.construct(p, t)	在 T*指针 p 所指内存中构造一个新元素。运行 T 类型的复制构造函数用 t 初始化该对象
a.destroy(p)	运行 T*指针 p 所指对象的析构函数
uninitialized_copy(b, e, b2)	从迭代器 b 和 e 指出的输入范围将元素复制到从迭代器 b2 开始的未构造的原始内存中。该函数在目的地构造元素，而不是给它们赋值。假定由 b2 指出的目的地足以保存输入范围中元素的副本
uninitialized_fill(b, e, t)	将由迭代器 b 和 e 指出的范围中的对象初始化为 t 的副本。假定该范围是未构造的原始内存。使用复制构造函数构造对象
uninitialized_fill_n(b,e,t,n)	将由迭代器 b 和 e 指出的范围中至多 n 个对象初始化为 t 的副本。假定范围至少为 n 个元素大小。使用复制构造函数构造对象

allocator 类将内存分配和对象构造分开。当 allocator 对象分配内存的时候，它分配适当大小并排列成保存给定类型对象的空间。但是，它分配的内存是未构造的，allocator 的用户必须分别 construct 和 destroy 放置在该内存中的对象。

1. 使用 **allocator** 管理类成员数据

为了理解可以怎样使用预分配策略以及 allocator 类来管理类的内部数据需要，让我们再

755

想想 vector 类中的内存分配会怎样工作。

回忆一下，vector 类将元素保存在连续的存储中。为了获得可接受的性能，vector 预先分配比所需元素更多的元素（9.4 节）。每个将元素加到容器中的 vector 成员检查是否有可用空间以容纳另一元素。如果有，该成员在预分配内存中下一可用位置初始化一个对象；如果没有自由元素，就重新分配 vector：vector 获取新的空间，将现存元素复制到该空间，增加新元素，并释放旧空间。

756
vector 所用存储开始是未构造内存，它还没有保存任何对象。将元素复制或增加到这个预分配空间的时候，必须使用 allocator 类的 construct 成员构造元素。

为了说明这些概念，我们将实现 vector 的一小部分。将我们的类命名为 Vector，以区别于标准类 vector：

```cpp
// pseudo-implementation of memory allocation strategy for a vector-like class
template <class T> class Vector {
public:
    Vector(): elements(0), first_free(0), end(0) { }
    void push_back(const T&);
    // ...
private:
    static std::allocator<T> alloc; // object to get raw memory
    void reallocate();   // get more space and copy existing elements
    T* elements;         // pointer to first element in the array
    T* first_free;       // pointer to first free element in the array
    T* end;              // pointer to one past the end of the array
    // ...
};
```

每个 Vector<T> 类型定义一个 allocator<T> 类型的 static 数据成员，以便在给定类型的 Vector 中分配和构造元素。每个 Vector 对象在指定类型的内置数组中保存其元素，并维持该数组的下列三个指针：

- elements，指向数组的第一个元素。
- first_free，指向最后一个实际元素之后的那个元素。
- end，指向数组本身之后的那个元素。

图 18-1 说明了这些指针的含义。

图 18-1　Vector 内存分配策略

可以使用这些指针来确定 Vector 的大小和容量：

- Vector 的 size（实际使用的元素的数目）等于 first_free-elements。
- Vector 的 capacity（在必须重新分配 Vector 之前，可以定义的元素的总数）等于 end-elements。
757
- 自由空间（在需要重新分配之前，可以增加的元素的数目）是 end-first_free。

2. 使用 construct

push_back 成员使用这些指针将新元素加到 Vector 末尾:

```
template <class T>
void Vector<T>::push_back(const T& t)
{
    // are we out of space?
    if (first_free == end)
      reallocate(); // gets more space and copies existing elements to it
    alloc.construct(first_free, t);
    ++first_free;
}
```

push_back 函数首先确定是否有可用空间,如果没有,就调用 reallocate 函数,reallocate 分配新空间并复制现存元素,将指针重置为指向新分配的空间。

一旦 push_back 函数知道还有空间容纳新元素,它就请求 allocator 对象构造一个新的最后元素。construct 函数使用类型 T 的复制构造函数将 t 值复制到由 first_free 指出的元素,然后,将 first_free 加 1 以指出又有一个元素在用。

3. 重新分配元素与复制元素

reallocate 函数所做的工作最多:

```
template <class T> void Vector<T>::reallocate()
{
    // compute size of current array and allocate space for twice as many elements
    std::ptrdiff_t size = first_free - elements;
    std::ptrdiff_t newcapacity = 2 * max(size, 1);
    // allocate space to hold newcapacity number of elements of type T
    T* newelements = alloc.allocate(newcapacity);

    // construct copies of the existing elements in the new space
    uninitialized_copy(elements, first_free, newelements);
    // destroy the old elements in reverse order
    for (T *p = first_free; p != elements; /* empty */ )
        alloc.destroy(--p);

    // deallocate cannot be called on a 0 pointer
    if (elements)
        // return the memory that held the elements
        alloc.deallocate(elements, end - elements);
    // make our data structure point to the new elements
    elements = newelements;
    first_free = elements + size;
    end = elements + newcapacity;
}
```

758

我们使用一个简单但效果惊人的策略:每次重新分配时分配两倍内存。函数首先计算当前在用的元素数目,将该数目翻倍,并请求 allocator 对象来获得所需数量的空间。如果 Vector 为空,就分配两个元素。

如果 Vector 保存 int 值,allocate 函数调用为 newcapacity 数目的 int 值分配空间;如果 Vector 保存 string 对象,它就为给定数目的 string 对象分配空间。

uniniatialized_copy 调用使用标准 copy 算法的特殊版本。这个版本希望目的地是原始的未构造内存，它在目的地复制构造每个元素，而不是将输入范围的元素赋值给目的地，使用 T 的复制构造函数从输入范围将每个元素复制到目的地。

for 循环对旧数组中每个对象调用 allocator 的 destroy 成员，它按逆序撤销元素，从数组中最后一个元素开始，以第一个元素结束。destroy 函数运行 T 类型的析构函数来释放旧元素所用的任何资源。

一旦复制和撤销了元素，就释放原来数组所用的空间。在调用 deallocate 之前，必须检查 elements 是否实际指向一个数组。

 deallocate 期待指向由 allocate 分配的空间的指针，传给 deallocate 一个零指针是不合法的。

最后，必须重置指针以指向新分配并初始化的数组。将 first_free 和 end 指针分别置为指向最后构造的元素之后的单元以及所分配空间末尾的下一单元。

习题

习题 18.1　实现自己的 Vector 类的版本，包括 vector 成员 reserve（9.4 节）、resize（9.3.5 节）以及 const 和非 const 下标操作符（14.5 节）。

习题 18.2　定义一个类型别名，使用对应指针类型作为 Vector 的 iterator。

习题 18.3　为了测试你的 Vector 类，重新实现前面用 vector 编写的程序，用 Vector 代替 vector。

18.1.3　**operator new** 函数和 **operator delete** 函数

前几节使用 Vector 类说明了怎样使用 allocator 类来管理用于类的内部数据存储的内存池，下面三节将介绍怎样用更基本的标准库机制实现相同的策略。

首先，需要对 new 和 delete 表达式怎样工作有更多的理解。当使用 new 表达式

```
// new expression
string * sp = new string("initialized");
```

的时候，实际上发生三个步骤。首先，该表达式调用名为 **operator new** 的标准库函数，分配足够大的原始的未类型化的内存，以保存指定类型的一个对象；接下来，运行该类型的一个构造函数，用指定初始化式构造对象；最后，返回指向新分配并构造的对象的指针。

```
delete sp;
```

当使用 delete 表达式 delete sp; 删除动态分配对象的时候，发生两个步骤。首先，对 sp 指向的对象运行适当的析构函数；然后，通过调用名为 **operator delete** 的标准库函数释放该对象所用内存。

术语对比：new 表达式与 operator new 函数

　　标准库函数 operator new 和 operator delete 的命名容易让人误解。与其他 operator 函数（如 operator=）不同，这些函数没有重载 new 或 delete 表达式，实际上，我们不能重定义 new 和 delete 表达式的行为。

　　通过调用 operator new 函数执行 new 表达式获得内存，并接着在该内存中构造一个对象，通过撤销一个对象执行 delete 表达式，并接着调用 operator delete 函数，以释放该对象使用的内存。

　　因为 new（或 delete）表达式与标准库函数同名，所以二者容易混淆。

1. operator new 和 operator delete 接口

　　operator new 和 operator delete 函数有两个重载版本，每个版本支持相关的 new 表达式和 delete 表达式：

```
void *operator new(size_t);       // allocate an object
void *operator new[](size_t);     // allocate an array

void *operator delete(void*);     // free an object
void *operator delete[](void*);   // free an array
```

2. 使用分配操作符函数

　　虽然 operator new 和 operator delete 函数的设计意图是供 new 表达式使用，但它们通常是标准库中的可用函数。可以使用它们获得未构造内存，它们有点类似 allocator 类的 allocate 和 deallocate 成员。例如，代替使用 allocator 对象，可以在 Vector 类中使用 operator new 和 operator delete 函数。在分配新空间时我们曾编写 760

```
// allocate space to hold  newcapacity  number of elements of type  T
T* newelements = alloc.allocate(newcapacity);
```

这可以重新编写为

```
// allocate unconstructed memory to hold newcapacity elements of type T
T* newelements = static_cast<T*>
                 (operator new[](newcapacity * sizeof(T)));
```

类似地，在重新分配由 Vector 成员 elements 指向的旧空间的时候，我们曾经编写

```
// return the memory that held the elements
alloc.deallocate(elements, end - elements);
```

这可以重新编写为

```
// deallocate the memory that they occupied
operator delete[](elements);
```

这些函数的表现与 allocator 类的 allocate 和 deallocate 成员类似。但是，它们在一个重要方面有不同：它们在 void*指针而不是类型化的指针上进行操作。

一般而言，使用 allocator 比直接使用 operator new 和 operator delete 函数

最佳实践 更为类型安全。

allocate 成员分配类型化的内存，所以使用它的程序可以不必计算以字节为单位的所需内存量，它们也可以避免对 operator new 的返回值进行强制类型转换（5.12.4 节）。类似地，deallocate 释放特定类型的内存，也不必转换为 void*。

18.1.4　定位 new 表达式

标准库函数 operator new 和 operator delete 是 allocator 的 allocate 和 deallocate 成员的低级版本，它们都分配但不初始化内存。

allocator 的成员 construct 和 destroy 也有两个低级选择，这些成员在由 allocator 对象分配的空间中初始化和撤销对象。

类似于 construct 成员，有第三种 new 表达式，称为**定位 new**（placement new）。定位 new 表达式在已分配的原始内存中初始化一个对象，它与 new 的其他版本的不同之处在于，它不分配内存。相反，它接受指向已分配但未构造内存的指针，并在该内存中初始化一个对象。实际上，定位 new 表达式使我们能够在特定的、预分配的内存地址构造一个对象。

定位 new 表达式的形式是：

```
new (place_address) type
new (place_address) type (initializer-list)
```

其中 *place_address* 必须是一个指针，而 *initializer-list* 提供了（可能为空的）初始化列表，以便在构造新分配的对象时使用。

可以使用定位 new 表达式代替 Vector 实现中的 construct 调用。原来的代码

```
// construct a copy t in the element to which first_free points
alloc.construct (first_free, t);
```

可以用等价的定位 new 表达式代替

```
// copy t into element addressed by first_free
new (first_free) T(t);
```

定位 new 表达式比 allocator 类的 construct 成员更灵活。定位 new 表达式初始化一个对象的时候，它可以使用任何构造函数，并直接建立对象。construct 函数总是使用复制构造函数。

例如，可以用下面两种方式之一，从一对迭代器初始化一个已分配但未构造的 string 对象：

```
allocator<string> alloc;
string *sp = alloc.allocate(2); // allocate space to hold 2 strings
// two ways to construct a string from a pair of iterators
new (sp) string(b, e);                          // construct directly in place
alloc.construct(sp + 1, string(b, e));          // build and copy a temporary
```

定位 new 表达式使用了接受一对迭代器的 string 构造函数，在 sp 指向的空间直接构造 string 对象。当调用 construct 函数的时候，必须首先从迭代器构造一个 string 对象，以获得传递给 construct 的 string 对象，然后，该函数使用 string 的复制构造函数，将那个未命名的临时

string 对象复制到 sp 指向的对象中。

通常，这些区别是不相干的：对值型类而言，在适当的位置直接构造对象与构造临时对象并进行复制之间没有可观察到的区别，而且性能差别基本没有意义。但对某些类而言，使用复制构造函数是不可能的（因为复制构造函数是私有的），或者是应该避免的，在这种情况下，也许有必要使用定位 new 表达式。

习题

习题 18.4 你认为为什么限制 construct 函数只能使用元素类型的复制构造函数？

习题 18.5 为什么定位 new 表达式更灵活？

18.1.5 显式析构函数的调用

正如定位 new 表达式是使用 allocator 类的 construct 成员的低级选择，我们可以使用析构函数的显式调用作为调用 destroy 函数的低级选择。

在使用 allocator 对象的 Vector 版本中，通过调用 destroy 函数清除每个元素：

```
// destroy the old elements in reverse order
for (T *p = first_free; p != elements; /* empty */ )
    alloc.destroy(--p);
```

对于使用定位 new 表达式构造对象的程序，显式调用析构函数：

```
for (T *p = first_free; p != elements; /* empty */ )
    p->~T(); // call the destructor
```

在这里直接调用析构函数。箭头操作符对迭代器 p 解引用以获得 p 所指的对象，然后，调用析构函数，析构函数以类名前加～来命名。

显式调用析构函数的效果是适当地清除对象本身。但是，并没有释放对象所占的内存，如果需要，可以重用该内存空间。

 调用 operator delete 函数不会运行析构函数，它只释放指定的内存。

习题

习题 18.6 重新实现 Vector 类，使用 operator new、operator delete、定位 new 表达式，并直接调用析构函数。

习题 18.7 运行为原来的 Vector 实现而运行的程序，测试你的新版本。

习题 18.8 你认为哪个版本更好？为什么？

18.1.6 类特定的 **new** 和 **delete**

前几节介绍了类怎样能够接管自己的内部数据结构的内存管理，另一种优化内存分配的方法涉及优化 new 表达式的行为。作为例子，考虑第 16 章的 Queue 类。该类不直接保存它的元素，相反，它使用 new 表达式分配 QueueItem 类型的对象。

通过预先分配一块原始内存以保存 QueueItem 对象，也许有可能改善 Queue 的性能。创建新 QueueItem 对象的时候，可以在这个预先分配的空间中构造对象。释放 QueueItem 对象的时候，将它们放回预先分配对象的块中，而不是将内存真正返回给系统。

这个问题与 Vector 的实现之间的区别在于，在这种情况下，我们希望在应用于特定类型的时候优化 new 和 delete 表达式的行为。默认情况下，new 表达式通过调用由标准库定义的 operator new 版本分配内存。通过定义自己的名为 operator new 和 operator delete 的成员，类可以管理用于自身类型的内存。

编译器看到类类型的 new 或 delete 表达式的时候，它查看该类是否有 operator new 或 operator delete 成员，如果类定义（或继承）了自己的成员 new 和 delete 函数，则使用那些函数为对象分配和释放内存；否则，调用这些函数的标准库版本。

优化 new 和 delete 的行为的时候，只需要定义 operator new 和 operator delete 的新版本，new 和 delete 表达式自己照管对象的构造和撤销。

1. 成员 new 和 delete 函数

如果类定义了这两个成员中的一个，它也应该定义另一个。

类成员 operator new 函数必须具有返回类型 void* 并接受 size_t 类型的形参。由 new 表达式用以字节计算的分配内存量初始化函数的 size_t 形参。

类成员 operator delete 函数必须具有返回类型 void。它可以定义为接受单个 void* 类型形参，也可以定义为接受两个形参，即 void* 和 size_t 类型。由 delete 表达式用被 delete 的指针初始化 void* 形参，该指针可以是空指针。如果提供了 size_t 形参，就由编译器用第一个形参所指对象的字节大小自动初始化 size_t 形参。

除非类是某继承层次的一部分，否则形参 size_t 不是必需的。当 delete 指向继承层次中类型的指针时，指针可以指向基类对象，也可以指向派生类对象。派生类对象的大小一般比基类对象大。如果基类有 virtual 析构函数（15.4.4 节），则传给 operator delete 的大小将根据被删除指针所指对象的动态类型而变化；如果基类没有 virtual 析构函数，那么，通过基类指针删除指向派生类对象的指针的行为，跟往常一样是未定义的。

这些函数隐式地为静态函数（12.6.1 节），不必显式地将它们声明为 static，虽然这样做是合法的。成员 new 和 delete 函数必须是静态的，因为它们要么在构造对象之前使用（operator new），要么在撤销对象之后使用（operator delete），因此，这些函数没有成员数据可操纵。像任意其他静态成员函数一样，new 和 delete 只能直接访问所属类的静态成员。

2. 数组操作符 new[] 和操作符 delete[]

也可以定义成员 operator new[] 和 operator delete[] 来管理类类型的数组。如果这些 operator 函数存在，编译器就使用它们代替全局版本。

类成员 operator new[] 必须具有返回类型 void*，并且接受的第一个形参类型为 size_t。

用表示存储特定类型给定数目元素的数组的字节数值自动初始化操作符的 size_t 形参。

成员操作符 operator delete[] 必须具有返回类型 void，并且第一个形参为 void*类型。用表示数组存储起始位置的值自动初始化操作符的 void*形参。

类的操作符 delete[] 也可以有两个形参，第二个形参为 size_t。如果提供了附加形参，由编译器用数组所需存储量的字节数自动初始化这个形参。

3. 覆盖类特定的内存分配

如果类定义了自己的成员 new 和 delete，类的用户就可以通过使用全局作用域确定操作符，强制 new 或 delete 表达式使用全局的库函数。如果用户编写

```
Type *p = ::new Type;    // uses global operator new
::delete p;              // uses global operator delete
```

那么，即使类定义了自己的类特定的 operator new，也调用全局的 operator new；delete 类似。

> 如果用 new 表达式调用全局 operator new 函数分配内存，则 delete 表达式也应该调用全局 operator delete 函数。

习题

习题 18.9 为 QueueItem 类声明成员 new 和 delete。

765

18.1.7 一个内存分配器基类

> 像泛型句柄类一样（16.5 节），这个例子表示 C++的相当复杂的使用，理解这个例子需要（并论证）良好掌握地继承和模板，将对这个例子的研究推迟到你熟悉了这些特征之后，也许是有用的。

已经看过了怎样声明类特定的成员 new 和 delete，下面就可以为 QueueItem 类实现这些成员，在这样做之前，需要决定怎样改进内置库的 new 和 delete 函数。一个通用策略是预先分配一块原始内存来保存未构造的对象，创建新元素的时候，可以在一个预先分配的对象中构造；释放元素的时候，将它们放回预先分配对象的块中，而不是将内存实际返还给系统。这种策略常被称为维持一个**自由列表**（freelist）。可以将自由列表实现为已分配但未构造的对象的链表。

除了为 QueueItem 类实现基于自由列表的分配策略，我们注意到 QueueItem 不是唯一希望优化其对象分配的类，许多类都可能有同一需要。因为这个行为也许通常是有用的，所以我们将定义一个名为 CachedObj 的新类来处理自由列表。像 QueueItem 这样希望优化其对象分配的类可以使用 CachedObj 类，而不用直接实现自己的 new 和 delete 成员。

CachedObj 类有简单的接口：它的工作只是分配和管理已分配但未构造对象的自由列表。这个类将定义一个成员 operator new，返回自由列表的下一个元素，并将该元素从自由列表中删除。当自由列表为空的时候，operator new 将分配新的原始内存。这个类还定义 operator delete，在撤销对象时将元素放回自由列表。

希望为自己的类型使用自由列表分配策略的类将继承 CachedObj 类，通过继承，这些类可以使用 CachedObj 类的 operator new 和 operator delete 定义，以及表示自由列表所需的数据成员。因为打算将 CachedObj 类作为基类，所以将给它一个 public 虚析构函数。

 正如我们将看到的，CachedObj 只能用于不包含在继承层次中的类型。与成员 new 和 delete 操作不同，CachedObj 类没有办法根据对象的实际类型分配不同大小的对象：它的自由列表保存单一大小的对象。因此，它只能用于不作基类使用的类，如 QueueItem 类。

由 CachedObj 类定义并被它的派生类继承的数据成员是：

- 指向自由列表表头的 static 指针。
- 名为 next、从一个 CachedObj 对象指向另一个 CachedObj 对象的指针。

next 指针将元素链入自由列表。从 CachedObj 类派生的每个类型都将包含自己的类型特定的数据，加上一个从 CachedObj 基类继承的指针。每个对象具有由内存分配器使用但被继承类型自己不用的一个额外指针，对象在使用的时候，该指针无意义且不使用；对象可供使用并在自由列表中的时候，就使用 next 指针来指向下一个可用的对象。

如果使用 CachedObj 类来优化 Screen 类的分配，Screen 类型的对象（概念上）看起来如图 18-2 所示。

图 18-2　CachedObj 派生类举例

1. CachedObj 类

剩下的唯一问题是 CachedObj 类中的指针使用什么类型。我们希望为任意类型使用自由列表方法，所以 CachedObj 类将是一个模板，指针将指向该模板类型的对象：

```
/* memory allocation class: Pre-allocates objects and
 * maintains a freelist of objects that are unused
 * When an object is freed, it is put back on the freelist
 * The memory is only returned when the program exits
 */
template <class T> class CachedObj {
public:
    void *operator new(std::size_t);
    void operator delete(void *, std::size_t);
    virtual ~CachedObj() { }
protected:
    T *next;
private:
```

```
    static void add_to_freelist(T*);
    static std::allocator<T> alloc_mem;
    static T *freeStore;
    static const std::size_t chunk;
};
```

这个类相当简单，它只提供三个公用成员：operator new、operator delete 和虚析构函数。new 和 delete 成员分别从自由列表取走对象和将对象返回到自由列表。

static 成员管理自由列表。这些成员声明为 static，是因为只为所有给定类型的对象维持一个自由列表。freeStore 指针指向自由列表的表头。名为 chunk 的成员指定每当自由列表为空时将分配的对象的数目。最后，add_to_freelist 函数将对象放在自由列表，operator new 使用这个函数将新分配的对象放到自由列表，删除对象的时候，operator delete 也使用该函数将对象放回自由列表。

2. 使用 CachedObj

使用 CachedObj 类，真正复杂的部分是理解模板形参：当继承 CachedObj 类的时候，用来实例化 CachedObj 类的模板类型将是派生类型本身。为了重用 CachedObj 类的自由列表管理而继承 CachedObj 类，但是，CachedObj 类保存了指向它管理的对象类型的一个指针，该指针的类型是指向 CachedObj 的派生类型的指针。

例如，为了优化 Screen 类的内存管理，我们将 Screen 声明为：

```
class Screen: public CachedObj<Screen> {
    // interface and implementation members of class  Screen  are unchanged
};
```

这个声明给了 Screen 类一个新的基类：形参为 Screen 类型的 CachedObj 实例。现在除了 Screen 类内部定义的其他成员之外，每个 Screen 对象还包含附加的名为 next 的继承成员。

因为 QueueItem 是一个模板类型，从 CachedObj 类派生它有点复杂：

```
template <class Type>
class QueueItem: public CachedObj< QueueItem<Type> > {
    // remainder of class declaration and all member definitions unchanged
};
```

这个声明是说，QueueItem 是从保存 QueueItem<Type> 类型对象的 CachedObj 实例派生而来的类模板。例如，如果定义 int 值的 Queue，就从 CachedObj<QueueItem<int>> 派生 QueueItem <int> 类。

 我们的类不需要其他改变。现在 QueueItem 类具有自动内存分配，这个内存分配使用自由列表减少创建新的 Queue 元素时需要的分配数目。

3. 分配怎样工作

因为我们从 CachedObj 类派生 QueueItem 类，任何使用 new 表达式的分配，如 Queue::push 中的调用：

```
// allocate a new QueueItem object
QueueItem<Type> *pt =
    new QueueItem<Type>(val);
```

分配并构造一个新的 QueueItem 对象。每个表达式

(1) 使用 QueueItem<T>::operator new 函数从自由列表分配一个对象。

(2) 为类型 T 使用元素类型的复制构造函数，在该内存中构造一个对象。

类似地，当像 delete pt;这样删除一个 QueueItem 指针的时候，运行 QueueItem 析构函数清除 pt 指向的对象，并调用该类的 operator delete，将元素所用的内存放回自由列表。

4. 定义 operator new

operator new 成员从自由列表返回一个对象，如果自由列表为空，new 必须首先分配 chunk 数目的新内存：

```
template <class T>
void *CachedObj<T>::operator new(size_t sz)
{
    // new should only be asked to build a T, not an object
    // derived from T; check that right size is requested
    if (sz != sizeof(T))
        throw std::runtime_error
           ("CachedObj: wrong size object in operator new");
    if (!freeStore) {
        // the list is empty: grab a new chunk of memory
        // allocate allocates chunk number of objects of type T
        T * array = alloc_mem.allocate(chunk);
        // now set the next pointers in each object in the allocated memory
        for (size_t i = 0; i != chunk; ++i)
            add_to_freelist(&array[i]);
    }
    T *p = freeStore;
    freeStore = freeStore->CachedObj<T>::next;
    return p;    // constructor of T will construct the T part of the object
}
```

769

函数首先验证要求它分配正确数量的空间。

这个检查强调了我们的设计意图：CachedObj 类应该只被不是基类的类使用。CachedObj 类在固定大小的自由列表上分配对象，这一事实意味着，继承层次中的类不能使用它来处理内存分配。因继承而相关的类几乎总是定义不同大小的对象，处理这些类的单个分配器，可能必须比这里所实现的这个复杂得多。

operator new 函数接着检查自由列表中是否有对象，如果没有，它就请求 allocator 成员分配 chunk 个新的未构造对象，然后，它通过新分配的对象进行迭代，设置 next 指针。调用了 add_to_freelist 函数之后，自由列表上的每个对象除了将保存下一个可用对象的地址的 next 指针之外，将是未构造的。自由列表如图 18-3 所示。

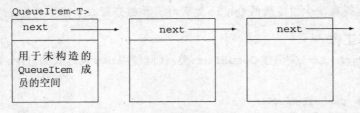

图 18-3　CachedObj 自由列表示例

在有可用对象可以分配的保证之下，operator new 返回自由列表上第一个对象的地址，将 freeStore 指针重置为指向自由列表上下一个元素。被返回的对象是未构造的。因为从 new 表达式调用 operator new，所以 new 表达式将负责构造对象。

5. 定义 operator delete

operator delete 成员只负责管理内存，在析构函数中已经清除了对象本身，delete 表达式在调用 operator delete 之前调用析构函数。operator delete 成员很简单：

```
template <class T>
void CachedObj<T>::operator delete(void *p, size_t)
{
    if (p != 0)
            // put the "deleted" object back at head of freelist
            add_to_freelist(static_cast<T*>(p));
}
```

它调用 add_to_freelist 成员将被删除对象放回自由列表。

令人感兴趣的部分是强制类型转换（5.12.4 节）。在删除动态分配的类类型对象时调用 operator delete，编译器将该对象的地址传给 operator delete。但是，指针的形参类型必须是 void*，在调用 add_to_freelist 之前，必须将指针从 void*强制转换为它的实际类型，本例中，那个类型是指向 T 的指针，它是 CachedObj 派生类型的对象的指针。

6. add_to_freelist 成员

这个成员的任务是设置 next 指针，并且在将对象加到自由列表时更新 freeStore 指针：

```
// puts object at head of the freelist
template <class T>
void CachedObj<T>::add_to_freelist(T *p)
{
    p->CachedObj<T>::next = freeStore;
    freeStore = p;
}
```

唯一复杂的部分是 next 成员的使用。回忆一下，我们打算将 CachedObj 作为基类使用，被分配对象不是 CachedObj 类型的，相反，那些对象是 CachedObj 的派生类型的，因此，类型 T 将是派生类型，指针 P 是指向 T 的指针，不是指向 CachedObj 的指针。如果派生类型有自己的名为 next 的成员，则编写 p->next 将获得派生类的成员！但我们希望在基类——CachedObj 类中设置 next。

 为了避免任何与派生类中定义的成员可能的冲突，显式指定我们正在给基类成员 next 赋值。

7. 定义静态数据成员

剩下的是定义静态数据成员：

```
template <class T> allocator< T > CachedObj< T >::alloc_mem;
template <class T> T *CachedObj< T >::freeStore = 0;
template <class T> const size_t CachedObj< T >::chunk = 24;
```

照常，对于类模板的静态成员，每个类型使用不同的静态成员来实例化 CachedObj 类。将 chunk

初始化为任意值，本例中为 24。将 freeStore 指针初始化为 0，指出自由列表开始时为空。
alloc_mem 成员不需要初始化，但必须记得定义它。

771

习题

习题 18.10 解释下面每个初始化，指出是否有错误的，如果有，为什么错。

```
class iStack {
public:
    iStack(int capacity): stack(capacity), top(0) { }
private:
    int top;
    vector<int> stack;
};
(a) iStack *ps = new iStack(20);
(b) iStack *ps2 = new const iStack(15);
(c) iStack *ps3 = new iStack[ 100 ];
```

习题 18.11 解释下面 new 和 delete 表达式中发生什么。

```
struct Exercise {
    Exercise();
    ~Exercise();
};
Exercise *pe = new Exercise[20];
delete[] pe;
```

习题 18.12 为 Queue 类或你选择的其他类实现一个类特定的内存分配器。测量性能的改变，看看到底有多大帮助。

18.2 运行时类型识别

通过运行时类型识别（RTTI），程序能够使用基类的指针或引用来检索这些指针或引用所指对象的实际派生类型。

通过下面两个操作符提供 RTTI：

(1) typeid 操作符，返回指针或引用所指对象的实际类型。

(2) dynamic_cast 操作符，将基类类型的指针或引用安全地转换为派生类型的指针或引用。

 这些操作符只为带有一个或多个虚函数的类返回动态类型信息，对于其他类型，返回静态（即编译时）类型的信息。

对于带虚函数的类，在运行时执行 RTTI 操作符，但对于其他类型，在编译时计算 RTTI 操作符。

772

当具有基类的引用或指针，但需要执行不是基类组成部分的派生类操作的时候，需要动态的强制类型转换。通常，从基类指针获得派生类行为最好的方法是通过虚函数。当使用虚函数的时候，编译器自动根据对象的实际类型选择正确的函数。

但是，在某些情况下，不可能使用虚函数。在这些情况下，RTTI 提供了可选的机制。然而，这种机制比使用虚函数更容易出错：程序员必须知道应该将对象强制转换为哪种类型，并且必须检查转换是否成功执行了。

> 使用动态强制类型转换要小心。只要有可能，定义和使用虚函数比直接接管类型管理好得多。

18.2.1 `dynamic_cast` 操作符

可以使用 **`dynamic_cast`** 操作符将基类类型对象的引用或指针转换为同一继承层次中其他类型的引用或指针。与 dynamic_cast 一起使用的指针必须是有效的——它必须为 0 或者指向一个对象。

与其他强制类型转换不同，dynamic_cast 涉及运行时类型检查。如果绑定到引用或指针的对象不是目标类型的对象，则 dynamic_cast 失败。如果转换到指针类型的 dynamic_cast 失败，则 dynamic_cast 的结果是 0 值；如果转换到引用类型的 dynamic_cast 失败，则抛出一个 bad_cast 类型的异常。

因此，dynamic_cast 操作符一次执行两个操作。它首先验证被请求的转换是否有效，只有转换有效，操作符才实际进行转换。一般而言，引用或指针所绑定的对象的类型在编译时是未知的，基类的指针可以赋值为指向派生类对象，同样，基类的引用也可以用派生类对象初始化，因此，dynamic_cast 操作符执行的验证必须在运行时进行。

1. 使用 `dynamic_cast` 操作符

作为例子，假定 Base 是至少带一个虚函数的类，并且 Derived 类派生于 Base 类。如果有一个名为 basePtr 的指向 Base 的指针，就可以像这样在运行时将它强制转换为指向 Derived 的指针：

```
if (Derived *derivedPtr = dynamic_cast<Derived*>(basePtr))
{
    // use the Derived object to which derivedPtr points
} else { // BasePtr points at a Base object
    // use the Base object to which basePtr points
}
```

在运行时，如果 basePtr 实际指向 Derived 对象，则转换将成功，并且 derivedPtr 将被初始化为指向 basePtr 所指的 Drived 对象；否则，转换的结果是 0，意味着将 derivedPtr 置为 0，并且 if 中的条件失败。

> 可以对值为 0 的指针应用 dynamic_cast，这样做的结果是 0。

通过检查 derivedPtr 的值，if 内部的代码知道它是在操作 Derived 对象，该代码使用 Derived 的操作是安全的。如果 dynamic_cast 因 basePtr 引用了 Base 对象而失败，则 else 子句进行适应于 Base 的处理来代替。在 if 条件内部进行检查的另一好处是，不可能在 dynamic_cast 和测试转换结果之间插入代码，因此，不可能在测试转换是否成功之前不经意地使用 derivedPtr。第三个好处是，在 if 外部不能访问该指针，如果转换失败，则在后面的忘了测试的地方，未绑定的指针是不可用的。

在条件中执行 dynamic_cast 保证了转换和其结果测试在一个表达式中进行。

2. 使用 **dynamic_cast** 和引用类型

在前面例子中，使用了 dynamic_cast 将基类指针转换为派生类指针，也可以使用 dynamic_cast 将基类引用转换为派生类引用，这种 dynamic_cast 操作的形式如下：

```
dynamic_cast< Type& >(val)
```

这里，Type 是转换的目标类型，而 val 是基类类型的对象。

只有当 val 实际引用一个 Type 类型对象，或者 val 是一个 Type 派生类型的对象的时候，dynamic_cast 操作才将操作数 val 转换为想要的 Type&类型。

因为不存在空引用，所以不可能对引用使用用于指针强制类型转换的检查策略，相反，当转换失败的时候，它抛出一个 std::bad_cast 异常，该异常在库头文件 typeinfo 中定义。

可以重写前面的例子如下，以便使用引用：

```
void f(const Base &b)
{
    try {
        const Derived &d = dynamic_cast<const Derived&>(b);
        // use the Derived object to which b referred
    } catch (bad_cast) {
        // handle the fact that the cast failed
    }
}
```

774

习题

习题 18.13 给定下面的类层次，其中每个类都定义了 public 默认构造函数和虚析构函数，

```
class A { /* ... */ };
class B : public A { /* ... */ };
class C : public B { /* ... */ };
class D : public B, public A { /* ... */ };
```

如果有，下面哪些 dynamic_cast 失败？

习题 18.14 如果 D 和 B 都以 A 为虚基类，上题最后一个转换中将发生什么？

```
(a) A *pa = new C;
    B *pb = dynamic_cast< B* >(pa);
(b) B *pb = new B;
    C *pc = dynamic_cast< C* >(pb);
(c) A *pa = new D;
    B *pb = dynamic_cast< B* >(pa);
```

习题 18.15 使用上面习题中定义的类层次，重写下面代码片段，以便执行 dynamic_cast 将表达式 *pa 转换为 C&类型：

```
if (C *pc = dynamic_cast< C* >(pa))
    // use C's members
} else {
    // use A's members
}
```

习题 18.16 解释什么时候可以使用 dynamic_cast 代替虚函数。

18.2.2　**typeid** 操作符

　　为 RTTI 提供的第二个操作符是 **typeid** 操作符。typeid 操作符使程序能够问一个表达式：你是什么类型？

　　typeid 表达式形如：

```
typeid(e)
```

这里 e 是任意表达式或者是类型名。

　　如果表达式的类型是类类型且该类包含一个或多个虚函数，则表达式的动态类型可能不同于它的静态编译时类型。例如，如果表达式对基类指针解引用，则该表达式的静态编译时类型是基类类型；但是，如果指针实际指向派生类对象，则 typeid 操作符将说表达式的类型是派生类型。

　　typeid 操作符可以与任何类型的表达式一起使用。内置类型的表达式以及常量都可以用作 typeid 操作符的操作数。如果操作数不是类类型或者是没有虚函数的类，则 typeid 操作符指出操作数的静态类型；如果操作数是定义了至少一个虚函数的类类型，则在运行时计算类型。 | 775 |

　　typeid 操作符的结果是名为 type_info 的标准库类型的对象引用，18.2.4 节将更详细地讨论这个类型。要使用 type_info 类，必须包含库头文件 typeinfo。

使用 **typeid** 操作符

　　typeid 最常见的用途是比较两个表达式的类型，或者将表达式的类型与特定类型相比较：

```
Base *bp;
Derived *dp;
// compare type at run time of two objects
if (typeid(*bp) == typeid(*dp)) {
    // bp and dp point to objects of the same type
}
// test whether run time type is a specific type
if (typeid(*bp) == typeid(Derived)) {
    // bp actually points to a  Derived
}
```

第一个 if 中，比较 bp 所指对象与 dp 所指对象的实际类型，如果它们指向同一类型，则测试成功。类似地，如果 bp 当前指向 Derived 对象，则第二个 if 成功。

　　注意，typeid 的操作数是表示对象的表达式——测试*bp，而不是 bp：

```
// test always fails: The type of bp is pointer to  Base
if (typeid(bp) == typeid(Derived)) {
    // code never executed
}
```

这个测试将 Base*类型与 Derived 类型相比较，这两个类型不相等，所以，无论 bp 所指对象的类型是什么，这个测试将总是失败。

> 　　只有当 typeid 的操作数是带虚函数的类类型的对象的时候，才返回动态类型信息。测试指针（相对于指针指向的对象）返回指针的静态的、编译时类型。

如果指针 p 的值是 0，那么，如果 p 的类型是带虚函数的类型，则 typeid(*p) 抛出一个 bad_typeid 异常；如果 p 的类型没有定义任何虚函数，则结果与 p 的值是不相关的。正像计算表达式 sizeof（5.8 节）一样，编译器不计算*p，它使用 p 的静态类型，这并不要求 p 本身是有效指针。

776

习题

习题 18.17 编写一个表达式,动态地将 Query_base 对象的指针强制转换为 AndQuery 对象的指针。通过使用 AndQuery 和其他查询类型的对象测试该转换。显示一个语句指出强制转换是否工作，并确信输出与你的表达式匹配。

习题 18.18 编写相同的强制转换，但将 Query_base 对象转换为 AndQuery 的引用。重复测试以确信你的转换正确工作。

习题 18.19 编写一个 typeid 表达式，看两个 Query_base 指针是否指向相同的类型，然后检查该类型是否为 AndQuery。

18.2.3　RTTI 的使用

作为说明何时可以使用 RTTI 的例子，考虑一个类层次，我们希望为它实现相等操作符。如果两个对象的给定数据成员集合的值相同，它们就相等。每个派生类型可以增加自己的数据，我们希望在测试相等的时候包含这些数据。

因为确定派生类型的相等与确定基类类型的相等所考虑的值不同,所以对层次中的每一对类型（潜在地）需要一个不同的相等操作符。而且，希望能够使用给定类型作为左操作数或右操作数，所以实际上对每一对类型将需要两个操作符。

如果类层次中只有两个类型，就需要四个函数：

```
bool operator==(const Base&, const Base&)
bool operator==(const Derived&, const Derived&)
bool operator==(const Derived&, const Base&);
bool operator==(const Base&, const Derived&);
```

但是，如果类层次中有几个类型，必须定义的操作符的数目就迅速扩大——仅仅 3 个类型就需要 9 个操作符。如果类层次有 4 个类型，将需要 16 个操作符，以此类推。

也许我们认为可以通过定义一个虚函数集合来解决这个问题，这些虚函数可以在类层次中每一层执行相等测试。给定这些虚函数，可以定义单个相等操作符，操作基类类型的引用，该操作符可以将工作委派给可以完成实际工作的虚操作。

但是，虚函数并不是解决这个问题的好办法。麻烦在于决定 equal 操作的形参的类型。虚函数在基类类型和派生类型中必须有相同的形参类型，这意味着，虚 equal 操作必须有一个形参是基类的引用。

但是，当比较两个派生类对象的时候，我们希望比较可能特定于派生类的数据成员。如果形参是基类的引用，就只能比较基类中出现的成员，我们不能访问在派生类中但不在基类中出现的成员。

仔细考虑这个问题，我们看到，希望在试图比较不同类型的对象时返回假（false）。有了这个观察，现在可以使用 RTTI 解决我们的问题。

我们将定义单个相等操作符。每个类定义一个虚函数 equal，该函数首先将操作数强制转换为正确的类型。如果转换成功，就进行真正的比较；如果转换失败，equal 操作就返回 false。

1. 类层次

为了使概念更清楚一点，假定类层次是这样的：

```
class Base {
    friend bool operator==(const Base&, const Base&);
public:
    // interface members for Base
protected:
    virtual bool equal(const Base&) const;
    // data and other implementation members of Base
};
class Derived: public Base {
    friend bool operator==(const Base&, const Base&);
public:
    // other interface members for Derived
private:
    bool equal(const Base&) const;
    // data and other implementation members of Derived
};
```

2. 类型敏感的相等操作符

下面看看可以怎样定义整体的相等操作符：

```
bool operator==(const Base &lhs, const Base &rhs)
{
    // returns false if typeids are different otherwise
    // returns lhs.equal(rhs)
    return typeid(lhs) == typeid(rhs) && lhs.equal(rhs);
}
```

如果操作数类型不同，这个操作符就返回假；如果操作数类型相同，它就将实际比较操作数的工作委派给适当的虚函数 equal。如果操作数是 Base 对象，就调用 Base::equal；如果操作数是 Derived 对象，就调用 Derived::equal。

3. 虚函数 equal

层次中的每个类都必须定义自己的 equal 版本。派生类中的 equal 函数将以相同的方式开始：它们将实参强制转换为类本身的类型。

```
bool Derived::equal(const Base &rhs) const
{
    if (const Derived *dp
            = dynamic_cast<const Derived*>(&rhs)) {
        // do work to compare two Derived objects and return result
    } else
        return false;
}
```

这个强制转换应该总是成功——毕竟，只有在测试了两个操作数类型相同之后，才从相等操作符调用该函数。但是，这个强制转换是必要的，以便函数可以访问右操作数的派生类成员。因为操作数是 Base&，所以如果想要访问 Derived 的成员，就必须首先进行强制转换。

4. 基类 equal 函数

这个操作比其他的简单一点：

```
bool Base::equal(const Base &rhs) const
{
      // do whatever is required to compare to  Base  objects
}
```

使用形参之前不必强制转换，*this 和形参都是 Base 对象，所以对形参类型也定义了该对象可用的所有操作。

18.2.4　type_info 类

type_info 类的确切定义随编译器而变化，但是，标准保证所有的实现将至少提供表 18-2 列出的操作。

表 18-2　type_info 的操作

t1 == t2	如果两个对象 t1 和 t2 类型相同，就返回 true；否则，返回 false
t1 != t2	如果两个对象 t1 和 t2 类型不同，就返回 true；否则，返回 false
t.name()	返回 C 风格字符串，这是类型名字的可显示版本。类型名字用系统相关的方法产生
t1.before(t2)	返回指出 t1 是否出现在 t2 之前的 bool 值。before 强制的次序与编译器有关

779

因为打算作基类使用，type_info 类也提供公用虚析构函数。如果编译器想要提供附加的类型信息，应该在 type_info 的派生类中进行。

默认构造函数和复制构造函数以及赋值操作符都定义为 private，所以不能定义或复制 type_info 类型的对象。程序中创建 type_info 对象的唯一方法是使用 typeid 操作符。

name 函数为 type_info 对象所表示的类型的名字返回 C 风格字符串。给定类型所用的值取决于编译器，具体来说，无须与程序中使用的类型名字匹配。对 name 返回值的唯一保证是，它为每个类型返回唯一的字符串。虽然如此，仍可以使用 name 成员来显示 type_info 对象的名字：

```
int iobj;
cout << typeid(iobj).name() << endl
     << typeid(8.16).name() << endl
     << typeid(std::string).name() << endl
     << typeid(Base).name() << endl
     << typeid(Derived).name() << endl;
```

name 返回的格式和值随编译器而变化。在我们的机器上执行时，这个程序产生下面的输出：

```
i
d
Ss
4Base
7Derived
```

type_info 类随编译器而变。一些编译器提供附加的成员函数，那些函数提供关于程序中所用类型的附加信息。你应该查阅编译器的参考手册来理解所提供的确切的 type_info 支持。

习题

习题 18.20　给定下面的类层次，其中每个类都定义了 public 默认构造函数及虚析构函数，下面语句显示哪些类型名？

```
class A { /* ... */ };
class B : public  A { /* ... */ };
class C : public  B { /* ... */ };
(a) A *pa = new C;
    cout << typeid(pa).name() << endl;
(b) C cobj;
    A& ra = cobj;
    cout << typeid(&ra).name() << endl;
(c) B *px = new B;
    A& ra = *px;
    cout << typeid(ra).name() << endl;
```

18.3　类成员的指针

我们知道，给定对象的指针，可以使用箭头（->）操作符从该对象获得给定成员。有时从成员开始是有用的，也就是说，我们也许希望获得特定成员的指针，然后从一个对象或别的对象获得该成员。

可以通过使用称为**成员指针**（pointer to member）的特殊种类的指针做到这一点。成员指针包含类的类型以及成员的类型。这一事实影响着怎样定义成员指针，怎样将成员指针绑定到函数或数据成员，以及怎样使用它们。

成员指针只应用于类的非 static 成员。static 类成员不是任何对象的组成部分，所以不需要特殊语法来指向 static 成员，static 成员指针是普通指针。

780

18.3.1　声明成员指针

在研究成员指针时，将使用第 12 章的 Screen 类的简化版本。

```
class Screen {
public:
    typedef std::string::size_type index;
    char get() const;
    char get(index ht, index wd) const;
private:
    std::string contents;
    index cursor;
    index height, width;
};
```

1. 定义数据成员的指针

Screen 类的 contents 成员的类型为 std::string。contents 的完全类型是"Screen 类

的成员，其类型是 `std::string`"。因此，可以指向 contens 的指针的完全类型是"指向 `std::string` 类型的 Screen 类成员的指针"，这个类型可写为

```
string Screen::*
```

可以将指向 Screen 类的 string 成员的指针定义为

```
string Screen::*ps_Screen;
```

可以用 contents 的地址初始化 ps_Screen，代码为

781

```
string Screen::*ps_Screen = &Screen::contents;
```

还可以将指向 height、width 或 cursor 成员的指针定义为

```
Screen::index Screen::*pindex;
```

这是说，pindex 是具有 Screen::index 类型的 Screen 类成员的指针。可以将 width 的地址赋给这个指针：

```
pindex = &Screen::width;
```

可以用指针 pindex 指向 width、height 或 cursor 中任意一个，因为这三个都是 index 类型的 Screen 类成员。

2. 定义成员函数的指针

成员函数的指针必须在三个方面与它所指函数的类型相匹配：

(1) 函数形参的类型和数目，包括成员是否为 const。

(2) 返回类型。

(3) 所属类的类型。

通过指定函数返回类型、形参表和类来定义成员函数的指针。例如，可引用不接受形参的 get 版本的 Screen 成员函数的指针具有如下类型：

```
char (Screen::*)() const
```

这个类型指定 Screen 类的 const 成员函数的指针，不接受形参并返回 char 类型的值。这个 get 函数版本的指针可以像下面这样定义和初始化：

```
// pmf points to the Screen get member that takes no arguments
char (Screen::*pmf)() const = &Screen::get;
```

也可以将带两个形参的 get 函数版本的指针定义为

```
char (Screen::*pmf2)(Screen::index, Screen::index) const;
pmf2 = &Screen::get;
```

调用操作符的优先级高于成员指针操作符，因此，包围 `Screen::*` 的括号是必要的，没有这个括号，编译器就将下面代码当作（无效的）函数声明：

```
// error: mon-member function p cannot have const qualifier
char Screen::*p() const;
```

782

3. 为成员指针使用类型别名

类型别名（typedef）可以使成员指针更容易阅读。例如，下面的类型别名将 Action 定义为

带两个形参的 get 函数版本的类型的另一名字：

```
// Action is a type name
typedef
char (Screen::*Action)(Screen::index, Screen::index) const;
```

Action 是类型"Screen 类的接受两个 index 类型形参并返回 char 的成员函数的指针"的名字。使用类型别名，可以将 get 指针的定义简化为

```
Action get = &Screen::get;
```

可以使用成员指针函数类型来声明函数形参和函数返回类型：

```
// action takes a reference to a Screen and a pointer to Screen member function
Screen& action(Screen&, Action = &Screen::get);
```

这个函数声明为接受两个形参：Screen 对象的引用，以及 Screen 类的接受两个 index 类型形参并返回 char 的成员函数的指针。可以通过传递 Screen 类中适当成员函数的指针或地址调用 action 函数：

```
Screen myScreen;
// equivalent calls:
action(myScreen);              // uses the default argument
action(myScreen, get);    // uses the variable get that we previously defined
action(myScreen, &Screen::get);       // pass address explicitly
```

习题

习题 18.21 普通数据指针或函数指针与数据成员指针或函数成员指针之间的区别是什么？

习题 18.22 定义可以表示 Sales_item 类的 isbn 成员的指针的类型。

习题 18.23 定义可以指向 same_isbn 成员的指针。

习题 18.24 编写类型别名，作为可指向 Sales_item 的 avg_price 成员的指针的同义词。

18.3.2 使用类成员的指针

类似于成员访问操作符 . 和 ->，.* 和 ->* 是两个新的操作符，它们使我们能够将成员指针绑定到实际对象。这两个操作符的左操作数必须是类类型的对象或类类型的指针，右操作数是该类型的成员指针。

- 成员指针解引用操作符（.*）从对象或引用获取成员。
- 成员指针箭头操作符（->*）通过对象的指针获取成员。

1. 使用成员函数的指针

使用成员指针，可以这样调用不带形参的 get 函数版本：

```
// pmf points to the Screen get member that takes no arguments
char (Screen::*pmf)() const = &Screen::get;
Screen myScreen;
char c1 = myScreen.get();        // call get on myScreen
char c2 = (myScreen.*pmf)();    // equivalent call to get
Screen *pScreen = &myScreen;
c1 = pScreen->get();            // call get on object to which pScreen points
c2 = (pScreen->*pmf)();        // equivalent call to get
```

因为调用操作符（()）比成员指针操作符优先级高，所以调用(myScreen.*pmf)() 和(pScreen->*pmf)()需要括号。

没有括号，就会将

```
myScreen.*pmf()
```

解释为

```
myScreen.*(pmf())
```

这个代码是说，调用名为 pmf 的函数，并将它的返回值绑定到成员对象操作符（.*）的指针。当然，pmf 的类型不支持这样的使用，且会产生编译时错误。

像任何其他函数一样，也可以在通过成员函数指针进行的调用中传递实参：

```
char (Screen::*pmf2)(Screen::index, Screen::index) const;
pmf2 = &Screen::get;
Screen myScreen;
char c1 = myScreen.get(0,0);          // call two-parameter version of get
char c2 = (myScreen.*pmf2)(0,0);   // equivalent call to get
```

2. 使用数据成员的指针

相同的成员指针操作符用于访问数据成员：

```
Screen::index Screen::*pindex = &Screen::width;
Screen myScreen;
// equivalent ways to fetch width member of myScreen
Screen::index ind1 = myScreen.width;      // directly
Screen::index ind2 = myScreen.*pindex;    // dereference to get width
Screen *pScreen;
// equivalent ways to fetch width member of *pScreen
ind1 = pScreen->width;           // directly
ind2 = pScreen->*pindex;         // dereference pindex to get width
```

3. 成员指针函数表

函数指针和成员函数指针的一个公共用途是，将它们存储在函数表中。函数表是函数指针的集合，在运行时从中选择给定调用。

对具有几个相同类型成员的类而言，可以使用这样的表来从这些成员的集合中选择一个。假定扩展 Screen 类以包含几个成员函数，其中每一个在特定方向移动光标：

```
class Screen {
public:
    // other interface and implementation members as before
    Screen& home();              // cursor movement functions
    Screen& forward();
    Screen& back();
    Screen& up();
    Screen& down();
};
```

这些新函数的每一个都不接受形参，并返回调用它的对象的引用。

4. 使用函数指针表

我们可能希望定义一个 move 函数，它可以调用这些函数中的任意一个并执行指定动作。为

了支持这个新函数,我们将在 Screen 中增加一个 static 成员,该成员是光标移动函数的指针的数组:

```
class Screen {
public:
    // other interface and implementation members as before
    // Action is pointer that can be assigned any of the cursor movement members
    typedef Screen& (Screen::*Action)();
    static Action Menu[];          // function table
public:
    // specify which direction to move
    enum Directions { HOME, FORWARD, BACK, UP, DOWN };
    Screen& move(Directions);
};
```

名为 Menu 的数组将保存指向每个光标移动函数的指针,将在对应于 Directions 中枚举成员的偏移位置保存那些函数,move 函数接受枚举成员并调用适当函数:

```
Screen& Screen::move(Directions cm)
{
    // fetch the element in Menu indexed by cm
    // run that member on behalf of this object
    (this->*Menu[cm])();
    return *this;
}
```

这样计算 move 内部的调用:获取由 cm 索引的 Menu 元素(该元素是 Screen 类成员函数的指针),代表 this 指向的对象调用该元素指向的成员函数。

调用 move 时,传给它一个枚举成员,指出向哪个方向移动光标:

```
Screen myScreen;
myScreen.move(Screen::HOME);    // invokes myScreen.home
myScreen.move(Screen::DOWN);    // invokes myScreen.down
```

5. 定义成员函数指针表

剩下的是定义和初始化表本身:

```
Screen::Action Screen::Menu[] = { &Screen::home,
                                  &Screen::forward,
                                  &Screen::back,
                                  &Screen::up,
                                  &Screen::down,
                                };
```

习题

习题 18.25 Screen 类的成员 cursor[1]的类型是什么?

习题 18.26 定义一个可以指向 Screen 类 cursor 成员的成员指针,通过该指针获取 Screen::cursor 的值。

习题 18.27 为 Screen 类成员函数的每个可区分类型定义类型别名。

习题 18.28 也可以将成员指针声明为类的数据成员。修改 Screen 类的定义,以便包含与 home[2]类型相同的 Screen 成员函数的指针。

---

1. 此处英文原书误为"Screen 类的成员 screen 和 cursor"。screen 不是 Screen 类的成员。——译者注
2. 此处英文原书误为"home 和 end"。end 不是 Screen 类的成员。——译者注

习题 18.29 编写一个 Screen 构造函数，该构造函数接受指向 Screen 成员函数的指针类型形参，
成员函数的形参表和返回类型与成员函数 home[1] 的相同。

习题 18.30 为该形参提供默认实参，使用该形参对上题中引入的数据成员进行初始化。

习题 18.31 提供一个 Screen 成员函数来设置这个成员。

18.4   嵌套类

可以在另一个类内部定义一个类，这样的类是**嵌套类**（nested class），也称为**嵌套类型**（nested
type）。嵌套类最常用于定义执行类，如第 16 章的 QueueItem 类。

嵌套类是独立的类，基本上与它们的外围类不相关，因此，外围类和嵌套类的对象是互相独立的。
嵌套类型的对象不具备外围类所定义的成员，同样，外围类的成员也不具备嵌套类所定义的成员。

嵌套类的名字在其外围类的作用域中可见，但在其他类作用域或定义外围类的作用域中不可
见。嵌套类的名字将不会与另一作用域中声明的名字冲突。

786

嵌套类可以具有与非嵌套类相同种类的成员。像任何其他类一样，嵌套类使用访问标号控制
对自己成员的访问。成员可以声明为 public、private 或 protected。外围类对嵌套类的成员
没有特殊访问权，并且嵌套类对其外围类的成员也没有特殊访问权。

嵌套类定义了其外围类中的一个类型成员。像任何其他成员一样，外围类决定对这个类型的
访问。在外围类的 public 部分定义的嵌套类定义了可在任何地方使用的类型，在外围类的
protected 部分定义的嵌套类定义了只能由外围类、友元或派生类访问的类型，在外围类的
private 部分定义的嵌套类定义了只能被外围类或其友元访问的类型。

18.4.1   嵌套类的实现

在第 16 章中实现的 Queue 类定义了一个名为 QueueItem 的伙伴执行类，QueueItem 类是
私有类（它只有 private 成员）但它是在全局作用域中定义的。普通用户代码不能使用 QueueItem
类的对象：它的所有成员，包括构造函数，均为 private。但是，名字 QueueItem 是全局可见
的，不能定义名为 QueueItem 的自有类型或其他实体。

一个更好的设计可能是，将 QueueItem 类设为 Queue 类的 private 成员，那样，Queue 类
（及其友元）可以使用 QueueItem，但 QueueItem 类类型对普通用户代码不可见。一旦 QueueItem
类本身为 private，我们就可以使其成员为 public 成员——只有 Queue 或 Queue 的友元可以访
问 QueueItem 类型，所以不必防止一般程序访问 QueueItem 的成员。通过用保留字 struct 定
义 QueueItem 使成员为 public 成员。

787

新的设计如下：

```
template <class Type> class Queue {
    // interface functions to Queue are unchanged
private:
    // public members are ok: QueueItem is a private member of Queue
    // only Queue and its friends may access the members of QueueItem
```

---

1. 此处英文原书误为 "home 和 end"。end 不是 Screen 类的成员。——译者注

```
struct QueueItem {
    QueueItem(const Type &);
    Type item;              // value stored in this element
    QueueItem *next;        // pointer to next element in the Queue
};
QueueItem *head;            // pointer to first element in  Queue
QueueItem *tail;            // pointer to last element in Queue
};
```

因为 QueueItem 类是 private 成员，所以只有 Queue 类的成员和友元可以使用 QueueItem 类型。使 QueueItem 类成为 private 成员之后，就可以使 QueueItem 成员为 public，这样做使我们能够删去 QueueItem 中的友元声明。

1. 嵌套在类模板内部的类是模板

因为 Queue 类是一个模板，它的成员也隐含地是模板。具体而言，嵌套类 QueueItem 隐含地是一个类模板。像 Queue 类中任何其他成员一样，QueueItem 的模板形参与其外围类（Queue 类）的模板形参相同。

Queue 类的每次实例化用对应于 Type 的适当模板实参产生自己的 QueueItem 类。QueueItem 类模板的实例化与外围 Queue 类模板的实例化之间的映射是一对一的。

2. 定义嵌套类的成员

这个 QueueItem 类版本中，我们选择不在类内部定义 QueueItem 构造函数，相反，我们单独定义它。唯一复杂的是在哪里定义以及怎样命名。

 在其类外部定义的嵌套类成员，必须定义在定义外围类的同一作用域中。在其类外部定义的嵌套类的成员，不能定义在外围类内部，嵌套类的成员不是外围类的成员。

QueueItem 类的构造函数不是 Queue 类的成员，因此，不能将它定义在 Queue 类定义体中的任何地方，它必须与 Queue 类在同一作用域但在 Queue 类的外部定义。为了将成员定义在嵌套类定义体外部，必须记住，成员的名字在类外部是不可见的。要定义这个构造函数，必须指出，QueueItem 是 Queue 类作用域中的嵌套类，通过用外围 Queue 类的名字限定类名 QueueItem 来做到这一点：

788

```
// defines the  QueueItem constructor
// for class  QueueItem nested inside class  Queue<Type>
template <class Type>
Queue<Type>::QueueItem::QueueItem(const Type &t):
                    item(t), next(0) { }
```

当然，Queue 和 QueueItem 都是类模板，因此，这个构造函数也是模板。

这段代码定义了一个函数模板，以名为 Type 的单个类型形参化为形参。从右至左读函数的名字，这个函数是 QueueItem 类的构造函数，它嵌套在 Queue<Type> 类的作用域中。

3. 在外围类外部定义嵌套类

嵌套类通常支持外围类的实现细节。我们可能希望防止外围类的用户看见嵌套类的实现代码。

例如，我们可能希望将 QueueItem 类的定义放在它自己的文件中，我们可以在 Queue 类及其成员的实现文件中包含这个文件。正如可以在类定义体外部定义嵌套类的成员一样，我们也可以在外围类定义体的外部定义整个嵌套类：

```
template <class Type> class Queue {
    // interface functions to Queue are unchanged
private:
    struct QueueItem; // forward declaration of nested type QueueItem
    QueueItem *head;  // pointer to first element in Queue
    QueueItem *tail;  // pointer to last element in Queue
};
template <class Type>
struct Queue<Type>::QueueItem {
    QueueItem(const Type &t): item(t), next(0) { }
    Type item;           // value stored in this element
    QueueItem *next; // pointer to next element in the Queue
};
```

为了在外围类的外部定义类体，必须用外围类的名字限定嵌套类的名字。注意，我们仍然必须在 Queue 类的定义体中声明 QueueItem 类。

也可以在外围类的定义体中声明然后定义嵌套类。像其他前向声明一样，嵌套类的前向声明使嵌套类能够具有相互引用的成员。

789

在看到在类定义体外部定义的嵌套类的实际定义之前，该类是不完全类型（12.1.4节），应用所有使用不完全类型的常规限制。

4. 嵌套类静态成员定义

如果 QueueItem 类声明了一个静态成员，它的定义也需要放在外层作用域中。假定 QueueItem 类有一个静态成员，它的定义看起来可能像下面这样：

```
// defines an int static member of QueueItem,
// which is a type nested inside Queue<Type>
template <class Type>
int Queue<Type>::QueueItem::static_mem = 1024;
```

5. 使用外围类的成员

外围作用域的对象与其嵌套类型的对象之间没有联系。

嵌套类中的非静态函数具有隐含的 this 指针，指向嵌套类型的对象。嵌套类型对象只包含嵌套类型的成员，不能使用 this 指针获取外围类的成员。同样，外围类中的非静态成员函数也具有 this 指针，它指向外围类型的对象，该对象只具有外围类中定义的成员。

外围类的非静态数据或函数成员的任何使用都要求通过外围类的指针、引用或对象进行。Queue 类中的 pop 函数不能直接使用 item 或 next：

```
template <class Type>
void Queue<Type>::pop()
{
    // pop is unchecked: popping off an empty Queue is undefined
    QueueItem* p = head;        // keep pointer to head so can delete it
    head = head->next;          // head now points to next element
    delete p;                   // delete old head element
}
```

Queue 类型的对象没有名为 item 或 next 的成员。Queue 类的函数成员可以使用 head 和 tail 成员（它们是指向 QueueItem 对象的指针）来获取那些 QueueItem 成员。

6. 使用静态成员或其他类型的成员

嵌套类可以直接引用外围类的静态成员、类型名和枚举成员（2.7 节），当然，引用外围类作用域之外的类型名或静态成员，需要作用域确定操作符。

790

7. 嵌套模板的实例化

实例化外围类模板的时候，不会自动实例化类模板的嵌套类。像任何成员函数一样，只有当在需要完整类类型的情况下使用嵌套类本身的时候，才会实例化嵌套类。例如，像

```
Queue<int> qi; // instantiates Queue<int> but not QueueItem<int>
```

这样的定义，用 int 类型实例化了 Queue 模板，但没有实例化 QueueItem<int>类型。成员 head 和 tail 是指向 QueueItem<int>的指针，这里不需要实例化 QueueItem<int>来定义那个类的指针。

使 QueueItem 类成为类模板 Queue 的嵌套类并不改变 QueueItem 的实例化。只有在使用 QueueItem<int>的时候——本例中，只有当 Queue<int>类的成员函数中对 head 和 tail 解引用的时候，才实例化 QueueItem<int>类。

18.4.2　嵌套类作用域中的名字查找

对嵌套类中所用名字的名字查找（12.3.1 节）在普通类的名字查找之前进行，现在唯一的区别是可能要查找一个或多个外围类作用域。

 当处理类成员声明的时候，所用的任意名字必须在使用之前出现。当处理定义的时候，整个嵌套类和外围类均在作用域中。

作为嵌套类中名字查找的例子，考虑下面的类声明：

```
class Outer {
public:
    struct Inner {
        // ok: reference to incomplete class
        void process(const Outer&);
        Inner2 val; // error: Outer::Inner2 not in scope
    };
    class Inner2 {
    public:
        // ok: Inner2::val used in definition
        Inner2(int i = 0): val(i) { }
        // ok: definition of process compiled after enclosing class is complete
        void process(const Outer &out) { out.handle(); }
    private:
        int val;
    };
    void handle() const; // member of class Outer
};
```

编译器首先处理 Outer 类成员的声明 Outer::Inner 和 Outer::Inner2。

791

将名字 Outer 作为 Inner::process 形参的使用被绑定到外围类，在看到 process 的声明时，那个类仍是不完整的，但形参是一个引用，所以这个使用是正确的。

数据成员 Inner::val 的声明是错误的，还没有看到 Inner2 类型。

Inner2 中的声明看来没有问题——它们大多只使用内置类型 int。唯一的例外是成员函数 process，它的形参确定为不完全类型 Outer。因为其形参是一个引用，所以 Outer 为不完全类型是无关紧要的。

直到看到了外围类中的其余声明之后，编译器才处理构造函数和 process 成员的定义。对 Outer 类声明的完成将函数 handle 的声明放在作用域中。

当编译器查找 Inner2 类中的定义所用的名字时，Inner2 类和 Outer 类中的所有名字都在作用域中。val 的使用（出现在 val 的声明之前）是正确的：将该引用绑定到 Inner2 类中的数据成员。同样，Inner2::process 成员函数体中对 Outer 类的 handle 的使用也正确，当编译 Inner2 类的成员的时候，整个 Outer 类在作用域中。

使用作用域操作符控制名字查找

可以使用作用域操作符访问 handle 的全局版本：

```cpp
class Inner2 {
public:
    // ...
    // ok: programmer explicitly specifies which handle to call
    void process(const Outer &out) { ::handle(out); }
};
```

习题

习题 18.32　重新实现第 16 章的 Queue 类和 QueueItem 类，使 QueueItem 成为 Queue 内部的嵌套类。

习题 18.33　解释 Queue 设计的原来版本和嵌套类版本的优缺点。

18.5　联合：节省空间的类

792

联合（union）是一种特殊的类。一个 union 对象可以有多个数据成员，但在任何时刻，只有一个成员可以有值。当将一个值赋给 union 对象的一个成员的时候，其他所有成员都变为未定义的。

为 union 对象分配的存储的量至少与包含其最大数据成员的一样多。像任何类一样，一个 union 定义了一个新的类型。

1. 定义联合

联合提供了便利的办法表示一组相互排斥的值，这些值可以是不同类型的。作为例子，我们可能有一个处理不同种类数值或字符数据的过程。该过程可以定义一个 union 来保存这些值：

```cpp
// objects of type  TokenValue  have a single member,
// which could be of any of the listed types
union TokenValue {
    char    cval;
```

```
        int     ival;
        double  dval;
    };
```

一个 union 定义以关键字 union 开始，后接（可选的）union 名字，以及一组以花括号括住的成员声明。这段代码定义了名为 TokenValue 的 union，它可以保存一个 char、int、char 指针或 double 值。本节介绍省略 union 名字意味着什么。

像任何类一样，union 类型定义了与 union 类型的对象相关联的内存是多少。每个 union 对象的大小在编译时是固定的：它至少与 union 的最大数据成员一样大。

2. 没有静态数据成员、引用成员或类数据成员

某些（但不是全部）类特征同样适用于 union。例如，像任何类一样，union 可以指定保护标记使成员成为公用的、私有的或受保护的。默认情况下，union 表现得像 struct：除非另外指定，否则 union 的成员都为 public 成员。

union 也可以定义成员函数，包括构造函数和析构函数。但是，union 不能作为基类使用，所以成员函数不能为虚数。

union 不能具有静态数据成员或引用成员，而且，union 不能具有定义了构造函数、析构函数或赋值操作符的类类型的成员：

```
union illegal_members {
    Screen s;          // error: has constructor
    static int is;     // error: static member
    int &rfi;          // error: reference member
    Screen *ps;        // ok: ordinary built-in pointer type
};
```

这个限制包括了具有带构造函数、析构函数或赋值操作符的成员的类。

793

3. 使用联合类型

union 的名字是一个类型名：

```
TokenValue first_token = {'a'};   // initialized TokenValue
TokenValue last_token;            // uninitialized TokenValue object
TokenValue *pt = new TokenValue;  // pointer to a TokenValue object
```

像其他内置类型一样，默认情况下 union 对象是未初始化的。可以用与显式初始化（12.4.5 节）简单类对象一样的方法显式初始化 union 对象。但是，只能为第一个成员提供初始化式。该初始化式必须括在一对花括号中。first_token 的初始化给它的 cval 成员一个值。

4. 使用联合的成员

可以使用普通成员访问操作符（.和->）访问 union 类型对象的成员：

```
last_token.cval = 'z';
pt->ival = 42;
```

给 union 对象的某个数据成员一个值使得其他数据成员变为未定义的。使用 union 对象时，我们必须总是知道 union 对象中当前存储的是什么类型的值。通过错误的数据成员检索保存在 union 对象中的值，可能会导致程序崩溃或者其他不正确的程序行为。

最佳
实践
　　避免通过错误成员访问 union 值的最佳办法是，定义一个单独的对象跟踪 union 中存储了什么值。这个附加对象称为 union 的**判别式**（discriminant）。

5. 嵌套联合

union 最经常用作嵌套类型，其中判别式是外围类的一个成员：

```cpp
class Token {
public:
    // indicates which kind of value is in  val
    enum TokenKind {INT, CHAR, DBL};
    TokenKind tok;
    union {                  // unnamed union
        char   cval;
        int    ival;
        double dval;
    } val;                   // member  val  is a union of the 3 listed types
};
```

这个类中，用枚举对象 tok 指出 val 成员中存储了哪种值，val 成员是一个（未命名的）union，它保存 char、int 或 double 值。

　　经常使用开关（switch）语句（6.6 节）测试判别式，然后根据 union 中当前存储的值进行处理：

```cpp
Token token;
switch (token.tok) {
case Token::INT:
    token.val.ival = 42; break;
case Token::CHAR:
    token.val.cval = 'a'; break;
case Token::DBL:
    token.val.dval = 3.14; break;
}
```

6. 匿名联合

不用于定义对象的未命名 union 称为**匿名联合**（anonymous union）。匿名 union 的成员的名字出现在外围作用域中。例如，使用匿名 union 重写的 Token 类如下：

```cpp
class Token {
public:
    // indicates which kind of token value is in  val
    enum TokenKind {INT, CHAR, DBL};
    TokenKind tok;
    union {                  // anonymous union
        char   cval;
        int    ival;
        double dval;
    };
};
```

因为匿名 union 不提供访问其成员的途径，所以将成员作为定义匿名 union 的作用域的一部分直接访问。重写前面的 switch 以便使用类的匿名 union 版本，如下：

```cpp
Token token;
switch (token.tok) {
case Token::INT:
    token.ival = 42; break;
```

```
case Token::CHAR:
    token.cval = 'a'; break;
case Token::DBL:
    token.dval = 3.14; break;
}
```

 匿名 union 不能有私有成员或受保护成员，也不能定义成员函数。

795

18.6 局部类

可以在函数体内部定义类，这样的类称为**局部类**（local class）。一个局部类定义了一个类型，该类型只在定义它的局部作用域中可见。与嵌套类不同，局部类的成员是严格受限的。

 局部类的所有成员（包括函数）必须完全定义在类定义体内部，因此，局部类远不如嵌套类有用。

实际上，成员完全定义在类中的要求限制了局部类成员函数的复杂性。局部类中的函数很少超过数行代码，超过的话，阅读者会难以理解代码。

类似地，不允许局部类声明 static 数据成员，没有办法定义它们。

1. 局部类不能使用函数作用域中的变量

局部类可以访问的外围作用域中的名字是有限的。局部类只能访问在外围作用域中定义的类型名、static 变量（7.5.2 节）和枚举成员，不能使用定义该类的函数中的变量：

```
int a, val;
void foo(int val)
{
    static int si;
    enum Loc { a = 1024, b };
    // Bar is local to foo
    class Bar {
    public:
        Loc locVal; // ok: uses local type name
        int barVal;
        void fooBar(Loc l = a)          // ok: default argument is Loc::a
        {
            barVal = val;      // error: val is local to foo
            barVal = ::val;    // ok: uses global object
            barVal = si;       // ok: uses static local object
            locVal = b;        // ok: uses enumerator
        }
    };
    // ...
}
```

2. 常规保护规则适用于局部类

外围函数对局部类的私有成员没有特殊访问权，当然，局部类可以将外围函数设为友元。

796

实际上，局部类中 private 成员几乎是不必要的，通常局部类的所有成员都为 public 成员。

可以访问局部类的程序部分是非常有限的。局部类封装在它的局部作用域中，进一步通过信息隐藏进行封装通常是不必要的。

3. 局部类中的名字查找

局部类定义体中的名字查找方式与其他类的相同。类成员声明中所用的名字必须在名字使用之前出现在作用域中，成员定义中所用的名字可以出现在局部类作用域的任何地方。没有确定为类成员的名字首先在外围局部作用域中进行查找，然后在包围函数本身的作用域中查找。

4. 嵌套的局部类

可以将一个类嵌套在局部类内部。这种情况下，嵌套类定义可以出现在局部类定义体之外，但是，嵌套类必须在定义局部类的同一作用域中定义。照常，嵌套类的名字必须用外围类的名字进行限定，并且嵌套类的声明必须出现在局部类的定义中：

```
void foo()
{
    class Bar {
    public:
        // ...
        class Nested;     // declares class Nested
    };
    //  definition of Nested
    class Bar::Nested {
        // ...
    };
}
```

嵌套在局部类中的类本身是一个带有所有附加限制的局部类。嵌套类的所有成员必须在嵌套类本身定义体内部定义。

18.7 固有的不可移植的特征

编写可以容易从一个机器移到其他机器的低级程序是 C 程序设计语言的一个特点。将程序移到新机器的过程称为"移植"，所以说 C 程序是**可移植的**。

为了支持低级编程，C 语言定义了一些固有不可移植的特征。算术类型的大小随机器不同而变化的事实（2.1 节），就是我们已经遇到过的一个这样的不可移植特征。本节将讨论 C++的另外两个从 C 语言继承来的不可移植特征：位域和 volatile 限定符。这些特征可使与硬件接口的直接通信更容易。

C++还增加了另一个不可移植特征（从 C 语言继承来的）：链接指示，它使得可以链接到用其他语言编写的程序。

18.7.1 位域

可以声明一种特殊的类数据成员，称为**位域**（bit-field），来保存特定的位数。当程序需要将二进制数据传递给另一程序或硬件设备的时候，通常使用位域。

 位域在内存中的布局是机器相关的。

位域必须是整型数据类型，可以是 signed 或 unsigned。通过在成员名后面接一个冒号以及指定位数的常量表达式，指出成员是一个位域：

```
typedef unsigned int Bit;

class File {
    Bit mode: 2;
    Bit modified: 1;
    Bit prot_owner: 3;
    Bit prot_group: 3;
    Bit prot_world: 3;
    // ...
};
```

mode 位域有两个位，modified 只有一位，其他每个成员有三个位。（如果可能）将类定义体中按相邻次序定义的位域压缩在同一整数的相邻位，从而提供存储压缩。例如，在前面的声明中，5 个位域将存储在一个首先与位域 mode 关联的 unsigned int 中。位是否压缩到整数以及如何压缩与机器有关。

> 通常最好将位域设为 unsigned 类型。存储在 signed 类型中的位域的行为由实现定义。

使用位域

用与类的其他数据成员相同的方式访问位域。例如，作为类的 private 成员的位域只能从成员函数的定义和类的友元中访问：

798

```
void File::write()
{
    modified = 1;
    // ...
}

void File::close()
{
    if (modified)
        // ... save contents
}
```

通常使用内置按位操作符（5.3 节）操纵超过一位的位域：

```
enum { READ = 01, WRITE = 02 }; // File modes

int main() {
    File myFile;

    myFile.mode |= READ; // set the READ bit
    if (myFile.mode & READ) // if the READ bit is on
        cout << "myFile.mode READ is set\n";
}
```

定义了位域成员的类通常也定义一组内联成员函数来测试和设置位域的值。例如，File 类可以定义成员 isRead 和 isWrite：

```
inline int File::isRead() { return mode & READ; }
inline int File::isWrite() { return mode & WRITE; }

if (myFile.isRead()) /* ... */
```

有了这些成员函数，现在就可以将位域声明为 File 类的私有成员了。

地址操作符（&）不能应用于位域，所以不可能有引用类位域的指针，位域也不能是类的静态成员。

18.7.2 volatile 限定符

> volatile 的确切含义与机器相关，只能通过阅读编译器文档来理解。使用 volatile 的程序在移到新的机器或编译器时通常必须改变。

直接处理硬件的程序常具有这样的数据成员，它们的值由程序本身直接控制之外的过程所控制。例如，程序可以包含由系统时钟更新的变量。当可以用编译器的控制或检测之外的方式改变对象值的时候，应该将对象声明为 **volatile**。关键字 volatile 是给编译器的指示，指出对这样的对象不应该执行优化。

用与 const 限定符相同的方式使用 volatile 限定符。volatile 限定符是一个对类型的附加修饰符：

```
volatile int display_register;
volatile Task *curr_task;
volatile int ixa[max_size];
volatile Screen bitmap_buf;
```

display_register 是 int 类型的 volatile 对象；curr_task 是 volatile 对象的指针；ixa 是整数的 volatile 数组，该数组的每个元素都被认为是 volatile 的；bitmap_buf 是 volatile Screen 对象，它的每个成员都认为是 volatile 的。

用与定义 const 成员函数相同的方式，类也可以将成员函数定义为 volatile，volatile 对象只能调用 volatile 成员函数。

4.2.5 节介绍了 const 限定符与指针的相互作用，volatile 限定符与指针之间也存在同样的相互作用。可以声明 volatile 指针、指向 volatile 对象的指针，以及指向 volatile 对象的 volatile 指针：

```
volatile int v;       // v is a volatile int
int *volatile vip;    // vip is a volatile pointer to int
volatile int *ivp;    // ivp is a pointer to volatile int
// vivp is a volatile pointer to volatile int
volatile int *volatile vivp;
int *ip = &v;  // error: must use pointer to volatile
*ivp = &v;     // ok: ivp is pointer to volatile
vivp = &v;     // ok: vivp is volatile pointer to volatile
```

像用 const 一样，只能将 volatile 对象的地址赋给指向 volatile 的指针，或者将指向 volatile 类型的指针复制给指向 volatile 的指针。只有当引用为 volatile 时，我们才可以使用 volatile 对象对引用进行初始化。

合成的复制控制不适用于 **volatile** 对象

对待 const 和 volatile 的一个重要区别是，不能使用合成的复制和赋值操作符从 volatile 对象进行初始化或赋值。合成的复制控制成员接受 const 形参，这些形参是对类类型的 const 引用，但是，不能将 volatile 对象传递给普通引用或 const 引用。

如果类希望允许复制 volatile 对象，或者，类希望允许从 volatile 操作数或对 volatile 操作数进行赋值，它必须定义自己的复制构造函数和/或赋值操作符版本：

```
class Foo {
public:
    Foo(const volatile Foo&);      // copy from a volatile object
    // assign from a volatile object to a non volatile object
    Foo& operator=(volatile const Foo&);
    // assign from a volatile object to a volatile object
    Foo& operator=(volatile const Foo&) volatile;
    // remainder of class Foo
};
```

通过将复制控制成员的形参定义为 const volatile 引用，我们可以从任何种类的 Foo 对象进行复制或赋值：普通 Foo 对象、const Foo 对象、volatile Foo 对象或 const volatile Foo 对象。

> 虽然可以定义复制控制成员来处理 volatile 对象，但更深入的问题是复制 volatile 对象是否有意义，对该问题的回答与在任意特定程序中使用 volatile 的原因密切相关。

18.7.3 链接指示：**extern "C"**

C++ 程序有时需要调用用其他程序设计语言编写的函数，最常见的一语言是 C 语言。像任何名字一样，必须声明用其他语言编写的函数的名字，该声明必须指定返回类型和形参表。编译器按处理普通 C++ 函数一样的方式检查对外部语言函数的调用，但是，编译器一般必须产生不同的代码来调用用其他语言编写的函数。C++ 使用**链接指示**（linkage directive）指出任意非 C++ 函数所用的语言。

1. 声明非 C++ 函数

链接指示有两种形式：单个的或复合的。链接指示不能出现在类定义或函数定义的内部，它必须出现在函数的第一次声明上。

作为例子，看看头文件 cstdlib 中声明的一些 C 函数。该头文件中的声明形如：

```
// illustrative linkage directives that might appear in the C++ header <cstring>
// single statement linkage directive
extern "C" size_t strlen(const char *);
// compound statement linkage directive
extern "C" {
    int strcmp(const char*, const char*);
    char *strcat(char*, const char*);
}
```

800

第一种形式由关键字 extern 后接字符串字面值，再接"普通"函数声明构成。字符串字面值指出编写函数所用的语言。

通过将几个函数的声明放在跟在链接指示之后的花括号内部，可以给它们设定相同的链接。花括号的作用是将应用链接指示的声明聚合起来，忽略了花括号，花括号中声明的函数名就是可见的，就像在花括号之外声明函数一样。

2. 链接指示与头文件

可以将多重声明形式应用于整个头文件。例如，C++的 cstring 头文件可以像这样：

```
// compound statement linkage directive
extern "C" {
#include <string.h>       // C functions that manipulate C-style strings
}
```

当将#include 指示放在复合链接指示的花括号中的时候，假定头文件中的所有普通函数声明都是用链接指示的语言编写的函数。链接指示可以嵌套，所以，如果头文件包含了带链接指示的函数，该函数的链接不受影响。

允许将 C++从 C 函数库继承而来的函数定义为 C 函数，但不是必须定义为 C 函数——决定是用 C 还是用 C++实现 C 函数库，是每个 C++实现的事情。

3. 导出 C++函数到其他语言

通过对函数定义使用链接指示，使得用其他语言编写的程序可以使用 C++函数：

```
// the calc function can be called from C programs
extern "C" double calc(double dparm) { /* ... */ }
```

当编译器为该函数产生代码的时候，它将产生适合于指定语言的代码。

用链接指示定义的函数的每个声明都必须使用相同的链接指示。

4. 链接指示支持的语言

要求编译器支持对 C 语言的链接指示。编译器可以为其他语言提供链接说明。例如，**extern "Ada"**、**extern "FORTRAN"** 等。

支持什么语言随编译器而变。你必须查阅用户指南，获得关于编译器可以提供的任意非 C 链接说明的进一步信息。

对链接到 C 的预处理器支持

有时需要在 C 和 C++中编译同一源文件。当编译 C++时，自动定义预处理器名字 __cplusplus（两个下划线），所以，可以根据是否正在编译 C++有条件地包含代码。

```
#ifdef __cplusplus
// ok: we're compiling C++
extern "C"
#endif
int strcmp(const char*, const char*);
```

5. 重载函数与链接指示

链接指示与函数重载之间的相互作用依赖于目标语言。如果语言支持重载函数，则为该语言实现链接指示的编译器很可能也支持 C++ 的这些函数的重载。

C++ 保证支持的唯一语言是 C。C 语言不支持函数重载，所以，不应该对下面的情况感到惊讶：在一组重载函数中只能为一个 C 函数指定链接指示。用带给定名字的 C 链接声明多于一个函数是错误的：

```
// error: two extern "C" functions in set of overloaded functions
extern "C" void print(const char*);
extern "C" void print(int);
```

在 C++ 程序中，重载 C 函数很常见，但是，重载集合中的其他函数必须都是 C++ 函数：

```
class SmallInt { /* ... */ };
class BigNum { /* ... */ };
// the C function can be called from C and C++ programs
// the C++ functions overload that function and are callable from C++
extern "C" double calc(double);
extern SmallInt calc(const SmallInt&);
extern BigNum calc(const BigNum&);
```

可以从 C 程序和 C++ 程序调用 calc 的 C 版本。其余函数是带类型形参的 C++ 函数，只能从 C++ 程序调用。声明的次序不重要。

6. extern "C" 函数的指针

编写函数所用的语言是函数类型的一部分。为了声明用其他程序设计语言编写的函数的指针，必须使用链接指示：

```
// pf points to a C function returning void taking an int
extern "C" void (*pf)(int);
```

使用 pf 调用函数的时候，假定该调用是一个 C 函数调用而编译该函数。

> C 函数的指针与 C++ 函数的指针具有不同的类型，不能将 C 函数的指针初始化或赋值为 C++ 函数的指针（反之亦然）。

存在这种不匹配的时候，会给出编译时错误：

```
void (*pf1)(int);                  // points to a C++ function
extern "C" void (*pf2)(int);   // points to a C function
pf1 = pf2; // error: pf1 and pf2 have different types
```

> 一些 C++ 编译器可以接受前面的赋值作为语言扩展，尽管严格说来它是非法的。

7. 应用于整个声明的链接指示

使用链接指示的时候，它应用于函数和任何函数指针，作为返回类型或形参类型使用：

```
// f1 is a C function; its parameter is a pointer to a C function
```

```
extern "C" void f1(void(*)(int));
```

这个声明是说，f1 是一个不返回值的 C 函数，它有一个形参，该形参是不返回值并接受单个形参的函数的指针。链接指示应用于该函数指针以及 f1。调用的时候，必须将 C 函数名字或 C 函数指针传递给它。

因为链接指示应用于一个声明中的所有函数，所以必须使用类型别名，以便将 C 函数的指针传递给 C++函数：

```
// FC  is a pointer to C function
extern "C" typedef void FC(int);
// f2  is a C++ function with a parameter that is a pointer to a C function
void f2(FC *);
```

习题

习题 18.34　解释下面这些声明，并指出它们是否合法：

```
extern "C" int compute(int *, int);
extern "C" double compute(double *, double);
```

小结

C++讲述了几个专门针对一些特定问题的特殊设施。

类的自定义内存管理有两种方式：定义自己的内部内存分配，以简化自己的数据成员的分配；定义自己的、类特定的 operator new 和 operator delete 函数，在分配类类型的新对象时使用它们。

一些程序需要在运行时直接询问对象的动态类型。运行时类型识别（RTTI）为这类程序设计提供了语言级支持。RTTI 只适用于定义了虚函数的类，没有定义虚函数的类型的类型信息是可用的但反映静态类型。

普通对象的指针都是有类型的。定义类成员的指针的时候，指针类型必须也封装指针所指向的类的类型。可以将成员指针绑定到具有相同类型的任意类成员，引用成员指针的时候，必须指定从中获取成员的对象。

C++还定义了另外几个聚集类型：

- 嵌套类，它是在另一个类的作用域中定义的类，这样的类经常定义为其外围类的具体实现类。
- 联合，是只能包含简单数据成员的一种特殊类。union 类型的对象在任意时刻只能为它的一个数据成员定义值。联合经常嵌套在其他类类型内部。
- 局部类，是局部于函数而定义的非常简单的类。局部类的所有成员必须定义在类定义体中，局部类没有静态数据成员。

C++还支持几种固有的不可移植的特征，包括位域和 volatile（它们可使与硬件接口更容易）以及链接指示（它使得与用其他语言编写的程序接口更容易）。

术语

allocator 类　标准库类，支持原始未构造内存的类特定的分配。allocator 类是一个类模板，定义了成员函数，对 allocator 的模板形参类型的对象进行 allocate、deallocate、construct 和 destroy。

anonymous union（匿名联合）　不用于定义对象的未命名联合。直接引用匿名联合的成员。这些联合不能具有成员函数，也不能具有私有或受保护成员。

bit-field（位域）　有符号或无符号整型类成员，它指定了分配给成员的位数。如果可能，将类中以连续次序定义的位域压缩到公共整型值中。

delete 表达式　delete 表达式撤销特定类型的动态分配对象，并释放该对象所用的内存。delete[] 表达式撤销特定类型动态分配数组的元素，并释放数组使用的内存。这些表达式使用库函数或类特定的 operator delete 函数的对应版本来释放保存对象或数组的原始内存。

discriminant（判别式）　一种编程技术，使用对象来确定任意给定时刻联合中保存的实际类型。

dynamic_cast　执行从基类类型到派生类型的带检查强制转换的操作符。基类类型必须定义至少一个 virtual 函数。这个操作符检查引用或指针所绑定对象的动态类型。如果对象类型与转换的类型（或者从该类型派生的类型）相同，则进行转换；否则，指针转换返回 0 指针，引用的转换抛出一个异常。

freelist（自由列表）　一种内存管理技术，涉及预先分配未构造内存以保存在需要时创建的对象。释放对象的时候，将它们的内存放回自由列表，而不是返还给系统。

linkage directive（链接指示）　一种机制，用于允许从 C++ 程序调用以不同语言编写的函数。所有编译器都支持调用 C 和 C++ 函数，是否支持任何其他语言随编译器而定。

local class（局部类）　在函数内部定义的类。局部类只在定义它的函数内部可见，类的所有成员必须定义在类定义体内部。局部类不能有静态成员，局部类成员不能访问外围函数中定义的局部变量，它们可以使用外围函数中定义的类型名、静态变量和枚举成员。

member operator new and delete（成员操作符 new 和 delete）　类成员函数，覆盖由全局库函数 operator new 和 operator delete 执行的默认内存分配。可以定义这些函数的对象形式（new）和数组形式（new[]）。成员 new 和 delete 函数隐式声明为 static，这些操作符分配（释放）内存，它们由 new（delete）表达式自动使用，new（delete）表达式处理对象的初始化和撤销。

nested class（嵌套类）　在其他类内部定义的类。嵌套类定义在其外围作用域内部：嵌套类名字必须在定义它们的类作用域中唯一，但可以在外围类之外的作用域中重用。在外围类之外访问嵌套类需要使用作用域操作符指定包含嵌套类的作用域。

nested type（嵌套类型）　嵌套类的同义词。

new expression（new 表达式）　new 表达式分配和构造特定类型的对象。new[] 表达式分配和构造对象数组。这些表达式使用库函数 operator new 的对应版本分配原始内存，并在该内存中构造特定类型的对象或数组。

operator delete　释放由 operator new 分配的未类型化的未构造内存的库函数。库函数 operator delete[] 释放由 operator new[] 分配的用于保存数组的内存。

operator new 一个库函数，它分配给定大小未类型化的未构造内存。库函数 operataor new[] 为数组分配原始内存。这些库函数提供了比库类 allocator 更基本的分配机制。现代 C++ 程序应使用 allocator 类而不是这些库函数。

placement new expression（定位 **new** 表达式）在特定内存中构造对象的 new 的形式。它不进行分配，相反，它接受指定在何处构造对象的实参。它是对 allocator 类的 construct 成员所提供的行为的低级模拟。

pointer to member（**成员指针**） 封装类类型以及指针所指向的成员类型的指针。成员指针的定义必须指定类名以及指针可以指向的成员的类型：

```
T C::*pmem = &C::member;
```

这个语句将 pmem 定义为指针，它可以指向名为 C 的类的类型为 T 的成员，并将 pmem 初始化为 C 中名为 member 的成员。对该指针解引用的时候，它必须是绑定到类型 C 的对象或指向类型 C 的指针：

```
classobj.*pmem;
classptr->*pmem;
```

从 *classptr* 所指对象的 *classobj* 对象获取 *member*。

portable（**可移植的**） 一个用来描述用相对较少的努力就可以移到新机器的程序的术语。

run-time type identification（运行时类型识别）用来描述语言和库设施的术语，这种设施允许在运行时获得引用或指针的动态类型。RTTI 操作符 typeid 和 dynamic_cast 只为带虚函数的类类型提供动态类型，应用于其他类型的时候，返回引用或指针的静态类型。

typeid 一元操作符，接受一个表达式，并返回描述表达式类型的名为 type_info 的库类型的对象引用。如果表达式是具有虚函数的类型的对象，就返回表达式的动态类型；如果该类型是没有定义虚函数的引用、指针或其他类型，就返回引用、指针或对象的静态类型。

type_info 描述类型的库类型。type_info 类是固有机器相关的，但任何库都必须定义带有表 18-2（18.2.4 节）中所列出成员的 type_info。type_info 对象不能复制。

union（**联合**） 类形式的聚合类型，它可以定义多个数据成员，但在任意点只有一个成员可以具有值。联合的成员必须为简单类型：内置类型，复合类型，没有定义构造函数、析构函数或赋值操作符的类类型。联合可以有成员函数，包括构造函数和析构函数。联合不能作基类使用。

volatile 类型限定符，告诉编译器可以在程序的直接控制之外改变一个变量。它是告诉编译器不能执行某些优化的信号。

附 录

标 准 库

目录

　　本附录提供了标准库更多有用的细节。首先将标准库中的名字集中在一起，表 A-1 列出每个名字以及定义该名字的头文件。

　　第 11 章讨论过标准库算法，那一章举例说明了怎样使用一些比较常用的算法，并描述了算法库的体系结构。本附录中将列出所有算法，按它们执行的操作种类组织。

　　本附录的最后考察了另一些 IO 库的功能，包括格式控制、未格式化的 IO 和文件随机访问。每个 IO 类型定义了格式状态和控制这些状态的相关函数集合。使用这些格式状态我们能够更好地控制输入和输出的工作。我们已经做过的 IO 都是格式化的——输入和输出例程了解使用的类型，并据此格式化输入和输出数据。还有未格式化的 IO 函数，它们在 char 级别处理流，不解释数据。第 8 章介绍过 fstream 类型能读写同一文件，本附录将介绍怎样做到这一点。

809

A.1 标准库名字和头文件

本书的示例程序大多没有给出编译程序所需要的实际#include指示。为了方便读者阅读，表 A-1 列出了示例程序使用过的标准库名字以及包含标准库名字的头文件。

表 A-1　标准库名字和头文件

名字	头文件	名字	头文件
abort	`<cstdlib>`	ios_base	`<ios_base>`
accumulate	`<numeric>`	isalpha	`<cctype>`
allocator	`<memory>`	islower	`<cctype>`
auto_ptr	`<memory>`	ispunct	`<cctype>`
back_inserter	`<iterator>`	isspace	`<cctype>`
bad_alloc	`<new>`	istream	`<iostream>`
bad_cast	`<typeinfo>`	istream_iterator	`<iterator>`
bind2nd	`<functional>`	istringstream	`<sstream>`
bitset	`<bitset>`	isupper	`<cctype>`
boolalpha	`<iostream>`	left	`<iostream>`
cerr	`<iostream>`	less_equal	`<functional>`
cin	`<iostream>`	list	`<list>`
copy	`<algorithm>`	logic_error	`<stdexcept>`
count	`<algorithm>`	lower_bound	`<algorithm>`
count_if	`<algorithm>`	make_pair	`<utility>`
cout	`<iostream>`	map	`<map>`
dec	`<iostream>`	max	`<algorithm>`
deque	`<deque>`	min	`<algorithm>`
endl	`<iostream>`	multimap	`<map>`
ends	`<iostream>`	multiset	`<set>`
equal_range	`<algorithm>`	negate	`<functional>`
exception	`<exception>`	noboolalpha	`<iostream>`
fill	`<algorithm>`	noshowbase	`<iostream>`
fill_n	`<algorithm>`	noshowpoint	`<iostream>`
find	`<algorithm>`	noskipws	`<iostream>`
find_end	`<algorithm>`	notl	`<functional>`
find_first_of	`<algorithm>`	nounitbuf	`<iostream>`
fixed	`<iostream>`	nouppercase	`<iostream>`
flush	`<iostream>`	nth_element	`<algorithm>`
for_each	`<algorithm>`	oct	`<iostream>`
front_inserter	`<iterator>`	ofstream	`<fstream>`
fstream	`<fstream>`	ostream	`<iostream>`
getline	`<string>`	ostream_iterator	`<iterator>`
hex	`<iostream>`	ostringstream	`<sstream>`
ifstream	`<fstream>`	out_of_range	`<stdexcept>`
inner_product	`<numeric>`	pair	`<utility>`
inserter	`<iterator>`	partial_sort	`<algorithm>`
internal	`<iostream>`	plus	`<functional>`

（续）

名字	头文件	名字	头文件
priority_queue	`<queue>`	sqrt	`<cmath>`
ptrdiff_t	`<cstddef>`	stable_sort	`<algorithm>`
queue	`<queue>`	stack	`<stack>`
range_error	`<stdexcept>`	strcmp	`<cstring>`
replace	`<algorithm>`	strcpy	`<cstring>`
replace_copy	`<algorithm>`	string	`<string>`
reverse_iterator	`<iterator>`	stringstream	`<sstream>`
right	`<iostream>`	strlen	`<cstring>`
runtime_error	`<stdexcept>`	strncpy	`<cstring>`
scientific	`<iostream>`	terminate	`<exception>`
set	`<set>`	tolower	`<cctype>`
set_difference	`<algorithm>`	toupper	`<cctype>`
set_intersection	`<algorithm>`	type_info	`<typeinfo>`
set_union	`<algorithm>`	unexpceted	`<exception>`
setfill	`<iomanip>`	uninitialized_copy	`<memory>`
setprecision	`<iomanip>`	unitbuf	`<iostream>`
setw	`<iomanip>`	unique	`<algorithm>`
showbase	`<iostream>`	unique_copy	`<algorithm>`
showpoint	`<iostream>`	upper_bound	`<algorithm>`
size_t	`<cstddef>`	uppercase	`<iostream>`
skipws	`<iostream>`	vector	`<vector>`
sort	`<algorithm>`		

A.2 算法简介

第 11 章介绍了一般算法并列出了它们的底层体系结构。标准库定义了 100 多个算法，学习如何使用它们需要理解它们的结构，而不是记住每个算法的细节。本节描述每个算法，其中，按算法执行行为的类型组织这些算法。

A.2.1 查找对象的算法

find 和 count 算法在输入范围中查找指定值。find 返回元素的迭代器，count 返回匹配元素的数目。

1. 简单查找算法
这些算法要求输入迭代器。find 和 count 算法查找特定元素，find 算法返回引用第一个匹配元素的迭代器，count 算法返回元素在输入序列中出现次数的计数。

```
find(beg, end, val)
count(beg, end, val)
```
在输入范围中查找等于 val 的元素，使用基础类型的相等（==）操作符。find 返回第一个匹配元素的迭代器，如果不存在匹配元素就返回 end。count 返回 val 出现次数的计数。

```
find_if(beg, end, unaryPred)
```

811

```
count_if(beg, end, unaryPred)
```

在 unaryPred 为真的输入范围中查找。谓词必须接受一个形参，形参类型为输入范围的 value_
type，并且返回可以用作条件的类型。

　　find_if 返回第一个使 unaryPred 为真的元素的迭代器，如果不存在这样的元素就返回
end。count_if 对每个元素应用 unaryPred，并返回使 unaryPred 为真的元素的数目。

2. 查找许多值中的一个的算法

　　这些算法要求两对前向迭代器。它们在第一个范围中查找与第二个范围中任意元素相等的第
一个（或最后一个）元素。beg1 和 end1 的类型必须完全匹配，beg2 和 end2 的类型也必须完全
匹配。

　　不要求 beg1 和 beg2 的类型完全匹配，但是，必须有可能对这两个序列的元素类型进行比
较。例如，如果第一个序列是 list<string>，则第二个可以是 vector<char*>。

　　每个算法都是重载的。默认情况下，使用元素类型的==操作符测试元素，或者，可以指定
一个谓词，该谓词接受两个形参，并返回表示这两个元素间的测试成功或失败的 bool 值。

```
find_first_of(beg1, end1, beg2, end2)
```

返回第二个范围的任意元素在第一个范围的首次出现的迭代器，如果找不到匹配就返回 end1。

```
find_first_of(beg1, end1, beg2, end2, binaryPred)
```

使用 binaryPred 比较来自两个序列的元素，返回第一个范围中第一个这种元素的迭代器：当对
该元素和来自第二个范围的一个元素应用 binaryPred 的时候，binaryPred 为真。如果不存在
这样的元素，就返回 end1。

```
find_end(beg1, end1, beg2, end2)
find_end(beg1, end1, beg2, end2, binaryPred)
```

与 find_first_of 相像的操作符，只不过它查找来自第二个序列的任意元素的最后一次出现。

　　作为例子，如果第一个序列是 0,1,1,2,2,4,0,1 而第二个序列是 1,3,5,7,9，则 find_end 返回表
示输入范围中最后一个元素的迭代器，而 find_first_of 将返回第二个元素的迭代器——本例
中，它返回输入序列中的第一个 1。

3. 查找子序列的算法

　　这些算法要求前向迭代器。它们查找子序列而不是单个元素。如果找到了子序列，就返回子
序列中第一个元素的迭代器；如果找不到子序列，就返回输入范围的 end 迭代器。

　　每个函数都是重载的。默认情况下，使用相等操作符（==）比较元素；第二个版本允许程序
员提供一个谓词代替==进行测试。

```
adjacent_find(beg, end)
adjacent_find(beg, end, binaryPred)
```

返回重复元素的第一个相邻对。如果没有相邻的重复元素，就返回 end。在第一种情况下，使用
==找到重复元素，第二种情况下，重复元素是使 binaryPred 为真的那些元素。

```
search(beg1, end1, beg2, end2)
search(beg1, end1, beg2, end2, binaryPred)
```

返回输入范围中第二个范围作为子序列出现的第一个位置。如果找不到子序列，就返回 end1。
beg1 和 beg2 的类型可以不同，但必须是兼容的：必须能够比较两个序列中的元素。

```
search_n(beg, end, count, val)
search_n(beg, end, count, val, binaryPred)
```
返回 count 个相等元素的子串的开头迭代器。如果不存在这样的子串，就返回 end。第一个版本查找给定 val 的 count 次出现，第二个版本查找使 binaryPred 为真的 count 次出现。

A.2.2 其他只读算法

这些算法要求用于前两个实参的输入迭代器。equal 和 mismatch 算法还接受一个附加输入迭代器，该迭代器表示第二个范围。第二个序列中的元素至少与第一个序列一样多，如果第二个序列元素较多，就忽略多余元素；如果第二个序列元素较少，就会出错并导致未定义的运行时行为。

照常，表示输入范围的迭代器的类型必须完全匹配。beg2 的类型必须与 beg1 的类型兼容，即必须能够比较两个序列中的元素。

equal 和 mismatch 函数是重载的：一个版本使用元素相等操作符（==）测试元素对，另一个使用谓词。

```
for_each(beg, end, f)
```
对其输入范围中的每个元素应用函数（或函数对象（14.8 节））f。如果 f 有返回值，就忽略该返回值。迭代器是输入迭代器，所以 f 不能写元素。通常，用有副作用的函数使用 for_each。例如，f 可以显示范围中的值。

813

```
mismatch(beg1, end1, beg2)
mismatch(beg1, end1, beg2, binaryPred)
```
比较两个序列中的元素，返回一对表示第一个不匹配元素的迭代器。如果所有元素都匹配，则返回的 pair 是 end1，以及 beg2 中偏移量为第一个序列长度的迭代器。

```
equal(beg1, end1, beg2)
equal(beg1, end1, beg2, binaryPred)
```
确定两个序列是否相等。如果输入范围中的每个元素都与从 beg2 开始的序列中的对应元素相等，就返回 true。

例如，给定序列 meet 和 meat，对 mismatch 的调用将返回一个 pair 对象，其中包含指向第一个序列中第二个 e 的迭代器，以及指向第二个序列中元素 a 的迭代器。如果，第二个序列是 meeting，并调用 equal，则返回的将是 end1 和表示第二个范围中元素 i 的迭代器。

A.2.3 二分查找算法

虽然可以与前向迭代器一起使用这些算法，它们还是提供了与随机访问迭代器一起使用的特殊版本，它们的速度更快。

这些算法执行二分查找，这意味着输入序列必须是已排序的。这些算法的表现类似于同名的关联容器成员（10.5.2 节）。equal_range、lower_bound 和 upper_bound 算法返回一个迭代器，该迭代器指向容器中的位置，可以将给定元素插入到这个位置而仍然保持容器的排序。如果元素比容器中任意其他元素都大，则返回的迭代器会是超出末端迭代器。

每个算法提供两个版本：第一个使用元素类型的小于操作符（<）测试元素，第二个使用指定的比较关系。

```
lower_bound(beg, end, val)
lower_bound(beg, end, val, comp)
```
返回第一个这种位置的迭代器：可以将 val 插入到该位置而仍然保持顺序。

```
upper_bound(beg, end, val)
upper_bound(beg, end, val, comp)
```
返回最后一个这种位置的迭代器：可以将 val 插入到该位置而仍然保持顺序。

```
equal_range(beg, end, val)
equal_range(beg, end, val, comp)
```
返回一个表示子范围的迭代器对，可以将 val 插入到该子范围而仍然保持顺序。

```
binary_search(beg, end, val)
binary_search(beg, end, val, comp)
```
返回一个 bool 值，表示序列是否包含与 val 相等的元素。如果 x<y 和 x>y 都获得假值，就认为两个值 x 和 y 相等。

814

A.2.4　写容器元素的算法

许多算法写容器元素。可以根据所操作的迭代器种类，以及是写输入范围的元素还是写到特定目的地，来区分这些算法。

最简单的算法读序列中的元素，只要求输入迭代器。那些写回输入序列的算法要求前向迭代器。一些算法反向读取序列，所以要求双向迭代器。写至单独目的地的算法，照常假定目的地足以保存输入。

1. 只写元素不读元素的算法

这些算法要求表示目的地的输出迭代器。它们接受指定数量的第二个实参并将该数目的元素写到目的地。

```
fill_n(dest, cnt, val)
generate_n(dest, cnt, Gen)
```
将 cnt 个值写到 dest。fill_n 函数写 val 值的 cnt 个副本，generate_n 对发生器 Gen()进行 cnt 次计算。发生器是一个函数（或函数对象（14.8 节）），每次调用它都期待产生一个不同的返回值。

2. 使用输入迭代器写元素的算法

这些操作每一个读一个输入序列，并写到由 dest 表示的输出序列。它们要求 dest 是一个输出迭代器，而表示输入范围的迭代器必须是输入迭代器。调用者负责保证 dest 可以保存给定输入序列所需数量的元素。这些算法返回 dest，dest 增量至指向所写最后元素的下一位置。

```
copy(beg, end, dest)
```
将输入范围复制到从迭代器 dest 开始的序列。

```
transform(beg, end, dest, unaryOp)
transform(beg, end, beg2, dest, binaryOp)
```
对输入范围中每个元素应用指定操作，将结果写到 dest。第一个版本对输入范围中每个元素应用一元操作。第二个版本对元素对应用二元操作，它从由 beg 和 end 表示的序列接受二元操作的第一个实参，从开始于 beg2 的第二个序列接受第二个实参。程序员必须保证开始于 beg2 的序列具有至少与第一个序列一样多的元素。

```
replace_copy(beg, end, dest, old_val, new_val)
replace_copy_if(beg, end, dest, unaryPred, new_val)
```
将每个元素复制到 dest，用 new_val 代替指定元素。第一个版本代替那些==old_val 的元素，第二个版本代替那些使 unaryPred 为真的元素。

815

```
merge(beg1, end1, beg2, end2, dest)
merge(beg1, end1, beg2, end2, dest, comp)
```
两个输入序列都必须是已排序的。将合并后的序列写至 dest。第一个版本使用<操作符比较元素，第二个版本使用给定的比较关系。

3. 使用前向迭代器写元素的算法

这些算法要求前向迭代器，因为它们修改输入序列中的元素。

```
swap(elem1, elem2)
iter_swap(iter1, iter2)
```
这些函数的形参是引用，所以实参必须是可写的。交换指定元素或由给定迭代器表示的元素。

```
swap_ranges(beg1, end1, beg2)
```
用开始于 beg2 的第二个序列中的元素交换输入范围中的元素。范围必须不重叠。程序员必须保证开始于 beg2 的序列至少与输入序列一样大。返回 beg2，beg2 增量到指向被交换的最后一个元素之后的元素。

```
fill(beg, end, val)
generate(beg, end, Gen)
```
将新值赋给输入序列中的每个元素。fill 赋 val 值，generate 执行 Gen() 来创建新值。

```
replace(beg, end, old_val, new_val)
replace_if(beg, end, unaryPred, new_val)
```
用 new_val 代替每个匹配元素。第一个版本使用==将元素和 old_val 比较，第二个版本对每个元素执行 unaryPred，代替使 unaryPred 为真的那些元素。

4. 使用双向迭代器写元素的算法

这些算法要求在序列中往回走的能力，所以它们要求双向迭代器。

```
copy_backward(beg, end, dest)
```
按逆序将元素复制到输出迭代器 dest。返回 dest，dest 增量至指向被复制的最后一个元素的下一位置。

```
inplace_merge(beg, mid, end)
inplace_merge(beg, mid, end, comp)
```
将同一序列中的两个相邻子序列合并为一个有序序列：将从 beg 到 mid 和从 mid 到 end 的子序列合并为从 beg 到 end 的序列。第一个版本使用<比较元素，第二个版本使用指定的比较关系。返回 void。

816

A.2.5　划分与排序算法

排序和划分算法为容器元素排序提供不同的策略。

partition 将输入范围中的元素划分为两组，第一组由满足给定谓词的元素构成，第二组由不满足谓词的元素构成。例如，可以根据元素是否为奇数划分容器中的元素，或者，根据单词是否以大写字母开头，诸如此类。

每个排序和划分算法都提供稳定和不稳定版本，稳定算法维持相等元素的相对次序。例如，给定序列

```
{ "pshew", "Honey", "tigger", "Pooh" }
```

基于单词是否以大写字母开头的稳定算法，产生维持两个单词类的相对次序的序列：

```
{ "Honey", "Pooh", "pshew", "tigger" }
```

稳定算法完成更多工作，因此相比于不稳定算法，可能运行较慢且使用更多内存。

1. 划分算法

这些算法要求双向迭代器。

```
stable_partition(beg, end, unaryPred)
partition(beg, end, unaryPred)
```

使用 unaryPred 划分输入序列。使 unaryPred 为真的元素放在序列开头，使 unaryPred 为假的元素放在序列末尾。返回一个迭代器，该迭代器指向使 unaryPred 为真的最后元素的下一位置。

2. 排序算法

这些算法要求随机访问迭代器。每个排序算法都提供两个重载版本，一个版本使用元素操作符<比较元素，另一个版本接受一个指定比较关系的额外形参。这些算法返回 void，除了一个例外，partial_sort_copy 返回目的地迭代器。

partial_sort 和 nth_element 算法只完成序列排序的部分工作，经常用它们解决通过对整个序列排序来处理的问题。因为这些操作做的工作较少，所以它们一般比排序整个输入范围要快一些。

```
sort(beg, end)
stable_sort(beg, end)
sort(beg, end, comp)
stable_sort(beg, end, comp)
```

对整个范围进行排序。

```
partial_sort(beg, mid, end)
partial_sort(beg, mid, end, comp)
```

对 mid-beg 个元素进行排序，也就是说，如果 mig-beg 等于 42，则该函数将有序次序中的最小值元素放在序列中前 42 个位置。partial_sort 完成之后，从 beg 到 mid（但不包括 mid）范围内的元素是有序的，已排序范围内没有元素大于 mid 之后的元素。未排序元素之间的次序是未指定的。

例如，有一个赛跑成绩的集合，我们想要知道前三名的成绩但并不关心其他名次的次序，可以这样对这个序列进行排序：

```
partial_sort(scores.begin(),
             scores.begin() + 3, scores.end());
```

```
partial_sort_copy(beg, end, destBeg, destEnd)
partial_sort_copy(beg, end, destBeg, destEnd, comp)
```

对输入序列中的元素进行排序，将已排序序列中适当数目的元素放入由迭代器 destBeg 和 destEnd 表示的序列。如果目的地范围与输入范围一样大，或者比输入范围大，则将整个输入范围排序且

有序序列从 destBeg 开始。如果目的地较小，则只复制适当数目的有序元素。

返回目的地中的迭代器，指向已排序的最后一个元素之后。如果目的地序列比输入范围小或者与输入范围大小相等，返回的迭代器将是 destEnd。

```
nth_element(beg, nth, end)
nth_element(beg, nth, end, comp)
```
实参 nth 必须是一个迭代器，定位输入序列中的一个元素。运行 nth_element 之后，该迭代器表示的元素的值就是：如果整个序列是已排序的，这个位置上应放置的值。容器中的元素也围绕 nth 划分：nth 之前的元素都小于或等于 nth 所表示的值，nth 之后的元素都大于或等于它。可以使用 nth_element 查找与中值最接近的值：

```
nth_element(scores.begin(),
        scores.begin() + scores.size()/2, scores.end());
```

A.2.6 通用重新排序操作

有几个算法用指定方法对元素进行重新排序。最前面的两个 remove 和 unique 对容器进行重新排序，以便序列中的第一部分满足一些标准，它们返回标志这个子序列的末尾的迭代器。其他算法，如 reverse、rotate 和 random_shuffle，重新安排整个序列。

这些算法"就地"操作，它们在输入序列本身中重新安排元素。三个重新排序算法提供"复制"版本，这些算法是 remove_copy、rotate_copy 和 unique_copy，将重新排序之后的序列写至目的地，而不是直接重新安排元素。

818

1. 使用前向迭代器的重新排序算法

这些算法对输入序列进行重新排序。它们要求迭代器至少是前向迭代器。

```
remove(beg, end, val)
remove_if(beg, end, unaryPred)
```
通过用要保存的元素覆盖元素而从序列中"移去"元素。被移去的元素是==val 或使 unaryPred 为真的那些元素。返回一个迭代器，该迭代器指向未移去的最后一个元素的下一位置。

例如，如果输入序列是 hello world 而 val 是 o，则 remove 调用将通过将序列左移两次覆盖两个元素，即字母 'o'。新序列将是 hell wrldld，返回的迭代器将指向第一个 d 之后的元素。

```
unique(beg, end)
unique(beg, end, binaryPred)
```
"移去"匹配元素的每个连续组，除了第一个之外。返回一个迭代器，该迭代器指向最后一个单一元素的下一位置。第一个版本使用==确定两个元素是否相同，第二个版本使用谓词测试相邻元素。

例如，如果输入序列是 boohiss，则调用 unique 之后，第一个序列将包含 bohisss。返回的迭代器指向第一个 s 之后的元素，序列中剩余的两个元素的值是未指定的。

```
rotate(beg, mid, end)
```
围绕由 mid 表示的元素旋转元素。mid 处的元素成为第一个元素，从 mid+1 到 end 的元素其次，后面是从 beg 到 mid[1] 的范围。返回 void。

---

1. 此处原文 mid 有误。——译者注

例如，给定输入序列 hissboo，如果 mid 表示字符 b，则旋转将序列重新排序为 boohiss。

2. 使用双向迭代器的重新排序算法

因为这些算法向后处理输入序列，所以它们要求双向迭代器。

```
reverse(beg, end)
reverse_copy(beg, end, dest)
```

颠倒序列中的元素。reverse 就地操作，它将重新安排的元素写回输入序列。reverse_copy 将元素按逆序复制到输出迭代器 dest。照常，程序员必须保证可以安全地使用 dest。reverse 返回 void，reverse_copy 返回一个迭代器，该迭代器指向复制到目的地的最后一个元素的下一位置。

3. 写至输出迭代器的重新排序算法

这些算法要求输入序列的前向迭代器以及目的地的输出迭代器。

前面的每个通用重新排序算法都有一个 _copy 版本，这些 _copy 版本执行相同的重新排序，但是将重新排序之后的元素写至指定目的地序列，而不是改变输入序列。除 rotate_copy（它要求前向迭代器）之外，其他的都由输入迭代器指定输入范围。dest 迭代器必须是输出迭代器，而且，程序员也必须保证可以安全地写目的地。这些算法返回 dest 迭代器，dest 迭代器增量至指向被复制的最后元素的下一位置。

```
remove_copy(beg, end, dest, val)
remove_copy_if(beg, end, dest, unaryPred)
```

除了与 val 匹配或使 unaryPred 返回真的元素之外，其他元素都复制到 dest。

```
unique_copy(beg, end, dest)
unique_copy(beg, end, dest, binaryPred)
```

将唯一元素复制到 dest。

```
rotate_copy(beg, mid, end, dest)
```

除了保持输入序列不变并将旋转后的序列写至 dest 之外，与 rotate 很像。返回 void。

4. 使用随机访问迭代器的重新排序算法

因为这些算法按随机次序重新安排元素，所以它们要求随机访问迭代器。

```
random_shuffle(beg, end)
random_shuffle(beg, end, rand)
```

打乱输入序列中的元素。第二个版本接受随机数发生器，该函数必须接受并返回迭代器的 difference_type 值。两个版本都返回 void。

A.2.7 排列算法

考虑下面的三个字符的序列：abc。这个序列有 6 种可能的排列：abc、acb、bac、bca、cab 和 cba。基于小于操作符按字典序列出这些排列，即，abc 是第一个排列，因为它的第一个元素小于或等于其他每个排列中的首元素，而且，它的第二个元素小于首元素相同的任意排列中的第二个元素。类似地，acb 是下一个排列，因为它以 a 开头，a 小于其余任意排列中的首元素。以 b 开头的那些排列出现在以 c 开头的那些之前。

对于任意给定排列而言，可以指出哪个排列出现在它之前以及哪个出现在它之后。给定排列

bca，可以指出它的前一排列是 bac，它的下一排列是 cab。序列 abc 之前没有排列，cba 之后 820 也没有下一排列。

标准库提供两个排列算法，按字典序产生序列的排列。这些算法重新排列序列，以便（按字典序）保存给定序列的下一个或前一个排列。它们返回指出是否存在下一个或前一个排列的 bool 值。

每个算法有两个版本：一个使用元素类型的<操作符，另一个接受指定用于比较元素的比较关系的实参。这些算法假定序列中的元素是唯一的，也就是说，算法假定序列中没有两个元素具有相同值。

要求双向迭代器的排列算法

为了产生排列，必须对序列进行前向和后向处理，因此要求双向迭代器。

```
next_permutation(beg, end)
next_permutation(beg, end, comp)
```
如果序列已经是在最后一个排列中，则 next_permutation 将序列重新排列为最低排列并返回 false；否则，它将输入序列变换为下一个排列，即字典序的下一个排列，并返回 true。第一个版本使用元素的<操作符比较元素，第二个版本使用指定的比较关系。

```
prev_permutation(beg, end)
prev_permutation(beg, end, comp)
```
与 next_permutation 很像，但变换序列以形成前一个排列。如果这是最小的排列，则它将序列重新排列为最大排列，并返回 false。

A.2.8 有序序列的集合算法

集合算法实现有序序列的通用集合运算。

> 这些算法不同于标准库中的 set 容器，不应该与 set 的操作相混淆，相反，这些算法提供普通顺序容器（vector，list，等等）或其他序列（如输入流）上的集合式行为。

除了 includes 之外，它们也接受输出迭代器。程序员照常必须保证目的地足以保存生成的序列。这些算法返回它们的 dest 迭代器，dest 迭代器增量至指向紧接在写至 dest 的最后一个元素之后的元素。

每个算法都提供两种形式：第一种形式使用元素类型的<操作符比较两个输入序列中的元素， 821 第二种形式接受一个用于比较元素的比较关系。

要求输入迭代器的集合算法

这些算法顺序处理元素，要求输入迭代器。

```
includes(beg, end, beg2, end2)
includes(beg, end, beg2, end2, comp)
```
如果输入序列包含第二个序列中的每个元素，就返回 true；否则，返回 false。

```
set_union(beg, end, beg2, end2, dest)
set_union(beg, end, beg2, end2, dest, comp)
```

创建在任一序列中存在的元素的有序序列。两个序列中都存在的元素在输出序列中只出现一次。将序列存储在 dest 中。

```
set_intersection(beg, end, beg2, end2, dest)
set_intersection(beg, end, beg2, end2, dest, comp)
```
创建在两个序列中都存在的元素的有序序列。将序列存储在 dest 中。

```
set_difference(beg, end, beg2, end2, dest)
set_difference(beg, end, beg2, end2, dest, comp)
```
创建在第一个容器中但不在第二个容器中的元素的有序序列。

```
set_symmetric_difference(beg, end, beg2, end2, dest)
set_symmetric_difference(beg, end, beg2, end2, dest, comp)
```
创建在任一容器中存在但不在两个容器中同时存在的元素的有序序列。

A.2.9　最大值和最小值

这些算法的第一组在标准库中是独特的，它们操作值而不是序列。第二组接受一个由输入迭代器表示的序列。

```
min(val1, val2)
min(val1, val2, comp)
max(val1, val2)
max(val1, val2, comp)
```
返回 val1 和 val2 的最大值/最小值。实参必须是完全相同的类型。使用元素类型的<操作符或指定的比较关系。实参和返回类型都是 const 引用，表示对象不是复制的。

```
min_element(beg, end)
min_element(beg, end, comp)
max_element(beg, end)
max_element(beg, end, comp)
```
822

返回指向输入序列中最小/最大元素的迭代器。使用元素类型的<操作符或指定的比较关系。

字典序比较关系

字典序比较关系检查两个序列中的对应元素，并基于第一个不相等的元素对确定比较关系。因为算法顺序地处理元素，所以它们要求输入迭代器。如果一个序列比另一个短，并且它的元素与较长序列中对应元素相匹配，则较短的序列在字典序上较小。如果序列长短相同且对应元素匹配，则在字典序上两者都不小于另一个。

```
lexicographical_compare(beg1, end1, beg2, end2)
lexicographical_compare(beg1, end1, beg2, end2, comp)
```
对两个序列中的元素进行逐个比较。如果第一个序列在字典序上小于第二个序列，就返回 true；否则，返回 false。使用元素类型的<操作符或指定的比较关系。

A.2.10　算术算法

算术算法要求输入迭代器，如果算法修改输出，它就使用目的地的输出迭代器。
这些算法执行它们的输入序列的简单算术操纵。要使用算术算法必须包含头文件 numeric。

```
accumulate(beg, end, init)
accumulate(beg, end, init, BinaryOp)
```

返回输入范围中所有值的总和。求和从指定的初始值 init 开始。返回类型是与 init 相同的类型。

给定序列 1, 1, 2, 3, 5, 8 以及初始值 0，结果是 20。第一个版本应用元素类型的+操作符，第二个版本应用指定的二元操作符。

```
inner_product(beg1, end1, beg2, init)
inner_product(beg1, end1, beg2, init, BinOp1, BinOp2)
```

返回作为两个序列乘积而生成的元素的总和。步调一致地检查两个序列，将来自两个序列的元素相乘，将相乘的结果求和。由 init 指定和的初值。假定从 beg2 开始的第二个序列具有至少与第一个序列一样多的元素，忽略第二个序列中超出第一个序列长度的任何元素。init 的类型决定返回类型。

第一个版本使用元素的乘操作符（*）和加操作符（+）：给定两个序列 2, 3, 5, 8 和 1, 2, 3, 4, 5, 6, 7，结果是初值加上下面的乘积对：

```
initial_value + (2 * 1) + (3 * 2) + (5 * 3) + (8 * 4)
```

如果提供初值 0，则结果是 55。

第二个版本应用指定的二元操作，使用第一个操作代替加而第二个操作代替乘。作为例子，可以使用 inner_product 来产生以括号括住的元素的名–值对的列表，这里从第一个输入序列获得名字，从第二个序列中获得对应的值：

```
// combine elements into a parenthesized, comma-separated pair
string combine(string x, string y)
{
    return "(" + x + ", " + y + ")";
}
// add two strings, each separated by a comma
string concatenate(string x, string y)
{
    if (x.empty())
        return y;
    return x + ", " + y;
}
    cout << inner_product(names.begin(), names.end(),
                          values.begin(), string(),
                          concatenate, combine);
```

如果第一个序列包含 if、string 和 sort，且第二个序列包含 keyword、library type 和 algorithm，则输出将是

```
(if, keyword), (string, library type), (sort, algorithm)
```

```
partial_sum(beg, end, dest)
partial_sum(beg, end, dest, BinaryOp)
```

将新序列写至 dest，其中每个新元素的值表示输入范围中在它的位置之前（不包括它的位置）的所有元素的总和。第一个版本使用元素类型的+操作符，第二个版本应用指定的二元操作符。程序员必须保证 dest 至少与输入序列一样大。返回 dest，dest 增量到指向被写入的最后

823

元素的下一位置。

给定输入序列 0, 1, 1, 2, 3, 5, 8，目的序列将是 0, 1, 2, 4, 7, 12, 20。例如，第四个元素是前三个值（0, 1, 1）的部分和加上它自己的值（2），获得值 4。

```
adjacent_difference(beg, end, dest)
adjacent_difference(beg, end, dest, BinaryOp)
```

将新序列写至 dest，其中除了第一个元素之外每个新元素表示当前元素和前一元素的差。第一个版本使用元素类型的-操作符，第二个版本应用指定的二元操作。程序员必须保证 dest 至少与输入序列一样大。

给定序列 0, 1, 1, 2, 3, 5, 8，新序列的第一个元素是原序列第一个元素的副本：0，第二个元素是前两个元素的差：1，第三个元素是原序列第三个元素和第二个元素的差，为 0，以此类推，新序列是 0, 1, 0, 1, 1, 2, 3。

A.3　再谈 IO 库

第 8 章介绍过 IO 库的基本体系结构以及最常使用的部分，本附录完成对 IO 库的讨论。

A.3.1　格式状态

除了条件状态（8.2 节）之外，每个 iostream 对象还维持一个控制 IO 格式化细节的格式状态。格式状态控制格式化特征，如整型值的基数、浮点值的精度、输出元素的宽度等。标准库还定义了一组操纵符（在表 A-2 和表 A-3 列出）来修改对象的格式状态。简单说来，操纵符是可用作输入或输出操作符操作数的函数或对象。操纵符返回其应用于的流对象，所以可以在一个语句中输出多个操纵符和数据。

表 A-2　iostream 中定义的操纵符		
	boolalpha	将真和假显示为字符串
×	noboolalpha	将真和假显示为 1, 0
	showbase	产生指出数的基数的前缀
×	noshowbase	不产生记数基数前缀
	showpoint	总是显示小数点
×	noshowpoint	有小数部分才显示小数点
	showpos	显示非负数中的+
×	noshowpos	不显示非负数中的+
	uppercase	在十六进制中打印 0X，科学记数法中打印 E
×	nouppercase	在十六进制中打印 0x，科学记数法中打印 e
×	dec	用十进制显示
	hex	用十六进制显示
	oct	用八进制显示
	left	在值的右边增加填充字符

（续）

	right	在值的左边增加填充字符
	internal	在符号和值之间增加填充字符
	fixed	用小数形式显示浮点数
	scientific	用科学记数法显示浮点数
	flush	刷新 ostream 缓冲区
	ends	插入空字符，然后刷新 ostream 缓冲区
	endl	插入换行符，然后刷新 ostream 缓冲区
	unitbuf	在每个输出操作之后刷新缓冲区
×	nounitbuf	恢复常规缓冲区刷新
×	skipws	为输入操作符跳过空白
	noskipws	不为输入操作符跳过空白
	ws	"吃掉"空白

注：带×的是默认流状态。

表 A-3 **iomanip** 中定义的操纵符	
setfill(ch)	用 ch 填充空白
setprecision(n)	将浮点精度置为 n
setw(w)	读写 w 个字符的值
setbase(b)	按基数 b 输出整数

读写操纵符的时候，不读写数据，相反，会采取某种行动。示例程序已经使用过一个操纵符——endl，我们将它"写"至输出流，就好像它是一个值一样。但 endl 并不是一个值，相反，它执行一个操作：写换行符并刷新缓冲区。

A.3.2　许多操纵符改变格式状态

许多操纵符改变流的格式状态。它们改变显示浮点数的格式，将 bool 值显示为数值还是使用 bool 字面值 true 和 false 的格式，诸如此类。

改变流格式状态的操纵符通常为后续 IO 保留改变后的格式状态。

大多数改变格式状态的操纵符提供设置/复原对，一个操纵符将格式状态置为新值而另一个进行复原，恢复常规默认格式。

操纵符进行格式状态的持久改变，在有一组 IO 操作希望使用相同格式化的时候，这一事实有用。事实上，一些程序利用操纵符的这个特征，为自己的所有输入或输出重置一个或多个格式化规则的行为。这种情况下，操纵符改变流是希望得到的性质。

但是，许多程序（更重要的是，许多程序员）希望流的状态与标准库默认值匹配。这些情况下，使流状态停留在非标准状态可能会导致错误。

> 取消操纵符的任何状态改变通常是最好的。一般而言，流应该在每个 IO 操作之后处于通常的默认状态。

用 **flags** 操作恢复格式状态

管理格式状态改变的一个更好的办法是使用 flags 操作。flags 操作类似于管理流的条件状态的 rdstate 和 setstate 操作。这种情况下，标准库定义了一对 flags 函数：

- 不带实参的 flags() 返回流的当前格式状态。返回值是名为 fmtflags 的标准库定义类型。
- flags(arg) 接受一个实参并将流格式置为实参所指定的格式。

可以使用这些函数记住并恢复输入或输出流的格式状态：

```
void display(ostream& os)
{
    // remember the current format state
    ostream::fmtflags curr_fmt = os.flags();
    // do output that uses manipulators that change the format state of os
    os.flags(curr_fmt);    // restore the original format state of os
}
```

A.3.3 控制输出格式

许多操纵符使我们能够改变输出的外观。有两大类的输出控制：控制数值的表示，以及控制填充符的数量和布局。

1. 控制布尔值的格式

改变对象格式化状态的操纵符的一个例子是 boolalpha 操纵符。默认情况下，将 bool 值显示为 1 或 0，true 值显示为 1，而 false 值显示为 0。可以通过流的 boolalpha 操纵符覆盖这个格式化：

```
cout << "default bool values: "
     << true << " " << false
     << "\nalpha bool values: "
     << boolalpha
     << true << " " << false
     << endl;
```

执行时，这段程序产生下面的输出：

```
default bool values: 1 0
alpha bool values: true false
```

一旦将 boolalpha "写"至 cout，从这个点起就改变了 cout 将怎样显示 bool 值，后续显示 bool

值的操作将用 true 或 false 进行显示。

要取消 cout 的格式状态改变，必须应用 noboolalpha：

```
bool bool_val;
cout << boolalpha        // sets internal state of cout
     << bool_val
     << noboolalpha;    // resets internal state to default formatting
```

现在只改变 bool 值的格式化来显示 bool_val，并且立即将流重置为原来的状态。

2. 指定整型值的基数

默认情况下，用十进制读写整型值。通过使用操纵符 hex、oct 和 dec，程序员可以将表示进制改为八进制、十六进制或恢复十进制（浮点值的表示不受影响）：

```
const int ival = 15, jval = 1024; // const, so values never change
cout << "default: ival = " << ival
     << " jval = " << jval << endl;
cout << "printed in octal: ival = " << oct << ival
     << " jval = " << jval << endl;
cout << "printed in hexadecimal: ival = " << hex << ival
     << " jval = " << jval << endl;
cout << "printed in decimal: ival = " << dec << ival
     << " jval = " << jval << endl;
```

编译和执行的时候，程序产生下面的输出：

```
default: ival = 15 jval = 1024
printed in octal: ival = 17 jval = 2000
printed in hexadecimal: ival = f jval = 400
printed in decimal: ival = 15 jval = 1024
```

注意，像 boolalpha 一样，这些操纵符改变格式状态。它们影响紧接在后面的输出，以及所有后续的整型输出，直到通过调用另一操纵符重置格式为止。

3. 指出输出的基数

默认情况下，显示数值的时候，不存在关于所用基数的可见记号。例如，20 是 20，还是 16 的八进制表示？按十进制模式显示数值的时候，会按我们期待的格式打印数值。如果需要打印八进制或十六进制值，可能应该也使用 showbase 操纵符。showbase 操纵符导致输出流使用的约定，与指定整型常量基数所用的相同：

- 以 0x 为前导表示十六进制。
- 以 0 为前导表示八进制。
- 没有任何前导表示十进制。

修改程序使用 showbase 如下：

```
const int ival = 15, jval = 1024; // const so values never change
cout << showbase; // show base when printing integral values
cout << "default: ival = " << ival
     << " jval = " << jval << endl;
cout << "printed in octal: ival = " << oct << ival
     << " jval = " << jval << endl;
cout << "printed in hexadecimal: ival = " << hex << ival
     << " jval = " << jval << endl;
cout << "printed in decimal: ival = " << dec << ival
     << " jval = " << jval << endl;
cout << noshowbase; // reset state of the stream
```

修改后的输出使得基础值到底是什么很清楚：

```
default: ival = 15 jval = 1024
printed in octal: ival = 017 jval = 02000
```

```
printed in hexadecimal: ival = 0xf jval = 0x400
printed in decimal: ival = 15 jval = 1024
```

noshowbase 操纵符重置 cout，以便它不再显示整型值的表示基数。

默认情况下，十六进制值用带小写 x 的小写形式打印。可以应用 uppercase 操纵符显示 X 并将十六进制数字 a～f 显示为大写字母。

```
cout << uppercase << showbase << hex
    << "printed in hexadecimal: ival = " << ival
    << " jval = " << jval << endl
    << nouppercase << endl;
```

前面的程序产生下面的输出：

```
printed in hexadecimal: ival = 0XF jval = 0X400
```

要恢复小写，就应用 nouppercase 操纵符。

4. 控制浮点值的格式

对于浮点值的格式化，可以控制下面三个方面：

- 精度：显示多少位数字。
- 记数法：用小数还是科学记数法显示。
- 对是整数的浮点值的小数点的处理。

默认情况下，使用六位数字的精度显示浮点值。如果值没有小数部分，则省略小数点。使用小数形式还是科学记数法显示数值取决于被显示的浮点数的值，标准库选择增强数值可读性的格式，非常大和非常小的值使用科学记数法显示，其他值使用小数形式。

5. 指定显示精度

默认情况下，精度控制显示的数字总位数。显示的时候，将浮点值四舍五入到当前精度。因此，如果当前精度是 4，则 3.14159 成为 3.142；如果精度是 3，打印为 3.14。

通过名为 precision 的成员函数，或者通过使用 setpreciseion 操纵符，可以改变精度。precision 成员是重载的（7.8 节）：一个版本接受一个 int 值并将精度设置为那个新值，它返回先前的精度值；另一个版本不接受实参并返回当前精度值。setprecision 操纵符接受一个实参，用来设置精度。

下面的程序说明控制显示浮点值所用精度的不同方法：

```
// cout.precision reports current precision value
cout << "Precision: " << cout.precision()
    << ", Value: "   << sqrt(2.0) << endl;
// cout.precision(12) asks that 12 digits of precision to be printed
cout.precision(12);
cout << "Precision: " << cout.precision()
    << ", Value: "   << sqrt(2.0) << endl;
// alternative way to set precision using setprecision manipulator
cout << setprecision(3);
cout << "Precision: " << cout.precision()
    << ", Value: "   << sqrt(2.0) << endl;
```

编译并执行之后，程序产生下面的输出：

```
Precision: 6, Value: 1.41421
Precision: 12, Value: 1.41421356237
Precision: 3, Value: 1.41
```

这个程序调用标准库中的 sqrt 函数，可以在头文件 cmath 中找到它。sqrt 函数是重载的，可以用 float、double 或 long double 实参调用，它返回实参的平方根。

 操纵符和其他接受实参的操纵符定义在头文件 iomanip 中。

6. 控制记数法

默认情况下，用于显示浮点值的记数法取决于数的大小：如果数很大或很小，将按科学记数法显示，否则，使用固定位数的小数。标准库选择使得数容易阅读的记数法。

 将浮点数显示为普通数（相对于显示货币、百分比，那时我们希望控制值的外观）的时候，通常最好让标准库来选择使用的记数法。要强制科学记数法或固定位数小数的一种情况是在显示表的时候，表中的小数点应该对齐。

如果希望强制科学记数法或固定位数小数表示，可以通过使用适当的操纵符做到这一点：scientific 操纵符将流变为使用科学记数法。像在十六进制值上显示 x 一样，也可以通过 uppercase 操纵符控制科学记数法中的 e。fixed 操纵符将流变为使用固定位数小数表示。

这些操纵符改变流精度的默认含义。执行 scientific 或 fixed 之后，精度值控制小数点之后的数位。默认情况下，精度指定数字的总位数——小数点之前和之后。使用 fixed 或 scientific 使我们能够按列对齐来显示数，这一策略保证小数点总是在相对于被显示的小数部分固定的位置。

7. 恢复浮点值的默认记数法

与其他操纵符不同，不存在将流恢复为根据被显示值选择记数法的默认状态的操纵符，相反，我们必须调用 unsetf 成员来取消 scientific 或 fixed 所做的改变。要将流恢复为浮点值的默认处理，将名为 floatfield 的标准库定义值传给 unsetf 函数：

```
// reset to default handling for notation
cout.unsetf(ostream::floatfield);
```

除了取消它们的效果之外，使用这些操纵符像使用任意其他操纵符一样：

```
cout << sqrt(2.0) << '\n' << endl;
cout << "scientific: " << scientific << sqrt(2.0) << '\n'
     << "fixed decimal: " << fixed << sqrt(2.0) << "\n\n";
cout << uppercase
     << "scientific: " << scientific << sqrt(2.0) << '\n'
     << "fixed decimal: " << fixed << sqrt(2.0) << endl
     << nouppercase;
// reset to default handling for notation
cout.unsetf(ostream::floatfield);
cout << '\n' << sqrt(2.0) << endl;
```

产生如下输出：

```
1.41421
```

```
scientific: 1.414214e+00
fixed decimal: 1.414214

scientific: 1.414214E+00
fixed decimal: 1.414214

1.41421
```

8. 显示小数点

默认情况下，当浮点值的小数部分为 0 的时候，不显示小数点。showpoint 操纵符强制显示小数点：

```
cout << 10.0 << endl;          // prints 10
cout << showpoint << 10.0      // prints 10.0000
     << noshowpoint << endl;   // revert to default handling of decimal point
```

noshowpoint 操纵符恢复默认行为。下一个输出表达式将具有默认行为，即，如果浮点值小数部分为 0，就取消小数点。

9. 填充输出

按栏显示数据的时候，经常很希望很好地控制数据的格式化。标准库提供下面几个操纵符（图 A-3）帮助我们实现需要的控制：

* setw，指定下一个数值或字符串的最小间隔。
* left，左对齐输出。
* right，右对齐输出。输出默认为右对齐。
* internal，控制负值的符号位置。internal 左对齐符号且右对齐值，用空格填充介于其间的空间。
* setfill，使我们能够指定填充输出时使用的另一个字符。默认情况下，值是空格。

 像 endl 一样，setw 不改变输出流的内部状态，它只决定下一个输出的长度。

下面程序段说明了这些操纵符：

```
int i = -16;
double d = 3.14159;
// pad first column to use minimum of 12 positions in the output
cout << "i: " << setw(12) << i << "next col" << '\n'
     << "d: " << setw(12) << d << "next col" << '\n';
// pad first column and left-justify all columns
cout << left
     << "i: " << setw(12) << i << "next col" << '\n'
     << "d: " << setw(12) << d << "next col" << '\n'
     << right;               // restore normal justification
// pad first column and right-justify all columns
cout << right
     << "i: " << setw(12) << i << "next col" << '\n'
     << "d: " << setw(12) << d << "next col" << '\n';
// pad first column but put the padding internal to the field
cout << internal
```

```
        << "i: " << setw(12) << i << "next col" << '\n'
        << "d: " << setw(12) << d << "next col" << '\n';
// pad first column, using # as the pad character
cout << setfill('#')
        << "i: " << setw(12) << i << "next col" << '\n'
        << "d: " << setw(12) << d << "next col" << '\n'
        << setfill(' '); // restore normal pad character
```

832

执行时，该程序段产生如下输出：

```
i:          -16next col
d:      3.14159next col
i: -16          next col
d: 3.14159      next col
i:          -16next col
d:      3.14159next col
i: -          16next col
d:      3.14159next col
i: -#########16next col
d: #####3.14159next col
```

A.3.4 控制输入格式化

默认情况下，输入操作符忽略空白（空格、制表符、换行符、进纸和回车）。对下面的循环：

```
while (cin >> ch)
    cout << ch;
```

给定输入序列

```
a b  c
d
```

循环执行四次从字符 a 读到 d，跳过介于其间的空格、可能的制表符和换行符。该程序段的输出是：

```
abcd
```

noskipws 操纵符导致输入操作符读（而不是跳过）空白。要返回默认行为，应用 skipws 操纵符：

```
cin >> noskipws;        // set cin so that it reads whitespace
while (cin >> ch)
        cout << ch;
cin >> skipws;          // reset cin to default state so that it discards whitespace
```

给定与前面相同的输入，该循环进行 7 次迭代，读输入中的空白以及字符。该循环产生如下输出：

```
a b  c
d
```

833

A.3.5 未格式化的输入/输出操作

迄今为止，示例程序中只使用过格式化的 IO 操作。输入和输出操作符（>>和<<）根据被处理数据的类型格式化所读写的数据。输入操作符忽略空白，输出操作符应用填充、精度等。

标准库还提供了丰富的支持未格式化 IO 的低级操作，这些操作使我们能够将流作为未解释的字节序列处理，而不是作为数据类型（如 char、int、string 等）的序列处理。

A.3.6　单字节操作

几个未格式化的操作（表 A-4）一次一个字节地处理流，它们不忽略空白地读。例如，可以使用未格式化 IO 操作 get 和 put 一次读一个字符：

```
char ch;
while (cin.get(ch))
      cout.put(ch);
```

该程序段保持输入中的空白。它的输出与输入相同。给定与前面使用 noskipws 的程序段相同的输入，该程序段产生相同的输出：

```
a b  c
d
```

表 A-4　单字节低级 IO 操作	
is.get(ch)	将 istream is 的下一个字节放入 ch，返回 is
os.put(ch)	将字符 ch 放入 ostream，返回 os
is.get()	返回 is 的下一字节作为一个 int 值
is.putback(ch)	将字符 ch 放回 is，返回 is
is.unget()	将 is 退回一个字节，返回 is
is.peek()	将下一字节作为 int 值返回但不移出它

1. 在输入流上倒退

有时我们需要读一个字符才知道还没有为它作好准备，在这种情况下，希望将字符放回流上。标准库给出三种方法做到这一点，它们之间有下列微妙的区别：

- peek，返回输入流上下一字符的副本但不改变流。peek 返回的值留在流上，且将是下一个被检索的。
- unget，使输入流倒退，以便最后返回的值仍在流上。即使不知道最近从流获得的是什么值，也可以调用 unget。
- putback，unget 的更复杂的版本。它返回从流中读到的最后一个值，但接受最后一次读的同一实参。很少有程序使用 putback，因为更简单的 unget 也可以完成相同工作而约束更少。

一般而言，保证能够在下一次读之前放回最多一个值，也就是说，不保证能够连续调用 putback 或 unget 而没有介于其间的读操作。

2. 输入操作的 int 返回值

不接受实参的 get 版本和 peek 函数从输入流返回一个字符作为 int 值。这个事实可能令人惊讶，因为这些函数返回 char 值似乎更自然。

这些函数返回 int 值的原因是为了允许它们返回一个文件结束标记。允许给定字符集使用

char 范围的每一个值来表示实际字符，因此，该范围中没有额外值用来表示文件结束符。

相反，这些函数将字符转换为 unsigned char，然后将那个值提升为 int，因此，即使字符集有映射到负值的字符，从这些操作返回的值也将是一个正值（2.1.1 节）。通过将文件结束符作为负值返回，标准库保证文件结束符区别于任意合法字符值。为了不要求我们知道返回的实际值，头文件 iostream 定义了名为 EOF 的 const，可以使用它来测试 get 的返回值是否为文件结束符。实质上我们使用 int 对象来保存这些函数的返回值：

```
int ch;    // NOTE: int, not char!!!!
// loop to read and write all the data in the input
while ((ch = cin.get()) != EOF)
        cout.put(ch);
```

这个程序段与 A.3.6 节中的那个程序段同样操作，唯一的区别是用来读输入的 get 版本不同。

A.3.7　多字节操作

其他未格式化 IO 操作一次处理数据块。如果速度是一个问题，这些操作可能就很重要。但像其他低级操作一样，它们是容易出错的。尤其是，这些操作要求我们分配和管理用于存储和检索数据的字符数组（4.3.1 节）。

多字节操作在表 A-5 列出。值得注意的是，get 成员是重载的，存在读字符序列的第三个版本。

835

表 A-5　多字节低级 IO 操作

is.get(sink, size, delim)	从 is 中读 size 个字节并将它们存储到 sink 所指向的字符数组中。读操作直到遇到 delim 字符，或已经读入了 size 个字节，或遇到文件结束符才结束。如果出现了 delim，就将它留在输入流上，不读入到 sink 中
is.getline(sink, size, delim)	与三个实参的 get 行为类似，但读并丢弃 delim
is.read(sink, size)	读 size 个字节到数组 sink。返回 is
is.gcount()	返回最后一个未格式化读操作从流 is 中读到的字节数
os.write(source, size)	将 size 个字节从数组 source 写至 os。返回 os
is.ignore(size, delim)	读并忽略至多 size 个字符，直到遇到 delim，但不包括 delim。默认情况下，size 是 1 而 delim 是文件结束符

警告：低级例程容易出错

一般提倡使用标准库所提供的高级抽象。返回 int 值的 IO 操作是一个很好的例子。

将 get 或其他返回 int 值的函数的返回值赋给 char 对象而不是 int 对象，是常见的错误，但编译器不检测这样的错误，相反，发生什么取决于机器和输入数据。例如，在将 char 实现为 unsigned char 的机器上，这是一个死循环：

```
char ch;        // Using a char here invites disaster!
// return from cin.get is converted from int to char and then compared to an int
while ((ch = cin.get()) != EOF)
        cout.put(ch);
```

问题在于，当 get 返回 EOF 的时候，那个值将被转换为 unsighed char 值，转换后的值不再等于 EOF 的整型值，循环将永远继续。

至少还可能在测试中捕获这个错误。在将 char 实现为 signed char 的机器上，不能确切地说出该循环的行为。当将超出边界的值赋给 signed 值时发生什么由编译器负责。在许多机器上，这个循环看起来能工作，除非输入中的字符与 EOF 值匹配。虽然这样的字符不可能在普通数据中，但是，大概只有在读不直接映射到普通字符和数值的二进制值的时候，低级 IO 才是必要的。例如，在我们的机器上，如果输入包含值为 '\377' 的字符，循环就提前终止。'\377' 是我们的机器上-1 作为 signed char 使用的时候所转换的值，如果输入中有这个值，就将它当作（提早的）文件结束指示符对待。

在读写类型化值的时候不会发生这样的错误。如果可以使用标准库支持的更为类型安全的、更高级的操作，就使用。

get 函数和 getline 函数接受相同形参，它们的行为类似但不相同。在每个函数中，sink 是一个存放数据的 char 数组。函数进行读，直到下面条件中的一个发生：

- 读到了 size-1 个字符。
- 遇到文件结束符。
- 遇到分隔符。

遵循这些条件中的任意一个，将一个空字符放到数组中下一个开放位置。两个函数之间的区别是对待分隔符的方法。get 将分隔符留作 istream 的下一个字符，getline 读入并丢弃分隔符，两种情况下，都不在 sink 中存储分隔符。

836

想要从流中移去分隔符但忘了这样做，是一个常见的错误。

确定读了多少字符

有几个读操作中从输入中读未知数目的字节。可以调用 gcount 操作来确定最后一个未格式化输入操作读了多少字符。有必要在任意插入的未格式化输入操作之前调用 gcount。尤其是，将字符放回流上的单字符操作也是未格式化输入操作，如果在调用 gcount 之前调用 peek、unget 或 putback，则返回值将是 0！

A.3.8 流的随机访问

不同的流类型一般支持对相关流中数据的随机访问。可以重新定位流，以便环绕跳过，首先读最后一行，再读第一行，以此类推。标准库提供一对函数来定位（seek）给定位置并告诉（tell）相关流中的当前位置。

随机 IO 是一个固有的随系统而定的特征。要理解怎样使用这些特征，必须查阅系统的文档。

1. seek 和 tell 函数

为了支持随机访问，IO 类型维持一个标记，该标记决定下一个读或写发生在哪里。IO 类型还提供两个函数：一个通过定位指定位置重新安置该标记，另一个告诉我们标记的当前位置。标准库实际上定义了两对 *seek* 和 *tell* 函数（表 A-6 给出对它们的描述），一对由输入流使用，另一对由输出流使用。输入和输出版本由后缀 g 和 p 区分，g 版本指出正在"获取"（读）数据，p 函数指出正在"放置"（写）数据。

表 A-6 **seek** 和 **tell** 函数	
seekg	重新定位输入流中的标记
tellg	返回输入流中标记的当前位置
seekp	重新定位输出流中的标记
tellp	返回输出流中标记的当前位置

逻辑上，只能在 istream 类型或其派生类型 ifstream 或 istringstream 之上使用 g 版本，并且只能在 ostream 类型或其派生类型 ofstream 或 ostringstream 之上使用 p 版本。iostram 对象、fstream 对象或 stringstream 对象对相关流既能读又能写，可以在这些类型的对象上使用 g 或 p 版本的任何一个。

2. 只有一个标记

标准库区分 seek 函数和 tell 函数的"放置"和"获取"版本，这一事实可能会令人误解。虽然标准库进行这种区分，但它只在文件中维持一个标记——没有可区分的读标记和写标记。

处理只输入或只输出的流的时候，区别并不明显。在这样的流上，只能使用 g 版本或只能使用 p 版本。如果试图在 ifstream 对象上调用 tellp，编译器将会给出错误提示。类似地，编译器不允许在 ostringstream 对象上调用 seekg。

使用既能读又能写的 fstream 类型和 stringstream 类型的时候，只有一个保存数据的缓冲区和一个表示缓冲区中当前位置的标记，标准库将 g 位置和 p 位置都映射到这个标记。

 因为只有一个标记，所以，在读和写之间切换时必须进行 seek 来重新定位标记。

3. 普通 **iostream** 对象一般不允许随机访问

seek 函数和 tell 函数是为所有流类型定义的，它们是否完成有用的工作取决于流所绑定的对象的类别。在大多数系统上，绑定到 cin、cout、cerr 和 clog 的流不支持随机访问——直接写 cout 的时候，回跳 10 个位置会意味着什么？可以调用 seek 函数和 tell 函数，但这些函数将在运行时失败，使得流处于无效状态。

 因为 istream 和 ostream 类型一般不支持随机访问，所以，应该认为本节其余部分只能应用于 fstream 和 sstream 类型。

4. 重新定位标记

seekg 函数和 seekp 函数用于改变文件或 string 对象中的读写位置。调用 seekg 函数之后，改变流中的读位置，seekp 函数调用将位置置于下一个写将发生的地方。

seek 函数有两个版本：一个移动到文件中的一个"绝对"地址，另一个移动到给定位置的字节偏移量处：

```
// set the indicated marker a fixed position within a file or string
seekg(new_position);    // set read marker
seekp(new_position);    // set write marker

// offset some distance from the indicated position
seekg(offset, dir);     // set read marker
seekp(offset, dir);     // set write marker
```

第一个版本将当前位置置于给定地点，第二个版本接受一个偏移量以及从何处偏移的指示器。偏移量的可能值在表 A-7 中列出。

表 A-7 seek 实参的偏移量	
beg	流的开头
cur	流的当前位置
end	流的末尾

这些函数的实参类型和返回类型是与机器相关的类型，在 istream 和 ostream 中定义。名为 pos_type 和 off_type 的类型分别表示文件位置和从该位置的偏移量。off_type 类型的值可以为正也可以为负，在文件中可以进行前向或后向 seek。

5. 访问标记

当前位置由 tellg 或 tellp 返回，取决于正在查找读位置还是写位置。像前面一样，p 指出放置（写）而 g 指出获取（读）。tell 函数一般用于记住一个位置，以便随后可以通过 seek 回到那里：

```
// remember current write position in mark
ostringstream writeStr; // output stringstream
ostringstream::pos_type mark = writeStr.tellp();
// ...
if (cancelEntry)
    // return to marked position
    writeStr.seekp(mark);
```

tell 函数返回一个值，指出相关流中的位置。像 string 对象或 vector 对象的 size_type 一样，我们不知道从 tellg 或 tellp 返回的对象的实际类型，而是使用适当流类的 pos_type 成员来代替。

A.3.9   读写同一文件

看一个程序示例，假定给定一个文件来读，我们将在文件的末尾写一个新行，该行包含每一行开头的相对位置。例如，给定下面的文件，

```
abcd
efg
hi
```

```
j
```

这段程序应产生修改过的文件如下：

```
abcd
efg
hi
j
5 9 12 14
```

注意，程序不必写第一行的偏移量——它总是出现在位置 0，程序应该显示对应于文件数据部分末尾的偏移量，也就是说，它应该记录输入末尾之后的位置，以便我们知道原始数据在何处结束以及我们的输出从何处开始。

通过编写一次读一行的循环可以编写这个程序：

```
int main()
{
    // open for input and output and pre-position file pointers to end of file
    fstream inOut("copyOut",
                  fstream::ate | fstream::in | fstream::out);
    if (!inOut) {
        cerr << "Unable to open file!" << endl;
        return EXIT_FAILURE;
    }
    // inOut is opened in ate mode, so it starts out positioned at the end,
    // which we must remember as it is the original end-of-file position
    ifstream::pos_type end_mark = inOut.tellg();
    inOut.seekg(0, fstream::beg);    // reposition to start of the file
    int cnt = 0;                     // accumulator for byte count
    string line;                     // hold each line of input
    // while we haven't hit an error and are still reading the original data
    // and successfully read another line from the file
    while (inOut && inOut.tellg() != end_mark
                 && getline(inOut, line))
    {
        cnt += line.size() + 1;  // add 1 to account for the newline
    // remember current read marker
    ifstream::pos_type mark = inOut.tellg();
        inOut.seekp(0, fstream::end);// set write marker to end
        inOut << cnt;                // write the accumulated length
        // print separator if this is not the last line
        if (mark != end_mark) inOut << " ";
        inOut.seekg(mark);           // restore read position
    }
    inOut.clear();                   // clear flags in case we hit an error
    inOut.seekp(0, fstream::end);    // seek to end
    inOut << "\n";                   // write a newline at end of file
    return 0;
}
```

840

这个程序使用 in、out 和 ate 模式打开 fstream。前两种模式指出，我们打算对同一文件进行读写；通过用 ate 模式打开，文件首先定位于末端。照常，要检查打开是否成功，如果不成功就退出。

1. 初始设置

这段程序的核心部分将循环通过文件，一次一行，循环过程中记录每一行的相对位置。循环应该读文件的内容，直到但不包含正在增加的保存行偏移量的那一行。因为将对文件进行写，所以不是在遇到文件结束符时停止循环，相反，应在到达原始输入结束处结束循环。要做到这一点，必须首先记住原来文件结束符的位置。

因为是以 ate 模式打开文件，所以文件已经定位在末端。将原来的末端位置存储在 end_mark 中。当然，记住了结束位置之后，在试图读任意数据之前，必须将读标记重新定位于文件开头。

2. 主处理循环

while 循环有三部分条件。

首先检察流是否有效。假定第一个测试 inOut 成功，接着检查是否已经耗尽了原始输入，通过将从 tellg 返回的当前读位置与 end_mark 中记录的位置相比较，进行这个检查。最后，假定两个测试都成功，就调用 getline 来读下一行输入，如果 getline 成功，就执行循环体。

841　　while 所做的工作是将计数器增量，以确定下一行开始处的偏移量，并将那个标记写至文件末尾。注意，每通过一次循环都向前推进文件的末尾。

首先将当前位置记在 mark 中，需要保存那个值，是因为要写下一个相对偏移量必须重新定位文件。seekp 的调用进行这个重新定位，将文件指针重置到文件末尾。写计数器值然后将文件位置恢复为 mark 中所记录的值，效果是将标记返回到最后一次读之后的同一地方。恢复了标记之后，就准备重复检测 while 中的条件。

3. 完成文件

一旦退出了循环，就已经读过了每一行并计算了所有行开头的偏移量。剩下的是显示最后一行的偏移量。像对其他写操作一样，调用 seekp 将文件定位在末尾，并写 cnt 的值。唯一复杂的部分是记得对流进行 clear。可能因为文件结束符或其他输入错误而退出循环，如果是这样，

842　　inOut 将处于错误状态，而 seekp 和输出表达式都将失败。

索　引

索引中的页码为英文原书的页码，与书中边栏的页码一致。另外，粗体数字指的是第一次定义该术语的页码，斜体数字指的是各章后"术语"部分定义该术语的页码。

读者意见交流卡

亲爱的读者：

　　感谢您对我们的支持与爱护。为了今后为您提供更优秀的图书，请您抽出宝贵时间填写本表(或通过我们的网站 www.turingbook.com 填写本表)，将您的意见及时告知我们。您将有机会免费获赠我们出版的图书，并能获得最新的出版信息和更多服务，谢谢！

系列书名：图灵程序设计丛书
本书名：C++ Primer 中文版（第 4 版）

读者资料：

姓　　名：＿＿＿＿＿　性　　别：□男　　□女　年　　龄：＿＿＿＿＿＿＿＿＿
职　　业：＿＿＿＿＿　文化程度：＿＿＿＿＿＿通信地址：＿＿＿＿＿＿＿＿＿
电　　话：＿＿＿＿＿　传　　真：＿＿＿＿＿＿电子信箱（E-mail）：＿＿＿＿＿＿

1. 您是如何得知本书的：
　　□别人推荐　　　□书店　　　□出版社图书目录
　　□杂志、报纸、网络等的介绍（请指明）
　　□其他（请指明）＿＿＿＿＿＿＿＿＿＿＿＿＿＿＿＿＿＿＿＿＿＿＿＿＿

2. 您从何处购得本书：
　　□新华书店　　　□电脑专业书店　　　□网上书店　　　□其他＿＿＿＿＿

3. 影响您购买本书的因素：
　　□内容和质量　　　　　　　□装帧设计　　　　　　□价格
　　□内容提要、前言或目录　　　　　　　　　　　　　□书评广告
　　□出版社名气　　　□作者名气　　　□其他＿＿＿＿＿＿＿＿＿＿＿＿＿

4. 您对本书封面和封底设计的满意度：
　　□很满意　　　□比较满意　　　□一般　　　□较不满意　　　□不满意
　　□建议＿＿＿＿＿＿＿＿＿＿＿＿＿＿＿＿＿＿＿＿＿＿＿＿＿＿＿＿＿＿

5. 您认为本书：
　　价格：　□高　　　□合适　　　□低
　　翻译质量：　□高　　　□一般　　　□差
　　图书印刷质量：　□高　　　□一般　　　□差

6. 您希望本书哪些方面进行改进？
　　＿＿＿＿＿＿＿＿＿＿＿＿＿＿＿＿＿＿＿＿＿＿＿＿＿＿＿＿＿＿＿＿＿
　　＿＿＿＿＿＿＿＿＿＿＿＿＿＿＿＿＿＿＿＿＿＿＿＿＿＿＿＿＿＿＿＿＿

7. 您感兴趣或希望出版的图书有：
　　＿＿＿＿＿＿＿＿＿＿＿＿＿＿＿＿＿＿＿＿＿＿＿＿＿＿＿＿＿＿＿＿＿
　　＿＿＿＿＿＿＿＿＿＿＿＿＿＿＿＿＿＿＿＿＿＿＿＿＿＿＿＿＿＿＿＿＿

请寄：北京市西四环北路 140 号京鼎原商务楼 405 房间　人民邮电出版社图灵公司　市场部收
邮编：100089　电话：010-88593802　传真：010-88593803
电子信箱（E-mail）：contact@turingbook.com　网址：www.turingbook.com